卷一百九十六　春秋二十九經義考卷一百九十六春秋二十九

吳氏師道《春秋胡氏傳附辨雜說》　《吳淵穎集》作《補說》。

　　【書名】黃虞稷《千頃堂書目》卷二，頁四八、《元史藝文志輯本》卷三，頁五一著錄，書名均作《春秋胡傳補說》。又《千頃堂書目》云：「一作《春秋胡傳附辨》」（頁四八）、《吳禮部文集》卷十四錄有〈春秋胡傳附辨雜說序〉，則是書原當題作《春秋胡傳附辨雜說》，竹垞所錄，當取自於此。

十二卷。

　　【著錄】黃虞稷《千頃堂書目》卷二，頁四八著錄。

未見。

　　【存佚】《元史藝文志輯本》卷三，頁五一著錄，注曰「佚」。

　　師道〈自序〉曰1：「讀《春秋》者必自《三傳》始，甚矣，《三傳》之不可盡信也。《公》、《穀》傳義不傳事，是以詳於2《經》而義未必盡；《左氏》傳事不傳義，是以詳於3史而事未必實。說者謂三子皆口傳授4之，學者乃著竹帛，而題之以其師之目，本皆不謬，而濫說往往5附益其中，其信然歟？前儒固守其說，啖、趙氏以來始有所去取折衷，至宋而二孫、二劉、蘇、許、呂氏各稱名家，概6不能無7異於8《三傳》，至河南程夫子教人讀是書，以《傳》為案9、《經》為斷，推明聖人經世之法，而於大義嘗發其端，中更王氏以私意廢格，咸所憤歎10。胡文定公當紹興中專進讀是《經》，大綱本孟子，微辭祖程氏，根據正矣；自謂事按《左氏》，義取《公》、《穀》之精，《傳》有乖繆則棄而信《經》；又謂《左氏》博通諸史，敘事使人見本末，傳說既久，寖11失本真，要在詳攷而精擇之，可謂通

1霖案：北圖本《吳禮部文集》卷十四，頁404-405錄此文，文句爛缺，本文採用此本錄校。又四庫全書本，冊十二一二，卷一八九，頁14錄有《禮部集．春秋胡傳附辨雜說序》亦有缺文！！

2霖案：「於」，《吳禮部文集》題作「于」字。

3霖案：「於」，《吳禮部文集》題作「于」字。

4霖案：「授」，《吳禮部文集》題作「受」字。

5霖案：「往往」，《吳禮部文集》題作「徃徃」。

6霖案：「概」，《吳禮部文集》題作「槩」。

7霖案：「無」，《吳禮部文集》題作「无」。

8霖案：「於」，《吳禮部文集》題作「于」。

9霖案：「案」，《吳禮部文集》題作「按」。

10霖案：「歎」，《吳禮部文集》題作「唉」。

11霖案：「寖」，《吳禮部文集》題作「浸」。

而不固者也。然自今觀之，信《經》棄《傳》者殊少，眩惑於《左氏》者尚多，未免迂經旨以從紀載之誤，不得已而間採諸家，意雖近厚而不自知其失也。若其慎王氏廢經之害，閔衰世而憂弱主，因說以寓諫諷12，故其為言或勁而微過，激而小不平，其他義之不足以示勸戒者，多闕勿論；大要以尊君父、討13亂賊、闢邪說、正人心、用夏變夷14為主，則不可訾也。故子15朱子之論，謂其以義理穿鑿。夫曰穿鑿，則不可謂之義理，蓋義理正而事情未必然，故曰以義理穿鑿耳；且朱子考16訂諸經略17備，獨《春秋》一字弗之及，嘗恨不見國史，終莫知聖人筆削之旨。又曰：『己與聖人神交心契，然後可斷其書。』吁！國史豈復可見？聖人如天，天豈易知？蓋有測焉而偶合者矣。朱子雖不滿於18胡氏，而終許其大義之正，則談《春秋》而舍胡氏，未有不失焉者也。方今設科表章，與《三傳》並學者宗之，宜矣，而議者猶或病之。間嘗反覆誦詠19，輒以所未安者疏而辨之，其或事義足相發明者，附以見焉；雖冒昧不韙，而庶幾察於20胡之大意，因以識陋存疑，將質之當世通經之士，驗諸他日進學之工，願為是書忠臣而異於21讒賊者，是則區區之志也。」

吳萊〈序〉曰22：「《春秋》之學，自近世本23河南程氏，程氏24曾25有《春秋傳序》而《傳》未完，武夷胡公安國蓋又特出於程門之後，而私淑艾之，故今《胡傳》多與程說相

12霖案：「自今觀之，信《經》棄《傳》者殊少，眩惑於《左氏》者尚多，未免迂經旨以從紀載之誤，不得已而間採諸家，意雖近厚而不自知其失也。若其慎王氏廢經之害，閔衰世而憂弱主，因說以寓諫諷，」諸字，《吳禮部文集》爛缺，故竹垞所錄之文，可補今本缺漏，是以具有校勘價值。

13霖案：「故其為言或勁而微過，激而小不平，其他義之不足以示勸戒者，多闕勿論；大要以尊君父、討」諸句，《吳禮部文集》多有缺漏，難於校讀，竹垞之文，可補今本缺漏。

14霖案：《經義考新校》頁3580新增校文如下：「『用夏變夷』，文津閣《四庫》本作『防微杜漸』。」。

15霖案：「子」，《吳禮部文集》題作「于」。

16霖案：「考」，《吳禮部文集》題作「攷」。

17霖案：「略」，《吳禮部文集》題作「畧」。

18霖案：「於」，《吳禮部文集》題作「于」。

19霖案：「反覆誦詠」，《吳禮部文集》題作「誦詠反覆」，蓋文句互為乙倒。

20霖案：「於」，《吳禮部文集》題作「于」。

21霖案：「於」，《吳禮部文集》題作「于」。

22霖案：《淵穎吳先生文集》卷十，〈春秋胡傳補說序〉（四部叢刊本），頁102-103。

23霖案：《經義考新校》頁3580新增校文如下：「『《春秋》之學，自近世本』，《四庫薈要》本作『近代《春秋》之學本。』」。

24霖案：《經義考新校》頁3580新增校文如下：「『程氏』，文津閣《四庫》本脫漏。」。

25「曾」字，「四庫本」闕。　　霖案：《經義考新校》頁3580無「字」；另於「『四庫』二字之前，有『《四庫薈要》本、文淵閣』等字；「闕」改作「俱脫漏」三字。今考《淵穎吳先生文集》有之。

為出入，吾固知胡氏之傳《春秋》本程氏學也。然而隱、桓之際訓釋頗詳，襄、昭以降遺漏甚眾；又況光堯南渡，而胡氏以經筵進講，至於王業偏安、父讎未報，則猶或未免乎矯枉而過正也。宗人正傳間者嘗讀胡《傳》，乃因《傳》說之未備從而補之，此仍有益於學者。曩予[26]嘗論《春秋》之大凡，欲以發明胡《傳》之一二，而正傳先之，故敢私序其說於正傳所論次之後，曰：『夫《春秋》者，魯史耳[27]；自魯史而為《春秋》，則《春秋》乃史外傳心之要典，而特為聖人命德討罪之書矣。然自唐、虞以來，典禮教化有人心感發之妙，爵賞刑罰有政事勸懲之嚴，伯夷之降典播刑，皋陶之明刑弼教，何莫而非此道。惜乎春秋之世，文、武、周公之舊典禮經曾不復赫然振起於天下，而天下公侯五等之國亦莫能考禮、正刑、一德以尊事天子；惟吾聖人蓋有聰明睿知之德，而無其位，於是獨持其命德討罪之筆，而欲以定天下之邪正也[28]。正也，吾賞焉，而賞非私與；邪也，吾罰焉，而罰非私怒；此其陽舒陰慘、舉直錯枉之間，先後有倫，眾體有要，是謂經制持循，準的不容少紊，人情之輕重不同，世故之治亂亦異，是謂權義游[29]移，前卻必得其宜。要之，堯、舜、文、武之治未墜於地，而吾聖人所以務盡其祖述憲章之道者至矣，實聖人時中之大法也。夫然，故《春秋》聖人之法書，世之學者猶議法之吏，惟其知聖人之道揆而宅心忠恕，然後可以通聖人之法守而立說坦夷；雖然，學者徒以其一曲支離淺中狹量之資求之，未易以及此也。或曰：「《春秋》新王，聖人因之粉飾太平而多褒至治之世，曾無奸暴之俗，而惟以德化者也。」或曰：「春秋衰世，聖人且以為舉國不可勝誅而多貶始亂之俗，雖以微小之罪，而必舉其法者也，是故舒之而遂縱者陵遲廢弛，無法而益亂，操之而愈亟者[30]，煩苛刻戾，得不至於秦人恃法而浸濫乎？」嗚呼！二或之論誠非所以識吾聖人時中體道之大權者矣，又將何以窮經而致用哉？自王安石以丞相說經，《春秋》乃廢祗不用，世之學者往往多自為說，至於意有穿鑿，巧為傅會，分裂聖人大體，乖異先儒成說，漫有精義至當之論，一說之外，不知其復有一說也。蓋惟程氏為能通乎制事之權衡，揆道之模範，又無完書，世之盛行胡《傳》而已，胡《傳》本乎程氏之學，程氏之學又信乎聖人時中之大法也。然而猶有所未備者焉，今也正傳乃從而補之，誠是也。正傳其真議法之吏哉！雖然，前王之律昭然甚明，後王之令紛然雜出，宏綱大旨[31]既無其統，微辭[32]碎義蓋浩乎多，若參、商矛盾[33]之不相合者，吾益懼焉，卒以待吾正傳而後定也。昔季氏[34]使陽膚為士師，問於曾子，曾子曰：『上失其道，民散久矣，如得

26霖案：「予」，《淵穎吳先生文集》題作「余」字。

27霖案：「耳」，《淵穎吳先生文集》題作「爾」字。

28霖案：「正也」二字，《淵穎吳先生文集》無之，當刪。

29霖案：「游」，《淵穎吳先生文集》題作「洿」字。

30霖案：「者」，四部叢刊本《淵穎吳先生文集》無之，竹垞的引文，可補今本缺漏之字，而具有校勘
    價值。

31霖案：「旨」，《淵穎吳先生文集》題作「指」字。

32霖案：「辭」，《淵穎吳先生文集》題作「辝」字。

33霖案：「盾」，《淵穎吳先生文集》誤作「循」字。

34「季氏」，四庫本作「孟氏」。　　霖案：《經義考新校》頁3582校文，「四庫」二字之前，另有「《

其情，則哀矜而勿喜。』善哉言乎！學者又當自是而求之，此其必有合於《春秋》者矣。』」

吳氏萊《春秋傳授譜》

　　【增補】《元史藝文志輯本》卷三，頁五〇著錄，又另錄有吳萊《春秋經說胡氏傳正誤》一書，竹垞未錄，應據以補錄。又黃虞稷《千頃堂書目》卷二曰：「（吳氏萊）別著《春秋經說》、《胡氏傳考誤》，皆未成編。」（頁四九），則《元史藝文志輯本》所云《春秋經說胡氏傳正誤》，恐係誤合二書為一書。

　　一卷。

　　【著錄】黃虞稷《千頃堂書目》卷二，頁四九著錄。

　　未見。

　　【存佚】《元史藝文志輯本》卷三，頁五〇著錄，注曰「佚」。

　　萊〈自序〉曰35：「《春秋》之道本於一，離為三家之《傳》，又析而為數十百家之學，學日夥，傳日鑿，道益散，天下後世豈或不有全經乎？亦在其人而已矣。自孔子沒，七十子言人人殊，《公》、《穀》自謂本之子夏，最先出，《左氏》又謂古學宜立，諸老生從史文，傳口說，遞相授受，彼此若矛盾然，自是學一變；主《公羊》者何休，主《穀梁》者范甯，主《左氏》者服虔、杜元凱，或抒己意，或博采眾36家，蓋累數十萬言，自是學再變；《公》、《穀》微，《左氏》乃孤行不絕，說者曾不求決於《傳》，遂專意於訓詁，江左則元凱，河洛則虔37，自是學三變；間有一二欲考三家之短長，列朱、墨之同異，力破前代專門之學，以求復於先聖人義理之極致，咸曰唐啖、趙氏，自是學四變。嗚呼！言《春秋》者至於四變，可以少定矣。予嘗觀漢初傳《公羊》者先顯自胡母子都，而下得二十四人；次傳《穀梁》，自申培公而下得十五人；《左氏》本於國師劉歆，未立博士，故傳之尚少，而東漢為盛。東漢以降，學者分散，師說離析，非徒捨《經》而任《傳》，甚則背《傳》而從訓詁，嘵嘵讙咋，靡然趨下。夫學本非不同，本非不一，而末異乃若是，此其欲抱十二公之遺經，悲千古之絕學，發明三家之《傳》而去取之者，誰歟？然予悉得而譜是者，四變之極也；四變之極，必有能反其初者，唐啖、趙氏蓋嘗有是志矣，繼之者又誰歟？古之人不云乎：『東海、西海有聖人出焉，此心同，此理同也；南海、北海有聖人出焉，此心同，此理同也。』自其此心此理而諗之，古之人有與予同者乎？不同者乎？同者然乎？不同者然乎？此其沒世而無聞者多矣，顯焉者譜於此也。蓋昔唐韋表微曾著《九經師授》之《譜》，且以譏學者之無師。嗚

　　四庫薈要》本、文淵閣」等字；「作」改作「俱誤作」等字，顯然校者於新校之時，採納同意「季氏」二字，而以「孟氏」為誤植之失。今考《淵穎吳先生文集》題作「季氏」，是則「四庫本」誤題也。

35霖案：《五經翼》卷十四，頁14（《四庫全書存目叢書》經冊一五一，頁791）〈春秋傳授譜序〉，又四部叢刊本《淵穎吳先生文集》卷十一，〈春秋傳授譜圖序〉，頁109-110。

36霖案：「眾」，《淵穎吳先生文集》題作「众」字。

37霖案：「虔」，《淵穎吳先生文集》誤作「雯」字。

呼₁人師難逢，經師易遇，然今經師猶有不可得而遽見者矣，則吾是《譜》之作，又豈徒38在表微之後乎？」

《春秋世變圖》

二卷。

【著錄】《元史藝文志輯本》卷三，頁五〇著錄。

未見。

【存佚】《元史藝文志輯本》卷三，頁五〇著錄，注曰「佚」。

萊〈自序〉曰39：「古之言《春秋》者，自漢至今，亡慮數十百家，大道之行，天下為公，一以理斷之而已，猶未足究當世盛衰離合之變而權之者也。雖然，孔子嘗論之矣，天下有道，禮樂征伐自天子出，天下無道，然後諸侯大夫得以專而用焉。逆理愈甚，則其失之世數愈速，此非通論天下之勢也，春秋之勢也。然40而欲論《春秋》之理者，不外此矣，公羊子蓋深有得於理勢之相須，且曰：『所見異辭、所聞異辭、所傳聞異辭。』而漢之學者特昧昧焉，乃設孔子高、曾、祖父之三世以制所見、所聞、所傳聞之治亂。《春秋》非孔子家牒也，特以是究當世盛衰離合之變而權之者也。蓋昔陳恆之弒君，孔子請討之，《左氏》記其言曰：『陳恆弒其君，民之不與者半，以魯之眾加齊之半可克也。』程子非之。蓋謂孔子之志必將正名其罪，上告天子，下告方伯，乃41率與國以討之，至於所以勝齊者，孔子之餘事耳，豈計魯人之眾寡哉？夫以理言，魯為齊弱久矣，孔子非不知魯之未必勝也，務明君臣之大義，以討天下弒逆之大惡，因是足以正之，周其復興乎？若以勢言，周室衰矣，晉霸微矣，魯又弱國也，陳氏世掌齊政，民私其德，處此42人倫之大變，天理之所不容，於是舉吾全魯以繼之，齊之罪人斯得矣。是故弒君之賊，法所必討者，正也；專國之奸43，勢亦有所未易討者，然必有以權之者矣。人孰不曰：『事求可，功求成。』是取必於智謀之末也，聖人不如是也。嗚呼₁自王政之不綱而後有霸，自霸圖之無統而後無霸，人情事變雖未嘗出於44一定，惟理則無有不定，此古之學《春秋》者所以率論理而不論勢也。自今觀之，天下之勢在是，

38霖案：《經義考新校》頁3583新增校文如下：「『徒』，文津閣《四庫》本脫漏。」。

39霖案：《五經翼》卷十四，(《四庫全書存目叢書》經一五一，頁795-796)〈春秋世變圖序〉，頁22；又叢刊本《淵穎吳先生文集》卷十一，〈春秋世變圖序〉，頁110。

40霖案：「然」字，《五經翼》置於「也」字前，原作「春秋之勢然也」，而竹垞誤將「然也」誤倒，而《點校補正經義考》未察其文，而致標點有誤。

41「乃」，各本同，應依《補正》作「而」。　霖案：《經義考新校》頁3584校文改作較多，今引錄如下：「『乃』，依《補正》、《四庫薈要》本應作『而』。」。今考之《五經翼》之文，正作「乃」字。

42霖案：「處此」，《五經翼》題作「此處」，竹垞二字互為乙倒。

43霖案：「奸」，《五經翼》題作「姦」字。

44霖案：「於」，《五經翼》題作「于」字。

《春秋》之理則亦隨其勢之所在者而見之。春秋之初世，去西周未遠，王室猶欲自用焉；不[45]及中世，齊、晉二霸相繼而起，則霸主從而託之耳；至其末年，王不王，霸不霸，夷狄[46]弄兵，大夫專政，是戰國之萌也，而世變亦於是乎極。公羊子『所見異辭，所聞異辭，所傳聞異辭』，蓋深有得於理勢之相須者此也。漢之學者且曰：『隱、桓遠矣，孔子則立乎定、哀之間耳。遠者亂，近者治，聖人所以成一王之法也。』此豈求其說不得而強為此論者哉？又幸因其有是，而後世得以推其當世盛衰離合之變與夫聖人之權者，先儒蓋曰：『有隱、桓、莊、閔、僖之春秋，有宣、文、成[47]之《春秋》，有襄、昭、定、哀之《春秋》。』此三者，豈非公羊子之遺說哉？然則予之所以圖是者，非私見也，非鑿說也，公羊子意也，孔子意也。」

【增補】〔補正〕〈自序〉內「乃率與國」，「乃」當作「而」；「有宣、文」，當作「文、宣」。（卷八，頁十三）

宋濂作〈碑〉曰[48]：「先生[49]取《春秋傳》五十餘家，各隨言而逆其意，一以理折衷之，譬如[50]法家奏讞，傳逮爰書，既得其情，而曲直真偽無所隱；至若《繁露》、《釋例》、《纂例》、《辨疑》、《微旨》、《折衷》、《權衡》、《意林》、《通旨》之類，皆有論著[51]，別如[52]《春秋經說》、《胡氏傳攷誤》[53]未完。」

【霖案】根據《宋文憲公全集》卷四一，〈淵穎先生碑〉之文，吳萊撰有《尚書標說》六卷、《春秋世變圖》二卷、《春秋傳授譜》一卷、《古職方錄》八卷、《孟子弟子列傳》二卷、《楚漢正聲》二卷、《樂府類編》若干卷、《唐律刪要》若干卷、《文稿》六十卷，諸如此類重要資料，卻為竹垞略去，僅截取部分資料，而致前後文意稍有阻限，今補錄於上。

吳氏儀《春秋稗傳》

【書名】考宋濂之文，「稗」題作「裨」，審度其異，當以「裨」為是。

未見。

45霖案：「不」，應依《五經翼》題作「下」字。

46霖案：「夷狄」，《五經翼》改作「彝翟」，蓋避諱所致。

47「宣、文、成」，「備要本」同，應依《補正》、「四庫本」作「文、宣、成」。　　霖案：《經義考新校》頁3585校文，無「『備要本』同」四字；「應依」改作「依」字；「四庫」二字之前，新增「《四庫薈要》本、文淵閣《四庫》本、文津閣」等字；「作」改作「應作」二字。今考《五經翼》適作「文、宣、成」三字，此或為翁方綱所據之本。

48霖案：宋濂：《宋文憲公全集》卷四一，〈淵穎先生碑〉，頁1-2。

49霖案：「先生」二字，《宋文憲公全集》無之，竹垞刪略眾多文句，復根據前後文句所加。

50霖案：「如」，《宋文憲公全集》題作「猶」字。

51霖案：「論著」二字下，竹垞刪截頗甚，難於校補，讀者可以參看原書。

52霖案：「別如」二字下，當依《宋文憲公全集》補入「《詩傳科條》」等四字。

53霖案：「攷誤」二字，《宋文憲公全集》題作「考誤」。

【存佚】《元史藝文志輯本》卷三，頁五五著錄，注曰：「佚」。

《春秋類編》

【書名】黃虞稷《千頃堂書目》卷二，頁五○錄作《春秋數編》

未見。

【存佚】《元史藝文志輯本》卷三，頁五五著錄，注曰：「佚」。

《春秋五傳論辨》

【書名】黃虞稷《千頃堂書目》卷二，頁五○錄作《五傳論辨》

未見。

【存佚】《元史藝文志輯本》卷三，頁五五著錄，注曰「佚」。

宋濂曰54：「金谿吳先生55儀明善56登鄉先達虞文靖公57之門，博極58群書59。至正丙申60，舉於鄉會61，海內兵起，無意62北上，下帷講授63，凡所敷繹，皆《五經奧義》，不拘泥於箋記，而大旨自暢，晚尤專64心於《春秋》，且謂聖人之經一而諸家異傳，大道榛塞，

54霖案：宋濂：《宋文憲公全集》卷六，〈故東吳先生吳公墓碣銘〉，頁4至頁6。

55霖案：「金谿吳先生」五字，《宋文憲公全集》無之，竹垞根據前後文意所加，當據刪正。

56霖案：「明善」之前，應依《宋文憲公全集》補入「字」字，蓋「明善」為吳儀之字。又「明善」二字下，應依《宋文憲公全集》補入「世稱為東吳先生。自幼以纘承家學為事，雖初啼輒起，秉火挾冊而讀之，時建昌江公存禮、謝公升孫皆前進士，先生負笈從之游。」等字。

57霖案：「公」字下，應依《宋文憲公全集》補入「集」字，虞文靖公即為「虞集」。

58霖案：「博極」二字前，應依《宋文憲公全集》補入「於是」二字。

59霖案：「群書」，《宋文憲公全集》題作「羣書」。又「書」字下，應依《宋文憲公全集》補入「其學絕出於四方，先是，元至正甲申，先生伯兄儼與其子裕同舉進士，裕連三薦，始擢辛卯進士第，名在第二，冠南士之首，及至」等字。

60霖案：「丙申」二字下，應依《宋文憲公全集》補入「先生暨再從弟立盛又薦于鄉，立饒之孫。盛，名揚之孫也。鄉人榮之，指先生之居相語曰：『是家在前朝，以明經詞賦知名者，先後相望，今復如斯，《書》、《詩》之澤，厥有衍哉！』」等字。

61霖案：「舉於鄉會」，「會」字當從「海內兵起」連讀，點校本誤也。「舉」字，《宋文憲公全集》題作「薦」。

62霖案：「無意」二字前，應依《宋文憲公全集》補入「先生」二字，蓋二字為尊稱。

63霖案：「授」字下，應依《宋文憲公全集》補入「遐邇學徒，爭奔走其門，先生隨其資器，孶孶訓迪，必使優柔厭飫而後已。」等字。

64霖案：「專」，《宋文憲公全集》題作「殫」字。

職此之由，乃著三書，曰《稗傳》、曰《類編》、曰《五傳論辨》65，辭義嚴密，多先儒所未言。」

　　黃虞稷曰66：「明善67，金谿人68，時稱為東吳先生69，伯宗之父也70。」
黃氏澤《春秋旨要》（元）

　　【書名】黃澤述，趙汸輯《春秋師說》卷下題作《春秋指要》；《元史藝文志輯本》卷三，頁五一同之。

　　【增補】《元史藝文志輯本》卷三，頁五一錄有黃澤《春秋經解》一書，竹垞未錄此書，當據以補入。

　　【著錄】黃虞稷《千頃堂書目》卷二，頁四八著錄。

　　佚。

　　【存佚】本書見於黃澤述，趙汸輯《春秋師說》卷下，共七篇考證之文。

《三傳義例考》（元）

　　【書名】《元史藝文志輯本》卷三，頁五一著錄，書名題作《春秋三傳義例考》。

　　【著錄】黃虞稷《千頃堂書目》卷二，頁四八著錄。

　　佚。

《春秋筆削本旨》（元）

　　【書名】黃虞稷《千頃堂書目》卷二，頁四八、《元史藝文志輯本》卷三，頁五一著錄，書名均題作《筆削本旨》。

　　佚。

《春秋諸侯取女立子通考》（元）

　　【書名】黃澤述，趙汸輯《春秋師說》卷下錄有此文，書名題作《諸侯娶女立子通考》，又《元史藝文志輯本》卷三，頁五一著錄，書名同之。

　　佚。

　　【存佚】本書存於黃澤述，趙汸輯《春秋師說》卷下，翁方綱《經義攷補正》卷第八

65霖案：「《五傳論辨》」，《宋文憲公全集》題作「《五論辨》」，「傳」字為衍文。

66霖案：黃虞稷《千頃堂書目》卷二，頁50。

67霖案：《千頃堂書目》於「明善」前有一「字」字。

68霖案：「人」下有「從學虞集，至正丙申舉鄉試。」等十一字。

69霖案：《千頃堂書目》無「時稱為東吳先生」等七字，當據以刪正。

70霖案：「伯宗之父也」應依《千頃堂書目》作「吳伯宗父」。

　　嘗考之。

　　【增補】〔補正〕案：此只一篇，即在趙東山《師說》內。（卷八，頁十三）

　　趙汸〈狀〉曰[71]：「先生於[72]《春秋》，以事實為先，以通書法為主，其大要則在考核[73]《三傳》，以求向上之工[74]，而其脈絡則盡在《左傳》，作《三傳義例考》。以為《春秋》有魯史書法、有聖人書法，而近代乃有夏時冠周月之說，是史法與聖法俱失也，作《元年春王正月辨》。又以為說《春秋》有實義，有虛辭，不舍史以論事，不離《傳》以求《經》，不純以褒貶泥聖人，酌時宜以取中，此實義也，貴王賤霸，尊君卑臣，內夏外夷[75]，皆古今通義，然人自為學，家自為書，而《春秋》訖無定論，故一切斷以虛辭，作《筆削本旨》。又作《諸侯取女立子通考》、《魯隱不書即位義》、《殷周諸侯禘祫考》、《周廟太廟單祭合食說》、作《邱甲辨》，凡如是者十餘通，以明古今禮俗不同，見虛辭說經之無益。[76]嘗曰：『說《春秋》須先識聖人氣象，[77]則一切刻削煩碎之說，自然退聽矣；其但以為實錄而已者，則《春秋》乃一直史可修[78]，亦未為知聖人也。又以[79]魯史記事之法實有周公遺制，

71霖案：通志堂經解，冊二六，頁14864-14865。又《五經翼》卷十五，（《四庫全書存目叢書》經一五一冊），頁804。題作「黃澤〈論因事實以考書法〉」內文頗有異同！

72霖案：「先生於」三字，《五經翼》無此三字，當刪。

73霖案：「考核」，《五經翼》題作「攷覈」。

74「工」，各本同，應依《補正》作「功」。　霖案：《經義考新校》頁3587校文，無「各本同」三字；「應依」改作「依」字；「《補正》」二字之下，另有「《四庫薈要》本」；「作」改作「應作」二字。今考通志堂本及《五經翼》均題作「工」字。《點校補正經義考》應《補正》作「功」，雖能符合字義，但非原文矣。

75霖案：《經義考新校》頁3587新增校文如下：「『內夏外夷』，文津閣《四庫》本作『正名定分』。」。今考「夷」字，《五經翼》題作「彝」。

76霖案：「又作《諸侯取女立子通考》、《魯隱不書即位義》、《殷周諸侯禘祫考》、《周廟太廟單祭合食說》、作《邱甲辨》，凡如是者十餘通，以明古今禮俗不同，見虛辭說經之無益。」諸句，《五經翼》無之，同於「通志堂經解本」冊二六，頁14865之文。

77霖案：「氣象」二字下，應依《五經翼》補入「識得聖人氣象」等六字。

78霖案：「修」，《五經翼》題作「脩」字。

79霖案：「又以」二字，《五經翼》無之，當刪。又「聖人也」三字下，應依《五經翼》補入「其說《易》有常變，而《春秋》則有經有權，《易》雖萬變，而必復於常，《春秋》雖用權而不遠於《經》，各以二義貫一《經》之旨，嘗曰：『《易象》與《春秋》書法廢失之由，大略相似，苟通其一，則可觸機而悟矣，蓋古者占筮之書，即〈卦〉〈爻〉，取物類象，懸虛其義，以斷吉凶，皆自然之理，乃上古聖神之所為也。文王、周公作《易》，時取一二立辭以明教，自九□之法亡，凡□人所掌者，皆不可復見，而象義隱微，遂為歷世不通之學矣。』等字。

與他國不同，觀韓宣子之言，可見聖人因魯史修[80]《春秋》，筆則筆，削則削，游、夏不能贊一辭，則必有與史法大異者；然曰其文則史，是經固不出於史也。今魯史舊文亦不可復見，故子朱子以為不知孰為聖人所筆？孰為聖人所削？而《春秋》書法亦為歷世不通之義矣，乃作《春秋指要》，示人以求端用力之方。』而其《全解》則未嘗脫稿以示人也。」[81]

　　【增補】〔補正〕趙汸〈狀〉內「以求向上之工」，「工」當作「功」。（卷八，頁十三）

　　卓爾康曰[82]：「先生[83]以近代理明義精之學，用漢[84]博物考古之功，其見於[85]師說者，足參聖旨[86]，先得我心，惜乎不覩[87]全書，微旨未暢。」

王氏元杰《春秋讞義》（元）

　　【作者】《千頃堂書目》作者題為「王原杰」

　　【書名】本書異名如下：

　　一、《春秋讞議》：張壽平《公藏先秦經子注疏書目》頁一三九著錄。

　　【作者】黃虞稷《千頃堂書目》卷二，頁四九同時錄有「于文傳」、「王原杰」《春秋讞義》，則竹垞著錄，或係合二書為一本，當據以補入于文傳《春秋讞義》一書。

十二卷。

　　【著錄】黃虞稷《千頃堂書目》卷二，頁四九、張壽平《公藏先秦經子注疏書目》頁一三九著錄。

　　【卷數】本書卷數異同如下：

　　一、九卷：張壽平《公藏先秦經子注疏書目》頁一三九著錄。

80霖案：「修」，《五經翼》題作「脩」字。

81霖案：「乃作《春秋指要》，示人以求端用力之方。而其《全解》則未嘗脫稿以示人也。」諸字，《五經翼》無之，待查他本校之。又「不通之義矣」五字下，應依《五經翼》補入「先生所謂廢失之由有相似者，蓋如此。」等十五字。

82霖案：四庫本：卓爾康：《春秋辯義》卷首三（文淵閣四庫全書本，冊一七○），頁218。

83霖案：「先生」，《春秋辯義》作「元末黃楚望先生胸中精澈，識見典正」，竹垞僅以「先生」二字代之，當據以補入相關文句。

84「漢」字下脫「儒」字，「備要本」同，應依「四庫本」補「儒」字，「備要本」同。　　霖案：《經義考新校》頁3588校文改動如下：「『漢』，依文淵閣《四庫》本應作『漢儒』。」。

85霖案：「於」，《春秋辯義》題作「于」字。

86霖案：「足參聖旨」四字前，應依《春秋辯義》補入「果是」二字。

87霖案：「覩」，《春秋辯義》題作「著」字。

二、十卷：黃虞稷《千頃堂書目》卷二，頁四九著錄。

【增補】〔補正〕案：《千頃堂書目》作「十卷。」（卷八，頁十三）

存。

【版本及藏地】本書版本及藏地如下：

一、文淵閣四庫全書本：九卷，《總目》云：「原本十二卷，後三卷已佚。」，台北故宮博物院有藏本。

【增補】永瑢等撰《欽定四庫全書總目》曰：「春秋讞義九卷　浙江汪啟淑家藏本

元王元杰撰。元杰字子英，吳江人。至正間領鄉薦，以兵興不仕，教授鄉里以終。昔程子作《春秋傳》未成，朱子之論《春秋》亦無專書，元杰乃輯其緒言，分綴經文之下，復刪掇胡安國《傳》以盡其意。安國之書在朱子前，而其說皆列朱子後，欲別所尊，故不以時代拘也。其間如隱公四年『州吁』條下，備錄朱子《邶風·擊鼓》篇傳，于《春秋》書法無關，亦以意所推崇，一字不欲芟削耳。三家之末，元杰以己意推闡，別標曰『讞』。如『桓公四年紀侯大去』條下，程子以『大』為紀侯之名，意主責紀不責齊。元杰之『讞』，則委曲恕紀，不從程子之說。而全書之內，於朱子無一異詞，其宗旨概可見矣。恭讀《御題詩注》，以程朱子重僅目之，允足破鄉曲豎儒守一先生之錮見。又其書襲葉夢得之謬，以『讞』為名，亦經御題嚴辟，尤足以戒刻深鍛鍊、以法家說《春秋》者。以其謹守舊文，尚差勝無師瞽說，故仍錄存之，而敬述聖訓，明正其失如右。原書十二卷，久無刊本，今諸家所藏皆佚脫。其後三卷，無從校補，亦姑仍之焉[88]。」（卷二十八，頁三五七）

【增補】邵懿辰撰、邵章續錄：《增訂四庫簡明目錄標注》卷三曰：「《春秋讞義》九卷，元王元杰撰，原本十二卷，今後三卷已佚。

路有鈔本。昭文張氏有鈔本十二卷，完全。振綺堂亦有鈔本十二卷，完全。元吳江王杰子英撰，干文傳序。繡谷亭書錄跋，此書係淡生堂鈔本，十二卷。何以庫目不完，豈吳氏未之進耶。

〔附錄〕陸亦有舊鈔本十二卷，完全。（紹箕）

〔續錄〕萬卷樓鈔本。（頁一一四）

【增補】胡玉縉撰、王欣夫輯《四庫全書總目提要補正》卷七曰：「張氏、陸氏、丁氏《藏書志》，並有鈔本十二卷，後三卷皆全。玉縉案，陸氏已刊入《羣書校補》中。」（頁一七六）

【增補】崔富章《四庫提要補正》曰：「四庫據浙江汪啟淑開萬樓寫本繕錄，《浙江採集遺書總錄》、《四庫採進書目》皆著錄。兩淮商人馬裕家呈送本亦九卷。今山東

88霖案：原注云：崔富章：光緒年間，丁丙以所藏十二卷本，補抄入文瀾閣庫書，是王元杰此書歷六百年，賴此以傳，丁氏之功不可滅，文瀾亦以此而勝於文淵、文溯、文津諸閣庫書。

省圖書館藏明末抄本，亦只九卷。然邵氏《四庫簡明目錄標注》云：『昭文張氏有抄本十二卷，完全。振綺堂亦有抄本十二卷，完全。元吳江王元杰子英撰，干文傳序。《繡谷亭書錄》跋此書係淡生堂抄本，十二卷，何以庫目不完，豈吳氏未之進耶？』吳氏藏十二卷本不見《四庫採進書目》著錄。陸氏《皕宋樓藏書志》卷九亦載舊抄本十二卷，有至正十年吳郡干文傳壽道序。吳、陸兩本今不知流落何所。清光緒間，丁丙藏抄本十二卷，《善本書室藏書志》卷三著錄云：『《浙江採集遺書總錄》為讖語。末缺四卷。注云：《千頃堂書目》作十卷，《經義考》作十二卷。此與《經義考》卷數合，未嘗缺佚。』文瀾閣庫書原抄本佚，丁氏以十二卷本補抄，六冊。王元杰是書，歷六百年，全本竟賴此以傳，丁氏之功不可沒，亦文瀾閣《四庫全書》勝於文淵、文溯、文津者也。」（頁一七一）

【增補】〔校記〕《四庫》本存九卷，佚後三卷。（《春秋》，頁五一）

二、抄本：十二卷，此書係淡生堂抄本，《愛日志》、《振綺目》、《繡谷錄》著錄。又崔富章《四庫提要補正》頁一七一亦有著錄。

三、明末抄本：元王元杰撰《春秋讞義》九卷，現藏於山東省圖書館。未注缺卷。《士禮跋》云：有干文傳序。《千頃目》著干文傳撰誤。《盧補志》亦誤著錄干文傳撰此書。錢大昕《養新錄》證之。崔富章《四庫提要補正》頁一七一亦著錄此本。

四、萬卷樓鈔本：邵懿辰撰、邵章續錄：《增訂四庫簡明目錄標注》卷三，頁一一四著錄。

　　干文傳[89]〈序〉曰：「聖人達天德而語王道，《春秋》為萬世立王法，敦典庸禮，命德討罪，本原於天，其用則王者之事也。周德既衰，王者弗克若天，人欲橫流、綱淪法斁，亂亦極矣。夫子生於[90]斯時，慨聖王[91]之不作，慮斯道之將墜，豈不曰：『文王既沒，文不在茲乎？』於是假魯史以修《春秋》，示褒貶以寓王法，其義則總攝萬事，大本始於尊王。蓋尊卑之分明，綱常之道立，然後有以定其是非而不舛《春秋》者，王道之日月也；曲禮隳，臣下僭，《春秋》定尊卑而王道明，《春秋》者，王道之權衡也；刑罰濫，法度差，《春秋》明貴賤而臣道立，《易》曰：『天尊地卑，乾坤定矣；高卑以陳，貴賤位矣。』《經》書元年加王於正，聖人繫《易》之始辭，作經之大法也。故其詞約而深，其旨微而遠，深有不言之意，微有不形之道，聖人之心見於經，猶元氣[92]之妙賦於物，大而化之之謂也。於一草一

---

89 「干文傳」，備要本誤作「千文傳」。　　霖案：本文出自《春秋讞義．原序》(台北：臺灣商務印書館，「景印文淵閣四庫全書」冊一六二，民國七十五年三月，初版)，頁3至頁4。又黃虞稷《千頃堂書目》卷二誤作于文傳《春秋讞義》十二卷 (頁49)，蓋「于」、「千」、「干」三字十分相近，如就其實情，應據《春秋讞義．原序》作「干文傳」為是。

90 霖案：「於」字，應依《春秋讞義．原序》作「乎」字。

91 霖案：「聖王」二字，應依《春秋讞義．原序》作「聖人」。

92 霖案：「氣」字，《春秋讞義．原序》無此字，當刪正。

木[93]以求化工之神，於一語一言[94]以窺聖人之用，亦云難矣；然聖人行事[95]本於心，事有萬變之不同，理無萬殊之或異，大公至正之道[96]貫萬事於一心，百王異世而同心[97]，萬象異形而同體，聖人贊《易》以盡事物之變，其理一也[98]。作《春秋》以行法度之權，著其事也；文王作《易》於殷世之末，夫子作《春秋》於周德之衰，有其理則有其事，體用一原也，有其事則有其理，顯微無間也。由辭以達理，因理以見事，天下之變故盡矣。前乎千百世之已往[99]，後乎千百世之未來，此理此心[100]未嘗外於語言文字間也。河洛二程、紫陽朱子續正學於千載之上，《易》、《禮》、《詩》、《書》[101]俱著訓辭，獨於是經未聞著[102]釋，中吳王元杰子英氏，家世業儒，有志經學，考[103]求《易經》本義、《詩傳》訓辭、《禮經》制度、《四書集注》、《集義》、《語錄》，紫陽宗旨，凡釋經引證之言，師友講明之論，其有發明《春秋》之旨者，具載本經，證以胡氏釋詞，目曰《春秋讞義》，旁搜取證，竭慮窮思，甫及成書，幾二十載。學者引而伸之，觸類而長之，則知聖《經》賢《傳》並行而不悖矣。若夫天人相與之言[104]，古今事物之變，微辭奧義，何敢仰窺聖人[105]之精微[106]？其餘尊君父之大倫，正人心之大義，典章法度之正，是非善惡之公，舉而措之，未必無涓埃之助云爾[107]。」

黃虞稷曰[108]：「元杰，字子英[109]，吳江人。至正間領薦，值兵興，不復仕，教授於鄉[110]。」

---

93 霖案：「木」字下，應酌加逗號。

94 霖案：「言」字下，應酌加逗號。

95 霖案：「事」字下，應依《春秋讞義．原序》補入「本於道，聖人之道」等七字。

96 霖案：「道」字下，應酌加一逗號為宜。

97 霖案：「心」字，應依《春秋讞義．原序》題作「神」字。

98 霖案：「其理一也」四字，應依《春秋讞義．原序》題作「窮其理也」四字。

99 霖案：「往」字，《春秋讞義．原序》作「徃」字。

100 霖案：「心」字下，應酌加一逗號為宜。

101 霖案：「《禮》、《詩》、《書》」，應依《春秋讞義．原序》改作「《書》、《詩》、《禮》」，蓋前後內容有錯簡之失。

102 霖案：「著」字，應依《春秋讞義．原序》改作「註」字。

103 霖案：「考」字，應依《春秋讞義．原序》作「放」字。

104 霖案：「言」字，應依《春秋讞義．原序》改作「原」字。

105 霖案：「聖人」二字，應依《春秋讞義．原序》改作「聖域」二字。

106 霖案：「精微」二字，應依《春秋讞義．原序》改作「淵微」二字。

107 霖案：「爾」字下，應依《春秋讞義．原序》補入「至正十年，歲在庚寅仲夏下澣嘉議大夫禮部尚書致仕吳郡干文傳壽道序」等字。

108 霖案：黃虞稷《千頃堂書目》卷二，頁49。

109霖案：《千頃堂書目》無「元杰，字子英」等五字，當據以刪正。

110霖案：「教授於鄉」四字之下，另有「有文曰《貞白英華集》及詩《水雲清嘯集》，皆進於朝。」
　　等十九字。

卷一百九十七　春秋三十經義考卷一百九十七春秋三十

鄭氏玉《春秋經傳闕疑》（元）

三十卷。

【卷數】《元史藝文志輯本》卷三，頁五六、張壽平《公藏先秦經子注疏書目》頁一三九、瞿鏞編纂・瞿果行標點・瞿鳳起覆校《鐵琴銅劍樓藏書目錄》卷五，頁一四四著錄，均題作「四十五卷」，又《千頃堂書目》卷二錄有三十卷本，又注作八卷（頁五〇）。

【增補】〔補正〕今傳鄭玉《春秋闕疑》四十五卷，此作三十卷，與《千頃堂書目》同。（卷八，頁十三）

【增補】〔校記〕《四庫》本四十五卷。（《春秋》，頁五一）

存。

【版本及藏地】本書版本及藏地如下：

一、明師山書院舊抄本：元鄭玉撰《春秋經傳闕疑》四十五卷，北京圖書館有藏本。

【增補】瞿鏞編纂・瞿果行標點・瞿鳳起覆校《鐵琴銅劍樓藏書目錄》卷五曰：「元鄭玉撰并序。自謂：『《經》有殘闕，則考諸《傳》以補其遺，《傳》有舛罣，則稽諸《經》以正其謬。與其強通所不通，以取譏於當世，孰若闕所當闕，以俟知於後人。故曰『闕疑』。』後有裔孫獻文〈序〉。其書世無刊本，此猶明人所錄。舊藏吳中錢叔寶家，後歸太倉張西銘太史，嘉定陸元輔嘗乞得之，後復失去，思之如喪良朋。有跋語見《經義考》，所謂版心有『師山書院』四字者，即是本也。（卷首有『錢穀』、『叔寶』二朱記）。」（頁一四四至頁一四五）

二、清康熙五十年鄭氏天游堂刻本：元鄭玉撰《春秋經傳闕疑》四十五卷，《中國古籍善本書目》（經部）頁二七二著錄，北京、清華大學、北京故宮博物院、中國歷史博物館、上海等圖書館均有藏本。

三、文淵閣四庫全書本：台北故宮博物院有藏本。

【增補】永瑢等撰《欽定四庫全書總目》曰：「春秋經傳闕疑[1]四十五卷　浙江鮑士恭家藏本

元鄭玉撰。玉事迹詳《元史・忠義傳》。其體例以經為綱，以傳為目，敘事則專主《左氏》，而附以《公》、《穀》。立論則先以《公》、《穀》，而參以歷代諸儒之說。經有殘闕，則考諸傳以補其遺；傳有舛誤，則稽於經以證其謬。大抵平心靜氣，得聖人之意者為多。所著《師山集》中，有屬王季溫刊《春秋闕疑》書。至被執就死之時，惟惓惓以此書為念。蓋其平生精力所注也。其序謂：『常事則直書而義自見，大

1霖案：原注云：按：文淵閣庫書題作《春秋闕疑》。

事須變文而義始明。蓋《春秋》有魯史之舊文，有聖人之特筆，不可字求其義，如酷吏之刑書；亦不可謂全無其義，如史官之實錄。』又曰：『聖人之經，辭簡義奧，固非淺見臆說所能窺測。所以歲月既久，殘闕滋多，又豈懸空想像所能補綴。與其通所不可通，以取譏於當世，孰若闕其所當闕，以俟知於後人。』其論皆洞達光明，深得解經之要。故開卷『周正夏正』一事，雖其理易明，而意有所疑，即闕而不講，慎之至也。昔程端學作《春秋本義》等三書，至正中官為刊行。而日久論定，人終重玉此書。豈非以玉之著書，主於明經以立教，端學之著書，主於詆傳以邀名，用心之公私迥不同哉？玉字子美，歙縣人，元末除翰林待制，以疾辭。明兵入徽州，守將迫之降，玉不屈死，與宋呂大圭及同時李廉，均可謂能明大義，不愧於治《春秋》矣。明郎瑛《七修類稿》乃謂玉既不受元爵，自當仕明，謂之當生而不生，其說殊謬。伯夷、叔齊豈嘗受殷爵哉！瑛所云云，所謂小人好議論，不樂成人之美者也。」（卷二十八，頁三五八）

【增補】邵懿辰撰、邵章續錄：《增訂四庫簡明目錄標注》卷三曰：「《春秋經傳闕疑》四十五卷，元鄭玉撰。

康熙辛卯鄭氏刊本。

〔續錄〕張溥有舊抄本。」（頁一一五）

四、擒藻堂薈要本：台北故宮博物院有藏本。

玉〈自序〉曰[2]：「嗚呼！夫子集群聖之大成，《春秋》見夫子之大用。蓋體天地之道而無遺，具帝王之法而有徵。其於事也，可以因則因，可以革則革；其於人也，可以褒則褒，可以貶則貶；其為綱也，則尊王[3]而賤霸，內夏而外夷[4]；其為目也，則因講信修睦、救災恤患之事，而為朝覲聘問、會盟侵伐之文；其主意也，則在於誅亂臣、討賊子；其成功也，則遏人欲於橫流，存天理於既滅，撥亂世，反之正，損益四代之制，著為不刊之典也。故曰：『知我者，其惟《春秋》乎！罪我者，其惟《春秋》乎！』知之者，知其與天為一；罪之者，罪其以匹夫而行天子之事。又曰：『我欲託之空言，不如見之行事之深切著明也。』故《易》、《詩》、《書》言其理，《春秋》載其事，有《易》、《詩》、《書》而無《春秋》，則皆空言而已矣。是以明之者，堯、舜、禹、湯之治可復；昧之者，桀、紂、幽、厲之禍立至；有天下國家而不知《春秋》之道，其亦何以為天下國家也哉？然在當時，游、夏已不能贊一辭；至於三家之《傳》，《左氏》雖若詳於事，其失也誇；《公》、《穀》雖或明於理，其失也鄙；及觀其著作之意，則若故為異同之辭，而非有一定不可易之說。兩漢專門名家之學，則又泥於災祥徵應，而不知經之大用。唐、宋諸儒，人自為說，家自為書，紛如聚訟，互有得失；程子雖得《經》之本旨，惜無全書；朱子間論事之是非，又無著述。為今之計，宜博

2霖案：出自《遼金元文彙》冊二，頁1826。

3霖案：《經義考新校》頁3592新增校文如下：「『尊王』，文津閣《四庫》本作『貴王』。」

4霖案：《經義考新校》頁3592新增校文如下：「『內夏而外夷』，文津閣《四庫》本作『尊君而抑臣』。」

采諸儒之論，發明聖人之旨；《經》有殘缺，則考諸《傳》以補其遺；《傳》有舛謬，則稽諸《經》以證其謬；使《經》之大旨粲然復明於世，昭百王之大法，開萬世之太平，然後足以盡斯《經》之用。而某也非其人也，間不自揆，嘗因朱子《通鑑綱目》之例，以《經》為綱，大字揭之於上，復以《傳》為目，而小字疏之於下，叙事則專於《左氏》，而附以《公》、《穀》。合於《經》者則取之，立論則先於《公》、《穀》，而參以歷代諸儒之說；合於理者則取之，其或《經》有脫誤，無從質證，則寧闕之，以俟知者，而不敢強為訓解；《傳》有不同，無所考據，則寧兩存之而不敢妄為去取；至於誅討之事，尤不敢輕信《傳》文，曲為附會，必欲獄得其情、事得其實，則以《經》之所作由於斯也。其他常事則直書而義自見，大事須變文而義始明；蓋《春秋》有魯史之舊文，有聖人之特筆，固不可字求其義，如酷吏之刑書，亦不可謂全無其義，如史官之實錄也。聖人之《經》，辭簡義奧，固非淺見臆說所能窺測，所以歲月滋久，殘闕惟多，又豈懸空想像所能補綴？與其強通其所不可通，以取譏於當世，孰若闕其所當闕，以俟知於後人。程子謂：『《春秋》大義數十，炳如日星。』豈無可明之義？朱子謂：『起頭一句「春王正月」便不可解。』固有當闕之疑。某之為是書也，折衷二說而為之義例，所以辭語重複，不避繁蕪者，蓋以常人之心窺測聖人之意，反覆推明，猶懼不得其旨也，況敢吝於言乎？然亦姑以便檢閱、備遺忘而已，非敢謂明經旨、傳後世也。觀者幸恕其僭焉。」

　　徐尊生曰[5]：「讀[6]《春秋集傳闕疑序》[7]，知先生所以著述之意甚公且平，只[8]闕疑二字可[9]見已自過人[10]。世儒說《春秋》，其病皆在[11]不能闕疑，而欲鑿空杜撰，是以說愈巧而聖人之心愈不可見也。」

　　【增補】〔補正〕徐尊生條內「讀《春秋集傳》」，「《集》」當作「《經》」。（卷八，頁十三）

---

5 霖案：鄭玉撰，《師山遺文》·附錄〈與鄭子玉先生論春秋闕疑書〉（台北：臺灣商務印書館，「景印文淵閣四庫全書」冊一二七，民國七十五年三月，初版），頁113，又《師山遺文》題作「徐大年」之作，而竹垞逕改作「徐尊生」，蓋徐氏，字大年，是以二者實無分別；又嵇璜、曹仁虎等奉敕撰，《欽定續文獻通考》卷一五三（台北：臺灣商務印書館，「景印文淵閣四庫全書」冊六三〇，民國七十五年三月，初版），頁129亦錄有其文，惟其文當據《經義考》之文而來，復行刪略部分文句；《四庫全書考證》·卷47等。

6 霖案：「讀」字，《師山遺文》作「承錄示」三字，竹垞據文意改作「讀」字。

7 「《春秋集傳闕疑序》」，應依《補正》、「四庫本」作「《春秋經傳闕疑序》」。　　霖案：《經義考新校》頁3593校文，「應依」改作「依」字；「四庫」二字之前，另有「《四庫薈要》本、文淵閣」等字；「作」改作「應作」二字。今考《師山遺文》正作「《春秋集傳闕疑序》」。

8 霖案：「只」字之前，應依《師山遺文》補入「如此」二字。

9 霖案：「可」字，《師山遺文》作「所」字。

10 霖案：「只闕疑二字可見已自過人」一句，《欽定續文獻通考》引錄此文之時，無此一句。

11 霖案：「在」字下，應依《師山遺文》補入「乎」字。

　　裔孫獻文〈後序〉曰：「《闕疑》者，先世祖師山公所集也。公覃思理學，發明經旨，於《春秋》有《闕疑》，於《易》有《附注》，從徒數百，教化大行。至正中，徵為翰林待制，至上都，遇疾而還。時四方大亂，我太祖起兵淮左，自稱吳公；丁酉秋，命鄧愈取徽州；明年，強致先生從政，弗屈。臨卒，以《闕疑》屬門人王友直播行之，而不克荷；又遭族氏內相構怨，其書日晦，雖有達者，亦不為意。嗚呼！豐城之劍，非雷煥不能知；荊山之璞，遇卜和而後為寶。自公至今二百餘年，始一見之家居，不啻如獲拱璧；然遺亡數卷，搜求半載，偶於宗人笥中得錄為全書。噫亦難矣。顧以傳寫脫誤，字意舛訛，文也不肖，嘗竊病之，趨庭之暇，參互考正，求合義焉。或難曰：『《春秋》於宗國率多婉辭，今子先哲纂是書也，將以繼往開來，而是非無隱，得無戾乎？』予曰：『不然。《春秋》，褒貶之書也。尊王賤霸，歸於中道耳。所以《經》明大義，《傳》闡幽微，若夫襲陋承訛，膠於偏見，致《經》本旨黯然弗彰，其咎滋甚，且伸臆說以害公議，回德以誤後人，為有識者所詆，又何以揄揚先烈而垂法將來。』難者唯唯而退，於是歷敘此書顯晦之迹，以見繼述之艱云。」

　　【增補】〔補正〕裔孫獻文〈後序〉內：「至正中，徵為翰林待制，至上都，遇疾而還。」按：《元史‧忠義傳》云：「至正十四年，朝廷遣使者浮海徵玉，玉辭疾不起，而為〈表〉以進，家居日以著書為事。」不言玉曾至上都，與此異。（卷八，頁十三）

　　陸元輔曰：「《春秋闕疑》，師山集群儒之說而略參己意為之，予嘗得抄本於張庶常溥家，凡十四[12]冊，板心有『師山書院』四字，因久客京師，家人移居失去，至今思之，如喪良朋也。」

　　【增補】黃虞稷《千頃堂書目》卷二曰：「（鄭玉）集群儒之說，而參以己意。」（頁五〇）

李氏廉《春秋諸傳會通》（元）

　　【作者】駱兆平《新編天一閣書目》著錄，惟作者誤為「李濂」。（頁一八八）

　　二十四卷。《萬曆書目》[13]：「二十卷。」

　　【著錄】黃虞稷《千頃堂書目》卷二，頁五〇、瞿鏞編纂‧瞿果行標點‧瞿鳳起覆校《鐵琴銅劍樓藏書目錄》卷五，頁一四四，張壽平《公藏先秦經子注疏書目》頁一三九著錄。

　　存。

　　【版本及藏地】本書版本及藏地如下：

　　一、元至正十一年虞氏明復齋刻本：每半葉十二行，二十二字，小字雙行同，細黑口，左右雙邊，北京、上海、北京大學、故宮博物院、中國歷史博物館有藏本，崔富章《四庫提要補正》頁一七二有相關說明。

12霖案：《經義考新校》頁3594新增校文如下：「『十四』，文津閣《四庫》本作『四十』。」。

13霖案：《內閣藏書目錄》卷二，頁6。

二、元至正崇川書府重刻本：十二行二十二字。上海圖書館有藏本。

此書傳阮叔經眼三部，十二行二十二字，黑口，左右雙邊，元代刻本。傅題注云：前有廉自序，次《讀春秋綱領》、次《春秋諸傳序》，次《凡例》十則。據《序》及《凡例》，所編諸傳以左氏、公羊、穀梁、胡安國、陳傅良、張洽六家為主，其程子以下諸家說皆附見每條之下，蓋先《左氏》，事之案也，次《公穀傳》，經之始也，次杜氏何氏范氏三《傳》，專門也，次疏義，釋所疑也，總之以胡氏，貴其斷也。陳張井列，擇所長也，而又備采諸儒成說及諸傳記，略加梳剔，於異同是非始末之際每究心焉，謂之諸傳會通云云。序及卷末有刻書牌子「至正辛卯臘月崇川書府重刊」，「至正辛卯仲冬虞氏明復齋刊」。其中一部為天祿琳琅舊藏，鈐「五福五代堂寶」、「八微耄念文寶」、「太上皇帝之寶」、「乾隆御覽之寶」、「天祿繼鑒」五璽朱印。

【增補】瞿鏞編纂・瞿果行標點・瞿鳳起覆校《鐵琴銅劍樓藏書目錄》卷五曰：「題『廬陵進士李廉輯』。自序謂：讀經三十年而成書。前有〈凡例〉及《讀春秋綱領》。刊於至正九年。通志堂本即其所出。〈自序〉後有墨記云『至正辛卯臘月崇川書府重刊』」（頁一四四）

三、文淵閣四庫全書本：《春秋諸傳會通》二十四卷，台北故宮博物院有藏本。

【增補】永瑢等撰《欽定四庫全書總目》曰：「春秋諸傳會通二十四卷[14]　浙江范懋柱家天一閣藏本

元李廉撰。廉字行簡，廬陵人[15]。明楊士奇《東里集》云：『廉於至正壬午以春秋舉於鄉，擢陳祖仁榜進士，官至信豐令。遇寇亂，守節死。時南北道梗，未及旌褒。明初修《元史》時，故交無在當路者，有司又不知採錄以聞，故史竟遺之。』則廉實忠義之士，非以空言說經者矣。此書以諸家之說薈萃成編。自序謂：『先左氏事之案也，次公、穀傳經之始也，次三傳注專門也，次疏義釋所疑也。總之以胡氏，貴乎斷也，陳、張并列，擇其長也。又備采諸儒成說及他傳記，略加疏剔，於異同、是非、始末之際，每究心焉。』然是編雖以胡氏為主，而駁正殊多，又參考諸家，并能揾其長義。一事之疑，一辭之異，皆貫串全經以折衷之。如謂仲子非嫡，隱公不得謂之攝；齊桓之霸，基於僖、襄；三桓之盛，兆於魯僖；不書吳敗越，夫椒責其不能復仇；書葬昭公，罪魯不以季氏為逆；書葬劉文公，罪畿內諸侯之僭；書築蛇淵囿，責定公受女樂而荒。持論俱明白正大。總論百餘條，權衡事理，尤得比事屬辭之旨。故《欽定春秋傳說匯纂》多採錄焉。廉自序題『至正九年己丑』，又稱讀經三十年，竊第南歸，叨錄劇司，乃成是書。考《元史》陳祖仁榜在順帝至正二年，蓋廉於鄉舉之歲即登進士第，而通籍頗晚。閉戶著書，故得潛心古義，不同於科舉之學也。」（卷二十八

14霖案：原注云：按：文淵閣庫書題作《春秋會通》二十四卷，另收《春秋諸傳序》一卷、《讀春秋綱領》一卷。

15霖案：原注云：按：陸心源《儀顧堂續跋》：廉字行簡，安福人。

，頁三五七至頁三五八）

【增補】邵懿辰撰、邵章續錄：《增訂四庫簡明目錄標注》卷三曰：「《春秋諸傳會通》二十四卷，元李廉撰。

通志堂本。張目有元至正刊本。

〔附錄〕陸有元刊元印本，每葉二十四行，行二十四字，後有至正辛卯臘月崇川書院重刊木記。（紹箕）

〔續錄〕吳免牀有元虞氏明復齋刊本，十二行二十二字。繆藝風藏元至正本，寬紙初印，精雅絕倫，為元刊所僅見，十二行二十二字，蔣孟平亦有一部。」（頁一一四至頁一一五）

【增補】胡玉縉撰、王欣夫輯《四庫全書總目提要補正》卷七曰：「陸氏《儀顧堂續跋》云：『廉字行簡，安福人，至正二年進士，仕為贛州路信豐令。元季兵亂，洞獠時出剽掠，廉立伍相保守，郡境以寧，紅巾賊奄至，以死守，眾潰遇害。其子敬，嗣父官，亦力戰死，邑人為立雙節祠，見《豫章書》。』」（頁一七七）

【增補】崔富章《四庫提要補正》曰：「《總目》據浙江范懋柱家天一閣藏本著錄。檢《浙江採集遺書總錄》，知係天一閣寫本。今北京館、上海館、北京大學、故宮博物院、中國歷史博物館等收藏元至正十一年虞氏明復齋刻本，每半葉十二行二十二字，小字雙行同，細黑口，左右雙邊。《天祿琳琅書目續編》卷八詳為著錄云：『前有杜預《左傳序》、何休《公羊傳序》、范寧《穀梁傳序》、程頤《春秋序》、胡安國《春秋傳序》及《進表》、樓鑰《陳氏後傳序略》、次《凡例》、次《讀春秋綱領》、通部《經》文大書，《三傳》及胡安國《傳》，陳傳良《後傳》、張洽《集注》皆低一格，各以白文標識，其附錄、注疏低二格，自作按語低三格，體例極為嚴晰，……鋟工古雅，元版最上乘，卷末有至正辛卯仲冬虞氏明復齋刊，南溪精舍兩墨記，與前蔡沈《書集傳》同出一家。』陸氏《皕宋樓藏書志》載元至正刊本，首至正九年李廉序，次《凡例》，次《讀春秋綱領》。每半葉十二行，每行二十一字（邵氏《標注》誤作二十四字），小字雙行，李廉序後有『至正辛卯臘月崇川書院重刊』木記。行款、年份跟《天祿琳琅書目續編》本同，惟彼本佚李廉序，故不見此『重刊』木記耳，實一版之書。考至正九年李序稱『邇年頗有傳寫者，弗克禁，而豐城揭恭乃取而刻之梓，亟欲止之，則已成功矣。書來求序，拒之弗可，且念其力之勤而費之重也，始識於卷端，與我同志尚加訂正焉』，是書初刻於至正九年，至正辛卯（十一年）崇川書院重刊，傳於今者尚有五部之多，而《四庫》係傳抄天一閣寫本，小四庫則繕錄《通志堂經解》本。」（頁一七二至頁一七三）

【增補】楊武泉《四庫全書總目辨誤》曰：「李廉為安福人，見《寰宇通志》卷三八吉安府人物李廉條、周中孚《鄭堂讀書記》卷十《春秋諸傳會通》條及陸心源《儀顧堂續跋》引《豫章書》。元代吉安路轄廬陵等五縣及安福等四州，見《元史‧地理志》，廬陵、安福有別，作『廬陵人』，誤。

王午為至正二年，陳祖仁即該年進士科狀元，見《續文獻通考》卷三四選舉考

。然壬午『舉于鄉』，則不得于當年成進士，因為鄉、會試，歷朝都是不在同一年舉行的（鄉試在舊曆八月，會試在次年二月，元、明、清三朝皆如此）。檢楊士奇《東里續集》（《總目》引此書名漏『續』字）卷一六《春秋會通》條，才知道問題出在對楊文之誤解。楊文云：『（李廉）先生，字行簡，元至正壬午，以是經舉，握陳祖仁榜第三甲進士。』元代科舉制度，鄉、會試皆試三場。第一場『明經經疑二問』及『經義一道』，第二場古賦、詔誥、章表試其一道，第三場第一道。三場中，起決定作用的是第一場，明初尚如此，見《日知錄》卷一六『三場』條。第一場中，經義一道，又是關鍵。可以『各治一經』，見《元史・選舉志一》。其以治某經考中者，即稱『以某經舉』或稱『以某經成進士』（如《宋元學案》卷六七王充耘小傳，稱『元統初，以《書經》成進士』）。《東里續集》言李廉『以是經舉，握陳祖仁榜第三甲進士』，謂廉以《春秋經》考中進士也。《總目》于『舉』下增『于鄉』二字，謂為『鄉試中舉』，大誤。

　　據雍正《江西通志》卷五一選舉志，李廉中鄉試在元統三年乙亥（１３３５年），而成進士在至正二年壬午（１３４２年）。《東里續集》之言，不涉鄉舉。《總目》所謂『鄉舉之歲，即登進士第』，亦誤。」（頁三〇至頁三一）

四、擒藻堂薈要本：台北故宮博物院有藏本。

五、墨格精鈔本：台北故宮博物院有藏本。

六、抄本：駱兆平《新編天一閣書目》頁一八八著錄，為寧波天一閣舊藏之物。

【增補】駱兆平《新編天一閣書目》曰：「《春秋諸傳附錄纂疏》三十卷　　元進士李濂輯。抄本。是書據輯《左氏》、《公》、《穀》以下各家之說，大旨以胡《傳》為宗。《四庫全書》收錄。」（頁一八八）

七、清同治十二年(1873)粵東書局重刊本：(元)李廉撰《春秋諸傳會通》二四卷，首一卷，台北：國家圖書館有藏本。

八、通志堂經解本：元李廉撰《春秋諸傳會通》二十四卷，五冊，馬來西亞大學圖書館有藏本（二部）。

　　廉〈自序〉曰16：「傳《春秋》者三家，《左氏》事詳而義疏17，《公》、《穀》義精而事略，有不能相通。兩漢專門，各守師說；至唐啖、趙氏始合三家所長，務以通《經》為主，陸氏《纂集》已為小成；宋河南程夫子始以廣大精微之學發明奧義，真有以得筆削之心，而深有取於啖、趙，良有以也。高宗紹興初，武夷胡氏進講，篤意此《經》，於是承詔作《傳》，事案《左氏》，義取《公》、《穀》之精，大綱本孟子，主程氏，而集大成矣。方今取士，用《三傳》及胡氏，誠不易之法也。然四家之外，如陳氏《後傳》、張氏《集注》，皆為全書，學者所當考，而孫氏之《發微》，劉氏之《意林》、《權衡》，呂氏之《集解》，與其

16霖案：《五經翼》卷十五，頁803(四庫全書存目叢書，經部，冊151)〈春秋諸傳會通序〉。

17霖案：「疏」字，《五經翼》引作「疎」字。

餘諸家之緒論[18]，亦不可以不究，但汗漫紛雜，有非初學所能備閱者。予[19]讀經三十年，竊第南歸，叨錄劇司，心勞力耗，舊所記憶，大懼荒落，而又竊觀近來書肆所刊，此《經》類傳所[20]多，或源委之不備，或去取之莫別，不能無憾。於是不揣[21]譾陋，盡取諸《傳》，會萃[22]成編；先《左氏》，事之案也；次《公》、《穀》，傳《經》之始也；次杜氏、何氏、范氏三《傳》，專門也；次疏義，釋所疑也；總之以胡氏，貴乎斷也；陳、張並列[23]，擇所長也；而又備采諸儒成說及諸傳記，略加梳剔，於異同、是非、始末之際，每究心焉，謂之《春秋諸傳會通》。藏之家塾，以備遺忘，訓子弟耳，非敢與學者道也。邇年頗有傳寫者，弗克禁；而豐城揭恭乃[24]取而刻之梓，亟欲止之，則已成功矣。書來求〈序〉，拒之弗可，且念其力之勤而費之重也，姑識於篇[25]端，與我同志尚加訂正焉。」

　　梁寅曰[26]：「安成李君廉行簡舉於鄉，以《春秋》冠江西之士，及再舉，遂登進士第，授豫章郡錄事。」

　　楊士奇曰[27]：「《春秋會通》二十四卷，予[28]家所藏者分為四冊，吾郡安福李廉先生所輯。先生字行簡，元至正壬午以是《經》舉，擢陳祖仁榜第三甲進士，官至贛州路信豐縣尹，後遇寇亂，戰敗守節死，江西行省上其事，屬南北道，梗不能達，故當時旌褒之澤不及。國朝修《元史》，時先生相知者無在當路，有司又不知采錄以聞，故不得列諸史傳，於是世之知先生益少矣。夫士君子所為，求安於其心而已，豈計其在外者？然先賢後學所取正也，曷可泯而弗著哉？今世所傳先生死事者[29]，見於元江西廉訪使趙準求贈諡咨文，予近得於翰林庶吉士周忱家，謹錄置此書之後，使後之學者知先生於《春秋》不徒能明之，蓋煒然於科目有光也。」

18霖案：「緒論」二字，《五經翼》引作「議論」。

19霖案：「予」字，《五經翼》作「余」字。

20霖案：「所」字，《五經翼》作「誰」字。

21霖案：「揣」字，《五經翼》作「揆」字。

22霖案：「萃」字，《五經翼》作「梓」字。

23霖案：「並」字，《五經翼》作「竝」字。

24霖案：「乃」字，《五經翼》作「廼」字。

25霖案：「於篇」二字，《五經翼》作「于卷」字。

26霖案：《新喻梁石門先生集》卷二，〈送李行簡序〉，頁349。又另有四庫本《石門集》·卷七·〈送李行簡序〉。

27霖案：《東里續集》卷十六，〈春秋會通〉，（台北：商務印書館影印「文淵閣四庫全書本，冊一二三八」，頁580。

28霖案：「予」字，《東里續集》題作「余」字。

29霖案：「者」字，《東里續集》無此字，當據原書刪正。

張萱曰[30]：「元至正間[31]，盧陵李廉編。先《左氏》，次《公》、《穀》，次杜氏、何氏、范氏，次疏義，總之以胡氏為主，而陳氏之《後傳》、張氏之《集傳》[32]皆並列之[33]。」

【增補】〔補正〕張萱條內「張氏之《集傳》，皆並列之」，「《集傳》」當作「《集注》」。按：《宋史·道學傳》，洽所著書有《春秋集注》、《春秋集傳》，洽〈進書狀〉云：「《春秋集傳》二十六卷、《春秋集注》一十一卷。」《集傳》已佚，李廉所采者乃《集注》，非《集傳》也。（卷八，頁十三—十四）

【增補】黃虞稷《千頃堂書目》卷二曰：「（王受益）字子謙，山陰人。洪武中，明經為本邑儒學訓導，取汪氏《纂疏》、李廉《會通》、程氏《本義》裒為一書（即《春秋集說》）。」（頁三十七）。

【增補】黃虞稷《千頃堂書目》卷二曰：「（李廉）字行簡，安福人。元至正壬午，以是經舉三甲進士，官至贛州信豐縣尹，遇寇亂，戰敗，守節死，其論先《左氏》，次《公》、《穀》，次杜、何、范三注及《正義》，總之以胡氏為主，而陳氏之《後傳》，張氏之《集注》皆并列之。」（頁五〇）

王氏莊《春秋釋疑》

【著錄】《元史藝文志輯本》卷三，頁五六著錄。

佚。

朱善〈序〉[34]曰：「《春秋》，聖人經世之書也。其辭嚴，其義精，當時高弟[35]若游、夏之徒尚不能贊[36]一辭，況去聖既遠？《公》、《穀》、《左氏》互有得失，專門之學，各尊所聞，而不能以相通，甲是乙非，紛如聚訟，學者[37]莫知適從，非夫博[38]雅君子，卓然遠識者，孰能會眾說而一之哉？惟南昌守王侯莊當昔未仕之時，潛[39]心是書，聖《經》賢《傳》，

30霖案：孫能傳等撰《內閣藏書目錄》卷二，頁478。

31霖案：「間」，《內閣藏書目錄》作「閒」。

32「《集傳》」，各本同，應依《補正》作「《集注》」。　霖案：《經義考新校》頁3596校文，無「各本同」三字；「應依」改作「依」字；「《補正》」二字下，另有「《四庫薈要》」本；「作」改作「應作」二字。今考《內閣藏書目錄》正作「《集注》」，此當為翁方綱《經義考補正》之所本。

33霖案：「之」字下，應依《內閣藏書目錄》補入「凡二十卷」四字。

34霖案：朱善《朱一齋先生文集》卷四，〈春秋釋疑序〉，（《四庫全書存目叢書》據「北京圖書館藏明成化二十二年朱維鑑刻本」影印），集部二十五，頁201。

35霖案：「弟」字，《朱一齋先生文集》作「第」字。

36霖案：「贊」字，《朱一齋先生文集》作「贊」字。

37霖案：「學者」二字，《朱一齋先生文集》作「孝子」。

38霖案：「博」字，《朱一齋先生文集》作「博」字，書寫習慣不同所致。

39霖案：「潛」字，《朱一齋先生文集》作「潛」字。

靡不通貫，乃取諸家之說，反覆尋究，參互考訂，設為問答40，以釋群41疑、祛眾惑。間嘗出以示予42，伏而讀之，若網之在綱，粲然有條而不紊；若珠之在貫，繹乎相屬而無間，可謂明白簡要者矣。侯因請予序43諸卷端，予惟昔殷侍御注《公羊春秋》既成，而以〈序〉文屬諸韓子，韓子之學不可謂不博44矣，而猶自視歉然，願得先執經以傳所學45，然後秉筆以序46其47注，其不敢苟也如此；若善者孤陋草疏48，雖嘗習讀，然於聖人撥亂反正之大法、褒善貶惡之微旨，則茫49乎其未有聞也。雖欲挂名卷端，自託50不朽，得無犯不韙之罪歟？然近年以來，經學寥寥，學者51無所師承，是編若出，使諸生習而通之，豈不足以辨疑解惑，開發聰明？故承侯之命，不復辭，謹識之卷端，俾習是經者得而覽焉，庶亦知趨向取舍之正云。」

曹氏元博《左氏本末》（元）

　　【增補】李一迢〈左氏春秋著錄書目研究〉頁一一二曰：「《經義考》又有明松江曹宗僧《春秋序事本末》，按雲間為松江縣別名，元博宗僧字、《左氏本末》即《序事本末》，竹垞誤分為兩地、兩人、兩書也。」。

　　未見。

　　【存佚】《元史藝文志輯本》卷三，頁五六著錄，注曰：「佚」。

　　楊維楨〈序〉曰52：「左邱明受《經》於仲尼，故作《春秋傳》以為聖經之案53，後之傳《左氏》者有鐸椒，嘗作《鈔撮》八卷，虞卿作《鈔撮》九卷，是又有功於《左氏》者也，惜其文無傳矣。至漢張蒼、賈誼復傳《左氏》，河間王進於武帝；至成帝時，劉歆校祕書，

40霖案：「答」字，《朱一齋先生文集》作「荅」字。

41霖案：「群」字，《朱一齋先生文集》作「羣」字。

42霖案：「予」字，《朱一齋先生文集》作「余」字。

43霖案：「序」字，《朱一齋先生文集》作「叙」字。

44霖案：「博」字，《朱一齋先生文集》作「愽」字，書寫習慣不同所致。

45霖案：「學」字，《朱一齋先生文集》作「孝」。

46霖案：「序」字，《朱一齋先生文集》作「叙」字。

47霖案：「其」字，《朱一齋先生文集》作「所」字。

48霖案：「疏」字，《朱一齋先生文集》作「疎」字。

49霖案：「茫」字，《朱一齋先生文集》作「槩」字。

50霖案：「託」字，《朱一齋先生文集》作「托」字。

51霖案：「學者」二字，《朱一齋先生文集》作「孝子」。

52霖案：四部叢刊縮編本《東維子文集》卷六，(上海涵芬樓借印江南圖書館藏鳴野山房鈔本)，頁45，本文係根據此本錄校，不另說明。《遼金元文彙》(二)1921。

53霖案：「案」，《東維子文集》題作「按」。

見而好之，始立《左氏春秋》；和帝時，遂立其學，而《左傳》大著；又其後，晉杜預復表章之，而《傳》有注釋。夫左氏為聖門弟子，又身為國史，纂記本末，考索惟精，其文或先《經》以始事，或後《經》以終義，大抵有以原始而要終也。後之言《經》者，舍《左氏》無以為之統緒，故止齋陳氏謂：『著其所不書，以見《經》之所書者，皆《左氏》之功。』此章指之所由作[54]也。雲間曹元博氏復案《經》以證《傳》，索《傳》以合《經》，為《左氏叙事本末》若干卷，類之精，訂之審，以惠[55]學者之觀覽，其用心亦勤矣。論者以左氏作《傳》為仲尼素臣[56]，杜征南作注為左氏順臣，非忠臣；今元博序其本末，抑為左氏順臣乎？忠臣乎？蓋《左氏》之失，工於言而拙於理，好以成敗論人，妖祥計事往往駁過於誣[57]；元博既序其本傳，復能權衡其是非，合乎筆削之大義，是又[58]愛而知其惡，謂為邱明[59]之忠臣也，豈不偉哉？元博尚以吾言勉諸。」

魏氏德剛《春秋左氏傳類編》

未見。

【存佚】《元史藝文志輯本》卷三，頁五六著錄，注曰「佚」。

楊維楨〈序〉曰[60]：「《三傳》有功於聖《經》者，首推《左氏》，以其所載先《經》而始事，後《經》以終義。聖人之《經》，斷也；左氏之《傳》，案也。欲觀《經》之所斷，必求《傳》之所紀事之本末，而後是非見[61]、褒貶白也。然考《經》者欲於寸晷之際，會其事之本末，不無繙閱之厭，於是《類編》者出焉。鉅鹿魏生德剛初授《春秋》經學於應君之邵，應君歿，又執經於吾，吾於《三傳》有所考索，必生焉是資，其暇日以《左氏》所記本末不相貫穿[62]者，每一事各為始終而[63]類編之，名曰《春秋左氏傳類編》。昔鐸椒、虞卿輩各作《左氏鈔撮》，其書蓋約言之編耳，未知求經統要也。生之是編，豈《鈔撮》可以較小大哉？予念其用功之勤，俾繕寫成帙，傳於同門之士，生且求言以為〈序〉。予於《春秋》諸家有定是之錄凡十有二卷，未敢傳於世也；蓋《經》有不待《傳》而明者，有[64]因《傳》

54霖案：「作」，《東維子文集》無此字，當刪。

55霖案：「惠」，《東維子文集》題作「傳」。

56霖案：「素臣」，《東維子文集》題作「忠臣」。

57霖案：「誣」，《東維子文集》題作「註」。

58霖案：「又」，《東維子文集》題作「人」。

59霖案：「邱明」，《東維子文集》題作「丘明」。

60霖案：四部叢刊縮編本《東維子文集》卷六，(上海涵芬樓借印江南圖書館藏鳴野山房鈔本)，頁44-45，本文係根據此本錄校，不另說明。又《遼金元文彙》(二)1919亦錄之。

61霖案：「見」，《東維子文集》無之，當刪。

62霖案：「貫穿」，《東維子文集》題作「穿貫」，二字倒置。

63霖案：「而」，《東維子文集》題作「其」字。

64霖案：「有」，《東維子文集》無之，當刪。

而蔽者，學者通其明，祛其蔽，而後聖人之《經》如日月之杲杲焉。故協於經[65]者，雖科舉小生之義，在所不遺；而其不協者，雖[66]三家大儒之言亦黜也。生尚以予言有以定，是於傳家，經[67]之如日月者，不患不明矣。生勉之哉！生勉之哉！[68]」

陳氏植《春秋玉鑰匙》

　　【書名】《元史藝文志輯本》卷三，頁五六著錄，書名題作《春秋玉鑰題》

　　【著錄】《元藝文志》頁二二四著錄。

　　一卷。

　　【著錄】黃虞稷《千頃堂書目》卷二，頁五〇著錄。

　　【卷數】《黃目》無卷數名。

　　存。

　　【存佚】《元史藝文志輯本》卷三，頁五六著錄，注曰：「佚」

黃虞稷曰[69]：「永豐人，元[70]李齊榜進士，官翰林待制。」

陳氏大倫《春秋手鏡》

　　【著錄】黃虞稷《千頃堂書目》卷二，頁五〇、《元史藝文志輯本》卷三，頁五六著錄。

　　佚。

　　《紹興府志》[71]：「陳大倫，字彥理，諸暨人。學於吳淵穎[72]，絕意仕進，以教授為業。[73]」

65霖案：「於經」，《東維子文集》無之，當刪。

66霖案：「科舉小生之義，在所不遺；而其不協者，雖」等字，《東維子文集》無之，竹垞之文，未詳據何書何本甄錄。

67霖案：「經」字前，應依《東維子文集》補入「則」字。

68霖案：「生勉之哉！」四字，今本《東維子文集》無之，當刪。又「哉」字下，當依《東維子文集》補入「是為序。至正十四年秋七月朔序。」等十三字。

69霖案：黃虞稷《千頃堂書目》卷二，頁50。

70霖案：《千頃堂書目》無「元」字，當是竹垞擅加朝代名。

71霖案：《紹興府志》(《四庫全書存目叢書》史二〇一)，頁327a。

72霖案：「學於吳淵穎」五字，應依《紹興府志》作「始學於從兄洙，後事吳淵穎。先生」等十三字，竹垞僅錄及「學於吳淵穎」，實未能表達實情，今補之如上。

73霖案：「業」字下，應依《紹興府志》補入「元末避兵流子里，作『晚香亭』，日與賓客暢飲高歌，舉座絕倒。嘗語人曰：『吾平生無他嗜，惟攻文成癖，孳孳仡仡垂四十年，昔之人如此者何限，

【增補】黃虞稷《千頃堂書目》卷二曰：「（陳大倫）字仲瑜，鄞縣人，江浙儒學副提舉。」（頁五〇）

【霖案】《紹興府志》所云：「陳大倫，字彥理，諸暨人。」，黃虞稷或係誤劉希賢為陳大倫，因而致誤。黃虞稷《千頃堂書目》卷二，頁五〇著錄陳大倫《春秋手鏡》之後，即為劉希賢《春秋比事》一書，二書相近，各自有黃氏注文，或因而致誤，而致誤題作者。

魯氏真《春秋案斷》

【著錄】《元史藝文志輯本》卷三，頁五七著錄。

佚。

楊氏維楨《春秋定是錄》　或作《春秋大意》。

【增補】《元史藝文志輯本》卷三，頁五七著錄，另有《春秋透天關》十二卷，竹垞未錄，當據以補錄。

又黃虞稷《千頃堂書目》卷二，頁三十六同時錄有楊氏《春秋定是錄》、《春秋大議》二書，而《經義考》注文作「或作《春秋大意》」，其中《春秋大意》當為《春秋大議》之誤，故注文所論，當為誤題之故，今據以補入。

又永瑢等撰《欽定四庫全書總目·存目》卷三十，頁三八五錄有楊維楨《春秋合題著說》三卷，竹垞未錄此書，當據以補入。

未見。

【存佚】《元史藝文志輯本》卷三，頁五七著錄，注曰「佚」。

維楨〈自序〉曰[74]：「柳子曰：『《春秋》如日月，不可贊[75]也。』然則高自立論者皆誕也。歐陽子曰：『《春秋》如日月，然不為盲者明，而有物蔽之者，亦不得見。』然則將以制盲而祛蔽，則亦不能不假[76]於詞也。《經》不待《傳》而明者十七八，因《傳》而《蔽》者十五六，明目者祛[77]其蔽而通其明，則其如日月者杲杲矣。予[78]怪三家既有蔽焉，而諸子又於其蔽者析宗而植黨，爭角是非，不異訟牒，使求《經》者必由《傳》，而求《傳》者又

今皆安在哉？』，每搔首自傷，識者亦共傷之。所著有《春秋手鏡》、《尚雅集》。」等字。

74霖案：四部叢刊縮編本《東維子文集》卷六，(上海涵芬樓借印江南圖書館藏鳴野山房鈔本)，頁45-46，本文係根據此本錄校，不另說明。又《遼金元文彙》(二)1923錄之。

75霖案：「贊」，《東維子文集》題作「賛」。

76霖案：「假」，《東維子文集》題作「暇」。

77霖案：「祛」，《東維子文集》題作「快」。

78霖案：「予」，《東維子文集》題作「余」。

必由[79]諸子，是非紛紛，莫適所從，經之呆呆者晦矣。世之君子既晦於求《經》，復於諸子求異其說，是添訟於紛爭之中，惡物蔽目，而又自投以翳[80]者也。維楨自幼習《春秋》，不敢建一新論以立名氏，謹會諸儒之說而輒自去取之，為《定是錄》。說協於《經》，雖科舉小生之義，在所不遺；其不協者，雖三家大儒之言，亦黜也。吁，予[81]又何人？敢以一人之見與[82]奪千載之是非？何僭日[83]甚？亦從其呆呆者決之焉耳。後之君子儻[84]以錄猶未是，敢改而正諸，豈敢諱乎？」

《左氏君子議》

　　未見。

　　　　【存佚】本書未見其他傳本，當已久佚，故改注曰「佚」。又《元史藝文志輯本》卷三，頁五七著錄，注曰「佚」。李一遮〈左氏春秋著錄書目研究〉頁一三四注曰：「經義考注佚」，今考《經義考》實作「未見」，則李氏誤也。。

《春秋胡傳補正》

　　未見。

　　　　【存佚】《元史藝文志輯本》卷三，頁五七著錄，注曰「佚」。

王氏相《春秋主意》

　　　　【書名】《元史藝文志輯本》卷三，頁五七著錄，書名題作《春秋主義》。

　　十卷。

　　佚。

　　劉三吾〈表墓〉曰[85]：「相，字吾素[86]，吉水人[87]。元延祐中宋本榜進士[88]，以吳當、

79霖案：「由」，《東維子文集》題作「繇」。

80霖案：「翳」，《東維子文集》題作「醫」。

81霖案：「予」，《東維子文集》題作「于」字。

82霖案：「與」，《東維子文集》題作「舉」字。

83霖案：「日」，《東維子文集》題作「自」字。

84霖案：「儻」，《東維子文集》題作「倘」字。

85霖案：《坦齋文集》卷之下〈元翰林修撰兼國史編修國子博士王吾素先生墓表〉，(《四庫全書存目叢書》：集二五冊，頁147D至148B，此處漏寫頗多！

86霖案：「吾素」二字下，應依《坦齋文集》補入「號玉宇」等三字，此處漏略字號也。

87霖案：「吉水人」三字下，應依《坦齋文集》改作「世吉水文昌鄉人」等七字。又「人」字下，竹垞刪去眾多解題，由於文句頗多，難於逐一甄錄，讀者可參看原書。

88霖案：「元延祐中宋本榜進士」八字，原書作「元延祐甲寅，科目初興，先生以三經教授，一時登膴仕者多出其門。又七年領庚申鄉薦。明年，辛酉擢進士第狀元宋本榜。」，蓋王相中舉之時，

余闕薦[89]，官[90]國子助教[91]，尋擢翰林修撰[92]兼國史編修官[93]。」

魯氏淵《春秋節傳》

【著錄】黃虞稷《千頃堂書目》卷二，頁四九、《元史藝文志輯本》卷三，頁五七、李一遂〈左氏春秋著錄書目研究〉頁一二五著錄

佚。

《浙江通志》[94]：「魯淵，字道源，淳安人。至正辛卯舉進士，為華亭丞[95]。入明，聘，不起[96]，學者稱岐山先生[97]。」

【增補】黃虞稷《千頃堂書目》卷二曰：「（魯淵）字道源，淳安至正辛卯舉人進士，為華亭丞，入明，聘，不起。（頁四九））。

蔡氏深《春秋纂》

時為辛酉年間，而「辛酉」已入「至治元年」，西元一三二一年，是時已入元英宗之時，而非延祐（仁宗之年號），此處以為王相「元延祐中宋本榜進士」，實應為「元至治中宋本榜進士」，此處所論年代未合也，當改。

89 霖案：「以吳當、余闕薦」等六字，僅言及受到吳當、余闕所薦，然原書文句作「承旨翰林歐公、國子博士吳當、助教餘闕相率論薦」，則另有翰林承旨歐陽玄（1273~1357）的推舉，竹垞僅言及吳、余二人，實有未足之處。又《坦齋文集》作「餘闕」，然考之《元史》則作「余闕」，是以竹垞引作「余闕」，實已另有所正。又「薦」字下，應依《坦齋文集》加入「謂其言行身化，足為師表，不宜久擯于外，詔使寅其兵園。」等字。

90 霖案：「官」字，應依《坦齋文集》作「授」字。

91 霖案：「國子助教」四字下，應依《坦齋文集》補入「六館人人欣得所師」等八字。

92 霖案：「尋擢翰林修撰」六字，應依《坦齋文集》作「有翰林修撰、國子博士之擢。」等十一字。

93 霖案：「兼國史編修官」六字，原置於文章之中，而非文章之末，原作「以承旨宋公之薦，為編修官，館閣稱得人。」等字，竹垞將其改寫文句，且移置於解題之末，實與原書文句頗有差異。

94 霖案：《浙江通志》卷一六六，（台北：臺灣商務印書館，「景印文淵閣四庫全書」冊五二三，民國七十五年三月，初版），頁9下。蓋此書於「魯淵」條下注文引「嘉靖《浙江通志》之文」，當是竹垞所據之本。

95 霖案：「為華亭丞」，《浙江通志．注》題作「出丞華亭」。又「亭」字下，另有「徽寇構逆，延及永平，省檄，淵與監郡脫脫引兵而西，焚賊壘六十餘，遂會大軍於新安江中，與富山巡檢邵仲華共守豪嶺，賊再犯，眾驚懼，有退志，淵以忠義相激，皆固守，賊不敢犯，已而，為賊所執，守節不屈，必欲求死，而拘監甚固。明年，寇平得脫，起為浙江儒學提舉，尋以疾告歸，居岐山下。」等句。

96 霖案：「入明，聘，不起」，《浙江通志．注》引作「洪武初，屢徵，弗就。」等七字。

97 霖案：「生」字下，《浙江通志．注》另有「所著有《春秋節傳》、《策府樞要》，行於世。」等句。

十卷。

【著錄】黃虞稷《千頃堂書目》卷二，頁三十七、《元史藝文志輯本》卷三，頁五七著錄。

佚。

黃虞稷曰98：「深99，字淵仲，江西樂平人。元徽州路學教授，明初，陶安薦其學，以老疾辭不赴100。」

張氏失名《春秋經說》

佚。

張以寧〈序〉曰101：「《詩》有〈序〉乎？古無有也。《春秋》有《傳》乎？古無有也。曷為無有也？《詩》有〈序〉，《春秋》有《傳》，則定於102一矣。《四詩》、《三傳》何其言人人若是殊乎？古者《詩》以誦不以讀，以聲103不以文義，其無〈序〉故也。《史記》曰：『魯哀公十四年，西狩獲麟，孔子作《春秋》。十六年壬戌，孔子卒。』《春秋》者，聖人晚年之書乎？定、哀之際多微辭，游、夏之徒不能贊104一詞；當其時，《傳》宜未之有也，當其時未之有，則傳之者後之人也。《春秋》者，聖人之心也；聖人，天地之心也。生殺萬物，天地之心無心也，至仁焉耳矣；賞罰萬世，聖人之心無情也，至公焉耳矣。天地也，聖人也，惟聖人能知之、能言之，游、夏且不能與，而謂後之人若左氏，若公、穀氏能盡知且言之乎？後之學焉者弗據《經》以說《經》，顧任《傳》而疑《經》，噫！其亦惑矣。由105唐、宋以來，能不惑乎《傳》而尊《經》者，啖、趙、孫、劉、歐陽發其端，河南邵子、徽國朱文公闡其微；至我朝，草廬吳文正之《纂言》集而大之，今參政大梁張先生之《經說》翼而備之，而後聖人之心庶其白乎？且聖人之作《春秋》，豈徒託之空言，將以見諸行事、撥亂世反之正耳。先生難進而易退，其仕也以道，其言於當世，一皆深明治亂之源106，欲為國家建萬世不拔之基，君子以為深知《春秋》，善學孔子。以寧忝以是《經》

98霖案：黃虞稷《千頃堂書目》卷二，頁37。

99霖案：「深」，《千頃堂書目》無此字。

100霖案：「以老疾辭不赴」，《千頃堂書目》作「以老病不赴」。

101　霖案：《翠屏集》卷三，〈春秋經說序〉（台北：臺灣商務印書館，「景印文淵閣四庫全書」冊一二二六，民國七十五年三月，初版），頁585-586。

102　霖案：「於」字，《翠屏集》作「于」字。

103　霖案：「聲」字下，應依《翠屏集》補入「歌」字，蓋「聲歌」與「文義」對應。

104　霖案：「贊」字，《翠屏集》作「贄」字。

105霖案：「由」字，《翠屏集》作「繇」字。

106　霖案：「源」字，《翠屏集》作「原」字。

第有司而用，世實甚迂，恐終湮沒107而無聞也；讀先生之書，惕然愧以思，惟當棄去微官以相從，畢力於群108經，庶其可以附所見而或有傳乎？」

陳氏失名《春秋類編傳集》

佚。

吳澂〈序〉曰109：「析輪輿蓋軫而求車，然後有以識完車之體；指棟梁桷棁而求室，然後有以識全室之功。車、室非有假於分，而求其所以為完車、全室，不若是其詳不可也。子朱子曰110：『析之有以極其精而不亂，然後合之有以盡其大而無餘。』噫！讀《春秋》者，其亦可以是求之矣。《春秋》，化工也，化工隨物而賦形；《春秋》，山嶽也，山嶽徙步而異狀。持一概之說，專一曲之見，惡足與論聖人作經之旨哉？進賢陳君某，示予所著《春秋類編》，析《經》以主《傳》，分《傳》以屬《經》，創意廣例，論類111粲然，蓋有得於子112朱子之教者也。《春秋》非有假分合於人也，如是而求之，庶幾有以得其全耳。夫『屬辭比事，《春秋》教也』，屬辭所以合，比事所以析；不知比事，是舍輪輿蓋軫而言車，離棟梁桷棁而求室也；知比事而不知屬辭，則車與室其亡；矧於化工、山嶽乎何有？陳君其有以識是乎？夫極其精，所以盡其大也；不盡其大，無以得其全體。陳君其有以識是矣。」

費氏《春秋歸》

佚。

按：貢師泰有〈題費秀才所著春秋歸詩〉113云：「雲滿青山雪滿頭，一生辛苦著《春秋》；抱書不向公車獻，遣使須煩謁者求。翁子行年當富貴，虞卿終老豈窮愁？《玉杯114》、《繁露》應非舊，更請先生為校讎115。」今其書不復可得116，并名字

---

107 霖案：「沒」字，《翠屏集》作「微」字。

108 霖案：「群」字，《翠屏集》作「羣」字。

109 霖案：吳澄，《吳文正集》卷十九，〈春秋類編傳集序〉，（台北：臺灣商務印書館，「景印文淵閣四庫全書」冊一一九七，民國七十五年三月，初版），頁205。

110 霖案：「日」字，應依《吳文正集》改作「曰」字，「日」、「曰」二字字形相近而誤入。

111 「論類」，「備要本」同，應依「四庫本」作「倫類」。 霖案：《經義考新校》頁3603校文，無「『備要本』同」四字；「應依」改作「依」字；「四庫」二字之前，另有「《四庫薈要》本、文淵閣」等字；「作」改作「應作」二字。今考《吳文正集》作「論類」，則《經義考新校》以為「倫類」者，或有未審出處之失。

112 霖案：「子」字，《吳文正集》無此字，當刪。

113 霖案：元貢師泰撰，明沈性編《玩齋集》卷四，〈費秀才進所著春秋歸〉，四庫全書本，冊一二一五，頁552。竹垞題作「〈題費秀才所著春秋歸詩〉，篇題與貢氏原詩題稍有不同。

114 霖案：「杯」字，〈費秀才進所著春秋歸〉題作「盃」字。

115 霖案：「讎」字，〈費秀才進所著春秋歸〉題作「讐」字。

亦無攷矣。

亡名氏《春秋通天竅》

一卷。

【著錄】黃虞稷《千頃堂書目》卷二，頁五一著錄。

未見。

【存佚】《元史藝文志輯本》卷三，頁六○著錄，注曰「佚」。

《春秋透天關》（宋）

【作者】《元史藝文志輯本》卷三云：「《培林堂目》著錄四卷本，元刊，晏兼善撰著。」（頁五七）；又黃虞稷《千頃堂書目》卷二，頁四七著錄，作者亦題作「晏兼善」。

二卷。

【著錄】張壽平《公藏先秦經子注疏書目》頁一三八著錄。

【卷數】本書異數如下：

一、四卷：《元史藝文志輯本》卷三，頁五七著錄。

二、十一卷（缺）：張壽平《公藏先秦經子注疏書目》頁一三八著錄，該書缺第十二卷，是以原書應為「十二卷」，竹垞所錄卷數，或缺一「十」字所致，蓋未見原書之故，因而致誤。

三、十二卷：黃虞稷《千頃堂書目》卷二，頁四七著錄。

未見。

【存佚】本書世間實有傳本問世，惟僅作十一卷，中闕第十二卷，故當改注曰「闕」。

【版本及藏地】本書版本及藏地如下：

一、元刊本：(宋)晏兼善撰《春秋透天關》存十一卷，缺第十二卷，4冊;19.1x12.1公分，14行，行23字，註文低一格單行，四周雙欄，版心小黑口，雙魚尾，上魚尾下方記書名卷第，下魚尾下方書葉次，正文卷端題「春秋透天關卷之一　宋省魁南安軍山長晏兼善撰」，鈐有「擇是居」朱文橢圓印、「張印鈞衡」白文方印、「石銘收藏」朱文方印、「北泉草亭」白文方印、「大司寇兼御史中丞藍氏私印」朱文方印、「吳興張氏適園收藏圖書」朱文長方印」、「藍氏白玉翁」白文長方印，台北國家圖書館有藏本。

116霖案：《經義考新校》頁3604新增校文如下：「『不復可得』，文津閣《四庫》本作『不可復得』。」。

按：葉氏《菉竹堂目》有之。

【增補】永瑢等撰《欽定四庫全書總目·存目》曰：「春秋透天關四卷　永樂大典本　舊本題晏兼善撰。不著時代。據其兼及『合題』，是元人也。其書專為場屋而作，義殊膚淺。如解『元年，春王正月』云：『若就春字正月上用工，則春者，天之所為聖人紀人道之始。全以天道、王道立說亦可』云云。則一書之大指可知矣。」（卷三十，頁三八五至頁三八六）

【增補】〔校記〕《四庫》輯《大典》本四卷，〈提要〉云：「舊題晏兼善撰。」（《春秋》，頁五一）

【增補】《國家圖書館善本書志初稿》：「【春秋透天關存十一卷四冊】

元刊本　　00535

宋晏兼善撰。

版匡高 19.1 公分，寬 12.1 公分。左右雙邊，每半葉十四行，行二十三字，版心小黑口，雙魚尾，上魚尾下方記書名卷第(如『春秋關卷一』，或『透天關卷二』)，下魚尾下方書葉次。全書原十二卷，缺哀公一卷。

首卷首行頂格題『春秋透天關卷之一』，次行低七格題『宋省魁南安軍山長晏兼善撰』。卷末有尾題。文中多處漫漶。

書中鈐有『擇是居』朱文橢圓印、『張印/鈞衡』白文方印、『石銘/收藏』朱文方印、『北泉/草亭』白文方印、『莏圖/收藏』朱文長方印、『大司寇兼/御史中丞/藍氏私印』朱文方印、『吳興張氏適園收藏圖書』朱文長方印、『藍氏/白玉翁』白文長方印。

《適園藏書志》卷二有著錄。」（頁 145）。

【增補】《續修四庫全書總目提要》：「春秋透天關十二卷　元刻本　　　劉思生

宋晏兼善撰。兼善仕履未詳。次行題省魁南安軍山長晏兼善撰。元刊本。每半葉十四行。行二十三字。高六寸五分。廣四寸一分。黑口雙邊。四庫收入存目。祇從大典輯得四卷。斷為元人。而謂其書專為場屋而作。如解元年春王正月云。若就春字正月上用工。則春者天之所為。聖人記人道之始。全以天道。人道立說亦可。正與此書合。四卷則不全。此書坊肆所刻本。為場屋而作。經義考亦收之。云二卷。未見。又云菉竹堂書目有之。亦不著撰人名氏。補元藝文志。有楊維楨春秋透天關十二卷。東湖叢書記。見殘元本。卷三卷四二卷。昔人止見二卷。遂謂之二卷。實則十二卷。均因未見原書。遂多　舛。此書實系宋人撰。元書肆為場屋而刻共十二卷。惟千頃堂書目不誤。此本存十一卷。止缺哀公一卷。最為罕見之本。」（頁七四三）

卷一百九十八　春秋三十一經義考卷一百九十八春秋三十一

趙氏汸《春秋集傳》（元）

十五卷。

【著錄】黃虞稷《千頃堂書目》卷二，頁三六、《元史藝文志輯本》卷三，頁五八、張壽平《公藏先秦經子注疏書目》頁一四○著錄。

存。

【版本及藏地】本書版本及藏地如下：

一、通志堂經解本：元趙汸撰，明倪尚誼校《春秋集傳》十五卷，四冊，張之洞《書目答問補正》卷一，頁四七著錄，馬來西亞大學圖書館有藏本（二部）。

【增補】耿文光《萬卷精華樓藏書記》卷八曰：「《春秋集傳》十五卷　元趙汸撰

通志堂本。前有趙汸自序，倪尚誼後序。是書專重書法，亦引諸說。朱氏考有汪元錫序，此本不載。趙子常師事九江黃楚望，傳春秋之學，著《屬詞》、《師說》、《左傳補注》三書，學者宗之。《本義》以病輟筆，自昭公二十八年以下，門人倪尚誼續成，分為十五卷，《屬辭》、《補注》汪左丞刻之，東山書院集傳，至嘉靖中，東阿劉隅始得其書於汪元錫而屬教諭夏鍔傳之。三書本相輔而行，一生精力盡在於此，學者宜遍讀也。」（頁三○七）

二、明嘉靖三十四年金日誦刻藍印本：《元史藝文志輯本》卷三，頁五八著錄，藍印，九行廿一字白口四周雙邊，南京圖書館有藏本。

三、明刻本：元趙汸撰　明倪尚誼補　夏鍔校正《春秋集傳》十五卷，九行廿一字白口左右雙邊，大陸：西北大學圖書館有藏本，《中國古籍善本書目》（經部）頁二七二著錄，又此本行款與明嘉靖七年夏鍔刻本，疑為同一版本，但由於《中國古籍善本書目》僅錄作「明刻本」，今從之，暫附所疑如上。

又《元史藝文志輯本》卷三，頁五八錄有一本，亦題作「明刻本」

【增補】《西北大學圖書館善本書目》曰：「九行二十一字，白口，左右雙邊。趙汸，明休寧人，字子常，黃澤門人，究心春秋之學，學稱東山先生。倪尚誼，趙汸門人。卷首有趙汸序。卷末有倪尚誼識語，疑為汪氏刻本。四冊。」（頁四）

四、鈔本：(元)趙汸撰《春秋集傳》十五卷，十冊，《國立故宮博物院善本舊籍總目》，上冊，頁一○三著錄，台北：故宮博物院有藏本。

五、文淵閣四庫全書本：(元)趙汸撰《春秋集傳》十五卷，八冊，《國立故宮博物院善本舊籍總目》，上冊，頁一○二著錄，台北：故宮博物院有藏本。

【增補】永瑢等撰《欽定四庫全書總目》曰：「春秋集傳十五卷　兩江總督採進本

元趙汸撰。汸有《周易文詮》，已著錄。是書有汸自序及其門人倪尚誼後序，尚誼稱是書『初稿始於至正戊子，一再刪削，迄丁酉成編。既而復著《屬詞》，義精例密。

乃知《集傳》初稿更須討論，而序文中所列史法經義猶有未至。歲在戊寅，重著是傳。草創至昭公二十八年[1]，乃疾疢難厄，閣筆未續。至洪武己酉遂卒」。自昭公二十八年以下，尚誼據《屬詞》義例續之。序中所謂策書之例十有五，筆削之義八者，亦尚誼更定，而原本有訛誤疏遺者，咸補正焉。則此書實成於尚誼之手。然義例一本於汸，猶汸書也。汸自序曰：『學者必知策書之例，然後筆削之義可求。筆削之義既明，則凡以虛詞說經者，皆不攻而自破。』可謂得說經之要領矣。」（卷二十八，頁三五八）

【增補】邵懿辰撰、邵章續錄：《增訂四庫簡明目錄標注》卷三曰：「《春秋集傳》十五卷，元趙汸撰，其門人倪尚誼補。

　　　通志堂本。朱修伯曰：「以下四種，曾見明刊本。半葉十三行，行二十七字。」

　　〔續錄〕明刊藍印本，明正德汪克錫刊本。」（頁一一五）

【增補】楊武泉《四庫全書總目辨誤》曰：「戊寅為洪武三十一年，己酉為洪武二年。己酉已卒，不可能續書至戊寅。檢《庫》本《春秋集傳》尚附倪尚誼識語云：『歲在壬寅，重著《集傳》，方草創至昭公二十七年，乃疾疢難危，閣筆未續，序久亦未及改。洪武己酉仲冬，先生遽謝世矣。』可知『歲在戊寅』乃『歲在壬寅』之誤。壬寅，元至正二十二年也。『疾疢難厄』乃『疾疢難危』之訛。『草創至昭公二十八年』乃『草創至昭公二十七年』之誤也。」（頁三一）

六、摛藻堂薈要本：(元)趙汸撰《春秋集傳》十五卷，八冊，《國立故宮博物院善本舊籍總目》，上冊，頁一〇三著錄，台北：故宮博物院有藏本。

七、清同治十二年(1873)粵東書局重刊本：(元)趙汸撰《春秋集傳》十五卷，台北：國家圖書館有藏本。

八、明嘉靖七年夏鍠刻本：元趙汸撰《春秋集傳》十五卷，　九行廿一字白口左右雙邊有刻工，北京：清華大學圖書館有藏本。

九、清抄本：元趙汸撰《春秋集傳》十五卷，北京圖書館有藏本。

十、清乾隆五十年(1785)內府刊本：(元)趙汸撰《春秋集傳》十五卷，鈐有「味經窩藏書印」朱文長方印，「秦蕙田味經氏」白文長方印，「味經曾觀」朱文方印，台北：國家圖書館有藏本。

十一、清康熙十九年通志堂刊乾隆五十年修補本：(元)趙汸撰《春秋集傳》十五卷，四冊，《國立故宮博物院善本舊籍總目》，上冊，頁一〇二著錄，台北：故宮博物院有藏本。

1霖案：原注云：按：文淵閣庫書所收倪尚誼後序稱「歲在壬寅，重著《集傳》，方草創至昭公二十七年」，據此，《總目》引尚誼後序似誤。

十二、明正德汪克錫刊本：邵懿辰撰、邵章續錄：《增訂四庫簡明目錄標注》卷三，頁一一五著錄。

十三、明刊藍印本：邵懿辰撰、邵章續錄：《增訂四庫簡明目錄標注》卷三，頁一一五著錄，未詳確切刊本，今暫列於此，以俟後考。

十四、清抄本：元趙汸撰，《春秋集傳》十五卷，中國國家圖書館有藏本。

汸〈自序〉曰[2]：「《春秋》，聖人經世之書也[3]，書成[4]而孔子卒，當時[5]弟子蓋僅有得其傳者，歷戰國、秦、漢以及近代，說者殆數十百家，其深知聖人制作之原者，孟氏[6]而已。孟氏[7]之言曰：『王者之迹熄而詩亡，《詩》亡，然後《春秋》作。』『其事則齊桓、晉文，其文則史，孔子曰：「其義則丘竊取之矣。」』此孔門傳《春秋》學者之微言而[8]制作之原

2霖案：趙汸：《趙氏春秋集傳・序》（「通志堂經解」本，冊二五），頁14387-14390。又《五經翼》卷十五，（《四庫全書存目叢書》經一五一冊），頁809-814。

3霖案：「也」字下，應依《趙氏春秋集傳・序》補入「昔者，周之末世，明王不興，諸侯倍畔，蠻夷侵陵，而莫之治也。齊桓公出糾之以會盟，齊之以征伐，上以尊天王，下以安中國，而天下復歸于正，晉文公承其遺烈，子孫繼主盟者，百有餘年，王室賴之，故孔子稱其功曰：『一匡天下，民到于今受其賜。』，及乎晉伯不競，諸侯復散，大夫專國，陪臣擅命，楚滅陳蔡，宋滅曹，吳入盟諸夏，則天下之亂極矣。孔子生於斯時，道足以興，而患本當世諸侯莫能用之，蓋嘗歎曰：『苟有用我者，吾其為東周乎！』齊一變，至於魯，魯一變，至於道，始蓋有意於齊，晚尤拳拳於魯也。又曰：『文王既沒，文不在茲乎。』使仲尼得君，復周公之法，脩桓文之業，率天下諸侯以事周，則文王之至德，吾無聞間然矣。』，是夫子之志也。君君臣臣父父子子，則六卿之晉，田氏之齊，三家之魯，出公之衛，可正也。興滅國，繼絕世，舉逸民，謹權量，審法度，脩廢官，則文武之政可舉也。足食足兵，而民信，則戎狄可膺，荊舒可懲也。當是之時，以夫子而合諸侯，匡天下，猶運之掌也。既而道終不行，則又歎曰：『甚矣！吾衰也久矣！久矣！吾不復夢見周公，鳳鳥不至，河不出圖，吾已矣。』夫此其心，豈能一日而忘天下者，於是西狩獲麟，則夫子老矣！嘉瑞既應，而天下莫能宗，予雖聖人，亦無以見其志矣。乃即魯史成文，斷自隱公，加之筆削列伯者之功過，以明尊天王，內中國之義，貶諸侯、討大夫，誅其亂臣賊子，以正人心，示王法，蓋天之所命也，是歲之夏，齊陳恒弒其君，孔子沐浴而朝請討之，適當修書之際，夫豈欲托諸空言者哉！故曰：『聖人經世之書也。』」等字。

4霖案：「書成」，應依《趙氏春秋集傳・序》補入「一歲」二字。

5霖案：「當時」二字下，應依《趙氏春秋集傳・序》補入「高第」二字。

6霖案：「孟氏」二字前，應依《趙氏春秋集傳・序》補入「鄒」字。

7霖案：「孟氏」二字前，應依《趙氏春秋集傳・序》補入「蓋夫」二字。

8霖案：「微言，而」二字下，應依《趙氏春秋集傳・序》補入「周雖失政，而先王《詩》、《書》、《禮》、《樂》之教，結于民心者未泯，故善有美而惡有刺，人情猶不能忘於其上也。迨其極也，三綱五常顛倒失序，而上下相忘，怨刺不作，則文、武、成、康治教之迹，始湮滅無餘矣。夫世變如

也9。自孟氏以來，鮮有能推是說以論《春秋》者10。《左氏》有見於史11，故常主史以釋《經》12；《公羊》、《穀梁》有見於《經》13，故據《經》以生義14。後世15舍16《三傳》17無所師承，故主《左氏》則非《公》、《穀》，主《公》、《穀》則非《左氏》，二者莫能相一。其有兼取《三傳》者，則臆決無據，流遁失中，其厭於尋繹者，則欲盡舍《三傳》，直究遺經，分異乖離，莫知統紀，使聖人經世之道闇而不明，鬱而不發，則其來久矣。至永嘉陳君舉始用二家之說，參之《左氏》，以其所不書實其所書，以其所書推見其所不書為得，學《春秋》之要在《三傳》，後卓然名家；然其所蔽，則遂以《左氏》所錄為魯史舊文，而不知策書有體，夫子所據以加筆削者，左氏亦未之見也。《左氏》書首所載不書之例，皆史法也，非筆削之旨；《公羊》、《穀梁》每難疑以不書發義，實與《左氏》異師，陳氏合而求之，失其本矣。故於《左氏》所錄而《經》不書者，皆以為夫子所削，則其不合於聖人者亦多矣，由不考於孟氏而昧夫制作之原故也。蓋嘗論而列之，策書之例十有五18：一曰君舉必書，非君命不書。二曰公即位，不行其禮，不書。三曰納幣逆夫人，夫人至、夫人歸皆書之。四曰君夫人薨，不成喪，不書；葬不用夫人禮則書卒，君見弒則諱而書薨。五曰適子生則書之，公子、夫人19在位書卒。六曰公嫁女20為諸侯夫人，納幣、來逆女、歸娣、歸來、媵致女卒

此，而春秋不作，則人心將安所底止乎！故曰：『《詩》亡然後《春秋》作。』隱、桓之世，王室日卑，齊伯肇興，《春秋》之所由始也。定、哀之世，中國日衰，晉伯攸廢，《春秋》之所由終也。方天命在周未改，而上無天子，下無方伯，桓、文之事，不可誣也，是以聖人詳焉，故曰：『其事則齊桓、晉文，古者列國皆有史官，掌記一國之事，《春秋》，魯史策書也，事之得書不得書，有周公遺法焉。太史氏掌之，非夫人之所得議也。吾魯司寇也，一旦取太史氏所職而修之，魯之君臣，其能無惑志歟？』然則，將如之何？凡史所書，有筆有削，史所不書，吾不加益也，故曰：『其文則史』，史主實錄而已。《春秋》志存撥亂，筆則筆，削則削，游夏不能贊一辭，非史氏所及也，故曰：『其義則丘竊取之矣。』，此」等字。

9霖案：「也」字下，應依《趙氏春秋集傳·序》補入「學者即是而求之思過半矣。然」等十二字。

10霖案：「者」字下，應依《趙氏春秋集傳·序》補入「蓋其失由三傳始。」等七字。

11霖案：「史」字下，應依《趙氏春秋集傳·序》補入「其所發皆史例也。」等七字。

12霖案：「《經》」字下，應依《趙氏春秋集傳·序》補入「是不知筆削之有義也。」等九字。

13霖案：「《經》」字下，應依《趙氏春秋集傳·序》補入「其所傳者，猶有經之佚義焉。」等十一字。

14霖案：「義」字下，應依《趙氏春秋集傳·序》補入「是不知其文之則史也。」等九字。

15霖案：「後世」二字下，應依《趙氏春秋集傳·序》補入「學者」二字。

16霖案：「舍」字，《趙氏春秋集傳·序》無之，當刪。

17霖案：「《三傳》」二字下，應依《趙氏春秋集傳·序》補入「則」字。

18霖案：「五」字下，應依《趙氏春秋集傳·序》補入「而筆削之義有八，策書之例十有五」等十四字。

19「公子、夫人」，「備要本」同，應依《補正》、「四庫本」作「公子、大夫」。　　　霖案：《經義考新

葬來歸皆書，為大夫妻書來逆而已。七曰時祀時田，苟過時越禮則書之；軍賦改作踰制，亦書於21策；此史氏之錄乎內者也。八曰諸侯有命，告則書；崩卒不赴，則不書；禍福不告，亦不書；雖及滅國，滅不告敗，勝不告克，不書於22策。九曰雖霸23主之役，令不及魯，亦不書。十曰凡諸侯之女行惟王后，書；適諸侯，雖告不書。十一曰諸侯之大夫奔，有玉帛之使則告，告則書，此史氏之錄乎外者也。十二曰凡天子之命，無不書；王臣有事為諸侯，則以內辭書之。十三曰大夫已命書名氏，未命書名；微者名氏不書，書其事而已；外微者書人。十四曰將尊師少稱將，將卑師眾稱師，將尊師眾稱某帥帥，君將不言帥帥。十五曰凡天災物異無不書，外災告則書之；此史氏之通錄乎內外者也。筆削之義有八：一曰存策書之大體。凡策書之大體，曰天道，曰王事，曰土功，曰公即位，曰逆夫人、夫人至、世子生，曰公夫人外如，曰薨葬，曰孫，曰夫人歸，曰內女卒葬，曰來歸，曰大夫公子卒，曰公大夫出疆，曰盟會，曰出師，曰國受兵，曰祭祀蒐狩越禮、軍賦改作踰制、外諸侯卒葬，曰兩君之好，曰玉帛之使，凡此之類，其書於24策者皆不削也。《春秋》，魯史也，策書之大體吾不與易焉，以為猶魯《春秋》也。二曰假筆削以行權。《春秋》撥亂經世，而國史有恆25體，無辭可以寄文，於是有書有不書，以互顯其義，書者筆之，不書者削之，其筆削大凡有五：或略同而26存異，公行不書致之類也；或略常以明變，釋不朝正、內女歸寧之類也；或略彼以見此，以來歸為義則不書歸，以出奔為義則殺之不書之類也；或略是以著非，諸侯有罪及勤王復辟不書之類也；或略輕而27明重，非有關於天下之故不悉書是也。三曰變文以示義。《春秋》雖有筆有削，而所書者皆從主人之辭，然有事同而文異者，有文同而事異者，則予奪無章而是非不著，於是有變文之法焉，將使學者即其文之異同、詳略以求之，則可別嫌疑、明是非矣。四曰辨名實之際，亦變文也。正必書王，諸侯稱爵，大夫稱名氏，四裔28大者稱子，

校》頁3606校文，無「『備要本』同」等四字；又「應依」改作「依」字；「《補正》」二字下，另有「《四庫薈要》本、文淵閣《四庫》本、文津閣」等字；又「作」改作「應作」二字。今考《趙氏春秋集傳．序》正作「公子、大夫」，此或為翁方綱《經義考補正》所據之本。

20霖案：「公嫁女」三字，《趙氏春秋集傳．序》題作「公女嫁」，竹垞引文，互為乙倒。

21霖案：「於」，《趙氏春秋集傳．序》題作「于」字。

22霖案：「於」，《趙氏春秋集傳．序》題作「于」字。

23霖案：「霸」，《趙氏春秋集傳．序》題作「伯」字。

24霖案：「於」，《趙氏春秋集傳．序》題作「于」字。

25霖案：「恆」，《趙氏春秋集傳．序》題作「恒」字。

26「而」，「四庫本」作「以」。　霖案：《經義考新校》頁3607校文，「四庫」二字之前，另有「文淵閣」三字。今考《趙氏春秋集傳．序》亦作「以」字。

27「而」，「四庫本」作「以」。　霖案：《經義考新校》頁3607校文，「四庫」二字之前，另有「文淵閣」三字。今考《趙氏春秋集傳．序》亦作「以」字。

28霖案：「裔」，《趙氏春秋集傳．序》題作「夷」字。

此《春秋》之名也。諸侯不王而霸[29]者興，中國無霸[30]而吳、楚[31]橫，大夫專兵而諸侯散，此《春秋》之實也。《春秋》之名實如此，可無辨乎？於是有去名以全實者，征伐在諸侯，則大夫將不稱名氏，中國有霸，則楚君侵伐不稱君。又有去名以責實者，諸侯無王，則正不書王，中國無霸[32]，則諸侯不序，君大夫將，略其恆[33]稱，則稱人。五曰謹內外[34]之辨，亦變文也。楚至東周[35]，僭王猾夏，故霸[36]者之興，以攘卻為功；然則自晉霸[37]中衰，楚益侵陵中國，俄而入陳、圍鄭、平宋、盟於[38]蜀、盟於[39]宋、會於[40]申，甚至伐吳、滅陳、滅蔡，假討賊之義，號於天下，天下知有楚而已，故《春秋》書楚事，無不一致其嚴者，而書吳、越與徐，亦必與中國異辭，所以信大義於天下也。六曰特筆以正名。筆削不足以盡義，而後有變文，然禍亂既極，大分不明，事有非常，情有特異，雖變文猶不足以盡義，而後聖人特筆是正之，所以正其名分也。夫變文雖有損益，猶曰史氏恆[41]辭，若特筆則辭旨卓異，非復史氏恆[42]辭矣。七曰因日月以明類。上下內外之無別，天道人事之反常，六者尚不能盡見，則又假日月之法區而別之。大抵以日為詳，則以不日為略；以月為詳，則以不月為略；其以日為恆[43]，則以不日為變；以不日為恆[44]，則以日為變，甚則以不月為異；其以月為恆[45]，則以不月為變；以不月為恆[46]，則以月為變，甚則以日為異。將使屬辭比事以求之，則筆削變文特筆既各以類明，而日月又相為經緯，無微不顯矣。八曰辭從主人。主人謂魯君也，《春

29霖案：「霸」，《趙氏春秋集傳．序》題作「伯」字。

30霖案：「霸」，《趙氏春秋集傳．序》題作「伯」字。

31霖案：「吳、楚」二字，《趙氏春秋集傳．序》題作「夷狄」，蓋《經義考》或為避諱求安所致，而改作「吳、楚」二字。

32霖案：「霸」，《趙氏春秋集傳．序》題作「伯」字。

33霖案：「恆」，《趙氏春秋集傳．序》題作「恒」字。

34霖案：「內外」二字，《趙氏春秋集傳．序》題作「華夷」二字，蓋竹垞避禍求安，因而改字。

35霖案：「東周」二字下，應依《趙氏春秋集傳．序》補入「強於四夷」等四字。

36霖案：「霸」，應依《趙氏春秋集傳．序》改作「伯」字。

37霖案：「霸」，應依《趙氏春秋集傳．序》改作「伯」字。

38霖案：「於」，《趙氏春秋集傳．序》題作「于」字。

39霖案：「於」，《趙氏春秋集傳．序》題作「于」字。

40霖案：「於」，《趙氏春秋集傳．序》題作「于」字。

41霖案：「恆」，《趙氏春秋集傳．序》題作「恒」字。

42霖案：「恆」，《趙氏春秋集傳．序》題作「恒」字。

43霖案：「恆」，《趙氏春秋集傳．序》題作「恒」字。

44霖案：「恆」，《趙氏春秋集傳．序》題作「恒」字。

45霖案：「恆」，《趙氏春秋集傳．序》題作「恒」字。

46霖案：「恆」，《趙氏春秋集傳．序》題作「恒」字。

秋》本魯史成書，夫子作經，唯以筆削見義，自非有所是正，皆從史氏舊文，而所是正亦不多見，故曰辭從主人。此八者，實制作之權衡也，然聖人議而弗辨，是非之心，人皆有之，善而見錄則為褒，惡而見錄則為褒貶，其褒貶以千萬世人心之公而已，聖人何容心哉？辭足以明義，斯已矣。故曰：『知我者，其惟《春秋》乎！罪我者，其惟《春秋》乎！』是故知《春秋》存策書之大體，而治乎內者恆[47]異乎外也，則謂之夫子法書者，不足以言《春秋》矣。知《春秋》假筆削以行權，而治乎外者恆[48]異乎內也，則謂之實錄者，不足以言《春秋》矣。知一經之體要議而弗辨，則凡謂《春秋》賞人之功，罰人之過[49]，去人之族，黜人之爵，褒而字之，貶而名之者，亦不足以論聖人矣。故學者必知策書之例，然後筆削之義可求，筆削之義既明，則凡以虛辭說經者，其刻深辨[50]急之說皆不攻而自破；苟知虛辭說經之無益，而刻深辨[51]急果不足以論聖人也，然後《春秋》經世之道可得而明矣。雖然，使非孟氏之遺言尚在，則亦安能追求聖人之意於千數百年之上也哉？汸自早歲獲聞資中黃楚望先生論《五經》旨要，於《春秋》以求書法為先，謂有魯史書法、有聖人書法，而妙在學者自思而得之乃為善也；於是思之十有餘載，卒有得於孟氏之言，因其說以考《三傳》及諸家、陳氏之書，而具知其得失異同之故，反覆推明，又復數載，然後一經之義始完，屬辭比事，莫不燦然各有條理，洿[52]經離亂，深恐失墜，乃輯錄為書。以謂後世學《春秋》稍知本末者，賴有《左氏》而已，故取《左氏傳》為之補注，欲學者必以考事為先；其文與義，則《三傳》而後諸家之說苟得其本真者，皆傳[53]以己意，暢而通之，名曰《春秋集傳》，凡十五卷。尚意學者溺於所聞，不能無惑，別撰《屬辭》八篇，發其隱蔽，傳諸同志，以俟君子，或有取焉[54]。」

【增補】〔補正〕〈自序〉內「夫人在位」，當作「大夫。」（卷八，頁十四）

倪尚誼〈後序〉曰[55]：「《春秋集傳》有〈序〉，東山先生所著，初稿[56]始於至正戊子，一再刪削，迄丁酉歲成編；既而復著《屬辭》，義精例密，乃知《集傳》初稿[57]更須討論，而〈序〉文中所列史法經義猶有未至，且謂《屬辭》時推筆削之權，而《集傳》大明經世之

47霖案：「恆」，《趙氏春秋集傳．序》題作「恒」字。

48霖案：「恆」，《趙氏春秋集傳．序》題作「恒」字。

49霖案：「過」，《趙氏春秋集傳．序》題作「罪」字。

50霖案：「辨」，《趙氏春秋集傳．序》題作「辯」字。

51霖案：「辨」，《趙氏春秋集傳．序》題作「辯」字。

52霖案：《經義考新校》頁3609新增校文如下：「『洿』，文津閣《四庫》本作『漸』。」

53霖案：「傳」，《趙氏春秋集傳．序》題作「傅」字。

54霖案：「焉」字下，應依《趙氏春秋集傳．序》補入「新安趙汸序」等五字。

55 霖案：元趙汸，《春秋集傳》，倪尚誼〈春秋集傳後序〉(台北：臺灣商務印書館，「景印文淵閣四庫全書」冊一六四，民國七十五年三月，初版)，頁251-251。

56 霖案：「稿」字，倪尚誼〈春秋集傳後序〉題作「藁」字。

57 霖案：「稿」字，倪尚誼〈春秋集傳後序〉題作「藁」字。

志，必二書相表裏而後《春秋》之旨方完。歲在壬寅，重著《集傳》，方草創至昭公二十七年，乃疾疢難危，閣筆未續，〈序〉文亦不及改，洪武己酉仲冬，先生遽謝世矣。尚誼受教門牆頗久，獲窺先生著述精思妙契之勤，嘗俾其校對編抄，間有千慮一得，先生不以其愚妄，或俯從是正者有之。竊惟先生於是經，所謂一生精力盡於此者，誠足以破聚訟未決之疑，而發千載不傳之祕[58]，顧乃功虧一簣，《集傳》未及成書，所幸初稿[59]具全，其義例之精，有《屬辭》可據。尚誼愚暗[60]，然執經有年[61]，是以不避僭踰，始自昭公二十八年，訖於獲麟，并〈序〉中條陳義例一節輒加校定，其全書有訛誤疏[62]遺者，就用考正，庶幾與屬辭歸一而前後詳略相因[63]，其[64]義例文辭悉據先生成說，特施櫽括而已。初未敢以臆見傅會其間也，謹遵治命，分為一十五卷，既脫稿[65]，藏之東山精舍，以俟君子修飾焉[66]。」

汪元錫〈後序〉曰[67]：「東山趙先生著《春秋集傳》、《屬辭》、《左氏注[68]解》共若干卷。《屬辭》、《左氏解》[69]，汪[70]左丞[71]刻之東山書院，惟《集傳》無聞；弘治間，篁墩先生[72]嘗徧求不獲；正德戊辰，予偶知是書藏於程文富氏，屢借抄不獲；嘉靖戊子，提學御史東阿劉君按徽，下令求是書，予語有司就文富氏索之，而後是書始出。然則斯文之顯晦固有時耶！劉君以原本藏之學宮，休邑劉判簿時濟恐其抄錄日久，不免魯魚亥豕之譌[73]，屬夏

58　霖案：「祕」字，倪尚誼〈春秋集傳後序〉題作「秘」字。

59　霖案：「稿」字，倪尚誼〈春秋集傳後序〉題作「藁」字。

60　霖案：「愚暗」，應依倪尚誼〈春秋集傳後序〉題作「雖至愚極暗」等五字。

61　霖案：「有年」二字，應依倪尚誼〈春秋集傳後序〉改作「館下，厥有自來，」等六字。

62　霖案：「疏」字，倪尚誼〈春秋集傳後序〉題作「疎」字。

63　霖案：「因」字下，應依倪尚誼〈春秋集傳後序〉補入「固知畫虎不成難逃譏誚」等十字。

64　霖案：「其」字，倪尚誼〈春秋集傳後序〉題作「然」字。

65　霖案：「稿」字，倪尚誼〈春秋集傳後序〉題作「藁」字。

66　霖案：「焉」字下，應依倪尚誼〈春秋集傳後序〉補入「學生倪尚誼謹識」等七字。

67　霖案：元趙汸，《春秋集傳》，汪元錫〈春秋集傳後序〉(台北：臺灣商務印書館，「景印文淵閣四庫全書」冊一六四，民國七十五年三月，初版)，頁251。

68　霖案：「注」字，汪元錫〈春秋集傳後序〉題作「註」字。

69「《左氏解》」，「備要本」同，應依「四庫本」作「《左氏註解》」。　　霖案：《經義考新校》頁3610校文，無「『備要本』同」等四字；「應依」改作「依」字；「四庫」二字之前，另有「文淵閣」三字；「作」改作「應作」二字。今考汪元錫〈春秋集傳後序〉作「《左氏解》」，乃簡稱也。

70　霖案：《經義考新校》頁3610新增校文如下：「『汪』，文淵閣《四庫》本脫漏。」

71「汪左丞」，「四庫本」作「左丞」。　　霖案：汪元錫〈春秋集傳後序〉作「汪左丞」。

72　霖案：「篁墩先生」，汪元錫〈春秋集傳後序〉誤作「墩篁先生」，蓋「篁墩」實為地名，而非題作「墩篁」，是以竹垞將其逕改為「篁墩先生」也。

73　霖案：「譌」字，汪元錫〈春秋集傳後序〉作「訛」字。

司訓鎧重加校正74，捐俸刻之，俾與《屬辭》並行於世。嗚呼！《春秋》者，聖人之刑書也。夫子生丁季世，有德無位，於是假魯史以修經，褒善貶惡，垂法萬世75。東山先生，聖人之徒也，憤元76之亂甚於春秋，築居東山，《集傳》諸書之作，固吾夫子修經之意。先生77一出，與左丞起兵保捍鄉井十有餘年，一郡晏然，此吾夫子相魯會齊、夾谷卻萊兵之時也。先生其善學夫子者乎？世人讀先生之書與先生之文者，知其問學不在宋潛溪諸公下，而不知先生平生慷慨大節亦且78卓卓如是；予忝先生郡人79，恨生也晚，不得供灑埽80之役，判簿君以刻書之故相諗，遂不辭而為之〈序〉81。」

【增補】〔補正〕汪元錫〈後序〉末當補云：「嘉靖十一年七月。」（卷八，頁十四）

【增補】黃虞稷《千頃堂書目》卷二曰：「始汸至正戊子初作《集傳》，既復著《屬詞》，義精例密，《集傳》所列經義史法，猶有未備，且謂《屬詞》時推筆削之權，而《集傳》大明經史之志，必二書相表裏，而後《春秋》之旨方完。至壬寅後，《集傳》至昭公二十七年攖痾，遂閣筆。迨洪武己酉冬，汸卒，其門人倪尚義據《屬辭》義例補成之。」（頁三十六）

【增補】納蘭成德〈趙氏春秋集傳序〉曰：「東山趙子常先生，元季師事九江黃楚望，傳《春秋》之學，著《屬辭》、《補註》、《師說》三書，為《三傳》之學者尊稱之。先生復有《集傳》十五卷，則先《屬辭》而成者，〈自序〉言：策書之例十有五，而筆削之義有八，迨後《屬辭》成，以《集傳》義例，微有未合，更須討論。至正壬寅，先生再著其書，至昭公二十七年，以病輟筆。門人倪尚誼援先生之義續成之，即今書也。先生常謂《屬辭》特推筆削之權，而《集傳》大明經世之志，必二書相表裏，而後《春秋》之旨方完，則是書宜與《屬辭》并行也，明矣。予得千頃堂藏本，因論次焉。竊觀宋元之際，新安沐浴紫陽之澤，老師宿儒多出其閒，若雲峰雙湖兩胡氏、定宇陳氏仲弘，倪氏見心程氏，皆能著書推明朱子之學，其與先生同時，又有環

---

74 霖案：「正」字，汪元錫〈春秋集傳後序〉作「訂」字。

75 霖案：「世」字下，應依汪元錫〈春秋集傳後序〉補入「故曰：『知我者，其惟《春秋》乎？罪我者，其惟《春秋》乎？』」等十八字。

76 霖案：「元」字，應依汪元錫〈春秋集傳後序〉題作「當世」二字。

77 霖案：「先生」二字，應依汪元錫〈春秋集傳後序〉題作「中嘗」二字。

78 霖案：「且」字，應依汪元錫〈春秋集傳後序〉題作「自」字，二字形近而誤入。

79 霖案：「人」字下，應依汪元錫〈春秋集傳後序〉補入「兩登東山，徘徊竟日」等八字。

80 霖案：「埽」字，汪元錫〈春秋集傳後序〉題作「掃」字。

81 「序」字下，應依《補正》補「嘉靖十一年七月」。「四庫本」、「備要本」亦闕。　霖案：《經義考新校》頁3611校文，無「字」字；「應依」改作「依」字；「補」改作「應補」二字。無「『四庫本』、『備要本』亦闕。」等字。今考「〈序〉」字下，應依汪元錫〈春秋集傳後序〉補入「先生九原有知，當不以予為妄也。嘉靖十一年壬辰秋七月朔，後學東峰汪玄錫書。」等字。

谷蓉峰兩汪氏，風林朱氏與先生輔翊開代，脩明禮樂，為世儒宗，其纂輯羣言，羽翼往說，如環谷之《纂疏》者，亦有其人，然未有迥然特出，能得知罪我之義如先生者。先生蚤見楚望，即告以窮經之要在乎致思，于是深悟。夫魯史有一定之書法，聖經有筆削之大旨，魯史亡，而聖人所書，遂莫能辨，獨幸《左氏傳》尚存遺法，杜預注《左》，于史例推之，頗詳《公》、《穀》，二氏多舉書不書見義，其後，止齋陳氏因《公》、《穀》所舉之書法，以考正《左傳》筆削大義，最為有徵，故先生為《集傳》，本之二家，而兼采眾說，要使學者即策書之例，以求筆削之旨，則知聖經不可以虛詞立異，破碎牽合以為說，而後聖人之明矣！故朱鳳林一見其書，輒曰：前無古人，其推服之如此，豈同時諸儒所可及哉！先生卒，後門人輯成藏弆，故人不見。嘉靖中，東阿劉隅始得其書，于先生鄉人汪元錫，而屬教諭夏鐙傳之！噫！後之學者，知三傳之不可廢，不僅抱遺經以究終始者，豈必賴是書也。夫康熙丁巳納蘭成德容若序。」（《春秋集傳》〈序〉，「通志堂經解」本，冊二五，頁一四三八六）。

【增補】《東山存稿》卷三〈舊稾纂述之意備見備序〉曰：「黃先生一切斷以虛辭，必經旨既明，義例既定，然後可擇其存者存之。若黃先生力主杜氏得聖人制作本原，止齋根據《三傳》從書法立義，得學《春秋》之要，皆卓然有功於《經》，然啖、趙以前說者，已數百家，近代復數百家，汓伩來江湖所見，不過數十家，然無艎《三傳》《三註》及陳氏者，最後見莊氏《文雅堂書目》內有未見者四十餘家，一時不能忘情，疾病顛沛，後心力凋殘，不復動念，惟有以是正之，幸甚。」（《文淵閣四庫全書》本冊一二二一，頁二六〇。）

《春秋屬辭》（元）

十五卷。

【著錄】黃虞稷《千頃堂書目》卷二，頁三十六；《元史藝文志輯本》卷三，頁五八、張壽平《公藏先秦經子注疏書目》頁一四〇著錄。

【卷數】李盛鐸著・張玉範整理《木犀軒藏書題記及書錄》錄有元刊本，題作「十卷」

【霖案】北京圖書館藏有元趙汸《春秋屬辭》十五卷，卷內有「竹垞藏本」、「竹垞老人」、「彝尊讀過」等印記，為竹垞舊藏之物，見載於王重民《中國善本書提要》頁二七，題藏地為「北京」圖書館，版本項則作「元刻本」，然審其行款，當為「元至正甲辰(二十四年)海寧商山義塾刊本」，竹垞所藏之本，即王重民所記之本。又台北：國家圖書館藏有「元至正甲辰(二十四年)海寧商山義塾刊本」，中有「竹垞藏書記」，則竹垞當日或藏二本，而分見北京、台北國家圖書館二地。然而，台北：國家圖書館曾代藏昔日北平圖書館舊籍，則二本或為同本，亦未可知。

存。

【版本及藏地】本書版本及藏地如下：

一、元至正甲辰(二十四年)海寧商山義塾刊本：(元)趙汸撰《春秋屬辭》十五卷，八冊，16.6×13.5公分・正文卷端題「春秋屬辭卷之一　新安趙汸學」，序文有「春秋

屬辭序　趙汸」，13行，註低二格單行大字，小註雙行，行24字，左右雙欄，版心小黑口，雙魚尾，中間記書名卷第，下方書葉次、字數及刻工名：「月」、「肖」、「永」、「文」、「木」、「左」等，卷十五末題「金居敬覆校」、「學生倪尚誼校對」、「前鄉貢進士池州路儒學學正朱升校正」，《國立中央圖書館典藏國立北平圖書館善本書目》，頁八、《國立故宮博物院善本舊籍總目》，上冊，頁一〇二著錄，台北國家圖書館（有二部）、台北故宮博物院有藏本。

又國家圖書館藏本，有藏印「國立中央圖書館收藏」朱文長方印、「澤存書庫」朱文方印、「子晉珍藏」朱文方印、「北平來薰閣陳氏經籍鋪」朱文方印、「崑山顧氏家藏」朱文方印、「竹垞藏書記」朱文方印、「橫雲山人」白文方印。有微捲、有精裝複製本。

又國家圖書館另有一本，序跋有「趙汸自序」、「春秋屬辭序　宋濂」、「不知作者題跋」等，藏印有「國立中央圖書館收藏」朱文長方印、「盛昱之印」白文方印等印，有微捲。

又台北：中央研究院史語所有藏本，題作「元刊本」，然審其行款，當為元末商山義塾刊本，今暫列於本，以俟後考。

又北京大學亦藏有元刊本，行款同於此本。

又北京圖書館藏有一本，題作「元刻本」。

【增補】《國家圖書館善本書志初稿》：「【春秋屬辭十五卷八冊】

元末商山義塾刊本　00539

元趙汸撰。

版匡高16.6公分，寬13.5公分。左右雙邊。每半葉十三行，行十四個字，版心小黑口，雙魚尾，中間記書名卷第(如『春秋屬辭卷一』)，下方書葉次、字數、刻工名。刻工名：月、肖、文、美、木、左等。卷五缺第六、十九葉，卷十五缺第十八葉。

首卷首行頂格題『春秋屬辭卷之一』，下低九格書『新安趙汸學』。卷末隔一行有尾題。卷十五終後有『金居敬覆校』、『學生倪尚宜校對』、『前鄉貢進士池洲路儒學學正朱升校正』。卷首有趙汸『春秋屬辭序』。序後有春秋屬辭目錄及趙汸目錄識語。正文十五卷，篇目又分為『存策書之大體』第一至七卷，『假筆削以行權』，第八至九卷，『變文以示義』第十卷，『辯名實之際』第十一卷，『謹華夷之辯』第十二卷，『特筆已正名』第十三卷，『因日月以明類』第十四卷，『辭從主人』第十五卷，每篇首又有作者小序各一。篇目又細分小目。小目以墨蓋子白文別出。

書中鈐有『國立中央圖/書館收藏』朱文長方印、『澤存/書庫』朱文方印、『子晉/珍藏』朱文方印、『北平來薰/閣陳氏/經籍鋪』朱文方印、『崑山/顧氏/家藏』朱文方印、『竹垞藏/書記』朱文方印、『橫雲/山人』白文方印。

著錄諸家有《欽定天祿琳瑯續目》卷八、《鐵琴劍樓藏書目錄》卷五、《皕宋樓

藏書志》卷九、《儀顧堂續跋》卷三作十八卷、《善本書室藏書志》卷三、《藝風藏書續記》卷一、《適園藏書志》卷二、《五十萬卷樓藏書目錄初編》卷一做十八卷。」**(頁146)**。

【增補】《國家圖書館善本書志初稿》：「【春秋屬辭十五卷四冊】

又一部　00540

目錄缺第一、二、七、八、十三、十四葉，正文則卷五缺第十八葉，卷七缺二十九葉，卷八缺第九、十葉，卷九缺第十六葉。文中多漫漶。

有趙汸自序，另收宋濂『春秋屬辭序』及不知作者題跋一。

書中鈐有『國立中央圖/書館收藏』朱文長方印、『莊圃/收藏』朱文長方印、『宗室文/愨公/家世藏』朱文方印、『盛昱/之印』白文方印。」(頁146)

【增補】《中央研究院歷史語言研究所善本書目》曰：「《春秋屬辭》十五卷八冊　元趙汸撰　元刊本。」（頁七）

【增補】瞿鏞編纂・瞿果行標點・瞿鳳起覆校《鐵琴銅劍樓藏書目錄》卷五曰：「三書（按：指《春秋屬辭》十五卷；《春秋左氏傳補註》十卷；《春秋師說》三卷等三書）俱題『新安趙汸學并序』。《屬辭》有金華宋濂序，又有太平黃倫《總題辭》。《屬辭》卷末列三行『金居敬覆校，倪尚誼校對，朱升校正』。後附汪文、程性跋。《師說》後附錄黃楚望〈思古吟〉十章，吳氏澂為黃氏作《六經辨釋補註》、《易學濫觴》、《春秋指要》三書序，又子常所作〈黃楚望先生行狀〉，又附門人金居敬總跋。《屬辭》刊於海寧商山義塾，始至正二十年庚子，至二十四年甲辰而成。并刻《補註》、《師說》，皆居敬校定之本。入明後，板刻有闕。弘治六年太平黃倫重完之。」（頁一四五）

【增補】李盛鐸著・張玉範整理《木犀軒藏書題記及書錄》曰：「【春秋屬辭】十卷　〔元趙汸撰〕　元刊本〔(有缺葉)〕　李7488

每卷題『新安趙汸學』。半葉十三行，行二十七字。小黑口，左右雙邊。前有自序（序文行二十四字）。板心下方有字數及刊工名。舊為上元孫文川澂之藏書，書衣題字澂之筆也。」（頁七五）

【增補】王重民：《中國善本書提要》曰：「【春秋屬辭十五卷】　八冊（《四庫總目》卷二十八）（北圖）

元刻本〔十三行二十七字（16.7×12.8）〕

元趙汸撰。卷內有：「竹垞藏本」、「竹垞老人」、「彝尊讀過」、「南樓書籍」、「華山馬仲安家藏善本」、「思贊」、「寒中子」、「衍齋馬仲子印」、「古鹽官州馬氏」、「衍齋」、「馬仲安」、「華山仲子印」、「重憙鑑賞」、「百蓮閣所藏書」、「吳仲懌祕笈印」等印記。陸氏皕宋樓別藏一本，有題記，載《儀顧堂續跋》卷三。此本卷末有：「前鄉貢進士池州路儒學學正朱升校正，學生倪尚誼校對，金居敬覆校」三行，與陸本同。唯此本無程性跋，殆以刷印在陸本前歟？

自序

又自識

宋濂序。」（頁二七）

二、通志堂經解本：元趙汸撰《春秋屬辭》十五卷，五冊，張之洞《書目答問補正》卷一，頁四二，馬來西亞大學圖書館有藏本（二部）。

三、元至正二十年至二十四年休寧商山義塾刻，明弘治癸丑（六年，１４９３）黃倫修補本：元趙汸撰《春秋屬辭》十五卷，十三行二十七字，每卷題「新安趙汸學」，有韓應陛跋，台北國家圖書館、台北國防研究院圖書館善本書室等有藏本。

又國家圖書館藏本，有微捲、有精裝複製本，藏印有「希古右文」朱文方印、「國立中央圖書館考藏」朱文方印、「不薄今人愛古人」白文長方印等印。

又《中國古籍善本書目》（經部）頁二七二著錄，南京圖書館有藏本，此本有朱文藻、丁丙跋，十三行二十七字小字雙行行字同細黑口左右雙邊有刻工。

【增補】《國家圖書館善本書志初稿》：「【春秋屬辭十五卷十冊】

又一部　元末商山義塾刊明弘治六年(1493)黃倫修補本　00542

卷三第五、六、二十一葉及卷八第九、十、三十三葉為黃倫修補。

原序兩篇為後人修補，錯將兩篇序接合成一篇，致宋濂序缺後半部，趙汸序缺前半部。本書與前書號(00539)比較，缺目錄一卷。卷十五尾題後『金居敬覆校』等字已被剟去。

書中鈐有『希古/右文』朱文方印、『國立中/央圖書/館考藏』朱文方印、『不薄今/人愛古人』白文長方印。」(頁 146)。

四、文淵閣四庫全書本：(元)趙汸撰《春秋屬辭》十五卷，《目錄》一卷，八冊，《國立故宮博物院善本舊籍總目》，上冊，頁一〇二著錄，台北故宮博物院有藏本。

【增補】永瑢等撰《欽定四庫全書總目》曰：「春秋屬辭十五卷82　兩江總督採進本

元趙汸撰。汸於《春秋》用力至深。至正丁酉既定《集傳》初稿，又因《禮記經解》之語，悟《春秋》之義在於比事屬詞，因復推筆削之旨，定著此書。其為例凡八：一曰存策書之大體，二曰假筆削以行權，三曰變文以示義，四曰辨名實之際，五曰謹內外之辨，六曰特筆以正名，七曰因日月以明類，八曰辭從主人。其說以杜預《釋例》、陳傅良《後傳》為本，而亦多所補正。汸《東山集》有《與朱楓林書》曰：『謂《春秋》隨事筆削，決無凡例，前輩言此亦多。至丹陽洪氏之說出，則此段公案不容再舉矣。其言曰：『《春秋》本無例，學者因行事之迹以為例，猶天本無度，歷家即周天之數以為度。』此論甚當。至黃先生則謂『魯史有例，聖經無例，非無例也，以義

82霖案：原注云：按：浙、粵本將是書排於《春秋左氏傳補注》之前。

為例，隱而不彰。』則又精矣。今汸所纂述，卻是比事屬辭法，其間異同、詳略，觸事貫通，自成義例，與先儒所纂、所釋者殊不同。然後知以例說經，固不足以知聖人。為一切之說以自欺，而漫無統紀者，亦不足以言《春秋》也。是故但以『屬辭』名書。又有《與趙伯友書》曰：『承筆削行狀，作黃先生傳，特奉納《師說》一部，《屬辭》一部，尊兄既熟行狀，又觀《師說》，則於六經復古之學，艱苦之由，已得大概。然後細看《屬辭》一過，乃知區區抱此二十餘年，非得已不已，強自附於傳注家，以徼名當世之謂也。其書參互錯綜，若未易觀，然其入處，只是屬辭比事法，無一義出於杜撰』云云。其論義例頗確，其自命亦甚高。今觀其書，刪除繁瑣，區以八門，較諸家為有緒。而目多者失之糾紛，目少者失之強配，其病亦略相等。至日月一例，不出《公》、《穀》之窠臼，尤嫌繳繞，故仍為卓爾康所譏（語見爾康《春秋辨義》。）蓋言之易而為之難也。顧其書淹通貫串[83]，據傳求經，多由考證得之，終不似他家之臆說。故附會穿鑿，雖不能盡免，而宏綱大旨則可取者為多。前有宋濂序，所論《春秋》五變，均切中枵腹游談之病，今併錄之，俾憑臆說經者知情狀不可揜焉。』（卷二十八，頁三五九至頁三六○）

【增補】邵懿辰撰、邵章續錄：《增訂四庫簡明目錄標注》卷三曰：「《春秋屬詞》十五卷，元趙汸撰。

通志堂本。

〔附錄〕陸有元刊本。（紹箕）

〔續錄〕元刊本十卷，明初刊本，汪本。」（頁一一五）

【增補】胡玉縉撰、王欣夫輯《四庫全書總目提要補正》卷七曰：「玉縉案，此目本無弊，翁方綱《復初齋集·書春秋師說後》，議其筆削條間，可不必云行權，頗輳轕，茲不錄。」（頁一七七）

五、摛藻堂薈要本：台北故宮博物院有藏本。

六、清初鈔本：(元)趙汸撰《春秋屬辭》十五卷，十二冊，《國立故宮博物院善本舊籍總目》，上冊，頁一〇二著錄，台北故宮博物院有藏本。

七、清同治十二年(1873)粵東書局重刊本：(元)趙汸撰《春秋屬辭》十五卷，台北：國家圖書館有藏本。

八、清康熙十九年通志堂刊乾隆五十年修補本：(元)趙汸撰《春秋屬辭》十五卷，六冊，《國立故宮博物院善本舊籍總目》，上冊，頁一〇二著錄，台北：故宮博物院有藏本。

九、清乾隆五十年(1785)內府刊本：(元)趙汸撰《春秋屬辭》十五卷，鈐有鈐有「味經窩藏書印」朱文長方印，「味經曾觀」朱文方印，台北：國家圖書館有藏本。

83霖案：原注云：「串」，浙、粵本作「穿」。

十、明刊本：(元)趙汸撰《春秋屬辭》十五卷，8 冊；27 公分，十三行二十七字，金居敬覆校三行，群碧樓審為「元刊本」，今正「明刊本」，金居敬覆校三行，首有元宋濂〈序〉，又趙氏〈自序〉，金居敬覆校三行，有「金元功藏書記」、「群碧樓」、「元刻本」諸印記，金居敬覆校三行，末有前鄉貢進士池州路儒學學正朱升校正，學生倪尚誼校對，金居敬覆校三行，有微捲 NF741，金居敬覆校三行，排架號： 6-1-2，金居敬覆校三行，光碟代號： OD003A，金居敬覆校三行，台北：中央研究院史語所有藏本。

十一、明初刊本：邵懿辰撰、邵章續錄：《增訂四庫簡明目錄標注》卷三，頁一一五著錄。

十二、趙吉士刊本：邵懿辰撰、邵章續錄：《增訂四庫簡明目錄標注》卷三，頁一一五著錄。

十三、清初刊本：趙汸撰《春秋屬辭》十五卷,四冊,台北:國家圖書館有藏本。

十四、元至正二十年至二十四年休寧商山義塾刻，明弘治癸丑（六年，１４９３）高忠修補本：元趙汸撰，《春秋屬辭》十五卷，十三行廿七字小字雙行同黑口左右雙邊雙魚尾，北京、北京大學、北京師範大學、中共中央黨校、中國社會科學院文學研究所、中國社會科學院歷史研究所、上海、河北省博物館、山西省、山西省文物局、旅順博物館、吉林省、蘇州市、浙江、安徽省博物館、福建師範大學、四川省、四川師範大學等圖書館、天一閣文物保管所均有藏本，此本錄作「元至正二十年至二十四年休寧商山義塾刻明弘治六年高忠重修本」，與上述「元至正二十年至二十四年休寧商山義塾刻，明弘治癸丑（六年，１４９３）高忠修補本」雖為同年據同一版本修補，惟各家著錄分別著錄，或為不同版本，今暫記所見如上，以俟後考。又北京大學圖書館、中國社會科學院歷史研究所、上海圖書館、蘇州市圖書館、四川省圖書館等地所藏之本，另有「《春秋左氏傳補注》十卷，《春秋師說》三卷，《附錄》二卷」，與其他各地藏本，僅有「《春秋屬辭》十五卷」，略有不同。又上海圖書館另藏一本，有「清韓應陛題記」，並另有「《春秋師說》三卷，《附錄》二卷」，與上述諸館藏本略有不同，惟其版本著錄皆同，今附列於此。

汸〈自序〉曰[84]：「《六經》同出於聖人，《易》、《詩》、《書》、《禮》、《樂》之旨，近代說者皆得其宗，《春秋》獨未定於[85]一，何也？學者知不足以知聖人，而又不由《春秋》之教也。昔者聖人既作《六經》，以成教於天下，而《春秋》教有其法，獨與《五經》不同，所謂『屬辭比事』是也。蓋《詩》、《書》、《禮》、《樂》者，帝王盛德成功已然之述，《易》觀陰陽消息以見吉凶，聖人皆述而傳之而已；《春秋》斷截魯史，有筆有

---

[84]霖案：《國立中央圖書館善本序跋集錄》頁322-323錄有該篇序跋，係錄自「元末商山義塾刊本」。
又《五經翼》卷十五，〈春秋屬詞序〉（《四庫全書存目叢書》經一五一冊），頁805亦錄此文。

[85]霖案：「於」，「元末商山義塾刊本」序文作「于」。

削，以寓其撥亂之權，與述而不作者事異，自高弟[86]如游、夏尚不能贊一辭，苟非聖人為法以教人，使考其異同之故以求之，則筆削之意何由可見乎？此『屬辭比事』所以為《春秋》之教，不得與《五經》同也。然而聖人之志則有末[87]易知者，或屬焉而不精，比焉而不詳，則義類弗倫，而《春秋》之旨亂，故曰：『屬辭比事而不亂[88]，深於《春秋》者也。』有志是《經》者，其可舍此而他求乎？左氏去七十子之徒未遠而不得聞此，故雖博覽遺文，略見本末，而於筆削之旨無所發明，此所謂知不足以知聖人而又不由《春秋》之教者也。《公羊》、《穀梁》以不書發義，啖、趙二氏纂例以釋《經》，猶有屬辭遺意，而陳君舉得之為多，庶幾知有《春秋》之教者，然皆泥於褒貶，不能推見始終，則聖人之志豈易知[89]乎？若夫程、張、邵、朱四君子者，可謂知足以知聖人矣，而於屬辭比事有未暇數數焉者，此《五經》微旨所以闇而復明，《春秋》獨鬱而不發也。自是以來，說者雖眾，而君子[90]謂之虛辭。夫文義雖焦而不合於《經》，則謂之虛辭可也，而亦何疑於眾說之紛紛乎？善乎莊周氏之言曰：『《春秋》經世，先王之志，聖人議而弗辨[91]。』此制作之本意也。微言既絕，教義弗彰，於是自議而為譏刺，自譏刺而為褒貶，自褒貶而為賞罰，厭其深刻者又為實錄之說以矯之，而先王經世之志荒矣，此君子所謂虛辭者也。故曰：『《春秋》之義不明，學者知不足以知聖人，而又不由《春秋》之教也。』豈不然哉？間嘗竊用其法以求之，而得筆削之大凡有八，蓋制作之原也。《春秋》，魯史也，雖有筆有削，而一國之紀綱本末未嘗不具，蓋有有筆而無削者，以為猶《魯春秋》也，故其一曰存策書之大體。聖人撥亂以經世，而國書有定體，非假筆削無以寄文，故其二曰假筆削以行權。然事有非常，情有特異，雖筆削有不足以盡其義者，於是有變文、有特筆，而變文之別為類者曰辨[92]名實、曰謹華裔[93]，故其三曰變文以示義，其四曰辨[94]名實之際，其五曰謹內外[95]之辨[96]，其六曰特筆以正名。上下內外之殊分，輕重淺深之弗齊，雖六者不能自見，則以日月之法區而別之，然後六義皆成，無微不顯，故其七曰因日月以明類。自非有所是正皆從史文，然特筆亦不過數簡，故其八曰辭從主人，是

86霖案：「高弟」，「元末商山義塾刊本」序文作「弟子高第者」。

87霖案：「末」，「元末商山義塾刊本」錄作「未」字。

88霖案：「亂」字下，應依「元末商山義塾刊本」序文補入「者」字。

89「知」，「備要本」誤作「如」。

90霖案：「子」字下，應依「元末商山義塾刊本」序文補入「一切」等二字。

91霖案：「辨」，「元末商山義塾刊本」序文作「辯」字。

92霖案：「辨」，「元末商山義塾刊本」序文作「辯」字。又《五經翼》作「辨」字。

93霖案：「裔」，應依「元末商山義塾刊本」序文作「夷」字，蓋清代文字獄興盛，此蓋避禍而改字也。又《五經翼》題作「彝」字，亦為改字所致。

94霖案：「辨」，「元末商山義塾刊本」序文作「辯」字。又《五經翼》作「辨」字。

95霖案：「內外」，應依「元末商山義塾刊本」序文作「華夷」二字，蓋清代文字獄興盛，此蓋避禍而改字也。又《五經翼》題作「華彝」，亦係避諱所致。

96霖案：「辨」，「元末商山義塾刊本」序文作「辯」字。又《五經翼》題作「辨」字。

皆所謂『議而弗辨』者也。雖然，使非是經有孔門遺教，則亦何以得聖人之意於千載之上哉？乃離經辨[97]類，析類為凡，發其隱蔽，辨[98]而釋之為八篇，曰《春秋屬辭》。將使學者由《春秋》之教以求制作之原，制作之原既得，而後聖人經世之義可言矣，安得屬辭比事而不亂者相與訂其說哉？[99]」

宋濂〈序〉曰[100]：「《春秋》，古史記也，夏、商、周皆有焉，至吾孔子，則因魯國之史修之，遂為萬代不刊之經，其名雖同，其實則異也。蓋在魯史則有史官一定之法，在聖經則有孔子筆削之旨，自魯史云亡，學者不復得見以驗聖經之所書，往往混為一塗，莫能致辨[101]，所幸《左氏傳》尚明[102]魯史遺法，《公羊》、《穀梁》二家多舉『書』、『不書』以見義，聖經筆削麤[103]若可尋。然其所蔽者，《左氏》則以史法為經文之書法，《公》、《穀》雖詳於經義，而[104]不知有史例之當言，是以兩失焉爾。《左氏》之學既盛行，杜預氏為之注[105]，其於史例推之頗詳。杜氏之後，惟陳傅良氏因《公》、《穀》所舉之書法以考正《左傳》筆削大義最為有徵，斯固讀《春秋》者之所當宗，而可憾者，二氏各滯夫一偏，未免如前之蔽，有能會而同之，區以別之，則春秋之義昭若日星矣。奈何習者多忽焉而弗之察，其有致力於此以發千古不傳之祕[106]者，則趙君子常其人乎！子常夙受《春秋》於九江黃先生楚望，先生之志，以《六經》明晦為己任，其學以積思自悟、必得聖人之心為本，嘗語子常曰：『有魯史之《春秋》，則自伯禽至於頃公是已；有孔子之《春秋》，則起隱公元年至於哀公十四年是已。必先考史法，然後聖人之筆削可得而求矣。』子常受其說以歸，晝夜以思，忽有所得，稽之《左傳》、杜《注》[107]，備見魯史舊法，粲然可舉，亟往質諸先生，而先生歿已久矣。子常益竭精畢慮，幾廢寢食，如是者二十年，一旦豁然有所悟入，且謂《春秋》之法在乎屬辭比事而已。於是離析部居，分別義例，立為八體，以布列之，集杜、陳二

97霖案：「辨」，「元末商山義塾刊本」序文作「辯」字。又《五經翼》題作「辨」字。

98霖案：「辨」，「元末商山義塾刊本」序文作「辯」字。又《五經翼》題作「辨」字。

99霖案：「哉」字下，應依「元末商山義塾刊本」序文補入「新安趙汸序」等五字。又《五經翼》無之，考竹垞之文，大抵同於《五經翼》之文。

100霖案：《國立中央圖書館善本序跋集錄》頁323-325錄有該篇序跋，係錄自「元末商山義塾刊本」。又通志堂經解冊二六，頁14579-14580亦錄此文。

101霖案：「辨」，「元末商山義塾刊本」序文作「辯」字。

102「明」，「備要本」同，應依《補正》、「四庫本」作「存」。　　霖案：《經義考新校》頁3613校文，無「『備要本』同」等四字；「應依」改作「依」字；「四庫」之前，改作「《四庫薈要》本、文淵閣」等字。今考「元末商山義塾刊本」序文亦作「存」字，此或為翁方綱所據之本。

103霖案：「麤」，「元末商山義塾刊本」序文作「粗」字。

104霖案：「而」字下，應依「元末商山義塾刊本」序文補入「亦」字。

105霖案：「注」，「元末商山義塾刊本」序文作「註」字。

106霖案：「祕」，「元末商山義塾刊本」序文作「秘」字。

107霖案：「注」，「元末商山義塾刊本」序文作「註」字。

氏之所長而棄其所短，有未及者，辨108而補之，何者為史策舊文，何者是聖人之筆削，悉有所附麗，凡暗109昧難通歷數百年而弗決者，亦皆迎刃而解矣，遂勒成一十五卷，而名之曰《春秋屬辭》云。嗚呼！世之說《春秋》者，至是亦可以定矣。濂頗觀簡策，所載說《春秋》者多至數十百家，求其大概，凡五變焉。其始變也，三家競為專門，各守師說，故有《墨守》、《膏肓》、《廢疾》之論；至其後也，或覺其膠固已深而不能行遠，乃倣《周官》調人之義而和解之，是再變也；又其後也，有惡其是非淆亂而不本諸《經》，擇其可者存之，其不可者舍之，是三變也；又其後也，解者眾多，實有溢於三家之外，有志之士會萃成編，而集傳、集義之書愈盛焉，是四變也；又其後也，患恆說不足聳人視聽，爭以立異相雄，破碎書法，牽合條類，譁然自以為高，甚者分配易象，逐事而實之，是五變也。五變之紛擾110不定者，蓋無他焉，由不知經文史法之殊，此其說愈滋而其旨愈晦也歟？子常生於五變之後，獨能別白二者，直探聖人之心於千載之上，自非出類之才、絕倫之識不足以與於斯。嗚呼！世之說《春秋》者至是亦可以定矣。如濂不敏，竊嘗從事是經，辛勤鑽摩，不為不久，卒眩眾說，不得其門而入；近獲締交於子常，子常不我鄙夷，俾題其書之首簡，濂何足以知《春秋》？間與一二友生啟而誦之，見其義精例密，咸有據依，多發前賢之所未發111，子常可謂深有功於聖經者矣。濂何足以知《春秋》？輒忘僭踰而序其作者之意如此112。子常姓趙氏，名汸113，歙休寧人，隱居東山，雖疾病不忘著書，四方學子尊之114為東山先生115。」

　　【增補】〔補正〕宋濂條內「《左氏傳》尚明」，「明」當作「存」。（卷八，頁十四）

　　【霖案】台北：國家圖書館藏有「元末商山義塾刊本」，該本有元金居敬〈跋〉文，竹垞將此文置於《春秋師說》條下，且題作〈總序〉，稍有不同，當改置於此條下，較合實情。又「元末商山義塾刊本」所錄文字，漫漶不清，竹垞所引之文，適能補其不足，說法詳見《春秋師說》條下校語。

108霖案：「辨」，「元末商山義塾刊本」序文作「辯」字。

109霖案：「暗」，「元末商山義塾刊本」序文作「闇」字。

110霖案：《經義考新校》頁3614新出校文如下：「『紛擾』，文津閣《四庫》本作『分擾』。」。

111霖案：「發」字下，應依「元末商山義塾刊本」序文補入「譬猶張樂廣廈、五音繁會，若不可以遽定，細而聽之，則清濁之倫、重輕之度皆有條而不紊」等三十五字。

112霖案：「此」字下，應依「元末商山義塾刊本」序文補入「若夫孔子經世大旨，所以垂憲將來者，已見子常之所自著，茲不敢勦說而瀆告之也。」等三十三字。

113霖案：「汸」字下，應依「元末商山義塾刊本」序文補入「子常字也」等四字。

114霖案：「之」字下，應依「元末商山義塾刊本」序文補入「稱」字。

115霖案：「先生」下，應依「元末商山義塾刊本」序文補入「子常別有《春秋師說》三卷、《春秋左氏傳補註》十卷、《春秋集傳》十五卷與《屬辭》並行於世。前史官，金華宋濂謹序」等四十二字。

卓爾康曰[116]：「子常《集傳》、《屬辭》[117]，文贍事核，體大思精，真可謂集《春秋》之大成，成一經之鉅製矣。中間亦有穿鑿稍過、瑣屑難名，而日月諸義尤無是理，然白璧微瑕，不足玷也。」

【增補】黃虞稷《千頃堂書目》卷二曰：「離析部居，分別義例，立為八體，以布列之。汸以《春秋》有史氏之舊文，有聖人之特筆，必先明二者，而後可以讀《春秋》，殫精畢慮，凡二十年，而成是書。」（頁三十六）

《春秋左氏傳補注》（元）

【作者】《元史藝文志輯本》卷三，頁五八著錄，惟作者誤作「趙𡷉」。又李一遂〈左氏春秋著錄書目研究〉頁一一九誤作「趙紡」。「𡷉」、「紡」與「汸」字相近，因而致誤。

【書名】本書異名如下：

一、《春秋左氏傳補註》：《中國館藏和刻本漢籍書目》頁四六、《國立中央圖書館善本序跋集錄》頁三六八著錄。

二、《春秋左傳補注》：張之洞《書目答問補正》卷一，頁三九、《中國館藏和刻本漢籍書目》頁四六著錄。

三、《春秋左氏傳補注》：張壽平《公藏先秦經子注疏書目》頁一一六著錄。

十卷。

【卷數】黃虞稷《千頃堂書目》卷二，頁三十六著錄。案《東山存稿》卷三錄之，題作「三卷」，卷數或有不同。

存。

【版本及藏地】本書版本及藏地如下：

一、元末商山義塾刊明弘治癸丑(6年, 1493)黃倫修補本：(元)趙汸撰《春秋左氏傳補註》十卷，：1 冊；16.7✕13.5公分，有微捲、有精裝複製本，12行，行24字，註文小字雙行，左右雙欄，版心小黑口，雙魚尾，上記大小字數，中間記書名卷第，下方記葉次，再下記刻工名，元刻部分於魚尾上方記字數，明刻部分則於最下方記字數，元刻工名有「永」、「趙」、「走」諸名，明修刻工名有「文」、「水」等名，藏印有「國立中央圖書館收藏」朱文長方印、「盛昱之印」白文方印等，卷三後有缺葉，

---

116 霖案：卓爾康，《春秋辯義》卷首三，(台北：臺灣商務印書館，「景印文淵閣四庫全書」冊一七○，民國七十五年三月，初版)，頁218。

117 霖案：「《集傳》、《屬辭》」四字，《春秋辯義》題作「究此二法，本以師傳，其所謂：存策書之大體，假筆削以行權，特筆以正名，辨名實之際，謹華夷之辨等篇，呼吸全經，貫串一代。」等句，竹垞或以其文涉及「華夷之辨」，而刪去是文，惟文意不明，乃酌加「《集傳》、《屬辭》」四字，今據原書改正。

台北國家圖書館有藏本。

又北京圖書館、南京圖書館有藏本

二、通志堂經解本：元趙汸撰《春秋左氏傳補注》十卷，張之洞《書目答問補正》卷一，頁三九著錄，馬來西亞大學圖書館有藏本（二部）。。

三、龔翔麟玉玲瓏閣叢刻本：張之洞《書目答問補正》卷一，頁三九著錄。

四、文淵閣四庫全書本：(元)趙汸撰《春秋左氏傳補注》十卷，二冊，《國立故宮博物院善本舊籍總目》，上冊，頁八十七著錄，台北故宮博物院有藏本。

【增補】永瑢等撰《欽定四庫全書總目》曰：「春秋左氏傳補注十卷　兩江總督採進本

元趙汸撰。汸尊黃澤之說《春秋》以《左氏傳》為主，注則宗杜預。《左》有所不及者，以《公羊》、《穀梁》二傳通之，杜所不及者，以陳傅良《左傳章旨》通之。是書即採傅良之說，以補《左傳集解》所未及。其大旨謂[118]杜偏於《左》，傅良偏於《穀梁》，若用陳之長以補杜之短，用《公》、《穀》之是以救《左傳》之非，則兩者兼得。筆削義例，觸類貫通，傳注得失，辨釋悉當。不獨有補於杜《解》為功，於《左傳》即聖人不言之旨，亦灼然可見。蓋亦春秋家持平之論也。至杜預《釋例》自孔穎達散入疏文，久無單行之本，《永樂大典》所採錄得見者亦稀，陳傅良之《章旨》世尤罕睹，汸所採錄，略存梗概，是固考古者所亟取矣。」（卷二十八，頁三五九）

【增補】邵懿辰撰、邵章續錄：《增訂四庫簡明目錄標注》卷三曰：「《春秋左氏傳補注》十卷，元趙汸撰。

通志堂本。玉玲瓏閣叢刻本。以上三種，有趙吉士刊本。

〔附錄〕陸有元刊本。（紹箕）

〔續錄〕明初刊本，汪本。」（頁一一五至頁一一六）

【增補】胡玉縉撰、王欣夫輯《四庫全書總目提要補正》卷七曰：「陸氏《儀顧堂續跋》云：『其書出經文一句而補注於下，雖以陳止齋《春秋章旨》為宗，兼採孔穎達、劉敞、葉夢得諸家之說附益之，至名物、度數、訓詁、地理固不若近儒之精也。』翁方綱《復初齋集》有是書跋云：『通志堂板本尚有闕脫，當訪求舊本補之。東山此補注，蓋於經傳所繫皆極斟酌出之，非僅若後來補注者專以釋《左氏》文句典訓為功也。東山治春秋，其取益蓋本於黃氏澤，而亦參用啖、趙、陸、葉諸家之說；至若陳止齋《左傳章旨》，久湮不傳，惟賴此所引得粗具其概。惟是《左氏》之傳，其中有因杜《解》而反滋疑者，亦有當日依經附義非可盡以後人文義概之者，又在乎善讀經傳者知所體會爾。』玉縉案：《提要》所據為兩江採進本，未知即通志本否？但通志

---

[118]霖案：原注云：「謂」，浙、粵本作「為」。

本有闕脫亦不可不知。」（頁一七七至頁一七八）

五、日本享和元年（１８０１）翻刻通志堂本：《中國館藏和刻本漢籍書目》頁四六著錄，首都圖書館有藏本。

六、日本享和三年（１８０３）學問所御藏板制本頒行所刻本：《中國館藏和刻本漢籍書目》頁四六著錄，華東師大圖書館有藏本。

七、元至正甲辰(二十四)海寧商山義塾刊本：(元)趙汸撰《春秋左氏傳補註》十卷，二冊，《國立中央圖書館典藏國立北平圖書館善本書目》，頁九著錄此書，則此書原為北平圖書館舊物，曾一度移交台北中央圖書館典籍，現藏於故宮博物院，又台北中研院史語所、台北國家圖書館均有藏本。

又北京圖書館另藏一本。

【霖案】參考趙汸《春秋屬辭》條下說明。

【增補】《中央研究院歷史語言研究所善本書目》曰：「《春秋左氏傳補注》十卷二冊　元趙汸撰　元刊本。」（頁八）

【增補】王重民：《中國善本書提要》曰：「【春秋左氏傳補注十卷】二冊（《四庫總目》卷二十八）（北圖）

元刻本〔十二行二十四字（16.8×12.7）〕

元趙汸撰。卷內有：「季振宜藏書」、「前分巡廣東高廉道歸安陸心源捐送國子監書籍」、「光緒戊子湖州陸心源捐送國子監之書匯藏南學」等印記。陸氏有跋，載「儀顧堂續跋」卷三頁十七上，謂為商山書塾與《屬辭》同刻者。

自序。」（頁二八）

八、清同治十二年(1873)粵東書局重刊本：(元)趙汸撰《春秋左氏傳補注》十卷，台北：國家圖書館有藏本。

九、昌平叢書本：元趙汸撰《春秋左氏傳補注》十卷，三冊，馬來西亞大學圖書館有藏本。

十、清康熙十九年通志堂刊乾隆五十年修補本：(元)趙汸撰《春秋左氏傳補注》十卷，一冊，《國立故宮博物院善本舊籍總目》，上冊，頁八十七著錄，台北：故宮博物院有藏本。

十一、清乾隆五十年(1785)內府刊本：(元)趙汸撰《春秋左氏傳補注》十卷，鈐有「味經窩藏書印」朱文長方印，「味經曾觀」朱文方印等印，台北：國家圖書館有藏本。

十二、明刊本：(元)趙汸撰《春秋左氏傳補注》十卷，2冊；27公分，十二行二十四字，群碧樓審為元刊本，今正明刊本，首有趙氏〈自序〉，有「群碧樓」、「元刻本」諸印記，有微捲 NF744，排架號：6-1-2，光碟代號：OD004A，

十三、元刻本：北京圖書館有藏本，李一迭〈左氏春秋著錄書目研究〉頁一一九著錄。

十四、麗正堂刊本：中山大學有藏本，李一迭〈左氏春秋著錄書目研究〉頁一一九著錄。

十五、玉玲瓏閣叢刻本：邵懿辰撰、邵章續錄：《增訂四庫簡明目錄標注》卷三，頁一一五著錄。

十六、明初刊本：邵懿辰撰、邵章續錄：《增訂四庫簡明目錄標注》卷三，頁一一六著錄。

十七、趙吉士刊本：邵懿辰撰、邵章續錄：《增訂四庫簡明目錄標注》卷三，頁一一五著錄。

　　汸〈自序〉曰[119]：「黃先生論《春秋》學以左邱明[120]、杜元凱為主，所謂魯史遺法既於《左氏傳》、《注》[121]中得之，而筆削微旨殊未能潛窺其罅隙，後思《禮記經解》，始悟《春秋》之學只是屬辭比事，法《公》、《穀》所發書不書之義，陳止齋因之以考《左傳》，正是暗合此法，故其筆削義例獨有根據，所可惜者偏於《公》、《穀》，與杜元凱正是合[122]得一邊，乃以陳合杜，舉經正[123]史，以章指[124]附入《左傳集解》[125]中，屬辭比事以考之。今《屬辭》書中八體由此得其六七，後考日月之法，《傳》中事實鉅細往往脗合，為益甚多，其他傅會處與凡例之謬為先儒所攻者并[126]論之。然前輩知《左氏》義例之背謬，而不知其事實之可據；知《後傳》論世變之可取，而不知其以書法解經在《三傳》後獨能發筆削之權，此《補注》[127]所以不能[128]已也。」

　　【霖案】本文與《國立中央圖書館善本序跋集錄》頁三六八著錄「元末商山義塾刊明弘治癸丑（六年）修補本」、《五經翼》所錄的趙汸〈序文〉不符，待查其故，今錄其完整序文如下。

119霖案：《東山存稿》卷三，〈春秋纂述大意（寄宋景濂王子充）〉（文淵閣四庫全書本，冊一二二一，台灣商務印書館），頁258；又《通志堂經解》冊二六，頁14873-14874所收與此文大不相同。

120霖案：「左邱明」，《東山存稿》題作「左丘明」。

121霖案：「《注》」字，《東山存稿》題作「《註》」字。

122霖案：「合」字，《東山存稿》題作「吾」字。

123霖案：「正」字，《東山存稿》題作「証」字。

124霖案：「指」字，《東山存稿》題作「旨」字。

125霖案：「《左傳集解》」，《東山存稿》題作「《左傳傳集解》」。

126霖案：「并」，《東山存稿》題作「併」字。

127霖案：「《補注》」二字，《東山存稿》題作「《補註》」。

128霖案：「不能」二字，《東山存稿》題作「不容」。

【增補】趙汸〈序〉曰「春秋，魯史記事之書也，聖人就加筆削以寓其撥亂之權。惟孟子為能識其意，故曰其事則齊桓、晉文，其文則史，其義則孔子曰竊取之矣，此三者述作之源委也。其三傳失其旨而春秋之義不明，左氏於二百四十二年事變略具始終，而赴告之情、策書之體亦一二有見焉，則其事與文庶乎有考矣，其失在不知以筆削見義。公羊、穀梁以書不書發義，不可謂無所受者，然不知其文之則史也，夫得其事、究其文而義有不通者有之，未有不得其事、不究其文而能通其義者也。故三傳得失雖殊，而學春秋者必自左氏始，然自唐啖、趙以來，說者莫不曰兼取三傳，而於左氏取舍尤詳，則宜有所發明矣，而春秋之義愈晦，何也？凡春秋之作，以諸侯無王、大夫無君也，故上不可論於三代盛時，而下與秦漢以來舉天下制於一人者亦異，其禮失樂流、陵夷漸靡之故，皆不可以後世一切之法繩之，而近代說者類皆概以後世之事，則其取諸左氏者亦疏矣，況其說經大旨不出二途，曰褒貶、曰實錄而已。然尚褒貶者文苛例密，出入無準，既非所以論聖人，其以為實錄者僅左氏之事，亦豈所以言春秋哉？是以為說雖多而家異人殊，其失視三傳滋甚，蓋未有能因孟子之言而反求之者。至資中黃先生之教，乃謂春秋有魯史書法、有聖人書法，必先考史法而後聖人之法可求，若其本原脈絡則盡在左傳，蓋因孟子之言而致其思，亦已精矣。汸自始受學，則取左氏傳注諸書伏而讀之，數年然後知魯史舊章猶賴左氏存其梗概，既又反覆乎二傳、出入乎百家者又十餘年，又知三傳而後說春秋者惟杜元凱、陳君舉為有據依。然杜氏序所著書，自知不能錯綜經文以盡其變，則其專脩左氏傳以釋經，乃姑以盡一家之言。陳氏通二傳於左氏，以其所書證其所不書，庶幾善求筆削之旨，然不知聖人之法與史法不同，則猶未免於二傳之蔽也。嗚呼！使非先生積思通微，因先哲之言，以悟不傳之秘，學者亦將何所實力乎？第左氏傳經，唐宋諸儒詆毀之餘，幾無一言可信，欲人潛心於此而無惑難矣。間嘗究其得失，且取陳氏章指附於杜注之下，去兩短、集兩長，而補其所不及，庶幾史文經義互見端緒，有志者得由是以窺見聖人述作之原。凡傳所序事，多列國簡牘之遺、名卿才大夫良史所記，其微辭奧旨，注有未備者，頗采孔氏疏暢而通之；諸牽合猥陋有不逃後儒之議者，亦具見其說以極夫是非之公焉。若夫不得於經則致疑於傳，務為一切之說以釋經，而無所據依以持其說，則豈杜氏、陳氏比乎？故三傳之外不可無辨證者惟二家，他說固不暇及也。新安趙汸序。」（轉錄《國立中央圖書館善本序跋集錄》經部・頁三六八至頁三六九）

【增補】黃虞稷《千頃堂書目》卷二曰：「汸述其師之說云：『《春秋》本原脈絡，盡在《左傳》，而杜預之注；陳傅良之章旨，最為有依據，因取陳氏之說附於杜注之下，而補其所不及，其微詞奧義，注有未備者，頗采孔氏之說，暢而述之。』」（頁三十五）

《春秋師說》（元）

【作者】《元史藝文志輯本》卷三，頁五一著錄，作者題作「黃澤」，而趙汸僅為編者。惟《元史藝文志輯本》卷三，頁五八著錄，又有趙汸《春秋師說》三卷，二項著錄有牴觸之處。案：本書所錄內容為趙汸輯其師黃澤之作，故題為《春秋師說》，竹垞以其書成於趙汸之手，故置於趙汸撰著之下，要其實，則當題作「元黃澤撰，趙汸編」。

三卷。

【著錄】《元史藝文志輯本》卷三，頁五八、張壽平《公藏先秦經子注疏書目》頁一四○著錄。另有《附錄》二卷。

存。

【版本及藏地】本書版本及藏地如下：

一、至正休寧商山義塾刻，明弘治癸丑（六年）黃倫修補本：元趙汸撰《春秋屬辭》十五卷，《春秋師說》三卷，《附錄》二卷，十三行二十七字，有韓應陛跋，台北國防研究院圖書館善本書室、上海圖書館有藏本。

又南京圖書館另有一本，題作「《春秋師說》三卷，《附錄》二卷」，有丁丙跋文。

又北京、清華大學、中國社會科學院歷史研究所、上海、南京、蘇州市、杭州市、四川省等圖書館均有藏本。

又上海圖書館另有一本。

二、元末商山義塾刊本：元黃澤撰，趙汸編《春秋師說》三卷，《附錄》二冊，元末商山義塾刊本，1 冊;16.5×13.6公分，正文卷端題「春秋師說上　新安趙汸編」，序文有「春秋師說題辭　至正八年趙汸」，13 行，行 27 字，左右雙欄，版心小黑口，雙魚尾，上魚尾下方記書名卷次，下魚尾下方書葉次，最下方記大小字數及刻工名：「月」、「永」、「肖」等，台北、國家圖書館、中研院史語所善本書室有藏本。

又國家圖書館藏本，有微捲、有精裝複製本，另有藏印「國立中央圖書館收藏」朱文長方印、「希逸讀過」白文方印、「宗室文愨公家世藏」朱文方印、「盛昱之印」白文方印、「吳」「興」「張」「珩」白文連珠小方印、「希逸藏書」朱文長方印等。

又台北圖書館有藏本。

又台北故宮博物院另有一本，惟缺《附錄》二卷。

【霖案】參考上述趙汸《春秋屬辭》條下說明。

【增補】《中央研究院歷史語言研究所善本書目》曰：「《春秋師說》三卷，《附錄》二冊　元黃澤撰　趙汸編　元刊本」（頁七）

三、文淵閣四庫全書本：(元)趙汸撰《春秋師說》三卷，二冊，《國立故宮博物院善本舊籍總目》，上冊，頁一○二著錄，台北：故宮博物院有藏本。

【增補】永瑢等撰《欽定四庫全書總目》曰：「春秋師說三卷129　兩江總督採進本　元趙汸撰。汸常師九江黃澤，其初一再登門，得六經疑義十餘條以歸，已復往留二載

129霖案：原注云：按：文淵閣庫書收附錄二卷。

，得口授六十四卦大義與學《春秋》之要，故題曰『師說』，明不忘所自也。汸作《左傳補注序》曰『黃先生論《春秋》學，以左丘明、杜元凱為主。』又作澤《行狀》述澤之言曰：『說《春秋》須先識聖人氣象，則一切刻削煩碎之說，自然退聽。』又稱：『嘗考古今禮俗之不同，為文十餘通，以見虛詞說經之無益。』蓋其學有原本，而其論則持以和平，多深得聖人之旨。汸本其意類為十一篇。其門人金居敬又集澤《思古十吟》與吳澂二《序》及《行狀》附錄於後130。《行狀》載澤說《春秋》之書，有《元年春王正月辨》、《筆削本旨》、《諸侯取女立子通考》、《魯隱不書即位義》、《殷周諸侯禘祫考》、《周廟太廟單祭合食說》、《作丘甲辨》、《春秋指要》。蓋即所謂『為文十餘通』者。朱彝尊《經義考》又載有《三傳義例考》，今皆不傳。惟賴汸此書，尚可識黃氏之宗旨，是亦讀孫覺之書，得見胡瑗之義者矣。」（卷二十八，頁三五八至頁三五九）

【增補】邵懿辰撰、邵章續錄：《增訂四庫簡明目錄標注》卷三曰：「《春秋師說》三卷，元趙汸撰，蓋本其師黃澤之說而演之。

通志堂本。

〔附錄〕陸有元刊本。（紹箕）

〔續錄〕明初刊本，弘治癸丑太平黃倫刊，覆明初本，并下二種，汪本。」（頁一一五）

【增補】胡玉縉撰、王欣夫輯《四庫全書總目提要補正》卷七曰：「瞿氏《目錄》有元刊本《屬辭》十五卷，《春秋左氏傳補注》十卷，《春秋師說》三卷，云：『《師說》後附錄黃楚望《思古吟》十章，吳氏澂為黃氏作《六經辨釋補注》、《易學濫觴》、《春秋指要》三書序；又子常所作〈黃楚望先生行狀〉；又附門人金居敬總跋。』」（頁一七七）

四、清同治十二年(1873)粵東書局重刊本：(元)趙汸撰《春秋師說》三卷，《附錄》二卷，台北：國家圖書館有藏本。

五、通志堂經解本：元趙汸撰《春秋師說》三卷，《附錄》二卷，馬來西亞大學圖書館有藏本（二部）。

六、清康熙十九年通志堂刊乾隆五十年修補本：(元)趙汸撰《春秋師說》三卷，一冊，《國立故宮博物院善本舊籍總目》，上冊，頁一〇二著錄，台北：故宮博物院有藏本。

七、清乾隆五十年(1785)內府刊本：(元)趙汸撰《春秋師說》三卷，《附錄》二卷，鈐有「味經窩藏書印」朱文長方印，「味經曾觀」朱文方印等印，台北：國家圖書館

130霖案：原注云：按：瞿鏞《目錄》有元刊本《春秋師說》三卷，云：「《師說》後附錄黃楚望《思古吟》十章，吳氏澂為黃氏作《六經釋補注》、《易學濫觴》、《春秋指要》三書序，又子常所作黃楚望先生行狀，又附門人金居敬總跋。」

有藏本。

八、明刊本：(元)黃澤撰　；　(元)趙汸編《春秋師說》三卷，《附錄》二卷，二冊，二七公分，十三行二十七字，群碧樓審為元刊本，今正明刊本，有元至正八(戊子)年趙氏〈自序〉、有「群碧樓」、「元刻本」印記，有朱筆圈點，有微捲 NF741，排架號： 6-1-2，光碟代號： OD003A，台北：中研院傅斯年圖書館有藏本。

九、明初刊本：邵懿辰撰、邵章續錄：《增訂四庫簡明目錄標注》卷三，頁一一五著錄。

十、弘治癸丑太平黃倫刊：邵懿辰撰、邵章續錄：《增訂四庫簡明目錄標注》卷三，頁一一五著錄。

十一、覆明初本：邵懿辰撰、邵章續錄：《增訂四庫簡明目錄標注》卷三，頁一一五著錄。

十二、趙吉士刊本：邵懿辰撰、邵章續錄：《增訂四庫簡明目錄標注》卷三，頁一一五著錄。

十三、元至正二十年至二十四年休寧商山義塾刻，明弘治癸丑（六年，１４９３）高忠修補本：元趙汸撰，《春秋師說》三卷，《附錄》二卷，十三行廿七字黑口左右雙邊，北京、清華大學、中國社會科學院歷史研究所、上海、南京、蘇州市、杭州市、四川省等圖書館均有藏本。又此本錄作「元至正二十年至二十四年休寧商山義塾刻，明弘治癸丑（六年，１４９３）高忠修補本」，與上述「至正休寧商山義塾刻，明弘治癸丑（六年）黃倫修補本」，雖為同年據同一版本修補，惟各家著錄分別著錄，或為不同版本，今暫記所見如上，以俟後考。

又南京圖書館另藏一本，有清丁丙跋。

　　汸〈序〉曰[131]：「黃先生所著經說，曰《六經辨釋補注》、曰《翼經罪言》、曰《經學復古樞要》等凡十餘書，所舉《六經》疑義共千有餘條，其篇目雖殊，而反覆辨難，使人致思以求失傳之旨，則一而已。蓋先生中歲嘗為《易》、《春秋》二經作傳，既又以去古益遠，典籍殘闕，傳注家率多傅會，故必積誠研精，有所契悟，而後可以窺見聖人本真；若所得未完而亟為成書，恐蹈前人故轍，遂閣筆不續，務為覃思，久之，乃稍出諸經說以示學者，欲其各以所示疑義反求諸經，因已成之功而益致其力，塗轍既正，戶庭不差，而學者日眾，則何患乎經旨之不大明也。嗚呼先生於經學所以待天下後世之士者如此，吾黨小子其可勿[132]勉乎？汸自弱冠即往拜先生於[133]九江，時先生年已七十有九，口授學《易》、《春秋》致思之要，具有端緒，而顓愚不敏，往來館下數歲，無千慮之一得焉。既而於《春秋》大旨一

131霖案：《通志堂經解》本，冊26，頁14817。又孫承澤：《五經翼》卷十五，〈春秋師說序〉(《四庫全書存目叢書》經一五一)，頁815。兩文互有異同。

132霖案：「勿」，《五經翼》題作「弗」字。

133霖案：「於」，《五經翼》題作「于」字。

且若發蒙蔽，急往請益，比至，則先生捐館矣。乃即前諸書中取凡為《春秋》說者，參以平日耳聞，去其重複，類次為十有一篇，分三卷，題曰《春秋師說》。汸誠愚不敏，其敢自畫於斯，慨思微言蓋將沒身而已。歲至正戊子八月。134」　又〈自述〉曰135：「黃先生136於137《春秋》只令熟讀《三傳》，於《三傳》內自有向上工夫138，謂139二百四十二年之外140，自伯禽至魯國亡之《春秋》，史官相承之法也；二百四十二年之中141，隱公元年至獲麟之《春秋》，聖人之法也142。先生既143捐館144，《春秋》微言頗有可思145，乃摭取諸書中說《春秋》處，參以所聞，輯為《春秋師說》三卷。」

　　李騰鵬曰：「子常受業於黃楚望，作《春秋集傳》以明聖人經世之志，《左氏補注》、《春秋師說》以為學者用力之階。」

134霖案：「歲至正戊子八月。」，《五經翼》無之。又《通志堂經解》本於「月」字下，尚有「幾望，門人新安趙汸敬題卷端」等字，當據以補入。

135霖案：《東山存稿》卷三，〈春秋纂述大意（寄宋景濂子充）〉（文淵閣四庫全書本，冊一二二一，台灣商務印書館），頁257。

136霖案：「生」字下，應依《東山存稿》補入「所著《六經補註》、《翼經罪言》等書，篇目雖多，其攻擊辨難，使人致思，只是一樣文章，大畧與公是生《意林》、《權衡》相似，意欲得同志二三人，共傳其學，其入門只是教人看許多疑節，後却自思之，雖告危太樸，亦不過如此。初受」等字。

137霖案：「於」字，《東山存稿》無之，竹垞刪略前文，復改為此字，以求一貫。

138霖案：「工夫」二字下，應依《東山存稿》補入「比請益則立例使人思之，如〈行狀〉中，二百四十二年內外之說，一二年不能曉得其易，置後則註腳元只在前說中。」等字。

139霖案：「謂」，《東山存稿》題作「蓋」字。

140霖案：「外」字下，應依《東山存稿》補入「者」字。

141霖案：「中」字，《東山存稿》題作「內」字。

142霖案：「也」字下，應依《東山存稿》補入「凡一事皆具此二義，以為單傳密付，盡於此矣。然退而讀本經，終是例，斷不得許多書法異同，始且旁及他經。辛巳秋歸，朱文試回，疑小子輩年少學淺，故此老不輕授，即慨然同往，擬同受其《易象》之學，比至相見，頗喜朱文精敏，然問答之際，不易前規，大意與〈行狀〉中謝李學士之說同。朱文先回，汸獨留，得口授六十四卦，〈卦辭〉、〈大象諦〉，而求之大抵於象學無入處，久之，所考《左傳》、《杜註》等義例，頗見魯史遺法，欲以此復命請益，而此行先至道園，為虞公留往一歲。來年，專往九江，則」等字。

143霖案：「既」字，《東山存稿》無之。竹垞刪其前文，而復根據前後文句改之。

144霖案：「館」字下，應依《東山存稿》補入「矣，《易》學既難著手，而」等八字。

145霖案：「思」字下，應依《東山存稿》補入「者」字。

　　金居敬〈總序〉曰146:「《春秋趙氏集傳》十五卷、《屬辭》十五卷、《左氏傳補注》十卷、《師說》三卷,皆居敬所校定。始資中黃先生以《六經》復古之說設教九江,嘗謂近代大儒繼出,而後朱子《四書》之教大行,然《周易》、《春秋》二經實夫子手筆,聖人精神、心術所存147,必盡得其不傳之旨,然後孔門之教乃備。每患二經學者各以才識所及求之,苟非其人,雖問弗答,其所告語亦皆引而不發,姑使自思,是以及門之士鮮能信從領會者,而當世君子亦莫克知之,惟臨川吳文正公獨敬異焉。趙先生始就外傳受《四書》,即多疑問,師答以初學毋過求意,殊不釋,夜歸別室,取《朱子大全集》、《語類》等書讀之,如148是者數年,覺所疑漸解,慨然有負笈四方之意,乃往九江見黃先生稟學焉,盡得其所舉《六經》疑意149千餘條以歸,所輯《春秋師說》蓋始於此。嘗往淳安質諸教授夏公,夏公殊不謂然,乃為言其先君子安正先生為學本末甚悉。久之,先生復念黃先生高年,平生精力所到,一旦不傳,可惜也,復如九江,黃公乃授以學《春秋》之要。居二歲,請受《易》,得口授六十四卦《卦辭》大義。後夏公教授洪都,先生再往見焉,夏公問《易象》、《春秋》書法何如,先生以所聞對,夏公猶以枉用心力為戒,特出其《夏氏先天易書》曰:『此義《易》一大象也。』又曰:『吾先人遺書當悉付子矣。』先生敬起謝之,然於二經舊說訪求索考150未嘗少後也。遂如臨川,見學士雍郡虞公,公與黃先生有世契,一見首問黃公起居,先生間151日為言黃先生著書大意與夏公所以不然者。時江西憲私試請題,虞公即擬策問『江右先賢名節文章經學及朱、陸二子立教所以異同』;先生識其意,即具對,卒言劉侍讀有功聖經,及舉朱子去152短集長之說;虞公大善之,授館於家,以所藏書資其玩索。袁公誠夫,吳文

146霖案:《國立中央圖書館善本序跋集錄》頁325-327錄有該篇序跋,惟置於元趙汸《春秋屬辭》條下,且題作〈跋〉,非作〈總序〉,而其版本為「元末商山義塾刊本」,竹垞之文,適能校補此本的不同。又《通志堂經解》本,冊二六,頁14815-14816錄此文,題作《春秋屬辭.題跋》,可見此篇理當置於《春秋屬辭》條下。

147「存」,「四庫本」誤作「序」。　　霖案:霖案:《經義考新校》頁3617校文,「四庫」二字之前,另有「文淵閣」三字;「誤作」改作「作」字,顯然校者對於此條資料的判斷,略嫌保守,今考「元末商山義塾刊本」之文,適作「存」字,是則「四庫本」作「序」字,乃為誤植之字。

148「如」,「備要本」誤作「知」。

149「疑意」,「備要本」同,應依《補正》、「四庫本」作「疑義」。　　霖案:《經義考新校》頁3617校文,無「『備要本』同」等四字;「應依」改作「依」字;「四庫」二字之前,另有「《四庫薈要》本、文淵閣《四庫》本、文津閣」等字;「作」改作「應作」二字。今考「元末商山義塾刊本」亦作「疑義」,此或為翁方綱所據之本。

150霖案:「索考」,「元末商山義塾刊本」題作「考索」,二字互為乙倒。

151霖案:「間」,「元末商山義塾刊本」題作「聞」字。

152「去」,「四庫本」誤作「棄」。　　霖案:《經義考新校》頁3618校文,「四庫」二字之前,另有「文淵閣」三字。今考「元末商山義塾刊本」之文,亦題作「去」字,當以「去」字為是。

正公高第弟子也，集其師說為《四書日錄》，義多與朱子異，求先生校正其書153，先生悉摘154其新意，極論得失，袁公多所更定，至論《春秋》，則確守師說不變，先生亦以所得未完，非口舌可辨，自是絕不與人談。嘗以為春秋名家數十，求其論筆削有據依，無出陳氏右者，遂合杜氏考之，悉悟傳注得失之由，而後筆削義例觸類貫通，縱橫錯綜，各有條理，此《左氏傳補注》所由作也。既歸故山，始集諸家說有合於經者，為《春秋傳》，又恐學者梏於舊聞，因陋就簡，於交互之義未能遽悉，乃離經析義，分為八類，辨而釋之，名曰《春秋屬辭》。蓋《集傳》以明聖人經世之志，《屬辭》乃詳著筆削之權，二書相為表裏，而《春秋》本旨煥然復明，然後知《六經》失傳之旨未嘗不可更通。黃先生有志而未就者，庶可以無憾，惜乎書成而黃先生與諸公皆謝世久矣。雖然，習實155生常，雖賢者不能自免，黃先生力排眾說，創為復古之論，使人思而得之，其見卓矣，使非先生蚤有立志，公聽並觀，潛思默識，自任不回，則亦豈能卒就其業也哉？當先生避地古朗山時，居敬與妻姪倪尚誼實從，山在星谿上游，高寒深阻，人跡幾絕，故雖疾病隱約，而覃思之功日益超詣，有不自知其所以然者，因得竊聞纂述之意與先難後獲之由，乃備述其說於末簡，庶有志是經者毋忽焉。其《夏氏先天易說》，先生嘗以質諸虞公，虞公復以得於前輩者授之，於是遂契先天內外之旨，而後天《上》、《下經》卦序未易知也。嘗得廬陵蕭漢中氏《易》說，以八卦分體論《上》、《下經》所由分與序卦之意，如示諸掌，然上無徵於羲皇成卦之序，下無考於三聖〈彖〉、〈象〉之辭，則猶有未然者，及《春秋》本旨既明，乃悟文王據羲皇之圖以為後天卦序，采夏、商之《易》以成一代之經，蓋與孔子因魯史作《春秋》無異，然後知黃先生所謂《周易》、《春秋》經旨廢失之由有相似者蓋如此，故以〈思古吟〉等篇及〈行狀〉附於《師說》之後，庶幾方來學者有所感發云爾。」

【霖案】「元末商山義塾刊本」《春秋屬辭》〈金居敬跋〉之文，文字漫漶，難於校讀，竹垞所引之文，適能補其不足，今轉錄「元末商山義塾刊本」之文如下，以供參考。

【增補】金居敬〈跋〉曰：「春秋趙氏集傳十五卷、屬辭十五卷、左氏傳補注十卷、師說三卷，皆居敬所校定。始資中黃先生以六經復古之說設教九江，嘗謂近代大儒繼出，而後朱子四書之教大行，然周易、春秋二經實夫子手筆，聖人精神心術所存，必盡得其不傳之旨，然後孔門之教乃備。每患二經學者各以才識所及求之，苟非其人，雖問弗答，其所告語亦皆引而不發，姑使自思，是以及門之士鮮能信從領會者，而當世君子亦莫克知之，唯臨川吳文正公獨敬異焉。趙先生始就外傳受四書，即多疑問，師答以初學毋過求，意殊不釋，夜歸別室，取朱子大全集、語類等書讀之，如是者數年，覺所疑漸解，慨然有負笈四方之意，乃往九江見黃先生稟學焉，盡得其所舉六經疑義千餘條以歸，所輯春秋師說，蓋始於此。嘗往淳安質諸教授夏公，夏公殊不謂然

153霖案：「校正其書」，「元末商山義塾刊本」文字漫漶，今據竹垞之文得補其字，其餘文字差距頗大，難於校讀，今附其文於本條下，以供參考。

154霖案：《經義考新校》頁3618新出校文如下：「『摘』，文津閣《四庫》本作『摘』字。」

155霖案：《經義考新校》頁3618新出校文如下：「『實』，文津閣《四庫》本作『則』。」

，乃為言其先君子安正先生為學本末甚悉，久之，先生復念黃先生高年，平生精力所到，一旦不傳，可惜也。復如九江，黃公乃授以學春秋之要。居二歲，請受易，得口授六十四卦卦辭大義。後夏公教授洪都，先生再往見焉，夏公問易象、春秋書法如何？先生以所聞對，夏公猶以枉用心力為戒，特出其夏氏先天易書曰，此義易一大象也。又曰，吾先人遺書當悉付子矣。先生敬起謝之，然於二經舊說訪求考索，未嘗少後也。遂如臨川見學士雍郡虞公，公與黃先生有世契，一見首問黃公起居，先生閒日為言黃先生著書大意與夏公所以不然者。時江西憲私試請題，虞公即擬策問江右先賢名節文章經學，及朱、陸二氏立教所以異同。先生識其意，即具對，卒言劉侍讀有功聖經，及舉朱子去短集長之說，虞公大善之，授館於家，以所藏書資其玩索。袁公誠夫，吳文正公高第弟子也，集其師說為四書日錄，義多與朱子異，求先生□□□□〔校正其書〕，先生悉其□〔新〕意，極論得□〔失〕，□□□□□，□□□□□□〔袁公多所更定〕，□□□□〔至論春秋〕，□□□□□□□〔則確守師說不變〕，□□□□□□□〔先生亦以所得未完〕，□□□□□〔非口舌可辨〕，□□□□□〔自是絕不與人談〕。□□□□□□□〔嘗以為春秋名家數十〕，□□□□□□〔求其論筆削有據依〕，□□□□□□〔無出陳氏右者〕，□□□□□〔遂合杜氏考之〕，□□□□□□□〔悉悟傳注得失之由〕，□□□□□〔而後筆削義例〕，□□□□〔觸類貫通〕，□□□□〔縱橫錯綜〕，□□□□〔各有條理〕，此左氏傳補注□□□□〔所由作也〕。□□□□〔既歸故山〕，□□□□□〔始集諸家說〕有合於經者為春秋傳，又恐學者□□□□〔梏於舊聞〕，□□□□〔因陋就簡〕，於交互之義，未能遽悉，乃離經析義，□□□□□〔分為八類〕，□□□□〔辨而釋之〕，名曰春秋屬辭。蓋集傳以明聖人經世之志，□□□□□□□〔屬辭乃詳著筆削之權〕，二書相為表裡，而春秋本旨煥然復明，□□□□□□□□□□□〔然後知六經失傳之旨未嘗不可更通〕。黃先生有志而未就者，□□□□□〔庶可以無憾〕。□□〔惜乎〕！書成而黃先生與諸公皆謝世久矣。雖然，□□□□〔習實生常〕，□□□□□□〔雖賢者不能自免〕，黃先生力排眾說，創為復古之□〔論〕，□□□□□□〔使人思而得之〕，其見卓矣。〔使非〕先生早有立志，公聽並觀，□□□□〔潛思默識〕，□□〔自任〕不回，則亦□□□□□□〔豈能卒就其業也哉〕？當先生避地古□□〔朗山〕，□□□□□□□□□〔時居敬與妻姪倪尚誼實從〕，□□□□□〔山在星谿上游〕，高寒深阻，人跡□□〔幾絕〕，□□□□□□〔故雖疾病隱約〕，□□□□□〔而覃思之功〕，〔日益超詣〕，有不自知其所以然者，□□□□□□□〔因得竊聞纂述之意〕，□□□□□□〔與先難後獲之由〕，乃備述其說于□□〔末簡〕，□□□□□□□□〔庶有志是經者毋忽焉〕。□□□□□□□〔其夏氏先天易說〕，先生嘗以□〔質〕諸□□〔虞公〕，□□□□□□□□□□〔虞公復以得於前輩者授之〕，□□□□〔於是遂契〕先天內外之旨，而後天上下經卦□□□□□〔序未易知也〕。□□□□〔嘗得廬陵〕蕭漢中氏易說，以八卦分體，論上下經□□□□□□□□〔所由分與序卦之意〕，□□〔如示〕諸掌然，上無□於羲皇成卦之序，□□□□□□□□□〔下無考於三聖象象之辭〕，則猶有未然者。及春秋本旨既明，乃□□□□□□□□□□□□□〔悟文王據羲皇之圖以為後天卦序〕，采夏商之易以成一代之經，□□□□□□□□□□□□□〔

蓋與孔子因魯史作春秋無異〕，然後知黃先生所謂□□〔周易〕、□□□□□□□□□□□□□□〔春秋經旨廢失之由有相似者蓋如此〕，故以思古吟等篇及行狀□□□□□□〔附于師說之後〕，庶幾方來學者有所感發云爾。〔學生金居敬謹識〕。」（轉錄《國立中央圖書館善本序跋集錄》經部・頁三二五至頁三二七）

【增補】〔補正〕金居敬〈總序〉內「六經疑意」，「意」當作「義」。（卷八，頁十四）

錢謙益[156]曰：「子常於《春秋》發明師說，本《經》會《傳》，度越漢、宋諸儒，當為本朝儒林第一。」[157]

【增補】黃虞稷《千頃堂書目》卷二曰：「汸輯其師資中黃澤所著書，內《春秋》諸說及平日所聞者為是書，凡十有一篇，《附錄》者錄澤所為文及詩，與己所為澤〈行狀〉也。」（頁三十六）

《春秋金鎖匙》（元）

【書名】黃虞稷《千頃堂書目》卷二，頁五一著錄，書名題作《春秋金鑰匙》。

一卷。

【著錄】張壽平《公藏先秦經子注疏書目》頁一四○、駱兆平《新編天一閣書目》頁二七二著錄。

【卷數】文淵閣四庫全書本題作「不分卷數」，清道光十一年六安晁氏活字本學海類編本題作「三卷」。

存。

【版本及藏地】本書版本及藏地如下：

一、微波榭叢書本：元趙汸撰《春秋金鎖匙》一卷，張之洞《書目答問補正》卷一，頁四七著錄，馬來西亞大學圖書館有藏本。

二、學津討原本：元趙汸撰《春秋金鎖匙》一卷，張之洞《書目答問補正》卷一，頁四七著錄，馬來西亞大學圖書館有藏本（二部）。

三、清乾隆孔繼芬家抄本：《元史藝文志輯本》卷三，頁五九著錄，吳騫校，《中國古籍善本書目》（經部）頁二七三著錄，藏北京圖書館。

四、吳寬校抄本：《元史藝文志輯本》卷三，頁五九著錄

五、抄本：《八千目》著錄，現藏南圖

---

156 「錢謙益」，「四庫本」作「陳子龍」。　霖案：《經義考新校》頁3619校文，「四庫」二字之前，另有：「《四庫薈要》本作『錢陸燦』，文淵閣」三字。今考此文出自《列朝詩集小傳》頁94。

157 霖案：《經義考新校》頁3619新出校文如下：「『錢謙益曰』至『本朝儒林傳第一』三十一字，文淵閣《四庫》本脫漏。

六、文淵閣四庫全書本：(元)趙汸撰《春秋金鎖匙》不分卷，一冊，《國立故宮博物院善本舊籍總目》，上冊，頁一〇二、《元史藝文志輯本》卷三，頁五九著錄，台北：故宮博物院有藏本。

【增補】永瑢等撰《欽定四庫全書總目》曰：「春秋金鎖匙一卷　兩江總督採進本

元趙汸撰。其書撮舉聖人之特筆與《春秋》之大例，以事之相類者互相推勘，考究其異同，而申明其正變，蓋合比事屬辭而一之大旨。以《春秋》之初，主於抑諸侯，《春秋》之末，主於抑大夫，中間齊、晉主盟，則視其尊王與否而進退之。其中如謂聖人貶杞之爵，降侯為子，與毛伯錫命稱天王，稱錫為以君與臣之詞，召伯賜命稱天子，稱賜為彼此相與之詞，雖尚沿舊說之陋，而發揮書法，條理秩然。程子所謂『大義數十，炳如日星』者，亦庶幾近之矣。考宋沈棐嘗有《春秋比事》一書，與此書大旨相近，疑汸未見其本，故有此作。然二書體例各殊，沈詳而盡，趙簡而明，固不妨於并行也。」（卷二十八，頁三五九）

【增補】邵懿辰撰、邵章續錄：《增訂四庫簡明目錄標注》卷三曰：「《春秋金鎖匙》一卷，元趙汸撰。

學海類編本，微波榭刊本，學津討原本。

〔附錄〕《東湖叢記》有殘元本《春秋透天關》，存卷三、卷四，共二卷，不箸撰人。又云，《補元史藝文志》有楊維楨《春秋透天關》十二卷。《千頃堂書目》有晏兼善《春秋透天關》十二卷，此未知何本。（紹箕）

〔續錄〕清乾隆翰林院鈔四庫底本，清鈔本，吳騫據孔氏紅欄書屋刊本校，翠琅玕館叢書本，藏修堂叢書本，光緒庚寅刊。」（頁一一六）

七、清道光十一年六安晁氏活字本學海類編之一：元趙汸撰《春秋金鎖匙》三卷，《元史藝文志輯本》卷三，頁五九、《國立故宮博物院善本舊籍總目》，上冊，頁一〇二著錄，台北：故宮博物院有藏本；馬來西亞大學圖書館均有藏本。

八、影寫元刊本：《元史藝文志輯本》卷三，頁五九著錄。又駱兆平《新編天一閣書目》頁二七三著錄，題作「（明）朱絲欄抄本」，駱氏並云：「《薛目》作『影抄元刊本』」（頁二七三），疑即同一抄本，而著錄或異。

九、清抄本：《元史藝文志輯本》卷三，頁五九著錄，丁丙跋，現藏南京圖書館。

十、明抄本：(元)趙汸撰《春秋金鎖匙》一卷，1 冊；21.8×16.2 公分，10 行，行 23 字，正文卷端題「春秋金鎖匙　至正癸未日新堂刊本」，有刊記：「至正癸未日新堂刊」，藏印有「國立中央圖書館收藏」朱文長方印、「張印乃熊」白文方印、「芹伯」朱文方印，有微捲，台北國家圖書館有藏本。

【增補】《國家圖書館善本書志初稿》：「【春秋金鎖匙一卷一冊】

　　明朱絲欄鈔本　　00543

　　元趙汸撰。版匡高 21.8 公分，寬 16.2 公分。每半葉十行，行二十三字。

首卷首行頂格題『春秋金鎖匙』，低三格題『至正癸未日新堂刊本』。卷末隔兩行有尾題。春秋白文頂格起，釋文則低一格，以示區別。

書中鈐有『莐圃/收藏』朱文長方印、『國立中央圖/書館收藏』朱文長方印、『張印/乃熊』白文方印、『芹/伯』朱文方印。

《善本書室藏書志》與《適園藏書志》皆有著錄，並說明其『至正癸未日新堂刊』為影寫時存留者。」(頁146~147)。

十一、舊抄校本〔清抄本〕：《中國古籍善本書目》（經部）頁二七三著錄，北京大學圖書館有藏本。

【增補】李盛鐸著·張玉範整理《木犀軒藏書題記及書錄》曰：「【春秋金鎖匙】一卷〔元趙汸撰〕 舊抄校本〔清抄本〕 李132

標題下有朱筆題『至正癸未〔三年·1343〕日新堂刊』八字。末題『乾隆壬寅〔四十七年·1782〕冬，從沈呂璜孝廉借紅欄書屋新雕本校正。』有『兔牀手校』朱文長〔方印〕，『紅藥山房收藏私印』朱文長方印，『復廬贅姻滬上所得』白文長方印。」（頁七五）

十二、抄本：北京大學圖書館有藏本。

【增補】李盛鐸著·張玉範整理《木犀軒藏書題記及書錄》曰：「【春秋金鎖匙】一卷〔元趙汸撰〕 抄本 李3440

《四庫》抄校底本。」（頁七五）

十三、民國五十五年(1966)藝文印書館百部叢書集成初編影印本：(元)趙汸撰《春秋金鎖匙》一卷，台北：國家圖書館有藏本。

十四、清乾隆間(1736-1795)曲阜孔氏刊本：(元)趙汸撰《春秋金鎖匙》一卷，18×14.1公分，正文卷端題「春秋金鎖匙 至正癸未日新堂刊行 新安趙汸子常著」，11行，行22字，單欄，版心白口，雙魚尾，魚尾中間刻書名，下方刻葉次及「紅欄書屋」字樣，台北：國家圖書館有藏本。

十五、民國五年(1916)南海黃氏刊本：(元)趙汸撰《春秋金鎖匙》三卷，台北：國家圖書館有藏本。

十六、民國十一年(1922)上海涵芬樓影印本：(元)趙汸撰《春秋金鎖匙》一卷，台北：國家圖書館有藏本。

十七、翠琅玕館叢書本：邵懿辰撰、邵章續錄：《增訂四庫簡明目錄標注》卷三，頁一一六著錄。

十八、藏修堂叢書本：邵懿辰撰、邵章續錄：《增訂四庫簡明目錄標注》卷三，頁一一六著錄。

卷一百九十九　春秋三十二經義考卷一百九十九春秋三十二

汪氏克寬《春秋胡傳附錄纂疏》（元）

【書名】本書異名如下：

一、《春秋纂疏》：《元史藝文志輯本》卷三，頁五九著錄，又云：「《也是》著錄《春秋纂疏》。

二、《春秋胡氏傳纂疏》：張壽平《公藏先秦經子注疏書目》頁一三一著錄。

三、《春秋胡傳附錄纂疏》：張壽平《公藏先秦經子注疏書目》頁一三一著錄。

四、《春秋胡氏纂疏》：瞿鏞編纂‧瞿果行標點‧瞿鳳起覆校《鐵琴銅劍樓藏書目錄》卷五，頁一四五著錄。

【增補】黃虞稷《千頃堂書目》卷二，頁三十六錄有汪克寬《春秋尊王發微》八卷，竹垞未錄，今據以補入。

三十卷。

【著錄】黃虞稷《千頃堂書目》卷二，頁三十六、張壽平《公藏先秦經子注疏書目》頁一三一著錄。

存。

【版本及藏地】本書版本及藏地如下：

一、元至正八年建安劉叔簡日新堂刊本：十一行二十一字，黑口，四周雙邊。台北國家圖書館有藏本。

又《中國古籍善本書目》（經部）頁二七三著錄，錄作「存一卷」，實則存二卷〔一卷首〕，有清莫友芝〈跋〉，廣東圖書館有藏本。

又北京（存有四部，其中二部為完整之本，而另二部為殘本，分別為存十八卷〔一至六　九至十四　十九至二十四〕；存十一卷〔一　四至五　十二至十五　十九至二十、二十四至二十五〕等二部，合計四部）、中國歷史博物院（存十五卷〔十　十一　十六至二十一　二十四至三十〕）、北京市文物局、上海（存四卷〔一　二十六至二十八〕）、天津（存九卷〔一至九〕）、安徽師範大學（存二十五卷〔三至四　七至八　十至二十　十四至十九　二十二　二十四〕）等圖書館有藏本。

【增補】瞿鏞編纂‧瞿果行標點‧瞿鳳起覆校《鐵琴銅劍樓藏書目錄》卷五曰：「題『新安汪克寬學』。前有至元再元之四年新安汪澤民序，至正元年雍虞集序。又〈凡例〉及〈引用書目〉。〈凡例〉後有墨圖記云『建安劉叔簡刊于日新堂』。後有至正八年紫陽吳國英跋，謂書甫成編而劉君鋟諸梓以廣其傳。又，《環谷集》中有〈答劉叔簡啟〉，即商量刻書事也。案：環谷有自序，略謂書作於元統甲戌教導郡齋時，至元戊寅，值鬱攸之變，不復存。越三年辛巳，搜輯舊聞，正於邵菴虞先生，頗加獎勵，并題卷端云云。此本不載，豈脫佚耶，抑當時未刻耶？」（頁一四五至一四六）

【增補】《國家圖書館善本書志初稿》：「【春秋胡氏傳纂疏三十卷二十四冊】

元至正八年(1348)建安劉叔簡日新堂刊本 00544

　　元汪克寬撰。克寬(1304-1372)字德輔，一字仲裕，祁門人，舉元泰定二年(1325)鄉試，洪武初聘修元史。明史有傳。

　　版匡高19.2公分，寬12.4公分。左右雙邊。每半葉十一行，行二十一字，註文小字雙行，字數同。『疏』字以墨蓋子白文別出，版心小黑口，雙魚尾(魚尾相隨)，中間記書名卷第(如『春秋疏一』)，下方書葉次。

　　首卷首行頂格題『春秋胡氏傳纂疏卷第一』，次行低十格題『新安汪克寬學』。卷末有尾題。卷首有至元四年(1344)汪澤民『春秋序』、至正元年(1341)虞集『春秋胡氏傳附錄纂疏序』，并至正八年(1348)吳國英『春秋疏后跋』。序跋後有先儒格言。春秋胡氏傳序及胡氏春秋總論並有汪克寬附錄纂疏。格言後有凡例及汪克寬識語。并錄『春秋胡氏傳附錄纂疏引用諸儒姓氏書目』。春秋白文頂格起，傳文則低一格以示區別。

書中鈐有『擇是居』朱文橢圓印、『藝風/審定』朱文方印、『國立中央圖/書館收藏』朱文長方印、『張印/鈞衡』白文方印、『石銘/收藏』朱文方印、『烏程張/氏適圓/藏書印』朱文方印、『張』『石銘/珍藏/印』朱文連珠方印、『石銘/祕笈』朱文方印、『烏程張/鈞衡石/銘父審定』朱文方印、『吳興張氏適圓收藏圖書』朱文長方印。」(頁147)。

【增補】《中國歷史博物館古籍善本書目》曰：「春秋胡氏傳纂疏 三十卷

　　元汪克寬撰 元刻本 十三冊

　　存十五卷(卷十、十一、十六至二十一、二十四至三十)

　　十一行二十一字小字雙行四十二字小黑口四周雙邊 (善31)」(頁八)

二、文淵閣四庫全書本：《元史藝文志輯本》卷三，頁五九著錄，台北故宮博物院有藏本。

【增補】永瑢等撰《欽定四庫全書總目》曰：「春秋胡傳附錄纂疏三十卷1 浙江吳玉墀家藏本

元汪克寬撰。克寬有《經禮2·補逸》已著錄。是書前有克寬自序稱：『詳注諸國紀年、謚號，可究事實之悉，備列經文同異，可求聖筆之真。益以諸家之說，而裨《胡氏》之闕疑，附以《辨疑》、《權衡》，而知三傳之得失。』然其大旨終以胡傳為宗。考《元史·選舉志》延祐二年定經義、經疑取士條格，《春秋》用三傳及胡安國傳。虞集序中亦及其事。蓋兼為科舉而設。吳澄序俞皋《春秋釋義》所謂『以胡傳從時

1霖案：原注云：按：文淵閣庫書有卷首二卷，《總目》失載。

2霖案：原注云：「經禮」，浙本誤作「禮經」。

尚者也。」陳霆《兩山墨談》譏其以魯之郊祀為『夏正』，復以魯之烝嘗為『周正』，是亦遷就胡傳，不免騎墻之一證。然能於胡傳之說，一一考其援引所自出，如注有疏，於一家之學亦可云詳盡矣。明永樂中胡廣等修《春秋大全》，其凡例云：『紀年依汪氏《纂疏》，地名依李氏《會通》，經文以胡氏為據，例依林氏。』其實乃全勦克寬此書，原本具在，可以一一互勘也。」（卷二十八，頁三六〇）

【增補】邵懿辰撰、邵章續錄：《增訂四庫簡明目錄標注》卷三曰：「《春秋胡傳附錄纂疏》三十卷，元汪克寬撰。

路有元刊本，張目有元至正八年建安劉叔簡刊本，十一行，行二十一字。

〔續錄〕劉本傳低一格，有至正戊寅汪澤民，至正辛巳虞集兩序。

末有至正戊子吳國英跋，通志堂刊經解，未及此書。」（頁一一六）

三、文友堂書肆經手元刻元印本：題「新安汪克寬學」。日本尊經閣藏有此書。

虞集〈序〉曰3：「昔之傳《春秋》者有五家，而《鄒》、《夾》先亡；學《春秋》者據《左氏》以記事，以觀聖筆之所斷，而或議其浮華，與《經》意遠者多矣，是以《公》、《穀》據《經》以立義，專門之家4是以5尚焉。唐啖、趙師友之間始知求聖人之意於聖人手筆之書，宋之大儒以為可與《三傳》兼治者，明其能專求於《經》也，然《傳》亡，存者惟《纂例》等書，意其《傳》之所發明，無出於所存之書者。清江劉氏權衡《三傳》，得之為多，而其所為《傳》用意奧深，非博洽於典禮舊文者，不足以盡明之，是以知者鮮矣。蓋嘗竊求於先儒之言，以為直書其事而其義自見，斯言也，學《春秋》者始有以求聖人之意，而無傳會糾纏之失矣。程叔子所謂：『時措之宜為難知者，始可以求其端焉。』胡文定公之學實本於程氏，然其生也當宋人南渡之時，奸6佞用事，大義不立，苟存偏安，智勇扼腕7，內修之未備，外攘之無策，君臣、父子之間，君子思有以正其本焉，胡氏作《傳》之意，大抵本法於此。蓋其學問之有源8，是以義理貫串9而辭旨無不通，類例無不合，想其發憤忘食，知天下之事必可以有為，聖人之道必可以有立。上以感發人君天職之所當行，下以啟天下人心之所久蔽，區區之志，庶幾夫子處定、哀之間者乎？東南之人，賴有此書，雖不能盡如其志、誦其言，而凜然猶百十年，至其國亡，志士仁人之可書，未必不出於此也。然其為學博

3霖案：《五經翼》15-1(151-801)〈春秋纂疏序〉錄之。又《國立中央圖書館善本序跋集錄》頁327-328錄有該篇序跋，係「元至正八年建安劉叔簡日新堂刊本」中的序文。

4霖案：「家」字，「元至正八年建安劉叔簡日新堂刊本」題作「學」字。

5霖案：應據「元至正八年建安劉叔簡日新堂刊本」序文刪去「是以」二字。

6霖案：「奸」字，「元至正八年建安劉叔簡日新堂刊本」作「姦」字。

7霖案：「智勇扼腕」，應據「元至正八年建安劉叔簡日新堂刊本」序文改作「忠義憤怨」。

8霖案：《經義考新校》頁3622新出校文如下：「『源』，文津閣《四庫》本作『原』。」今考「源」字，「元至正八年建安劉叔簡日新堂刊本」序文題作「原」字。

9霖案：「串」字，「元至正八年建安劉叔簡日新堂刊本」序文題作「穿」字。

極群書，文義之所引，不察者多矣，國家設進士科以取人，治《春秋》者，《三傳》之外，獨以胡氏為說，豈非以三綱九法赫然具見於其書者乎？而治舉子業者掇拾緒餘，以應有司之格，既無以得據事直書之旨，又無以得命德討罪之嚴，無以答聖朝取士明經之意。新安汪克寬[10]德輔以是經舉於[11]浙省，其歸養也，能以胡氏之說考其援引之所自出，原類例之始發而盡究其終，謂之《胡氏傳纂疏》[12]，其同郡同氏前進士澤民[13]叔志父詳敘[14]之。夫讀一家之書，則必盡一家之意，所以為善學也。推《傳》以達乎《經》，因賢者之言以盡聖人之志，則吾於德輔猶有望[15]也。」

　　汪澤民〈序〉曰[16]：「仲尼假魯史，寓王法，《春秋》之義立矣；然聖人之志有非賢者所能盡知，是以三家之《傳》有時而戾。夫二百四十二年行事亦多矣，非聖人從而筆削[17]，則綱常之道或幾乎熄，託之空言可乎？游、夏深知夫子之志而未嘗措一辭；孟子發明宗旨，辭簡而要；《左氏》考事雖[18]精，闇於大義；《公》、《穀》疏於考事，義則甚精；胡氏擷三家之長而斷之以理，漢、唐諸儒奧論蓋深有取，間若有未底於盡善者，豈猶俟於後之人與[19]？吾宗德輔年妙而志強，學優而識敏，潛心《經》、《傳》，嘗名薦書，於是徧取諸說之可以發明胡氏者，疏以成編，觀其取舍之嚴，根究之極，亦精於治經者歟？予嘗病世之學者勦塵腐，矜新奇，竊附於作者之列，奚可哉？德輔學有原委，而纂集之志欲羽翼乎《經》、《傳》，可尚也。[20]」

　　克寬〈自序〉曰[21]：「謹按《春秋》傳注[22]無慮數十百家，至於[23]程子，始求天理於遺

10霖案：「克寬」二字，應據「元至正八年建安劉叔簡日新堂刊本」序文刪去。

11霖案：「於」字，「元至正八年建安劉叔簡日新堂刊本」序文題作「于」字。

12霖案：「《胡氏傳纂疏》」五字，應據「元至正八年建安劉叔簡日新堂刊本」序文改作「《春秋纂疏》」。

13霖案：「澤民」二字，應據「元至正八年建安劉叔簡日新堂刊本」序文刪去。

14霖案：「敘」字，「元至正八年建安劉叔簡日新堂刊本」序文作「序」字。

15霖案：「望」字，應依「元至正八年建安劉叔簡日新堂刊本」序文改作「取」字。又「也」字下，另有「至正元年辛巳七月十有八日，雍虞集序」等十六字，應據以補入。

16霖案：《國立中央圖書館善本序跋集錄》頁327錄有該篇序跋，係「元至正八年建安劉叔簡日新堂刊本」中的序文。

17霖案：「削」字下，「元至正八年建安劉叔簡日新堂刊本」有「之」字。

18霖案：「元至正八年建安劉叔簡日新堂刊本」無「雖」字，當刪。

19霖案：「與」字，「元至正八年建安劉叔簡日新堂刊本」作「歟」字。

20霖案：「也」字下，應據「元至正八年建安劉叔簡日新堂刊本」補入「時至元再元之四年，歲在戊寅春三月一日，新安汪澤民序。」等二十三字。

21 霖案：汪克寬撰，《春秋胡傳附錄纂疏‧凡例案語》(台北：臺灣商務印書館，「景印文淵閣四庫全書」冊一六五，民國七十五年三月，初版)，頁8-9。又竹垞題作〈自序〉，實則此文雖有〈序〉

經，作《傳》以明聖人之志，俾大義炳如日星，微辭奧旨瞭然若眎諸掌；胡文定公又推廣程子之說，著書十餘萬言，然後聖人存天理、遏人欲之本意24遂昭焯於後世。愚嘗佩服過庭之訓，自幼誦習，至治壬戌，從先師可堂吳先生受業於浮梁之學宮25，朝夕玩繹，若有得焉；顧每自病謏見寡聞，而於類例之始終、證據之本末，莫能融貫而旁通之，乃元統甲戌，教授26郡齋，講劘之暇，因閱諸家傳注27，採摭精語，疏於28其下，日積月羨，會萃29成編，非敢以示同志，蓋以私備遺忘云爾30。至元丁丑，嘗求訂定於宗公叔志先生，以為足以羽翼乎《經》、《傳》，畀之《序引》；明年，值鬱攸之變，斷簡煨燼，漫不復存；越三年辛巳，搜輯舊聞，往正是於邵庵虞先生，頗加獎勵，并題卷端。克寬自揆淺陋，奚敢管窺聖《經》賢《傳》之萬一？然詳註諸國紀年謚號31而可究事實之悉，備列經文同異32而可求聖筆之真，益以諸家之說33而裨胡氏之闕遺，附以《辨疑》、《權衡》34而知《三傳》之得失，庶幾初

文之效，但是卻是〈凡例〉之下的案語，特此說明。

22 霖案：「注」字，《春秋胡傳附錄纂疏》作「註」字。

23 霖案：「於」字，《春秋胡傳附錄纂疏》誤作「子」，蓋「子」字或緣於「于」字而誤寫，衡諸文意，當以「於」字為是。

24 霖案：「意」字之下，應有逗號，以示區隔。

25 霖案：「宮」字，《春秋胡傳附錄纂疏》作「官」字。

26 霖案：「教授」二字，應依《春秋胡傳附錄纂疏》改作「教導」二字。

27 霖案：「注」字，《春秋胡傳附錄纂疏》題作「註」字。

28 霖案：「於」字，《春秋胡傳附錄纂疏》題作「于」字。

29 霖案：「萃」字，《春秋胡傳附錄纂疏》題作「崒」字，此乃偏旁有異也。

30 霖案：「爾」字下，應依《春秋胡傳附錄纂疏》補入「竊嘗伏讀聖人之《經》，一事之筆削，一言之增損，一字之同異，無非聖心精微之攸寓，而酌乎義理之至當，如殊會一也。而會王世子，則書及以會，以卑會尊之辭也。所以尊儲君也，會吳則書會，以會以此會彼之辭也。所以外裔夷也，同盟一也，而新城雞澤獨於公會諸侯之下，書『某日同盟』，蓋新城乃趙盾主盟，而雞澤單子與盟，故皆書日，以繫同盟之上，所以謹其瀆君臣之分而異之也。楚成使宜申獻捷，戰泓圍宋，皆貶書，人所以賤僭，竊而會盂書爵于陳、蔡、鄭、許、曹君之上，以著其爭霸之實，蓋不書爵，則疑非楚君。昭公失國，會鄆陵，如齊、如乾侯，其返，雖不告廟，皆書公至，所以存君，而必繫居于鄆，蓋不言居鄆，則疑于復國，通諸二百四十二年，於例中見法，例外通類諸如此者，遽數之不能終，區區一得之愚，不遑借躓而輒附焉。」等字。

31 霖案：「號」字之下，宜加一逗號，以示區隔。

32 霖案：「異」字之下，宜加一逗號，以示區隔。

33 霖案：「說」字之下，宜加一逗號，以示區隔。

34 霖案：「《權衡》」二字之下，宜加一逗號，以示區隔。

學者得之，不待徧考群[35]書，而辭義燦然，亦不為無助也[36]。」

吳國英〈序〉曰[37]：「國英曩從環谷先生受讀《春秋》於郡齋，先生手編《胡氏傳纂疏》，雖一[38]以胡氏為主，而凡《三傳》註疏之要語暨諸儒傳注[39]之精義，悉附著之；且胡《傳》博極群經子史，非博洽者不能知其援據之所自與音讀之所當。先生詳究精考，一一附注[40]，於是讀是經者不惟足以知胡氏作《傳》之意，而且溯流尋源，亦可識聖人作《經》之大旨矣。書甫成編，國英宦遊四方，越十五年，始睹同志鈔謄善本，而建安劉君叔簡將鋟諸梓以廣其傳，則不惟諸生獲《春秋》經學之階梯，而凡學者開卷之餘，不待旁通遠證，事義咸在，是則先生《纂疏》之述，有功於遺經而有助於後學，豈曰小補之哉？[41]」

楊士奇曰[42]：「《春秋胡傳纂疏》三十卷，元新安汪克寬輯[43]。蓋《左氏》、《公》、《穀》之外，漢以下儒者說《春秋》甚多，惟伊川程子為得聖人之旨，惟胡文定公實傳程子之學。朱子曰：『文定《春秋》，明天理、正人心、體用該貫，有剛大正直之氣。』故近世治《春秋》者兼主左氏、公、穀、文定四家，《三傳》舊有注[44]疏，此書專主胡《傳》云。」

陳霆曰：「環谷汪氏專門《春秋》之學，所著有《春秋纂疏》、《左傳分紀》等書，然其說《春秋》頗亦可議。魯君卜郊，其言曰：『考之《春秋》，宣、成、定、哀之改卜牛，皆在春正月，僖之卜在四月，則是魯之郊止於祈穀，而非大報之禮亦明矣。』愚按：郊祀之禮，冬至為大報天，孟春為祈穀，《春秋》用周正，先儒具有成說，今考之《經》、《傳》，所紀顯然，可証《春秋》之正月，夏之十一月也，其四月乃夏之二月也。以是而論，則宣、成、定、哀之郊，正為冬至之報天，而僖之用四月，乃為入春而祈穀，借曰《春秋》行夏之時，謂正月、四月之郊為祈穀，似也。然魯獨有祈而無報，於理安乎？是雖苟欲為魯避大報之僭，然為說室碍矣。桓十四年八月，乙亥嘗。其說曰：『嘗以物成而薦新，周之八月，乃

---

35 霖案：「群」字，《春秋胡傳附錄纂疏》作「羣」字。

36 霖案：「也」字下，應依《春秋胡傳附錄纂疏》補入「至正六年，倉龍丙戌二月甲寅，後學新安汪克寬謹書于富川任氏書塾。」等字。

37 霖案：《國立中央圖書館善本序跋集錄》頁328錄有該篇序跋，係「元至正八年建安劉叔簡日新堂刊本」中的序文。

38 霖案：「一」字，「元至正八年建安劉叔簡日新堂刊本」序文作「壹」字。

39 霖案：「注」字，「元至正八年建安劉叔簡日新堂刊本」序文作「註」字。

40 霖案：「注」字，「元至正八年建安劉叔簡日新堂刊本」序文作「註」字。

41 霖案：「哉」字下，應據「元至正八年建安劉叔簡日新堂刊本」序文補入「至正八年，歲在戊子正月人日，門人紫陽吳國英再拜書。」等二十二字。

42 霖案：《東里續集》卷十六，〈春秋胡傳纂疏〉，(台北：商務印書館影印「文淵閣四庫全書本，冊一二三八」，頁580。

43 霖案：「輯」字下，應依《東里續集》補入「余家十冊」等四字。

44 霖案：「注」字，《東里續集》題作「註」字。

夏之六月，物未大成，嘗非時也。』至論桓八年春、夏二烝，則謂《春秋》常祭不書，書必有譏；如桓公八年春、夏兩以烝書者，譏其不時而且黷；如桓十四年嘗本得時矣，然因御廩災，越四日乙亥而嘗，譏以災餘而祭，為不敬也。夫桓一嘗也，既以為非時45，郊之正月、四月，則認為夏時，嘗之八月，又目為周正，跡其先後，不自悖矣乎？然則雖以自信，吾未見其可也。」

【增補】〔補正〕陳霆條內「既以為非時」，下似脫「又以為得時」一句。（卷八，頁十四）

【增補】孫能傳等撰《內閣藏書目錄》卷二曰：「元至元閒新安汪克寬編纂，取諸說可以發明胡氏者，疏於胡《傳》之下。鈔本。」（頁四七八）

【增補】黃虞稷《千頃堂書目》卷二曰：「書撰於順帝後紀至元中，汪澤民、虞集皆有〈敘〉，《春秋大全》多襲用其書。」（頁三十六）

【增補】黃虞稷《千頃堂書目》卷二曰：「字子謙，山陰人。洪武中，明經為本邑儒學訓導，取汪氏《纂疏》、李廉《會通》、程氏《本義》裒為一書（即《春秋集說》）。」（頁三十七）。

【增補】黃虞稷《千頃堂書目》卷二曰：「（李衡）洪武閒，臨川人，一作《集說》，其說宗吳草廬，而參以《會通》，《纂疏》諸說，凡五十餘家。」（頁三十七）。

【增補】駱兆平《新編天一閣書目》曰：「元汪克寬撰。版本失載。薛編《天一閣進呈書目》據《浙江書錄》補。」（頁一八八）

《春秋諸傳提要》

【著錄】黃虞稷《千頃堂書目》卷二，頁三十六；《元史藝文志輯本》卷三，頁五九著錄。

【書名】黃虞稷《千頃堂書目》卷二，頁三十六著錄，題作《春秋提要》

佚。

【存佚】本書有明刻本，西北大學圖書館有藏本。

【版本及藏地】本書版本及藏地如下：

一、明刻本：佚名編《春秋提要》一卷，西北大學圖書館有藏本。

【增補】《西北大學圖書館善本書目》曰：「《春秋傳》三十八卷，《綱領》一卷，《提要》一卷，《東坡地理圖說》一卷，《諸國年表》一卷，《諸國興廢說》一卷　佚名編　明刻本　九行十七字，小字雙行，白口，左右雙邊。版心下鐫刻工名。二節板

---

45 「既以為非時」下，應依《補正》補「又以為得時」。「四庫本」、「備要本」亦誤脫。　霖案：《經義考新校》頁3624校文有較大改變，其文如下：「『時』下，依《補正》似應補『又以為得時』五字。」，無「『四庫本』、『備要本』亦誤脫。」等字。

，上節行數不等，行二字。有胡氏傳序、左氏傳序、漢何休公羊傳序、晉范寧穀梁傳序和附錄程子傳序。十二冊。」（頁四）

《左傳分紀》

【著錄】黃虞稷《千頃堂書目》卷二，頁三十六；《元史藝文志輯本》卷三，頁五九；李一遂〈左氏春秋著錄書目研究〉頁一一二著錄。

佚。

《春秋作義要決》46

【書名】黃虞稷《千頃堂書目》卷二，頁三十六；《元史藝文志輯本》卷三，頁五九著錄，書名題作《春秋作義要訣》。

【增補】〔補正〕「決」當作「訣」。（卷八，頁十四）

一卷。

未見。

【存佚】《元史藝文志輯本》卷三，頁五九著錄，注曰「佚」。

梁氏寅《春秋攷義》

十卷。

【著錄】黃虞稷《千頃堂書目》卷二，頁三十七的著錄。

未見。

【霖案】本書未見其他傳本，當已久佚。

寅〈自述〉曰47：「於讀《春秋》也，病《傳》之言異，求褒貶或過。乃因朱子之言，惟論事之得失，謂之《春秋攷義》。」

【增補】黃虞稷《千頃堂書目》卷二曰：「病傳之求，褒貶或過，乃因朱子之言，為論事之得失。」（頁三十七）。

戴氏良《春秋三傳纂玄》　《誌》作《春秋經傳攷》。

【作者】《元史藝文志輯本》卷三，頁五九著錄，作者誤題為「載良」。

【書名】黃虞稷《千頃堂書目》卷二，頁三十七著錄，書名題作《春秋經傳考》，又《元史藝文志輯本》卷三，頁五九著錄，書名則作《春秋三傳纂元》，蓋「玄」、「

46「決」，各本同，應依《補正》作「訣」。　霖案：《經義考新校》頁3625校文，無「各本同」三字；「應依」改作「依」字；「《補正》」二字下，另有：「《四庫薈要》本」；「作」改作「應作」二字。

47霖案：北圖(96)《新喻梁石門先生集·梁氏書莊記》1-，又四庫：《明文衡》卷30·《梁氏書莊記》；《江西通志》卷129等錄之。

元」避清康熙皇帝之諱,因而題稱有所不同,只是清代刻書之時,避諱寬嚴不同,而致有所差異。竹垞身處康熙之世,或有避「玄」字而改作「元」字,而此處並未避「玄」字,顯見其時避諱寬嚴不一,難於全數校改,而致有參差之處。

三十二卷。

【著錄】黃虞稷《千頃堂書目》卷二,頁三十七著錄。

未見。

【存佚】《元史藝文志輯本》卷三,頁五九著錄,注曰「佚」。

趙友同作〈志〉曰48:「先生諱良,字叔能49,其先杜陵50,遷婺之浦江51。為月泉書院山長52,至正辛丑,以薦53擢54淮南、江北等處行中書省儒學提舉55。洪武壬戌,以禮幣

---

48 霖案:戴良《九雲山房集》卷三十,(台北:臺灣商務印書館,「景印文淵閣四庫全書」冊一二一九,民國七十五年三月,初版),六〇六至六〇七。

49 霖案:「叔能」二字下,應依《九靈山房集》補入「姓戴氏」三字,竹垞或以此條解題歸於戴良條下,故刪去三字,惟此三字涉及基銘主人姓氏,不當任意刪之,今據原書補入。

50 霖案:「杜陵」二字下,應依《九靈山房集》補入「人,十八世祖昭,唐咸通間,任浙之東道五部兵馬大元帥、平南節度使、銀青光祿大夫、檢校太子、尚書令,仲子堂,始」等字。

51 霖案:「浦江」二字下,應依《九靈山房集》補入「好馳馬試劍,故名所居里曰:『馬劍』,厥後子孫日益繁夥,樂善業儒,為縣之望族,曾大夫諱錫,大父諱濤,父諱暄,皆隱德弗耀,先生天資警敏,性至孝,母劉夫人病,日侍湯藥,抱持寢,興衣不解帶者逾年,居父母喪,哀毀幾不能生,每遇忌辰,輒嗚咽流涕,處兄弟備盡恩愛,長姪恭早喪父,教之蹟己子,早從烏傷朱震亨先生習醫業,後以其術大顯於時,官至太醫院使,皆先生力也。生平嗜讀書,雖祁寒盛暑,恒至夜分乃寐,故天文地理醫卜佛老之書,靡不精究其旨。初治經,習舉子業,尋棄去,專力為古文,時柳文肅公貫、黃文獻公溍、吳文貞公萊,皆以文章鳴浙水東。先生往來受業門下,盡得其閫奧,與文肅公尤親密,公之死,為經紀其家持心喪,三年始歸。余忠宣公闕持憲節過婺州,聞先生善歌詩,數相過從,論古今作者詞旨優劣,公欣然曰:『士不知詩久矣,非子,吾不敢相語。』,乃盡授以平日所得於師友者。而先生詩名遂雄,視乎東南矣。家居遠城邑,受遊講習頗囍,即買地縣西,結屋數十楹,日與同輩討論濂、洛性理之微言,家事有無,悉置不問,親黨或勸以營產業為子孫計,先生謝曰:『子孫貧富,非吾可知,且家世業儒,詩書之外,亦不能有他圖也。』,居無何,起。」等字。

52 霖案:「山長」二字下,應依《九靈山房集》補入「後生士,子接其風猷,無不以踐履實學相勸勉。」等十八字。

53 霖案:「薦」字下,應依《九靈山房集》補入「者」字。

54 霖案:「擢」字下,應依《九靈山房集》補入「授中順大夫」等五字。

55 霖案:「舉」字下,應依《九靈山房集》補入「然時事已不靖,無可行其志,乃攜簆子溫浮海至中

徵56至京師，召見57，留會同館58，上欲用59，先生以老病固辭，頗忤旨，待罪，久之60，卒於寓舍61。有62《春秋經傳考》三十二卷藏於家。」

　　良〈自序〉曰63：「錯薪刈楚，披沙揀金，微事尚然，而況於學乎？況於聖人之經有所蕪沒於傳注者乎？然則《春秋》之文昭揭千古，學士大夫往往64童而習之，白首不知其統緒之會歸者，無他，亦惟傳家之言有以混淆其間故耳。嗚呼！《春秋》辭尚簡嚴，游、夏之徒已不能贊以一辭，而吾聖人之微言奧旨65果有待於支離繁碎而後見邪66？傳《春秋》者有三，曰左氏、公羊氏、穀梁氏，然《公》、《穀》主釋經，《左氏》主載事，能令百代之下頗見本末而因以求意者，《左氏》之功為多，然而義例宗旨67交出於68筮69祝卜夢之間，讖言善

　　　州，欲與豪傑交，而卒無所遇，遂南還四明。四明多佳山水，耆儒故老，往往流寓於茲，先生每相與宴集為樂，酒酣賦詩擊節歌詠，聞者以為有黍離秀麥之遺音焉。國朝」等字。

56 霖案：「徵」字下，應依《九靈山房集》補入「先生」二字，此係敬稱之辭也。

57 霖案：「召見」，應依《九靈山房集》題作「即日召見，試文辭若干篇，命大官予饎」等十五字。

58 霖案：「館」字下，應依《九靈山房集》補入「名公鉅卿，見無虛日，甚或以師禮事之，既而」等十七字。

59 霖案：「用」字下，應依《九靈山房集》補入「先生」二字，竹垞或以其文與下文重複，因而刪之，今據原書補入。

60 霖案：「之」字下，應依《九靈山房集》補入「一日，感微疾，即為書謝諸親舊，猶拳拳以忠孝大節為語，迨疾，亟召，樂謂曰：『吾罪戾本深，賴聖恩寬貸，獲保首領，以死念無報效，汝等幸自勉，以蓋前人之愆乃為賢子孫。』，耳語畢，遂端坐。」等句。

61 霖案：「舍」字下，應依《九靈山房集》補入「實癸亥四月十七日也，享年六十有七，樂以道遠，不克扶柩南還，乃擇地火化，奉其骨而歸，以是年十一月十五日，葬於縣南嘉興鄉西山之原。配趙氏，故宋宗室梅石處士必俊之女，有賢德，先公八年卒，至是合窆焉。子男二人，長禮本縣儒學訓導，後十三年卒，次即樂，今為本縣醫學訓科，女二，長適張琪，次適倪佐，孫男八，孫女三，先生神氣爽朗，美鬚髯，不妄喜怒，終日危坐無惰容，與人言，必吐露情實，善誘後進，嘗以所居在九靈山，晚年自號九靈山人，故學者咸以『九靈先生』稱之，所著述有《和陶詩》一卷，《九靈山房集》三十卷」等句。

62 霖案：「有」字，原書無此字，當刪正。

63 霖案：四部叢刊本《九靈山房集·春秋三傳纂玄序》卷六，頁42-43，又《遼金元文彙》冊二，頁1874亦錄此文。

64 霖案：「往往」二字，《九靈山房集·春秋三傳纂玄序》題作「徃徃」，二字只是書寫習慣不同所致。

65 霖案：「旨」字，《九靈山房集·春秋三傳纂玄序》作「指」字。

66 霖案：「邪」字，《九靈山房集·春秋三傳纂玄序》作「耶」字。

67 霖案：「旨」字，《九靈山房集·春秋三傳纂玄序》作「指」字。

68 霖案：「於」字，《九靈山房集·春秋三傳纂玄序》作「乎」字。

訓不多於委巷浮戲之語[70]，而《公》、《穀》之說又復互相彈射，不可強通，遂令經意分裂而學者迷宗也。良自蚤歲受讀，即嘗有病於斯，尋繹之次，因取三家之言稍加裁剪，以掇其要[71]，疏之經文之下。其於一事之傳，首尾異處者，既得以類而從；而文意俱異，各有可存者，亦皆並立其語；然後隨文覘義，若網在綱，雖行有刊句，句有刊字，非復本文之舊[72]，方之刈楚、揀金之細，不又有間[73]乎？雖然，亦將藏之篋笥，以自備遺忘而已。若夫優柔厭飫，自博[74]而反約，則三君子之成書在也，予亦安敢有所取舍其間，以為是經之蠹哉？」

劉氏永之《春秋本旨》

佚。

永之〈自述〉曰[75]：「春秋時[76]，列國[77]之史，亦莫不有人焉，其立辭也，亦莫不有法焉。趙穿之弒逆也，而書曰：『趙盾弒其君。』則晉史之良也。崔杼之弒逆也，太史[78]死者三人，而卒書曰：『崔杼弒其君。』則齊史之良也。之二國者，有二良焉，而況於魯有周公之遺制，為秉禮之臣者乎？是故法之謹嚴，莫過於魯史；其屬辭比事可以為訓，莫過於魯史；其[79]當世之治亂盛衰，可以上接乎《詩》、《書》之迹[80]，莫過於魯史，是以聖人有取焉，謹錄而傳焉，以寓其傷周之志焉。其知者曰：『是不得已焉耳。』其不知者曰：『是匹夫也。』

69霖案：「笘」字，《九靈山房集·春秋三傳纂玄序》作「巫」字。

70霖案：「語」字下，應依《九靈山房集·春秋三傳纂玄序》補入「鱗雜米聚，混然難證。」等八字。

71霖案：「要」字，《九靈山房集·春秋三傳纂玄序》原題作「玄」字，疑避康熙名諱而改之，今應改回原「玄」字。

72霖案：「舊」字下，應依《九靈山房集·春秋三傳纂玄序》補入「而鋤荒屏翳，使之日星垂而江河流者，不既有助乎。」等二十字。

73霖案：「間」字，應依《九靈山房集·春秋三傳纂玄序》改作「聞」字。

74霖案：「博」字，《九靈山房集·春秋三傳纂玄序》作「愽」字，「博」、「愽」偏旁不同，經常二字互用。

75霖案：《皇朝文衡》卷二十六，〈答梁孟敬書〉，頁236。又四庫：《稗編》12-8下錄之。

76霖案：「春秋時」，應依《皇朝文衡》作「蓋方是時」，蓋竹垞係根據〈答梁孟敬書〉摘錄而來，故刪節頗多文句，導致文義前後不貫，竹垞根據前後文句之義，直接改作成「春秋時」，蓋所論之事，皆春秋時之事也。

77霖案：「列國」，應依《皇明文衡》作「各國」。

78霖案：「太史」，《皇朝文衡》作「大史」。

79「其」，各本同，應依《補正》作「具」。　霖案：《經義考新校》頁3627校文，無「各本同」三字；「應依」改作「依」字；「《補正》」二字下，另有：「《四庫薈要》本」；「作」改作「應作」二字。今考《皇朝文衡》正作「具」字，此或為翁方綱《補正》所據之由。

80霖案：「迹」，應依《皇明文衡》作「跡」。

而暴其君大夫之惡於天下後世，故曰：『知我者[81]在是，罪我者[82]在是。』亦聖人之謙詞云耳。夫豈曰改周制、寓王法，而託二百四十二年南面之權之謂哉？[83]大較說《春秋》[84]者，其[85]失有三。尊《經》之過也，信《傳》之篤也，不以《詩》、《書》視《春秋》也。其尊之也過，則曰聖人之作也；其信之也篤，則曰其必有所受也；其視之異乎《詩》、《書》也，則曰此見諸行事也，此刑書也。夫以為聖人之作而傳者有所受，則宜其求之益詳而傅合之益鑿也；以為見諸行事、以為刑書，則宜其言之益刻而鍛鍊之益深也。己以為美，則強求諸辭[86]：『此予也，此奪[87]也，聖人之微辭也。』或曰：『聖人之變文也。』一說弗通焉，又為一說以護之；一論少窒焉，又為一論以飾之；使聖人者若後世之法吏，深文而巧詆，蔑乎寬厚之意，此其失非細故也。今僕之愚曰：『其文則魯史，其義則彰善而癉惡，冀述而傳於後，則以刪《詩》、定《書》、贊《易》同其狂僭；而其為《傳》也，則直釋其義，其善者曰如是而善，其惡者曰如是而惡，無褒譏予奪之說。其區別凡例，則主程子；其綱領大意，則主朱子；其《三傳》，則主《左氏》，以杜預說而時覈其謬[88]妄；其諸家則無適主，取其合者，去其弗合者，如是而已。[89]』」

【增補】〔補正〕〈自述〉內「其當世之治辭[90]」，「其」當作「具」；「則強求諸辭」，下脫「曰」字；「此奪也」，「奪」當作「褒」。（卷八，頁十四）

81霖案：「者」字下，應依《皇明文衡》補入「將」。

82霖案：「者」字下，應依《皇明文衡》補入「將」。

83霖案：「哉」字下，竹垞刪錄許多文句，難於一一補錄，讀者可自行參看原書。又應在「大較說《春秋》者」之前，加入「又曰」，以示區隔二者為不同段落之文字。

84霖案：「《春秋》」二字，《皇明文衡》無之，當刪。

85霖案：「其」，應依《皇明文衡》作「之」。

86「辭」下，應依《補正》補「曰」字，「四庫本」、「備要本」亦脫。　　霖案：《經義考新校》頁3628校文，「應依」改作「依」字；「《補正》」二字下，另有「《四庫薈要》本」；「補」改作「應作」二字；「曰」改作「辭曰」二字；另外，無「『四庫本』、『備要本』亦脫。」等字。今考《皇明文衡》有「曰」字，此或為翁方綱《補正》所據之本。

87「奪」，各本同，應依《補正》作「褒」。　　霖案：《經義考新校》頁3628校文，無「各本同」三字；「應依」改作「依」字；「《補正》」二字下，另有「《四庫薈要》本」；「作」改作「應作」二字。今考《皇明文衡》作「褒」字，此或為翁方綱《補正》所據之本。

88「謬」，「四庫本」作「繆」。　　霖案：《經義考新校》頁3628校文，「四庫」二字之前，另有：「文淵閣」三字。今考《皇明文衡》作「繆」字，此或為翁方綱《補正》所據之本。

89霖案：「已」字下，竹垞刪錄許多文句，難於一一補錄，讀者可自行參看原書。

90「辭」，應依前文作「亂」。　　霖案：《經義考新校》頁3628校文，「應依前文」改作「依上文應」等字。

邵遠平曰[91]：「清江劉永之仲修治《春秋》學，洪武中以戍卒。其與梁孟敬講《春秋》一書，可謂持平之論。」

朱氏右《春秋傳類編》

【書名】朱右《白雲稿》卷四，〈春秋傳類編序〉著錄此書，惟篇名題作「〈春秋傳類編序〉」，然內容卻錄作「《春秋類編》」，書名題稱差一「傳」字。又謝鐸《赤城新志》錄及此書，亦題作「《春秋類編》」。

【著錄】黃虞稷《千頃堂書目》卷二，頁三十七、《元史藝文志輯本》卷三，頁六二著錄。

佚。

右〈自序〉曰[92]：「愚讀《春秋三傳》、《國語》，愛其文煥然有倫，理該而事核，秦、漢以下無加焉，因采摭其尤粹者，得若干卷，題曰《春秋傳類編》[93]，而為之序曰：圖書出而人文宣，光嶽分而人材降，是人材者，人文之所寄也。孔子曰：『天之未喪斯文也，匡人其如予何？』其亦謂是也。夫自周室[94]既東，聖賢道否，孔、孟之教不行於天下，春秋、戰國之際，功利日興，權謀是尚，固不足以上窺天人之奧而布其致君澤民之心矣。幸而天理不泯，斯文未墜，經生學士器識卓絕，不無人焉，求其能輔翼聖經、垂刑[95]世範者，愚於左氏、公羊、穀梁氏而深有望也。雖然，《三傳》、《國語》之文不能無辨。《左氏》則無間然矣，《國語》之書，前輩亦未定為何人，詳其詞氣，要非《左氏》之筆，蓋亦做《左氏》而自為一家者，世以為《春秋外傳》，得無意乎？《公羊》、《穀梁》為《經》而作，典禮詳實，詞旨簡嚴，有非他能言之士可及也。愚試評之：譬之良工之繪水與木也，藝有專精，則所就有深淺，然自心巧發之，則各得其一端之妙，《左氏》之文煥然有章，小大成紋，猶水之波瀾也；蘪蘺敷腴，英華暢發，猶木之滋榮也。《公》、《穀》之文，源委有自，派脈分明，猶水之淵泉也；根據得實，柯條森挺，猶木之支幹也。要之，繪者雖意匠所得不同，然其心術之微，神巧之妙，變化無窮，皆工之良而無迹之可指也。若《國語》則未免有迹矣，既未足以翼《春秋》之《經》，不過戰國間能言之士，太史公頗采其說，因附於編，俾學者知作文立言之有法也。語云：『文勝質則史。』是編也，亦史氏之宗匠，文章之筌蹄歟！」

謝鐸曰[96]：「《春秋類編》[97]，朱右著，今亡。」

91霖案：四庫本：參見《東里集》卷18-26下；《曝書亭集》卷74-9上〈徐一夔傳〉。

92霖案：《白雲稿》卷四，〈春秋傳類編序〉，（台北：商務印書館，影印「文淵閣四庫全書」本冊一二二八），頁57-58。

93霖案：「《春秋傳類編》」，《白雲稿》題作「《春秋類編》」，無「傳」字。

94霖案：「周室」二字，《白雲稿》作「周轍」二字。

95霖案：「刑」字，《白雲稿》題作「型」字。

96霖案：明‧謝鐸等撰，《赤城新志》卷二十一，（《四庫全書存目叢書》史一七七），頁351C。

97霖案：「《春秋類編》」的「春」字，《四庫全書存目叢書》本漫漶不清，無法辨識，而竹垞所引內容

徐氏尊生《春秋論》

　　一卷。

　　　　【著錄】黃虞稷《千頃堂書目》卷二，頁三十七著錄。

　　未見。

　　　　【霖案】本書未見其他傳本，當已久佚。

　　《嚴州府志》：「徐尊生，字大年，淳安人。洪武初，召議禮與修《元史》日歷，授以官，辭，後為翰林應奉。」

　　　　【增補】黃虞稷《千頃堂書目》卷二曰：「字大年，淳安人。」（頁三十七）。

王氏廉《春秋左氏鈞玄》

　　　　【書名】黃虞稷《千頃堂書目》卷二，頁三十七著錄，書名題作《左氏鈞元》。

　　未見。

　　　　【霖案】本書未見其他傳本，當已久佚。

張氏宣《春秋胡氏傳標注》

　　　　【著錄】黃虞稷《千頃堂書目》卷二，頁三十七著錄。

　　未見。

　　　　【霖案】本書未見其他傳本，當已久佚。

　　黃虞稷曰[98]：「宣，字藻仲[99]，江陰人。其書[100]明初與《四書點本》並刊於江陰縣學[101]。」

胡氏翰《春秋集義》

　　　　【書名】黃虞稷《千頃堂書目》卷二，頁三十七著錄，書名題作《春秋尊義》」。

　　佚。

　　陸元輔曰：「仲申及登許文懿公之門，其文見稱於黃文獻、柳文肅，有勸之仕者輒辭，避地南□山[102]中，著書自樂。高皇聘授衢州教授，尋纂修《元史》，賜白金文綺以歸，著有

　　，適足以補今本的不足。又「秋」字，亦不甚清楚，惟稍類於「秋」字，當是「秋」字。

98霖案：黃虞稷《千頃堂書目》卷二，頁37著錄。

99霖案：「藻仲」，《千頃堂書目》題作「蕰仲」。

100霖案：《千頃堂書目》無「其書」二字。

101霖案：「縣學」，《千頃堂書目》題作「邑庠」。

102「南□山」，應依《補正》作「南華山」，「四庫本」亦缺，「備要本」作「南雄山」。　霖案：《經義考新校》頁3631校文，「應依」改作「依」字；「《補正》」二字下，另有：「《四庫薈要》本」；「作」改「應作」二字；「『四庫本』亦缺，『備要本』作『南雄山』。」改作：「文津閣《四庫》本作

《春秋集義》。」

　　【增補】〔補正〕陸元輔條內「避地南□山中」，「南」下是「華」字。（卷八，頁
　　十五）

熊氏釗《春秋啟鑰》

　　【著錄】黃虞稷《千頃堂書目》卷二，頁三十七著錄。

　　佚。

　　黃虞稷曰103：「釗104，字伯昭，進賢人。領元鄉薦，洪武中，薦入校書會同館。」

滕氏克恭《春秋要旨》

　　【著錄】黃虞稷《千頃堂書目》卷二，頁三十七著錄。

　　佚。

　　《開封府志》：「滕克恭，字安卿，祥符人。登元進士第，累官集賢館學士。洪武初，
兩聘為河南鄉試考官，壽百餘歲。」

　　【增補】黃虞稷《千頃堂書目》卷二曰：「字安卿，祥符人。元集賢學士，洪武初，
　　徵典鄉試。」（頁三十七）。

王氏受益《春秋集說》

　　【著錄】黃虞稷《千頃堂書目》卷二，頁三十七著錄。

　　佚。

　　王鈍〈志墓〉曰：「先生諱受益，字子謙，紹興山陰人，受《春秋》於楊先生澄原105。
元至正壬寅中，浙江鄉試省臣版，授仁和縣學教諭，病《春秋》傳註多而局於事例，聖人作
經之旨因以不明，乃取汪克寬《纂疏》、李廉《會通》、程端學《本義》三書，折衷其是非，
務在明經，不為科舉道地，名之曰《春秋集說》，凡五十餘萬言。復病其言之多，而學者不
能悉記，欲定從簡，未竟，故不及行於世。洪武八年，舉本縣學教諭，歷冀、滁、陝三州學
正，官止國子助教。」

　　【增補】黃虞稷《千頃堂書目》卷二曰：「字子謙，山陰人。洪武中，明經為本邑儒
　　學訓導，取汪氏《纂疏》、李廉《會通》、程氏《本義》裒為一書。」（頁三十七）
　　。

　　『南山』，《備要》本作『南雄山』。」等字。

103霖案：黃虞稷《千頃堂書目》卷二，頁37。

104霖案：《千頃堂書目》「釗」字。

105「澄原」，「四庫本」作「澄源」。　　霖案：《經義考新校》頁3632校文，於「四庫」二字之前，
　　另有「文淵閣」三字。

【增補】嵇曾筠等監修，沈翼機等編纂《浙江通志・注》卷一八〇曰：「成化《紹興府志》：『字子謙，山陰人，初受書於錢宰，又受《春秋》於楊澄源，嘗取汪氏《纂疏》、李氏《會通》、程氏《本義》三書折中之，名曰：《春秋集說》。洪武初，詔與張美和劉三吾校《書經》，書成，賜名曰：《尚書會通》，除陝西學正，五典名藩鄉試及會試，文衡得人甚盛，陞國子助教。』」（冊五二四，頁五五下）

傅氏藻等《春秋本末》

三十卷。

【著錄】黃虞稷《千頃堂書目》卷二，頁三十六著錄。

存。

【霖案】本書未見其他傳本，當已久佚。

《實錄》：「洪武十一年五月癸酉，命東閣文學傅藻等編纂《春秋本末》，閏月乙酉，書成。上以《春秋》本諸魯史，而列國之事錯見間出，欲究其終始，則艱於考索，乃命藻等纂錄，分列國而類聚之，附以《左氏傳》。首周王之世，以尊正統；次魯公之年，以仍舊文，事之終始，秩然有序，賜名曰《春秋本末》。」

宋濂〈序〉曰106：「洪武十一年夏五月，皇太子御文華殿，命侍臣講讀《春秋左氏傳》，既而曰：『諸國之事雜見於二百四十二年之中，其本末未易見，曷若取《春秋分記》而類入之？』《分記》，眉人程公說所述，有年表、世譜、名譜、世本、附錄等類，頗失之繁，但依世本次第成書。先周，尊天王也；次魯，內望國也，次齊、晉107，主盟中夏，故列之魯後，而齊復後於晉，以晉於周、魯為親，其霸視齊為長也；自齊而下，次宋、衛、蔡、陳，地醜德齊，而宋以公爵列於三國之首，衛、蔡、陳之爵皆侯也，鄭、曹、燕、秦皆伯也，陳、秦108獨後，異姓也；若楚、若吳、若越，以僭號見抑於《春秋》，並居其後，而小國戎狄109附焉。於是文學臣傅藻等承命纂輯，編年一主乎魯，雖曰無事，一年各具四時，諸國依前次序110，各繫以事，其有一事再見及三見者，通繫於主霸者之下，若重複者則削之；訓詁以杜預為之主，凡例所及，一一取旨而後定，繕寫為三十卷。自春和門投進，皇上聞而嘉之，賜名曰《春秋本末》，勅內官刊梓禁中，以傳示四方。臣濂聞諸師云：『《五經》之有《春秋》，猶法律之有斷例也。』法律則用刑禁暴，以為之範防；斷例則斟酌物情111是非，而

106霖案：《宋文憲公全集》冊二，卷二十六〈春秋本末序〉，（中華書局聚珍仿宋版印本），頁7-8。

107霖案：「齊、晉」二字的次第，以下文視之，則「齊復後於晉」，是則「齊、晉」應為「晉、齊」之互倒。

108霖案：宋濂〈春秋本末序〉作「蔡」字，此國名有誤也，當據原書改正。

109霖案：《經義考新校》頁3633新出校文如下：「『戎狄』，文津閣《四庫》本作『戎荒』。」

110霖案：「次序」，宋濂〈春秋本末序〉題作「序次」，二者互為乙倒。

111霖案：「情」字，宋濂〈春秋本末序〉題作「之」字。

定罪之重輕也。是故古之君臣無不習乎[112]《春秋》；使君而知《春秋》，方能盡代天理物之道；使臣而知《春秋》，方能盡事君如事天之誠；天衷以之而昭，民彝以之而正，何莫非《春秋》之教也？然[113]其書法實嚴，必當曲暢以觀其同，參互以察其變，所謂屬辭比事者，始可言也。不然，如涉彼大海，渺無津涯，豈一蠡之可測哉？敬惟皇太子殿下潛心聖學，其於《六經》之文，循環讀之，而尤惓惓於《春秋》，今命宮臣纂輯成書，一覽之頃，其本末瞭然，斯殆以人文化成天下也歟？皇上以大舜之資，善與人同，亟命流布於四海，是心也，天地之心也。臣幸生盛時，遭逢兩宮之聖，不勝慶忭之至，輒忘疏賤，著其述作大意於篇首。其校正無訛[114]者，翰林典籍臣劉仲質、國子助教臣儲惟德；正書入梓者，中書舍人臣朱孟辨[115]、臣宋璲、臣桂慎，鑄印局副使臣詹希元云。」

楊士奇曰[116]：「《春秋》，仲尼因魯史之舊筆削之，以著法戒。《春秋本末》，我太祖高皇帝命儒臣因仲尼之舊彙萃[117]之，以便覽觀，義例甚精，皆聖制也。[118]刻板在太學，余家所藏二十[119]冊，得於廬陵晏彥文。」

【增補】黃虞稷《千頃堂書目》卷二曰：「懿文太子命宮臣傅藻等編。先是洪武十一年夏五月，皇太子御文華殿命侍臣請讀《春秋左氏傳》，以列國之事，錯見閒出，難於考究終始，乃命藻分列國而類聚之，附以《左氏傳》，首周王之世，以尊正統，次魯公之年，以仍舊文，列國則先齊晉，而後楚吳，以為內外之別。十二年六月，書成。太祖聞而嘉之，賜名《春秋本末》。」（頁三十六）

【增補】孫能傳等撰《內閣藏書目錄》曰：「洪武十二年，命儒臣編纂，分國而類聚之，凡三十卷」。（卷二，頁四七九）。

高氏允憲、楊氏磐《春秋書法大旨》

一卷。

【著錄】黃虞稷《千頃堂書目》卷二，頁三十六著錄。

112霖案：「乎」字，宋濂〈春秋本末序〉題作「於」字。

113霖案：「然」字下，應依宋濂〈春秋本末序〉補入「而尊王賤霸，內夏外夷」等九字，此處事涉夷狄之防，有礙清廷忌諱，乃刪除之，然不合於原序，今校補如上。

114霖案：「訛」字，宋濂〈春秋本末序〉作「譌」字。

115霖案：「辨」字，宋濂〈春秋本末序〉作「辯」字。

116霖案：《東里續集》卷十六，〈春秋本末〉，（台北：商務印書館影印「文淵閣四庫全書本，冊一二三八」，頁581。

117霖案：「萃」字，《東里續集》題作「粹」字。

118霖案：「義例甚精，皆聖制也。」八字之前，應依原書補入「首天王以尊正統，先中國，而後夷狄，」等十四字，竹垞以其事涉夷狄，有諱清廷之諱，故而刪之，僅存其後文辭，今據原書之文補入。

119霖案：「二十」二字，原書題作「廿」。

未見。

【霖案】本書未見其他傳本，當已久佚。

【霖案】本書明代內閣尚有鈔本，說法詳見張萱之文，竹垞略去相關訊息，今補錄於此。

張萱曰[120]：「洪武中[121]，國子博士高允憲、助教楊磐奉旨編修。因[122]聖《經》以考《三傳》[123]，依啖、趙《纂例》分類，刪繁節要[124]，凡二十三則。[125]」

【增補】黃虞稷《千頃堂書目》卷二曰：「洪武中，國子博士高允憲，助教楊磐奉旨編次，依啖、趙《纂例》分類，刪繁節要，凡二十三則。」（頁三十六）

劉氏基《春秋明經》（明）

【增補】李一遼〈左氏春秋著錄書目研究〉頁一○一錄有劉基《左傳要語》二卷，竹垞未錄此書，當據以補入。

四卷。

【著錄】黃虞稷《千頃堂書目》卷二，頁三十七的著錄。

佚。

【存佚】本書實有傳本在世，今據以改作「存」籍。

【版本及藏地】本書版本及藏地如下：

一、《誠意伯文集》本：劉基撰《春秋明經》二卷，四庫全書本《誠意伯文集》卷十三至卷十四，合計二卷，《國立故宮博物院善本舊籍總目》，上冊，頁一○三著錄，台北：故宮博物院圖書館有藏本。

錢謙益[126]曰：「基，字伯溫，青田人。元至順癸酉明經，登進士第，累仕，皆投劾去。

120霖案：孫能傳等撰《內閣藏書目錄》卷二，頁479。審竹垞輯錄之文，悉同於黃虞稷《千頃堂書目》之文，而黃氏之文，雖近同於《內閣藏書目錄》，但仍略有修改，故此處是否宜題作「張萱曰」，恐有疑慮，或當題作「黃虞稷曰」，更為恰當。

121霖案：「洪武中」，《內閣藏書目錄》無此三字，乃竹垞參考黃虞稷《千頃堂書目》之文而增之，說法詳見上文註解。

122霖案：「因」字前，當依《內閣藏書目錄》補入「悉」。

123霖案：「《三傳》」二字下，當依《內閣藏書目錄》補入「及杜、何、范、趙、程、胡、陳、張之說。」等十一字。

124霖案：「刪繁節要」，應依《內閣藏書目錄》作「刪其繁冗，撮其樞要」。

125霖案：「則」字下，應依《內閣藏書目錄》補入「鈔本」。

126「錢謙益」，「四庫本」作「錢陸燦」。　霖案：《經義考新校》頁3635校文，「錢謙益」改作「錢謙

太祖定婺州，規取處州，石抹[127]宜孫總制處州，為其院經歷。宜孫敗走，歸青田山中。孫炎奉上命鉤致之，乃詣金陵，後以佐命功，官至御史中丞，封誠意伯。正德中，追諡文成。」

【增補】黃虞稷《千頃堂書目》卷二曰：「春秋制舉之言。」（頁三十七）。

張氏以寧《春秋胡傳辨疑》　　或作《論斷》。（明）

【書名】本書異名如下：

一、《辨疑》：《中國館藏和刻本漢籍書目》頁四七著錄。

【霖案】黃虞稷《千頃堂書目》卷二，頁三十六錄有張以寧《辨疑》一卷；《春秋論斷》三卷，可見《經義考》注文題作「或作《論斷》」者，應為誤題，致使二書誤作一書。

三卷。

【卷數】《明史藝文志》、《中國館藏和刻本漢籍書目》頁四七錄有《辨疑》一卷，則是書原作「一卷」，竹垞題作「三卷」者，乃係誤認之失。

【增補】〔補正〕案：《明史‧藝文志》作「一卷」。（卷八，頁十五）

佚。

【存佚】本書應注曰「存」。

【版本及藏地】本書版本及藏地如下：

一、通志堂經解本：明張以寧撰《春秋春王正月考》一卷，《辨疑》一卷，張之洞《書目答問補正》卷一，頁四六著錄，馬來西亞大學圖書館有藏本（二部）。

二、清康熙十九年通志堂刊乾隆五十年修補本：(明)張以寧撰《春王正月考》一卷，《辨疑》一卷，一冊，《國立故宮博物院善本舊籍總目》，上冊，頁一〇三著錄，台北：故宮博物院圖書館有藏本。

三、清乾隆間寫文淵閣四庫全書本：(明)張以寧撰《春王正月考》一卷，《辨疑》一卷，二冊，《國立故宮博物院善本舊籍總目》，上冊，頁一〇三著錄，台北：故宮博物院圖書館有藏本。

四、擷藻堂薈要本：(明)張以寧撰《春王正月考》一卷、《辨疑》一卷，二冊，《國立故宮博物院善本舊籍總目》，上冊，頁一〇三著錄，台北：故宮博物院有藏本。

益曰」；「四庫本」改作「《四庫薈要》本、文淵閣《四庫本》」等字；「作」改作「俱作」二字；「錢陸燦」改作「錢陸燦曰」等字，又其下另有校文如下：「文津閣《四庫》本作「《處州府志》」等字；今考此文出自《列朝詩集小傳》頁13。

127霖案：《經義考新校》頁3635新出校文如下：「『石抹』，《四庫薈要》本、文津閣《四庫》本俱作『舒穆嚕』。」。

五、清芬堂叢書本：明張以寧撰《春秋春王正月考》一卷，《辨疑》一卷，馬來西亞大學圖書館有藏本。

六、藝海珠塵本：明張以寧撰《春秋春王正月考》一卷，《辨疑》一卷，馬來西亞大學圖書館有藏本。

七、民國五十七年(1968)藝文印書館叢書集成初編影印本：明張以寧撰《春秋春王正月考》一卷，《辨疑》一卷，馬來西亞大學圖書館有藏本（二部）。

又台北：國家圖書館有藏本。

八、日本元祿十年（１６９７）翻刻康熙年間通志堂經解本：《中國館藏和刻本漢籍書目》頁四七著錄，人大圖書館有藏本。

九、清同治十二年(1873)粵東書局重刊本：(明)張以寧撰《春秋春王正月考》一卷，《辨疑》一卷，台北：國家圖書館有藏本。

錢謙益128曰：「以寧少以《春秋》登第，作《春秋胡氏傳辨疑》，最為辨博，而《春王正月考》未就。洪武二年夏，卒業於安南之寓館，書成，逾月而卒。」

【增補】〔補正〕此條下云：「以甯少以《春秋》登第，作《春秋胡氏傳辨疑》，最為辨博，而《春王正月考》未就。洪武二年夏，卒業於安南之寓館，書成，逾月而卒。」按：《明史‧本紀》、〈文苑傳〉、〈外國傳〉及張隆〈春王正月考跋〉參考之，以甯奉使在洪武二年六月，其留安南則在秋、冬及明年之春，此云「二年夏」，似誤。（卷八，頁十五）

【增補】黃虞稷《千頃堂書目》卷二曰：「以寧，洪武二年己酉夏，使安南，著是書，明年書成，卒於安南寓館，其嗣孫隆，宣德元年始輯而刊之，其書以周正為主，本之孔孟，朱子徵之經史，而下其眾說之不齊者，則因朱子之說以釋其疑，而次於其後。」（頁三十六）

楊氏昇《春秋正義》

【著錄】黃虞稷《千頃堂書目》卷二，頁三十七著錄。

佚。

楊士奇〈志墓〉曰129：「杭有君子曰楊孟潛130，諱昇131，洪武丙子以《春秋》選鄉試，

---

128 「錢謙益」，「四庫本」作「錢陸燦」。　霖案：《經義考新校》頁3633校文，「四庫」二字之前，另有「《四庫薈要》本、文淵閣」等字；「作」改作「俱作」；另有：「文津閣《四庫》本作『黃虞稷』。」等字。今考此文出自《列朝詩集小傳》，頁83。

129 霖案：楊士奇，《東里續集》卷二八，〈贈嘉議大夫刑部右侍郎楊君基碑銘〉（台北：臺灣商務印書館，「景印文淵閣四庫全書」冊一二三九，民國七十五年三月，初版），頁32-33；又程敏政，《新安文獻志》卷九三，「行實」，〈明故徽州府學教授贈嘉議大夫刑部右侍郎楊君昇基碑銘〉（台北：臺灣商務印書館，「景印文淵閣四庫全書」冊一三七六，民國七十五年三月，初版），頁544-555

明年，會試中副榜，授教諭星子縣132，陞邵武府學教授133，調徽州134，以子135寧貴，累贈至嘉議大夫刑部右侍郎136。」

　　【增補】黃虞稷《千頃堂書目》卷二曰：「字孟潛，杭州人。洪武中徽州府學教授。」（頁三十七）。

李氏衡《春秋集說》

　　【書名】黃虞稷《千頃堂書目》卷二，頁三十七著，書名題作《春秋釋例集說》。

　　　。

130　霖案：「潛」字下，應依《東里續集》補入「沒三十年，其子刑部右侍郎寧以前翰林侍講匡南余鼎所志〈墓〉文告余曰：『先君受追贈，恩至三品，法得立碑於墓，敢請刻辭。』余聞孟潛之行於士君子矣，又與寧同朝厚善，為之〈序〉曰：『楊本沈氏，世家杭之錢塘，業儒。元杭州路學教授某，既卒，其子壽之始生母，楊以鞠于舅氏，遂蒙舅姓，生德文，配傳，孟潛之大考妣，考妣也。孟潛」等句。

131　霖案：「昇」字下，應依《東里續集》補入「自幼凝重不凡，天性孝友，髫齡已立志學問，而且暮侍養，不去親側，得親之懽，一弟篤愛之終身。」等句。

132　霖案：「縣」字下，應依《東里續集》補入「年甫二十餘，惇持師道，端威儀明，講說自旦達夕，躬勤弗懈，言動雖微，不苟屹然，類老成人，學者翕然服從，庶子廬陵鄒緝方正不苟，許可時佐教星子，獨加禮孟潛，道譽之，不置口，星子學賢科累歲不薦士，郡邑及學官惑於堪輿家言學地不利，謀徙置，孟潛適至，毅然曰：『學業至，未有不薦者』，竟不徙，其於學者誘掖獎勵，忠愛懇到，久而彌篤。三年學薦二人，又四年薦四人，皆登第，自是科不乏升，九載考績。」等句。

133　霖案：「授」字下，應依《東里續集》補入「無幾」二字。

134　霖案：「州」字下，應依《東里續集》補入「府學施教，一如星子，所至諸生皆從授《春秋》，大比而升者比比，善教之效，有聞於時，其為人純實和易，服用儉素，非道之言，未嘗出口，與人交怡，款言出而信其去也，皆思之久，不忘平生，以事親為切要，得祿必迎就養，有欲以理民薦之者，力謝卻曰：『今幸在散地，且夕獲侍親側，而柰何欲奪之』，乃止。永樂甲午留北京，以疾卒，時老親及妻子皆在徽，甚貧，惟以不獲終養為憾，徽人聞之，築室學舍之側，以處其家，非積行之，誠有以致之乎？卒於是年十一月晦，享年四十有三，葬錢塘之花家，原。」句

135　霖案：「子」字，《東里續集》無此字，乃竹垞據前人所補，今刪。

136　霖案：「郎」字下，應依《東里續集》補入「嗜為文章，詩雅淡近古，所述有《拙齋藁》、《春秋正義》，藏於家。配袁氏，封太淑人，子男二，長即『寧』，舉進士，握官刑部主事，陞郎中，用佐武功，陞刑部右侍郎，次『宜』。女二，長嫁監察御史劉安定，次嫁某。孫男若干。銘曰：『行莫先孝，顒顒厥誠，道貴善教，臺才以成，忠厚之存，平直之行，天有報施，身後洊榮，有赫嗣興，峩冠在廷，振華履亨，既崇以閎，錢塘之原，歸展先塋，貽後樹碑，太史之銘』」等句。

《萬歷重編內閣書目》：「三冊。」[137]

　　【卷數】黃虞稷《千頃堂書目》卷二，頁三十七錄作「三卷」

未見。

　　【霖案】本書未見其他傳本，當已久佚。

《江西通志》[138]：「李衡，字元成，崇仁人[139]。洪武初[140]，本學訓導[141]。」

張萱曰[142]：「洪武中[143]，臨川李衡著。其說宗吳艸廬[144]，參以李廉《會通》、汪德輔《纂疏》[145]，凡五十餘家。[146]」

　　【增補】黃虞稷《千頃堂書目》卷二曰：「洪武閒，臨川人，一作《集說》，其說宗吳草廬，而參以《會通》，《纂疏》諸說，凡五十餘家。」（頁三十七）。

包氏文舉《春秋微意發端》

　　【著錄】黃虞稷《千頃堂書目》卷二，頁三十七著錄。

　　【作者】黃虞稷《千頃堂書目》卷二，頁三十七著錄，作者題作「包仕登」，「仕登」為其字也。

佚。

《括蒼彙紀》[147]：「文舉[148]，字仕登[149]，松陽人。洪武中[150]，聘授[151]國子助教[152]，

---

[137]霖案：《內閣藏書目錄》卷二，頁66。

[138]霖案：《四庫全書存目叢書》史部，冊一八二，卷二十一，頁115。又四庫本《江西通志》卷八一亦錄之。

[139]霖案：「崇仁人」三字下，《江西通志》尚有「篤意《春秋》，嘗著《集說》。」等字，今據以補入。

[140]霖案：「初」字，《江西通志》作「間」字，又「間」字下，另有「舉為」二字，今據以補入。

[141]霖案：「本學訓導」四字下，應依《江西通志》補入「久之，朝廷以明經博學徵之，不就。」等十三字。

[142]霖案：孫能傳等撰《內閣藏書目錄》卷二，頁479。

[143]霖案：「中」，當依《內閣藏書目錄》作「閒」。

[144]霖案：「吳艸廬」，《內閣藏書目錄》作「吳草廬」。

[145]霖案：《纂疏》二字下，應依《內閣藏書目錄》補入「胡氏《傳注》」等四字。

[146]霖案：「家」下，應依《內閣藏書目錄》補入「鈔本」二字。

[147]霖案：《括蒼彙紀》（《四庫全書存目叢書》史一九三），頁654D~655A。

[148]霖案：「文舉」二字，《括蒼彙紀》題作「包文舉」。其下諸文句，理應置入注文，而竹垞未能細分正文、注文，是以混合錄之。

歷153齊府長史。」

【增補】黃虞稷《千頃堂書目》卷二曰：「字文舉，松陽人。洪武中，國子助教。」（頁三十七）。

石氏光霽《春秋書法鈞玄》（明）

四卷

【書名】《四庫》本題作《春秋鈞元》，漏題「書法」二字；又改「玄」為「元」，乃是避聖祖康熙諱所致。

【著錄】黃虞稷《千頃堂書目》卷二，頁三十七、張壽平《公藏先秦經子注疏書目》頁一四一著錄。

【卷數】北京圖書館藏「明初刻本」題作「四卷」。又《千頃堂書目》題作「一作二十卷」，則或有「二十卷」本。

存。

【版本及藏地】本書版本及藏地如下：

一、明初刻本：《春秋書法鈞玄》四卷，每半葉十行，行二十六字，小字雙行，黑口，四周雙邊，北京圖書館有藏本，崔富章《四庫提要補正》頁一七三有相關說明，說法詳見下文。

二、寫本：《春秋鈞元》一冊，《浙江採集遺書總錄》著錄。

三、文淵閣四庫全書本：(明)石光霽撰《春秋鈞元》四卷，三冊，《國立故宮博物院善本舊籍總目》，上冊，頁一〇三著錄，台北：故宮博物院有藏本。

【增補】永瑢等撰《欽定四庫全書總目》曰：「春秋鈞玄四卷154　浙江吳玉墀家藏本

149霖案：「字仕登」三字下，當據《括蒼彙紀》補入「從王西山先生受《尚書》，得聞性命道德之學，應賢人君子。」等二十二字。

150霖案：「松陽人。洪武中」六字，《括蒼彙紀》無此六字。

151霖案：「授」字，當據《括蒼彙紀》改作「為」字。

152霖案：「國子助教」四字下，《括蒼彙紀》另有「一日，太祖召入武英殿，賜上（此字漫漶不清，近乎「座」字。）陳二帝三王之道，稱旨。顧謂近臣曰：『此吉人士也。』，以時訪問，數有匡正。」等字，當據以補入。

153霖案：「歷」字，當依《括蒼彙紀》改作「陞」字。

154霖案：原注云：崔富章：是書原不分卷，文溯閣庫書作三卷，文淵、文津閣作四卷。又按：文淵閣庫書題作《春秋書法鈞元》四卷。

明石光霽撰。光霽字仲濂，泰州人，張以寧之弟子也。洪武十三年以薦為國子監學正，擢春秋博士。《明史・文苑傳》附載《張以寧傳》中。史稱『元故官來京者，危素及以寧名尤重。素長於史，以寧長於經。素宋元史稿俱失傳，而以寧《春秋》學遂行。門人石光霽作《春秋鉤玄》』云云，則此書猶以寧之傳也。大旨本張大亨、吳澄之意，以《春秋》書法分屬五禮，凡失禮者則書之以示褒貶。因考《周禮》經注，詳錄吉、凶、軍、賓、嘉五禮條目，其有五禮不能盡括者，如年月日時、名稱、爵號之類，則別為雜書法，以冠於首。每條書法之下，採集諸傳之詞，以切要者為綱，發揮其義者為目，大概以《左傳》、《公》、《穀》、胡氏、張氏為主，義有未備者，亦間採啖、趙諸儒之說，而總以己意折衷之。其所稱『張氏』者，即以寧也。以寧《春秋胡傳辨疑》今已散佚[155]。賴光霽能傳其說。是編所引以寧之言為最多，尚可見其梗概。前有序文一篇，無撰人名氏，言啖、趙之《纂例》詳於經而略於傳，《纂疏》、《會通》之書備於傳而略於經，茲能損益其所未備，其稱許頗當。朱彝尊《經義考》作四卷，此本不分卷數，疑傳寫者所合併。今從彝尊之說，仍析為四卷著錄焉。」（卷二十八，頁三六一）

【增補】邵懿辰撰、邵章續錄：《增訂四庫簡明目錄標注》卷三曰：「《春秋鉤玄》四卷，明石光齋撰。

四庫著錄，係吳玉墀家鈔本。繡谷亭書錄，此書祇一卷，不全，不知何故。淡生堂餘苑本。」（頁一一六）

【增補】崔富章《四庫提要補正》曰：「《四庫採進書目》（《浙江省第四次吳玉墀家呈送書目》）載『《春秋鉤元》不分卷，明石光霽著，一本』。《浙江採集遺書總錄》詳為著錄云：『《春秋鉤元》一冊，寫本。明國子監博士泰州石光霽撰。以《春秋》書法分屬五禮，晰其褒貶；其五禮所不能括者，別為雜書法，以冠於首，又有雜書法括遺附末。』此抄本原不分卷，文淵閣庫書作三卷，文津閣庫書作四卷。文瀾閣庫書原本佚，民國十二年從文津本傳錄。《總目》『從彝尊之說，仍析為四卷』。今北京館藏明初刻本『春秋書法鉤玄四卷』（每半葉十行，行二十六字，小字雙行黑口四周雙邊）。由是知，《總目》於石氏書名脫『書法』二字，又以避康熙諱改『玄』為『元』，所題卷數則信而有徵。」（頁一七三）

四、淡生堂餘苑本：邵懿辰撰、邵章續錄：《增訂四庫簡明目錄標注》卷三，頁一一六著錄。

光霽〈發凡〉云[156]：「是編書法，大抵分屬五禮。蓋以《春秋》一經往往因失禮而書，

155霖案：原注云：「其所稱」至「今已散佚」，浙、粵本作：「其所稱張氏，即以寧也。史稱以寧長於《春秋》，著有《春秋胡傳辨疑》及《春王正月考》。今《辨疑》已佚。」

156霖案：石光霽：《春秋書法鉤玄・凡例》（四庫全書本，冊一六五），頁809。又台大、師大有藝文印書館本。

以示褒[157]貶，出乎禮則入乎《春秋》也。五禮括未盡者，別為雜書法以冠乎[158]首，餘則皆以吉、凶、軍、賓、嘉別其類[159]，庶幾屬辭[160]比事，是非易知也。猶慮初學未悉[161]五禮條目，復載《周禮》經注，使知其概[162]云。」

亡名子〈序〉曰：「《春秋》，魯史之名也。寓褒貶於筆削，則聖人也。鳳不至，圖不出，聖人知其道終不行於當時，以誅賞之大權託之魯史，立萬世之常經，其慮遠，其志深，而旨則微矣。今去聖人遠矣，自邱明而下，傳者眾矣，傳者眾，則見有是非、言有得失，而筆削之旨益晦矣，此《鉤玄》之所以作也。《鉤玄》者，石氏仲濂之所輯也。仲濂以啖氏、趙氏之《纂例》詳於《經》，而於《傳》意則或略；以《纂疏》、《會通》之書備於《傳》，而於屬辭比事之意或未盡，乃損益其所未備者，類書而朱書，以紀其數，復表程、朱之格言，或間附以己意，以補其不足，筆削之大旨可得矣。《記》曰：『屬辭比事，《春秋》之教』者，或事同而書不同，或書同而事不同，或因事直書，或婉詞以見，筆則筆，削則削，游、夏不能贊一辭，而出於聖筆也。噫，褒貶豈聖人之私哉？天下之公也。欲萬世之下人皆知之，則亂賊懼，是《春秋》非魯史之舊文，而皆寓乎聖人之筆削；《鉤玄》又所以發筆削之遺旨，使後之人易知者也。仲濂之用功亦勤，而志亦切矣，予見其書成之不易，故亟歎賞，而述其纂輯之意。於乎後世必有好之者矣。」

黃虞稷曰[163]：「光霽，字仲濂，泰州人，張以寧弟子[164]。洪武十三年，以薦為國子監學正，陞《春秋》博士[165]。」

【增補】喬衍琯〈《經義考》所引《千頃堂書目》彙證〉云：「黃《目》『張以寧弟子』作『從張以寧學《春秋》』。又『博士』下有『一作二十卷』五字。」（頁三一三）

張氏洪《春秋說約》

十二卷。

【著錄】黃虞稷《千頃堂書目》卷二，頁三十八著錄。

佚。

157霖案：「褒」字，《春秋書法鉤玄‧凡例》作「譏」字，今據以補正。

158霖案：「乎」字，《春秋書法鉤玄‧凡例》作「于」字，今據以補正。

159霖案：「類」字下，《春秋書法鉤玄‧凡例》另有「焉」字，今據以補入。

160霖案：「辭」字，《春秋書法鉤玄‧凡例》作「詞」字。

161霖案：「悉」字，《春秋書法鉤玄‧凡例》作「聞」字。

162霖案：「概」字，《春秋書法鉤玄‧凡例》作「槩」字。

163霖案：黃虞稷《千頃堂書目》卷二，頁37。

164霖案：《千頃堂書目》「張以寧弟子」作「從張以寧學《春秋》」。

165霖案：「博士」下有「一作二十卷」五字。

【增補】黃虞稷《千頃堂書目》卷二曰：「晚年所著。」（頁三十八）。

瞿氏佑《春秋貫珠》

佚。

【著錄】黃虞稷《千頃堂書目》卷二，頁三十八著錄。

李騰鵬曰：「佑，字宗吉，錢塘人。洪武中為宜陽臨安儒學教諭，遷國子助教，擢周府長史，致仕。」

金氏居敬《春秋五論》

佚。

黃虞稷曰[166]：「字元忠[167]，休寧人，從朱升、趙汸學，凡二家著述多其校正。」

【增補】喬衍琯〈《經義考》所引《千頃堂書目》彙證〉云：「黃《目》無『字元忠』三字。　朱《考》僅引黃說。」（頁三一四）

張氏復《春秋中的》

一卷。

【著錄】黃虞稷《千頃堂書目》卷二，頁三十八著錄

佚。

《嚴州府志》：「張復，字明善，淳安人。司訓郡庠，學者稱為書隱先生。」

【增補】黃虞稷《千頃堂書目》卷二曰：「字明善，淳安人，嚴州府學訓導。」（頁三十八）。

方氏孝孺《春秋諸君子贊》（明）

【增補】李一遴〈左氏春秋著錄書目研究〉頁一一六錄有方孝孺《春秋句點》一書，竹垞未錄此書，當據以補入。

一卷。

存。

【存佚】本書存於《方正學生生遜志齋集》卷十九，全書一卷。

孝孺〈自序〉曰[168]：「余取友於當世而未得，則於古人乎求之。讀《春秋左氏傳》，得數十人，心慕焉，聖賢所稱較著者不敢論，少戾乎聖賢之道者不敢取，自石碏以下十有五人，取其事，贊其美，以為法云。」

　　按：正學先生所贊一十五人：石碏、季梁、臧僖伯、公子友、叔肸、劉康公、范文子、子臧、臧文仲、祁奚、魏絳、孟獻子、季札子、皮子、家羈。

卷二百　春秋三十三經義考卷二百春秋三十三

胡氏廣等《春秋集傳大全》（明）

【書名】本書異名如下：

一、《春秋大全》：張壽平《公藏先秦經子注疏書目》頁一四一著錄。

【霖案】明內府刻本附有《序論》一卷；《諸國興廢說》一卷；《春秋二十國年表》一卷等三書。

三十七卷。

【著錄】黃虞稷《千頃堂書目》卷二，頁三十八、張壽平《公藏先秦經子注疏書目》頁一四一著錄。

【卷數】本書卷數異同如下：

一、明隆慶三年（1569）鄭氏宗文書堂刻本有「卷首一卷」

二、二十三卷：台北國家圖書館藏有明烏絲欄鈔本，僅存二十三卷。

三、七十卷：文淵閣四庫全書本題作「七十卷」

【增補】〔校記〕四庫本七十卷。（春秋，頁五一）

存。

【版本及藏地】本書版本及藏地如下：

一、明永樂內府刻本：明胡廣等撰《春秋集傳大全》三十七卷，《序論》一卷，《諸國興廢說》一卷，《春秋二十國年表》一表，卷末、卷四各有鈔配一頁。十行二十二字，小字雙行，二十一字。黑口，四周雙邊，十八冊，雙魚尾，台北：國家圖書館有藏本（二部）。

又台北：故宮博物院圖書館有藏本，十八冊，《國立故宮博物院善本舊籍總目》，上冊，頁一〇三著錄。

又中國國家圖書館、遼寧省圖書館、山東大學圖書館、長春東北師範大學圖書館另有藏本，明胡廣等輯，《春秋集傳大全》三十七卷、《序論》一卷，《春秋二十國年表》一卷，《諸國興廢說》一卷，十行廿二字小字雙行同黑口四周雙邊。

又中國歷史博物館有藏本。

【增補】《中國歷史博物館古籍善本書目》曰：「春秋集傳大全　三十七卷序論一卷春秋二十國年表一卷諸國興廢說一卷

　　明胡廣等纂　明永樂內府經廠本　十八冊

　　十行二十二字小字雙行四十四字黑口四周雙邊（善744）」（頁九）

【增補】《國家圖書館善本書志初稿》：「【春秋集傳大全三十七卷十八冊】

明內府刊本　　00686

　　明胡廣等撰。廣(1370-1418)字光大，號晃菴，吉水人。建文二年(1400)舉進士第一，授翰林修撰。後累官至文淵閣大學士兼左春坊大學士。

　　版匡高 25.9 公分，寬 17.6 公分。四周雙邊。每半葉十行，行二十二字。註文小字雙行，字數同。版心黑口，雙魚尾(魚尾相向)，上魚尾下方記書名卷第(如『春秋集傳大全卷一』)，下魚尾上方記葉次。干支紀年、引用先儒姓氏皆以墨蓋子白文別出。

　　首卷首行頂格題『春秋集傳大全卷之一』。卷末有尾題。卷首有『春秋集傳大全凡例』，署名胡廣等奉勅纂修。凡例後附有『春秋二十國年表』、『諸國興廢說』、『春秋列國東坡圖說』、『東坡指掌春秋列國圖』、『春秋序論(分為胡氏傳序并綱領)』。文中朱筆圈點，不知出自何人。卷六葉二十一至二十二，卷八葉三十一至三十二，卷十二葉三十三至三十四，卷十三葉十三至十四，卷二十九葉三至四，卷三十一葉三至四，卷三十五葉二十四至二十五，後人墨筆鈔補。

　　書中鈐有『吳興劉氏嘉/業堂藏書記』朱文長方印、『國立中/央圖書/館考藏』朱文方印。

　　《善本書室藏書志》卷三有著錄。」(頁 185)。

【增補】《國家圖書館善本書志初稿》：「【春秋集傳大全三十七卷十八冊】

　　又一部　　00687

　　書中鈐有『國立中央圖/書館收藏』朱文長方印、『澤存/書庫』朱文方印。」(頁 185)。

　　又《西北大學圖書館善本書目》頁四錄有一本，題作「明刻本」，版本悉同此本，且附有《序論》一卷、《春秋二十國年表》一卷、《諸國興廢說》一卷，亦同於內府刻本，今暫列於此，以俟後考。

　　又《中國古籍善本書目》(經部)頁二七五著錄，北京、遼寧省、西北大學、廣西師範大學等圖書館均有藏本。

【增補】《東北師範大學圖書館藏古籍善本書目解題》云：「是編所采諸說，惟憑胡氏去取，而不復考論是非。

胡廣：吉水人，字光大。建文時舉進士第一，授翰林修撰。成祖即位，累官至文淵大學士兼左春坊大學士。」(頁三八)

【增補】《西北大學圖書館善本書目》曰：「十行二十一字，小字雙行，黑口，四周雙邊。胡廣，明吉水人，字光大，建文時舉進士第一，授翰林修撰，賜名靖。四十冊，有圖，署名據凡例題名擬定。」(頁四)

二、明隆慶三年(１６５６９)鄭氏宗文書堂刻本：明胡廣等輯《春秋集傳大全》三十七卷，《序論》一卷，《春秋二十國年表》一卷，有佚名朱藍筆圈點并批。十一行

二十一字，小字雙行同，黑口，順魚尾，四周雙邊。卷三十七末頁有「隆慶己巳仲春鄭氏宗文書堂」蓮花木記。鈐「恒庵」印。中國人民大學圖書館有藏本，《中國人民大學圖書館古籍善本書目》頁十四著錄。

【增補】《中國人民大學圖書館古籍善本書目》曰：「０１０４　１６／８９

春秋集傳大全三十七卷首一卷

明隆慶三年（１５６９）鄭氏宗文書堂刻本　佚名朱墨筆圈點并批

十冊二函

十一行二十一字，小字雙行同，黑口，順魚尾，四周雙邊。卷三十七末頁有『隆慶己巳仲春鄭氏宗文書堂』蓮花式木記。鈐『恒庵』印。」（頁十四）

三、明末刊本：明・胡廣等奉敕撰《春秋集傳大全》三七卷，２３×１３・８㎝　十一行二十字　四周雙欄　花口　單魚尾。日本九州大學文學部有藏本，見於周彥文《日本九州大學文學部書庫漢籍目錄》頁九至頁十。

四、明末刊本（二）：《中國古籍善本書目》（經部）頁二七七錄有此本，題作明胡廣等輯《春秋集傳大全》三十七卷，《首》一卷，十一行二十字小字雙行同白口四周雙邊，湖南省圖書館有藏本。又此本為白口，與日本九州大學文學部藏本題作「花口」不同，今暫列於此。

五、明坊刊黑口本：(明)胡廣等撰《春秋集傳大全》三十七卷，36 冊;16.2x12.3 公分，11 行，行 21 字，小字雙行字數同. 左右雙欄. 版心大黑口，雙黑魚尾，上魚尾下方記書名卷第，下魚尾下方記葉次，有微捲，台北：國家圖書館有藏本。

【增補】《國家圖書館善本書志初稿》：「【春秋集傳大全三十七卷三十六冊】

明坊刊本　　00689

明胡廣等撰。

版匡高 16.2 公分，寬 12.3 公分。左右雙邊。每半葉十一行，行二十一字。註文小字雙行，字數同。版心大黑口，雙黑魚尾(魚尾相隨)，上魚尾下方記書名卷第(如『春秋大全一卷』)，下魚尾下方記葉次。干支紀年、引用先儒姓氏皆以墨蓋子白文別出。

首卷首行頂格題『春秋集傳大全卷之一』。卷末有尾題。卷首有諸國說并春秋二十國年表。

書中鈐有『國立中央圖/書館收藏』朱文長方印、『□/卓超』朱白文方印、『國立中央/圖書館/藏書』朱文方印。」(頁 185)。

六、明萬曆三十三年書林余氏刊五經大全本：明胡廣等撰，盧大復校《春秋大全》三十七卷，十四冊，《卷首》一卷，臺灣大學圖書館善本書室有藏本。

又台北：故宮博物院圖書館，藏有一部，題作「明書林善敬堂刊五經大全之一」

，八冊，《國立故宮博物院善本舊籍總目》，上冊，頁一〇三著錄。

又日本八戶市立圖書館藏有一本，題作「五經大全所收」，大抵同於此本，今暫列於此，以俟後考。

又廣東省社會科學院圖書資料室有藏本，題作「《春秋集傳大全》三十七卷、《序論》一卷、《春秋二十國年表》、《諸國興廢說》一卷」，十一行二十字小字雙行白口四周。

又中國國家圖書館另藏一殘本，明胡廣等輯，《春秋集傳大全》三十七卷，存十九卷〔序論、諸國興廢說、一至二、五至六、十、十四至十五、十七至十九、二十二至二十八〕

七、明烏絲欄鈔本：(明)胡廣等撰《春秋集傳大全》存卷一，卷十六至卷三十七，十一冊，有微捲、微片、精裝複製本，10 行，行 19 字，小字雙行字數同，存卷一、卷十六至卷三十七，合計二十三卷，十一冊，為台北：國家圖書館代管北平圖書館藏書，已移置故宮博物院，《國立中央圖書館典藏國立北平圖書館善本書目》，頁九著錄，台北：故宮博物院圖書館有藏本。

八、朝鮮顯宗九年至英祖五十二年間（１６６８至１７７６）活字本：黃建國、金初昇主編《中國所藏高麗古籍綜錄》頁十四著錄，臺北：國家圖書館有藏本。

九、明嘉靖九年安正堂刻，十一年劉仕中安正堂印本：《春秋集傳大全》三十七卷，六冊，存卷十八至三十，三十四至三十七，寧波天一閣有藏本。半頁十一行二十一字，四周雙邊，上下黑口，雙魚尾。框高 16·5 厘米，寬 12 厘米。

又陝西省圖書館、安徽省圖書館、重慶市圖書館、美國普林斯敦大學葛思德東方圖書館、哈佛大學燕京圖書館均有藏本。案：據屈萬里《普林斯敦大學葛思德東方圖書館中文善本書志》頁四七著錄此本，題作「明嘉靖九年（一五三〇）劉氏安正堂刊本」，而其後云「是年（指明嘉靖九年）春發刊，迄十一年十一月始畢工」，可見屈氏雖著錄為「明嘉靖九年（一五三〇）劉氏安正堂刊本」，但實為此本。

又《中國古籍善本書目》（經部）頁二七五著錄，題作「明嘉靖九年安正堂刻十一年劉仕中安正堂印本」，即為此本，安徽省圖書館有藏本。

又《中國古籍善本書目》（經部）頁二七五另錄有「明嘉靖九年安正堂刻本」，陝西省、重慶市圖書館均有藏本。如據屈萬里《普林斯敦大學葛思德東方圖書館中文善本書志》所錄，則此本與「明嘉靖九年安正堂刻十一年劉仕中安正堂印本」為同本，只是著錄互異而已。

【增補】沈津著《美國哈佛大學燕京圖書館中文善本書志》：「0095　明嘉靖劉氏安正堂刻本春秋集傳大全　　　　　　　　T693/4208

《春秋集傳大全》三十七卷《序論》一卷《東坡圖說》一卷《春秋二十國年表》一卷《諸國興廢說》一卷。明胡廣等輯。明嘉靖九年（1530）劉氏安正堂刻本。二十冊。半頁十一行二十一字，四周雙邊，上下黑口，雙魚尾。框高 16·5 厘米，寬 12 厘米。

凡例後有牌記，刊『庚寅年孟春月安正堂新刊行』。安正堂為建陽名肆，主人劉氏，刻書甚富，歷時亦久，今可見者約五十種之多。其存世最早者為弘治十六年之《丹溪先生金匱良方》三卷。其刻《春秋》一類之書，又有《春秋胡傳集解》三十卷。

缺名圈點。

　　《中國古籍善本書目》著錄。陝西省圖書館、重慶市圖書館，及美國普林斯敦大學葛思德東方圖書館亦有入藏。

　　鈐印有『古潭州袁臥雪盧收藏』、『武進盛氏所藏』、『愚齋圖書館藏』、『愚齋審定善本』。　」（頁四五）

【增補】屈萬里《普林斯敦大學葛思德東方圖書館中文善本書志》曰：「《春秋集傳大全》三十七卷，《卷首》一卷，二十冊，二函

　　明胡廣等撰

　　明嘉靖九年（一五三〇）劉氏安正堂刊本。十行二十一字。板匡高一六‧三公分，寬一二公分。

　　是本凡例末有牌記云：『庚寅年孟春月安正堂新刊行』。卷末並刻有題識七行，云：

　　　　尤溪縣學教諭黎瞻，　春

　　　　提學道　案發《春秋大全》校正申送覆校。

　　　　　　建陽縣知縣呂文彥，

　　　　　　延平府儒學教授張鳳陽，　奉

　　　　提學道委督令刊正。

　　　　嘉靖十一年十一月　　　　　　日識

　　　　　　　　書戶劉仕中安正堂

庚寅為嘉靖九年。是年春發刊，迄十一年十一月始畢工；亦可見是本校刊之不苟矣。卷內有『余襄之印』圖記。」（頁四七至頁四八）

十、文淵閣四庫全書本：(明)胡廣等奉敕撰《春秋大全》三十七卷，二十二冊，《國立故宮博物院善本舊籍總目》，上冊，頁一〇三著錄，台北：故宮博物院圖書館有藏本。然而，此本永瑢等撰《欽定四庫全書總目》錄作七十卷，未詳其故，今暫列於此，以俟後考。

【增補】永瑢等撰《欽定四庫全書總目》曰：「春秋大全七十卷1　內府藏本

――――――――――――――

1霖案：原注云：按：文淵閣、文溯閣庫書皆作三十七卷，《總目》著錄卷數與庫書不符。文淵閣庫書又收《序論》一卷、《諸國興廢說》一卷、《列國圖說》一卷、《二十國年表》一卷，《總目》皆失

明永樂中胡廣等奉敕撰。考宋胡安國《春秋傳》，高宗時雖經奏進，而當時命題取士，實惟2用三傳。《禮部韻略》之後所附條例可考也。《元史‧選舉志》載：『延祐科舉新制，始以《春秋》用胡安國《傳》，定為功令。』汪克寬作《春秋纂疏》，一以安國為主，蓋尊當代之法耳。廣等之作是編，即因克寬之書，稍為點竄。朱彝尊《經義考》引吳任臣之言曰：『永樂中勅修《春秋大全》，纂修官四十二人，其發凡云：『紀年依汪氏《纂疏》，地名依李氏《會通》，經文以胡氏為據，例依林氏。』實則全襲《纂疏》成書。雖奉勅纂修，實未纂修也。朝廷可罔，月給可縻，賜予可邀，天下後世詎可欺乎』云云。於廣等之敗闕，可謂3發其覆矣。其書所採諸說，惟憑胡氏定去取，而不復考論是非。有明二百餘年雖以經文命題，實以傳文立義。至於元代合題之制，尚考經文之異同。明代則割傳中一字一句牽連比附，亦謂之合題，使《春秋》大義日就榛蕪，皆廣等導其波也。迨我聖祖仁皇帝《欽定春秋傳說匯纂》於胡《傳》谿刻不情、迂闊鮮當之論，始一一駁正，頒布學宮。我皇上又刊除場屋合題之例，以杜穿鑿，筆削微旨，乃灼然復著於天下。廣等舊本，原可覆瓿置之，然一朝取士之制，既不可不存以備考，且必睹荒途之蒙翳，而後見芟薙除穢之功，必經歧徑之迷惑，而後知置郵樹表之力。存此一編，俾學者互相參證，益以見前代學術之陋，而聖朝經訓之明也。」（卷二十八，頁三六一至頁三六二）

【增補】《春秋大全》七十卷，明永樂中翰林學士胡廣等撰，大抵因汪克寬胡傳纂疏，而稍點竄之。

明刊本。

　　〔續錄〕李氏木犀軒藏明刊本三十七卷，卷首一卷。」（頁一一六）

【增補】胡玉縉撰、王欣夫輯《四庫全書總目提要補正》卷七曰：「顧炎武《日知錄》云：『全襲汪克寬《胡傳纂疏》，但改其中『愚按』二字為『汪氏曰』，及添廬陵李氏等一、二條而已。』」（頁一七八）

【增補】崔富章《四庫提要補正》曰：「文溯閣庫書作三十七卷。傳世有永樂內府刻五經大全本（十行二十二字小字雙行同黑口四周雙邊）、明刻十一行二十一字本、明刻十一行二十字本、明嘉靖十一年劉仕中安正堂刻本、明隆慶三年刻本、明萬曆三十三年書林余氏刻本、明崇禎四年刻本、明德壽堂刻本、明刻十一行十六字本等，皆題『春秋集傳大全三十七卷』，附『序論一卷春秋二十國年表一卷諸國興廢說一卷』。

　　文瀾閣庫書原本佚，今存丁氏補抄本七十卷二十二冊。考《善本書室藏書志》卷三有『《春秋集傳》十全三十七卷、明刊本……當時功令所垂，傳刻不一，茲本版長五寸，闊逾三寸，字畫精細，殆書肆所刻』云云，此當為丁氏補抄閣書所據，然囿於《總目》，改易分卷，則失之耳。」（頁一七三至頁一七四）

　　載。

2霖案：原注云：「惟」，浙、粵本作「兼」。

3霖案：原注云：「謂」，浙、粵本作「為」。

十一、明刻本：明胡廣等輯《春秋集傳大全》三十七卷，《序論》一卷，《春秋二十國年表》一卷，《諸國興廢說》一卷，西北大學圖書館有藏本。

又清華大學、浙江大學圖書館有藏本，題作「《春秋集傳大全》三十七卷，《序論》一卷，《春秋二十國年表》一卷，《諸國興廢說》一卷」，一行大字十六中字十九小字雙行白口雙邊。

又南京圖書館有藏本，錄有丁丙〈跋〉，題作「《春秋集傳大全》三十七卷，《春秋二十國年表》一卷，《諸國興廢說》一卷」，十一行廿一字小字雙行同大黑口四周雙邊。

又南京、西北大學圖書館有藏本，題作「《春秋集傳大全》三十七卷，《序論》一卷，《春秋二十國年表》一卷，《諸國興廢說》一卷」，十一行廿一字小字雙行十八字大黑口四周雙邊。

又北京圖書館另有一本，題作「《春秋集傳大全》三十七卷，《序論》一卷，《諸國興廢說》一卷」，十一行廿一字小字雙行同細黑口四周雙邊，存三十三卷〔序論、春秋興廢說、春秋二十國年表、四至二十八、三十一至三十五〕。

又中國科學院、浙江圖書館另有一本，題作「《春秋集傳大全》三十七卷，《序論》一卷，《春秋二十國年表》一卷，《諸國興廢說》一卷」，十一行二十字小字雙行同黑口四周雙邊。

又南京圖書館另有一本，題作「《春秋集傳大全》三十七卷，《序論》一卷，《春秋二十國年表》一卷，《諸國興廢說》一卷」。

又北京、山西省、福建省、湖南省等圖書館另有藏本，題作「《春秋集傳大全》三十七卷，《序論》一卷、《春秋二十國年表》、《諸國興廢說》一卷」。

又中國國家圖書館、北京師範學院、中國歷史博物院、上海、保定市、遼寧省、東北師範大學、黑龍江省、山東大學、南京市博物館、河南省、鄭州市、中山、雲南省、西北大學圖書館、福建省湖南省、廣西師範學院等地圖書館均有藏本，題作「《春秋集傳大全》三十七卷、《序論》一卷、《春秋二十國年表》一卷、《諸國興廢說》一卷」，十行廿二字黑口四周雙邊。

【增補】《中國歷史博物館藏普通古籍目錄》曰：「００９２

春秋集傳大全　三十七卷

（明）胡廣等纂

明刻本

十八冊

（史24）」（頁十）

【增補】《西北大學圖書館善本書目》曰：「十行二十二字，小字雙行，黑口，四周

雙邊。版心下鐫刻工名。輯者及版本均參照北京圖書館善本書目。十八冊，有圖。」
（頁四）

十二、明崇禎四年刻本：明胡廣等輯《春秋集傳大全》三十七卷，《春秋列國東坡圖
說》一卷，十一行廿一字小字雙行同黑口四周雙邊，上海辭書出版社圖書館有藏本。

十三、明德壽堂刻本：明胡廣等撰《春秋集傳大全》三十七卷十一行廿二字白口單邊
，復旦大學圖書館有藏本。

十四、明初葉建刊本：(明)胡廣等撰《春秋集傳大全》三十七卷，40 冊；18.8x12.9 公
分，11 行，行 21 字，夾註雙行字數同. 雙欄. 版心黑口，雙黑魚尾，上魚尾下方記
書名卷第，下魚尾下方記葉次，有微捲，台北：國家圖書館有藏本。

【增補】《國家圖書館善本書志初稿》：「【春秋集傳大全三十七卷四十冊】

　　明初葉建刊本　　　00688

　　　　明胡廣等撰。

　　　　版匡高 18.8 公分，寬 12.9 公分。四周雙邊。每半葉十一行，行二十一字。註
文小字雙行，字數同。版心黑口，雙黑魚尾(魚尾相隨)，上魚尾下方記書名卷第(如『
春秋大全卷一』)，下魚尾下方記葉次。干支紀年、引用先儒姓氏皆以墨蓋子白文別
出。

　　　　首卷首行頂格題『春秋集傳大全卷之一』，卷末有尾題。卷首有『春秋集傳大
全凡例』，未標明作者。另據明內府刊春秋集傳大全三十七卷，此凡例當為胡廣等奉
勅撰。凡例後有『春秋集傳大全序論』(收錄胡氏傳序、綱領、總論)、『春秋二十國
年表』、『諸國興廢說』、『春秋列國東坡圖說』、『東坡指掌春秋列國圖』。

　　　　書中鈐有『國立中央圖/書館收藏』朱文長方印、『澤存/書庫』朱文方印、『
龍泉/支室』朱文方印、『龍泉/檢書社/社長』朱文方印、『百/川』朱文方印。」(頁
185)。

十五、明隆萬間朝鮮活字本：(明)胡廣等撰《春秋集傳大全》三十七卷，33 冊；25.2x17.8
公分，10 行，行 18 字，夾註雙行字數同. 雙欄. 版心白口，雙魚尾，上魚尾下方記
書名卷第，下魚尾上方記葉次，台北：國家圖書館有藏本。

【增補】《國家圖書館善本書志初稿》：「【春秋集傳大全三十七卷三十三冊】

　　明隆萬間朝鮮活字本　　　00691

　　　　明胡廣等撰。

　　　　版匡高 25.2 公分，寬 17.8 公分。四周雙邊。每半葉十行，行十八字。註文小
字雙行，字數同。版心白口，雙花魚尾(魚尾相向)，上魚尾下方記書名卷第(如『春秋
集傳一』)，下魚尾上方記葉次。引用先儒姓氏皆以墨蓋子白文別出。

　　　　首卷首行頂格題『春秋集傳大全卷之一』。卷末有尾題。各冊封面左上方大字

題『春秋集傳』，下小字冊數，右上方題魯公號。文中墨筆圈點，不知出自何人。

　　　　書中鈐有『國立中央圖/書館收藏』朱文長方印、『積學齋徐乃昌藏書』朱文長方印。」(頁186)。

十六、日本刊本：(明)胡廣撰《春秋集傳大全》三十七卷,《卷首》一卷，30冊(5函);27公分,台北：臺灣大學圖書館有藏本。

十七、明鈔本：王重民：《中國善本書提要》頁二八錄有「明鈔本」，殘存二十三卷，北京圖書館有藏本。

【增補】王重民：《中國善本書提要》曰：「【春秋集傳大全】　殘存二十三卷十一冊　（《四庫總目》卷二十八）（北圖）

明鈔本〔十行二十二字（26.5×17）〕

明胡廣等撰。卷端載《凡例》五葉，《序論》二十三葉，《圖》一葉，《年表》十六葉。」（頁二八）

　　吳任臣曰：「永樂中，勑修《春秋大全》，纂修官四十二人。翰林院學士兼左春坊大學士奉政大夫胡廣，奉政大夫右春坊右庶子兼翰林院侍講楊榮，奉直大夫右春坊右諭德兼翰林院侍講金幼孜，翰林院修撰承務郎蕭時中、陳循，翰林院編修文林郎周述、陳全、林誌，翰林院編修承事郎李貞、陳景著，翰林院檢討從仕郎余學夔、劉永清、黃壽生、陳用、陳璲，翰林院《五經》博士迪功郎王進，翰林院典籍修職佐郎黃約仲，翰林院庶吉士涂順，奉議大夫禮部郎中王羽，奉議大夫兵部郎中童謨，奉訓大夫禮部員外郎吳福，奉直大夫北京刑部員外郎吳嘉靜，承直郎禮部主事黃裳，承德郎刑部主事段民、章敞、楊勉、周忱、吾紳，承直郎刑部主事洪順、沈升，文林郎廣東道監察御史陳道潛，承事郎大理寺評事王選，文林郎太常寺博士黃福，修職郎太醫院御醫趙友同，迪功佐郎北京國子監博士王復原，泉州府儒學教授曾振，常州府儒學教授廖思敬、蘄州儒學學正傅舟，濟陽縣儒學教諭杜觀，善化縣儒學教諭顏敬守，常州府儒學訓導彭子斐，鎮江府儒學訓導留季安。其〈發凡〉云：『紀年依汪氏《纂疏》，地名依李氏《會通》，經文以胡氏為據，例依林氏。』其實全襲《纂疏》成書，雖奉勑纂修，而實未纂修也。朝廷可罔，月給可糜，賜予可要，天下後世詎可欺乎？」

　　【增補】黃虞稷《千頃堂書目》卷二曰：「胡廣、楊榮等奉敕纂輯，一以胡氏為主。」（頁三十八）

金氏幼孜《春秋直指》

　　三十卷。

　　【著錄】黃虞稷《千頃堂書目》卷二，頁三十八著錄。

　佚。

《春秋要旨》

　　三卷。

　　【著錄】黃虞稷《千頃堂書目》卷二，頁三十八著錄。

佚。

黃虞稷曰[4]：「幼孜為翰林侍講，侍仁宗於東宮，令纂[5]十二公事，為《要旨》以進。」

【霖案】喬衍琯〈《經義考》所引《千頃堂書目》彙證〉云：「黃《目》『令纂』作『命合纂』。　朱《考》僅引黃說。」（頁三一四）。

胡氏直《春秋提綱》

【著錄】黃虞稷《千頃堂書目》卷二，頁三十八著錄。

佚。

黃虞稷曰[6]：「直，字敬方，吉永人。由貢入太學，中永樂元年甲申鄉試，六館多師之，稱西澗先生。」

【霖案】喬衍琯〈《經義考》所引《千頃堂書目》彙證〉云：「黃《目》無『由、元年』三字。又甲、乙本『師之』作『稱之』，丙本朱校作『師之』。」（頁三一四）

李氏萱《春秋啟蒙》

佚。

高層雲曰：「萱，字存愛，華亭人。永樂間鄉進士，錢學士溥師事之。」

陳氏嵩《春秋名例》

【著錄】黃虞稷《千頃堂書目》卷二，頁三十八著錄。

佚。

黃虞稷曰[7]：「嵩，字伯高，寧海人。年十五，縣辟為吏，嵩上書縣令，請為生員。永樂中，以國子監生纂修文淵閣。」

【增補】喬衍琯〈《經義考》所引《千頃堂書目》彙證〉云：「黃《目》『縣令』作『邑令』。又『生員』作『縣庠生』、『國子監』作『大學生』。又甲子[1]『縣辟』作『歲辟』。乙本『寧海』作『海寧』。　朱《考》僅引黃說。」（頁三一四）

郭氏恕《春秋宗傳》

佚。

《廣平府志》：「郭恕，字安仁，雞澤人。永樂甲午舉人，歷官山西布政使參議。」

馮氏厚《春秋卑論》

【著錄】黃虞稷《千頃堂書目》卷二，頁三十八著錄。

佚。

黃虞稷曰8：「厚，字良載，慈谿人。舉明經，官淮府長史。與李伯璵同編《文翰類選大成》，學者稱坦庵先生。」

【增補】喬衍琯〈《經義考》所引《千頃堂書目》彙證〉云：「黃《目》無『舉明經官』與『學者稱坦菴先生』等字。　朱《考》僅引黃說。」（頁三一五）

馬氏騑《春秋探微》（明）

十四卷。

【著錄】黃虞稷《千頃堂書目》卷二，頁五〇、張壽平《公藏先秦經子注疏書目》頁一四一著錄。

存。

【存佚】《元史藝文志輯本》卷三，頁五九著錄，注曰「佚」，然本書有明朱絲欄鈔本，現藏於台北國家圖書館。

【版本及藏地】本書版本及藏地如下：

一、明朱絲欄鈔本：(明)馬騑撰《春秋探微》十四卷，10 冊；21.5×15.6 公分，9 行，行 20 字，朱絲欄，版心白口，單魚尾，有微捲，正文卷端題「春秋探微卷之一　揚州府學生馬騑著」，藏印有「四明盧氏抱經樓珍藏」朱文方印、「國立中央圖書館收藏」朱文長方印、「天一閣」朱文長方印、「古司馬氏」朱文方印等印，台北國家圖書館有藏本。

【增補】《國家圖書館善本書志初稿》：「【春秋探微十四卷十冊】

明朱絲欄鈔本　　00545

明馬騑撰。

版匡高 21.5 公分，寬 15.6 公分。左右雙邊。每半葉九行，行二十字。版心白口，單魚尾。

首卷首行頂格題『春秋探微卷之一』，次行低十一格題『揚洲府學生騑著』，卷首有『春秋探微卷帙目錄』及『春秋世系總例』，內分『周天王相承之次』、『魯十二公相承之次』、『魯三恒世系』、『魯有兩公孫嬰齊』，之後有『春秋具五始之義』。春秋白文以頂格書起，馬騑探微則降一格以示區別。文中偶有以朱筆校正鈔寫之誤。

書中鈐有『四明盧/氏抱經/樓珍藏』朱文方印、『國立中央圖/書館收藏』朱文長方印、『天一閣』朱文長方印、『古司/馬氏』朱文方印。」(頁 147)。

8霖案：黃虞稷《千頃堂書目》卷二，頁38。

按：是書抄本無〈序〉，其首卷書名曰揚州府學生員馬駧，未詳時代。

【霖案】黃虞稷《千頃堂書目》卷二曰：「以下皆不知時代。」（頁五〇），其中包含馬駧、楊時秀、彭飛、葉紹鳳、莊穀、吳鵬舉等人，黃氏均無法判知其時代，今台北：國家圖書館判為明人，當據以改正。

李氏奈《春秋管闚》

佚。

《春秋王霸總論》

佚。

黃虞稷曰：「蒙陰人，宣德丁未進士，陝西右參議。」

【霖案】喬衍琯〈《經義考》所引《千頃堂書目》彙證〉云：「黃《目》同。　朱《考》僅引黃說。」（頁三一五）

劉氏祥《春秋口義》

【作者】黃虞稷《千頃堂書目》卷二，頁三十八著錄，作者題為「劉翔」

佚。

黃虞稷曰9：「清江人，宣德己酉舉人，翰林院檢討。」

【霖案】喬衍琯〈《經義考》所引《千頃堂書目》彙證〉云：「黃《目》同。丙本朱校『清江』作『靖江』。」（頁三一五）

劉氏實《春秋集錄》

十五卷。

【著錄】黃虞稷《千頃堂書目》卷二，頁三九著錄。

存。

實〈自序〉曰：「古者帝王治天下，其道皆本諸天，故惇典庸禮，命德討罪，不過奉若天道而已，非有所為也；霸者則假此以行其私，雖不能謂無功於時，然皆有所為而為，而非本諸天者也。蓋至是時，天理民彝或幾乎熄矣，孔子假魯史而筆削之，以寓王法，以抑霸功，以存中國之體，復先王10之治，如斯焉耳，故曰：『《春秋》，天子之事也。』迹其二百四十二年之間，自日用彝倫之外，大而天地四時，微而昆蟲草木，靡所不及。噫！非聖人，其孰能修之？故君子謂是書為百王之法度，萬世之準繩，有志者誠不可以不學也。自有是經以來，釋之者眾，其間諸說亦云備矣，但未有會而一之者，胡氏之宏綱大領非不正也，惜乎其為有宋高宗告，而非為學者設，則其於聖經筆削之旨豈能一一而盡之哉？實不自揆，輒取諸

9霖案：黃虞稷《千頃堂書目》卷二，頁38。

10霖案：《經義考新校》頁3645新出校文如下：「『先王』，《四庫薈要》本誤作『先王』。」

儒之說會輯成篇，因名之曰《集錄》，以便初學，而非敢謂有所發明也。」

陸元輔曰：「實，安福人，宣德庚戌進士，改庶吉士，歷南雄知府。」

饒氏秉鑑《春秋會傳》（明）

十五卷。《提要》一卷。

【著錄】黃虞稷《千頃堂書目》卷二，頁三十八、張壽平《公藏先秦經子注疏書目》頁一四一著錄。

【卷數】本書有明刊黑口本、藍格舊鈔本，均題作「十六卷」，而竹垞僅云「十五卷」者，蓋有所誤也。

【增補】永瑢等撰《欽定四庫全書總目·存目》曰：「春秋提要四卷　江西巡撫採進本

明饒秉鑑撰。秉鑑字憲章，號雯峰，廣昌人。正統甲子舉人，官至廉州府知府。朱彝尊《經義考》載秉鑑《春秋會通》十五卷、《提要》一卷。今按此書實四卷，與《春秋會通》另為一書，彝尊蓋未見其本，故傳聞訛異。其書以《春秋》書時、書月，難於記誦，故錯綜而次序之，分十二公為十二篇，先列經文於右，而總論其義於後，大旨以胡《傳》為宗。」（卷三十，頁三八六）

存。

【版本及藏地】《春秋會傳》的版本及藏地如下：

一、明刊黑口本：《(明)饒秉鑑撰《春秋會傳》十六卷，4 冊；20·4✕13·4公分，正文卷端題「春秋會傳卷之一　雯峰饒秉鑑纂集」，12行，行25字，雙欄，版心小黑口，雙魚尾，中間記書名卷第，下方書葉次，有朱筆圈點，有微捲，藏印有「國立中央圖書館收藏」朱文長方印、「詒經堂張氏珍藏」朱文方印等印，台北：國家圖書館有藏本。

又《國立故宮博物院善本舊籍總目》，上冊，頁一〇四著錄，十六冊，台北：故宮博物院有藏本。

【增補】《國家圖書館善本書志初稿》：「【春秋會傳十六卷四冊】

明刊本　00546

明饒秉鑑撰。秉鑑字憲章，號雯峰，江西廣昌人，正統九年(1444)舉人，試春官不第，卒業太學。

版匡高 20.4 公分，寬 13.4 公分。左右雙邊。每半葉十二行，行二十五字。註文小字雙行，字數同。版心小黑口，雙魚尾(魚尾相向)，中間記書名卷第(如『春秋會傳卷一』)，下方書葉次。

首卷首行頂格題『春秋會傳卷之一』，次行低十二格題『雯峰饒秉建鑑纂集』，

卷末隔九行有尾題。春秋白文以頂格書起，會傳文則低一格以示區別。文中朱筆圈點，書眉則有數則朱批，不知出自何人手。

　　書中鈐有『國立中央圖/書館收藏』朱文長方印、『迻圖/收藏』朱文長方印、『詁經/堂張/氏珍藏』朱文方印。」(頁 147~148)。

二、藍格舊鈔本：台北故宮博物院有藏本，今考《台灣地區善本古籍聯合目錄》（電子版）未錄及此書，不知其故。

三、明刻本：明饒秉鑑撰《春秋會傳》十六卷，存十二卷，卷一至卷八，卷十三至卷十六，江西省圖書館有藏本。惟此本僅題作「明刻本」，未詳與台北：國家圖書館藏本有何異同，今暫列於此，以俟後考。

【版本及藏地】《春秋提要》版本及藏地如下：

一、明萬曆八年親仁堂刻本：（晉）杜預注　陸德明釋文　（明）穆文熙評輯《春秋經傳集解》三十卷，《首》一卷；程志〈現存唐人著述簡目〉頁二五八、（大陸）《中山大學圖書館古籍善本書目》頁十九著錄。

　　又中國人民大學圖書館有藏本，《中國人民大學圖書館古籍善本書目》頁十三；又頁十四著錄。

【增補】《中國人民大學圖書館古籍善本書目》曰：「００９１　１６／８０

春秋左氏經傳集解三十卷

（晉）杜預撰　（唐）陸德明釋文

春秋名號歸一圖二卷

（蜀）馮繼光撰

春秋提要一卷

　　明萬曆八年（１５８０）金陵李時成親仁堂刻本

十六冊二函

　　九行二十字，小字雙行同，白口，單魚尾，左右雙邊。版心下鑴刻工溫志明、易鎡等。鈐『江陰繆荃孫藏書記』、『彭孟之印』、『天承山人』、『淮南客』、『亞若山人』諸印。」（頁十三）

【增補】《中國人民大學圖書館古籍善本書目》曰：「０１０１　１６／８１

春秋四傳三十八卷綱領一卷提要一卷東坡地理圖說一卷春秋二十國年表一卷諸國興廢說一卷

明刻本　佚名朱筆圈點并注

十二冊二函

九行十七字，小字雙行同，白口，白魚尾，左右雙邊。版心下鐫刻工唐林、柯仁義、張仁等。眉欄鐫音注。鈐『松陵張氏藏書』印。」（頁十四）

【增補】《中國人民大學圖書館古籍善本書目》曰：「０１０２　１６／１５

春秋胡傳三十卷

（宋）胡安國撰　林堯叟音注

綱領一卷東坡圖說一卷諸國興廢說一卷正經音訓一卷提要一卷

明刻本

六冊一函

九行十七字，小字雙行同，無直格，白口，四周雙邊。鈐『龍山蟄廬藏書章』印。」（頁十四）

又台北：國家圖書館、大陸中山大學圖書館藏有穆文熙輯評，明萬曆間刊本，疑即此本，今附於此。

秉鑑〈自序〉曰：「《春秋》說者不一，然得其事實之詳，莫若《左氏》，得其筆削之旨，莫若胡氏。《左氏》，事之案也，所紀多出舊史，雖序事或泛，然本末詳略，夫豈無所據哉？胡氏，經之斷也，所論多主《公》、《穀》，雖立例不一，然論據於理，亦豈無所見哉？是以我太宗文皇帝命集儒臣纂修《春秋大全》，必以胡氏為主，而引用諸儒傳注，必以《左氏》為先，蓋有由矣。第《左氏》或先《經》以起事，或後《經》以終義，而泛切之有不同；胡氏或引其事而斷其義，或斷其義而不書其事，而詳略之有不一；矧《二傳》各為一書，似不相合，故學者未易得其旨也。予讀是經有年，乃忘其固陋，竊取《二傳》，合而編之，於其詞泛而易重者，則依盧陵李氏《會通》，以少裁之；詞略而未備者，則取《公羊》、《穀梁》傳義，以少補之，然後案與斷相合，事與理俱明，而一經之旨不待他求而得於此矣。因目之曰春秋會傳，雖曰沿經引注，非有所補益，然初學之者得少便於講習，不亦淺之為助者與？」

何喬新〈志墓〉曰[11]：「先生[12]諱秉鑑，字憲章，世家廣昌麟角里[13]。初從監察御史聶[14]宗尹受《春秋》，又從教諭羅[15]潨受《尚書》[16]。正統甲子，領江西[17]鄉薦，兩試禮部，俱

11霖案：何喬新：《椒丘文集》，卷三十一，〈雯峯先生饒公墓表〉，（台北縣：文海出版社，「明人文集叢刊」，民國五十九年三月，初版），頁1383-1388。又四庫本，冊1249-470-31《椒邱文集．雯峰先生饒公墓表》。

12霖案：「先生」，《椒丘文集》題作「公」。

13霖案：「麟角里」三字下，《椒丘文集》有「曾祖仲寶，祖文遠，父希明，累世不仕，而以長厚稱，母揭氏。公生長巨室，思以文學顯其身，以及其親。」等三十八字，當據以補入。

14霖案：「聶」，當依《椒丘文集》作「聶公」。

15霖案：「羅」，當依《椒丘文集》作「羅子」。

名18在乙榜19；景泰三年，除20肇慶府同知21，遷知廉州府22；歸23，建雯峰書院，與24修25撰羅應魁講學其間26，著有27《春秋提要》、《春秋會傳》傳於世。」

【增補】〔校記〕《四庫存目・春秋提要》四卷，館臣謂與《春秋會傳》另為一書。（《春秋》，頁五一）

16霖案：「《尚書》」二字下，《椒丘文集》有「發為文章，詞采爛然，然覽者驚異。弱冠，游京師，先冢宰一見許以國器，且作文贈之曰：『它日竦壑昂霄必子也。』」等四十一字，今據以補入。

17霖案：「江西」，《椒丘文集》作「江右」。

18霖案：「俱名」，《椒丘文集》作「名俱」，二字互倒。

19霖案：「乙榜」二字下，《椒丘文集》有「例授教職，辭不就，卒業太學。時李忠文公為祭酒，士之明廥者，多在館下，公獨與彭文憲公友，朝夕相切磋，學益進。」等四十四字，今據以補入。

20霖案：「除」字下，應依《椒丘文集》補入「廣東」二字。

21霖案：「同知」二字下，應依《椒丘文集》補入「肇慶地險俗獷，號難治。公疏瀹宿弊，均徭賦，繩豪猾，惠貧弱，境內以安，鄰郡有群盜侵掠，至境上，公督民兵敗之，斬獲其眾，屬邑有奸氓聚群，不逞，欲為亂，公單騎入其地，曉以逆順，眾讙然羅拜而散。右都御史馬公昂征瀧水猺，公獻平蠻策，馬公善之，委公督兵餉，暨蠻寇平，又委公城瀧水，上其功于朝，陞四品俸，僉都御史葉公盛巡撫兩廣，召公詢以時事，公具言盜賊所繇起，與平寇安民之策，葉公深然之，用其言，群盜稍輯，僉都御史李公秉巡撫南畿，聞公名，薦于朝，欲以為太平府太守，不果用，尋以葉公薦。」等一百九十七字，今據以補入。

22霖案：「府」字下，應依《椒丘文集》補入「廉與交阯接壤，連年用兵，重以中貴採珠，邊民不勝其困，公規畫有方，民以不勞，又什伍其民，教以騎射，有寇至，輒擊敗之。葉公上其功，特賜寶鈔綵段，公痛兩廣賊勢日張，民日凋瘵，具奏監軍及諸將無平賊方畧，所至惟事刻剝，戰小勝，則張虛聲以邀賞，大衂則匿不以聞，臣恐數年之間，兩廣盡為盜區矣。章上，權貴大怒，思有以中之，會公督兵餉遠出，寇乘虛襲城，陷之，眾因以失守為公罪，坐褫職。廉民千餘人詣當道，訟冤，且言知府文吏非守城者，況以公事遠出，城陷非其罪也。乞還知府，以活吾民，時當道多忌之者，莫肯上聞。公」等二百零六字。

23霖案：「歸」字下，應依《椒丘文集》補入「家，優游泉石，以書史自娛，又作義倉以賙貧乏，立義學，以教宗族。」等二十五字。

24霖案：「與」字下，應依《椒丘文集》補入「翰林」二字。

25霖案：「修」，《椒丘文集》作「脩」。

26霖案：「其間」二字下，應依《椒丘文集》補入「成化二十二年十月十七日，以疾歿于家，享年七十有四。初，娶黃氏，繼娶王氏，無子，以弟秉綱子弼為嗣，一女適同邑，何慶同，弼以卒之年十二月十一日葬公于里之南應山所。」等六十八字。

27霖案：「有」字下，應依《椒丘文集》補入「《雯峯集》」三字，此為學者的其他撰著，由於非經籍，因而被竹垞刪去，今據以補正。

【增補】黃虞稷《千頃堂書目》卷二曰：「字憲章，廣昌人。正統甲子舉人，廉州府知府，羅倫序其書。」（頁三十八）。

葉氏萱《春秋義》

佚。

陸元輔曰：「葉萱，字廷懋，華亭人。景泰甲戌進士，歷官布政使。」

郭氏登《春秋左傳直解》（明）

十二卷。

【著錄】黃虞稷《千頃堂書目》卷二，頁三十八、李一遂〈左氏春秋著錄書目研究〉頁一一九著錄。

未見。

【霖案】朱彝尊《經義考》卷二〇〇，頁三三三、《左傳論著目錄》頁三五注曰「未見」，然本書實有殘本存世，當改注曰「闕」。

【版本及藏地】本書版本及藏地如下：

一、明朝鮮活字本：明郭登撰　岳正校正《春秋左傳直解》一冊　存卷二十二行十九字白口四周單邊雙魚尾，《中國歷史博物館古籍善本書目》頁八著錄此本，該館有藏本。

【增補】《中國歷史博物館古籍善本書目》曰：「春秋左傳直解

明郭登撰　岳正校正　明朝鮮活字本　一冊　存卷二十二行十九字白口四周單邊雙魚尾　（善718）」（頁八）

錢謙益28曰：「登，字元登，武定侯英諸孫。土木之難，以都督僉事守大同，也先部擁上皇29至城下，登陴謝卻之。景泰間，進封定襄伯；上皇復辟，謫戍甘蕭；成化初，復爵。卒，贈侯，諡忠武。」

陸元輔曰：「定襄以名將解《左傳》，遠與杜武庫爭衡。」

黃氏仲昭《讀春秋》

一篇。

存。

28「錢謙益」，四庫本作小字「闕」。　霖案：《經義考新校》頁3647校文有較大改變，其校文如下：「『錢謙益曰』，《四庫薈要》本作『錢陸燦曰』，文津閣《四庫》本作『黃虞稷曰』，文淵閣《四庫》本脫漏。」。今考此文出自《列朝詩集小傳》頁183。

29霖案：《經義考新校》頁3647新出校文如下：「『上皇』，文津閣《四庫》本作『英宗』。」。

【版本及藏地】本書版本及藏地如下：

一、《未軒文集》本：《春秋總義論著目錄》頁六四錄之。

袁氏顥《春秋傳》

三十卷。

【著錄】黃虞稷《千頃堂書目》卷二，頁四二著錄。

未見。

【霖案】本書未見其他傳本，當已久佚。

包氏瑜《春秋左傳》（明）

【書名】黃虞稷《千頃堂書目》卷二，頁三九著錄，題作《春秋講義》。惟李一遂〈左氏春秋著錄書目研究〉頁一一九錄作「黃虞稷《千頃堂書目》作《春秋左傳事類》」，未知其故。

四十卷

【卷數】黃虞稷《千頃堂書目》卷二，頁三九著錄，未題卷數。

未見。

【霖案】本書未見其他傳本，當已久佚。

黃虞稷曰[30]：「字希賢，青田人。成化中，浮梁教諭。」

【增補】喬衍琯〈《經義考》所引《千頃堂書目》彙證〉云：「黃《目》『《春秋左傳》』作『《春秋講義》』。又無『字希賢』三字。　朱《考》僅引黃說。」（頁三一五）

王氏鏊《春秋詞命》

三卷。

【著錄】黃虞稷《千頃堂書目》卷二，頁三十八著錄。

存。

【版本及藏地】本書版本及藏地如下：

一、《四庫全書存目叢書》本：王鏊 輯 王徹 註，《春秋詞命》（台北：莊嚴文化事業有限公司，「四庫全書存目叢書」，一九九七年六月，初版一刷）

鏊〈自序〉曰[31]：「予讀《左傳》，愛其文而尤愛其詞命，當春秋時，諸侯大夫朝聘宴

30霖案：黃虞稷《千頃堂書目》卷二，頁39。

31霖案：《震澤集》卷十三，〈春秋詞命引〉（台北：臺灣商務印書館，「景印文淵閣四庫全書」冊一二

饗、征伐盟會，類以微言相感觸，其詞命往[32]來，亦皆婉而切，簡而莊，巽而直，雖或發於感憤，然猶壯而不激，屈而不撓；詞窮矣，然且文焉，遁而飾，偽而恭，証[33]而近正。於戲！何其善於詞也，其猶有先王之遺風乎？予生謇吶，甚思所以變其氣質而無由，因彙萃[34]其詞而日諷焉，庶有益乎！孔子曰：『不學《詩》，無以言。』讀此編者，亦可以有言矣。」

　　【增補】黃虞稷《千頃堂書目》卷二，頁三十八著錄，有「正德十一年序」

　　錢謙益[35]曰：「鏊，字濟之，吳縣人。成化十一年進士及第，自編修歷官吏部右侍郎；正德元年入內閣，進戶部尚書、文淵閣大學士，加少傅，改武英殿，致仕。嘉靖初，卒，謚文恪。」

宋氏佳《春秋膚說》

　　【著錄】黃虞稷《千頃堂書目》卷二，頁三九著錄。

未見。

　　【霖案】本書未見其他傳本，當已久佚。

黃虞稷曰[36]：「佳，字子美，奉化人。成化癸卯舉人，徽府長史。」

　　【霖案】喬衍琯〈《經義考》所引《千頃堂書目》彙證〉云：「黃《目》同。　朱《考》僅引黃說。」（頁三一六）

羅氏昕《春秋撮要》

　　【書名】《廣東通志》卷二十四，頁五九七題作「《春秋綱領撮要》」。

未見。

　　【霖案】本書未見其他傳本，當已久佚。

《廣東通志》[37]：「羅昕，字公旦，番禺人[38]。成化乙酉舉鄉薦[39]，弘治間累遷貴州[40]按

　　五六，民國七十五年三月，初版），頁277。又竹垞題作「〈自序〉」，而原書實作「〈引〉」，題稱小有不同。

32 霖案：「往」字，《震澤集》作「徃」字，二者只是書寫習慣之異，實則並無異同也。

33 「証」，「四庫本」作「誑」。　霖案：《經義考新校》頁3648校文，「四庫」二字之前，另有「文淵閣」三字；今考《震澤集》正作「誑」字，故應以「誑」字為正。

34 霖案：「萃」字，《震澤集》題作「稡」字。

35 「錢謙益」，「四庫本」作小字「闕」。　霖案：《經義考新校》頁3649校文變動較大，其校文如下：「『錢謙益曰』，《四庫薈要》本作『錢陸燦曰』，文津閣《四庫》本作『黃虞稷曰』，文淵閣《四庫》本脫漏。」等字。今考此文出自：《列朝詩集小傳》頁275-276。

36 霖案：黃虞稷《千頃堂書目》卷二，頁39。

37 霖案：《廣東通志》卷二十四，(《四庫全書存目叢書》史部冊一九七)，頁597。

察僉事41。」

楊氏循吉《春秋經解摘錄》

一卷。

【著錄】黃虞稷《千頃堂書目》卷二，頁三九著錄。

佚。

錢謙益42曰：「循吉，字君謙，吳縣人。成化甲辰進士，除禮部主事，善病，年三十有二43致仕，八十九自為壙志而卒。」

吳氏廷舉《春秋繁露節解》（明）

【作者】黃虞稷《千頃堂書目》卷二，頁五一、《元史藝文志輯本》卷三，頁六〇著錄，惟作者題為「吳鵬舉」。

【霖案】《中國古籍善本書目》（經部）頁二九二錄有吳廷舉《春秋繁露求雨止雨直解》不分卷，竹垞未錄此書，今據以補入。

四卷。

【卷數】黃虞稷《千頃堂書目》卷二，頁五一著錄，卷數題作「十卷」。

未見。

【霖案】本書未見其他傳本，當已久佚。

【存佚】《元史藝文志輯本》卷三，頁六〇著錄，注曰「佚」。

《廣西通志》44：「吳廷舉，字獻臣45，梧州46人。成化丁未進士47，累官南京兵部48尚

38霖案：「番禺人」三字下，應依《廣東通志》補入「少習《春秋》，廣士多非咲之，昕獨力學不倦。」等十六字。

39霖案：「鄉薦」二字，應依《廣東通志》改作「《春秋》魁，廣士爭從學焉，嘗著《春秋綱領摭要》，後登甲辰進士。」等二十三字。

40霖案：《經義考新校》頁3649新增校文如下：「『貴州』二字，文津閣《四庫》本脫漏。」。

41霖案：「事」字下，應依《廣東通志》補入「以剛方見稱，尋陞廣西副使，恩威並行，邊人思之。」等十九字。

42「錢謙益」，「四庫本」作小字「闕」。　霖案：《經義考新校》頁3650校文異動較大，其校文如下：「『錢謙益曰』，《四庫薈要》本作『錢陸燦曰』，文津閣《四庫》本作『黃虞稷曰』，文淵閣《四庫》本脫漏。」。今考此文出自《列朝詩集小傳》頁280-281。

43霖案：《經義考新校》頁3650新增校文如下：「『三十有二』，《四庫薈要》本作『三十有一』。」。

44霖案：《廣西通志》卷四十四，（《四庫全書存目叢書》史部冊一八七），頁536-537。

書，贈太子少保，諡清惠。」

【增補】〔補正〕《廣西通志》條內「兵部尚書」，「兵」當作「工」。（卷八，頁十五）

邵氏寶《左觿》

【增補】《春秋總義論著目錄》頁六五錄有邵寶《讀春秋雜說》一篇，竹垞未錄此書，當據以補入。

又《明儒言行錄》卷六，頁十八曰：「（邵寶）又有《漕政舉要錄》、《春堂前後別續四集》、《左觿》諸書，行於世，其《春秋名臣傳》、《春秋節解客問》燬於火。」，則邵寶另撰有《春秋名臣傳》、《春秋節解客問》二書，竹垞未錄此二書，今據以補入。

一卷。

【著錄】黃虞稷《千頃堂書目》卷二，頁三十八著錄。

存。

【存佚】《左傳論著目錄》頁十三題作「未見」，考本書實有存本，參見【版本及藏地】一項。

【版本及藏地】本書版本及藏地如下：

一、明崇禎四年曹荃編刻邵文莊公經史全書五種本：邵寶《左觿》一卷，北京大學圖書館藏本。

二、《四庫存目叢書》本：經部冊一一七，影印本，即北京圖書館藏本。

【增補】永瑢等撰《欽定四庫全書總目‧存目》曰：「左觿一卷　通行本

明邵寶撰。寶字國賢，號二泉，無錫人。成化甲辰進士，官至南京禮部尚書，諡文莊。事迹具《明史‧儒林傳》。是編乃其讀《左傳》所記雜論、書法及注解。然寥寥無多，蓋隨意標識於傳文之上，亦其《簡端錄》之類也。其中精確者數條，顧炎武《左傳補注》已採之，所遺者其糟粕矣。」（卷三十，頁三八六）

45霖案：「臣」字下，應依《廣西通志》補入「其先湖廣嘉魚人，隸籍」等九字。

46霖案：「州」字下，應依《廣西通志》補入「所，遂為梧」等四字。

47霖案：「進士」二字下，缺字甚多，難於校補，讀者可自行參看原書。

48「兵部」，各本同，應依《補正》作「工部」。　　霖案：《經義考新校》頁3650校文，無「各本同」三字；「應依」改作「依」字；「《補正》」二字下，另有「《四庫薈要》本」；「作」改作「應作」二字。今考《廣西通志》作「工部」。

寶〈自序〉曰[49]：「予昔讀《左傳》，蓋志於求《經》，故於其辭不求甚解，非不欲解也，思之不得，故遂已之，嘗歎[50]杜子美所謂『讀書難字過』者之不誣。壬午夏仲，暑雨連月，齋居無事，乃屬塾師高子明取而讀焉，予隱几聽之，遇難解處，則稽之疏義而參諸他書，縱橫推度，往往有得，得輒[51]呼筆，記之於簡。是秋讀畢，敘錄成帙[52]，凡若干條，疏[53]陋之見，不知與[54]邱[55]明之意果有得與[56]否也？名之曰《左觽》，俾里塾藏之。觽，解結之具也[57]。」

桑氏悅《春秋集傳》

未見。

【霖案】本書未見其他傳本，當已久佚。

悅〈序略〉曰[58]：「傳《春秋》者不一家，近世多宗胡氏[59]，發明聖人褒貶之旨不為不

49霖案：明邵寶《左觽》〈序〉，《四庫存目叢書》經部冊一一七，頁193。又四庫：1258-609-12錄有《容春堂續集．左觽序》。

50霖案：「歎」，《左觽》作「嘆」。

51霖案：「輒」，《左觽》作「輙」。

52霖案：《經義考新校》頁3651新增校文如下：「『帙』，文津閣《四庫》本誤作『帖』。」。

53霖案：「疏」，《左觽》作「疎」。

54霖案：「與」，《左觽》作「於」。

55霖案：「邱」，《左觽》作「丘」。

56霖案：「與」，《左觽》作「歟」。

57霖案：「也」字下，應依《左觽》補入「是歲冬十月朔，書于泉齋。」等十字。

58霖案：桑悅：《思玄集》卷五，〈春秋集傳序〉，(《四庫存目叢書》集三九冊，頁53）。《經義考》所引為刪截之文，「傳《春秋》者不一家」句前，刪去「孔子刪《詩》《書》，定《禮》《樂》，贊《周易》，脩《春秋》。《春秋》之作，聖人之所不得已也。《易》始於皇，《書》始於帝，《詩》始於王，《春秋》始於伯，《禮》之與《樂》，所以經緯皇帝王伯者也。由《易》而《書》，皇之不足，繼之以帝，由《書》而《詩》，帝之不足，繼之以王，由《詩》而《春秋》，王之不足，繼之以伯，皇之禮樂渾渾爾，帝之禮樂雍雍爾，王之禮樂彰彰爾，伯之禮樂獵獵爾。由伯而下，棄禮絕樂，則有不可勝言者矣。聖人因作《春秋》，以閑世變，明王道，抑伯功，以達《易》《書》《詩》《禮》《樂》之事業，是故存乎《易》，以全《春秋》之變；存乎《書》以全《春秋》之恒；存乎《詩》以全《春秋》之和；而《易》《書》《詩》《禮》《樂》，又所以乎《春秋》者也。六經各一其體用，論其大分，五經者，《春秋》之體，《春秋》者，五經之用，聖莫大於伏羲，由伏羲而歷堯、舜、禹、湯、文、武至孔子，而極道莫大於《易》，由《易》而歷《書》、《詩》、《禮》、《樂》至《春秋》而極，極於《春秋》，雖使孔子復生，而《經》不可再續矣。故曰『予欲無言』。悅自蚤歲即習《易》、《書》、《詩》，而窺其大旨，《禮》殘《樂》缺，頗游心三《禮》，以會其歸，而

多，但病其議論翻覆60，文致成章61，又當宋高宗南渡之時，欲輸忠藎於章句之間，故於復
讎62處言之微有過當，有非萬世之通論63。悅不自揣量，因取胡《傳》刪之64，擇取諸家之
平順者補其闕略65，間有一得之愚，亦附見其中，名曰《春秋集傳》。薄宦代耕，奔走南北
66，凡十易寒暑，始克成編67，《傳》總若干言，為之〈序〉，以俟68後之君子69。弘治四
年三月70。」

劉氏績《春秋左傳類解》（明）

【作者】《國立中央圖書館善本序跋集錄》頁三六九著錄，作者題「明劉績編并註」
，錄有劉績〈序〉一文。又駱兆平《新編天一閣書目》頁一八九、《東北師範大學圖
書館藏古籍善本書目解題》著錄，惟作者均誤為「劉續」。又《中央研究院歷史語言
研究所善本書目》頁八著錄，作者題為「明劉續編並註」，「續」與「績」字，形近
而誤。

又李一遂〈左氏春秋著錄書目研究〉頁一一二誤作「列績」。

【增補】《東北師範大學圖書館藏古籍善本書目解題》頁三四著錄，另錄有《地譜世

於歷代《樂》書，亦嘗參互考証，以求其制作之原，以為皆治世之言也。晚讀是《經》，始知聖
人經理亂世之大經大法，盡在於是，世變之極，至此而障可以循，是以上王帝皇之道，又有以知
《易》、《書》、《詩》、《禮》、《樂》、《春秋》，循環相為無窮，而《春秋》又不可以孤讀也。」等
四三五字，當據以補入。

59霖案：「胡氏」二字下，當補入「安國以辭駕理，貫穿上下」等十字。

60霖案：「翻覆」，《思玄集》題作「翻翻」。

61霖案：「章」字下，當補入「朱子所謂以義理穿鑿者，亦計十有四。」等十五字。

62霖案：「讎」字下，當補入「外夷」二字，此二字疑犯忌諱，因而被刪棄。

63霖案：「論」字下，當補入「者」字。

64霖案：「之」字，當依《思玄集》作「其突兀」三字。

65霖案：「略」字，《思玄集》作「畧」。

66霖案：「北」字下，當依《思玄集》補入「屹無定功」四字。

67霖案：「編」字下，當依《思玄集》補入「莊子云：『有成與虧者，故昭氏之鼓琴也。無成與虧者，
故昭氏之不鼓琴也。』予於是《經》，闕疑頗多，雖抱面墻之恥，不敢為脛廟之見，是不欲聖經
之無虧成者耶！」等五十九字。

68霖案：「俟」字，當依《思玄集》改作「示」字。

69霖案：「君子」二字下，當依《思玄集》補入「有任天下國家之寄，思用是《經》者，當求《易》《
書》《詩》《禮》《樂》以為本，庶幾箱實而飾輪轅也。」等三十三字。

70霖案：「月」字下，當依《思玄集》補入「望。長沙管糧通判海虞後學桑悅書於湘潭行府新建捋鬚
亭中」等二十五字。

系》一卷，竹垞或以其書名無《春秋》二字，故刪去之，當據以補入。又明嘉靖戊子（七年）刊本，有劉績〈序〉一文，竹垞未錄此文，當據以補入。

【霖案】李一遂〈左氏春秋著錄書目研究〉頁一一二著錄，題作「浙江圖書館藏」，惟不知何本，今暫列於此，以俟後考。又據《經義考》卷二〇三，顏鯨《春秋貫玉‧序》一文，顏氏撰《春秋貫玉》一書，乃是受到劉績《左傳類解》的影響。

二十卷。

【著錄】黃虞稷《千頃堂書目》卷二，頁三九著錄。

存。

【版本及藏地】本書版本及藏地如下：

一、明嘉靖戊子（七年）刊本：(明)劉績編註《春秋左傳類解》二十卷，《地譜世系》一卷，10冊；有32公分，明嘉靖七年(1528)題希玄子序，冠圖二幅，十行，十九字，小字雙行十九字。黑口，四周雙邊，三十二公分，包背裝，台北：中央研究院史語所有藏本（排架號：0074，光碟代號：OD004B）。

又北京、上海、天津、保定市、東北師範大學、浙江、中國人民大學、湖南師範大學、中國社會科學院歷史研究所等圖書館均有藏本，《中國古籍善本書目》（經部）頁二四七著錄。

【增補】《國家圖書館善本書志初稿》：「【春秋左傳類解二十卷十冊】

　　明嘉靖戊子(七年，1528)崇藩刊本　　00625

　　明劉績編并註。

　　　版匡高22公分，寬15.9公分。左右雙邊。每半葉十行，行二十字。註文小字雙行，字數同。版心大黑口，雙魚尾(魚尾相隨)，上魚尾下方記書名卷第(如『左傳周卷之一』)，下魚尾下方記葉次(如『甲一』)。上黑口有部分陰刻符號，疑為刻工名。第二冊下黑口有陰刻文字記葉次(如『乙一』)。

　　　首卷首行頂格題『春秋左傳類解周卷之一』，次行低十二格題『蘆泉劉績編註』。卷末有尾題。卷首有闕名春秋左氏傳刻序(當為崇恭王朱厚燿刻序)，及杜預春秋序。刻序後有目錄，凡例，及左傳圖。杜序後有左傳地譜世系。本部書每一冊於版心葉次上方刻以天干，以示冊第。

　　　書中鈐有『國立中央圖/書館收藏』朱文長方印、『蒼巖山人/書屋記』朱文長方印。」(頁167~168)。

【增補】《中央研究院歷史語言研究所善本書目》曰：「《春秋左傳類解》二十卷，附《地譜世系》一卷十冊　明劉績編並註　明嘉靖七（戊子）年刊本。」（頁八）

【增補】《東北師範大學圖書館藏古籍善本書目解題》云：「《春秋左傳》，漢出張蒼之家傳，賈誼始為訓詁，晉杜預《經傳集解》，唐長孫無忌有《正義》。是書類別

二十國，分國記述，並有《左傳圖》、《譜世系》為書助。

劉績，明，江夏人。字用熙，號廬泉，弘治進士。」（頁三四）

【增補】《續修四庫全書總目提要》：「春秋左傳類解二十卷　嘉靖七年戊子刊本　張壽林

　　明劉績撰。劉績字用熙。號廬泉。江夏人。弘治進士。官至鎮江知府。所著有三禮圖。六樂說。管子補注及是編行於世。是編前有嘉靖戊子希玄子序。末題希玄子書於寶賢堂。考清朱彝尊經義考春秋類三十三。著錄績所撰春秋左傳類解二十卷。引曹溶曰。劉氏左傳類解。莆田洪珠為之序。晉藩刻之於寶賢堂。蓋即此本也。其書都凡二十卷。釐為二十有二類。其目曰。周。魯。宋。杞。陳。滕。薛。齊。紀。莒。晉。虢。虞。秦。鄭。許。衛。曹。蔡。吳。越。楚。而以邾小邾。附之魯。邢附之衛。又以凡例。八風圖。躔度分野圖。杜預春秋序。地譜世系。列之卷首。不入卷次。體例略同於元沙鹿齊履謙春秋諸國統紀。惟齊氏之書。以經文為主。是編則並經傳中事類而析之。以國為綱。以年為緯。各國之前。並依經傳子史。撮其興亡大略。以為之敘。又經文及左氏傳之後。間亦附以公穀二傳。其經傳詞旨有未暢者。則採先儒議論。以為之解。按春秋者。古史記之通稱也。至於春秋一經。則聖人統諸國之史而作。以同會異。以一統萬之書也。而後世說經者。迷於一字褒貶之說。惟以日月名字人爵等為褒貶。而拓擊左氏。謂於經義毫無發明。不知有事蹟而後有是非。有是非而後有褒貶。若但據書字為褒貶。則其所以褒貶之故。又豈能研究而知之乎。是編獨能不承陋襲故。力掃先儒拘例之失。大旨謂理在人心。而事本紀載。得事之真。而是非自分。故專以釋事為主。又不盡廢其義。可謂善治春秋者矣。」(頁六七九~六八〇)

二、明嘉靖戊子（七年）崇藩刊本：明劉績編并註，10冊;22x15.9公分，有微捲，正文卷端題「春秋左傳類解周卷之一　廬泉劉績編註」，序文有「春秋左氏刻序崇恭王朱厚燿刻序」、「春秋序　杜預」10行，行20字，小字雙行字數同. 雙欄. 版心大黑口，雙魚尾. 上魚尾下方記書名卷第，下魚尾下方記葉次，藏印有「國立中央圖書館收藏」朱文長方印、「蒼巖山人書屋記」朱文長方印等印，台北：國家圖書館有藏本。

　又中國國家圖書館、中共中央黨校圖書館、中國社會科學院歷史研究所、上海圖書館、天津市人民圖書館、河北省保定市圖書館、東北師範大學圖書館、浙江圖書館、湖南師範學院圖書館另有藏本，十行二十字黑口四周雙邊，明劉績撰《春秋左傳類解》二十卷、《地譜世系》一卷。

三、明刊本：北京大學圖書館有藏本。

【增補】李盛鐸著・張玉範整理《木犀軒藏書題記及書錄》曰：「【春秋左傳類解】二十卷　〔明劉績編注〕　明刊本　李4731

　　標題後題『廬泉劉編注，』元山席書校正」二行。半葉十二行，行二十四字。大黑口。前有八風圖，盃度分野圖、地譜、世係並凡例十一則。」（頁七五）

四、明弘治十年劉績淮陰公舍刻本刻本：十二行廿四字黑口四周雙邊〕存五卷〔一　十

六至十九〕，二冊，寧波天一閣有藏本。

又北京大學圖書館有一部，《中國古籍善本書目》（經部）頁二四七著錄。又此本題作「佚名注(抄配缺葉)」十二行廿四字小字雙行黑口雙魚尾四周雙邊，與上述刻本近同，原題作「明刻本」，今據以列入此本之下。

【增補】駱兆平《新編天一閣書目》曰：「《春秋左傳類解》二十卷　明劉績撰。刊本。是書取經傳之文，分國編次，仍採各家註釋附焉，前有〈地譜世系〉一卷。」（頁一八九）。

【增補】劉績〈序〉曰：「左丘明魯太史也，受春秋於孔子，親見行事，故其言該而中倫、其實著而寡謬，雖其裁斷大義或戾聖人，而其文蔚然可覩也。漢初，其書出於張蒼之家，傳者甚鮮，逮賈誼始為訓詁。建武以後博士有官，而諸儒授受以擢高第為講郎矣。于是賈達、服虔並為註解、晉杜預有經傳集解、唐長孫無忌有正義，而說者以杜註為優，至於今左氏之學賴以不衰，國家于春秋雖專以胡傳取士，而考論往蹟非左氏則何所於稽。近世士大夫崇尚文詞，至於字倣而句擬之，何其說之盛歟？予暇亦愛覽是書，故命承奉王大用刻布焉，刻成予復覽而興曰，春秋之時，王綱不振，列國各以其政為政，強凌弱、眾暴寡、亂臣賊子接跡而肆，故春秋作焉，以命德討罪，惇典庸禮。今朝廷出片紙以令天下，其誰不奔走服從？即使五霸有作，將焉假力哉！故予之取左氏者，文也。仰惟我皇上，稽古右文，講學不倦，將興唐虞三代之功，頃以御製敬一箴頒示我諸藩，予雖不敏，敢不敬承是舉也，雖不足以上希前哲，蓋亦竊取為善最樂之義。嗚呼！則文辨類以遵仲尼，儒者之事也。昭德秉禮，以無墜周公之典，其在予也夫。書刻之精否，固所略云。時嘉靖戊子黃鍾上澣。」（轉錄《國立中央圖書館善本序跋集錄》經部·頁三六九）

曹溶曰：「劉氏《左傳類解》，莆田洪珠為之〈序〉，晉藩刻之於寶賢堂。」

【增補】黃虞稷《千頃堂書目》卷二曰：「號蘆泉，江夏人。弘治庚戌進士，鎮江知府與山陰劉績，別為一人。」（頁三九）。

畢氏濟川《春秋會同》

佚。

《廣信府志》71：「濟川，貴谿人。弘治壬戌進士，官翰林編修。」

【增補】根據《廣信府志》卷十四所載之文，畢濟川，「字汝舟」，竹垞所轉錄之文，未見字號，當據以補入。又《廣信府志》卷十四曰：「濟川以《春秋》魁，鄉會兩試，仕終編修，為人豪爽英達，工詩歌，為古文辭，肆筆立就，浩浩乎不窮，稱俊才焉，所著有《春秋會同》、《正蒙解》諸集。」，據此，亦可補竹垞輯錄之不足。

席氏書《元山春秋論》

71霖案：《廣信府志》卷十七（《四庫全書存目叢書》史一八六冊，頁154。），頁38。又同書卷十四，頁32另有相關文句，竹垞所錄之文，係合併二處之文而成，故文句相距顆大，難於一一校補。

一卷。

【著錄】黃虞稷《千頃堂書目》卷二，頁三九著錄。

未見。

【霖案】本書未見其他傳本，當已久佚。

《姓譜》72：「書，字文同，遂寧人。弘治庚戌進士，由73剡城74知縣累遷兵部右侍郎，以議大禮陞禮部尚書，加少保、武英殿大學士。卒，贈太傅，謚文襄75。」

胡氏世寧《春秋志疑》

十八卷。

【著錄】黃虞稷《千頃堂書目》卷二，頁三九著錄。

【卷數】【著錄】黃虞稷《千頃堂書目》卷二，頁三九著錄，卷數題為「一作八卷」。

未見。

【霖案】本書未見其他傳本，當已久佚，且《春秋總義論著目錄》頁六四注曰「佚」，又同書頁五六另錄一本，題作（宋）胡寧《春秋志疑》，亦作三十卷，疑為同書而重出，該目同時注曰「佚」，今從之，故改注曰「佚」。

童氏品《春秋經傳辨疑》（明）

一卷。

【著錄】黃虞稷《千頃堂書目》卷二，頁三十八、張壽平《公藏先秦經子注疏書目》頁一四二著錄。

未見。

【存佚】《春秋總義論著目錄》頁六四注曰「存」，且本書有文淵閣四庫全書本、藍格舊鈔本、明抄本等諸多版本存世，故應改注曰「存」。

【版本及藏地】本書版本及藏地如下：

72霖案：明凌迪知《萬姓統譜》卷一百二十二，(《欽定四庫全書》冊九五七，頁677，臺灣商務印書館)，頁2。

73霖案：「由」，《萬姓統譜》作「授」。

74霖案：《經義考新校》頁3652新增校文如下：「『剡城』，文淵閣《四庫》本作『郯城』。」

75霖案：「文襄」二字之後，《萬姓統譜》尚有「(席) 書為主事，已具綜理之才，歷官巡撫，貪官豪民，搏擊無遺，風裁凜然，文章卓然可稱，服御儉約，不逐時好，近世之名卿也。」等四十六字，有助於瞭解席書的行事氣度，今據以補入。

一、明抄本：明童品撰《春秋經傳辨疑》一卷，上海圖書館有藏本，堪稱傳世最早之本，崔富章《四庫提要補正》頁一七五有考辨。

二、明朱絲欄棉紙抄本：駱兆平《新編天一閣書目》頁二七三著錄，為寧波天一閣舊藏之物。

三、文淵閣四庫全書本：(明)童品撰《春秋經傳辨疑》二卷，一冊，《國立故宮博物院善本舊籍總目》，上冊，頁一〇四著錄，台北：故宮博物院有藏本。

【增補】永瑢等撰《欽定四庫全書總目》曰：「春秋經傳辨疑一卷76　內府藏本

明童品撰。品字廷式，號慎齋，蘭溪人，弘治丙辰進士。朱彝尊《經義考》稱其官至兵部員外郎77。朱國楨《涌幢小品》則稱其登第後為兵部主事，僅兩考，引年致仕，家居十九年，以讀書喪明而卒。其學問、行誼不後於章懋，而以有傳有不傳為惜。所述本末甚詳，知《經義考》以傳聞誤也。是書前有自序，題『成化戊戌冬十一月』，末又有弘治壬戌二月跋云：『是歲品以儒學生，教授於陸生震汝亨之家，成此一帙，距今二十五年』云云。考國楨所紀品以成化丙午始舉於鄉，是書之成在前八年，故自稱曰『儒學生』。其登第在弘治丙辰，下距壬戌七年正僅滿兩考之歲，蓋序作於未第時，跋作於致仕後也。《春秋》三傳，《左氏》採諸國史，《公》《穀》授自經師，草野78傳聞，自不及簡策之記載，其義易明。是編論《左氏》所載事迹，凡九十三條，於三傳異同者，大抵多主《左氏》而駁《公》、《穀》，蓋由於此。然於『宋師圍曹』，則疑《左氏》所載不甚明曉，於『華元出奔晉』一條，亦有疑於《左氏》，則亦非堅持門戶、偏黨一家者也。刻本久佚，故朱彝尊《經義考》注云『未見』。此蓋傳鈔舊本，幸未佚亡者，固宜亟錄而存之矣。」（卷二十八，頁三六二）

【增補】邵懿辰撰、邵章續錄：《增訂四庫簡明目錄標注》卷三曰：「《春秋經傳辨疑》一卷，明童品撰。

　　四庫箸錄，係天一閣鈔本，云刻本久佚。

　　〔續錄〕續金華叢書本，民國十三年永康胡氏夢選樓刊。」（頁一一六至頁一一七）

【增補】〔校記〕此書四庫著錄。（《春秋》，頁五一）

【增補】崔富章《四庫提要補正》曰：「考康熙間纂修《金華府志》載：廷式授南武庫主事，再遷武選員外郎。武庫頗有羨餘，同官以『啞庫』訊之，公不可。又云：居官與楊廉、邵寶、蔡清、葉釗、余祐相友善，僅兩考，遂引年家居十九年，以讀書喪

76霖案：原注云：按：文淵閣庫書題作二卷。

77霖案：原注云：崔富章：童品官至兵部員外郎語出《浙江採集遺書總錄》，而不見於《經義考》。康熙《金華府志》、《金華征獻略》等皆載童氏授南武庫主事，再遷武選員外郎。是《涌幢小品》所述有漏。

78霖案：原注云：「野」後，浙、粵本有「之」字。

明，貧不自振而卒。《金華徵獻略》所載亦同。然則《經義考》並非傳聞之誤，仍係《涌潼小品》所述有罅漏也。（胡宗楙《金華經籍志》）

《經義考》卷二百載『童氏品春秋經傳辨疑一卷，未見』，僅十三字而已。「官至兵部員外郎」云云，乃出自《浙江採集遺書總錄》：「春秋經傳辨疑一冊，開萬樓寫本。右明兵部員外郎蘭溪童品撰，凡九十三篇。自序云，只據《大全》及《左傳》而言，然而辨正頗有原本也。

關於庫書底本，《總目》注云『內府藏本』，《提要》謂『此蓋傳抄舊本，幸未佚亡者，固宜亟錄而存之矣。』檢《天祿琳琅書目》、《故宮善本書目》、《故宮普通書目》皆不見著錄。《四庫全書簡明目錄標注》云：『四庫著錄係天一閣抄本』。然《范懋柱家呈送書目》載《春秋諸傳辨疑》（朱睦㮮撰），并無童品《春秋經傳辨疑》，邵氏《標注》失誤。檢《四庫採進書目》，當年選呈此書者，只有僑寓杭城小粉場的汪啟淑開萬樓寫本一種耳，是為四庫抄本所從出，不知流落何處。今上海圖書館藏明抄本一部，堪稱傳世最早之本。」（頁一七四至一七五）

【霖案】崔氏的相關考訂，仍有失誤之處，如云「《經義考》卷二百載『童氏品春秋經傳辨疑一卷，未見』，僅十三字而已。「官至兵部員外郎」云云，乃出自《浙江採集遺書總錄》」云云，考《經義考》卷二百載童品《春秋經傳辨疑》條下，確實未有其他解題，然而竹垞《經義考》卷五一，童品《周易翼義》條下，曾徵引《人物考》之文，其中即有「官兵部員外郎」之字，是以館臣考辨之說，係併合二處著錄的內容，同時提出糾謬之說，而崔氏僅覆查《經義考》卷二百之文，而未及卷五一之文，是以所論猶有小失。

四、藍格舊鈔本：明童品撰《春秋經傳辨疑》一卷一冊，臺灣大學圖書館善本書室有藏本。

五、民國六十一年(1972)藝文印書館四部分類叢書集成三編影印永康胡氏夢選樓刊本：(明)童品撰《春秋經傳辨疑》一卷，台北：國家圖書館有藏本。

六、續金華叢書本：明童品撰《春秋經傳辨疑》一卷，馬來西亞大學圖書館有藏本。

七、民國十三年(1924)永康胡氏夢選樓刊本：(明)童品撰《春秋經傳辨疑》一卷，扉頁刊記「永康胡氏夢選樓刊」，台北：國家圖書館有藏本。

蔡氏芳《春秋訓義》

十一卷。

【著錄】黃虞稷《千頃堂書目》卷二，頁三九著錄。

未見。

【霖案】本書未見其他傳本，當已久佚。

黃虞稷曰[79]：「芳，字茂之，浙江平陽人。弘治戊午舉人，歷官福建鹽運司副使，折衷諸《傳》而為是書。」

　　【霖案】喬衍琯〈《經義考》所引《千頃堂書目》彙證〉云：「黃《目》無『歷官』二字。　朱《考》僅引黃說。」（頁三一六）

許氏誥《春秋意見》

　　一卷。

　　【著錄】黃虞稷《千頃堂書目》卷二，頁三九著錄。

　　未見。

　　【霖案】本書未見其他傳本，當已久佚。

金氏賢《春秋記愚》[80]

　　【考證】《河南通志》卷一九○錄有金賢《春秋或問》一書，又黃虞稷《千頃堂書目》卷二錄作「《或問》」，題作「百篇」，竹垞未錄此書，當據以補入。

　　【增補】〔補正〕案：「記」當作「紀」。（卷八，頁十五）

　　十卷。

　　【著錄】黃虞稷《千頃堂書目》卷二，頁三九著錄。

　　存。

　　【存佚】《春秋總義論著目錄》頁六四注曰「未見」，而《春秋總義論著目錄》頁六九卻注曰「佚」，同為一書，著錄卻異，今考本書久未見傳本，當已久佚，應改注曰「佚」。

顧璘曰：「金子潛心《春秋》幾二十年，凡先儒傳注，無不考證而討論者，故比事甚廣，析義甚精。其發凡指意，或執《經》以闡義，或反《傳》以補編，或稽實以明疑，或裁道以正謬，陳之則皦然易見，舉之則坦然可行，杜氏所謂『優柔厭飫，怡然理順』者也。其子大車所敍新義數十，尤發前《傳》之所未發。」

　　賢〈自序〉曰[81]：「昔壺遂問於司馬遷曰：『孔子何為而作春秋哉？』遷曰：『周道廢

79霖案：黃虞稷《千頃堂書目》卷二，頁39著錄。

80「《春秋記愚》」，「備要本」同，應依後文、《補正》、「四庫本」作「春秋紀愚」。　　霖案：《經義考新校》頁3654校文，無「『備要本』同」四字；「應依」改作「依」字；「後文」改作「下文」；「四庫」二字之前，另有「《四庫薈要》本、文淵閣《四庫》本、文津閣」等字。

81霖案：四庫：《明文海》卷399〈東園金先生傳〉；顧璘《息園存稿文》（1263冊）卷一〈謝文肅公文集〉。

82，孔子知時83之不用，道之不行也，是非二百四十二年之中，以為天下儀表，達王事而已矣。」孟子曰：『春秋，天子之事也。』遷之言蓋本諸此。夫平王東遷，周室雖微，而遺法尚存，是以禮樂征伐猶或有自天子出者；及齊桓主霸，天下宗齊，而禮樂征伐自諸侯出矣；溴梁之會，群臣主盟，而禮樂征伐自大夫出矣；陽貨作亂，季斯見囚，而禮樂征伐自陪臣出矣；此春秋之大勢，夫子之深憂而經不容以不作矣。若夫誅亂臣，討賊子，嚴內外，崇仁義，黜詐力，尊君卑臣，貴王賤霸，程子所謂『大義數十，炳如日星』者，此類是也。至若有功者或不錄，有罪者或見原；如齊桓違王志而會世子，反或許之；鄭文承王命而背首止，乃致譏焉；晉厲弒于臣而書國，蔡昭弒于臣而書殺；晉昭徵會，欲示威也，而或取其功；吳師從蔡，欲謀楚也，而或進其爵；桓公無王，定公無正，權衡獨裁於聖心，是非不徇84乎眾見，程子所謂『微辭奧義，時措從宜』者，此類是也。夫其炳如日星者，眾人可得而知矣；其時措從宜者，非深於道者，孰能識之哉？夫《春秋》感麟而作，曷託始於隱公元年邪？蓋以隱攝之初，正《雅》亡之時也，《雅》亡，則王法弛矣，故作《春秋》以寓王法，使為善者於焉而取則，為惡者於焉而知懼，誠經世之大典，百王之大法也，故曰：『撥亂世而反諸正，莫近諸《春秋》。』孟子曰：『王者之迹熄而《詩》亡，《詩》亡，然後《春秋》作。』正謂此耳。或曰：『仲尼之意發於《傳》，《左氏》詳於事，《公》、《穀》深於理，而又發揮於諸儒，大備於文定，《春秋》有傳矣，《紀愚》何為而作也？』曰：『今夫山，草木生之，而樵者不能以盡採；今夫水，魚鱉生焉，而漁者不能以盡取；聖言淵微，義理弘博，是以傳者雖多，而各有所得，探之益深，推之益廣，譬之飲河者，各充其腹而源不竭，此《紀愚》之所以作也。』其有未盡者，別為《或問》於後。愚也固陋淺薄，安敢擬於諸傳，亦以識其所得而已矣。」

【增補】〔補正〕〈自序〉內「遷曰：『周道廢，孔子知時之不用。』」，「道」下脫「衰」字；「時」當作「言」。（卷八，頁十五）

黃虞稷曰85：「金賢，字士希，江寧人。弘治壬戌進士，官給事中，以忤劉瑾，出為大名知府，徙延平，請老，歸。嘗曰：『聖人精蘊盡於《易》，而妙用見諸行事，則在《春秋》，學者不通《春秋》，終不達聖人之用。』遂取《三傳》及諸家之說，研究異同，發所未發，成《紀愚》十卷。」

【霖案】喬衍琯〈《經義考》所引《千頃堂書目》彙證〉云：「黃《目》『金氏賢』下有『或問百篇』，又『江寧人』作『其先本西域默伽國人，祖以進麒麟至，官鴻臚

---

82 「周道廢」，各本同，應依《補正》作「周道廢衰」。　　霖案：《經義考新校》頁3655校文，無「各本同」三字；「應依」改作「依」字；「《補正》」二字下，另有「《四庫薈要》本」；「作」改作「應作」二字。

83 「時」，各本同，應依《補正》作「言」。　　霖案：《經義考新校》頁3655校文，無「各本同」三字；「應依」改作「依」字；「《補正》」二字下，另有「《四庫薈要》本」；「作」改作「應作」二字。

84 「徇」，「四庫本」作「狗」。　　霖案：《經義考新校》刪除此篇校文。

85 霖案：黃虞稷《千頃堂書目》卷二，頁39著錄。

少卿，家于金陵。」又『弘治』上有『賢舉』二字。又『大名』下有『府』字。又無『嘗曰』以下五十五字。」（頁三一六）

徐氏泰《春秋鄙見》

佚。

俞汝言曰：「豐崖徐氏，海鹽人，弘治甲子舉人，光澤知縣。」

湛氏若水《春秋正傳》（明）

【增補】（大陸）《中山大學圖書館善本書目》頁二四著錄，另云「末附《春秋修後魯史舊文》、《答門人高簡春秋正傳辯疑》」，可為上述著錄之補充說明。

又根據清乾隆六年（１７９５）湛氏紅荔山房重刻本，湛若水有《答門人高簡春秋正傳辯疑》，則其門人高簡撰有《春秋正傳辯疑》一書，今據以補入。

三十七卷86。

【著錄】黃虞稷《千頃堂書目》卷二，頁三九、李一遜〈左氏春秋著錄書目研究〉頁一二六著錄。

存。

【版本及藏地】本書版本及藏地如下：

一、明嘉靖刻本：明湛若水撰《春秋正傳》三十七卷，十一行二十字小字雙行白口單魚尾左右雙邊，《中國古籍善本書目》（經部）頁二七七著錄，北京大學、北京故宮博物院、公安部群眾出版社等地均有藏本。

【增補】王重民：《中國善本書提要》曰：「【春秋正傳三十七卷附錄一卷】十二冊（《四庫總目》卷二十八）（北大）

明嘉靖間刻本〔十一行二十一字〕

明湛若水撰。卷內有：「寶書堂藏書印」等印記。

高簡序〔嘉靖十三年（一五三四）〕

自序〔嘉靖十一年（一五三二）〕」（頁二八）

二、文淵閣四庫全書本：(明)湛若水撰《春秋正傳》三十七卷，十八冊，《國立故宮博物院善本舊籍總目》，上冊，頁一〇四著錄，台北：故宮博物院有藏本。

【增補】永瑢等撰《欽定四庫全書總目》曰：「春秋正傳三十七卷87　禮部尚書曹秀先家藏本

86霖案：《經義考新校》頁3657新增校文如下：「『三十七卷』，文淵閣《四庫》本作『二十七卷』。」。

87霖案：原注云：按文淵閣庫書有附錄二卷，《總目》失載。

明湛若水撰。若水有《二禮經傳測》，已著錄。此書大旨以《春秋》本魯史之文，不可強立義例，以臆說汩之，惟當考之於事，求之於心，事得，而後聖人之心、《春秋》之義皆可得。因取諸家之說厘正之，其曰『正傳』者，謂正諸傳之謬也。其體例先引三傳，次列諸儒之言，而以己意為之折衷，頗與劉敞《權衡》相近。中間如論『隱公不書即位』，則謂：『以不報故不書，乃史之文，非夫子之所削。』論『宋公、陳侯、蔡人、衛人伐鄭』，則謂：『若以稱爵、稱人有褒貶，則人衛可矣。人蔡何為？其不人宋又何為？決非聖人之義。』其論『衛人立晉』，則謂：『衛人者，他國稱之之詞，諸說皆不足泥。』其論『滕侯卒』，則謂：『諸侯宜薨而書卒，或葬或不葬，皆魯史之舊，聖人無所加損。』論『宋公衛侯遇于垂』，則謂：『史因報而書之，聖人因史而存之。』前後議論，率本此意。《春秋》治亂世之書，謂聖人必無特筆於其間，亦不免矯枉過正。然比事屬辭，《春秋》之教，若水能舉向來穿鑿破碎之例，一掃空之，而核諸實事，以求其旨，猶說經家之謹嚴不支者矣。」（卷二十八，頁三六二）

【增補】邵懿辰撰、邵章續錄：《增訂四庫簡明目錄標注》卷三曰：「《春秋正傳》三十七卷，明湛若水撰。

明刊本，乾隆乙卯湛氏刊本。」（頁一一七）

三、清乾隆六年（１７９５）湛氏紅荔山房重刻本：明湛若水撰《春秋正傳》三十七卷，末附《春秋修後魯史舊文》、《答門人高簡春秋正傳辯疑》，十二冊，十行，二十一字，小字雙行，字數同，白口，左右雙邊，大陸：中山大學圖書館有藏本。

四、同治刊本：中國科學院有藏本。李一遂〈左氏春秋著錄書目研究〉頁一二六著錄。案：此本李一遂並未言明確切版本，今疑與臺灣大學所藏「清同治丙寅（五）年資政堂刊本《甘泉全集》本」，惜資料未全，無法確實考證，僅能略記其疑，以俟後考。

五、清同治丙寅(五)年資政堂刊本《甘泉全集》本：湛若水撰《甘泉全集》三種，20冊(4函) 27公分(20.3x14)，臺灣大學圖書館有藏本。

若水〈自序〉曰[88]：「《春秋》者[89]，聖人之心[90]也[91]。聖人之心存乎義，聖心之義存

---

[88] 霖案：孫承澤：《五經翼》卷十六,(《四庫全書存目叢書》經冊一五一),頁836-838。又湛若水,《春秋正傳.自序》(台北：臺灣商務印書館,「景印文淵閣四庫全書」冊一六七,民國七十五年三月,初版),頁39-41。

[89] 霖案:「《春秋》者」三字前,《春秋正傳.自序》原有「甘泉子曰:『《春秋》,聖人之刑書也。刑與禮,一出禮則入刑,出刑則入禮。禮也者理也,天理也,天理也者,天之道也,得天之道,然後知《春秋》。』等五十三字。又《五經翼》亦有如上之句,惟「聖人之刑書也」題作「聖人之書也」;而「一出禮則入刑」題作「一出禮則入」,省略二字。

[90] 霖案:「心」字下,應依《春秋正傳.自序》、《五經翼》補入「天之道也。而可以易言乎哉,然則聖人之心,則固不可見乎!夫子曰:『吾志在《春秋》』。」等三十一字。

乎事，《春秋》之事存乎《傳》。《經》92，識其大者也；《傳》93，識其小者也。夫《經》竊取乎得失之義，則孔子之事也；夫《傳》明載乎得失之迹，則《左氏》之事也。夫《春秋》者，魯史之文94也，謂95聖人96某字褒、某字貶，非聖人之心也97。知《春秋》98者莫99如孟子，孟子曰：『其100事則齊桓、晉文，其文則史，孔子曰：『其義則丘竊取之矣。』』夫其文則史，《經》之謂也；其事則齊桓、晉文，《傳》之謂也；合文與事，而義存乎其中矣，竊取之謂也。義取於聖人之心，事詳乎魯史之文101，後世102之言《春秋》者，謂字字而筆之，字字而削之，若然，烏在其為魯史之文哉103？惟104觀《經》以知聖人之取義，觀《傳》

91霖案：「也」字，當依《春秋正傳.自序》、《五經翼》刪去此字。

92霖案：「《經》」字前，當依《春秋正傳.自序》、《五經翼》補入「夫」字。

93霖案：「《傳》」字前，當依《春秋正傳.自序》、《五經翼》補入「夫」字。

94霖案：「文」字下，應依《春秋正傳.自序》、《五經翼》補入「而列國之報」等五字。

95霖案：「謂」字，當依《春秋正傳.自序》、《五經翼》作「乃謂」二字。

96霖案：「聖人」二字下，應依《春秋正傳.自序》、《五經翼》補入「拘拘焉」三字。

97霖案：「也」字下，應依《春秋正傳.自序》補入「然則所謂筆則筆，削則削者非歟？曰：『筆以言乎，其所書也，削以言乎，其所去也。昔夫子沒而微言湮，其道在子思。孟子親受業於子思之門人，得天之道，而契聖人之心者，莫如孟子，故後之」等七十二字。惟《五經翼》末三字「故後之」，漫漶不明，其餘諸字皆同，今據原書序文，可知此三字內容。

98霖案：「知《春秋》」三字，今本《五經翼》已漫漶不清，然《春秋正傳.自序》亦作「知《春秋》」三字，同於竹垞輯錄之文。

99霖案：「莫」字前，應依《春秋正傳.自序》、《五經翼》補入「亦」字。

100霖案：「其」字前，應依《春秋正傳.自序》、《五經翼》補入「晉之《乘》，楚之《檮杌》，魯之《春秋》，一也。」等十三字。

101霖案：「文」字下，應依《春秋正傳.自序》、《五經翼》補入「夫《春秋》，魯史之文，與晉之《乘》，楚之《檮杌》等耳。然而」等十九字。

102 霖案：「後世」二字之前，應依《春秋正傳.自序》補入「然而」二字。

103霖案：「哉」字下，應依《五經翼》補入「若是聖人之心亦淺矣！曰：『然則，所謂孔子作《春秋》而亂臣賊子懼。』曰：『知我者，其惟《春秋》乎？罪我者，其惟《春秋》乎？』夫子於《春秋》，果不作乎？曰：『非是之謂也』。夫所謂『作』者，筆而書之之謂也，其謂『知我罪我者』，我謂我眾人也，以言乎天下，後世之善惡者，讀《春秋》之所善，所惡若美我刺我然也。故曰『孔子成《春秋》而亂臣賊子懼，懼也者，知我罪我之謂也，若如後儒之說，則孟子自與其文則史之言，前後相矛盾矣。不亦異乎？或曰『《經》為斷案然歟？』曰『亦非也。』竊取之意，存乎《經》《傳》，以《傳》實《經》，而斷案見矣。譬之今之理獄者，其事其斷，一一存乎案矣？聖人之《經》，特如其案之標題云『某年某月某人某事』云爾。其或間有本文，見是非者，如案標題云：『某是非勝負』云爾。然亦希矣。而其是非之詳，自見於案也。』等二百六十四字。又《

以知聖人所以取義之指，夫然後聖人之心可得也[105]。惜也魯史之文，世遠而久湮，《左氏》之傳事，實而未純，其餘[106]多相沿襲於[107]義例之文[108]，而不知義例非聖人立[109]，《公》、《穀》[110]之屬階也[111]。是故治《春秋》者，不必泥之於《經》而考之於事，不必鑿之於文而求之於心[112]，事得而後[113]聖人之心、《春秋》之義可得矣。予生千載之下，痛斯經之無傳，諸儒又從而紛紛，各以己見臆說而汨之，聖人竊取之心、之義遂隱而不可見。於是[114]取諸家之說而釐正焉，去其穿鑿而反諸渾淪，芟其繁蕪以不汨其本根，不泥夫《經》之舊文，而一證諸《傳》之實事，聖人竊取之心，似若洞然復明，如披雲霧而覩青天也[115]。名曰《春秋正傳》，夫《正傳》云者，正諸《傳》之謬，而歸之正也。」

　　高簡〈序〉曰[116]：「《春秋正傳》[117]之作，其有憂乎？昔者仲尼慨道不行於天下，而

　　五經翼》所引之文，率皆同於《春秋正傳・自序》之文，惟「所惡若美我刺我然也」一句，題作「惡惡若美刺我然也」，文句微有不同。

104霖案：「惟」字，應依《春秋正傳・自序》、《五經翼》作「故」字。

105霖案：「也」字下，應依《春秋正傳・自序》、《五經翼》補入「紫陽朱子曰：『直書其事而善惡自見，此其幾矣。』」等十八字。

106霖案：「餘」字下，應依《春秋正傳・自序》、《五經翼》補入「皆多臆說耳。自三氏、百家以及胡氏之《傳》」等十六字。

107　霖案：「於」字，《春秋正傳・自序》作「于」字。

108霖案：「文」字，應依《春秋正傳・自序》、《五經翼》作「蔽」字。

109霖案：「立」字下，應依《春秋正傳・自序》、《五經翼》補入「也」字。

110霖案：「《穀》」字下，應依《春秋正傳・自序》、《五經翼》補入「穿鑿」二字。

111霖案：「也」字下，應依《春秋正傳・自序》、《五經翼》補入「其於聖人之心，魯史之舊，其有合乎？」等十三字。

112霖案：「心」字下，應依《春秋正傳・自序》、《五經翼》補入「大其心以觀之」等六字。

113霖案：「後」字，《五經翼》作「后」字。又《春秋正傳・自序》作「後」字。

114霖案：「於是」二字，當依《春秋正傳・自序》改作「故象山陸氏曰『後世之論《春秋》者，多如法令，非聖人之指也。』又曰『諸儒說《春秋》之謬，尤甚於諸《經》，蓋有以見此矣。』後之學者，欲治《春秋》，明王道，正人心，遏讒邪，禁亂賊，以泝大道之源，必於紀事之傳焉，核實而訂正之可也。水也，從事於斯有年矣，求《春秋》之指，聖人之心，若有神明通之，粗有得焉，而未敢自信，嘆其《傳》之不全，獨遺憾於千載之下。」等一百三十三字。而《五經翼》之引文，大抵同於《春秋正傳・自序》之文，惟於「象山陸氏曰」一句，題作「象山曰」，無「陸氏」二字。又「粗有契焉」題作「麤有契焉」。

115霖案：「也」字下，應依《五經翼》補入「幸與天下後世學者共商之」等十一字。

116　霖案：湛若水《春秋正傳》，高簡〈春秋正傳序〉（臺北：臺灣商務印書館，「景印文淵閣四庫全書」冊一六七，民國七十五年三月，初版），頁38-39。

文、武之法廢，是故援魯史而直書[118]，使後[119]之覩之者得考其善惡是非，以為永鑒[120]，其為心固渾乎其天，而皎乎其日月也。乃[121]義例興而諸《傳》出焉，《春秋》[122]之學殆[123]若法家者流，鍛鍊刻深而莫知所紀極也。間有明焉者，則又通諸此，而彼或窒焉；至於所謂進退予奪之類，以為盡由孔子，害義尤甚，故眉山蘇氏不得其說而強歸諸魯，其亦覺乎此矣。甘泉先生憂聖人之心之弗明也，乃[124]即其書法而表章之，一本諸孟子，正諸《傳》之誤，兼采其長[125]，以其灑然平易之心而契之，故聖人取義之志躍如於前而不可掩。諸儒非不有其心也，而義例拘焉，或有非聖人之義者矣。簡[126]得先生所述而讀之，始覺吾心豁然開朗，絕無瑕翳[127]，爰與同門江都沈汝淵氏參詳讎[128]校[129]，而[130]卞萊者[131]，亦先生門人，遂捐貲刻之以傳。[132]」

【增補】黃虞稷《千頃堂書目》卷二曰：「以正諸傳之謬，而歸之正，故曰《正傳》」（頁三九）。

劉氏節《春秋列傳》（明）

【作者】張壽平《公藏先秦經子注疏書目》頁一四二著錄，作者題為「明劉節重編，

117　霖案：「《春秋正傳》」四字之前，應依高簡〈序〉補入「夫」字。

118　霖案：「書」字之下，應依高簡〈序〉文補入「以昭揭之」四字。

119　霖案：「後」字，高簡〈序〉文作「后」字。

120　霖案：「鑒」字之下，應依高簡〈序〉文補入「焉耳」二字。

121　霖案：「乃」字，高簡〈序〉文作「迺」字。

122　霖案：「《春秋》」二字之前，應依高簡〈序〉文補入「而後」二字。

123　霖案：「殆」字，應依高簡〈序〉文改作「始」字。

124　霖案：「乃」字，高簡〈序〉文作「迺」字。

125　霖案：「長」字下，應依高簡〈序〉補入「而後聖人之心，千載之下，昭乎如日中天，自有《春秋》以來，未見其盛焉者也。蓋先生」等三十二字。

126　霖案：「簡」字下，應依高簡〈序〉補入「自家食時，每讀是經，苦諸傳之紛紛也，而思未有以正之者，積恨有年矣，迺今」等三十字。

127　霖案：「翳」字下，應依高簡〈序〉補入「如親覩洙泗，而挹聖範焉，於乎盛哉。」等十四字。

128　霖案：「讎」字，高簡〈序〉題作「讐」字。

129　霖案：「校」字下，應依高簡〈序〉補入「將圖刻之」等四字。

130　霖案：「而」字下，應依高簡〈序〉補入「未有貲也，迺吾徒」等七字。

131　霖案：「者」字，高簡〈序〉無此字，當據以刪正。

132　霖案：「傳」字下，應依高簡〈序〉補入「夫天下後世讀《春秋》而不得其心者，苟不以予言為然，蓋自反其初心，而契乎聖心，則《正傳》之說，人人具足，固非先生所得而益之也。簡不佞，願與四方同志共講焉。嘉靖甲午歲秋七月穀旦門人西蜀高簡謹序」等字。

周瑯校」。

五卷。

【著錄】黃虞稷《千頃堂書目》卷二，頁三九、張壽平《公藏先秦經子注疏書目》頁一四二著錄。

【卷數】黃虞稷《千頃堂書目》卷二，頁三九著錄，注曰：「一作八卷」。

存。

【版本及藏地】本書版本及藏地如下：

一、明刻本：明劉節撰《春秋列傳》五卷，十行二十一字，白口，四周單邊。書口下鐫段蕚刻工姓名。四冊。台灣中研院史語所、長春東北師範大學圖書館、寧波天一閣有藏本。

【增補】《中央研究院歷史語言研究所善本書目》曰：「《春秋列傳》五卷四冊　明劉節重編　周瑯校　明刊本。」（頁一〇）

【增補】《東北師範大學圖書館藏古籍善本書目解題》云：「是編取《春秋內外傳》所載列國諸臣，類次行事，各為之傳，始祭公謀父，終蔡朝吳，凡二百有二人。全本舊文，無所考證，鄒縣潘榛為之訓釋，亦頗疏略。

劉節：明，太庾人，字介夫。弘治進士，歷任浙江左布政使，仕至刑部侍郎。有《廣文選》、《梅國集》、《寶制堂錄》等書。」（頁二九）

【增補】駱兆平《天一閣訪歸書目》曰：「《春秋列傳》五卷　　明劉節重編。明刻本，四冊。據阮元編《天一閣書目》記載，卷首鈐有『崑崙山人』，『范伯子子受』二印章。今此書卷首缺頁，印章不見。（1955年11月購回）（頁一五六）

二、明嘉靖刻本：浙江圖書館有藏本，見於李一遜〈左氏春秋著錄書目研究〉頁一一二。

三、四庫全書存目叢書據北京大學圖書館藏明刻本影印：劉節撰《春秋列傳》五卷，臺南縣：莊嚴文化事業有限公司1996年影印出版，面542至頁737，台北：國家圖書館有藏本。

四、明萬曆己卯(7年,1579)屠安民等趙州刊本：劉節撰《春秋列傳》八卷，台北：國家圖書館藏有一部，有微捲。　朱筆點校。　正文卷端題「春秋列傳卷一　錫山錢普以德校閱　關中劉士忠純卿同校」。　序：「春秋列傳序　丘九礽序」、「重刻春秋列傳序　萬曆己卯長至之吉關中劉士忠純卿甫書于恆陽公署」。　9行，行21字．左右雙欄．版心白口，單黑魚尾．下方記刻工名「敬、大坤(或作坤)、學、車、大、見、斗、文、言、人、時仲(或作仲)、才、申、苟、邰等」。　藏印：「國立中央圖/書館收藏」朱文長方印、「積學齋徐乃昌藏書」朱文長方印。8 冊；(匡 19x14.1 公分)8 v. ; (frame 19 x 14.1 cm.)。

又台北：國家圖書館另藏有一部。　正文卷端題「春秋列傳卷一　錫山錢普以德

校閱　關中劉士忠純鄉同校」。　序:「春秋列傳序　丘九仞序」、「重刻春秋列傳序萬曆己卯長至之吉關中劉士忠純卿甫書于恆陽公署」。　9行，行21字. 左右雙欄. 版心白口，單黑魚尾.下方記刻工名「敬、大坤(或作坤)、學、車、大、見、斗、文、言、人、時仲(或作仲)、才、申、苟、部等」。　藏印:「國立中央圖/書館收藏」朱文長方印、「吳印/重熹」白文方印、「中/惲」朱文方印、「石蓮闇/所藏書」朱文方印。8 冊 ; (匡 19x14.1 公分)8 v. ; (frame 19 x 14.1 cm.)。

五、明萬曆乙酉(13 年,1585)大梁書院刊本: 劉節撰《春秋列傳》八卷，台北: 國家圖書館有微捲。　墨筆批校。　正文卷端題「春秋列傳卷一　大庾劉節介夫重編　關中劉士忠純卿校閱」。　序:「萬曆乙酉... 劉士忠書於大梁思補軒」。　跋:「後序　東萊見田趙燿書於大梁敬業堂」。　9行，行21字. 單欄. 版心白口，單黑魚尾. 下方記刻工名「臣、明、一科、夏、汝、仁、義、平、秋、譚坤(或作坤)、子春、一選(或作選)、潘宗貴(或作貴)、登、李一德(或作德)、劉一魁、忠、子仁、胡、安、顏、賓、川、谷、告、虎、富、召、三、西、顯、雷、書、倉、寶、小、松、李、陳世隆(或作隆)、譚秀(或作秀)、冬、同、科、良等」。　藏印:「東山/逸樵」朱文方印、「文/樸」朱文方印、「國立中央圖/書館收藏」朱文長方印。16 冊 ; (匡 20.5x15.2 公分)16 v. ; (frame 20.5 x 15.2 cm.)。

又台北: 國家圖書館另有一部。　朱筆點校。　正文卷端題「春秋列傳卷一　大庾劉節介夫重編　關中劉士忠純卿校閱」。　序:「萬曆乙酉... 劉士忠書於大梁思補軒」。　跋:「後序　東萊見田趙燿書於大梁敬業堂」。　9行，行21字. 單欄. 版心白口，單黑魚尾. 下方記刻工名「臣、明、一科、夏、汝、仁、義、平、秋、譚坤(或作坤)、子春、一選(或作選)、潘宗貴(或作貴)、登、李一德(或作德)、劉一魁、忠、子仁、胡、安、顏、賓、川、谷、告、虎、富、召、三、西、顯、雷、書、倉、寶、小、松、李、陳世隆(或作隆)、譚秀(或作秀)、冬、同、科、良等」。　藏印:「國立中央圖/書館收藏」朱文長方印、「王氏二十八宿研/齋祕笈之印」朱文長方印、「恭/綽」朱文方印、「遐庵/經眼」白文方印、「玉父」白文長方印。8 冊 ; (匡 20.5x15.2 公分)8 v. ; (frame 20.5 x 15.2 cm.)。

【增補】《續修四庫全書總目提要》:「春秋列傳八卷　萬曆七年重刊本　　　張壽林

　　明劉節撰。劉節字梅國。江西大庾人。弘治進士。累官至司寇之職。是編前有貴谿丘九仞序。及萬曆己卯關中劉士忠重刻序。按清朱彝尊經義考春秋類第三十三著錄是編。作五卷。此本則釐為八卷。意者或士忠重刻時之所分歟。又據士忠重刻序云。劉公為是編。凡三閱歲始成。綱分彙粹。蒐逸舉要。人以國從。事以人見。知劉氏之於此書。蓋用力甚勤。今考其書。傳始周富辰。迄於蔡朝英。凡一百九十七人。各以國從。計第一卷為周。自富辰以下。凡十有五人。第二卷為魯。自眾仲以下。凡二十有九人。第三卷至第四卷為晉。自師服以下。凡五十有三人。第五卷為鄭。自祭足以下。凡十有一人。為衛。自石碏以下。凡十有三人。第六卷為宋。自公子目夷以下。凡十有一人。為秦自百里奚以下。凡六人。為齊。自管敬仲夷吾以下。凡有六人。第七卷為楚。自　伯比以下。凡二十有二人。第八卷為楚。自得臣以下凡六人。為吳。

自季札以下凡六人。為越。凡大夫文種范蠡二人。為陳。凡洩冶一人。為虞。凡宮之奇一人。為隨。凡季梁一人。為曹。凡僖負羈。曹子臧二人。為蔡。凡聲干。朝吳二人。按紀傳之體。創自史遷。然春秋自管晏伍胥而外。他無與焉。夫春秋二百四十二年。人臣之賢愚得失。其事多可紀者。左氏之書。雖傳之已詳。惟事以附年。年以附國。往往一人之事。而終始懸隔。非竟一篇。不能全悉。此劉氏是編之所由自作也。其書大抵本之左氏。參之國語。兼采先秦兩漢。及灤城夾澄之書。互相考訂。該括無遺。古者稱謂。或以名。或以字。或以爵。或以封邑。讀者苟不悉心考訂。輒茫然不能得其解。此傳於諸人姓氏爵里。生平事蹟。莫不備載。稽其履歷。則姓氏封爵。可以不爽。詳其生平。則是非褒貶。可以無失。其著述之功。誠足補三傳之所不及矣。」（頁七四三）

六、明萬曆戊申(36年,1608)潘氏廬州刊本 ：劉節編《增釋春秋列傳》五卷，台北：國家圖書館藏有一部，正文卷端題「增釋春秋列傳卷之一 大庾劉節介夫纂輯 嶧山潘榛茂昆校定」。 序：「萬曆戊申秋七月嶧山潘榛序」、「萬曆戊申夏合肥竇子儕序」。 跋：「萬曆戊申秋郡訓桐城方學御跋」。 10行，行20字. 註文小字雙行，字數同. 左右雙欄. 版心白口，單黑魚尾. 上方記「春秋列傳」。。 藏印：「國立中央圖/書館收藏」朱文長方印、「王氏二十八宿研/齋祕笈之印」朱文長方印、「恭/綽」朱文方印、「遐庵/經眼」白文方印、「玉父」白文長方印，6冊；(匡21.3x14公分)6 v.; (frame 21.3 x 14 cm.)。

又台北：國家圖書館另藏一部，有微捲 。 序：「萬曆戊申秋七月嶧山潘榛序」、「萬曆戊申夏合肥竇子儕序」。 跋：「萬曆戊申秋郡訓桐城方學御跋」。 正文卷端題「增釋春秋列傳卷之一 大庾劉節介夫纂輯 嶧山潘榛茂昆校定」。 10行，行20字. 註文小字雙行，字數同. 左右雙欄. 版心白口，單黑魚尾. 上方記「春秋列傳」。。 藏印：「國立中央圖/書館收藏」朱文長方印、「王氏二十八宿研/齋祕笈之印」朱文長方印、「恭/綽」朱文方印、「遐庵/經眼」白文方印、「玉父」白文長方印，12冊；(匡21.3x14公分)12 v.; (frame 21.3 x 14 cm.)。

邱九仞〈序〉[133]曰：「春秋[134]二百四十二年之間，人臣之賢否得失[135]詳矣，然事以附年，年以附國，未及夫人為之傳也，至子長《史記》，則稍為之傳矣，未之能詳也。自是古史諸書亦踵為之，大率子長之緒餘耳。獨鄭樵氏《通志》始為加詳，然亦未盡也。況繁蕪冗穢，紀載無倫；或主魯史，以例列國；或雜寓言，以淆真實；甚者齊、宋大國闊略[136]無徵，

133霖案：明劉節撰《春秋列傳》〈丘九仞序〉(《四庫全書存目叢書》史部冊八九，頁542-543。)，原序文作者為「丘九仞」，而竹垞題作「邱九仞」。

134霖案：「春秋」二字前，當依《春秋列傳》補入「夫」字。

135霖案：「失」字下，應依《春秋列傳》補入「《左傳》」二字。

136霖案：「略」，《春秋列傳》作「畧」。

柳下[137]、百里之賢特以附見,其繆陋[138]可見矣[139]。今觀[140]梅國劉公之為是書,本之《左氏》,參之《國語》,兼采夫先秦、兩漢諸書,互相考訂,該括不遺,凡其善可師,其惡可鑒,與夫一言一行之微,苟可以風天下、示[141]來世者,莫不昭然可指。其事核,其文蔚,千載之下,使人企跡先民,若將物色髣髴而歆畏存焉,其著述之功,真足以補史氏[142]所未及矣[143]。」

　　潘榛〈序〉曰:「列傳之體,創自太史氏,然春秋大夫自管、晏、伍胥而外無與焉,他亡論矣。如柳下惠、臧文仲、子產、子文、百里、狐趙諸人,豈即減於管、晏者,而概不為傳,得無疏乎?或曰:『《左氏》傳之已詳。』然《左氏》編年為例,杜元凱以為必原始要終,優游[144]饜飫,然後為得,則亦安能使學之者盡如彼其癖也?余弱冠受左氏,逮強仕,猶未得其要領,守廬之暇,得劉君所為[145]《春秋列傳》,讀而心好之;顧是書歲久譌[146]亂,於是更為繕寫,梓既成,進諸生而語之,曰:『古者稱謂或以名,或以字,或以爵,或以封邑,讀者不悉心考之,茫然莫解,讀此《傳》而諸人履歷可不爽也。又諸人事錯見於《傳》,《左氏》每一事輒附以君子之評,褒貶未歸於一,讀此《傳》則生平畢備,以定褒貶,可無失也。又諸國散亂無統,興亡之故漫焉難考,讀此傳則國之興以若而人、廢以若而人,其間政治得失、風俗好尚,可統觀也。』諸生唯唯,遂書之簡端。」

　　【增補】〔補正〕潘榛〈序〉內「優游饜飫」,「游」當作「柔」。(卷八,頁十五)

魏氏挍[147]《春秋經世書》(明)

　　【作者】黃虞稷《千頃堂書目》卷二,頁三九、《中國古籍善本書目》(經部)頁二

137霖案:「柳下」,應依《春秋列傳》作「下惠」。

138霖案:「陋」字下,應依《春秋列傳》補入「亦」字。

139霖案:「矣」字下,應依《春秋列傳》補入「尚容取乎」四字。

140霖案:「今觀」二字,應依《春秋列傳》作「予觀夫」三字。

141霖案:「示」字前,應依《春秋列傳》補入「與」字。

142霖案:「氏」字下,應依《春秋列傳》補入「之」字。

143霖案:「矣」字,應依《春秋列傳》作「也」字。又「也」字下,另有「尚得而誣之哉?公經綸蘊藉,肆於事業,而勤學博物,敦古無倦,蓋儒者雋也。今聖天子大倡斯道,以新天下,以敦洽文明文化,則公將晉陟大廷,左右承弼,以自効夫股肱耳目之力,將亦有考於斯云。賜進士出身南京禮科給中貴谿丘九㘅書」等九十五字,竹垞　刪去不錄,今據以補入。

144「游」,各本同,應依《補正》作「柔」。　　霖案:《經義考新校》頁3659校文,無「各本同」三字;「應依」改作「依」字;《補正》二字下,另有「《四庫薈要》本」;「作」改作「應作」二字。

145霖案:《經義考新校》頁3659新增校文如下:「『為』,《四庫薈要》本作『謂』字」。

146霖案:《經義考新校》頁3659新增校文如下:「『譌』,文津閣《四庫》本作『訛』」。

147「挍」,各本同,應依〈校記〉作「校」。　　霖案:《經義考新校》頁3660校文,無「各本同」三字;「應依」改作「依」字;「作」改作「應作」二字。

七七著錄，作者均題作「魏校」，「挍」、「校」形近而誤。

【書名】《中國古籍善本書目》（經部）頁二七七錄作《春秋經世》。又《四庫全書存目叢書》經部‧冊一一七，錄及此書，書名正作「《春秋經世》，而非「《春秋經世書》」，則竹垞擅加一「書」字也。

二卷。

【著錄】黃虞稷《千頃堂書目》卷二，頁三九著錄。

【卷數】《中國古籍善本書目》（經部）頁頁二七七錄作「不分卷」。又北京圖書館藏明嘉靖王道行刻本，僅存一卷。

【增補】永瑢等撰《欽定四庫全書總目‧存目》曰：「春秋經世一卷[148]　安徽巡撫採進本

明魏校撰。校有《周禮沿革傳》，已著錄。是編名『春秋經世』者，蓋取《莊子》『春秋經世先王之志』語也。所注惟隱公一卷，其注多從《左氏》。然如『公矢魚于棠』全錄臧僖伯諫詞，惟移傳末『非禮也』、『且言遠地也』二句於傳首，此亦何需校之、鈔錄耶？間有自出新意者，如謂『紀子伯、莒子盟於密』，當作『紀侯子帛』，以『子帛』為紀侯之名，又謂『挾卒』乃異姓之卿，則又皆杜撰之談矣。」（卷三十，頁三八七）

【增補】〔校記〕「挍」當作「校」，《四庫存目》作《春秋經世》一卷。（《春秋》，頁五一）

存。

【版本及藏地】本書版本及藏地如下：

一、明抄本：明魏校撰《春秋經世》不分卷，重慶市圖書館有藏本。

二、明嘉靖王道行刻莊渠先生遺書七種本：明魏校撰《春秋經世》一卷，北京圖書館有藏本。

三、《四庫全書存目叢書》影明嘉靖王道行刻莊渠先生遺書七種本：明魏校撰《春秋經世》一卷，北京圖書館藏本，《四庫全書存目叢書》經部冊一一七，頁二一二。

挍[149]〈自序〉曰[150]：「《春秋》，魯之策書也，其法受之周公，自伯禽撫封於魯，迄於頃公而魯亡者，國史舊文也；斷自隱公為始，絕筆於獲麟，此則孔子所修，後世尊而為經

148霖案：原注云：按：此書收入魏校《莊渠先生遺書》，今北大、上海館藏明太原王道行刊本。

149「挍」，各本同，應依〈校記〉作「校」。

150 霖案：魏校，《春秋經世》（《四庫全書存目叢書》經部，冊一一七），頁212。竹垞題作「〈自序〉」，惟此文之前，未題有〈序〉，是則竹垞以意定之也。

者也。孔子所為修《春秋》者，明王不興，三綱五常大墜[151]於地，是故撥亂世而反之正，垂[152]百王，其名曰史，其實固夫子之政經也。」

張氏邦奇《春秋說》

　　一卷。

　　　　【著錄】黃虞稷《千頃堂書目》卷二，頁三九著錄。

　　存。

　　　　【存佚】本書久未見傳本，今暫判為「佚」，以俟後考。

卷二百一　春秋三十四經義考卷二百一春秋三十四

呂氏柟《春秋說志》（明）

五卷。

【著錄】黃虞稷《千頃堂書目》卷二，頁三九著錄。

【增補】永瑢等撰《欽定四庫全書總目·存目》曰：「春秋說志五卷[1]　浙江吳玉墀家藏本

明呂柟撰。柟有《周易說翼》，已著錄。柟所著他書，率篤實近理，惟此書務為新說苛論。凡所譏刺[2]，皆假他事以發之，而所書之本事反置不論。如以『公及邾儀父盟於蔑』、『祭伯來』、『公及戎盟於唐』、『鄭人伐衛』、『衛人殺州吁』，皆為平王之罪。又如『叔孫豹卒』，謂經不書餓死，乃為賢者諱。謂『郯子來朝』，以其知禮錄之。大抵持論[3]迂刻，不近情理。至謂書『季孫意如之卒』，為見天道之左，則聖人并怨天矣，其失不止於穿鑿也。」（卷三十，頁三八七）

存。

【版本及藏地】本書版本及藏地如下：

一、明嘉靖三十二年謝少南刊本涇野先生五經說之一：(明)呂柟撰《春秋說志》五卷，一冊，《國立故宮博物院善本舊籍總目》，上冊，頁一〇四著錄，台北：故宮博物院有藏本。

二、清光緒二十二年長沙胡元堂刊惜陰軒叢書之一：(明)呂柟撰《春秋說志》五卷，《國立故宮博物院善本舊籍總目》，上冊，頁一〇四著錄，台北：故宮博物院有藏本。

二、叢書集成本：明呂柟撰《春秋說志》五卷，馬來西亞大學圖書館有藏本（二部）。

三、民國五十八年(1969)藝文印書館百部叢書集成初編影印本：(明)呂柟撰《春秋說志》五卷，台北：國家圖書館有藏本。

江氏曉《春秋補傳》

五卷。

【著錄】黃虞稷《千頃堂書目》卷二，頁三九著錄。

1霖案：原注云：按：此書收入呂柟《呂涇野五經說》，今上海師大館藏清嘉靖三十二年謝少南刊本。又《叢書集成初編》、《惜陰軒叢書續編》亦收有此書。

2霖案：原注云：「刺」，底本作「則」，據浙、粵本改。

3霖案：原注云：「持論」，浙、粵本作「褒貶」。

【卷數】黃虞稷《千頃堂書目》卷二，頁三九、《明史志》均作「十五卷」。

【增補】〔補正〕《明史志》作「十五卷」。（卷八，頁十六）

未見。

【霖案】本書未見其他傳本，當已久佚。

《杭州府志》4：「曉，仁和人，正德戊辰進士，歷官工部右侍郎，贈尚書。」

鍾氏芳《春秋集要》

二卷。

【著錄】黃虞稷《千頃堂書目》卷二，頁三九著錄。

【卷數】永瑢等撰《欽定四庫全書總目·存目》題作「十二卷」，是則竹垞根據黃虞稷《千頃堂書目》所錄，題作「二卷」者，當為殘本。

【增補】永瑢等撰《欽定四庫全書總目·存目》曰：「春秋集要十二卷　　浙江巡撫採進本

明鍾芳撰。芳字仲實，瓊山人。正德戊辰進士，官至戶部左侍郎。是書以『集要』為名，故文殊簡略。中間如謂『春王正月』為建子；謂桓公三年書『有年』，非紀異；謂襄公二十八年書『衛侯衎』，非俟其改過；謂昭公元年書『敗狄大鹵』，非譏毀車崇卒。與胡《傳》異者，不過數條，餘大抵依回5其說。甚至如僖公二十七6年滅項，胡《傳》誤以為季孫者，亦因仍不變，無所短長。又多採董仲舒、劉向、劉歆災異之說，穿鑿事應。至以宣公八年之大旱，為十五年稅畝之由，事在七年之後，而應在七年之前，尤為乖謬。其採用《公》、《穀》月日之例，既多附會，而採用《左傳》，尤無體例。其最甚者，莊公二十年『陳殺公子御寇』下，忽注『晉獻公患桓莊之族偪，而士蒍譖去之』十五字；僖公二十二年『宋公伐鄭』下，忽附錄『被髮而祭於野，夷俗皆然』十字；二十三年『楚人伐陳』下，忽附錄『男女同姓，其生不蕃』八字，此類不可殫數。其採用左氏義者，襄公四年『叔孫豹如晉』下，惟辨古自歌、工歌二義；僖公九年『會於葵丘』下，責宰孔不當阻晉侯；成公五年『梁山崩』下，責伯宗之攘善，亦皆與經義渺不相關。陳烈序乃稱其『擴前人之所未發』，過矣。」（卷三十，頁三八七）

【增補】〔補正〕今傳鍾芳《春秋集要》十二卷，此作二卷，與《明史·藝文志》同。（卷八，頁十六）

未見。

4霖案：四庫：參考《總目》卷一七七（許水部稿題解）；廣西通志67-34葉，欽定續文獻通考192-37葉。又《杭州府志》有成文出版社之本。

5霖案：原注云：「回」，底本作「違」，據浙、粵本改。

6霖案：原注云：「二十七年」，浙、粵本作「二十七年夏」。

【存佚】《四庫存目》錄有此書，是則竹垞當日，是書仍有存本，只是未見其書，當據以改作「存」。

【增補】〔校記〕《四庫存目》著錄作十二卷。（《春秋》，頁五一）

胡氏纘宗《春秋本義》

十二卷。

【著錄】黃虞稷《千頃堂書目》卷二，頁四○著錄。

未見。

【霖案】本書未見其他傳本，當已久佚。

王氏崇慶《春秋斷義》

【書名】黃虞稷《千頃堂書目》卷二，頁四○、萬斯同《明史》卷一三三；張廷玉《明史》卷九十六著錄，書名題作《春秋析義》，而竹垞撰書之時，多根據《千頃堂書目》而來，是以此書應題作「《春秋析義》，但是《中國古籍善本書目》（經部）頁二七七著錄此書，仍題作「《春秋斷義》」，且不分卷，由於其書版本作「明萬曆二十四年董漢儒刻五經心義本」，顯然此書或作「《春秋斷義》」，或作「《春秋析義》」，或許為一書而異名。

一卷。

【著錄】黃虞稷《千頃堂書目》卷二，頁四○著錄。

【卷數】黃虞稷《千頃堂書目》卷二，頁四○著錄，卷數題為「二卷」。

【增補】〔補正〕《明史志》「斷義」作「析義」，「一卷」作「二卷」。（卷八，頁十六）

存。

【版本及藏地】本書版本及藏地如下：

一、明萬曆二十四年董漢儒刻五經心義本：明王崇慶撰《春秋斷義》不分卷，十行廿一字白口四周單邊，《中國古籍善本書目》（經部）頁二七七著錄，北京圖書館有藏本。

崇慶〈自序〉曰：「昔者吾聞諸夫子曰：『吾行在《孝經》，志在《春秋》。』而孟子推廣仲尼，則又曰：『其事則齊桓、晉文，其文則史，其義則丘竊取之。』吾是以知《春秋》聖人之心經也，因史而寓吾義焉爾也。然而聖人之義存乎取舍，聖人之取舍存乎是非，是故是非之來無恆，而後吾之取舍應焉，而何嘗有心於其間也？如此，則聖人可窺，後人之鑿可惡也矣。今夫人倫莫大乎君臣、父子、夫婦、長幼、朋友，始終莫大乎冠、昏、喪、祭、弔、

賵、殯、葬，交際莫大乎朝覲、會同、盟誓、聘問，內外莫大乎中國、四裔[7]，潤色戡定莫大乎禮樂、征伐，省咎反躬莫大乎時之災祥、民之向背，巡行莫大乎省方、田狩，然而莫不有先王之法在焉。夫法，天之理也，人之紀也，不可亂也。理悖而紀亂，人之心滅矣，吾乃今然後知仲尼之悲周也。夫悲周因之於魯，探其原也，是故言魯所以正列國也，舉列國所以例魯也，又從而參之周，所以互見也，為無窮防也。仲尼取舍之義微矣；然而《經》者，綱也，史之文也，有筆削焉；《傳》者目也，列國之事也，聖人取舍之心行乎其中矣。而謂字字而褒、字字而貶，豈所以論聖人也哉？故善觀《春秋》者必以《傳》，善觀《傳》者必以理、必自平心易氣始，平心易氣者必自無欲始。仲尼復起，必從吾言矣，作《春秋斷義》。嘉靖戊戌。」

楊氏慎《春秋地名考》（明）

【書名】本書異名如下：

一、《春秋左傳地名考》：杜信孚等編纂《同名異書匯錄》頁一三九、李一遂〈左氏春秋著錄書目研究〉頁一〇六著錄。

二、《春秋地名攷》：黃虞稷《千頃堂書目》卷二，頁四〇著錄。

【增補】明萬曆刊本太史升菴文集卷四十三有楊慎《春秋說》，《國立故宮博物院善本舊籍總目》，上冊，頁一〇四著錄，竹垞未錄此書，當據以補入。

一卷。

【著錄】黃虞稷《千頃堂書目》卷二，頁四〇著錄。

未見。

【存佚】本書《八千卷樓書目》著錄，當改注曰「存」

【版本及藏地】本書版本及藏地如下：

一、明楊金吾、楊宗吾刻本：明楊慎撰，《春秋左傳地名考》一卷，附「《大明清類天文分野書》一卷」，九行十九字白口四周雙邊，南京圖書館有藏本。

二、升庵雜著本：日本尊經閣文庫藏，李一遂〈左氏春秋著錄書目研究〉頁一〇六著錄。

【增補】〔校記〕丁氏《八千卷樓書目》著錄。（《春秋》，頁五一）

三、明萬曆刻升菴遺集本：明楊慎撰《春秋左傳地名考》一卷。

【增補】《續修四庫全書總目提要》：「春秋左傳地名考一卷附錄一卷　明萬曆刻升菴遺集本　楊鍾羲

明楊慎撰。慎字用修。新都人。正德辛未賜進士第一。授翰林修撰。以議大禮。

7霖案：《經義考新校》頁3663新增校文如下：「『裔』，文津閣《四庫》本誤作『方』字。」。

仗諡永昌。天啟初追諡文憲。左傳杜注。於一地二名。二地一名。辨之為詳。初據晉泰始官司空圖。及江表平荊揚徐三州。改用新貢籍以求審。世儒尊杜氏者。謂其精於地理。錢大昕嘗攷鄭伯克段于鄢。當為陳留之偽。而杜以潁川之鄢陵當之。楚靈王城陳蔡葉不羹。故子革稱四國。杜本脫葉字。乃分不羹為二以當之。同盟京城北。京即叔段所封。而杜　為亳。防門廣里皆齊地。與平陰相近。而杜亦不知。左氏之學。地理為重。可以驗當時列國之疆域。及會盟侵伐之迹。得其方向道里。近人高顧江沈。各有專書。慎此書摘取杜注。不列國名。不序十二時代。不列經文傳文。考正寥寥。遠出劉城春秋地名錄之下。如哀元年敗越于夫椒。注云。夫椒吳郡吳縣西南太湖中椒山。是役也。吳報攜李之敗。加兵于越。而乃取勝于境內之地。如越來侵伐者然。慎亦無所辨訂。附錄多於春秋地名無關。蓋隨手集錄。姑備記誦。非已成之書也。」(頁六八〇)

四、明刊本：杜信孚等編纂《同名異書匯錄》頁一三九著錄，此本未錄確切版本，今暫列於此。

【增補】〔校記〕丁氏《八千卷樓書目》著錄。（《春秋》，頁五一）

余氏本《春秋傳疑》

一卷。

【著錄】黃虞稷《千頃堂書目》卷二，頁三十八著錄

未見。

【霖案】本書未見其他傳本，當已久佚。

王氏道《春秋億》

四卷。

【著錄】黃虞稷《千頃堂書目》卷二，頁四〇著錄。

未見。

【霖案】本書未見其他傳本，當已久佚。

霍氏韜《春秋解》

【著錄】黃虞稷《千頃堂書目》卷二，頁三九著錄。

未見。

【霖案】本書未見其他傳本，當已久佚。

馬氏理《春秋備義》

【著錄】黃虞稷《千頃堂書目》卷二，頁三九著錄。

【書名】黃虞稷《千頃堂書目》卷二，頁四〇著錄，書名題為《春秋脩義》。

未見。

　　【霖案】本書未見其他傳本，當已久佚。

鄭氏佐《春秋傳義》

　　【著錄】黃虞稷《千頃堂書目》卷二，頁四〇著錄。

未見。

　　【霖案】本書未見其他傳本，當已久佚。

黃虞稷曰8：「佐，字時夫，正德甲戌進士，福建右參議。」

　　【霖案】喬衍琯〈《經義考》所引《千頃堂書目》彙證〉云：「黃《目》無『字時夫』三字。又『正德』上有『歙縣人』三字。　朱《考》僅引黃說。」（頁三一七）

舒氏芬《春秋疑義》

　　【著錄】黃虞稷《千頃堂書目》卷二，頁四〇著錄。

未見。

　　【霖案】本書未見其他傳本，當已久佚。

姜氏綱《春秋曲言》

　　【作者】黃虞稷《千頃堂書目》卷二，頁四〇著錄，作者題為「姜綱」。

　　【著錄】黃虞稷《千頃堂書目》卷二，頁四〇、《明史》卷二四一，頁十九、《浙江通志》卷二四一，頁四八、《春秋總義論著目錄》頁六五著錄。

　　【增補】〔補正〕《明史志》作「姜綱」。（卷八，頁十六）

十卷。

存。

　　【版本及藏地】本書久未見傳本，當已久佚，今據以改注曰「佚」。

黃虞稷曰9：「綱，字幼章，金華人。正德丁丑進士，工部郎中。」

　　【霖案】喬衍琯〈《經義考》所引《千頃堂書目》彙證〉云：「黃《目》同。　朱《考》僅引黃說。」（頁三一七）

王氏漸逵《春秋集傳》

　　【著錄】黃虞稷《千頃堂書目》卷二，頁四〇。

8霖案：出自黃虞稷《千頃堂書目》卷二，頁40。

9霖案：出自黃虞稷《千頃堂書目》卷二，頁40。

未見。

【霖案】本書未見其他傳本，當已久佚。

漸逵〈自序〉曰：「《春秋》者，大聖人所作之經，為天下古今禮義不易之公案也。而論《春秋》者，乃有千載不決之疑二焉，曰凡例也、周正也。凡例見於《三傳》，漢、唐、宋之儒者皆從而附會之，雖以胡氏猶不免焉；惟朱子始破其說，以為非聖人之意，而猶未明言以闢之也。近得甘泉湛氏作《春秋正傳》乃深斥之，然後凡例之說始弗信於天下。周正亦起於《左氏》，而漢、唐、宋之儒亦從而附會之，雖以朱子，猶不免焉，唯唐子西僅及之，而亦未得其詳也；近得周文安作《辨疑集》，始析而正之，而三正之說猶或遺焉。予謂三正之說，古無是制，亦無是言也；求之《詩》、《書》，考之《周禮》，皆曰班朔事於諸侯，自此始耳，非謂改元也。自是而改時改月之言漸興，而天地陰陽之道乖矣。故予斷以周王無建子之制，夏歷為百王之書，而《春秋》無冠月之訓，自以謂足以破千載不決之疑，不知博古君子以為何如也？雖然，得聖人之意，而出於凡例時月之間，猶相千里之馬，而出於牝牡驪黃之外，此又讀《春秋》者之所宜知也。予既為《春秋古經》義，以其辭簡奧，恐讀者晦焉，暇日徧觀諸儒之論，亦有精確得聖人之意者，裒為《集傳》，俾學者一開卷而知之，無事乎揣測牽強之勞，庶幾明白簡易，而聖人正大之情見矣。」

【增補】黃虞稷《千頃堂書目》卷二曰：「以周王無建子之制，夏歷為百王之書，而《春秋》非冠月之訓，立論采諸儒議論之精確者為是書。」（頁四〇）。

林氏希元《春秋質疑》

【著錄】黃虞稷《千頃堂書目》卷二，頁四一著錄。

未見。

【霖案】本書未見其他傳本，當已久佚。

季氏本《春秋私考》（明）

【增補】張壽平《公藏先秦經子注疏書目》頁一二二錄有季本《春秋地考》一書，竹垞未錄，今據以補入。

三十六卷。

【卷數】《中國古籍善本書目》（經部）頁二七七著錄，另有《卷首》一卷。

【著錄】黃虞稷《千頃堂書目》卷二，頁四〇。

【增補】永瑢等撰《欽定四庫全書總目・存目》曰：「春秋私考三十六卷10　浙江汪啟淑家藏本

明季本撰。本有《易學四同》，已著錄。本不信《三傳》，故釋經處謬戾不可勝舉。如言『惠公仲子非桓公之母』，『盜殺鄭三卿，乃晉人使刺客殺之』，『晉文公歸國

10霖案：原注云：按：今台北中央館藏明刊本。

，非秦伯所納』，諸如此類，皆無稽之談。夫孫復諸人之棄傳，特不從其褒貶義例而已。程端學諸人之疑傳，不過以所記為不實而已。未有於二千餘年之後，杜撰事迹，以改易舊文者。蓋講學家之恣橫，至明代而極矣。」（卷三十，頁三八七）

【增補】〔補正〕《明史志》作「三十卷」。（卷八，頁十六）

存。

【版本及藏地】本書版本及藏地如下：

一、明刊本：明季本撰《春秋私考》三十六卷，十冊，《國立臺灣大學圖書館善本書目》頁四著錄，惜不知究屬何本，今暫列於此，以俟後考，臺灣大學圖書館善本書室有藏本。

又《國立中央圖書館典藏國立北平圖書館善本書目》頁八著錄此書，此本 10 冊 ;18.6x12 公分，10 行，行 21 字. 左右雙欄. 版心花口，雙白魚尾，有微捲、微片、精裝複製本，正文卷端題「起己未隱公元年　盡庚申隱公二年　會稽季本考義」，又有「嘉靖庚戌歲秋九月既望武進友人唐順之序」、「嘉靖乙巳歲冬十月朔會稽後學彭山季本序」、「嘉靖丁巳歲中夏午日慈谿晚學龍田王交序（跋）」，此本原為台北國家圖書館代藏，後移往台北：故宮博物院。

二、明嘉靖刻本：明季本撰《春秋私考》三十六卷，二十冊，十行，二十一字，白口，左右雙邊，《中國古籍善本書目》（經部）頁二七七著錄，北京、上海、天津、遼寧省、南京大學、中山大學、四川省圖書館均有藏本。

又寧波天一閣另有一本，四冊。存卷一至三，十三至二十一。

又天津圖書館所藏之本，曾刻入《四庫存目叢書》。

【增補】王重民：《中國善本書提要》曰：「【春秋私考三十六卷】十冊（《四庫總目》卷三十）（北圖）

明嘉靖間刻本〔十行二十一字（18.6×12）〕

明季本撰。

唐順之序。〔嘉靖二十九年（一五五〇）〕

自序〔嘉靖二十四年（一五四五）〕

王交後序〔嘉靖三十六年（一五五七）〕」（頁二九）

唐順之〈序〉曰[11]：「《春秋》之難明也，其孰從而求之？曰：『求之聖人之心。』聖

11霖案：孫承澤：《五經澤》卷十六，〈春秋私考序〉，經一五一冊，頁833-835。又天津圖書館藏明嘉靖刻本《春秋私考》一書（見於《四庫存目叢書》經一一七冊，頁290-291），書前亦有唐順之〈序〉，審《五經翼》所錄之文，亦刪去卷末年月的記載，今據原序補入，詳見下文註解。

人之心又孰從而求之？曰：『求之愚夫愚婦之心。』12或曰：『然則游、夏何以不能贊也？』曰：『高與赤者，世傳以為游、夏13之徒也，師說固宜有在焉者，其猶未免於說之過詳，與14其諸家之紛紛者，又可知矣，可謂蔽於聖經而不以愚夫愚婦之心求《春秋》者也。』余為是說久矣，儒者皆牽於舊聞，迂焉而莫余信也。間以語彭山季君，君欣然是之，於15是出其所著《春秋私考》視16余，則《公》、《穀》之義例、《左氏》之事實、諸家紛紛之說，一切摧破，而獨身處其地，以推見當時事情而定其是非。雖其千載之上不可億知，然以斯人直道而行之心準之，要無甚遠者，余17是以益自信余之說有合於君也。君嘗師陽明王先生，聞致知之說，為能信斯人直道之心，與聖人無毀譽之心同，其《春秋》大旨亦多本之師說，故

12霖案：「心」字下，應依《五經翼》補入「《春秋》者，儒者之所累世，而不能殫其說者也，而曰：『求諸愚夫愚婦之心』，不亦迂乎。孔子嘗自言之矣。吾之於人也，誰毀誰譽，斯民三代所以直道而行也。《春秋》者，聖人有是非而無所毀譽之書。直道之所是，《春秋》亦是之；直道之所非，《春秋》亦非之。《春秋》者，所以寄人人直道之心也。人人之心在焉，而謂其文有非人人之所與知者乎？儒者則以為聖經不如是之淺，而往往謂之微辭，是以說之過詳，而其義益蔽，且夫《春秋》之為《春秋》，以誅亂討賊而已。子而嚴父，臣而敬君，人人有不知其為是？而弒君篡父，人人有不知其非者哉？人人知其為是非，而或陷於弒逆焉者。昔人所謂以意為之也。雖其以意陷於弒逆，而其直道而行之，心固隱然而在也。聖人早為之辨，醒其隱然而在之心，以消其勃然敢動於邪之意，是以亂臣賊子懼焉，而能自還也。其使之懼者，不逆之於勃然，而動者之不可忍而牖之於隱然，而在者之不容息，是以能使之懼，非書其弒以懼之之謂也。其懼者但覺其隱然，而在者之忽露而不覺其勃然，而動者之暗消是以懼也。非懼其書我，而不敢為之謂也。故曰『孔子懼，作《春秋》，《春秋》成，而亂臣賊子懼。』，孔子之懼心，斯人直道而行之心，一也。人人之心在焉，而謂其文有非人人之所與知者乎？善說《春秋》者則不然，曰『無義戰，人人可以知其為無義戰也，而奚問其有鐘鼓無鐘鼓云爾也』。曰『某三王之罪人，某五霸之罪人，人人可以知其罪之在也，而奚問其功與過云爾也』。曰『亂臣賊子懼，人人知其為討亂賊也。而奚問其君之有以取之，無以取之云爾也』。以是說《春秋》，豈不簡約而易知也哉，可謂以愚夫愚婦之心《春秋》，而不蔽於聖經者也。」等五百六十二字。霖案：「斯民三代直代而行也」，其中「三代」二字，天津圖書館藏明嘉靖刻本《春秋私考》〈唐順之序〉漫漶不清，然審其字跡，應非「三代」二字，今依《五經翼》所錄作「三代」。

13霖案：「夏」字下，應依《五經翼》補入「氏」字。

14霖案：「與」，應依《五經翼》作「歟」。《點校補正經義考》標點有誤，當標為前句之末。

15霖案：「於」，《五經翼》作「于」。

16「視」，備要本同，應依四庫本作「示」。　霖案：《經義考新校》頁3667校文，無「備要本同」四字；「應依」改作「依」字；「四庫」二字之前，另有「《四庫薈要》本、文淵閣」等字；「作」改作「應作」二字。

17霖案：「余」，《五經翼》作「予」。

其所見直截如此，至於地理古今之沿革、姓名氏族之流派[18]、星歷[19]之數度、禘郊嘗社、禮樂兵賦之纖悉，古今之所聚訟，皆辨析毫釐，務極核[20]實，昔人所稱經師，莫之及也。[21]」

　　　錢謙益曰[22]：「近代之經學，鑿空杜撰，紕繆不經，未有甚於季本者也。本著《春秋私考》，於惠公仲子則曰。『隱公之母。』盜殺鄭三卿，則曰：『戌虎牢之諸侯使刺客殺之。』此何異於中風病鬼，而世儒猶傳道之，不亦悲乎？傳《春秋》者三家，杜預出而《左氏》幾孤行於世，自韓愈之稱盧全以為『《春秋三傳》束高閣，獨抱遺經究終始』，世遠言[23]湮，譌以承[24]譌，，而季氏之徒出焉。孟子曰：『始作俑者，其無後乎？』太和添丁之禍，其殆高閣《三傳》之報與？季於《詩經》、三《禮》皆有書，其鄙倍略同，有志於經學者，見即當焚棄之，勿令繆種流傳，貽禍[25]後生也。」

　　　【增補】孫能傳等撰《內閣藏書目錄》卷二曰：「嘉靖閒，會稽季本著，凡三十六卷。」（頁四七九）。

　　　【增補】黃虞稷《千頃堂書目》卷二曰：「於《公》、《穀》之義例，《左氏》之事實，皆摧破不遺餘力，而自為之說。」（頁四〇）。

周氏臣《春秋心傳》

　　　佚。

陸氏鈥《春秋輯略》

　　　【著錄】黃虞稷《千頃堂書目》卷二，頁三九著錄。

18霖案：「流派」，應依《五經翼》作「派」。

19霖案：「歷」，《五經翼》作「曆」。

20霖案：「核」，應依《五經翼》作「該」。

21霖案：「也」字下，應依《五經翼》補入「以非大義所關，故不禩之〈序〉中，蓋余嘗聞李愿中言『羅仲素說《春秋》，初未甚曉，然及住羅浮，後其所不知何如，夫羅浮與於《春秋》也，豈不以此心空洞無物，而後能好惡與人同好，惡與人同而後能說《春秋》也歟？』君老矣，方且隱雲門之邃，厭文字之支離，兀然洗心以游於無物，其所說《春秋》，又當有進於是者，余尚得而見之。」等一二三字。又天津圖書館藏明嘉靖刻本《春秋私考》〈唐順之序〉於「之」字下，尚有「嘉靖庚戌歲秋九月既望，武進友人唐順之序」等十八字，《五經翼》刪去，今據以補入。

22「錢謙益曰」，「四庫本」作「私考駁正」。　　　霖案：《經義考新校》頁3668校文，新校文改動較多，其文如下：「『錢謙益曰』，《四庫薈要》本作『錢陸燦曰』，文淵閣《四庫》本作『私考駁正』，文津閣《四庫》本作『黃虞稷曰』。」，今考此文出自《牧齋初學集》卷八三，〈跋季氏春秋私考〉頁1753-1754。

23霖案：《經義考新校》頁3668新增校文如下：「『言』，文津閣《四庫》本作『年』字。」。

24霖案：「承」，《初學集》作「傳」。

25霖案：「禍」，《初學集》作「誤」。

未見。

【霖案】本書未見其他傳本,當已久佚。

黃虞稷曰26:「鄞縣人,正德辛巳第二人及第。」

【霖案】喬衍琯〈《經義考》所引《千頃堂書目》彙證〉云:「黃《目》無解說」。朱《考》僅引黃說。」(頁三一七)

黃氏佐《續春秋明經》

【增補】黃虞稷《千頃堂書目》卷二,頁四一著錄,另錄有《春秋傳意》一書,竹垞未錄此書,當據以補入。

【增補】〔補正〕《明史志》「《續》」作「《纘》」。(卷八,頁十六)

十二卷。

【著錄】黃虞稷《千頃堂書目》卷二,頁四一著錄。

未見。

【霖案】本書未見其他傳本,當已久佚。

【增補】黃虞稷《千頃堂書目》卷二曰:「常山人,嘉靖丁未進士,江西右參政。」(頁四一)。

湯氏㘉《春秋易簡發明》

【書名】黃虞稷《千頃堂書目》卷二,頁四〇著錄,書名題作《春秋易簡發明》。

二十卷。

【著錄】黃虞稷《千頃堂書目》卷二,頁四〇著錄。

未見。

【霖案】本書未見其他傳本,當已久佚。

黃虞稷曰27:「潼川州人,正德十四年進士,除溧陽知縣,父沒,廬墓次,遂不仕。」

【霖案】喬衍琯〈《經義考》所引《千頃堂書目》彙證〉云:「黃《目》無『除』字,『不仕』下有『一作四卷』。又『十四年』作『辛巳』。 朱《考》僅引黃說。」(頁三一七)

梅氏鷟《春秋指要》 一曰:《讀經律》。

一卷。

26霖案:出自黃虞稷《千頃堂書目》卷二,頁39。黃氏無「正德辛巳第二人及第」諸字。

27霖案:出自黃虞稷《千頃堂書目》卷二,頁40。

　　　　【著錄】黃虞稷《千頃堂書目》卷二，頁四二著錄。

　　存。

　　　　【版本及藏地】本書久未見傳本，今改注曰「佚」。

胡氏居仁《春秋通解》

　　　　【著錄】黃虞稷《千頃堂書目》卷二，頁三十八著錄。

　　未見。

　　　　【霖案】本書未見其他傳本，當已久佚。

袁氏祥《春秋或問》　一作「《疑問》」。

　　四卷。

　　　　【著錄】黃虞稷《千頃堂書目》卷二，頁四二著錄。

　　　　【卷數】黃虞稷《千頃堂書目》卷二，頁四二題作「八卷」，《經義考》卷二百三，袁仁《春秋鍼胡編・自序》條下，載明其父作「《或問》八卷」（頁四〇一），同於《千頃堂書目》所載，然此條下載袁仁〈狀〉言，卻作「四卷」，不知何故有此差異。又竹垞此處所引袁仁〈狀〉題作「《春秋疑問》四卷」，而《經義考》卷二〇三，頁四〇一袁仁《春秋鍼胡編》條下引袁仁〈自序〉錄及其父袁祥「《春秋或問》八卷」，則或是袁祥或同時撰有《春秋或問》八卷」、「《春秋疑問》四卷」等二書，而其後目錄學家僅錄及「《春秋或問》」一書，而未及「《春秋疑問》」一書，然竹垞將二書混淆為一，故有此異同，否則以袁仁身為人子，不當在記錄其父之作，會有書名、卷數不一的情況。

　　　　【增補】竹垞輯錄袁仁〈狀〉文之中，錄有袁菊泉《春秋傳》一書，而《經義考》卷二〇三，頁四〇一，袁仁《春秋鍼胡編》條下錄及袁仁〈自序〉復云此事，且錄云「三十卷」，則袁菊泉應撰有《春秋傳》三十卷。又菊泉，應為袁顥字號，說法詳見黃虞稷《千頃堂書目》卷二之文（下文錄及原文）；又袁顥另撰有《袁氏痘疹業書》為袁祥增修，即可得知二人關係。然而，考諸《經義考》全書，未能錄及袁顥《春秋傳》三十卷者，故應據相關解題補入此條著錄。

　　　　【增補】黃虞稷《千頃堂書目》卷二曰：「吳江人，仁，祥之子。顥，祥父也。」（頁四二）

　　　　【增補】〔補正〕《明史志》作「袁詳」，「四卷」作「八卷」。（卷八，頁十六）

　　未見。

　　　　【霖案】本書未見其他傳本，當已久佚。

　　子仁〈狀〉曰：「吾父諱祥，字文瑞，怡杏其別號也。以大父菊泉所著《春秋傳》有獨得其奧，而人不易明者，因著《春秋疑問》四卷，以發其微旨。」

李氏舜臣《春秋左傳考例》

【書名】黃虞稷《千頃堂書目》卷二，頁四一著錄，題作《春秋左傳考例穀梁》。

【卷數】黃虞稷《千頃堂書目》卷二，頁四一題作「三卷」

未見。

【霖案】本書未見其他傳本，當已久佚。

舜臣〈自序〉曰28：「孔子作《春秋》至矣，而何說者索其言于例乎？蓋方之於天，苟求其故29，寸短則尺長，此善則彼惡，《春秋》所以有例爾；然又有非《左氏》所及，至杜氏而始見者，亦通曰例，能不失其指，不必親出之《左氏》可矣30。」

《左氏讀》

未見。

【霖案】《左傳論著目錄》頁三五注曰「未見」，然本書未見其他傳本，當已久佚，故改注曰「佚」。

舜臣〈自序〉31曰：「孟子曰：『《詩》亡，然後《春秋》作。』《詩》亡者，《雅》亡也，若《風》自邶32以下作者尚多，隱公以來，《風》實33未亡爾34。吾往讀《詩》，因考之《左傳》35，遂讀《左氏傳》36，四歲而畢37，所得38凡39若干條。」

---

28 霖案《愚谷集》卷六，〈春秋左傳考例自序〉，(台北：臺灣商務印書館，「景印文淵閣四庫全書」冊一二七三，民國七十五年三月，初版)，頁711-712。

29 霖案：「故」字下，應依《愚谷集》補入「何也？言之于物，如為之形，迨其有形，物諦視是。」等十八字。

30 霖案：「矣」字下，應依《愚谷集》補入「故曰：『《周禮》盡在魯矣！』敢以《周禮》為先，京師次之。二者，《春秋》所由作也。」等二十六字。

31 霖案《愚谷集》卷六，〈左氏讀自序〉，(台北：臺灣商務印書館，「景印文淵閣四庫全書」冊一二七三，民國七十五年三月，初版)，頁712。

32 「邶」，各本同，應作「邶」。 霖案：《經義考新校》頁3671校文，「各本同」改作「各本皆誤」。今考此文出自《愚谷集》，適作「邶」字，蓋二字乃形近而誤寫。

33 霖案：「實」字，《愚谷集》無此字，當據以刪正。

34 霖案：「爾」字下，應依《愚谷集》補入「〈小序〉可徵」四字。

35 霖案：「《左傳》」二字，《愚谷集》題作「《左氏傳》」三字。

36 霖案：「傳」字下，應依《愚谷集》補入「不輟，丁戊己庚」等六字。

37 霖案：「而畢」二字，應依《愚谷集》改作「畢卷」二字。

38 霖案：「所得」二字之前，應依《愚谷集》補入「頗存」二字。

39 霖案：「凡」字，應依《愚谷集》改作「總」字。

《穀梁三例》

　　未見。

　　【霖案】本書未見其他傳本，當已久佚。

　　舜臣〈自序〉曰40：「三例者41，時日月也。穀梁42與公羊氏43說《春秋》皆以時月日起例，然譬44之組織45，穀梁氏為益精爾。夫日詳于月，月詳于時，今考之《經》，其或日者，果非無以是，故或例時而月，或例月而日，毫髮之察46，非穀梁氏其孰能與於47此乎？48」

豐氏坊《春秋世學》（明）

　　三十八卷。

　　【著錄】黃虞稷《千頃堂書目》卷二，頁四〇、《中國古籍善本書目》（經部）頁二七八、張壽平《公藏先秦經子注疏書目》頁一四二著錄。

　　【卷數】本書卷數異同如下：

　　一、三十二卷：張壽平《公藏先秦經子注疏書目》頁一四二著錄。

　　【增補】永瑢等撰《欽定四庫全書總目・存目》曰：「豐坊春秋世學三十二卷　　兩淮鹽政採進本

　　明豐坊撰。坊有《古易世學》，已著錄。是書自稱『即其先世宋御史中丞稷之《案斷》而為之釋義。故曰『世學』。然『案斷』之名，宋人書目及《宋史・藝文志》皆不著錄，向來說《春秋》者亦所未聞，其偽蓋無足辨也。』（卷三十，頁三八八）

　　【增補】〔補正〕按：今傳豐坊《春秋世學》三十二卷。（卷八，頁十六）

　　【增補】〔校記〕《四庫存目》作三十二卷。（《春秋》，頁五一）

　　二、三十三卷：《中國古籍善本書目》（經部）頁二七七著錄。

---

40 霖案《愚谷集》卷六，〈穀梁三例自序〉，(台北：臺灣商務印書館，「景印文淵閣四庫全書」冊一二七三，民國七十五年三月，初版)，頁712。

41 霖案：「三例者」三字，應依《愚谷集》改作「三者」二字。

42 霖案：「穀梁」二字之下，應依《愚谷集》補入「氏」字。

43 霖案：「氏」字下，應依《愚谷集》補入「之」字。

44 霖案：「譬」字，《愚谷集》作「辟」字。

45 霖案：「組織」二字，《愚谷集》題作「織」字，未有「組」字。

46 霖案：「毫髮之察」四字，應依《愚谷集》改作「毫忽之察信」等五字。

47 霖案：「於」字，《愚谷集》題作「于」字。

48 霖案：「乎」字，應依《愚谷集》改作「故曰：于彼乎？于此乎？是以并考載焉。」等十四字。

未見。

【存佚】本書有明朱格鈔本，現藏於台北故宮博物院，故應改注曰「存」

【版本及藏地】本書版本及藏地如下：

一、明朱格鈔本：(明)豐坊撰《春秋世學》三十二卷，十六冊，《國立故宮博物院善本舊籍總目》，上冊，頁一〇四著錄，台北：故宮博物院有藏本。

二、明藍絲欄抄本：原三十二卷，存二十七卷，十三冊，存卷一至卷二十七。舊題「宋豐稷案斷，明豐坊釋義」，寧波天一閣文物保管所有藏本，該本鈐有「天一閣」朱文長方印」、「四明范氏圖書記」朱文長方印。

三、明抄本：明豐坊撰《春秋世學》三十三卷，湖北省圖書館有藏本。

黃氏乾行《春秋日錄》

【著錄】黃虞稷《千頃堂書目》卷二，頁四一著錄。

未見。

【霖案】本書未見其他傳本，當已久佚。

【增補】黃虞稷《千頃堂書目》卷二曰：「字大同，福寧州人。嘉靖癸丑進士，重慶知府。」（頁四一）。

徐氏獻忠《春秋稽傳錄》

【著錄】黃虞稷《千頃堂書目》卷二，頁四一著錄。

未見。

【霖案】本書未見其他傳本，當已久佚。

獻忠自序曰[49]：「庚申冬，予自吳興抵還浦南村舍[50]，計浹月無自遣也，假籍於[51]叔皮氏，得《春秋》諸《傳》。往予見其精義[52]，讀之三四過，至是再卒業，始見其說有所未安者數條；又《左氏》微瑣不入《傳》者，弗礭括則弗著，遂[53]以臆說輔論之，名《稽傳錄》。夫傳《春秋》，其大者三家，至胡氏始折其衷，故胡氏《傳》獨立於學官，博士弟子無不諷誦焉；至科士帖括，則有陳同父《屬辭》，發其義甚備，然則又何待予言也[54]？然[55]師友相

49霖案：《長谷集》卷五，〈春秋稽傳錄〉，(《四庫全書存目叢書》集八六冊)，頁246。

50霖案：「村舍」，應依《長谷集》作「田舍」。

51霖案：「於」，《長谷集》作「于」。

52霖案：「精義」，應依《長谷集》作「義精」。

53霖案：「遂」，應依《長谷集》作「咸」。

54霖案：「也」字下，應依《長谷集》補入「夫理固有影匿易略略迹晦難剔者」等十字。

問辨，雖仲尼睿聖，不能無望[56]於[57]游、夏之徒[58]。至於[59]《傳》義雜出，《左氏》綜其迹，《公》、《穀》申其辭，後來諸所撰論亦甚廣，《公》、《穀》自以輔《左氏》所不及，旨意盡矣；胡氏折衷其說，亦多所罷黜；然則《春秋》之義，辭簡而意深，其有窮盡邪？敢以是說併質之何子。」

陳氏深《春秋然疑》（元）

　　【著錄】黃虞稷《千頃堂書目》卷二，頁四一著錄。

　　未見。

　　【霖案】本書未見其他傳本，當已久佚。

唐氏樞《春秋讀意》

　　一卷。

　　【增補】永瑢等撰《欽定四庫全書總目・存目》曰：「春秋讀意一卷[60]　浙江汪啟淑家藏本

　　明唐樞撰。樞有《易修墨守》，已著錄。其論《春秋》，以為不當以褒貶看，聖人只備錄是非，使人自見，蓋以救宋儒穿鑿之失。然謂《春秋》字字褒貶，固為偏論，謂《春秋》竟無褒貶，則數十特筆，亦灼然不可誣也。讀者知其矯枉之意可矣。」（卷三十，頁三八八）

　　存。

　　【版本及藏地】本書版本及藏地如下：

　　一、「木鐘臺集」本（明萬曆刻本）：《春秋總義論著目錄》頁十二誤作「《木錡台全集》」，考此書為「四庫全書存目叢書」所收錄。

　　又上海圖書館有藏本，明唐樞《春秋讀意》一卷。

　　二、四庫全書存目叢書本：民國八十四年台南莊嚴文化出版事業公司出版，台北：國家圖書館、靜宜大學蓋夏圖書館、東海大學圖書館、台大圖書館、中央大學圖書館、

55霖案：「然」字，《長谷集》無之，應刪。

56「望」，「四庫本」作「待」。　　霖案：《經義考新校》頁3672校文，「四庫」二字之前，另有「文淵閣」三字。今考此文出自《長谷集》，實作「望」字，則「四庫本」題作「待」字，誤也。

57霖案：「於」，《長谷集》作「于」。

58霖案：「徒」字下，應依《長谷集》補入「也」。

59霖案：「於」，《長谷集》作「于」。

60霖案：原注云：按：此書收入唐樞《木鍾台全集再集》，今北大、安徽等館藏清咸豐六年唐氏書院刊本。

　　嘉義：中正大學圖書館、花蓮：東華大學圖書館、清華大學圖書館等地，均有藏本。

　　三、清咸豐六年唐氏書院刊本：北京大學、安徽等地均有館藏。

　　潘季馴〈跋〉曰[61]：『《春秋讀意》者何？一菴[62]唐夫子讀《春秋》而得其意也[63]。孔子曰：『吾志在《春秋》[64]。』孔子之志[65]，遏人欲，存天理，教天下[66]興起其久汩[67]之良心，觸動其暫萌之天覺，由此而察識之，由此而擴充之，則欲可遏、理可存[68]矣[69]。或者不察[70]，乃曰：『《春秋》意在褒貶。』夫竊褒貶之權以賞罰天下，是僭也，正孔子所謂『罪我者，其惟《春秋》』也[71]，此《春秋讀意》所由作也。知其意，則會盟征伐之迹、創霸紹霸之由、託始絕筆之故，皆可指掌而得之矣[72]。馴於是經，童而習之，白首而未得其旨，瞶瞶然者逾三十年[73]，讀此[74]，重有省焉，若濯熱之清風，蘇蟄之迅霆也[75]。隆慶庚午[76]。』

61霖案：《易修》，〈春秋讀意序〉，（《四庫全書存目叢書》子一六二冊，頁625-626。）又此文是〈序〉，非〈跋〉。

62霖案：「一菴」，應依《易修》作「我一庵」。

63霖案：「也」字下，應依《易修》補入「意者何？」三字。

64霖案：「《春秋》」二字下，應依《易修》補入「是孔子之志也」等六字。

65霖案：「志」字下，應依《易修》補入「何」字。

66霖案：「教天下」三字下，應依《易修》補入「以盡性之學也。《詩》言情，《書》言事，《禮》言中，《樂》言和，《易》言變，皆性也。何獨學夫《春秋》以性言性，奧而難知，因跡求性，顯而易見。孔子欲天下人人皆知，是之為理，是之為欲，是理，理所當存，是為欲，欲所當遏，譬之聚眾觀場，不問知、愚、賢、不肖，皆能指而言曰『某也，善吾所慕；某也，鄙吾所羞。』」等一○八字。

67霖案：「汩」，應依《易修》作「泊」。

68霖案：「理可存」三字下，應依《易修》補入「而性可盡」等四字。

69霖案：「矣」字下，應依《易修》補入「天下之言性者，故而已。《春秋》，性之故也，故曰『我欲載之空言，不如見諸行事之深切著明也。嗚呼！孔子惓惓愛人，無己之心，至是益悲矣』」等五十二字。

70霖案：「不察」，應依《易修》作「不亮孔子之心」。

71霖案：「也」字下，應依《易修》補入「褒貶之權立，法自己是非之。公取則在人，人己之間，公私判焉，是不可以不辨也。」等三十一字。

72霖案：「矣」字下，應依《易修》補入「說《春秋》者，自孟子而下，紛然雜出，更僕未易數也。其言之當與否，《讀意》已析大較，馴又何贅焉。」等三十六字。

73霖案：「年」字下，應依《易修》補入「矣」字。

74霖案：「此」，應依《易修》作「《讀意》」。

75霖案：「也」字下，應依《易修》補入「敬識之末簡」等五字。

陸氏粲《左傳附注》（明）

　　【作者】葉德輝《徵刻唐宋祕本書目考證》頁一四七一著錄，作者題為「陸燦」，惟黃虞稷等人的原文，仍題作「陸粲」，可見葉氏於考證所作「陸燦」，係一時誤植。

　　【書名】本書異名如下：

　　一、《左傳附註》：《中國館藏和刻本漢籍書目》頁四七著錄。

　　五卷。

　　【著錄】黃虞稷《千頃堂書目》卷二，頁四〇、駱兆平《新編天一閣書目》頁一八八著錄。

　　【卷數】日本寬政十一年（１７９９）文刻堂刻本、明嘉靖間刊本均有《後錄》一卷。

　　【增補】日本寬政十一年（１７９９）文刻堂刻本、明嘉靖間刊本均有《後錄》一卷，竹坨未錄此本，當據以補入。

　　存。

　　【版本及藏地】本書版本及藏地如下：

　　一、日本寬政十一年（１７９９）文刻堂刻本：《中國館藏和刻本漢籍書目》頁四七著錄，北大、遼寧、北京分館有藏本。

　　二、明嘉靖間刊本：(明)陸粲撰《左傳附註》五卷，《後錄》一卷，五冊，《國立中央圖書館典藏國立北平圖書館善本書目》頁九著錄，此書原藏於國家圖書館，後移往台北：故宮博物院有藏本。

　　　　又北京圖書館有藏本。

　　【增補】王重民：《中國善本書提要》曰：「【左傳附注五卷後錄一卷】五冊（《四庫總目》卷二十八）（北圖）

　　明嘉靖間刻本〔八行十八字（**18.8✕13.4**）〕

　　明陸粲撰。卷內有：「海昌吳葵里收藏記」、「莫友芝圖書記」、「莫印繩孫」、「延古堂李氏珍藏」等印記。

　　自序〔嘉靖□□□〕」（頁二八）

　　三、清乾隆間寫文淵閣四庫全書本：(明)陸粲撰《左傳附註》五卷，《國立故宮博物院善本舊籍總目》上冊，頁八十七著錄，台北：故宮博物院有藏本。

76霖案：「午」字下，應依《易修》補入「季夏日門人潘季馴謹序」等十字。

【增補】永瑢等撰《欽定四庫全書總目》曰：「左傳附注五卷77　　浙江巡撫採進本明陸粲撰。粲字子餘，長洲人，嘉靖丙戌進士。官至工科給事中，以劾張璁、桂萼，謫都鎮驛驛丞，終於永新縣知縣。事迹具《明史》本傳。是編前三卷駁正杜預之注義，第二卷駁正孔穎達之疏文，第五卷駁正陸德明《左傳釋文》之音義。多旁採諸家之論，亦間斷以己意，於訓詁家頗為有裨。顧炎武《日知錄》於駁正《左傳注》後附書曰：『凡邵、陸、傅三先生所已辨者不錄。』邵者，邵寶《左傳觿》，傅者，傅遜《左傳屬事》，陸即粲也。蓋炎武亦甚重此書矣。粲又有《春秋左傳鐫》二卷，大意以《左傳》為戰國人作，而劉歆又以意附益，故往往卑淺78不中道，或為奇言怪說，騖於末流。考粲以《左傳》為出戰國，蓋因程子謂臘為秦禮，庶長為秦官，已為膠固。其以竄亂歸之劉歆，蓋因林栗謂《左傳》凡言『君子曰』是劉歆之詞，尤無佐證，未免務為高論，仍蹈明人臆揣之習，所謂畫蛇添足者也。故惟錄此編，而《左傳鐫》則別存其目焉。」（卷二十八，頁三六二至頁三六三）

【增補】邵懿辰撰、邵章續錄：《增訂四庫簡明目錄標注》卷三曰：「《左傳附注》五卷，明陸粲撰。

有刊本，許氏有陸粲撰《左氏春秋鐫》二卷，刊本。

〔續錄〕明刊本，末有後錄一卷，列其疑誤衍脫重出者，自序題嘉靖庚子。日本寬政十一年文刻堂刊本，亦有後錄一卷。」（頁一一七）

【增補】黃虞稷、周在浚等人《徵刻唐宋祕本書目》云：「子餘讀《左氏》注疏，若《釋文》於訓詁音切有可疑者，輒以己見及他書之說可證據者，附注其下。」（頁一四四三）

四、刊本：駱兆平《新編天一閣書目》頁一八九著錄，未明是否為日本寬政十一年文刻堂刊本？抑或他種刊本？今暫列於此，以供參考。

【增補】駱兆平《新編天一閣書目》曰：「《左傳附註》五卷　　明陸粲撰。刊本。是書所採釋文訓詁多江疏所未備，并取註疏中疑誤衍脫者別為《後錄》，附於卷末。」（頁一八九）

【增補】黃虞稷《千頃堂書目》卷二曰：「粲讀左氏注疏，若釋文於訓詁音切可疑者，輒以己見及他書之說可證據者，附注其下」（頁四〇）。

《春秋左氏鐫》79（明）

【增補】〔校記〕《四庫存目》著錄作「《左氏春秋鐫》」。（《春秋》，頁五二）

77霖案：原注云：按：文淵閣庫書有後錄一卷，《總目》失載。

78霖案：原注云：「淺」，浙、粵本作「賤」。

79「《春秋左氏鐫》」，各本同，陸粲〈自序〉及《四庫存目》作「《左氏春秋鐫》」。　　霖案：《經義考新校》頁3674校文同上述校文。

【書名】黃虞稷《千頃堂書目》卷二，頁四〇著錄，書名僅作《左氏鑴》。又文淵閣四庫全書本題作《左氏春秋鑴》。

【增補】永瑢等撰《欽定四庫全書總目·存目》曰：「左氏春秋鑴二卷80　浙江巡撫採進本

明陸粲撰。粲有《左傳附注》，已著錄。是編乃其由工科給事中坐劾張璁桂萼謫都勻驛丞時途中所作。皆糾正左氏議論之失，亦柳宗元《非國語》之類。然於左氏釋經之謬，闢之可也，至記事、記言，但各從其實。事乖言謬，咎在古人，與紀載者無與也。亦謂之『鑴左』，則非其罪矣，甚哉其固也！（卷三十，頁三八八）

二卷。

【著錄】黃虞稷《千頃堂書目》卷二，頁四〇著錄。

未見。

【存佚】本書有明嘉靖二十七年吳郡虞氏重刊本，現藏於台北故宮博物院；又有明嘉靖四十二年陸延枝刻本，存於中國科學院，故當據以改為「存」。

【版本及藏地】本書版本及藏地如下：

一、明嘉靖戊申(二十七年)吳郡盧氏少谷草堂刊本：(明)陸粲撰《左氏春秋鑴》二卷，二冊，《國立故宮博物院善本舊籍總目》上冊，頁八十七著錄，台北：故宮博物院有藏本。

　　又雲南大學圖書館有藏本，《中國古籍善本書目》（經部）頁二四七著錄，八行十六字白口左右雙邊。

二、明嘉靖四十二年陸延枝刻本：陸粲《左氏春秋鑴》，中國科學學院有藏本，《中國古籍善本書目》（經部）頁二四七著錄，曾影印發行。

　　又江西省圖書館有藏本，《中國古籍善本書目》（經部）頁二四七著錄。

三、四庫全書存目存書本：臺南縣：莊嚴文化事業出版公司出版，以中國社科院藏「明嘉靖四十二年陸延枝刻本」為影印之本。

粲〈自序〉曰81：「太史遷82言仲尼成《春秋》，魯君子左邱83明受之，為著《傳》84，

80霖案：原注云：按：今中科院、江西館藏明嘉靖四十二年陸延枝刻本。

81霖案：陸粲：《左氏春秋鑴·題辭》，頁483。案：原題作「〈左氏春秋鑴題辭〉」，而非〈自序〉。又《四庫全書存目叢書》經，冊一一九《左氏春秋鑴》；又《續修四庫全書》冊一一九-483《左氏春秋鑴·題辭》。

82霖案：「太史遷」三字前，應依《左氏春秋鑴·題辭》補入「陸粲曰」。

83霖案：「邱」，應依《左氏春秋鑴·題辭》作「丘」。

84霖案：「《傳》」字下，應依《左氏春秋鑴·題辭》補入「云」。

余以為非也。《左氏》之文閎麗鉅衍，為百代取則，然其指意所存，乃往往卑賤[85]，不中於道，或為奇言怪說，頗驚乎末流矣。蓋戰國之初，有私淑於七十子之徒者[86]，不得與仲尼並時，又其書遭秦伏隱，及漢世，晚立於學官，自劉歆始定其章句，吾疑[87]歆輩以意附益之者多也，作《左氏春秋鐫》以曉初[88]學者，令觀擇焉。」

【增補】黃虞稷《千頃堂書目》卷二曰：「以左氏非左丘明，故為言卑淺不足道，疑戰國時私淑於孔者所為，因為之鐫，以曉示學者。」（頁四〇）。

《春秋胡傳辨疑》（明）

【書名】本書異名如下：

一、《春秋胡氏傳辨疑》：張壽平《公藏先秦經子注疏書目》頁一三一著錄。

二、《胡傳辨疑》：黃虞稷《千頃堂書目》卷二，頁四〇著錄。

四卷。

【卷數】黃虞稷《千頃堂書目》卷二，頁四〇、《明史藝文志》、《四庫提要》、《中國古籍善本書目》（經部）頁二七八均題作「二卷」，故竹垞題作「四卷」，當為誤題。

【增補】〔補正〕《明史志》作「二卷」。（卷八，頁十六）

【增補】〔校記〕《四庫》著錄作二卷。（《春秋》，頁五二）

未見。

【存佚】本書有清抄本、四庫全書本，應改注曰「存」

【版本及藏地】本書版本及藏地如下：

一、明嘉靖四十二年陸延枝刻本：陸粲《左氏春秋鐫》二卷，《春秋胡氏傳辨疑》二卷，八行十六字白口左右雙邊，中國科學學院有藏本，《中國古籍善本書目》（經部）頁二四七著錄，曾影印發行。

二、文淵閣四庫全書本：(明)陸粲撰《春秋胡氏傳辨疑》二卷，一冊，《國立故宮博物院善本舊籍總目》上冊，頁九十六著錄，台北：故宮博物院有藏本。

【增補】永瑢等撰《欽定四庫全書總目》曰：「春秋胡氏傳辨疑二卷　江蘇巡撫採進本

明陸粲撰。前有自序謂：『胡氏說經或失於過求，詞不厭煩，而聖人之意愈晦，故著

85霖案：「賤」，應依《左氏春秋鐫．題辭》作「淺」。

86霖案：「者」字下，應依《左氏春秋鐫．題辭》補入「為之」二字。

87霖案：「疑」字下，應依《左氏春秋鐫．題辭》補入「陋儒若」三字。

88霖案：「初」，應依《左氏春秋鐫．題辭》作「始」字。

此以辨論之。」大旨主於信經而不信例。其言曰：『不以正大之情觀《春秋》，而曲生意義，將焉所不至矣。』又曰：『昔之君子有言，春秋無達例。如以例言，則有時而窮，惟其有時而窮，故求其說而不得，從而為之辭。』又曰：『《春秋》褒善貶惡，不易之法。今用此法[89]以誅人，又忽用此說以賞人，使後世求之而莫識其意，是直舞文吏所為，而謂聖人為之乎？』其抉摘說經之弊，皆洞中症結。其例皆先列《胡傳》於前，而以己說糾正於後。如以《春秋》始於隱公，獨取歐陽氏之說，以為遠而難明者不修，而不取胡氏罪平王之說。於『紀履緰來逆女』，以為為齊侯滅紀葬伯姬書，而不取胡氏逆女必親使大夫非正之說。於『遂以夫人婦姜至自齊』，以為聲姜、敬嬴、穆姜皆稱婦，以文、宣、成皆有母稱婦，以別於君母，而不取胡氏貶稱婦以見惡之說。於『齊人來歸鄆讙龜陰田』，以為魯及齊平而歸田，不必以夾谷之會悉歸功於孔子，《三傳》、《家語》及《史記[90]》皆未足據，而不取胡氏所稱攝相卻齊兵之說。如此者凡六十餘條，大抵明白正大，足以破繁文曲說之弊。自元延祐二年立胡《傳》於學官，明永樂纂修《大全》沿而不改，世儒遂相沿墨守，莫敢異同。惟粲及袁仁始顯攻其失。其後若俞汝言、焦袁熹、張自超等踵加[91]論辨，乃推闡無餘。雖卷帙不多，其有功於《春秋》固不鮮也。朱彝尊《經義考》作四卷，注云『未見』。此本只上下二卷，實無所闕佚，殆彝尊考之未審歟？（卷二十八，頁三六三）

【增補】邵懿辰撰、邵章續錄：《增訂四庫簡明目錄標注》卷三曰：「《春秋胡氏傳辨疑》二卷，明陸粲撰。

指海本。」（頁一一七）

【增補】崔富章《四庫提要補正》曰：「中國科學院及江西省館藏《左氏春秋鑴》二卷《春秋胡氏傳辨疑》二卷，明陸粲撰，明嘉靖四十二年陸延枝刻本（每半葉八行，行十六字，白口，左右雙邊。）考延枝，粲子。是陸氏《辨疑》原本二卷，朱彝尊《經義考》作四卷者誤。

文淵閣庫書二卷，文瀾閣庫書原本佚，今存丁氏補抄本一冊。《善本書室藏書志》卷三著『《春秋胡氏傳辨疑》二卷，舊抄本……有明二百數十年昌言以糾正胡《傳》者，自此書始。抄手甚舊，殆康、雍間人也。』此即丁氏補抄閣書依據之本，今歸南京館。」（頁一七五）

三、清抄本：明陸粲撰《春秋胡氏傳辨疑》二卷，《中國古籍善本書目》（經部）頁二七八著錄，有丁丙〈跋〉，南京圖書館有藏本。

四、指海本：明陸粲撰《春秋胡氏傳辨疑》二卷，馬來西亞大學圖書館有藏本。

89霖案：原注云：「法」，浙、粵本作「說」。

90霖案：原注云：「史記」，底本誤作「史說」，據浙、粵本改。

91霖案：原注云：「加」，浙、粵本作「以」。

粲〈自序〉曰[92]：「昔仲尼作《春秋》，旨微而顯，至胡氏說經，庶幾得之。惜其或失之過，求辭不厭繁委，而聖人之意愈晦矣。余嘗欲著之論辨，而未能也，今謫居多暇，復披誦其《傳》，遇有疑處輒[93]書焉，久而[94]成帙，以示從遊[95]之士。多有駭而問者，余語之曰：『吾為此，非敢異於胡氏也，實不敢異於孔子耳[96]。』雖然，余敢遽以為是哉？當質諸深於《春秋》者，儻取二三策乎否，則無惑乎諸君病吾言也。嘉靖辛卯春二月朔日。[97]」

【增補】黃虞稷《千頃堂書目》卷二曰：「嘉靖辛卯序」（頁四〇）。

馮氏良亨《春秋解》

未見。

【霖案】本書未見其他傳本，當已久佚。

《台州府志》：「馮良亨，字子通，臨海人。嘉靖戊子舉人，慶遠府同知。」

施氏仁《左粹類纂》（明）

十二卷。

【著錄】黃虞稷《千頃堂書目》卷二，頁四四著錄。

存。

【版本及藏地】本書版本及藏地如下：

一、明萬曆二十一年任養心刻本：明施仁撰《左粹類纂》十二卷，十行，二十一字。白口，四周雙邊。有任養心萬曆十一年〈序〉。八冊。長春：東北師範大學圖書館有藏本。

【增補】《東北師範大學圖書館藏古籍善本書目解題》云：「茲編變解經之為類事之書。以《左傳》所記之事，分十五門編載，以便檢尋。

施仁：明，長洲人，字宏濟。嘉靖戊子舉人。」（頁三二）

二、明嘉靖錫山安國弘仁堂刻本：明施仁撰《左粹類纂》十二卷，揚州市圖書館有藏

---

92 霖案：陸粲，《春秋胡氏傳辨疑．原序》(台北：臺灣商務印書館，「景印文淵閣四庫全書」冊一六七，民國七十五年三月，初版)，頁754。

93 霖案：「輒」字，《春秋胡氏傳辨疑》題作「輙」字。

94 「而」，「備要本」誤作「則」。 霖案：《經義考新校》頁3675校文同之。今考此文出自《春秋胡氏傳辨疑》一書，正作「而」字。

95 霖案：「遊」字，《春秋胡氏傳辨疑》題作「游」字。

96 霖案：「耳」字，《春秋胡氏傳辨疑》題作「爾」字。

97 霖案：「嘉靖辛卯春二月朔日。」諸字，《春秋胡氏傳辨疑．原序》未有此九字，疑竹垞據他書之文補入。

本，今有影本行世。

黃省曾〈序〉略曰[98]：「近世[99]好《左氏》[100]者，若吳郡守溪[101]王公、無錫二泉邵公、河南空同李公，皆游涉二傳，樂而忘疲[102]。予友施宏濟，博古敦行，潛心下帷，以《春秋》學，乃析別《二傳》之文，自制命至於夢卜，定為十有五目，以轄萃其言，凡十二卷[103]，命曰《類纂》。於其[104]隱而難通者，務酌諸家而曲暢其義，使學者不勞披觀，可以因類而求，沿文以討，若八音殊奏，聽之者易入而領也，其心可謂勤矣。[105]」

陸元輔曰：「施仁，字宏濟，長洲人，嘉靖戊子舉人。」

【增補】黃虞稷《千頃堂書目》卷二曰：「字宏濟，長洲人。」（頁四四）。

廖氏暹《春秋測》

未見。

98霖案：《左粹類纂》〈黃省曾序〉，《四庫全書存目叢書》子部一七八冊，頁654-655。案：此序刪截頗甚，故曰「〈序〉略」，當據原序補入。

99霖案：「近世」二字前，應依《左粹類纂》〈黃省曾序〉補入「昔左氏羅集國史寶書，以傳《春秋》，其釋麗之餘，溢為《外傳》，是多先王之明訓。自張蒼、賈生、馬遷綜表以來，千數百年，播誦於藝林不衰，世儒雖以浮誇闊誕者為病。然而，文詞高玅精理，非後之摻觚者可及。善乎，劉生之評，謂其工侔造化，思涉鬼神六經之羽翮，而述者之冠冕也，不其信與？」等一一○字。又「近世」二字後，應依《左粹類纂》〈黃省曾序〉補入「往喆之」等三字。

100霖案：「《左氏》」二字下，應依《左粹類纂》〈黃省曾序〉補入「而予得接其緒論」等七字。

101霖案：「溪」，《左粹類纂》〈黃省曾序〉作「谿」。

102霖案：「疲」字下，應依《左粹類纂》〈黃省曾序〉補入「者也。故王公蘊英揚華，每每吐之撰造，且揭其酬對者，別錄而研覽。邵公於玩繹而有得者，矩武其言而標之，而端李公則又精洞神會，與之深化，故發於菁藻，渾無左氏之邇矣。迨於今之天下文章，翕然渝變，日入於促捷，淺詭之體，百五十餘年，漸涵程雅之式，俱閣廢不省而憂之者，則慮其學左氏而趨之也。固有鉤象奧綴，而流於晦曖者，然童嬰未習其出，尤為妖奇，刑範之言，一切斥咲而庸府之，予則以為此恐心術之變，若或使之，初非《左氏》之咎也，且予之所知好《左氏》者，莫如三公，今三公者之文，皆紆餘光白，果有促捷淺詭之態乎，是以知非《左氏》之咎也。」等二一七字。

103霖案：「十二卷」，應依《左粹類纂》〈黃省曾序〉作「若干卷」，竹垞或據他書考之作「十二卷」，而逕改解題之文，實則原書既作「若干卷」，則應題作「若干卷」，此為卷數之誤也。

104霖案：「其」，應依《左粹類纂》〈黃省曾序〉作「古」。

105霖案：「矣」字，應依《左粹類纂》〈黃省曾序〉補入「通方君子，必於施子乎，是德也，或曰『左氏所記，多衰世之事，殆不可以訓乎？』予曰『桀、紂淫虐，醜迹備錄於商周之典，仲尼所書，其皆善者否乎？既曰史矣，則善鑒惡戒，皆可訓也，夫何疵焉之有？』嘉靖己丑七月四日。」等八十一字。

【霖案】本書未見其他傳本，當已久佚。

《瑞州府志》：「廖暹，字曰佳，高安人。嘉靖戊子舉人，除知武康縣，調詔安，歸與鄒東郭106講學，著《春秋》、《四書測》。」

【增補】〔補正〕《瑞州府志》條內「鄒東郭」，「郭」當作「廓」。（卷八，頁十七）

106「鄒東郭」，各本同，應依《補正》作「鄒東廓」。　霖案：《經義考新校》頁3676校文，無「各本同」三字；「應依」改作「依」字；《補正》二字下，另有「《四庫薈要》本、文津閣《四庫》本」；「作」改作「應作」二字。

卷二百二　春秋三十五經義考卷二百二春秋三十五

唐氏順之《春秋論》（明）

一卷。

【著錄】黃虞稷《千頃堂書目》卷二，頁四三著錄。

【增補】《左繡‧刻左例言》錄有唐順之《左傳文編》一書，竹垞未錄此書，當據以補入。又李一遂〈左氏春秋著錄書目研究〉頁一二五著錄。

存。

【存佚】本書未見其他存本，當已久佚，今據以考為「佚」。

《左氏始末》（明）

【書名】本書異名如下：

一、《唐荊川先生編纂左氏始末》：《東北師範大學圖書館藏古籍善本書目解題》，頁二八著錄。

十二卷。

【著錄】黃虞稷《千頃堂書目》卷二，頁四二著錄。

【卷數】本書卷數異同如下：

一、八卷：張壽平《公藏先秦經子注疏書目》頁一一六著錄。

二、十二卷：黃虞稷《千頃堂書目》卷二，頁四二著錄。

存。

【版本及藏地】本書版本及藏地如下：

一、明萬曆四十二年徐鑒刻本：明唐順之纂，徐鑒評《唐荊川先生編纂左氏始末》十二卷，十行二十字，明‧唐順之纂，徐鑒評。明萬曆年刻本。十行二十字，白口，四周單邊。五冊。長春：東北師範大學圖書館有藏本，《東北師範大學圖書館藏古籍善本書目解題》頁二八著錄。

又又北京大學、上海、浙江圖書館均有藏本，《中國古籍善本書目》（經部）頁二四七著錄，題作「萬曆四十二年徐鑒刻本」。

【增補】《東北師範大學圖書館藏古籍善本書目解題》云：「是編為其門人金九皋弟唐正之編，唐立之校，無序跋。存卷一至卷十。

唐順之：明，武進人，字應德。嘉靖中會試第一，擢右僉都御史，巡撫鳳陽，力疾渡焦山，至通州卒，著有《荊川集》，學者稱荊先生。崇禎中追諡襄文。

徐鑒：明，邵武人，字本昭。精繪山水，人獲片紙，珍若拱璧。」（頁二八）

二、明嘉靖四十一年（１５６２）唐氏家塾刻本：明・唐順之撰．唐立之校《唐荊川先生編纂左氏始末》八卷，四冊。半頁十行二十字，四周單邊，白口，單魚尾，書口下間有刻工。框高１９・３厘米，寬１３・３厘米。題『弟唐正之、門人金九皋、後學鄭漵編次，弟唐立之校正』。前有嘉靖四十一年族唐一麐序。台北中研院史語所、哈佛大學燕京圖書館有藏本。

又北京、北京大學、北京師範大學、北京師範學院、中國社會科學院歷史研究所、上海、上海師範大學、南開大學、南京、蘇州市、浙江圖書館、安徽省、福建省、湖北省、重慶市等地圖書館均有藏本，十行二十字白口四周單邊，《中國古籍善本書目》（經部）頁二四七著錄。案：《中國古籍善本書目》（經部）頁二四七題作「明嘉靖四十一年唐正之刻本」。

又浙江圖書館藏有嘉靖刻本，見於李一遂〈左氏春秋著錄書目研究〉頁一一二，未題年月，今暫附於此，以俟後考。

【增補】《中央研究院歷史語言研究所善本書目》曰：「《唐荊川先生編纂左氏始末》八卷四冊　明唐順之撰　唐立之校　明嘉靖間刊本。」（頁九）

【增補】沈津著《美國哈佛大學燕京圖書館中文善本書志》：「0082　明嘉靖唐氏家塾刻本唐荊川先生編纂左氏始末　　　　T717/0623

《唐荊川先生編纂左氏始末》十二卷，明唐順之撰。明嘉靖四十一年（１５６２）唐氏家塾刻本。四冊。半頁十行二十字，四周單邊，白口，單魚尾，書口下間有刻工。框高１９・３厘米，寬１３・３厘米。題『弟唐正之、門人金九皋、後學鄭漵編次，弟唐立之校正』。前有嘉靖四十一年族唐一麐序。

唐順之，字應德。武進人。嘉靖八年會試第一。倭寇躪江南北，以郎中視師浙江，屢破倭寇，擢右僉都御史。巡撫鳳陽，力疾渡焦山，至通州卒。于學無所不窺，為古文汪洋紆折，當明之中葉，屹然為一大宗。至晚年講學，文格又稍變，學者稱荊川先生。崇禎中追謚襄文。

唐氏之纂是書，一麐序中述之甚詳，『桓文之霸，吳楚之僭，亂臣賊子之篡弒，始末之見於記載者，雖班班可考，然皆王法之所禁，而《春秋》之所不與，其何暇過而問焉也哉』。『而事或錯出，文或片見，則執經以求其斷案者，每病於條理之難尋，而屬辭比事之旨因亦以不白於世。於是乃合其始末而次棄之，以為一書，然後事歸其類，人繫其事，首尾血脈通貫若一。而聖人善善惡惡之大法所以榮黼袞而威斧鉞者，不待考之義例之紛然，一開卷而瞭然如在目中矣。豈非讀《春秋》者之一大快也哉！《始末》以《左氏內傳》為主，而纖悉委曲有逸出於《外傳》、《史記》者亦入焉』。『先生之弟應禮甫嘗與聞纂輯之大意，而謂是書不可以無傳也，故刻之家塾』。

是本卷一為后、宗、宦、倖、奸、卷二弒，卷三弒二、逐，卷四亂、盜，卷五至九為鎮一至鎮五，卷十戰、戎，卷十一名臣，卷十二禮樂、方伎。

刻工有何序、王、名、信、青、禮、俞、晏。

《中國古籍善本書目》著錄。北京圖書館、上海圖書館等十五館亦有入藏。

鈐印有『李氏藏書之章』『字弼予號筱甫行一又行二』。」（頁三九至頁四〇）

三、明刊本：(明)唐順之撰《左氏始末》十二卷，4冊；30公分，有「八千卷樓藏書之記」「嘉惠堂藏閱書」「嘉惠堂丁氏藏書」之記，台北：中央研究院史語所有藏本。排架號：**0269**，光碟代號：**OD004B**。考唐氏此書有「明萬曆年刻本」、「明嘉靖四十一年（１５６２）唐氏家塾刻本」，均係明刊本，而中研院所題之本，僅作「明刊本」，未詳與上述二本是有相同，今暫附於此，以俟後考。

徐鑒〈序〉曰：「《左氏始末》者，毘陵荊川[1]唐先生所手編也。起自后妃，終乎禮樂方技，人繫其事，事歸其彙，蓋取《左氏》所傳《春秋》二百四十二年行事與夫《國語》、《史記》、《外傳》。所錯出者，悉連屬而比合之，凡十四目，為卷十二。嗚呼前事之不忘，後事之師也。尼父裁其義，左氏核其事，先生輯其全，善雖小不遺，言無微不采，周之所以王、周之所以衰，華袞之所由榮，斧鉞之所由辱，上下千載，洞若觀火，是《左氏》羽翼乎聖經，而先生又羽翼乎《左氏》也，功顧不偉與？余既探先生之大旨，而校讎以廣其傳，間出管見，用資揚扢，庶幾不失先生編次之意云爾。萬曆甲寅。」

【增補】〔補正〕徐鑒〈序〉內「《外傳》」上似脫「《韓詩》」二字。（卷八，頁十七）

族孫一麐〈序〉曰：「族大父荊川先生治《春秋》，謂聖人有是非，無毀譽，一本之人心直道之自然。其於《左氏》，務使學者反覆參究，融會聯絡，以得乎所以見乎行事之實。且夫先《經》以起義與後《經》以終事，是《左氏》之所以善於考證也。而事或錯出，文或別見，則執經以求其斷案者，每病於條理之難尋，而屬辭比事之旨，因以不白於世。於是乃合其始末而次序之，以為一書，然後事歸其類，人繫其事，首尾血脈通貫若一，而聖人善善惡惡之大法，所以榮黼黻衰而威斧鉞者，不待考之；義例之紛然，一開卷而瞭然，如在目中矣，豈非讀《春秋》者之一大快也哉！《始末》以《左氏內傳》為主，而纖悉委曲有逸出於《外傳》、《史記》者，亦入焉。君子之於經籍之遺文，與其過而廢也，寧過而存之，在讀者慎取之而已。先生之弟應禮甫嘗預聞纂輯之大意，而謂是書不可以無傳也，故刻之家塾，而命一麐序其首。嘉靖壬戌。」

【增補】黃虞稷《千頃堂書目》卷二曰：「分為十五門，曰后，曰宗，曰官，曰倖，曰奸，曰弒，曰逐，曰亂，曰盜，曰鎮，曰戰，曰戎，曰名臣，曰禮樂，曰方技始末，以左氏內傳為主，而纖悉委曲，有逸出於外傳史記者，亦入焉。」（頁四二至頁四三）。

黃氏光昇《春秋本義》

【著錄】黃虞稷《千頃堂書目》卷二，頁四三著錄。

未見。

1「荊川」，「備要本」誤作「荊州」。　　霖案：《經義考新校》頁3677校文同上述校文。

【霖案】本書未見其他傳本，當已久佚。

熊氏過《春秋明志錄》（明）

十二卷。

【著錄】黃虞稷《千頃堂書目》卷二，頁四一、張壽平《公藏先秦經子注疏書目》頁一四二著錄。

【卷數】黃虞稷《千頃堂書目》卷二，頁四一著錄，未錄卷數。

存。

【版本及藏地】本書版本及藏地如下：

一、文淵閣四庫全書本：(明)熊過撰《春秋明志錄》十二卷，十冊，台北故宮博物院有藏本。《國立故宮博物院善本舊籍總目》，上冊，頁一〇四著錄此本。

【增補】永瑢等撰《欽定四庫全書總目》曰：「春秋明志錄十二卷　浙江吳玉墀家藏本

明熊過撰。過有《周易象指決錄》，已著錄。其注《周易》，頗不主先儒舊說。此書亦多自出新意，辨駁前人[2]。於《公羊》、《穀梁》及胡安國《傳》俱有所糾正，而改《左傳》者尤甚。如以『刑遷于夷儀』為邢自遷，非桓公遷之；以『城楚丘』為魯備戎而城，非桓公城以封衛；以『晉人執虞公』為存於其國，制之使不得他去，而非執以歸；以『寧母之會辭子華』為不實；以『洮盟謀王室』為誣說；以『用鄫子』為出自邾人，非宋公之命；以晉懷公為卓子之諡，文公未嘗殺子圉；以趙盾并未使先蔑逆公子雍于秦；以衛石惡為孫氏黨，非寧氏黨；以楚殺慶封非以罪討，無負斧鉞徇軍事，俱不免鑿空立說。又如以郭公為鳥名，謂如螟蟣之類，書以紀異；以梁亡為魯大夫會盟所聞，歸而言之，不由赴告，故不著其亡之由，亦多出於臆斷。大抵務黜《三傳》，如程端學。端學不過疑傳，過乃至意造事迹，其敢更甚於端學。然端學多繳繞拘牽，格格然不能自達，過則斷制分明，紕繆者極其紕繆，平允者亦極其平允。卓爾康《春秋辨義》謂其『頗出新裁，時多微中，亦《春秋》之警策者』，語固不誣。故今糾其廢傳之失，以彰炯戒，而仍不沒其所長焉。」（卷二十八，頁三六三至頁三六四）

【增補】邵懿辰撰、邵章續錄：《增訂四庫簡明目錄標注》卷三曰：「《春秋明志錄》十二卷，明熊過撰。

四庫箸錄係鈔本，振綺堂有鈔本。」（頁一一七）

【增補】胡玉縉撰、王欣夫輯《四庫全書總目提要補正》卷七曰：「陳景雲《絳雲樓書目·注》云：『徵引太叢雜，如季彭山說亦采入，他可知矣。』」（頁一七八）

二、清抄本：明熊過撰《春秋明志錄》十二卷，《中國古籍善本書目》（經部）頁二

2霖案：原注云：按：陳景雲《絳雲樓書目注》云：「徵引太叢雜，如季彭山說亦采入，他可知矣。」

七八著錄，有清丁丙〈跋〉，南京圖書館有藏本。

三、民國二十三年(1934)至二十四年(1935)上海商務印書館四庫全書珍本初集影印文淵閣本：(明)熊過撰《春秋明志錄》十二卷，臺北：國家圖書館；臺灣師範大學圖書館有藏本，又馬來西亞大學圖書館有二部藏本。

又台北：國家圖書館藏本，扉頁印記「商務印書館受教育部中央圖書館籌備處委託景印故宮博物院所藏文淵閣本」，十冊，鈐有「國立中央圖書館籌備處之章」朱文方印。

卓爾康曰3：「南沙4熊過5《春秋明志錄》6一書頗出新裁，時多微中，亦《春秋》之警策者，然於7《左氏》牴牾，實有未安。」

俞汝言曰：「南沙熊氏《明志錄》，自為之序，未免冗長。」

許氏應元《春秋內傳列國語》

【著錄】黃虞稷《千頃堂書目》卷二，頁四一著錄。

未見。

【霖案】本書未見其他傳本，當已久佚。

《杭州府志》：「應元，字子仁，錢唐8人，嘉靖壬辰進士。」

【增補】黃虞稷《千頃堂書目》卷二曰：「字子春，杭州人，嘉靖壬辰進士，廣西右布政使。」（頁四一）。

皇甫氏涔《春秋書法紀原》

未見。

【霖案】本書未見其他傳本，當已久佚。

錢謙益曰9：「涔，字子安，長洲人，順慶太守錄之第二子也。嘉靖壬辰進士，除工部

3霖案：四庫本：卓爾康：《春秋辯義》卷首三（文淵閣四庫全書本，冊一七○），頁218。

4 霖案：「南沙」二字之前，應依《春秋辯義》補入「嘉靖中」三字。

5 霖案：「熊過」二字之下，應依《春秋辯義》補入「氏」字。又「氏」字下，應再補一「著」字。

6 霖案：「《春秋明志錄》」五字，應依《春秋辯義》改作「《明志》」二字。

7 霖案：「於」字，應依《春秋辯義》改作「與」字。

8霖案：《經義考新校》頁3679新出校文如下：「『钱【錢】唐』，《備要》本作『钱【錢】塘』。」。《經義考新校》係中國大陸出版品，其中校文偶有簡體字者也，今改正。

9 「錢謙益曰」，「四庫本」作《江南通志》。　霖案：《經義考新校》頁3680校文，其文改變較多，今轉錄新校之文如下：「『錢謙益曰』，《四庫薈要》本作『錢陸燦曰』，文淵閣《四庫》本作『《江

虞衡主事，改主客，歷儀制郎中；以貴溪薦，補右春坊司直兼翰林檢討；左遷廣平府通判，量移南刑部主事，進員外，陞浙江按察僉事。」

石氏珉《左傳敍略》

　　【書名】黃虞稷《千頃堂書目》卷二，頁四一著錄，書名題作《左傳章略》。

　　【增補】〔補正〕《明史志》作「《章略》」。（卷八，頁十七）

　　三卷。

　　【著錄】黃虞稷《千頃堂書目》卷二，頁四一著錄。

　　未見。

　　【霖案】本書未見其他傳本，當已久佚，故應改注曰「佚」，又《左傳論著目錄》頁十九著錄，亦注曰「佚」。

黃虞稷曰10：「珉，字仲芳，益都人，嘉靖甲午舉人。」

　　【霖案】喬衍琯〈《經義考》所引《千頃堂書目》彙證〉云：「黃《目》『敍略』作『章略』。　朱《考》僅引黃說。」（頁三一八）

馬氏森《春秋伸義》

　　【書名】黃虞稷《千頃堂書目》卷二，頁四三著錄，書名作《春秋伸義辨類》。

　　二十九卷。

　　【著錄】黃虞稷《千頃堂書目》卷二，頁四三著錄。

　　未見。

　　【霖案】本書未見其他傳本，當已久佚。

蔣垣曰：「森，字孔養，懷安人。與歐陽德、鄒守益、羅洪先講學相質正。」

《春秋辨疑》

　　【增補】〔補正〕《明史志》作「《辨類》」。（卷八，頁十七）

　　二卷。

　　存。

　　【存佚】本書已未見傳本，當已久佚，今據以改作「佚」籍。

　　森〈自序〉曰：「《春秋》之學，雖因諸《傳》以明；《春秋》之義，亦因諸《傳》以晦。胡氏之說，愚竊惑之，九江黃楚望氏固極其辨析之詳矣，新安趙子常氏又師其說而分為

南通志》』，文津閣《四庫》本作『黃虞稷曰』。」今考此文出自《列朝詩集小傳》頁411-412。

10霖案：黃虞稷《千頃堂書目》卷二，頁41著錄。

屬辭八體，自謂能得聖人之旨，愚亦不敢以為盡然也。愚本淺陋，上不能溯聖人之淵源，下不能究諸儒之詳說，疑之闕也久矣。近獲乞身養痾林下，因日記所見異同而錄之，積有歲月，彙萃凡二十有九卷，竊不自量而存之，名曰《春秋伸義》。復撮其大相牴牾於胡傳者，錄為辨說，以證其必非改魯史之舊文，以求正於四方之賢，冀一參駁之，俾有所考訂而不陷於妄誕之罪，則庶幾可存，以備11一家之言，而所以說經者，於此未必無少補云爾。」

楊氏時秀《春秋集傳》

三十卷。

【著錄】黃虞稷《千頃堂書目》卷二，頁五〇著錄。

存。

【存佚】《元史藝文志輯本》卷三，頁六〇著錄，注曰「佚」，然本書有明嘉靖三十六年汪秋卿刊本，理應注曰「存」

【版本及藏地】本書版本及藏地如下：

一、明嘉靖二十六年汪秋卿刻本：明楊時秀撰《春秋集傳》三十卷，十行二十一字小字雙行同白口四周雙邊，《中國古籍善本書目》（經部）頁二七八著錄，北京、中共中央黨校、山東省、雲南省圖書館均有藏本。又杜信孚等編纂《同名異書匯錄》頁一四二著錄，未詳是否為「明嘉靖二十六年汪秋卿刻本」之誤？亦或有二本刻本，今暫存疑於此，以俟後考。

時秀〈自序〉曰：「今世之業《春秋》者，皆宗胡氏，蓋遵明制也。窮鄉下邑之士，讀胡《傳》矣，而鮮能復讀《左傳》，一或詰之，則茫然不知事之本末，謂之通經可乎哉？予錄是編，先之以《經》，繼之以《左傳》，俾欲通《經》者得以見事之本末，然必與《經》相發明者錄之，否則不錄也。至於《左氏》不備者，然後《公》、《穀》得兼錄，《左傳》難訓者，亦參用杜解於下，而胡《傳》前後屬比及旁引諸經，初學或未遽通者，亦略注之，庶一開卷間，大義曉然於誦習之餘矣。嘉靖乙巳，司農留都諸寮萃見之，輒手錄焉，且勸之以共諸四方同志者，因鏤板行之。」

李騰鵬曰：「時秀，懷遠人，號禹峰。嘉靖乙未進士，歷官按察僉事。」

陳氏言《春秋疑》

未見。

【霖案】本書未見其他傳本，當已久佚。

言〈自序〉曰：「《春秋》，聖人之史也，而曰經者，文史而義經也。經之為義，原於聖心，將以賞罰之衡寄之筆削，禮樂之典代乎天王，吾無疑焉爾。吾獨疑乎聖人之言如日星，而何其文之隱，迄於今而猶莫之裁也？吾又疑乎孔氏一私書耳，例不得與魯之史並行於時，

11霖案：《經義考新校》頁3682新出校文如下：「『備』，文淵閣《四庫》本誤作『補』。」

安在其為見諸行事而明周公之志於天下也？吾又疑乎非其位而託之乎南面，以誅奪之，不少讓也。彼謂《左氏》受《經》作《傳》者，吾無據焉，而吾又疑乎其言之實相表裏也。《公》、《穀》之義例非《經》也，然而《經》亦自有義例也，而吾又疑其何所祖也。不寧惟是，其他以字以事以日以月參錯而互異焉者，吾又不能無疑也。嗚呼！聖典之湮，傳疏為之也，專門者固名家者，鑿同異，駁糅說者徒欲取調人之義以平之，此不然，吾信吾是而已，吾所是者《經》而已。聖人之經，紫陽所云『直書其事而美惡自見』是已，吾惟據經以說經而已。經者，經也，不得已而救世立法者，其權也，權而不失其為經。尼父曰：『斯民也，三代之所以直道而行也。』由是觀之，謂《春秋》為聖人直道之書可也，作《春秋疑》。」

趙氏恆《春秋錄疑》（明）

十七卷。

【著錄】黃虞稷《千頃堂書目》卷二，頁四一著錄。

【卷數】《四庫存目》、《新編天一閣書目》俱錄作「十六卷」。而翁方綱《經義考補正》則作「十二卷」，所錄皆與黃虞稷《千頃堂書目》所載不同，竹垞所錄，蓋據《黃目》者。

【增補】永瑢等撰《欽定四庫全書總目·存目》曰：「春秋錄疑十六卷　浙江范懋柱家天一閣藏本

明趙恆撰。恆字志貞，晉江人。嘉靖戊戌進士，官至姚安府知府。是書本胡氏《傳》而敷衍其意，專為科舉而設。故經文可為試題者，每條各於講義之末，總括二語，如制藝之破題。其合題亦附於後，標所以互勘、對舉之意。」（卷三十，頁三八八）

【增補】〔補正〕按：今所行趙恆《春秋錄疑》十二卷。（卷八，頁十七）

【增補】〔校記〕《四庫存目》著錄作十六卷。（《春秋》，頁五二）

未見。

【存佚】本書有抄本、清抄本，今有存書，當改注曰「存」。

【版本及藏地】本書版本及藏地如下：

一、抄本：駱兆平《新編天一閣書目》頁一八九，為寧波天一閣舊藏之物。

【增補】駱兆平《新編天一閣書目》曰：「《春秋錄疑》十六卷　明知府趙恆撰。抄本。是書參酌群說，詳釋疑義。《四庫全書總目》·春秋類存目。」（頁一八九）

二、清抄本：明趙恆撰《春秋錄疑》十六卷，《中國古籍善本書目》（經部）頁二七八著錄，北京圖書館有藏本。

三、明抄本：明趙恆撰《春秋錄疑》十六卷，存一卷，即卷一，首都圖書館有藏本。

黃虞稷曰12：「恆，字志貞，晉江人。嘉靖戊戌進士，官姚安知府，著書時，以纊塞耳者三年，書成去纊，而耳已聾，其專心如是。」

【霖案】喬衍琯〈《經義考》所引《千頃堂書目》彙證〉云：「黃《目》無『著書』以下二十三字。『知府下』有『有耳疾，故仕不久，善為古文詞，嘉靖乙巳序』。又乙本續有『案《經義考》六十七卷，遺書目十二卷，且『錄疑』下有『初稿』二字，乃天一閣舊抄本，豈後復定為十七卷』等字。又丙本朱校有『鶚按：《經義考》作十七卷。』又綠筆寫『天一閣抄本乃十二卷。』　朱《考》僅引黃說。」（頁三一八）又「姚安知府」，《千頃堂書目》題作「信安知府」。

魏氏謙吉《春秋大旨》（明）

【霖案】《中國古籍善本書目》（經部）頁二七八錄有魏謙吉《春秋摘要》二卷，竹垞未錄此書，當據以補入。

十卷。

【著錄】黃虞稷《千頃堂書目》卷二，頁四一著錄。

未見。

【霖案】本書未見其他傳本，當已久佚。

《春秋備覽》（明）

【書名】黃虞稷《千頃堂書目》卷二，頁四一著錄，書名題為《春秋大旨備覽》，又《中國古籍善本書目》（經部）頁二七八錄作《春秋備覽集案》。

二卷。

【著錄】黃虞稷《千頃堂書目》卷二，頁四一著錄。

【卷數】黃虞稷《千頃堂書目》卷二，頁四一著錄，卷數題為「四卷」。

存。

【版本及藏地】本書版本及藏地如下：

一、明嘉靖三十七年曹忭刻本：明魏謙吉撰《春秋備覽集案》二卷，《摘要》二卷，十行二十二字白口四周雙邊，北京大學圖書館有藏本。

謙吉〈自序〉曰：「《春秋》以《左傳》為案，《經》為斷，而諸家注疏，《大全》斯備焉。予初讀是經，茫無旨趣，及取《左傳》、《大全》與文定注解互相考訂，始喟然歎曰：『緣是而求聖人之心，思過半矣。』復懼久而遺忘也，乃手錄其有關於經要且切者，積久成帖，命兒輩藏之巾笥，總名之曰《春秋備覽》，蓋恐經未易窺，俾覽是編而有得也。及督學，曹君紀山請梓《春秋大旨》，予曰：『《大旨》既不敢私，是編宜並付諸梓，以翼《大旨》。』」

12霖案：黃虞稷《千頃堂書目》卷二，頁41著錄。

因引諸簡端，以見是編之所以梓云。」

黃虞稷曰[13]：「柏鄉人，嘉靖戊戌進士，歷官兵部右侍郎，贈都察院右都御史。」

【霖案】喬衍琯〈《經義考》所引《千頃堂書目》彙證〉云：「黃《目》『進士』下僅有『兵部侍郎』四字。」（頁三一八）

高氏拱《春秋正旨》（明）

一卷。

【著錄】黃虞稷《千頃堂書目》卷二，頁四二、張壽平《公藏先秦經子注疏書目》頁一四二著錄。

存。

【版本及藏地】本書版本及藏地如下：

一、明萬曆刻本：明高拱撰《春秋正旨》一卷，九行十八字白口四周雙邊單魚尾，《中國古籍善本書目》（經部）頁二七八著錄，北京、上海圖書館各藏一本。

二、文淵閣四庫全書本：(明)高拱撰《春秋正旨》一卷，一冊，《國立故宮博物院善本舊籍總目》，上冊，頁一〇四著錄，台北故宮博物院有藏本。

【增補】永瑢等撰《欽定四庫全書總目》曰：「春秋正旨一卷　安徽巡撫採進本

明高拱撰。拱字蕭卿，新鄭人。嘉靖辛丑進士，官至吏部尚書、中極殿大學士，諡文襄，事迹具《明史·本傳》。是編之作，蓋以宋以來說《春秋》者穿鑿附會，欲尊聖人而不知所以尊，欲明書法而不知所以明，乃推原經意以訂其謬。首論《春秋》乃明天子之義，非以天子賞罰之權自居。次論孔子必不敢改周正朔，而用夏時。次論託之魯史者，以其尚存周禮，非以其周公之後而假之。次論王不稱天乃偶然異文，滕侯稱子乃時王所黜，聖人斷無貶削天子降封諸侯之理。次論齊人歸鄆讙龜陰田，非聖人自書其功，深斥胡《傳》以天自處之非。次論《春秋》作於哀公十四年，乃孔子卒之前一歲，適遇獲麟，因而書之經，非感麟而作麟，亦非應經而至。次論說經以左氏為長，胡氏為有激而作，餘諸家之紛紛，皆由誤解『天子之事』一語。其言皆明白正大，足破說《春秋》者之痼疾。卷帙雖少，要其大義凜然，多得經意，固迥出諸儒之上矣。」（卷二十八，頁三六四）

【增補】邵懿辰撰、邵章續錄：《增訂四庫簡明目錄標注》卷三曰：「《春秋正旨》一卷，明高拱撰，原載高文襄公集內。

墨海金壺本，守山閣刊本。

〔續錄〕明刊全集中本。」（頁一一七）

【增補】楊武泉《四庫全書總目辨誤》曰：「孔子卒于魯哀公十六年四月，獲麟在哀

---

[13]霖案：黃虞稷《千頃堂書目》卷二，頁41著錄。

公十四年春，《左傳》、《史記．孔子世家》均有明文。獲麟在孔子卒前二歲，作『一歲』，誤。」（頁三一至頁三二）

三、守山閣叢書本：明高拱撰《春秋正旨》一卷，馬來西亞大學圖書館有藏本（二部）。

四、墨海金壺本：明高拱撰《春秋正旨》一卷，馬來西亞大學圖書館有藏本（二部）。

五、民國辛酉(十年,1921)上海博古齋影印本：(明)高拱撰《春秋正旨》一卷，台北：國家圖書館有藏本。

六、民國十一年(1922)上海博古齋影印本：(明)高拱撰《春秋正旨》一卷，台北：國家圖書館有藏本。

七、民國五十九年(1970)藝文印書館百部叢書集成初編影印本：(明)高拱撰《春秋正旨》一卷，台北：國家圖書館有藏本。

八、明萬曆刻本：明高拱撰《春秋正旨》一卷，九行二十字白口四周單邊，中國國家圖書館有藏本。

拱〈自序〉曰14：「莫大乎君臣之義，而天子，天下之大君也；莫大乎聖人之道，而孔子，天下之至聖也。則尊王之義無或15如孔子者，是故懼亂賊之有作而《春秋》作焉，以植天經，以扶人紀，正所以尊王也。而後儒不察，以為孔子託南面之權，以賞罰天下，其說既成，乃沿襲至今，無復能辨之者16。然此何所始哉？孟子云：『《春秋》，天子之事也。』孔子曰：『知我者，其惟《春秋》乎罪我者，其惟《春秋》乎』夫天子之事云者，謂其明文、武之憲章，率諸侯以尊王室17，非謂其假天子之權也。知我者，謂我尊周也，罪我者，文、武之法明，則僭亂之罪著，諸侯惡其害己也。如此夫18而後亂臣賊子懼也，其言固在，其理自明，而乃謂孔子自為天子，命德討罪，以是知之，亦以是罪之，其亦誤矣。予昔也讀諸家之說，實有不19安於心者，既乃以20君臣之義而逆孟子稱述之旨，遂有以得其大意，顧

14霖案：高拱：《高文襄公集》卷三十二，〈春秋正旨序〉，(《四庫全書存目叢書》，集一〇八冊)，頁429。

15霖案：「無或」，應依《高文襄公集》作「宜無」。

16霖案：「者」字下，應依《高文襄公集》補入「遂使冠履倒置，大義淪亡，曲議橫流，大道晦蝕，抑又可懼也。」等二十三字。

17霖案：「王室」，應依《高文襄公集》作「周室」。

18霖案：「夫」，應依《高文襄公集》作「乎」。

19霖案：「不」，應依《高文襄公集》作「不能」。

20霖案：「以」字下，應依《高文襄公集》補入「吾心」。

方從宦21，莫能筆之書也。歲壬申，歸田之暇，乃稍為之敘其理，以正君臣之義，以明聖人之道22。嗟呼！《春秋》果假天子之權，即孔子之書，吾不敢謂然也，而況出於後人之誤乎？謂《春秋》假天子之權，即孟子之言，吾不敢謂然也，而況出於後人之誤乎？尊王也，而與竊柄同，則竊柄者何誅？明法也，而與干紀同，則干紀者何責？茲實23萬古綱常攸繫，予豈好辨24哉？予不得已也25。」

嚴氏訥《春秋國華》（明）

　　【霖案】《國立中央圖書館善本序跋集錄》根據「明萬曆三年吳郡嚴氏活字本」收錄徐栻〈序〉、陳瓚〈序〉等二篇序文，竹垞未錄序文，今據以補入。

十八卷。

　　【著錄】黃虞稷《千頃堂書目》卷二，頁四二、張壽平《公藏先秦經子注疏書目》頁一四二著錄。

　　【卷數】黃虞稷《千頃堂書目》卷二，頁四二著錄，題作「十七卷」，而現存明萬曆三年活字本，卷數亦題作「十七卷」，顯見竹垞題作「十八」當為「十七」之誤寫。

　　【增補】永瑢等撰《欽定四庫全書總目・存目》曰：「春秋國華十七卷　兩淮馬裕家藏本

明嚴訥撰。訥字敏卿，常熟人。嘉靖辛丑進士，官至武英殿大學士，謚文靖，事迹具《明史》本傳。是書以《春秋》所書周及列國之事，分隸其國，而仍以魯十二公之年編之，雜採三傳附於經下，亦間及《國語》、《史記》諸書。其甥陳瓚序，稱訥請沐三月而成是書。則潦草編排，取盈卷帙，宜但鈔錄舊文，無所發明考證矣。」（卷三十，頁三八八）

　　【增補】〔補正〕《明史志》作十七卷。（卷八，頁十七）

　　【增補】〔校記〕《四庫存目》作十七卷。（《春秋》，頁五二）

存。

　　【版本及藏地】本書版本及藏地如下：

一、明萬曆三年(1575)吳郡嚴氏活字本：(明)嚴訥撰《春秋國華》十七卷，12冊；18.7x12.7公分，9行，行20字，夾註雙行字數同，單欄，版心白口，白魚尾，上方記書名，

21霖案：「從宦」二字下，應依《高文襄公集》補入「徒懷之數十年」等六字。

22霖案：「以明聖人之道」之下，應依《高文襄公集》補入「以償夙志」四字。

23霖案：「實」，《高文襄公集》作「寔」。

24霖案：「辨」，《高文襄公集》作「辯」。

25霖案：「也」字下，應依《高文襄公集》補入「萬曆甲戌七月望東里中玄山人高拱自序」等十七字。

中間記國別，下方記葉次，鈐有「翰林院印」漢滿朱文大方印、「丹徒嚴氏藏書」白文方印、「國立中央圖書館保管」朱文方印，有微捲，正文卷端題「春秋國華卷之一太子太保吏部尚書武英殿大學士吳郡嚴訥輯」，有萬曆三年乙亥孟春吉旦門人徐栻〈序〉、外甥陳瓚〈序〉，台北：國家圖書館有藏本。

又《中國古籍善本書目》（經部）頁二七八著錄，題作「明萬曆活字印本」，當即此本。中山大學圖書館有藏本。

【增補】《國家圖書館善本書志初稿》：「【春秋國華十七卷十二冊】

明萬曆三年(1575) 吳郡嚴氏活字本　　00549

明嚴訥撰。訥(1511-1584)字敏卿，號養齋，常熟人，嘉靖二十年(1533)進士。

版匡高 18.7 公分，寬 12.7 公分。左右單邊。每半葉九行，行二十字。註文小字雙行，字數同。引書墨蓋白文標出。版心白口，白魚尾，上方記書名，中間記國別(如『魯上』)，下方記葉次。

首卷首行頂格題『春秋國華卷之一』，次行低三格題『太子太保吏始部尚書武英殿大學士吳郡嚴訥輯』。卷末隔五行有尾題。卷首有明徐栻及陳瓚　春秋國華序。

書中鈐有『翰林/院印』漢滿朱文大方印、『丹徒/嚴氏/藏書』白文方印、『國立中/央圖書/館保管』朱文方印。」(頁 148)。

【增補】徐栻〈序〉曰：「夫六經之在天下，如日月星辰之麗天，日月星辰各一其象，而同為天文；六經各一其體，而同為人文，六經皆聖心之精華也。吾孔子獨曰，吾志在春秋，而記稱游、夏不能贊一詞，何哉？蓋春秋者史外傳心之要典、史中之經也，宏綱大法特嚴一字間，而左氏傳敘更為闡悉，其權衡精微，則易之變也；辭命諫說，則書之事也；是非予奪，則詩之情也；興典常而本忠恕，則禮樂之中和也；五經之有春秋，猶法律之有斷例，視諸經為備。故吳季札，海邦也，觀風歷聘而輝煌上國；郯子，小夷也，鳥官紀詳而仲尼下問；江黃，荒裔也，狩角理直而與盟中夏；一言合道，靡國不傳，矧齊、魯、晉、鄭、秦、楚諸國，其可傳者罄竹莫窮。第渾一編年，探討未易，司馬氏列為世家，非不班班可考，然略著始末，事詳文簡，意味寥寂。吾師養齋先生博極群言，漱精六籍，即以詩起家相天下，而尤邃于春秋。曩在史館時，研究博采，著春秋國華若干卷，一國自為一帙，始以編年之書備紀載之傳，參之戴記、家語，翼以聖人之經也；列之國語、史記，佐以史氏之說也；詳之管子諸書，叢以一家之言也。稽古準今，旁搜互考，俾春秋之義。國有專紀，條分縷悉，巨細畢舉，合而觀之，若九州職貢、天府方物畢陳，珍麗極目；析而觀之，若南金荊璧、越羅蜀錦，各異包匭。既弘演乎經傳、殊廣洽于遷史，比之武庫為益新、較之繁露為益正，意義煥發，體格嚴明，足以澤末學而垂來禩。先生獻納著朝廷，而立言詒訓又在六經，不惟昭代之名佐，亦足羽翼乎聖經矣。先生是編手授翼子治證，珍習有年，乃其繼緒一念，欲推廣家傳，而公之後學，爰壽諸梓，謂栻以經術見錄門墻，屬為之敘。栻不佞不足以窺先生之精蘊，聊述管見以附簡編，使後之談經者於此乎有稽焉。萬曆三年乙亥孟春吉旦，賜進士第、通議大夫、南京工部右侍郎、前奉勅巡撫江西地方都察

院右副都御史、提督湖廣學校副使、監察御史，門人徐栻頓首拜撰。」（轉錄《國立中央圖書館善本序跋集錄》經部·頁三二九）

【增補】陳瓚〈序〉曰：「余觀春秋之際，文盛以哉！蓋自文言炳采，公旦制詩，文運之隆，肇于茲矣。洎乎春秋，世則已降，文實勝焉。方是時，上自王朝，下至侯國，凡文告之宣布、謀猷之論列、時事之紀載，靡不洋洋纚纚，極一時之文矣，而孔父適生其間，受端門之命，得陽豫之占，於是據百二十國之寶書而春秋作。其書有五始、三科、九旨、七等、六輔、二類之蘊，要在明王迹、維天常、志善敗、鏡存亡，真百王之通典，而經世之宏規也。鈎命訣稱孔子在庶，德無所施，功無所就，故曰吾志在春秋。然則天生孔父而阨之以無位，固將使之寫光岳之英、紆玄聖之奧而成是書耶？周家尚文之運，蓋至孔父而蹈其摯矣！于後則有鄒氏、夾氏、左氏、公羊、穀梁氏紛紛繼起，稟經立說，鄒、夾無傳，而左、公、穀最著。左氏與孔父同時，實得微言，綜而作傳，傳所未悉，厥有國語，其說最先著竹帛，而公、穀二家乃自漢出。考之六籍，論左善於體、公善于讖、穀善于經，大抵皆淵源孔父，羽翼聖經，而譚春秋者所必資也。顧人自為傳，則長短互形，拘方之士乃各是其師說，高自標榜，而三傳且遞為廢興矣。故碩儒如賈誼、劉歆、服虔、鄭眾之徒，則專說左氏美，遂謂公穀二家可絀；而景帝好公羊，則胡母之說行；宣帝好穀梁，則千秋之教起。武帝時，公羊師董仲舒有才辦，穀梁師江翁性訥，公羊于是大興而穀梁廢。後魯人榮廣善穀梁，與公羊師眭孟往來送難，眭孟數窮，穀梁則又興而公羊廢。三傳本為春秋作，乃其遞興遞廢，不得與春秋並傳，何耶？則以人自為說，不相融貫，毋惑乎拘方之士不能兼而肆之，而繆為去取其間也，語曰，東向而望，不見西牆，斯之謂矣。微夫達觀君子，孰能合其離、總其渙，旁羅古人之懿采、而收之目睫之間哉！吾邑相國嚴公初在史館時，每讀春秋必及三傳，久之患其洋不相合，於是請沐，三閱月而春秋國華就編焉，冠以聖經、輔以三傳，時採家國語、笵晏、史記附之，條分縷屬，在王朝者隸王朝，在列國者隸列國，間有芟夷，事不悉載，而諸家之長畢匯，首尾之脈可尋，雖積和璧、累夏璜、囊隋珠、篋夜光，未足喻也。若相國者真具達觀之識，非夫拘方之士可得而庶幾者矣。相國既林居，披覽益遠，茲編已為笥中藏，而厥子治若澄寶，愛弗能置，一日出以示瓚，謀梓焉。瓚曰，相國敷藻詞林，展采南宮，懸鑑詮曹，增耀鼎席，儀天朝、表海宇，其為國華大矣。茲編者特相國餘也，顧茲編一行，不惟一振古人聲采之流，且俾譚春秋者得以括經傳，而收之目睫之間，即嘉惠來學者，豈有既哉？固宜梓，梓成，遂屬瓚弁諸首云。賜進士第、前中憲大夫、太常寺少卿、吏科左給事中，甥陳瓚謹序。」（轉錄《國立中央圖書館善本序跋集錄》經部·頁三二九至頁三三〇）

陸元輔曰：「嘗熟嚴公訥中，嘉靖辛丑進士，累官太子太保、吏部尚書、武英殿大學士，贈少保，謚文靖，其書分國，凡十八卷。」

黃虞稷曰[26]：「萬歷乙亥徐栻、陳瓚為序。」

26霖案：黃虞稷《千頃堂書目》卷二，頁42。

【霖案】喬衍琯〈《經義考》所引《千頃堂書目》彙證〉云：「黃《目》作『十七卷』。又無『陳瓚為』三字。」（頁三一九）

王氏崇儉《春秋筆意》

【著錄】黃虞稷《千頃堂書目》卷二，頁四一著錄。

未見。

【霖案】本書未見其他傳本，當已久佚。

陸元輔曰：「崇儉，山東曹縣人，嘉靖辛丑進士。」

李氏攀龍《春秋孔義》

【作者】翁方綱《經義攷補正》卷八云：「按：本書卷二百五載高攀龍春秋孔義，書名、卷數與此皆同，高書見存，其兄子世泰序曰：「我伯父忠憲公有有春秋孔義之書。」此署李攀龍名，疑即高書訛為李也；但明史藝文志有李攀龍孔義，無高攀龍孔義，今姑仍之。」。

十二卷。

未見。

【霖案】本書未見其他傳本，當已久佚。

錢謙益曰[27]：「攀龍，字于鱗[28]，歷城人。嘉靖甲辰進士，官至河南按察使。」

【增補】〔補正〕按：本書卷二百五載高攀龍《春秋孔義》，書名、卷數與此皆同，高書見存，其兄子世泰〈序〉曰：「我伯父忠憲公有有《春秋孔義》之書。」此署李攀龍名，疑即高書訛為李也；但《明史‧藝文志》有李攀龍《孔義》，無高攀龍《孔義》，今姑仍之。（卷八，頁十七）

王氏樵《春秋輯傳》（明）

【增補】張壽平《公藏先秦經子注疏書目》頁一四二著錄，另有王樵《宗旨》一卷，今據以補入。

【書名】黃虞稷《千頃堂書目》卷二曰：「一名《春秋經世》」（頁四二）。

十五卷。

---

27 「錢謙益曰」，「四庫本」作「《山東通志》」。　霖案：《經義考新校》頁3687校文，內容有較大改變，今引其校文如下：「『錢謙益曰』，《四庫薈要》本作『錢陸燦曰』，文淵閣《四庫》本作『《山東通志》』，文津閣《四庫》本作『黃虞稷曰』。」。今考此文出自《列朝詩集小傳》頁428。

28 「于鱗」，「四庫本」誤作「子鱗」，「備要本」誤作「子麟」。　霖案：《經義考新校》頁3687校文，「四庫」二字之前，另有「文淵閣」三字。

【著錄】黃虞稷《千頃堂書目》卷二，頁四二、張壽平《公藏先秦經子注疏書目》頁一四二著錄。

【卷數】本書卷數異同如下：

一、十三卷：本書文淵閣四庫全書本題作「十三卷」，而竹垞題作「十五卷」，乃是同於黃虞稷《千頃堂書目》的著錄。

存。

【版本及藏地】本書版本及藏地如下：

一、明萬曆刻本：明王樵撰《春秋輯傳》十三卷，《凡例》二卷，《宗旨》一卷，《中國古籍善本書目》（經部）頁二七八著錄，中國科學院自然科學史研究所、上海、浙江圖書館有藏本。

二、文淵閣四庫全書本：(明)王樵撰《春秋輯傳》十三卷、《宗旨》一卷、《凡例》二卷，《國立故宮博物院善本舊籍總目》，上冊，頁一○四著錄，台北：故宮博物院有藏本。

【增補】永瑢等撰《欽定四庫全書總目》曰：「春秋輯傳十三卷宗旨一卷[29]春秋凡例二卷　直隸總督採進本

明王樵撰。樵有《周易私錄》，已著錄。是編朱彝尊《經義考》作十五卷，又別出《凡例》二卷，注曰『未見』。此本凡《輯傳》十三卷，前有《宗旨》三篇、《附論》一篇，共為一卷，與十五卷之數不符。蓋彝尊偶誤。又《凡例》二卷，今實附刻書中，彝尊亦偶未檢也。其《輯傳》以朱子為宗，博採諸家，附以論斷，未免或失之冗，然大旨猶為醇正。其《凡例》則比類推求，不涉穿鑿，較他家特為明簡。明人之說《春秋》，大抵範圍於胡《傳》。其為科舉之計者，庸濫[30]固不足言，其好持議論者，又因仍苛說，彌用推求，巧詆深文，爭為刻酷，尤失筆削之微旨。樵作此書，差為篤實，其在當日，亦可云不移於俗學者矣。」（卷二十八，頁三六四）

【增補】邵懿辰撰、邵章續錄：《增訂四庫簡明目錄標注》卷三曰：「《春秋輯傳》十三卷，凡例二卷，明王樵撰。

四庫箸錄，係商邱宋氏鈔本，二十三卷。

〔續錄〕明萬曆四十七年刊本，多《宗旨》一卷。（頁一一七）

三、民國二十三年上海商務印書館影印《四庫全書珍本初集》本：明王樵撰《春秋輯傳》十三卷，《宗旨》一卷，《凡例》二卷，十六冊，扉頁印記「商務印書館受教育部中央圖書館籌備處委託景印故宮博物院所藏文淵閣本」，台北：國家圖書館、臺灣

29霖案：原注云：按：「宗旨一卷」，本篇提要已明言「前有《宗旨》三篇、《附論》一篇，共為一卷」，而浙、粵本及文淵閣庫書亦在書名中標出，故補。

30霖案：原注云：「庸濫」，底本脫，據浙、粵本加。

師範大學圖書館有藏本。

又馬來西亞大學圖書館有藏本（二部）。

【增補】〔補正〕按：今傳王樵《春秋輯傳》二十三卷，此云《輯傳》十五卷、《凡例》二卷，誤與《千頃堂書目》同。（卷八，頁十八）

【增補】〔校記〕《四庫》本《春秋輯傳》十三卷、《宗旨》一卷。（《春秋》，頁五二）

【增補】黃虞稷《千頃堂書目》卷二曰：「一名《春秋經世》，萬歷乙未序」（頁四二）。

四、商邱宋氏鈔本：邵懿辰撰、邵章續錄：《增訂四庫簡明目錄標注》卷三，頁一一七著錄。

《春秋凡例》（明）

二卷。

【著錄】黃虞稷《千頃堂書目》卷二，頁四二、張壽平《公藏先秦經子注疏書目》頁一四二著錄。

【卷數】黃虞稷《千頃堂書目》卷二，頁四二著錄，題作「三卷」。

未見。

【存佚】本書有明萬曆刻本、文淵閣四庫全書本，應改注曰「存」

【版本及藏地】本書版本及藏地如下：

一、明萬曆刻本：明王樵撰《春秋輯傳》十三卷，《凡例》二卷，《宗旨》一卷，《中國古籍善本書目》（經部）頁二七八著錄，中國科學院自然科學史研究所、上海、浙江圖書館有藏本。

又大陸：西北大學圖書館藏有一本，題作明萬曆二十三年刻本，疑即此本，該本題作明王樵撰《春秋凡例》二卷，十行二十一字，白口，左右雙邊，版心下鐫刻工名。卷首有萬曆二十三年王樵序，合計二冊。

二、文淵閣四庫全書本：(明)王樵撰《春秋輯傳》十三卷、《宗旨》一卷、《凡例》二卷，《國立故宮博物院善本舊籍總目》，上冊，頁一〇四著錄，台北：故宮博物院有藏本。

三、民國二十三年上海商務印書館影印《四庫全書珍本初集》本：明王樵撰《春秋輯傳》十三卷，《宗旨》一卷，《凡例》二卷，十六冊，台北：國家圖書館、臺灣師範大學圖書館有藏本。

又馬來西亞大學圖書館有藏本（二部）。

【增補】〔補正〕《明史志》作三卷。（卷八，頁十八）

樵〈自序〉曰31:「孔子因魯史而作《春秋》,孔子未之言也,而孟子言之,《春秋》之要,非孟子不能知也。傳之者三家;《左氏》見國史,多得其事;《公》、《穀》經生講授,多得其義;雖各紀其近聞,時有舛駁,要皆去孔門未遠。今居千載之下,謂《三傳》可束高閣,欲以己意立說者,非通見也32。《三傳》33之後,惟啖氏34、趙氏35、陸氏可謂通《經》,不泥於36專門之陋37,為《輯傳》38、《辨疑》、《纂例》39各若干卷40,條理燦然,其有功於41《春秋》多矣42。程子嘗作《傳》而未成,朱子以此經未易言,故未暇為書,而其平日講論所及,皆闡《春秋》大義,至其因《通鑑》而修《綱目》,綱倣《春秋》,目依《左氏》,綱以著道法,目以備事辭,其書法之義,固皆《春秋》之旨也,然則朱子雖未為書,而於聖人竊取之義,可謂繼程子而得其心者矣。其未為書之意,亦以43胡文定公作《傳》,

---

31霖案:竹垞引此序於王樵《春秋凡例》之下,蓋以為此序為王樵《春秋凡例‧序》,然考此序出自王樵《方麓集》卷二,「四庫全書本」,冊一二八五,頁137-138,題作〈春秋私錄序〉,則竹垞不當將此文置於《春秋凡例》之下,且不當云「〈自序〉」。又四庫本:冊1285-頁137-卷2,《方麓集》2:春秋私錄序。《春秋輯傳》〈春秋宗旨〉,《四庫全書存目叢書》有《春秋輯傳辨疑》(經133-13)。

32霖案:王樵:〈春秋私錄序〉未錄「孔子因魯史而作《春秋》,孔子未之言也,而孟子言之,《春秋》之要,非孟子不能知也。傳之者三家;《左氏》見國史,多得其事;《公》、《穀》經生講授,多得其義;雖各紀其近聞,時有舛駁,要皆去孔門未遠。今居千載之下,謂《三傳》可束高閣,欲以己意立說者,非通見也。」諸字,當據以刪。

33霖案:「《三傳》」二字前,當依《方麓集》補入「《春秋》自」三字。

34霖案:「氏」,《方麓集》無此字,當刪。

35霖案:「氏」,《方麓集》無此字,當刪。

36霖案:「於」,《方麓集》作「于」。

37霖案:「陋」字下,應依《方麓集》補入「訂正《三傳》得失」等六字。

38「《輯傳》」,各本同,應依《補正》作「《集傳》」。　　霖案:《經義考新校》頁3689校文,「各本同」改作「各本皆誤」;「應依」改作「依」字;「作」改作「應作」二字。今考《方麓集》正作「《集傳》」,顯然題作「《輯傳》」者,誤也。

39霖案:「《纂例》」二字前,當依《方麓集》補入「又為」二字。

40霖案:「各若干卷」,應依《方麓集》作「一編」,蓋原書僅作「一編」,而未及多少卷,而竹垞或逕改作「各若干卷」,雖意義並未出入過大,但與原書文句不合,當據原書改作「一編」。

41霖案:「於」,應依《方麓集》作「于」。

42霖案:「矣」字下,應依《方麓集》補入「前後諸家,未有過之者也」等十字。

43霖案:「而其平日講論所及,皆闡《春秋》大義,至其因《通鑑》而修《綱目》,綱倣《春秋》,目依《左氏》,綱以著道法,目以備事辭,其書法之義,固皆《春秋》之旨也,然則朱子雖未為書,而於聖人竊取之義,可謂繼程子而得其心者矣。其未為書之意,亦以」諸字,《方麓集》所錄

謂事按《左氏》，義采《公羊》、《穀梁》之精者，大綱本孟子，而微辭多取徵程氏，其言當矣。雖然，理明義精如程子，固猶謂其微辭隱義[44]，時措從宜者為難，知[45]其間多所闕而未言與夫言而尚略者，蓋難之也，則文定其肯自謂皆已得聖人之意乎？此非一家之學也[46]。故愚自《三傳》以下，采輯異同，以資研討，頗不主一家，其有未合，不敢臆決，大概[47]皆本朱子之意，朱子之意固即程子之意也。夫不繆於程、朱[48]而有裨於[49]文定，則愚區區私錄之意乎？又因文定綱領七家之說而廣為之[50]《宗旨》三篇、《附論》一篇，因陸氏《纂例》而修之，為《凡例》二十篇，雖於聖人筆削之意、先生經世之法不敢妄議，然程子曰：『善[51]者求言必自近，易於近，非知言者也。』今言則備矣，誠不以其近而忽之，豈無有因言而得之[52]者乎？雖非所及，願與同志者共之。」

【增補】〔補正〕〈自序〉內為「《輯傳》、《辨疑》」，「《輯》」當作「《集》」。（卷八，頁十八）

李氏先芳《春秋辨疑》

【書名】黃虞稷《千頃堂書目》卷二，頁四一著錄，書名題為《春秋辨義》。

未見。

【霖案】本書未見其他傳本，當已久佚。

之序，與之上文有極大差異，難以校理，故先將上文詞句刪去，再行增入「然其因司馬文正公所輯《資治通鑑》而脩《綱目》，實倣吾夫子因魯史而修《春秋》之法，綱以著道法，目以備事辭，其於《春秋》之旨，不強測以空言，而默見以行事，雖不為《春秋》而作，然以愚見言之，謂善發明《春秋》莫如朱子，可也故愚嘗因《綱目》而識《春秋》，誠以古今世變不同，而事之得失，未嘗不同，在觀者通悟可如爾。《綱目》事辭皆備，《凡例》又出，朱子手筆，故後人得以考見書法之意，而不至於繆誤，惟《春秋》《經》《傳》，元各孤行，《左氏》之於事，《公》、《穀》之於義，各記所聞，時多抵捂，或以己意穿鑿，不皆得聖人之意，然要之三家，去聖門未遠，其間合義理，當人心者，必有所傳，擇而取之，十恒得五六，今居千載之下，而謂三傳真可束高閣，欲以己意立說者，非通見也。」等二四九字。

[44]霖案：「隱義」，應依《方麓集》作「奧義」。

[45]霖案：「知」下，應依《方麓集》補入「矣」。

[46]霖案：「也」下，應依《方麓集》補入「不厭于講」。

[47]霖案：「大概」，《方麓集》作「大槩」。

[48]霖案：「朱」下，應依《方麓集》補入「二夫子」。

[49]霖案：「於」，《方麓集》作「于」。

[50]霖案：「為之」，應依《方麓集》作「之為」。

[51]霖案：「善」，應依《方麓集》作「善學」。

[52]霖案：「之」，《方麓集》無此字，當刪。

【增補】黃虞稷《千頃堂書目》卷二曰：「辨春王正月諸注之繆，并考獲麟之後，威烈之前經史不傳之緒。」（頁四一）。

王氏世貞《春秋論》（明）

【增補】長春：東北師範大學圖書館藏有王世貞撰《新刻王鳳洲先生課兒左傳文髓》二卷，竹垞未能錄及此書，今據以補入。

又《國立故宮博物院善本舊籍總目》，上冊，頁一〇四錄有王世貞《左逸》一卷，見於四庫全書本《弇州山人四部稿》卷一百四十一，竹垞未錄此書，當據以補入。

四篇。

存。

【版本及藏地】本書版本及藏地如下：

一、《弇州四部稿》本：《春秋總義論著目錄》頁六六著錄。

錢謙益曰[53]：「世貞，字元美，太倉人。嘉靖丁未進士，除刑部主事，歷郎中，出為青州兵備副使，歷山西按察使，入為太僕卿，以右副都御史撫治鄖陽，遷南大理卿、應天府尹。乞歸，起南刑、兵兩部侍郎，拜刑部尚書。」

汪氏道昆《春秋左傳節文》（明）

【書名】《四庫全書》錄有歐陽修《左傳節文》一書，實則此書，說法詳見胡玉縉撰、王欣夫輯《四庫全書總目提要補正》卷七，頁一八五、崔富章《四庫提要補正》頁一七九至頁一八〇著錄。

【作者】《四庫全書總目》題作『舊本題宋歐陽修編』，實為為汪氏道昆所撰之書，說法詳見崔富章《四庫提要補正》頁一七九至頁一八〇著錄。

又李一遂〈左氏春秋著錄書目研究〉誤作「汪道焜」。

【增補】永瑢等撰《欽定四庫全書總目·存目》曰：「左傳節文十五卷　兵部侍郎紀昀家藏本

舊本題宋歐陽修編，明萬歷中刊版也。取《左傳》之文略為刪削，每篇之首分標『敘事』、『議論』、『詞令』諸目，又標『神品』、『能品』、『真品』、『具品』、『妙品』諸名，及『章法』、『句法』、『字法』諸字。前有慶歷五年修自序，序中稱胡安國《春秋傳》及真德秀《文章正宗》，是不足與辨矣[54]。」（卷三十，頁三

---

53 「錢謙益曰」，「四庫本」作「《江南通志》」。　霖案：《經義考新校》頁3690校文，「四庫本」之前，另有「《四庫薈要》本作『錢陸燦曰』，文淵閣」等字；又「《江南通志》」四字下，另有「文津閣《四庫》本作『黃虞稷曰』。」。今考此文出自《列朝詩集小傳》頁436，則實為錢謙益之語。

54霖案：原注云：按：胡安國、真德秀皆生於歐陽修逝世之後，歐陽修序中何得進入胡、真氏之名之文？《明史·藝文志》載汪道昆《春秋左傳節文》十五卷，當即此書。

八四）

【增補】胡玉縉撰、王欣夫輯《四庫全書總目提要補正》卷七曰：「案《明史·藝文志》載汪道昆《春秋左傳節文》十五卷，丁氏《藏書志》有明李事道《左概》六卷，云凡例稱章法、句法、字法佳者，仍汪南明《節文》標出，是此本即汪氏所編。」（頁一八四至頁一八五）

【增補】崔富章《四庫提要補正》曰：「考歐陽修卒於宋神宗熙寧五年（公元１０７２年），胡安國生於熙寧七年（１０７４），真德秀生於南宋孝宗淳熙五年（１１７８）。胡、真皆修卒後出生，慶曆五年（１０４５）修序何緣稱道？射利妄人作偽甚明。明汪道昆撰《春秋左傳節文》十五卷，傳世有萬曆五年刻本（北京大學、雲南大學藏）、明刻本（安徽博物館藏）、萬曆十二年刻本（周光鎬注，山東博物館藏。）《總目》著錄者實汪氏書也。」（頁一七九至頁一八○）

十五卷。

【著錄】黃虞稷《千頃堂書目》卷二，頁四三、張壽平《公藏先秦經子注疏書目》頁一二三著錄。

【卷數】本書卷帙異同如下：

一、不題卷數：李一遂〈左氏春秋著錄書目研究〉頁一二五。

存。

【版本及藏地】本書版本及藏地如下：

一、明萬曆五年新都汪氏刻本：明汪道昆撰《春秋左傳節文》十五卷，九行，十八字，白口，左右雙邊。卷三第一頁書口下題：鏘；卷六第一頁書口下題：鉞；卷十一第一頁書口下題：鋐第刻工姓氏。有汪道昆萬曆十五年序，五冊，長春：東北師範大學圖書館；美國：普林斯敦大學葛思德東方圖書館有藏本。

又(明)汪道昆編.《春秋左傳節文》十五卷，10冊，27公分，九行十八字，有明萬曆五年(1577)汪氏自序，線裝襯裝，有「浣月齋程氏藏書印」、「禮口堂書庫寶藏印」諸印記，排架號：1-1-5，光碟代號：OD004A，台北：中研院傅斯年圖書館有藏本。

又北京大學、中國人民大學、北京師範大學、天津、東北師範大學、泰州市、安徽省、福建師範大學、雲南大學等圖書館均有藏本，《中國古籍善本書目》（經部）頁二四八著錄。

【增補】《國家圖書館善本書志初稿》：「【春秋文十二卷八冊】

明萬曆五年(1577)新都汪氏刊本　00575

明汪道昆節錄。道昆(1525-1593)字伯玉，號南明，歙縣人。嘉靖二十六年(1547)進士。後累陞兵部侍郎。

　　　　版匡高 **18.9** 公分，寬 **13.6** 公分。左右雙邊。每半葉九行，行十八字。『經』、『傳』以墨蓋子白文別出。版心白口，白魚尾，魚尾下方記卷第(如『卷一』)、葉次，再下方記刻工名。刻工名：鉞、鏞、戈、鋐等。

　　　　首卷首行頂格題『春秋文』。卷首有萬曆五年(1577)汪道昆『春秋文引』。書眉附刻眉批，文中附刻句讀。每卷末附音義。正文中多處浮簽評文，不知出自何人。

　　　　書中鈐有『國立中/央圖書/館考藏』朱文方印、『阮/亭』朱文方印、『王印/士禎』白文方印、『鳥滸詩夢/醒茶□□/□故人來』朱文長方印。」**(頁 154)**。

【增補】《中國人民大學圖書館古籍善本書目》曰：「００９２　　１６／６６

春秋左傳節文十五卷附音義

（明）汪道崑撰

明萬曆五年（１５７７）刻本

五冊一函

九行十八字，白口，白魚尾，左右雙邊。眉上鐫評。鈐『鄞林氏藜照廬圖書』、『林集虛印』諸印。」（頁十三）

【增補】《中央研究院歷史語言研究所善本書目》曰：「《春秋左傳節文》十五卷十冊　明汪道昆編　明萬曆五年刊本。」（頁八）

【增補】《東北師範大學圖書館藏古籍善本書目解題》云：「是書取左傳之文，略為刪削，每篇之首，分標敘事議論詞令諸目，又標神品、能品、真品、具品、妙品諸名，及章法、句法、字法諸字。前有萬曆五年節文引。」（頁三三）

【增補】《東北師範大學圖書館藏古籍善本書目解題》曰：「是書取左傳之文，略為刪削，每篇之首，分標敘事議論詞令諸目，又標神品、能品、真品、具品、妙品諸名，及章法、句法、字法諸字。前有萬曆五年節文引。

　　　　汪道昆：明，歙人，字伯玉。嘉靖進士。累官兵部侍郎，有副墨及《太函集》一百二十卷。」（頁三三）

【增補】屈萬里《普林斯敦大學葛思德東方圖書館中文善本書志》曰：「《春秋左傳節文》十五卷　十冊　　一函

明汪道昆編

明萬曆間貽穀堂刊本。　九行十八字。板匡高一八‧九公分，寬一二‧九公分。

卷首有汪道昆自序，未署年月。略云：『不佞誦法《左傳》，亦既有年。年始及衰，不遑卒業。乃撮居常所贍炙者，省為節文。蓋存者五之三，袞者二。大較以經統傳，故惟因傳引經；義取斷章，即離勿恤矣。』《四庫全書總目》未著錄是書。序末鐫有『貽穀堂藏板』題記一行。以字體覘之，蓋萬曆間刊本也。」（頁四二）

二、明刻本：安徽省博物館有藏本，《中國古籍善本書目》（經部）頁二四八、崔富

章《四庫提要補正》頁一八〇著錄。

三、萬曆十二年刻本：周光鎬注，山東博物館有藏本，崔富章《四庫提要補正》頁一八〇著錄。

四、明萬曆五年(1577)刊本：(明)汪道昆編.《春秋左傳節文》十五卷，10 冊，27 公分，九行十八字，有明萬曆五年(1577)汪氏自序，線裝襯裝，有「浣月齋程氏藏書印」、「禮口堂書庫實藏印」諸印記，排架號: 1-1-5，光碟代號: OD004A，台北：中研院傅斯年圖書館有藏本。

錢謙益曰[55]：「道昆，字伯玉，歙縣人。嘉靖丁未進士，仕至兵部左侍郎。」

吳氏國倫《春秋世譜》

十卷。

【著錄】黃虞稷《千頃堂書目》卷二，頁四三著錄。

未見。

【霖案】本書未見其他傳本，當已久佚。

錢謙益[56]曰：「國倫，字明卿，興國人。嘉靖庚戌進士，授中書舍人，遷兵科給事中，左遷南康府推官，調歸德，起知建寧、邵武二府，又調高州，擢貴州提學副使、河南參政。」

陸元輔曰：「其書以《春秋》列國事實見於《史記》及他書者，分國為諸侯、世家，予得其手寫本，尚未刊行。」

【增補】黃虞稷《千頃堂書目》卷二曰：「以春秋列國事實見於《史記》他書者，分國為諸侯世家。」（頁四三）。

徐氏學謨《春秋億》（明）

六卷。

【著錄】黃虞稷《千頃堂書目》卷二，頁四三、張壽平《公藏先秦經子注疏書目》頁一四二著錄。

存。

【版本及藏地】本書版本及藏地如下：

---

55 「錢謙益曰」，「四庫本」作「《江南通志》」。　霖案：《經義考新校》頁3691校文，「四庫本」之前，另有「《四庫薈要》本作『錢陸燦曰』，文淵閣」等字；又「《江南通志》」四字下，另有「文津閣《四庫》本作『黃虞稷曰』。」。今考此文出自《列朝詩集小傳》頁441，則實為錢謙益之語。

56 「錢謙益」，「四庫本」作「谷應泰」。　霖案：《經義考新校》頁3691校文，「四庫」二字之前，另有「《四庫薈要》本作『錢陸燦』，文淵閣」等字。今考此文出自《列朝詩集小傳》頁433，則實為錢謙益之語也。

一、文淵閣四庫全書本：(明)徐學謨撰《春秋億》六卷，四冊，《國立故宮博物院善本舊籍總目》，上冊，頁一〇四著錄，台北故宮博物院有藏本。

【增補】永瑢等撰《欽定四庫全書總目》曰：「春秋億六卷　江蘇巡撫採進本

明徐學謨撰。學謨字叔明，嘉定人，嘉靖庚戌進士，官至禮部尚書。是編序題『春秋億』，而卷首題曰『徐氏』，《海隅集》目錄又題曰『外編』，蓋其全集之一種。十二公各為一篇，不載經文，而一一排比年月，隨經詮議。蓋漢代經、傳別行，原不相屬，似乎創例實古法也。大旨以《春秋》所書，皆據舊史，舊史所闕，聖人不能增益。如隱、莊、閔、僖不書即位；桓三年以後，不書王；衛人、陳人、從王伐鄭，不稱天；以及日、月之或有或無，皆非聖人所筆削。一掃《公羊》、《穀梁》無字非例之說與孫復、胡安國無事非譏之論。夫《春秋》之作，既稱筆削，則必非全錄舊文，漫無褒貶。學謨持論雖未免矯枉過直，然平心靜氣，不事囂爭，言簡理明，多得經意，實勝宋元諸儒之穿鑿。其駁夏時周月之說曰：『為下而先倍，烏在其為《春秋》也！』可謂要言不煩者矣。」（卷二十八，頁三六四）

【增補】邵懿辰撰、邵章續錄：《增訂四庫簡明目錄標注》卷三曰：「《春秋億》六卷，明徐學謨撰。

有刊本，見淡生堂目。

〔續錄〕明徐氏海隅集刊本。」（頁一一七）

二、徐氏海隅集刊本：邵懿辰撰、邵章續錄：《增訂四庫簡明目錄標注》卷三，頁一一七著錄。

學謨〈自序〉曰[57]：「說經者宜莫難於《春秋》，非[58]說之難，能明聖人之意之難也[59]。今之說《春秋》者，類以《左氏》為之證，而參以《公》、《穀》二家，彼其因事以屬辭，緣辭以命例，事同則辭[60]同，辭[61]同則命例宜無不同，然而正變相錯，權衡互異；若繼弒[62]，一也，或書即位，或不書即位；紀元，一也，或書王正月，或不書王正月，或單書春王而不

57　霖案：徐學謨《春秋億‧序》(台北：臺灣商務印書館，「景印文淵閣四庫全書」冊一六九，民國七十五年三月，初版)，頁2-4。

58　霖案：「非」字，《春秋億‧序》作「匪」字。

59　霖案：「也」字之下，應依《春秋億‧序》補入「蓋自秦人滅學之後，六經之闕佚者，十六、七矣！獨《春秋》哉？而《春秋》為甚。漢儒喜以其意補《經》，即於他《經》悖理亂真者不少，苟以理紬之，其誣可立辨也。《春秋》，事詞也，事詞在千載之前，有無疑似，即有增損，無從質之矣，故曰：『說《經》者，宜莫難於《春秋》也』。」等句。

60　霖案：「辭」字，《春秋億‧序》作「詞」字。

61　霖案：「辭」字，《春秋億‧序》作「詞」字。

62　「弒」，「備要本」誤作「世」。　霖案：《經義考新校》頁3692校文同之。今考此文出自《春秋億‧序》，內容正作「弒」字。

書正月；伐國，一也，或名或不名，或爵或不爵；專將帥師，一也，或去其公子，或不去[63]公子；弒君，一也，或明其為弒，或不明其為弒。乃三家各就其詞而為之說，求之《春秋》之本文，而其說皆無有也。以[64]《春秋》之本文獨行於世，千載之下，雖聖人復起，不能指其詞之所之也。故學者不得不據《傳》以求《經》，夫《經》之為言常也，簡易明達之謂也，聖人作之，將以垂憲於[65]無窮，而乃故[66]為微曖難明之詞，若置覆焉，而須《傳》以為之射，則何異於[67]日月之借光於爝[68]火乎？必不然矣。按班固〈藝文志〉云：『仲尼傷杞、宋之亡，徵以魯周公之國禮文備物，與左邱明[69]共觀史記而修[70]《春秋》。當其時，祗以口授弟子，左氏懼其異言失真，乃因本事以作《傳》。』信斯言也，則《經》與《傳》有輔車之倚焉，不當獨推尊孔氏矣；即令附《春秋》而作，其事詞已無不可信，而又何有於[71]《公》、《穀》？二家乃漢初鼎列於學宮[72]，而尹氏君氏、盟蔑盟昧[73]、築郎築微、厥憖屈銀之文，又輒[74]與《左氏》相齟齬者，不可勝紀。夫經文一也，然且彼亦一是非，此亦一是非，況其有無疑似微曖難明者乎？故知三家各受師承，以口說流行，即《左氏》亦孔子以後之書，自漢以來，《經》從《傳》出，馬端臨以意增損之疑不為無謂，而南宋大儒顧復取其以意增損之詞為之懸想臆度，斷以聖人之特筆在是，以其可解者謂之正例，而以其不可解者強名之曰變例，至謂仲尼見諸行事之實，以天自處，削天於[75]王，奪位於[76]國，去氏族於[77]卿大夫，略無顧忌，

---

63 霖案：「去」字下，應依《春秋億・序》補入「其」字。

64 霖案：「以」字之前，應依《春秋億・序》補入「即」字。

65 霖案：「於」字，《春秋億・序》作「于」字。

66 「故」，「四庫本」作「欲」。　霖案：《經義考新校》頁3692校文，「四庫」二字之前，另有「文淵閣」三字。今考此文出自《春秋億・序》，內容適作「故」字，今應以「故」字為正。

67 霖案：「於」字，《春秋億・序》作「于」字。

68 「爝」，「備要本」同，應依《補正》、「四庫本」作「爘」。　霖案：《經義考新校》頁3692校文，無「『備要本』同」四字；「應依」改作「依」字；「四庫」二字之前，另有「《四庫薈要》本、文淵閣」等字；「作」改作「應作」二字。今考此文出自《春秋億・序》，內容適作「爘」字，此或翁方綱《經義考補正》所據之本也。

69 霖案：「左邱明」三字，《春秋億・序》作「左丘明」。

70 霖案：「修」字，《春秋億・序》作「脩」字。

71 霖案：「於」字，《春秋億・序》作「于」字。

72 霖案：《經義考新校》頁3692新出校文如下：「『學宮』，《四庫薈要》本、文津閣《四庫》本俱作『學官』。」。

73 霖案：「昧」字，《春秋億・序》作「與」字。

74 霖案：「輒」字，《春秋億・序》作「輙」字。

75 霖案：「於」字，《春秋億・序》作「于」字。

76 霖案：「於」字，《春秋億・序》作「于」字。

雖一時進御之言，意在納約，然謂之說《傳》則可，謂之說《經》則不可，亦何怪乎[78]求之愈深[79]而失之愈遠也，聖人之意[80]其尚可得而見邪[81]？聖人之意簡易明達，要以仍人道、正王法、善善惡惡、是是非非、刪繁舉要、據事直書，如斯而已[82]；故繫王於[83]天，則文、武之威靈猶在，託[84]筆於史，則周公之袞鉞具存，即有褒諱貶損，皆天子之事、史官之職也，而舉不以己與焉。夫是以二百四十二年諸侯、卿大夫之功罪，不必屑屑焉衡較於[85]爵氏名族之予奪，而其情固莫之[86]遁矣，故曰：『其事則齊桓、晉文，其文則史，其義則丘竊取之。』[87]說《春秋》者，孰有深切著明於孟氏者哉？愚[88]不自揆[89]，填鄔之隙，因感杜征南在襄陽時箋釋《左氏》，乃重掇《三傳》[90]，併范、楊、何、孔諸家疏解與胡氏之《傳》，猥加裒輯，稍略[91]其正變之例，缺[92]其有無疑似之文，秖采其說之不詭於[93]理者，以符會孔子[94]竊取之義，而彙為一書，名之曰《春秋億》，凡如干卷，亦知其不可幸中，第無敢狥《傳》蔑《經》，隨人射覆，以坐失聖人之意云爾。萬歷丁丑夏。[95]」

【增補】〔補正〕〈自序〉內「於爝火乎」，「爝」當作「爟」。（卷八，頁十八）

77霖案：「於」字，《春秋億．序》作「于」字。

78 霖案：「乎」字下，宜加一問號。

79 霖案：「深」字下，宜加一逗號。

80 霖案：「意」字下，宜加一逗號。

81霖案：「邪」字，《春秋億．序》作「耶」字。

82 霖案：「已」字下，應依《春秋億．序》補入「者也」二字。

83霖案：「於」字，《春秋億．序》作「于」字。

84霖案：「託」字，《春秋億．序》作「托」字。

85霖案：「於」字，《春秋億．序》作「于」字。

86 霖案：「之」字下，應依《春秋億．序》補入「能」字。

87 霖案：「之」字下，宜依《春秋億．序》補入「於乎盡之矣」等五字。

88 霖案：「愚」字下，宜依《春秋億．序》補入「故以《易》起家，少」等六字。

89 霖案：「揆」字下，宜依《春秋億．序》補入「間嘗旁窺是《經》，輒苦其難通，迄今三十餘年，髮鬚短矣，茲以」等二十三字。

90 霖案：「《三傳》」二字，《春秋億．序》作「三氏」。

91霖案：「略」字，《春秋億．序》作「畧」字。

92霖案：「缺」字，《春秋億．序》作「缼」字。

93霖案：「於」字，《春秋億．序》作「于」字。

94 霖案：「孔子」二字，《春秋億．序》題作「孔氏」二字。

95 霖案：「萬歷丁丑夏」五字，《春秋億．序》無此五字，當為竹垞所加之文。

卷二百三　春秋三十六經義考卷二百三春秋三十六

姜氏寶《春秋事義考》（明）

【書名】《國立中央圖書館善本序跋集錄》頁三三二錄有明‧李一陽〈序〉；鄭良弼〈跋〉。該書著錄作《春秋事義全考》，有明萬曆十三年李一陽南京刊本、清南海孔氏嶽雪樓影鈔明萬曆刊本。

【霖案】清南海孔氏嶽雪樓影鈔明萬曆刊本錄有明李一陽〈序〉、鄭良弼〈跋〉等二篇序跋，竹垞未錄二文，今據以補入。

二十卷。

【著錄】黃虞稷《千頃堂書目》卷二，頁四二、張壽平《公藏先秦經子注疏書目》頁一四二著錄。

【卷數】本書卷數異同如下：

一、十六卷：張壽平《公藏先秦經子注疏書目》頁一四二著錄。

二、十二卷：翁方綱《經義攷補正》卷八，頁十八著錄，然今傳之本多題作「十六卷」，實未見「十二卷」之說，則翁氏所論之本，待查。

【霖案】四庫館臣於姜寶《春秋事義全考》條提要云：「《明史‧藝文志》、朱彝尊《經義考》俱載是書二十卷，而此少四卷。然檢其篇帙，未見有所闕佚，疑或別有附錄而佚之歟？」（註1），則四庫館臣以為此書「別有附錄而佚之歟？」，惟崔富章《四庫提要補正》曾有詳細考訂，並謂「四庫所據以繕錄者，決無缺卷。」（註2），說法詳見下文【版本及藏地】部分，茲不贅錄。由此可見，此書當以「十六卷」為是，是以竹垞題作「二十卷」者，乃是誤襲前目所致。

存。

【版本及藏地】本書版本及藏地如下：

一、明萬曆 13 年(1585)李一陽南京刊本：明姜寶撰《春秋事義全考》十六卷，8 冊；20.6✕14.7 公分，10 行，行 22 字，小字雙行字數同，雙欄，版心白口，單魚尾，上方記書名，中間記卷第，下方記葉次，有微捲，正文卷端題「春秋事義全考卷之一　丹陽姜寶廷善甫纂著　男士麟士昌校正」，有萬曆乙酉冬十有二月吉旦後學丹陽姜寶〈自序〉，鈐有「國立中央圖書館收藏」朱文長方印、「澤存書庫」朱文方印，台北國家圖書館有藏本。

又《中國古籍善本書目》（經部）頁二七九著錄，南京圖書館有藏本，其中有清

1參考永瑢奉敕撰，《四庫全書總目提要》，卷二八，頁232。

2參考崔富章《四庫提要補正》，頁176。

丁丙〈跋〉，十行二十二字白口四周雙邊。

又上海、南京圖書館另有藏本，十行廿二字白口四周雙邊。

【增補】《國家圖書館善本書志初稿》：「【春秋事義全考十六卷八冊】

明萬曆十三年(1585)李一陽南京刊本　00550

明姜寶撰。寶(1514-1596)字廷春，號鳳阿，丹陽人，嘉靖三十二年(1545)進士，累官南京禮部尚書致仕卒。

版匡高20.6公分，寬14.7公分。左右雙邊，每半葉十行，行二十二字，注文小字單行，字數同。版心花口，單魚尾，上方記書名，中間記卷第(如『卷之一』)，下方記葉次。

首卷首行頂格題『春秋事義全考卷之一』，第二行低三格題『丹陽姜寶廷善甫纂著』，第三行低二格題『男士麟士昌校正』。卷末隔一行有尾題。卷首有姜寶春秋事義全考自序。書眉附刻周天子紀年，對照魯十二公繫年。

書中鈐有『國立中央圖/書館收藏』朱文長方印、『澤存/書庫』朱文方印。

《善本書室藏書志》卷三有著錄。」(頁148)。

二、文淵閣四庫全書本：(明)姜寶撰《春秋事義全考》十六卷，十四冊，《國立故宮博物院善本舊籍總目》，上冊，頁一〇四著錄，台北：故宮博物院有藏本。

【增補】永瑢等撰《欽定四庫全書總目》曰：「春秋事義全考十六卷　浙江巡撫採進本

明姜寶撰。寶有《周易傳義補疑》，已著錄。《明史‧藝文志》、朱彝尊《經義考》俱載是書二十卷，而此少四卷。然檢其篇帙，未見有所闕佚，疑或別有附錄而佚之歟[3]？其大旨雖以胡《傳》為本，而亦頗參己意。襄公、昭公以下，胡《傳》多闕，亦胥為補葺。中間地名以今證古，雖間有考訂，皆無以甚異於諸家。惟向來說《春秋》者以筆削褒貶為例，故如『王不稱天』、『公不書即位』之類，皆謂[4]孔子有意貶絕，是褒譏之法，且將上施於君父，揆諸聖人明倫垂教之本意，當必不然。寶獨謂孔子於周王、魯侯事有非者，直著其非而已，後人說經用『惡』字『罪』字『譏貶』字，皆非聖人之意。其言明白正大，為啖、趙以來所未及，可謂闡筆削之微意，立名教之大防。雖頗近科舉之學，不以害其宏旨也。」（卷二十八，頁三六四至頁三六五）

【增補】邵懿辰撰、邵章續錄：《增訂四庫簡明目錄標注》卷三曰：「《春秋事義全考》十六卷，明姜寶撰。

3霖案：原注云：崔富章：今上海、南京館藏明萬歷十三年李一陽刻本為是書最初刻本，作十六卷，庫書據以繕錄，決無缺卷。

4霖案：原注云：「謂」，底本作「為」，據浙、粵本改。

有刊本。」（頁一一七）

【增補】崔富章《四庫提要補正》曰：「《四庫採進書目・浙江省第六次呈送書目》載《春秋事義全考》十六卷，明姜寶著，八本。《浙江採集遺書總錄》注明係『倦圃藏刊本』，此即庫書底本。今上海館、南京館藏明萬曆十三年李一陽刻本十六卷，有萬曆十三年寶《自序》，稱「王氏為予姻友，地近志同，家居往來印證，若有合焉，乃繕寫卨入，留曹侍御。同郡李君一陽見而謂可以傳，遂鋟諸梓，一陽亦為之序。」由是知，李本乃此書最初之刻本，曹溶（倦圃）所藏，當即此本，四庫所據以繕錄者，決無缺卷。

　　　文瀾閣庫書原本存一卷（十二），餘為丁氏補抄。《善本書室藏書志》卷三著錄『《春秋事義全考》十六卷，明刊本』，亦萬曆十三年李本，今歸南京館。是補抄與原抄同出一源。」（頁一七六）

三、清南海孔氏嶽雪樓影鈔明萬曆刊本：(明)姜寶撰《春秋事義全考》十六卷，8 冊；十行二十二字，（全幅26.3×16.6公分），有微捲，正文卷端題「丹陽姜寶廷善甫纂著　男士麟士昌校正」，序跋有〈後學李一陽頓首拜書〉、〈萬曆乙酉冬十有二月吉旦後學丹陽姜寶自序〉、〈萬曆十四年... 鄭良弼頓首拜書〉等文。藏印有「康有為」朱文白方印、「孔氏嶽雪樓影鈔本」朱文無框印、「南海康有為更生珍藏」朱文方印等印；另有近人康有為手書題記，台北：國家圖書館有藏本。

【增補】〔補正〕按：《明史・藝文志》作「事義全考」。又按：今傳《事義全考》十二卷。（卷八，頁十八）

【增補】〔校記〕《四庫》本十六卷。（《春秋》，頁五二）

【增補】《國家圖書館善本書志初稿》：「【春秋事義全考十六卷八冊】

　　清南海孔氏嶽雪樓影鈔明萬曆刊本　　00551

　　明姜寶撰。全幅高 26.3 公分，寬 16.6 公分。

　　鈔本增李一陽序一篇。書根有春秋事義全考及魯十二公名以說明順序。卷首有近人康有為手書題記。

　　書中鈐有『康/有為』朱白文方印、『孔氏嶽雪樓影鈔本』朱文無匡印、『南海康/有為更/生珍藏』朱文方印。」(頁 148)。

【增補】黃虞稷《千頃堂書目》卷二曰：「本之胡氏，而旁引折衷以補其未備，萬歷乙酉序。」（頁四二）。

【增補】李一陽〈序〉曰：「予讀姜先生所著春秋考，嘆其能立言不朽云。先生蚤從晉陵唐中丞應德學，中丞博學能文，年少魁天下，為一時學士宗，先生受其指亦以春秋魁天下名家。既晉，讀中秘書益精博，天下稱鳳阿先生而不名，天子察先生可師，遂先後敕視學閩蜀，入為南國子祭酒，於是先生經術傳四方。先生於春秋深，故其教指嚴，一時師道為尊，比家食，日事檢閱，有自得悉著於書，暇則集其宗及邑中俊弟

子開決之。先是雲陽闕賢書者二十年，自先生里居，厥嗣若諸從相繼取科名里中，踵興後出者濟濟，郁郁人文，遂為吾郡冠蓋。先生在國國重，在鄉鄉重，則明經之教為功矣。先生著書成，不以陽不肖授而習之，見其取覈詳，援引正文無遺事，事無怫義，間出己意，悉契聖心。觀其自序曰，孔子作春秋，義在褒善貶惡，而經世之法，如所謂尊君父、討亂賊，惇典庸禮，用夏變夷云者，亦即於朝聘、往來、會盟、侵伐、郊望、禘雩之類見之，蓋多直書而義自見，未必盡以一字求一義，遂自予奪貶絕人爵，甚至周天子，魯父母國，亦例以予之奪之，如胡氏所云也。其自謂竊取者，亦因筆削以寓褒貶，嫌於天子之事所不敢當，亦非如胡氏所云，託南面之權，自以其褒貶敢於代天子賞罰也。嗟呼！知我者春秋，千載之下，先生其人與。客有私於陽曰，今制業春秋者宗胡氏，是書將無戾邪？陽應之曰，康侯常以己見釋經，而先生說經旁引折衷，各有其本，間有所異於康侯，正以明經義為康侯忠臣，何戾也？客為解頤。未幾先生進大司寇，執法南中矣。司馬遷曰，春秋辨是非，故長於治人。漢廷吏重經術，常以春秋尚書折大獄。今先生以春秋之義平天下獄，當人人自以不冤，而陽故治尚書為侍御，按部治獄，雖有意乎伯夷、臯陶未能也，得先生所為說春秋者，而王道之條紀法律粲然矣，豈不偉與！陽鄉里承學，喜而贊其後，不自知其言之不文也，是為序。賜進士出身、文林郎、南京浙江道監察御史，同郡後學李一陽頓首拜書。」（轉錄《國立中央圖書館善本序跋集錄》經部·頁三三二至頁三三三）

【增補】鄭良弼〈跋〉曰：「春秋事義全考，乃鳳阿姜太史公所著，以行於世者也。公少負奇抱，博綜群籍，魁南宮，歷官大司寇。即宦成猶志春秋不輟。每公餘輒按經蒐傳，齟者駁、闕者補，積春累秋，輯成而名之曰事義全考。弼嘗負笈侍遊吳門，得聞其概，乃今李侍御諸君有深契焉。卷分十六帙，為之剞劂，以永世世。弼抵金陵始克覩其全，每章章讀，輒章章歎曰，自漢來譚春秋者亡慮數十家，言人人殊，即康侯說著頌置甖宮，豈無闕齟者有未盡耶？士習相沿久矣，疇肯一正之。公獨抱遺經、索奧典，諸所發明，炳炳足稱大義，有味哉！俾傳註之未備者具備，考究之未詳者獨詳，素王心法昭昭然，與海內士共知之，以補康侯之未逮者，非淺尠也。紹往開來，詎不為魯史全經一快，藉令康侯而作，必為公首肯稱謝矣。弼何似亦業是經，嘗謬為續義、為或問，已酬夙志，脫也早獲覩焉。弼當安享其成二十年探討之力，可勿事矣。卓彼先覺，示我周行，此誠大雅宮商宜奏之清廟，以和人神者也，如弼云云瓦缶耳，敢列之堂下哉！仰企法門，方圖退舍，第沐公德教有日，誼難默默，不揣僭次，一言敬附之簡末，以誌誦法之私云。時萬曆十四歲在丙戌夏五吉，淳安後學門下生鄭良弼頓首拜書。」（轉錄《國立中央圖書館善本序跋集錄》經部·頁三三三）

【增補】康有為〈題記〉曰：「是書明姜寶撰。姜寶，雖荊川門人，然說春秋仍主胡傳，拘于科舉，不獨于公穀之口說無所知也，故本無可取，惟明人舊撰舊抄，甚工楷，用心甚勤，亦可存矣。孔子二千四百六十五年甲寅四月，南海康有為記。」（轉錄《標點善本題跋集錄》頁二三）

《春秋讀傳解略》（明）

二十卷。

【著錄】黃虞稷《千頃堂書目》卷二，頁四二著錄。

【卷數】黃虞稷《千頃堂書目》卷二，頁四二題作「十二卷」。

【增補】〔補正〕《明史志》作十二卷。（卷八，頁十八）

未見。

【霖案】本書未見其他傳本，當已久佚。

寶〈自序〉曰5：「《春秋》6為聖人傳心之要典，百7王不易之大法皆在此書，而胡氏《傳》乃本朝所主以課士，予8何9敢有可否於10其閒11哉？聞之12程子云：『以《傳》考《經》

5霖案：此序為姜寶《春秋事義全考．序》，應改置於姜寶《春秋事義全考》條下。又《國立中央圖書館善本序跋集錄》頁328錄有該篇序跋，係「明萬曆十三年李一陽南京刊本」中的序文。

6霖案：「《春秋》」二字之上，應據《國立中央圖書館善本序跋集錄》頁328所錄序文，加入「我國家列春秋於學官，主胡文定公安國所著傳，俾士子肄業焉，以應制舉。予寶少由業詩改業是經也，且讀且心疑，蓋謂孔門以來，說是經者惟孟氏能得其宗旨，其言曰，王者之以迹熄□□〔而詩〕亡，詩亡然後春秋作。既推本春秋之所以作，又□〔述〕孔子所嘗自言，有曰，其事則齊桓晉文，其文則史，其義則丘竊□□〔取之〕矣。夫聖人因史為文，文在也，而事與義往往多失之。當時桓、文以有功王室、稱霸主，故事屬二公，將以二公該他公，非謂二公之事即可盡春秋之事也。事貴詳、貴核，詳且核又貴連絡而通貫。左氏詳矣，中有浮誇失實、前後不相蒙者，是固有待於後之人，因事以考其全義。而謂之竊取，蓋其寓褒貶於筆削，不惟游、夏所不能贊，即聖人亦不敢抗然自任矣。義在褒善貶惡，而經世之法，如所謂尊君父、討亂賊、敦典庸禮、用夏變夷云者，亦即於朝聘往來、會盟侵伐、郊望禘雩之類見之，蓋多直書而義自見。即□〔有〕筆削，其褒貶亦多於直書中概見焉，初未嘗因一字以求一義，予人以爵，奪人以爵，甚至周大君、魯父母國亦例以予之奪之。如胡氏所云，是又有待於後之人，因文以求事，因文與事以求義，要之至當，求其精蘊之所在，而兼亦有以考其全也。予寶隆慶初罷官，還山時手是經，因所疑求之心、求之諸家之傳註，以我之心，求合乎聖人之心；以我所自為說，參互諸家之說，又以求合乎聖人之說，如覆射家探物而祈中，中肯窾者手錄之，而仍以胡氏傳為主，事詳且核矣，求其連絡而通貫，義昔未妥、今求妥；傳昔闕、今求不闕，地里昔主指掌圖，謂時代有沿革而不便稽考也，今悉準皇明輿地圖考，一開卷而方輿所屬亦了然在目矣。近代說春秋數家，如新安趙氏汸之屬詞、會稽季氏本之私考、周藩宗正西亭公睦㮮之辨疑、與金壇王氏樵之經世，似能窺見聖人之心，不悖謬於其說，足以發胡氏及諸儒之所未明，與補其所未備。而王氏為予寶姻友，地相近、志相同，又同時去國而家居，時時往來印證，尤足以相發而相取也。以此參訂，久若有合焉，乃始繕寫成帙，携入留曹，侍御同郡李君一陽見而謂可以傳，遂鋟之梓。予惟」等七百一十字。

7霖案：「百」字前，應據「明萬曆十三年李一陽南京刊本」序文加入「又」字。

8霖案：《經義考新校》頁3695新出校文如下：「『予』，文淵閣《四庫》本誤作『子』。」今考「予」字下，應據「明萬曆十三年李一陽南京刊本」序文加入「寶」字。

9霖案：「何」字下，應據「明萬曆十三年李一陽南京刊本」序文加入「所知」二字。

之事跡13，以《經》別《傳》之真偽。』朱子云：『《左氏》，史學也，記事者取焉；《公》、《穀》，經學也，窮理者取焉。予14嘗據是以求之15，以為學是《經》者，不當於一句一字求聖人之褒貶，第觀其所書之實，以求是非善惡之至當，考之《詩》所由亡。』由成周政治之衰而為《春秋》之所由作，考之《左》之所以史，《公》16、《穀》之所以經；又考之《經》於以別《傳》之真偽，於以求聖人所謂知我罪我者，在因筆削以寓褒貶，嫌於天子之賞善而罰惡為聖人所不敢當，故自於其義為竊取，而非胡氏所謂託二百四十二年南面之權，聖人自以其褒貶敢於代天子賞善而罰惡也。如是以求，庶可以得聖人之心17乎？胡氏自成、襄而後多無《傳》，今悉纂著之，庶幾未明者明，未備者備，因名之曰《事義全考》云18。萬曆乙酉冬19。」

　　黃虞稷曰20：「疏胡《傳》之義以便學者。」

　　【霖案】喬衍琯〈《經義考》所引《千頃堂書目》彙證〉云：「黃《目》《解略》作『十二卷』。解說作『疏胡《傳》之義意，以便於學者。』乙本『胡《傳》』誤『明傳』。」（頁三一九）

孫氏應鰲《春秋節要》

10霖案：應據「明萬曆十三年李一陽南京刊本」序文刪去「於」字。

11霖案：「閒」字，「明萬曆十三年李一陽南京刊本」序文作「間」字。

12霖案：「聞之」，「明萬曆十三年李一陽南京刊本」序文作「竊聞程子云，春秋大義數十，炳如日星，一句一事，是非便見於此。朱子云，春秋是是非非、善善惡惡，誅亂臣、討賊子，內中國而外四夷，貴王賤伯，其大旨如此，未必字字有義也。故予又謂孟氏以來，惟程、朱二大儒能得聖人之宗旨，至於學是經而說之之法，亦惟二大儒能得之。」，竹垞刪截過甚，應據以補入。又此處所刪之文，或為犯了忌諱所致，因而見棄。

13霖案：「跡」字，「明萬曆十三年李一陽南京刊本」序文作「迹」字。

14霖案：「予」字下，應據「明萬曆十三年李一陽南京刊本」序文補入「竊」字。

15霖案：「之」字下，應據「明萬曆十三年李一陽南京刊本」序文補入「諸家，久而遂成此編也。謬」等十字。

16霖案：「《公》」字前，應據「明萬曆十三年李一陽南京刊本」序文補入「考之」二字。

17霖案：「心」字下，應據「明萬曆十三年李一陽南京刊本」序文補入「於是是非非、善善惡惡之中，即是是非非、善善惡惡，以求聖心之所以傳、王法之所以不易，義其或在茲乎！義其或在茲」等四十六字。

18霖案：「云」字下，應據「明萬曆十三年李一陽南京刊本」序文補入「夫謂之全考似矣，若謂全考之可以傳如侍御君所云，則非予竊所能知、所敢必也。」等三十二字。

19霖案：「冬」字下，應據「明萬曆十三年李一陽南京刊本」序文補入「十有二月吉旦，後學丹陽姜寶自序」等十四字。

20霖案：出自黃虞稷《千頃堂書目》卷二，頁42。

【著錄】黃虞稷《千頃堂書目》卷二，頁四二著錄。

未見。

【霖案】本書未見其他傳本，當已久佚。

林氏命《春秋訂疑》

十二卷。

【著錄】黃虞稷《千頃堂書目》卷二，頁四一著錄。

未見。

【霖案】本書未見其他傳本，當已久佚。

黃虞稷曰21：「命，字子順，建安人。嘉靖二十三年進士，廣東按察司副使。」

【霖案】喬衍琯〈《經義考》所引《千頃堂書目》彙證〉云：「黃《目》『二十三年』作『甲辰』。　朱《考》僅引黃說。」（頁三一九）

方氏一木《春秋要旨》

未見。

【霖案】本書未見其他傳本，當已久佚。

《休寧名族志》：「一木，字近仁，嘉靖乙卯舉人，官台州府同知。」

顏氏鯨《春秋貫玉》（明）

六卷。

【著錄】黃虞稷《千頃堂書目》卷二，頁四三著錄。

【卷數】黃虞稷《千頃堂書目》卷二，頁四三、《東北師範大學圖書館藏古籍善本書目解題》，頁二八著錄，題作「四卷」，同於《明史志》所錄，而現存「明嘉靖三十二年刻本」、「萬曆三十三年史繼宸杭州刊本」俱為「四卷」，故此本實應題作「四卷」。

【增補】〔補正〕《明史志》作四卷。（卷八，頁十八）

存。

【版本及藏地】本書版本及藏地如下：

一、明嘉靖三十二年刻本：明顏鯨撰《春秋貫玉》四卷，八行十七字，小字雙行十七字。有顏鯨嘉靖三十二年〈序〉。書口下鐫崔仲臣刊及陸倫、章松等刻工姓名。六冊，《東北師範大學圖書館藏古籍善本書目解題》頁二八、《中國古籍善本書目》（經

21霖案：出自黃虞稷《千頃堂書目》卷二，頁41著錄。

部）頁二七九著錄，東北師範大學、山東省圖書館有藏本。

【增補】《東北師範大學圖書館藏古籍善本書目解題》云：「是書訣別周魯與列國之事，又取《公羊》、《穀梁》、胡氏諸傳及諸家注疏，得其事核而意明者，釘餖手抄其中，凡三年而就，名曰《春秋貫玉》。

顏鯨：明，慈溪人，字應雷，號沖宇。嘉靖進士，擢御史；隆慶中累官，遷山東參論（議），改行太仆卿，忤高拱落職；萬曆中以湖廣副使致仕。」（頁二八）

二、明萬曆三十三年(1605)史繼宸杭州刊本：(明)顏鯨撰《春秋貫玉》四卷，三二冊，半頁八行十七字，四周雙邊，白口，單魚尾，書口下有刻工。框高 20・5 厘米，寬 13・3 厘米。前有萬曆三十四年楊守勤序、萬曆三十三年（1605）史繼辰序、嘉靖三十二年（1553）顏鯨自序。台北：國家圖書館有藏本。又《中國古籍善本書目》（經部）頁二七九著錄，北京圖書館、北京大學、中國科學院、上海辭書出版社、浙江圖書館、中山大學圖館等地均有藏本。又日本：尊經閣文庫；美國：哈佛大學燕京圖書館、普林斯敦大學葛思德東方圖書館有藏本。

【增補】沈津著《美國哈佛大學燕京圖書館中文善本書志》：「0096　明萬曆史繼辰浙江刻本春秋貫玉　　　　　　　　　　T693/0829

《春秋貫玉》四卷《世系》一卷，明顏鯨撰。明萬曆三十四年（1606）史繼辰浙江刻本。六冊。半頁八行十七字，四周雙邊，白口，，單魚尾，書口下有刻工。框高 20・5 厘米，寬 13・3 厘米。前有萬曆三十四年楊守勤序、萬曆三十三年（1605）史繼辰序、嘉靖三十二年（1553）顏鯨自序。

鯨，字應雷，號沖宇。慈谿人。嘉靖三十五年進士。擢御史，出按河南，改畿輔學政。以劾都督朱希孝忤旨，謫安仁典史。隆慶中累遷山東參議，改行太僕卿，忤高拱落職。萬曆中以湖廣副使致仕。事迹具《明史》本傳。

貫玉，成串珠玉也。王重民《敦煌變文研究》引《新集孝經十八章殘本》：『開元天寶親自注，詞中句句有龍光；白鶴青鸞相間錯，連珠貫玉合成章。』

是書為鯨三年盧墓時所著。嘉靖己酉冬，鯨以母逝營葬，抱戚讀《禮》山中，復得劉績《春秋左傳類解》於姻友馮南野。乃以劉書為主，註釋參用杜預、林堯叟及諸家之說。鯨序云：另『取《公羊》、《穀梁》、胡氏，采其文古而義美者；又取諸家註疏，得其事核而意明者，釘餖手抄之，中更憂苦多病，作輟相半，凡三閱寒暑始就』。

此本刻于浙江，為史繼辰所出資。繼辰，江蘇溧陽人，萬曆五年進士。楊守勤序云：『侍御顏沖宇先生，邃學名儒，潛心經傳，曾於居盧日輯為《春秋貫玉》。以周崇大統，以魯貫列國，旁採《公》、《穀》諸傳有裨於經者，因《左》附見，而當時諸侯群辟行事之實，一披閱若按圖而可覆也。』『世之慕說是書也已久，乃其板獨存中州，所及非廣。方岳史公，慨想前賢，嘉惠後學，特為捐貲刻之浙署，令《春秋》得此成一代全書，德意甚美，撫臺尹公聞其事，曰余故從顏先生游也，義助厥成。』

是書有寫工：郭志學、仇登瀛、費應高。刻工為：夏大賓、夏尚忠、夏忠、夏尚恩、

王朝、王三元、王朝鳴、王朝明、王希、唐佐、唐天佐、沈曾、沈樑、陶大容、陶大鏞、陶節、陶容、陶坤、陶承學、陶龍、陶惠、任正、朱文顯、錢禮、錢節、錢選、何雲、仇登、趙其、孫科、邵士奇、費高、費繼宗、翁元一。

　　《中國古籍善本書目》著錄，最早有明嘉靖刻本。此萬曆本，北京圖書館、浙江圖書館等五館，及日本尊經閣文庫亦有入藏。」（頁四五至頁四六）

【增補】屈萬里《普林斯敦大學葛思德東方圖書館中文善本書志》曰：「《春秋貫玉》四卷　三十二冊　四函

　　明顏鯨撰

　　明萬曆三十三年（一六〇五）史繼宸杭州刊本。　八行十七字。板匡高一九‧七公分，寬一三‧一公分。

　　《四庫全書總目》未著錄此書。顏鯨，字應雷，號庚宇，慈谿人。嘉靖三十五年進士。歷官至湖廣副使。事蹟具《明史》卷二百八本傳。是書以諸國為類，而貫之以事。以《左傳》為主，間取《公》《穀》之文。蓋以劉用熙之《左傳類解》為主，而又參用諸家之說，且附以己見者。錢應奎之《左紀》，其體例亦類是編；惟《左紀》不採《公》《穀》之文耳。此書於嘉靖三十二年（一五五三）初刻於河南；是本則萬曆三十三年史繼宸重刊於杭州者也。」（頁四八至頁四九）

【增補】王重民：《中國善本書提要》曰：「【春秋貫玉四卷】六冊（北大）

明萬曆間刻本〔八行十七字（19.9×13）〕

明顏鯨撰。鯨字應雷，慈谿人。嘉靖三十五年進士，授行人，擢御史。官至湖廣提學副使。事蹟具《明史》卷二百八本傳。按是書《凡例》，稱以蘆泉劉氏說為主，再參以諸家，纂為是書。今按是書將各國之事，割裂經文，類編成章，義有不足，則兼採《公》、《穀》與杜預、林堯叟等說。凡例又稱：蘆泉名用熙，江夏人。余按劉績字用熙，當即劉績也。《千頃堂書目》卷二載劉績《春秋左傳類解》二十卷，余未見其書，然顧名思義，是書殆從劉氏《類解》節出者。又是書原本，嘉靖間刻於中州，此為浙江翻刻本。卷一、卷四各分上下卷，全書實為六卷。卷內有：「明倫館印」、「安政七改」、「知止堂」等印記。

史繼辰序〔萬曆三十三年（一六〇五）〕

自序〔嘉靖三十二年（一五五三）〕」（頁二九）

三、明隆萬間重刊本

【增補】《續修四庫全書總目提要》：「春秋貫玉四卷　明隆萬間重刊本　　　張壽林

　　明顏鯨撰。鯨字應雷。號仲宇。慈谿人。嘉靖進士。擢御史。巡視倉場。論殺姦人馬漢。上漕政便宜六事。出按河南。發伊王典关十大罪。王坐廢。兩河人鼓舞相慶。改畿輔學政。以劾都督朱希孝忤旨。謫安仁典史。隆慶中。累遷山東參議。改行太

僕卿。忤高拱落職。萬曆中以湖廣副使致仕。事蹟詳明史本傳。按清朱彝尊經義考春秋類三十六。著錄顏鯨春秋貫玉。注云六卷。此本作四卷。惟各卷之中。又或分為上下卷。意者或朱氏所見原刻本。不分上下卷。故釐為六卷歟。是編編首有重刻序一篇。又有凡例及世系各一篇。皆不入卷次。至於經義考所錄顏氏自序。則為是編所不載。按其自序云。嘉靖己酉冬。讀禮山中。檢閱遺經。至春秋左氏。患其博記錯陳。取諸家注疏。得其事核而意明者手鈔之。凡三閱寒暑始就。名之曰春秋貫玉。是其作書大旨。略可見矣。今考其書。大都以國為類。貫之以事。又於逐篇之上。各著一二語以為標題。其類編各國。以天王宗國貫列國之首者。所以宗周也。魯之紀年不敢以貫周。而以貫列國者。所以宗魯也。至其詮釋經文。則以左氏貫公穀諸傳。不專主於一家。稽其所注。大抵以蘆泉劉用熙左傳類解為主。而參以諸家注疏。所引以前人緒論為多。間附己意。亦鮮所發明。總之其書。泛然鈔錄。往往於經文妄為升降。顛倒乖錯之處。不可勝言。蓋鈔書之學。本不足以言著作也。」（頁七四三）

鯨〈自序〉曰[22]：「嘉靖己酉冬，讀禮山中，檢閱遺《經》，至《春秋左氏》患其博記錯陳，得劉蘆泉《左傳類解》，深有契於衷，又取《公羊》、《穀梁》、胡氏，采其文古而義美者，又取諸家注疏，得其事核而意明者手抄之，凡三閱寒暑始就，名之曰《春秋貫玉》，藏之巾笥。」

陳氏錫《春秋辨疑》

一卷。

存。

【存佚】本書已未見傳本，當已久佚，今據以改作「佚」籍。

錫〈自序〉曰：「《春秋》有三道焉，曰天道：則歷法也，災異也，化氣也，於是乎考；曰地道：則分野也，設險也，則壞也，於是乎寓；曰人道：則禮樂也，刑政也，防微杜漸也，於是乎正。嘗自言曰：『吾志在《春秋》。』又曰：『義則丘竊取之。』又曰『知我者，其惟《春秋》乎』，知其志也；『罪我者，其惟《春秋》乎』，罪其立義也。其不得已之故，略可想矣。後世傳者，務以己意說理於筆削二字，妄以改時易歲、黜周王魯與貶爵削地，自操無位之權，反使孔子冒不韙之罪焉，如知[23]之謂何？若陳傅良氏為之推原聖意，獨為有見，然世未通知，而胡氏之傳遂用以取士，舉世莫敢不遵焉。但古今一理，聖愚一心，於心有未釋、理有未定，即如朱子，蓋嘗言之，愚亦置其喙焉，謹訂天地人三道，以俟觀者。」

王氏錫爵《春秋日錄》（明）

【增補】嚴寶善編錄《販書經眼錄》卷一，頁九錄有王錫爵《鐫匯百名公叢譚春秋講義會編》三十卷，竹垞未錄，或即《春秋日錄》一書的別稱，今暫增補於此，以俟後

22霖案：出自《四庫未收書輯刊》有《春秋貫玉》一書，惜無此序，存他序一篇。

23「如知」，「四庫本」作「知我」。　　霖案：《經義考新校》頁3697校文，「四庫」二字之前，另有「文淵閣」三字。

考。

三十卷。

　【著錄】黃虞稷《千頃堂書目》卷二，頁四一著錄。

　【卷數】黃虞稷《千頃堂書目》卷二，頁四一著錄，未錄卷數。

存。

　【存佚】本書未見傳本，今改注曰「佚」。

《左氏釋義評苑》（明）

　【書名】屈萬里《普林斯敦大學葛思德東方圖書館中文善本書志》頁四三著錄此書，書名題作《春秋左傳釋義評苑》。

二十卷。

　【著錄】黃虞稷《千頃堂書目》卷二，頁四一著錄。

存。

　【版本及藏地】本書版本及藏地如下：

　一、明萬曆間金陵書坊周竹潭刊本：明王錫爵撰《春秋左傳釋義評苑》二十卷，《卷首》一卷　四十冊　四函，美國：普林斯敦大學葛思德東方圖書館有藏本。

　【增補】黃虞稷《千頃堂書目》卷二曰：「萬曆庚寅申時行序」（頁四一）。

　【增補】屈萬里《普林斯敦大學葛思德東方圖書館中文善本書志》曰：「《春秋左傳釋義評苑》二十卷　《卷首》一卷　四十冊　四函

　　明王錫爵撰

　　明萬曆間金陵書坊周竹潭刊本。十行十九字。板匡高二一公分，寬一四·三公分，上欄高二·五公分。

　　《四庫全書總目》著錄王氏《王文肅奏草》及《文集》，而無此書。此書蓋以凌稚隆氏《春秋左傳註評測義》為底本，而略加刪汰；復增刊諸家評語之書眉者。卷前有萬曆十八年（一五九〇）申時行序，未知是否真出申氏手。書口下端鐫『嘉賓堂』三字。扉葉題：『金陵書坊周竹潭繡梓。』」（頁四三）

　二、明萬曆十八年嘉賓堂刻本：明王錫爵輯《春秋左傳釋義評苑》二十卷，十行十九字小字雙行同白口四周雙邊，故宮博物院、陝西省、湖北省、四川省等圖書館均有藏本，《中國古籍善本書目》（經部）頁二四八著錄。

許氏孚遠《春秋詳節》（明）

　【書名】黃虞稷《千頃堂書目》卷二，頁四三著錄，書名題作《左氏詳節》。又普林斯敦大學葛思德東方圖書館有藏本，亦題作《左氏詳節》

【增補】〔補正〕《明史志》作《左氏詳節》。（卷八，頁十八）

八卷。

【著錄】黃虞稷《千頃堂書目》卷二，頁四三著錄。

【卷數】本書卷帙異同如下：

一、不題卷數：李一遂〈左氏春秋著錄書目研究〉頁一二五著錄。

未見。

【存佚】本書大陸中山大學有藏本，應改注曰「存」

又李一遂〈左氏春秋著錄書目研究〉誤作「《經義考》注存」，實則竹垞注曰「未見」。

【版本及藏地】本書版本及藏地如下：

一、明萬曆十年原刊本：（明）許孚遠輯《左氏詳節》八卷，八冊，九行，十九字，小字雙行，字數同，上白口，下細黑口，左右雙邊，大陸：中山大學圖書館有藏本，（大陸）《中山大學圖書館古籍善本書目》頁二〇著錄。

又美國普林斯敦大學葛思德東方圖書館亦有藏本。

【增補】屈萬里《普林斯敦大學葛思德東方圖書館中文善本書志》曰：「《左氏詳節》八卷　十六冊　二函

明許孚遠編

明萬曆十年（一五八二）原刊本。　九行十九字。板匡高二〇・五公分，寬一三・一公分。　《四庫全書總目》著錄許氏《敬和堂集》，而無此書。此書有萬曆壬午（十年）自序，云：『嘗慮《春秋經傳》全文，難於誦記；因輯《左氏》一帙，藏之笥之。……比他錄者獨加詳焉。其註釋一本於杜預之《集解》。……輯既成，名之曰《左氏詳節》。守盱江之日，與僚屬諸君子謀梓而傳之。』卷內有『篤素堂張曉漁校藏圖籍之章』印記。」（頁四〇）

穆氏文熙《春秋左傳評林測義》（明）

【書名】《東北師範大學圖書館藏古籍善本書目解題》頁三一著錄，書名題作《春秋左傳評苑》。

【增補】《東北師範大學圖書館藏古籍善本書目解題》云：「《左傳評苑》用杜預注，陸德明釋文，而標預名不標德明之名。蓋明人凡刻古書，均略有刪補非其原文。然後見其有所改定，非徒翻刻舊文也，其曰《評苑》者，蓋於簡端雜采諸家之論云。」（頁三一）

【增補】張壽平《公藏先秦經子注疏書目》錄有穆文熙《左傳鈔評》十二卷，竹垞未錄，今據以補入。

【增補】邵懿辰撰、邵章續錄:《增訂四庫簡明目錄標注》卷三曰:「《春秋左傳評苑》三十卷,明穆文熙輯,明刊本。」(頁一一九)

三十卷。

存。

【存佚】《左傳論著目錄》頁三五錄作「未見」,然本書實有存本,故當改作「存」。

【版本及藏地】本書版本及藏地如下:

一、明萬曆八年親仁堂刻本:(晉)杜預注 (明)穆文熙評輯《春秋經傳集解》三十卷,《首》一卷;程志〈現存唐人著述簡目〉頁二五八、(大陸)《中山大學圖書館古籍善本書目》頁十九著錄。

又中國人民大學圖書館有藏本,《中國人民大學圖書館古籍善本書目》頁十三著錄。

【增補】《中國人民大學圖書館古籍善本書目》曰:「0091 16/80

春秋左氏經傳集解三十卷

(晉)杜預撰 (唐)陸德明釋文

春秋名號歸一圖二卷

(蜀)馮繼光撰

春秋提要一卷

明萬曆八年(1580)金陵李時成親仁堂刻本

十六冊二函

九行二十字,小字雙行同,白口,單魚尾,左右雙邊。版心下鐫刻工溫志明、易鎡等。鈐『江陰繆荃孫藏書記』、『彭孟之印』、『天承山人』、『淮南客』、『亞若山人』諸印。」(頁十三)

又台北:國家圖書館、大陸中山大學圖書館藏有穆文熙輯評,明萬曆間刊本,疑即此本,今附於此。

【增補】《國家圖書館善本書志初稿》:「【春秋經傳集解三十卷十六冊】

明萬曆間刊本 00596

晉杜預撰,穆文熙輯評。

版匡高24公分(上欄高3.7公分),寬14.4公分。左右雙邊。分上下欄,左上欄外有耳題記魯公年。每半葉九行,行二十字。註文小字雙行,字數同。版心白口,單魚尾,魚尾下方記書名卷第(如『左傳一』),再下記葉次,最下方書刻工名及字數

。『經』、『傳』以墨圍別出。

刻工名：蕭椿、吳洪、陳經(或作經)、彭元、劉榮、肖舉、韓杭(或作杭)、魏國用(或作魏用、用、國用)、順器(或作順、器)、密、林玉時(或作林時、林玉、時)、洪仁、陳潘、潘如、林玉朱(或作玉朱、林朱、朱)、王才、志、江、韓祥(或作祥)、李機、張淮、林良(或作良)、明、彭心(或作心)、禮、彭中(或作中)、肖春、付、張、李元、約用(或作約)、李文、涂、邦祥(或作祥邦)、江朝、朱、林桂、(或作林)、林、付機、付汝亮、吳仁、李方、明源、韓彥、徐、潘淮鶴(或作潘淮)、趙應選、陶、陳二、正、楊祥、奉、鳴、劉、李、明文、朱昆、合、正時(或作正)、楊、林江、鳳、王等。

首卷首行頂格題『春秋經傳集解隱公第一』，次行低一格『晉當陽侯杜預註盡十一年』，第三行低一格至第四行題『明吏部考功員外穆文熙編纂/兵部左侍郎石星校閱/河南道監察御史劉懷恕參閱/江西道監察御史沈權同閱』。卷末有尾題。卷首有杜預春秋序。序後收錄『東坡指掌春秋列國圖』、『春秋列國東坡圖說』、『諸侯興廢』、『春秋提要』及『春秋名號一圖』二卷。上欄附刻諸家評文如孫應鰲、汪道昆、穆文熙、呂祖謙、胡氏、公羊子等，為穆文熙輯評。文中多處墨筆補鈔。

書中鈐有『國立中央圖/書館收藏』朱文長方印、『臣/瑞(?)印』朱白文方印。另有一印不詳。」(頁 159~160)。

二、明萬曆二十年光裕堂刻二節版印本：晉杜預解，明穆文熙編《春秋左傳評苑》三十卷，七冊，書口題：《左傳評苑》。行字無定數。白口，左右雙邊。卷末牌記題：「《春秋左傳評苑》，……是五書本堂敦請名士精校之，以為兒輩舉業之一助耳，書成而識者佳悅之，皆曰不當私也，故梓之，而公之四方，與同志者共也，志青云者幸其鑒諸，萬曆壬辰秋月望雲鄭以厚謹識自云孤飛」，長春：東北師範大學圖書館有藏本，《東北師範大學圖書館藏古籍善本書目解題》頁三一著錄。

又北京大學、中國科學院、東北師範大學、山東師範大學等圖書館均有藏本，《中國古籍善本書目》（經部）頁二四八著錄，版本題作「明萬曆二十年鄭以厚刻本」。十一行二十四字小字雙行同白口左右雙邊。

【增補】《東北師範大學圖書館藏古籍善本書目解題》云：「《左傳評苑》用杜預注，陸德明釋文，而標預名不標德明之名。蓋明人凡刻古書，均略有刪補非其原文。然後見其有所改定，非徒翻刻舊文也，其曰《評苑》者，蓋於簡端雜采諸家之論云。」（頁三一）

三、明刻本：穆文熙輯《春秋左傳評林》三十卷，九行二十字白口四周雙邊，煙臺市圖書館有藏本，《中國古籍善本書目》（經部）頁二四八著錄。案：本書版本題作「明刻本」，版本著錄不清，今暫列於此。

四、萬曆十五年劉懷恕刻春秋戰國評苑本：晉杜預注　明穆文熙輯評《春秋經傳集解》三十卷，蜀馮繼先撰《春秋名號歸一圖》二卷，九行二十字小字雙行同白口四周雙邊有刻工姓名，北京：清華大學圖書館、北京師範大學圖書館、北京師範學院圖書館

、中央民族大學圖書館、中國科學院圖書館、中國社會科學院文學研究所、故宮博物院圖書館、山東省圖書館、安徽省圖書館、中山大學圖書館、四川省圖書館有藏本。

五、明萬曆十六年世德堂刻本：晉杜預撰　明穆文熙輯評《春秋經傳集解》三十卷，蜀馮繼先撰《春秋名號歸一圖》二卷，九行二十字小字雙行同白口上魚尾四周雙邊有刻工，河南省圖書館、湖北省圖書館有藏本。

六、明萬曆四年刻本：晉杜預撰　明穆文熙輯評《春秋經傳集解》三十卷，十一行二十二字小字雙行同白口四周雙邊，重慶第一師範學校圖書館、雲南大學圖書館有藏本。

七、明永懷堂刻本：晉杜預撰　明穆文熙編　葛鼐重訂《春秋經傳集解》三十卷，蜀馮繼先撰《春秋名號歸一圖》二卷，清佚名錄，魏禧、何焯評語，九行二十字白口左右雙邊，上海圖書館有藏本。

任氏桂《春秋質疑》

四卷。

【著錄】黃虞稷《千頃堂書目》卷二，頁四○著錄。

存。

【存佚】《春秋總義論著目錄》頁六六注曰「未見」，今考本書未見任何傳本，當已久佚，應改注曰「佚」。

桂〈自序〉曰：「《春秋》一經，斟酌萬變而不離乎常也，曷意擅改正月，則曰夫子行夏之時？貶斥侯王，則曰「《春秋》，天子之事」？兄後其弟，則曰為人後者為之子？殊不知書王正月，以遵一王之制，示萬世臣子以分也，分也者，所以訓實者也；楚子、吳子正以示班爵之則，示萬世臣子以名也，名也者，以臣覬君之謂，實非君臣，文將安施？天親不可以人為實，非父子，名奚而取？虛時之例，大義數十，正以示時政之缺，經世之略，實在於是，乃曰為天地備四時，四時果賴是而後備乎？天下固無擇母之子，經於風氏所以不屑夫人之稱；母以子貴也，則謂其為背禮，豈不陷人於不孝？君臣之義，無所逃於天地之間，《經》於衛輒，所以直攻其奔晉，晉乃保逆賊甯喜者也，則謂其合乎《春秋》，寧不陷人於不忠？予桓、文之霸，特取尊王，則譏侵楚為專兵，圍衛為報怨，是昧安周之義矣，何以勸後世之功？討趙盾、許止之罪，實誅邪謀，則但責盾以不越境、止以不嘗藥，是昧故殺之獄矣，何以訓後世之刑？外性以言道，是謂非道，外性以言學，是謂非學，宏綱大旨，是非失實，家傳人誦，趨向同風，本欲經正而庶民興，豈意道微而橫議起，此愚之所以恐恐於懷而未之能釋然者也。使疑而妄焉，何損於人？使疑而是焉，寧不大可懼哉？吾為此懼，憤日月之蝕，抱嫠婦之憂，肆芻蕘之言，就有道之正。竊謂彝倫倒置，不可以不慎，失則相從於昏，人心陷溺矣；賢否混淆，不可以不明，失則相從於偽，小人得志矣。儻承好學君子察采於萬分之一，獲涓埃之益，補斯文之缺，則末學何幸。若夫莊公去年娶婦，今年嫁女，叔服今年卒，他年又有星孛之占，差錯小疵，無關於世教者，豈愚所屑屑哉？嘉靖乙巳。」

陸元輔曰：「桂，寶安人，從學湛若水，其書首為總義十六條，而後隨《經》文解之，

一曰〈書法〉、二曰〈時月〉、三曰〈天王〉、四曰〈諸侯大夫〉、五曰〈君臣父子〉、六曰〈適妾〉、七曰〈妾母〉、八曰〈五霸〉、九曰〈鑒衡〉、十曰〈慎獨〉、十一曰〈正朔〉、十二曰〈閏月〉、十三曰〈等第〉、十四曰〈朝聘〉、十五曰〈經傳考〉、十六曰〈復讎論〉，其說多有可采。〈序〉中『天親不可以人為實，非父子，名奚而取』，未免趨合世宗，尊興獻之意矣。」

【增補】黃虞稷《千頃堂書目》卷二曰：「先之以《總義》十六條，而後隨經文解之，一曰書法，二曰時月，三曰天王，四曰諸侯大夫，五曰君臣父子，六曰適妾，七曰妾母，八曰五伯，九曰鑒衡，十曰慎獨，十一曰正朔，十二曰閏月，十三曰等第，十四曰朝聘，十五曰經傳考，十六曰復仇論，（任）杜，寶安人，從學湛若水，其為書頗多牽合。」（頁四〇）。

袁氏仁《春秋鍼胡編》（明）

【書名】本書異名如下：

一、《春秋胡傳考誤》：四庫全書本、張之洞《書目答問補正》卷一，頁四七均題作《春秋胡傳考誤》。

二、《鍼胡篇》：黃虞稷《千頃堂書目》卷二，頁四二著錄。

【增補】〔校記〕《四庫》本作《春秋胡傳考誤》。（春秋，頁五二）

一卷。

【著錄】黃虞稷《千頃堂書目》卷二，頁四二著錄。

存。

【版本及藏地】本書版本及藏地如下：

一、學津討原本：明袁仁撰《春秋胡傳考誤》一卷，張之洞《書目答問補正》卷一，頁四七著錄，馬來西亞大學圖書館有藏本（二部）。

二、文淵閣四庫全書本：(明)袁仁撰《春秋胡傳考誤》不分卷，一冊，《國立故宮博物院善本舊籍總目》，上冊，頁九十六著錄，台北：故宮博物院有藏本。

【增補】永瑢等撰《欽定四庫全書總目》曰：「春秋胡傳考誤一卷24　通行本

明袁仁撰。仁有《尚書砭蔡編》，已著錄。是書前有自序，謂：『宋胡安國憤王氏之不立《春秋》，承君命而作《傳》，志在匡時，多借經以申其說。其意則忠，而於經未必盡合。』其說良是。至謂安國之《傳》非全書，則不盡然。安國是編，自紹興乙卯奉勅纂修，至紹興庚申而後繕本進御，豈有未完之理哉？然其抉摘安國之失，如周月非冠夏時；盟宿非宿君與盟；宰渠伯糾宰非冢宰，伯非伯爵；夏五非舊史闕文；齊仲孫來之非貶；召陵之役，齊桓不得為王德，管仲不得為王佐；首止序王世子於末非

24霖案：原注云：按：此條，浙、粵本排在《左傳屬事》前，與文淵閣庫書次序不符。

以示謙；晉卓子立已逾年，非獨里克奉之為君；季姬之遇鄫子非愛女使自擇婿；鼮鼠食牛角非三桓之應；正月書襄公在楚非以存魯君之名；吳子使札非罪其讓國；《左傳》莒展輿事以攻當為己攻，齊豹非求名不得；歸鄆讙龜陰非聖人自書其功；獲麟而夸以簫韶河洛為傳者之陋，皆深有理解。他若『會防』一條，義不係於胡《傳》。『蔡桓侯』一條，謂葬以侯禮。亦以意為之，別無顯證。石之紛如本非大夫，不應與孔父仇牧一例見經。仁一概排之，則吹求太甚矣。」（卷二十八，頁三六五）

【增補】邵懿辰撰、邵章續錄：《增訂四庫簡明目錄標注》卷三曰：「《春秋胡傳考誤》一卷，明袁仁撰。

學海類編本，學津討原本，袁氏叢書本，原名鍼胡編。」（頁一一七）

三、清道光十一年六安晁氏活字本學海類編之一：(明)袁仁撰《春秋胡傳考誤》不分卷，《國立故宮博物院善本舊籍總目》，上冊，頁九十六著錄，台北：故宮博物院有藏本。

又馬來西亞大學圖書館有藏本（三部），《馬來西亞大學中文圖書目錄》六九三著錄，卷數題為「一卷」。

四、清抄本：明袁仁撰《春秋胡傳考誤》一卷，《中國古籍善本書目》（經部）頁二七七著錄，有清丁丙〈跋〉，南京圖書館有藏本。

五、民國五年(1916)南海黃氏刊本：(明)袁仁撰《春秋胡傳考誤》一卷，台北：國家圖書館有藏本。

六、民國十一年(1922)上海涵芬樓影印本：(明)袁仁撰《春秋胡傳考誤》一卷，台北：國家圖書館有藏本。

七、民國五十五年(1966)藝文印書館百部叢書集成初編影印本：(明)袁仁撰《春秋胡傳考誤》一卷，台北：國家圖書館有藏本。

八、袁氏叢書本：邵懿辰撰、邵章續錄：《增訂四庫簡明目錄標注》卷三，頁一一七著錄。

九、芋園叢書本：《春秋總義論著目錄》頁六六著錄。

仁〈自序〉曰25：「左氏、公羊氏、穀梁氏皆傳《春秋》者也，《傳》未必盡合乎《經》，故昔人詩云：『《春秋三傳》束高閣，獨抱遺經究終始。』卓哉宋胡安國慎王氏之不立《春秋》也，承君命而作《傳》，志在匡時，多借《經》以申其說，其意則忠矣，於經未必盡合也；況自昭、定而後，疏闕26尤多，歲中不啻十餘事止《一傳》或《二傳》焉，其閒27公如

25霖案：袁仁：《春秋胡傳考誤·原序》，「四庫全書本」，冊一六九，頁938。又可以參考《檇李詩繫》卷12，頁6下的內容。

26霖案：「闕」字上，應依《春秋胡傳考誤》補入「疏」。

27霖案：「閒」，《春秋胡傳考誤》作「間」。

晉、公如齊、公會吳於[28]鄭之類，皆匪細事，皆棄而不傳，則非全書也明矣。吾祖菊泉先生以《春秋》為仲尼實見諸行事之書，不可闕略也，潛心十載，別為《袁氏傳》三十卷，校之胡氏傳幾五倍之，吾父怡杏府君復作《或問》八卷[29]以闡其幽，釋《春秋》者，於是乎有完書矣。虛心觀理，靡恃己長，故不為訶斥之論，折衷群說，理長則從，亦未嘗有意擊胡[30]。予謂[31]世業《春秋》者，所尊惟胡，而胡多燕說，不可不闡發以正學者之趨。夫《春秋》大一統，吳、楚僭王，孽庶奪嫡，皆其所深誅也，主《傳》而奴《經》，信《傳》而疑《經》，是僭王也，是奪嫡也，烏乎可？作《鍼胡編》。[32]」

【增補】〔補正〕〈自序〉內「作《或問》八卷」，「八」或作「四」，《明史志》作八卷。（卷八，頁十九）

【增補】黃虞稷《千頃堂書目》卷二曰：「吳江人，仁，祥之子。顥，祥父也。」（頁四二）

傅氏遜《春秋左傳屬事》（明）

【書名】本書異名如下：

一、《左傳屬事》：張壽平《公藏先秦經子注疏書目》頁一一七著錄。

【增補】〔校記〕四庫著錄作《左傳屬事》。（《春秋》，頁五十二）

二十卷。

【卷數】日本明治二年（１７６５）東都溫故堂刻本有「《附錄》一卷」。

【著錄】黃虞稷《千頃堂書目》卷二，頁四二著錄。

未見。

【存佚】本書有明萬曆十三年日殖齋刻本，又有文淵閣四庫全書本，故應注曰「存」

28霖案：「於」，《春秋胡傳考誤》作「于」。

29霖案：《經義考新校》頁3701新增校文如下：「『八卷』，《四庫薈要》本作『四卷』。」。

30霖案：「吾祖菊泉先生以《春秋》為仲尼實見諸行事之書，不可闕略也，潛心十載，別為《袁氏傳》三十卷，校之胡氏傳幾五倍之，吾父怡杏府君復作《或問》八卷以闡其幽，釋《春秋》者，於是乎有完書矣。虛心觀理，靡恃己長，故不為訶斥之論，折衷群說，理長則從，亦未嘗有意擊胡。」為訛增之字，不詳竹垞據何錄之，待查其出處，今考〈原序〉無之。

31霖案：「予謂」，應依《春秋胡傳考誤》作「近」。

32霖案：「而胡多燕說，不可不闡發以正學者之趨。夫《春秋》大一統，吳、楚僭王，孽庶奪嫡，皆其所深誅也，主《傳》而奴《經》，信《傳》而疑《經》，是僭王也，是奪嫡也，烏乎可？作《鍼胡編》。」為訛增之字，不詳竹垞據何錄之，待查其出處，今考〈原序〉無之。又〈原序〉於「所尊惟胡」下，尚有「余懼其沿派而失源也，作《春秋胡傳考誤》，知我罪我亦任之而已。袁仁撰。」等二十八字，竹垞所錄之〈序〉無之，今補錄於上，以供參考之用。

【霖案】李一迷〈左氏春秋著錄書目研究〉頁一一二著錄，題作「江蘇國學圖書館藏」、「日本尊經閣文庫藏」，惟未題何本，今暫列於此。

【版本及藏地】：本書版本及藏地如下：

一、明萬曆十三年日殖齋刻本：明傅遜纂撰《春秋左傳屬事》二十卷，十行二十字。白口，左右雙邊。書口下鐫「日殖齊樣」四字，有傅遜萬曆乙酉十三年後序。十冊，台北：中研院傅斯年圖書館有藏本。

又美國：普林斯敦大學葛思德東方圖書館有藏本。

又北京大學、清華大學、中國人民大學、北京師範大學、中國科學院、上海、復旦大學、吉林大學、東北師範大學、山東大學、安徽省博物館、重慶市等地圖書館均有藏本，《中國古籍善本書目》（經部）頁二四七著錄。明傅遜撰《春秋左傳屬事》二十卷、《古字奇字音釋》一卷、《春秋左傳注解辨誤》二卷、《辨誤補遺》一卷、《古器圖》一卷。

【增補】《中國人民大學圖書館古籍善本書目》曰：「００９３　　１６１／３６
春秋左傳屬事二十卷古字奇字音釋一卷春秋左傳注解辨誤二卷補遺一卷古器圖一卷

（明）傅遜撰

明萬曆十三年（１５８５）日殖齋刻本

八冊一函

《屬事》十行二十字，小字雙行同，白口，單魚尾，左右雙邊；《辨誤八行十八字，小字雙行同，白口，白魚尾，左右雙邊。版心下鐫『日殖齋梓』。鈐『陳士基』、『肇宗』、『沈愚』諸印。」（頁十三）

【增補】《東北師範大學圖書館藏古籍善本書目解題》云：「是書變傳文編年為屬事，事以題分，題以國分，傳文之後，各概括大意而論定之。

傅遜：明，太倉人，字士凱。少游歸有光之門，萬曆間以歲貢授建昌訓導。有《春秋注解辯談》等。」（頁三三）

【增補】屈萬里《普林斯敦大學葛思德東方圖書館中文善本書志》曰：「《春秋左傳屬事》二十卷　二十冊　四函

明傅遜撰

明萬曆十三年（一五八五）日殖齋刊本。十行二十字。板匡高二○‧八公分，寬一四‧三公分。

是書以紀事本末體例彙集《左傳》之文。卷內題：『吳郡後學傅遜纂並註評。』書口下端鐫『日殖齋』三字，蓋傅氏書室名也。有萬曆十三年自序二首，自跋一首

，潘志伊後序一首。又有王世貞序，未署年月。」（頁四一）

【增補】王重民：《中國善本書提要》曰：「【春秋左傳屬事二十卷】十冊（《四庫總目》卷二十八）（北大）

　　明萬曆刻本〔十行二十字（20.7×14.2）〕

　　原題：「吳郡後學傅遜纂并註評。」下書口刻：「日殖齋梓。」卷內有：「退耕堂藏書印」、「曾為高鴻裁藏」、「古雪書莊珍藏」等印記。

　　王世貞序

　　自序〔萬曆十三年（一五八五）〕

　　又自跋〔萬曆十三年（一五八五）〕

　　又後序〔萬曆十三年（一五八五）〕

　　潘志伊後序〔萬曆十三年（一五八五）〕」（頁二八至頁二九）

二、明萬曆十三年日殖齋刻，十七年重修本：明傅遜撰《春秋左傳屬事》二十卷，北京・湖南省等地圖書館均有藏本，《中國古籍善本書目》（經部）頁二四七著錄。又湖南省圖書館之本，內有「葉啓勛題跋」，為：「十行二十字白口左右雙邊」，明傅遜撰《春秋左傳屬事》二十卷、《古字奇字音釋》一卷、《春秋左傳注解辨誤》二卷、《辨誤補遺》一卷、《古器圖》一卷。

三、明萬曆十三年日殖齋刻十七年二十六年遞修本：明傅遜撰《春秋左傳屬事》二十卷、《古字奇字音釋》一卷、《春秋左傳注解辯誤》二卷、《辯誤補遺》一卷、《古器圖》一卷，十行二十字小字雙行同上魚尾左右雙邊，蘇州市・福建師範大學・湖北省等地圖書館均有藏本，《左傳論著目錄》頁二八、《中國古籍善本書目》（經部）頁二四七至頁二四八著錄。

　　又南京圖書館另藏一本，有清丁丙跋，《中國古籍善本書目》（經部）頁二四八著錄。十行二十字小字雙行同白口左右雙邊有刻工。

四、文淵閣四庫全書本：(明)傅遜撰《春秋左傳屬事》二十卷，十八冊，《國立故宮博物院善本舊籍總目》，上冊，頁八十八著錄，台北故宮圖書館有藏本。

【增補】永瑢等撰《欽定四庫全書總目》曰：「左傳屬事[33]二十卷　浙江巡撫採進本明傅遜撰。遜字士凱，太倉人。嘗遊歸有光之門。困頓場屋，晚乃以歲貢授建昌縣訓導。是書發端於其友王執禮，而遜續成之，倣袁樞[34]《紀事本末》之體，變編年為屬事，事以題分，題以國分，傳文之後，各檃括大意而論之。於杜氏《集解》之未安者，頗有更定。而凡傳文之有乖於世教者，時亦糾正焉。遜嘗自云：『傳中文義，頗竭

---

[33]霖案：原注云：按：文淵閣庫書作《春秋左傳屬事》。

[34]霖案：原注云：「袁樞」前，浙、粵本有「建安」二字。

思慮，特於地理殊多遺憾，恨不獲遍搜天下郡縣志而精考之。』又云：『元凱無漢儒，不能為《集解》，遜無元凱，不能為此注。』其用心深至，推讓古人，勝於文人相輕者多矣。」（卷二十八，頁三六五）

【增補】邵懿辰撰、邵章續錄：《增訂四庫簡明目錄標注》卷三曰：「《左傳屬事》二十卷，明傅遜撰。

　　明萬曆乙酉刊本。

　　〔續錄〕鈔本，日本明和二年溫故堂刊本，有附錄一卷。」（頁一一八）

五、鈔本：邵懿辰撰、邵章續錄：《增訂四庫簡明目錄標注》卷三，頁一一八著錄。

【考證】李一遜〈左氏春秋著錄書目研究〉頁一一二著錄，題作「江蘇國學圖書館藏」、「日本尊經閣文庫藏」，惟未題何本，今暫列於此。

六、日本明和二年（１７６５）東都溫故堂刻本：《中國館藏和刻本漢籍書目》頁四六著錄，北大、遼寧、北京分館有藏本。

王世貞〈序〉曰[35]：「昔者夫子《春秋》成而三氏翼之，左氏嘗及事，夫子其好惡與之同，而又身掌國史典故，其事最詳而辭甚麗，公、穀二氏私淑之子夏，而以能創義例，有所裨益於《經學》，士大夫[36]習之。左氏初[37]不得與二氏並重[38]，其後獲[39]立於學官，而晉征南大將軍杜預深究[40]其學[41]，杜預之《傳》行[42]而[43]《公》、《穀》[44]不得與[45]並[46]矣。宋有

35　霖案：王世貞撰，《弇州續稿．左傳屬事序》，（臺北：臺灣商務印書館，「景印文淵閣四庫全書」冊一二八二，民國七十五年三月，初版），頁650-651。又《春秋左傳屬事．序》（臺北：臺灣商務印書館，「景印文淵閣四庫全書」冊一六九，民國七十五年三月，初版），頁498-499。

36　霖案：「夫」字下，應依《春秋左傳屬事．序》、《弇州續稿．左傳屬事序》補入「多」字。

37　霖案：「左氏初」三字，應依《春秋左傳屬事．序》、《弇州續稿．左傳屬事序》改作「其為左氏而顯者，漢丞相張蒼、諸王太傅賈誼、京兆尹張敞、大中大夫劉公子、丞相翟方進之屬，賈誼至為之訓故，然終。」等句。

38　霖案：「重」字下，應依《弇州續稿．左傳屬事序》補入「中壘校尉劉歆，篤好之，至移書太常博士明其屈，幾用此獲罪。」等句。又《春秋左傳屬事．序》無「重」字，其下內容皆同。

39　霖案：「獲」字下，應依《弇州續稿．左傳屬事序》補入「並」字。又《春秋左傳屬事．序》作「立」字，此乃書寫習慣之異，「立」、「並」為同字也。

40　霖案：「究」字下，應依《春秋左傳屬事．序》、《弇州續稿．左傳屬事序》補入「晢」字。

41　霖案：「學」字下，應依《春秋左傳屬事．序》、《弇州續稿．左傳屬事序》補入「復傳之，而稱其或先經以始事；或後經以終義；或依經而辯理；或錯經以合義，自」等句。

42　霖案：「行」字下，應依《春秋左傳屬事．序》、《弇州續稿．左傳屬事序》補入「而左氏彬乎粲然」等七字。

43　霖案：「而」字，《春秋左傳屬事．序》、《弇州續稿．左傳屬事序》無此字，當刪。

胡安國者47，以為獨能得夫子褒貶之微意，衷三氏而去取之，自胡氏之《傳》行而三氏俱絀。獨為古文辭者，尚好《左氏》，不能盡廢之，而所謂好者，好其語而已48，於是稱左史者，舍《經》而言史，大抵史之體有二：《左氏》則編年，而司馬氏又49紀傳、世家。編年者貴在事，而紀傳、世家貴在人；貴在事，則人或略而尚可徵50，貴在人，則事易詳51，而於天下之大計不可以次第得。然自司馬氏之紀傳行，而後世之為史者，亡所不沿襲52，雖有荀悅、袁宏編年書出53，然不甚為世稱說，而能法《左氏》之編年者，司馬光54所著55《資治通鑑》可以56繼之，而上下千餘年，其事為年隔，於是57建安袁樞取而類分之，名之曰58《紀事本末》59。吾鄉傅遜氏少為胡氏《春秋》60，而心獨儀《左氏》61，乃62用袁樞法而整齊之，

---

44 霖案：「《穀》」字下，應依《春秋左傳屬事‧序》、《弇州續稿‧左傳屬事序》補入「反」字。

45 霖案：「與」字，應依《春秋左傳屬事‧序》、《弇州續稿‧左傳屬事序》作「稱」字。

46 霖案：「並」字，《春秋左傳屬事‧序》作「竝」字。

47 霖案：「者」字下，應依《春秋左傳屬事‧序》、《弇州續稿‧左傳屬事序》補入「負其精識」四字。

48 霖案：「已」字下，應依《春秋左傳屬事‧序》、《弇州續稿‧左傳屬事序》補入「爾」字。

49 霖案：「又」字，應依《春秋左傳屬事‧序》、《弇州續稿‧左傳屬事序》作「乃」字。

50 霖案：「徵」字，《春秋左傳屬事‧序》作「推」字。

51 霖案：「詳」字，《春秋左傳屬事‧序》作「複」字。

52 霖案：「襲」字下，應依《春秋左傳屬事‧序》、《弇州續稿‧左傳屬事序》補入「當左氏時，所謂晉之《乘》、楚之《檮杌》，以至魏之《汲冢》，其簡者若倣經而詳者，則為左其後，奪於司馬氏。」等句。

53 霖案：「書出」二字，應依《弇州續稿‧左傳屬事序》作「之類」二字。又「編年書出」四字，《春秋左傳屬事‧序》作「之類」二字。

54 霖案：「司馬光」三字，應依《弇州續稿‧左傳屬事序》改作「司馬氏之後人光也，光」等九字。

55 霖案：「著」字下，應依《春秋左傳屬事‧序》、《弇州續稿‧左傳屬事序》補入「史曰」二字。

56 霖案：「可以」二字，應依《春秋左傳屬事‧序》、《弇州續稿‧左傳屬事序》改作「其文雖不敢望左氏之精鑿，要亦有以」等十五字。

57 霖案：「於是」二字，應依《春秋左傳屬事‧序》、《弇州續稿‧左傳屬事序》改作「而不能整栗」等五字。

58 霖案：「名之曰」三字，《春秋左傳屬事‧序》作「名曰」二字。

59 霖案：「末」字下，應依《春秋左傳屬事‧序》、《弇州續稿‧左傳屬事序》補入「而左氏其祖禰也。顧未有若袁樞者出，而」等十六字。

60 霖案：「胡氏《春秋》」四字，應依《弇州續稿‧左傳屬事序》改作「為《春秋》，以胡氏通顯」等八字。

其大體先王室、次盟主、次列國、次外國63，取事之大者與國之大者比，而小者附見焉，不必如訓詁64家之所謂張本為伏為應，一舉始而終遂瞭然若指掌，其他65句為之故，字為之考66，雖不能不資之杜氏67，舛僻者亦掊而正之，必使68無負乎《左氏》而後已。故執杜氏以治《左氏》，十而得八，執傅氏以治《左氏》，十不失一69，故夫傅氏者，左氏之慈孫，而杜氏之諍臣也70。」

潘志伊〈後序〉曰71：「往72歲予73與諸同籍聚晤京師74，有謂袁機仲75《通鑑紀事本末》

---

61 霖案：「《左氏》」二字之下，應依《弇州續稿．左傳屬事序》補入「讀之累歲，而始與之融會，」等十字。

62 霖案：「少為胡氏《春秋》，而心獨儀《左氏》，乃」諸句，《春秋左傳屬事．序》作「少有雄志，博涉曉兵，尤好推前代理亂大原，謂《左氏》以發其奇，益覃思詳索，而融貫其義。」等句，顯然竹垞引文，非據《春秋左傳屬事．序》一文而來。

63 霖案：「外國」二字，應依《春秋左傳屬事．序》、《弇州續稿．左傳屬事序》作「外夷」二字，事涉清廷之諱，故刪之，今據原書改正。

64 霖案：「訓詁」二字，應依《春秋左傳屬事．序》、《弇州續稿．左傳屬事序》作「訓」字。

65 霖案：「其他」，《春秋左傳屬事．序》作「其它」。

66 霖案：「考」字，《弇州續稿．左傳屬事序》作「攷」字。

67 霖案：「杜氏」二字之下，《春秋左傳屬事．序》另有「而杜氏之有」等五字。

68 霖案：「使」字下，《春秋左傳屬事．序》另有「之」字。

69 霖案：「一」字下，應依《春秋左傳屬事．序》、《弇州續稿．左傳屬事序》補入「且也，為杜而左者，難為傅，而左者易。」等十四字。

70 霖案：「也」字下，應依《弇州續稿．左傳屬事序》補入「漢之時，左氏故不能大重如公、穀，而為之者如嚮，所稱三張、賈生輩，皆通達國體，而公、穀之學，公孫弘用以繩下，而張湯傅為峻文決理，又請用博士弟子治之者，補廷尉史，雖以董江都之賢，而不能免於決事比之刻，豈所謂屬事者多達，而析義者易深，即使傅氏及是時，而成此書，令三張、賈生者見之，其有裨於漢治，當何如也？傅氏今雖尚《墨墨守》，學官部使者已從守令科論薦矣，於循吏何難焉？」等句，又《春秋左傳屬事．序》的相關之文近同，惟稍有增減，故亦列之如下，以供參校之用：「漢之時，左氏故不能大重如公、穀，而為之者如嚮，所稱三張、賈生輩，皆通達國體，而公、穀之學，公孫弘用以繩下，而張湯傅為峻文決理，又請用博士弟子治之者，補廷尉史，雖以董江都之賢，而不能免於決事比之刻，豈所謂屬事者多達，而析義者易深耶，使傅氏及是時，而成此書，令三張、賈生者見之，其有裨於漢治，當何如也？傅氏今雖尚《墨墨守》，學官部使者已從守令科三論薦矣，其將使之展，而效之時哉？吳郡王世貞撰。」等句。

71 霖案：傅遜撰，《春秋左傳屬事》，潘志伊〈春秋左傳屬事後叙〉，(台北：臺灣商務印書館，「景印文淵閣四庫全書」冊一六九，民國七十五年三月，初版)，頁933-934。

72 霖案：「往」字之前，應依潘志伊〈春秋左傳屬事後叙〉補入「先聖王經籍雖遭秦燼，而自西漢以

便於76覽讀，而前有77《左傳》，恨無有如其法而輯之者78。予79以授同門友傅遜士凱80氏，士凱81因更張附益之，國以次敘，事以國分，先後相續，巨細相維，傳事既82無漏矣；又將杜氏《集解》變其體裁而革其訛謬83，辨84誤精核85，必傳無疑，此86足以列《紀事本末》之前矣87。去歲秋杪，士凱88適補建昌學諭89，遂諷令建昌陳令板行之90。予91每慨近世科舉

後，千數百年名儒碩士撰述叙紀，已汗牛充棟，雖稱博洽者，亦莫能殫閱，士生今世若無庸復有所益矣，然事有剴要，而於古遺焉，其可漫焉，而任其缺乎？」等句。

73　霖案：「予」字，應依潘志伊〈春秋左傳屬事後叙〉題作「余以遜補」四字。

74　霖案：「京師」二字，應依潘志伊〈春秋左傳屬事後叙〉題作「京邸」二字。

75　霖案：「袁機仲」三字，潘志伊〈春秋左傳屬事後叙〉題作「袁仲樞」三字，惟袁樞，字機仲，當是潘〈叙〉誤植作「袁仲樞」，而竹垞逕改其誤也，雖然竹垞所改，合於事實，但非潘氏原〈叙〉之文也。

76　霖案：「便於」二字，應依潘志伊〈春秋左傳屬事後叙〉題作「可便」二字。

77　霖案：「前有」二字，應依潘志伊〈春秋左傳屬事後叙〉改作「上有」二字。

78　霖案：「輯之者」三字，應依潘志伊〈春秋左傳屬事後叙〉改作「列之前者」四字。

79　霖案：「予」字，潘志伊〈春秋左傳屬事後叙〉題作「余」字，又「余」字下，應依潘志伊〈春秋左傳屬事後叙〉補入「某曾讀《宋學士集》，有〈左傳始末叙〉文，又近世毗陵唐荊川氏，亦有此纂，時璽丞王敬文曰：『宋學士所叙，藏諸秘府。』某等未之見，荊川所纂事頗不全，又少註難讀，余向年有志纂之，未竟，會將計偕。」等文句。

80　霖案：「士凱」二字，潘志伊〈春秋左傳屬事後叙〉無此二字，當刪。

81　霖案：「士凱」二字，當依潘志伊〈春秋左傳屬事後叙〉改作「渠」字。

82　霖案：「既」字下，應依潘志伊〈春秋左傳屬事後叙〉補入「羅之」二字。

83　霖案：「謬」字下，應依潘志伊〈春秋左傳屬事後叙〉補入「余詳讀一、二卷，及其。」等八字。

84　霖案：「辨」字，潘志伊〈春秋左傳屬事後叙〉題作「辯」字。

85　霖案：「核」字，潘志伊〈春秋左傳屬事後叙〉作「覈」字。

86　霖案：「此」字下，應依潘志伊〈春秋左傳屬事後叙〉補入「真」字。

87　霖案：「矣」字下，應依潘志伊〈春秋左傳屬事後叙〉補入「余聞而心識之，惜未獲即覘其書。」等十三字。

88　霖案：「士凱」二字，應依潘志伊〈春秋左傳屬事後叙〉作「傅君」二字。

89　霖案：「諭」字下，應依潘志伊〈春秋左傳屬事後叙〉補入「甫及參謁，余因詢得前書，與敬文所語符，」等十六字。

90　霖案：「建昌陳令板行之」等七字，潘志伊〈春秋左傳屬事後叙〉題作「鋟之板，以廣所傳，傅諭云：『雅有此志，而詘於力。』會建昌陳令縱臾之，且捐俸以資之，始既。巡道施公聞而贍成之，余亦微有濟焉，然傳諭既以此為袁氏之前，又欲以宋元事繼其後，并取袁氏書釐其未允，而增

之習日趨簡便，蘇子瞻所謂束書不觀、遊談無根者，殆尤甚矣。今臺省諸公[92]思挽其弊，屢建白，欲得窮《經》讀史、博古通今之士，以當科目之選，則斯編也，其可幽伏而不使之播揚邪[93]？第[94]人情忽於近見而慕於遠聞，誦[95]古人遺書，追[96]憶其人，或[97]不免有隔世之歎[98]，設遇其人而與之處，則安為故常而不見其殊異，使見其異，則又為眾所嫉而不容於世，此古今賢豪所以多坎壈[99]之悲也。吾於士凱[100]而深有感焉。既訖工[101]，鳳洲先生[102]序[103]其前，遂紀其本末[104]以繫之後。萬曆乙酉秋九月[105]。」

遜〈自序〉曰[106]：「古史之存寡矣，惟左氏釋《經》以著《傳》，故魯二百五十五年之史獨完，而諸國事亦往往可以概見[107]，其閒[108]英臣偉士、名言懿行，猶足為世規準[109]；

其未備，瞿瞿焉，恒以不克副其志為懼。」等字。

91 霖案：「予」字，潘志伊〈春秋左傳屬事後敘〉題作「余」字，又「余」字下，應依潘志伊〈春秋左傳屬事後敘〉補入「某曾讀《宋學士集》，有〈左傳始末敘〉文，又近世毗陵唐荊川氏，亦有此纂，時璽丞王敬文曰：『宋學士所敘，藏諸秘府。』某等未之見，荊川所纂事頗不全，又少註難讀，余向年有志纂之，未竟，會將計偕。」等文句。

92 霖案：「公」字下，應依潘志伊〈春秋左傳屬事後敘〉補入「識際弘遠」四字。

93 霖案：「邪」字，潘志伊〈春秋左傳屬事後敘〉題作「耶」字。

94 霖案：「第」字，應依潘志伊〈春秋左傳屬事後敘〉題作「使海內學者皆如其志，豈不以通博稱，而迺致夫寡昧之誚耶！但」等二十五字。

95 霖案：「誦」字之前，應依潘志伊〈春秋左傳屬事後敘〉補入「或」字。

96 霖案：「追」字之前，應依潘志伊〈春秋左傳屬事後敘〉補入「而」字。

97 霖案：「或」字，應依潘志伊〈春秋左傳屬事後敘〉改作「則」字。

98 霖案：「歎」字，潘志伊〈春秋左傳屬事後敘〉題作「嘆」字。

99 霖案：「坎壈」二字，應依潘志伊〈春秋左傳屬事後敘〉改作「伏櫪」二字。

100 霖案：「士凱」二字，應依潘志伊〈春秋左傳屬事後敘〉改作「傅遜氏」三字。

101 霖案：「工」字下，應依潘志伊〈春秋左傳屬事後敘〉補入「持以請敘於余，余憐其居今而學古，力微而志遠，不欲拒其意，以」等字。

102 霖案：「生」字之下，應依潘志伊〈春秋左傳屬事後敘〉補入「既」字。

103 霖案：「序」字，潘志伊〈春秋左傳屬事後敘〉題作「敘」字。

104 霖案：「紀其本末」四字，應依潘志伊〈春秋左傳屬事後敘〉改作「推敬文之意」等五字。

105 霖案：「月」字下，應依潘志伊〈春秋左傳屬事後敘〉補入「朔日守匡廬松陵潘志伊撰。」等字。

106 霖案：傅遜撰，《春秋左傳屬事‧序》(臺北：臺灣商務印書館，「景印文淵閣四庫全書」冊一六九，民國七十五年三月，初版)，頁499-500。

107 霖案：「見」字下，應依《春秋左傳屬事‧序》補入「雖當世衰季，篡弒攻奪，烝狡之醜，不絕

至戰陳、射御、燕享、辭命、卜筮，皆非後世之所能及，蓋以去古未遠110，而先聖之法尚有存焉故也。然體本編年，而紀載繁博，或一簡而幾事錯陳，或累卷而一事乃竟，或以片言而張本至巨，或以微事而古典攸徵，茲欲遡流窮委，尋要領而繹旨歸，蓋亦難矣。自司馬子長變古法111為紀傳、世家112，而後之作史者卒不能易名；編年者113，荀悅以後無慮四十家，而書多不存，事無通會，至宋司馬文正始萃114一千三百六十二年之事以為《通鑑》，而趙興智滅，實以上接《左氏》襄子慧智伯事。建安袁氏復因之，以纂紀事本末，使每事成敗始終之迹一覽而得，讀史者咸便115之。遂嘗欲祖其法以纂《左傳》事，而先師歸熙甫謂當難於《通鑑》數倍，遂頗悟其旨，取王敬文藏本116而成焉。懼其事繁紊且遺也，故於諸國事各以其國分屬，而仍次第之。於時王道既衰，霸117圖是賴，故以霸118繼周，而凡中外119盛衰、離合大故，皆使自為承續120而不列於諸國之中，以其文古，須注121可讀，而元凱122《集解》乃多紕繆疎略，或傳文未斷而裂其句以為之注123，意義124難於會解，故竟其篇章而總用訓詁於後，并參眾說，酌鄙意，僭為之釐正焉125，名曰《春秋左傳屬事》，頗自謂得古

　　　　於篇，而」等十八字，事涉「篡弒攻奪」，有礙清廷之諱，是以見棄，今據原書補入。

108　霖案：「閒」字，《春秋左傳屬事‧序》作「間」字。

109　霖案：「準」字，《春秋左傳屬事‧序》作「准」字，「準」、「准」實為同字。

110霖案：《經義考新校》頁3703新增校文如下：「『去遠』，文津閣《四庫》本誤作『求遠』。」。

111　霖案：「法」字下，應依《春秋左傳屬事‧序》補入「以」字。

112　霖案：「家」字下，應依《春秋左傳屬事‧序》補入「等言」二字。

113　霖案：「者」字下，應依《春秋左傳屬事‧序》補入「雖自」二字。

114　霖案：「萃」字，《春秋左傳屬事‧序》作「粹」字。

115　霖案：「便」字下，應依《春秋左傳屬事‧序》補入「而葆」二字。

116　霖案：「藏本」，《春秋左傳屬事‧序》作「文藏」二字。

117　霖案：「霸」字，《春秋左傳屬事‧序》作「伯」字。

118　霖案：「霸」字，《春秋左傳屬事‧序》作「伯」字。

119　霖案：「中外」二字，《春秋左傳屬事‧序》作「盛衰」，惟其文句不偕，或以竹垞所記「中外盛衰」較合文意。

120　霖案：「續」字下，應加一逗號為宜。

121　霖案：「注」字，《春秋左傳屬事‧序》作「註」字。

122　霖案：「元凱」二字下，宜據《春秋左傳屬事‧序》補入「好之，自謂成癖，而其」等八字。

123　霖案：「注」字，《春秋左傳屬事‧序》作「註」字。又「註」字下，宜據《春秋左傳屬事‧序》補入「如防川介山，失其奇勝，且」等十字。

124　霖案：「義」字下，宜依《春秋左傳屬事‧序》補入「亦」字。

125　霖案：「焉」字下，宜依《春秋左傳屬事‧序》補入「又讀胡身之註《通鑑》，時有評議，以發明其事之得失，輒慕而效之，其是非或不大誖於聖人，而微蘊亦因以少見，遂少好讀史，茲《傳》

人讀史之遺意，有助於考古者之便云。然袁氏書為世所好，而事多遺脫，稍有錯誤，若得為之補其遺、正其誤，而更益之，以宋與元，使數千百年成敗興衰之故[126]皆得並論而詳列之，豈非生平之一快也哉？而未敢必其能與否也。噫，理難至當，人莫自知，以古人之賢猶不能無失，矧逡於古人，無能為役，寧不百其失乎？惟祈知言之君子不鄙而教之。萬歷[127]乙酉[128]」

【增補】黃虞稷《千頃堂書目》卷二曰：「仿建安袁氏《通鑑紀事本末》為書，更為之注，參互以訂杜預之誤，每一事竟，復論其人所以得失，萬歷乙酉〈序〉。　○遜，字元凱，嘉定人，師崑山歸有光，其學長於論古今成敗，有光不能屈也。」（頁四二）

《春秋左傳注解辨誤》（明）

【書名】本書異名如下：

一、《春秋左傳註解辨誤》：《中國館藏和刻本漢籍書目》頁四六、《國立中央圖書館善本序跋集錄》頁三七○、張壽平《公藏先秦經子注疏書目》頁一一六著錄。

二、《左傳注解辨誤》：《四庫存目》著錄。

三、《左傳註解辨誤》：《國立臺灣大學圖書館善本書目》頁四著錄。

【霖案】考竹垞所錄的內容，應係根據「明萬曆癸未（十一年）吳郡傅氏日殖齋原刊本」的版本加以登錄，但由於該版本僅有「傅遜」〈自序〉，而無金兆登〈序〉、顧天俊〈後序〉，故可據「日本延享丙寅（三年）刊本」補錄二篇序文。

又據屈萬里《普林斯敦大學葛思德東方圖書館中文善本書志》頁四○著錄，題此書為「見《春秋左傳屬事》第四函」，顯見此書原屬於「《春秋左傳屬事》的部份內容，後來裁篇而出。

【增補】永瑢等撰《欽定四庫全書總目・存目》曰：「左傳注解辨誤二卷[129]　江蘇巡撫採進本

明傅遜撰。遜有《左傳屬事》，已著錄。是編皆駁正杜預之解，間有考證，而以意推求者多。視後來顧炎武、惠棟所訂，未堪方駕。前有《古字奇字音釋》一卷，乃《左

雖以釋《經》，而與後之言《經》者，多牴牾難合，故《經》不能強明，而獨就其文辭，視以古史妄纂，茲錄」等句。

126　霖案：「故」字下，宜加一逗號，以示區隔。

127　霖案：「萬歷」二字下，應依《春秋左傳屬事・序》補入「十有三年」等四字。

128　霖案：「乙酉」二字下，應依《春秋左傳屬事・序》補入「初夏日，吳郡後學傅遜士凱自序。」等十三字。

129霖案：原注云：按：今台北中央館藏有明萬歷癸未吳郡傅氏日殖齋原刊本二部。題作《春秋左傳注解辨誤》二卷《補遺》一卷《古文奇字音釋》一卷附《古器圖》一卷，該館還藏有日本延享丙寅刊本。

傳屬事》之附錄，裝緝者誤置此書中，頗淺陋，無可取。後附《古器圖》一卷，則其孫熙之所匯編，亦剽襲楊甲《六經圖》，無所考訂也。」（卷三十，頁三八八）

【增補】邵懿辰撰、邵章續錄：《增訂四庫簡明目錄標注》卷三曰：「《春秋左傳注解辯誤》二卷，補遺一卷，傅遜撰。《古器圖》一卷，傅熙之撰，日本寬政六年刊本」。

【增補】〔校記〕四庫存目作左傳注解辨誤。（春秋，頁五二）

二卷。

【著錄】黃虞稷《千頃堂書目》卷二，頁四二著錄。

【卷數】日本諸多版本均錄有「《補遺》一卷」。

存。

【版本及藏地】本書版本及藏地如下：

一、明萬曆癸未(11年，1583)吳郡傅氏日殖齋原刊本：(明)傅　遜撰《春秋左傳註解辨誤》二卷，《補遺》一卷，《古字奇字音釋》一卷，附《古器圖》一卷，8 行，行18 字，小字雙行字數同. 左右雙欄. 版心白口，單白魚尾，2 冊;19.7x14.5 公分，台北：國家圖書館有藏本。

【增補】《國家圖書館善本書志初稿》：「【春秋左傳註解辨誤二卷補遺一卷古字奇字音釋一卷附古器圖一卷五冊】

明萬曆癸未(十一年，1583)吳郡傅氏日殖齋原刊本　　00628

明傅遜撰。

版匡高 19.7 公分，寬 14.5 公分。左右雙邊。每半葉八行，行十八字。註文小字雙行，字數同。版心花口，單白魚尾，魚尾上方記書名（『左傳註解辨誤』），魚尾下方記卷第葉次，最下方刻『日殖齋梓』。音釋、古器圖版心單黑魚尾，其餘同。

首卷首行頂格題『春秋左傳註解辨誤卷之上』，次行低十格題『吳郡後學傅遜著』。卷末隔四行有尾題。首冊封面扉葉，前半葉大字題『春秋左傳註解辨誤』，其下小字雙行『附補遺古器圖古字奇字音釋』，後半葉牌記『萬曆癸未年春/傅氏日殖齋梓』。卷首有萬曆癸未(十一年，1583)，傅遜序，音釋有萬曆甲申(十二年，1584)，顧天峻及金兆登後序。古器圖後有傅凝之萬曆乙酉(十三年，1585)識語。

書中鈐有『國立中央圖/書館收藏』朱文長方印、『希/韓』朱文方印、『屠印/思納』白文方印。」(頁 168)。

【增補】《國家圖書館善本書志初稿》：「【春秋左傳註解辨誤二卷補遺一卷古字奇字音釋一卷附古器圖一卷二冊】

又一部　　00629

古器圖後館藏前一部書後傅凝之題識，本版改為傅熙之。其後又增題一再識，

內容云:『丙戌春歸自建昌,檢二圖,益器十有五,或一器有數形者,此止刻其一。熙之再識』。知此古器圖曾再增版。本部書將古字奇字音釋置於卷首,補遺部分並重訂四條,古器圖並增益葉十三共十四圖。另葉十二後半葉增刻『以上皆依五經圖,與考古博古圖不同』。

　　　書中鈐有『莚圃/收藏』朱文長方印、『沈印/廷芳』白文方印、『椒/園父』朱文方印、『國立中央圖/書館收藏』朱文長方印。」(頁 168~169)。

二、明萬曆十三年(１５８５)吳郡傅氏日殖齋刊本:《春秋左傳註解辩誤》二卷,二冊。半頁八行十八字,左右雙邊,白口,單魚尾,書口下刻『日殖齋梓』。框高20‧1厘米,寬14‧1厘米(案:屈萬里《普林斯敦大學葛思德東方圖書館中文善本書志》著錄題作「高一九‧九公分,寬一三‧八公分」,略有不同)題『吳郡後學傅遜著』,有明萬曆十一(癸未)年(1583)傅氏〈自序〉,十二(甲申)年(1584)金兆登〈後序〉,台北國家圖書館、中研院史語所傅斯年圖書館;美國哈佛大學燕京圖書館、普林斯敦大學葛思德東方圖書館有藏本。

　　又北京大學、清華大學、中國人民大學、北京師範大學、中國科學院、上海、復旦大學、吉林大學、東北師範大學、山東大學、安徽省博物館、重慶市等地圖書館均有藏本,《中國古籍善本書目》(經部)頁二四七著錄。明傅遜撰《春秋左傳屬事》二十卷、《古字奇字音釋》一卷、《春秋左傳注解辨誤》二卷、《辨誤補遺》一卷、《古器圖》一卷。

　　又李一遂〈左氏春秋著錄書目研究〉頁一一九錄有「明刊本」,題作「四川圖書館藏」,當即此本,今暫列於此,以俟後考。

【增補】《中國人民大學圖書館古籍善本書目》曰:「００９３　　　161／36春秋左傳屬事二十卷古字奇字音釋一卷春秋左傳注解辨誤二卷補遺一卷古器圖一卷

(明)傅遜撰

明萬曆十三年(１５８５)日殖齋刻本

八冊一函

《屬事》十行二十字,小字雙行同,白口,單魚尾,左右雙邊;《辨誤八行十八字,小字雙行同,白口,白魚尾,左右雙邊。版心下鐫『日殖齋梓』。鈐『陳士基』、『肇宗』、『沈愚』諸印。」(頁十三)

【增補】《中央研究院歷史語言研究所善本書目》曰:「《春秋左傳註解辨誤》二卷《補遺》一卷二冊　明傅遜撰　明萬曆間日殖齋刊本。」(頁九)

【增補】屈萬里《普林斯敦大學葛思德東方圖書館中文善本書志》曰:「《春秋左傳註解辯誤》二卷　二冊　見《春秋左傳屬事》第四函

　　明傅遜撰

　　明萬曆十二年(一五八四)日殖齋刊本。　八行十八字。板匡高一九‧九公分,

寬一三・八公分。

　　是本有萬曆十一年自序，萬曆十二年顧天俊、金兆登後序二篇。又有萬曆二十五年自跋。蓋此本刻於萬曆十二年，越十三年又增刊跋語也。卷內有『琪園李鐸收藏圖書記』印記。」（頁四〇至頁四一）

【考證】諸家書目均題作「明萬十三年日殖齋刻本，獨屈萬里氏題作「萬曆十二（一五八四）日殖齋刊本」，今從諸家書目之說，定作「明萬曆十三年日殖齋刻本」。

【增補】沈津著《美國哈佛大學燕京圖書館中文善本書志》：「0083　　明萬曆傅氏日殖齋刻本春秋左傳註解辯誤　　　　　　　　T717/2433

　　　　《春秋左傳註解辯誤》二卷《古字奇字音釋》一卷《補遺》一卷，明傅遜撰。　明萬曆十三年（1585）傅氏日殖齋刻本。二冊。半頁八行十八字，左右雙邊，白口，單魚尾，書口下刻『日殖齋梓』。框高 20・1 厘米，寬 14・1 厘米。題『吳郡後學傅遜著』。

　　　　傅遜，字士凱。太倉人。少游歸有光之門。萬曆間以歲貢授建昌訓導。

　　　　按是本乃為《春秋左傳屬事》二十卷後之附錄部分。其辯誤者，乃駁正杜預之解，間有考證，而以意推求者多。是書前應有萬曆癸未傅遜自序，今已佚去。傅序言昔編《左傳屬事》，因錄杜注而見其有誤，既見郡人陸貞山附注，皆正杜誤而亦有未盡，因會眾說，加以己意，而成是書云。

　　　　鈐印有『武進盛氏所藏』、『愚齋鑑藏』、『愚齋圖書館藏』、『愚齋審定善本』，蓋曾藏盛宣懷處。」（頁四〇）

三、明萬歷十三年日殖齋刻十四年重修本：明傅遜撰《春秋左傳注解辨誤》二卷、《補遺》一卷、《春秋左傳屬事古字奇字音釋》一卷、《古器圖》一卷，八行十八字白口左右雙邊，北京大學圖書館、中國人民大學圖書館、南京圖書館有藏本。

四、明萬曆十三年日殖齋刻，十七年重修本：明傅遜撰《春秋左傳屬事》二十卷、《古字奇字音釋》一卷、《春秋左傳注解辨誤》二卷、《辨誤補遺》一卷、《古器圖》一卷，十行二十字白口左右雙邊，北京、湖南省等地圖書館均有藏本，《中國古籍善本書目》（經部）頁二四七著錄。又湖南圖書館藏本有「葉啓勛題跋」。

四、明萬歷十二年傅氏日殖齋刻二十五年重修本：明傅遜撰《春秋左傳注解辨誤》二卷、《補遺》一卷、《春秋左傳屬事古字奇字音釋》一卷，八行十八字白口左右雙邊，華南師範學院圖書館有藏本。

五、明萬曆十三年日殖齋刻十七年二十六年遞修本：明傅遜撰《春秋左傳註解辨誤》二卷，十行二十字小字雙行同上魚尾左右雙邊，蘇州市、福建師範大學、湖北省等地圖書館均有藏本，《左傳論著目錄》頁二八、《中國古籍善本書目》（經部）頁二四七至頁二四八著錄。又此本另有《辨誤補遺》一卷。

六、日本延享丙寅（三年，1746）中江久四郎、前川六左術門刻本：明傅遜撰《左傳註解辨誤》二卷，2 冊;19.7x14.3 公分，8 行，行 18 字，小字雙行字數同. 左右雙

欄．版心白口，單白魚尾，魚尾上方記書名 ，魚尾下方記卷第，再下方記葉次，有明萬曆十一(癸未)年(1583)傅氏〈自序〉，十二年(1584)〈金兆登〉等〈後序〉，另有刻工名：中江久四郎、太田庄右衛門、前川六左衛門等，《中國館藏和刻本漢籍書目》頁四六至頁四七著錄，台北國家圖書館、中研院史語所、臺灣大學圖書館（二部）、上海、遼寧等圖書館有藏本。又台北：國家圖書館所藏之本，有「森玉流瀁所及」、「吳興徐鴻寶藏書之印」、「森玉藏書」諸印記。

【增補】《國家圖書館善本書志初稿》：「【左傳註解辨誤二卷補遺一卷附古器圖一卷二冊】

　　日本延享丙寅(三年，1746)刊本　　00630

　　明傅遜撰。遜字士凱，太倉人。少游歸有光之門。萬曆間以歲貢授建昌訓導。

　　　版匡高 19.7 公分，寬 14.3 公分。左右雙邊。每半葉八行，行十八字。註文小字雙行，字數同。版心花口，單白魚尾，魚尾上方記書名(如『左傳註解辨誤』)，魚尾下方記卷第（如『卷之上』），再下方記葉次，最下方記『日直齋梓』。刻工名：中江久四郎、太田庄右衛門、前川六左衛門等。

　　　首卷首行頂格題『春秋左傳註解辨誤卷之上』，次行低十格題『吳郡後學傅遜著』。封面題『左傳註解辨誤』，分上下兩冊。第二冊書後扉葉牌記第一行題『延享丙寅正月』，第二行後為日本書坊及刊刻者姓名。卷首有萬曆癸未(十一年，1583)傅遜自序，書末有萬曆甲申(十二年，1584)顧天峻後序。古器圖、補遺等並依照甲寅年增版。

　　　書中鈐有『國立中央圖/書館收藏』朱文方長印、『知雄守雌園/圖書之記』、朱文長方印、『直安/之印』白文方印。」(頁 169)。

【考證】案：臺灣大學圖書館所藏二部，雖同為日本延享三年刊本，但其中一部有《補遺》一卷，附《古器圖》二卷。

七、日本寬政五年（１７９３）大阪書林日殖齋刻本：《中國館藏和刻本漢籍書目》頁四七著錄，華東師大、大連等圖書館有藏本

八、日本寬政六年（１７９４）尚絧館刻本：《中國館藏和刻本漢籍書目》頁四七著錄，北大、遼寧、四川等圖書館有藏本。

【增補】邵懿辰撰、邵章續錄：《增訂四庫簡明目錄標注》卷三曰：「《春秋左傳注解辨誤》二卷，補遺一卷，傅遜撰。《古器圖》一卷，傅熙之撰，日本寬政六年刊本」。

遜〈自序〉曰[130]：「遜編《左傳屬事》，以不可無注雅愛杜《注》，舉筆錄之；既得

---

[130]霖案：《國立中央圖書館善本序跋集錄》頁370錄有傅遜〈序文〉，惟文字與竹垞引文多有不符，宜增補其文。又「四庫全書本」《春秋左傳註解辨誤》一書，亦有傅遜之〈序〉，見於經冊一一九，

吾郡先達陸貞山附注，皆正杜誤，與鄙意多合，又會眾說而折衷之，創以己意而為之釐正焉，實於心有不安，敢為忠臣於千載之下耳。萬曆癸未。」

【霖案】《四庫全書存目叢書》經部冊一一九-頁642~643，又《國立中央圖書館善本序跋集錄》頁三七〇錄有傅遜〈序文〉，惟文字與上文有所出入，茲錄其原〈序〉如下。

【增補】傅遜〈序〉曰：「遜少志頗迂，讀書慕孔，明觀大意，獨好究前代理亂成敗之原，於字句不深求。既而無用於世，不免謬述，始欲精其義，而恨魯甚未能也。及編左傳屬事，以不可無註，雅愛杜註古簡，謂註者莫是過矣。至舉筆錄之，乃覺有未然。既得吾郡先達陸貞山附註，皆正杜誤，與鄙意多會，因據以咀味，亦未為盡得。於是迸註而唯傳之，讀則大義益明。先儒雖宏深瞻博，非遜所能企至百一，而疵纇頗多，始猥會眾說而折之衷，有未經辨議者，亦創以己意，而為之釐革焉，猶自為妄出胸臆，復博參之群籍，得有徵據，爰以自愜，間有一、二可以意求者，則亦自明著，不必於他考焉者也。遜於古人皆極崇仰，元凱資兼文武，尤深敬慕。嘗更賤名以志效法之意，豈樂輕用其訾毀哉？實於心有不安，敢為其忠臣於千載之下耳，恐世之君子不審其義，而謂遜擅易古人之筆，故特詳覈得失，而尤因以存其說焉。韓子於三百篇云，曾經聖人手，議論安敢到，則非經聖人者，亦庸可致吾喙矣。然古今之變，典籍之繁，其訛而之謬也多矣！又安能一一而為之辨也哉，噫！萬曆癸未年春日，古婁傅遜士凱自序。」（轉錄《國立中央圖書館善本序跋集錄》經部‧頁三七〇）

【增補】金兆登〈序〉曰：「登母氏伯兄士凱父敦節概，耽古矯俗，以故志不獲讎，分訓剡粉，親朋咸慮其嶽嶽難諧也，既聞三薦於朝矣，登深歎三公知人惟哲，而舅氏之志亦非必不可讐也。復將杜武庫解左氏傳而更之，詳析眾說是非之原，名曰辨誤。不余愚贛而示教，使題識焉，又見其他作，多悲慨語，因思使吾舅早顯，豈復得餘暇為此？今卓卓如是，將永傳奚疑，而況其顯者，固自有在耶！藉令終不顯，又烏足悲而慨也！萬曆壬午應天舉士愚甥金兆登頓首書，時甲申春二月之五日也。」（轉錄《國立中央圖書館善本序跋集錄》經部‧頁三七〇）

【增補】顧天埈〈後序〉曰：「竊觀古名將多好讀左氏春秋，吾師傅士凱氏夙負經濟曉兵，尤尚義烈，與家君為執友，埈齔齓聆其言論，即竦異之。既而家君命執經授義，亟蒙賞以易悟，然未獲悉其微也。閱二年，師迺以歲選作邑博。又二年，埈幸舉於留都，追思往訓，多內愧焉。今春以左傳註解辨誤見視，其弘深精覈，非世所擬，因慨左氏之旨晰矣，諸家之謬訂矣。師之困阨以抑鬱也，孰惜而孰振之乎？孰奇而孰曜之乎？恨埈猶弱無能為之重也。若何而使其高節嘉謨英略俱少概見，則於當世明公尚大有覬云。皇明萬曆甲申仲春中旬，門生顧天埈頓首謹識。」（轉錄《國立中央圖書館善本序跋集錄》經部‧頁三七一）

【增補】黃虞稷《千頃堂書目》卷二曰：「會眾說以折衷杜注之誤，有未經辨議，亦創以己意，為之釐革焉，萬曆癸未序。」（頁四二）。

《左傳奇字古字音釋》（明）

【著錄】李一遂〈左氏春秋著錄書目研究〉頁一一五著錄。

一卷。

存。

【版本及藏地】本書廣東華南圖書館有藏本，李一遂〈左氏春秋著錄書目研究〉頁一一五著錄，惟未明其確切版本，今暫存於此，以俟後考。

【版本及藏地】：本書版本及藏地如下：

一、明萬曆癸未(11 年，1583)吳郡傅氏日殖齋原刊本：(明)傅　遜撰《春秋左傳註解辨誤》二卷，《補遺》一卷，《古字奇字音釋》一卷，附《古器圖》一卷，8 行，行 18 字，小字雙行字數同. 左右雙欄. 版心白口，單白魚尾，2 冊;19.7x14.5 公分，台北：國家圖書館、中研院傅斯年圖書館有藏本有藏本。

【增補】《國家圖書館善本書志初稿》：「【春秋左傳註解辨誤二卷補遺一卷古字奇字音釋一卷附古器圖一卷五冊】

明萬曆癸未(十一年，1583)吳郡傅氏日殖齋原刊本　　　00628

明傅遜撰。

版匡高 19.7 公分，寬 14.5 公分。左右雙邊。每半葉八行，行十八字。註文小字雙行，字數同。版心花口，單白魚尾，魚尾上方記書名（『左傳註解辨誤』），魚尾下方記卷第葉次，最下方刻『日殖齋梓』。音釋、古器圖版心單黑魚尾，其餘同。

首卷首行頂格題『春秋左傳註解辨誤卷之上』，次行低十格題『吳郡後學傅遜著』。卷末隔四行有尾題。首冊封面扉葉，前半葉大字題『春秋左傳註解辨誤』，其下小字雙行『附補遺古器圖古字奇字音釋』，後半葉牌記『萬曆癸未年春/傅氏日殖齋梓』。卷首有萬曆癸未(十一年，1583)，傅遜序，音釋有萬曆甲申(十二年，1584)，顧天峻及金兆登後序。古器圖後有傅凝之萬曆乙酉(十三年，1585)識語。

書中鈐有『國立中央圖/書館收藏』朱文長方印、『希/韓』朱文方印、『屠印/思納』白文方印。」(頁 168)。

【增補】《國家圖書館善本書志初稿》：「【春秋左傳註解辨誤二卷補遺一卷古字奇字音釋一卷附古器圖一卷二冊】

又一部　　　00629

古器圖後館藏前一部書後傅凝之題識，本版改為傅煦之。其後又增題一再識，內容云:『丙戌春歸自建昌，檢二圖，益器十有五，或一器有數形者，此止刻其一。煦之再識』。知此古器圖曾再增版。本部書將古字奇字音釋置於卷首，補遺部分並重訂四條，古器圖並增益葉十三共十四圖。另葉十二後半葉增刻『以上皆依五經圖，與考古博古圖不同』。

　　書中鈐有『莅圃/收藏』朱文長方印、『沈印/廷芳』白文方印、『椒/園父』朱文方印、『國立中央圖/書館收藏』朱文長方印。」(頁 168~169)。

二、明萬曆十三年日殖齋刻本：明傅遜撰《古字奇字音釋》一卷,《左傳論著目錄》頁一〇六著錄,謂「傳本：明萬曆間日殖齋刊本　　考證：附於其所刊《春秋左傳注解辨誤》之末。」,可見本書有「明萬曆間日殖齋刊本」。又李一遂〈左氏春秋著錄書目研究〉頁一一五著錄,指出本書有廣東華南圖書館有藏本。

　　又北京大學、清華大學、中國人民大學、北京師範大學、中國科學院、上海、復旦大學、吉林大學、東北師範大學、山東大學、安徽省博物館、重慶市等地圖書館均有藏本,明傅遜撰《春秋左傳屬事》二十卷、《古字奇字音釋》一卷、《春秋左傳注解辨誤》二卷、《辨誤補遺》一卷、《古器圖》一卷,十行二十字白口左右雙邊,《中國古籍善本書目》(經部)頁二四七著錄。

【增補】《中國人民大學圖書館古籍善本書目》曰:「００９３　　　１６１／３６
春秋左傳屬事二十卷古字奇字音釋一卷春秋左傳注解辨誤二卷補遺一卷古器圖一卷

(明)傅遜撰

明萬曆十三年(１５８５)日殖齋刻本

八冊一函

《屬事》十行二十字,小字雙行同,白口,單魚尾,左右雙邊;《辨誤八行十八字,小字雙行同,白口,白魚尾,左右雙邊。版心下鐫『日殖齋梓』。鈐『陳士基』、『肇宗』、『沈愚』諸印。」(頁十三)

三、明萬曆十三年日殖齋刻,十四年重修本：明傅遜撰《春秋左傳注解辨誤》二卷、《補遺》一卷、《春秋左傳屬事古字奇字音釋》一卷、《古器圖》一卷,八行十八字白口左右雙邊,北京大學圖書館、中國人民大學圖書館、南京圖書館有藏本。

四、明萬曆十三年日殖齋刻,十七年重修本：明傅遜撰《春秋左傳屬事》二十卷、《古字奇字音釋》一卷、《春秋左傳注解辨誤》二卷、《辨誤補遺》一卷、《古器圖》一卷,十行二十字白口左右雙邊,北京、湖南省等地圖書館均有藏本,《中國古籍善本書目》(經部)頁二四七著錄。又湖南省圖書館有「葉啓勛題跋」。

五、明萬歷十二年傅氏日殖齋刻二十五年重修本：明傅遜撰《春秋左傳注解辨誤》二卷、《補遺》一卷、《春秋左傳屬事古字奇字音釋》一卷,八行十八字白口左右雙邊,華南師範學院圖書館有藏本。

六、明萬曆十三年日殖齋刻十七年二十六年遞修本：明傅遜撰《春秋左傳屬事》二十卷、《古字奇字音釋》一卷、《春秋左傳注解辯誤》二卷、《辯誤補遺》一卷、《古器圖》一卷,十行二十字小字雙行同上魚尾左右雙邊,蘇州市、福建師範大學、湖北省等地圖書館均有藏本,《左傳論著目錄》頁二八、《中國古籍善本書目》(經部)頁二四七至頁二四八著錄。

《春秋古器圖》（明）

【書名】本書諸家版本均題為《古器圖》，為《春秋左傳註解辨誤》的附錄。又李一遴〈左氏春秋著錄書目研究〉頁一○六錄作《春秋古器物圖》。

【作者】《中央研究院歷史語言研究所善本書目》頁九著錄，題作「明傅凝之彙編」。

一卷。

存。

【版本及藏地】：本書版本及藏地如下：

一、明萬曆癸未(11年，1583)吳郡傅氏日殖齋原刊本：(明)傅　遴撰《春秋左傳註解辨誤》二卷，《補遺》一卷，《古字奇字音釋》一卷，附《古器圖》一卷，8 行，行18 字，小字雙行字數同. 左右雙欄. 版心白口，單白魚尾，2 冊;19.7x14.5 公分，台北：國家圖書館有藏本。

【增補】《國家圖書館善本書志初稿》：「【春秋左傳註解辨誤二卷補遺一卷古字奇字音釋一卷附古器圖一卷五冊】

明萬曆癸未(十一年，1583)吳郡傅氏日殖齋原刊本　　　00628

明傅遴撰。

版匡高 19.7 公分，寬 14.5 公分。左右雙邊。每半葉八行，行十八字。註文小字雙行，字數同。版心花口，單白魚尾，魚尾上方記書名（『左傳註解辨誤』），魚尾下方記卷第葉次，最下方刻『日殖齋梓』。音釋、古器圖版心單黑魚尾，其餘同。

首卷首行頂格題『春秋左傳註解辨誤卷之上』，次行低十格題『吳郡後學傅遴著』。卷末隔四行有尾題。首冊封面扉葉，前半葉大字題『春秋左傳註解辨誤』，其下小字雙行『附補遺古器圖古字奇字音釋』，後半葉牌記『萬曆癸未年春/傅氏日殖齋梓』。卷首有萬曆癸未(十一年，1583)，傅遴序，音釋有萬曆甲申(十二年，1584)，顧天峻及金兆登後序。古器圖後有傅凝之萬曆乙酉(十三年，1585)識語。

書中鈐有『國立中央圖/書館收藏』朱文長方印、『希/韓』朱文方印、『屠印/思納』白文方印。」(頁 168)。

【增補】《國家圖書館善本書志初稿》：「【春秋左傳註解辨誤二卷補遺一卷古字奇字音釋一卷附古器圖一卷二冊】

又一部　　　00629

古器圖後館藏前一部書後傅凝之題識，本版改為傅熙之。其後又增題一再識，內容云:『丙戌春歸自建昌，檢二圖，益器十有五，或一器有數形者，此止刻其一。熙之再識』。知此古器圖曾再增版。本部書將古字奇字音釋置於卷首，補遺部分並重訂四條，古器圖並增益葉十三共十四圖。另葉十二後半葉增刻『以上皆依五經圖，與考

古博古圖不同』。

　　書中鈐有『莁圃/收藏』朱文長方印、『沈印/廷芳』白文方印、『椒/園父』朱文方印、『國立中央圖/書館收藏』朱文長方印。」(頁 168~169)。

二、明萬曆十三年日殖齋刻本：明傳遜撰《春秋左傳屬事》二十卷、《古字奇字音釋》一卷、《春秋左傳注解辨誤》二卷、《辨誤補遺》一卷、《古器圖》一卷，十行二十字白口左右雙邊，北京大學、清華大學、中國人民大學、北京師範大學、中國科學院、上海、復旦大學、吉林大學、東北師範大學、山東大學、安徽省博物館、重慶市等地圖書館均有藏本，《中國古籍善本書目》（經部）頁二四七著錄。

【增補】《中國人民大學圖書館古籍善本書目》曰：「００９３　　　１６１／３６

春秋左傳屬事二十卷古字奇字音釋一卷春秋左傳注解辨誤二卷補遺一卷古器圖一卷

（明）傳遜撰

明萬曆十三年（１５８５）日殖齋刻本

八冊一函

《屬事》十行二十字，小字雙行同，白口，單魚尾，左右雙邊；《辨誤八行十八字，小字雙行同，白口，白魚尾，左右雙邊。版心下鐫『日殖齋梓』。鈐『陳士基』、『肇宗』、『沈愚』諸印。」（頁十三）

三、明萬歷十三年日殖齋刻十四年重修本：明傳遜撰《春秋左傳注解辨誤》二卷、《補遺》一卷、《春秋左傳屬事古字奇字音釋》一卷、《古器圖》一卷，八行十八字白口左右雙邊，北京大學圖書館、中國人民大學圖書館、南京圖書館有藏本。

四、明萬曆十三年日殖齋刻，十七年重修本：明傳遜撰《春秋左傳屬事》二十卷、《古字奇字音釋》一卷、《春秋左傳注解辨誤》二卷、《辨誤補遺》一卷、《古器圖》一卷，十行二十字白口左右雙邊，北京、湖南省等地圖書館均有藏本，《中國古籍善本書目》（經部）頁二四七著錄。又湖南省圖書館藏本，有「葉啓勛題跋」。

五、明萬曆十三年日殖齋刻十七年二十六年遞修本：明傳遜撰《春秋左傳屬事》二十卷、《古字奇字音釋》一卷、《春秋左傳注解辯誤》二卷、《辯誤補遺》一卷、《古器圖》一卷，十行二十字小字雙行同上魚尾左右雙邊，蘇州市·福建師範大學·湖北省等地圖書館均有藏本，《左傳論著目錄》頁二八、《中國古籍善本書目》（經部）頁二四七至頁二四八著錄。

六、日本延享丙寅（三年，1746）中江久四郎、前川六左衛門刻本：明傳遜撰《左傳註解辨誤》二卷，2 冊;19.7x14.3 公分，8 行，行 18 字，小字雙行字數同. 左右雙欄. 版心白口，單白魚尾，魚尾上方記書名，魚尾下方記卷第，再下方記葉次，有刻工名：中江久四郎、太田庄右衛門、前川六左衛門等，台北國家圖書館所藏二部，雖同為日本延享三年刊本，但其中一部有《補遺》一卷，附《古器圖》二卷。

【增補】《國家圖書館善本書志初稿》：「【左傳註解辨誤二卷補遺一卷附古器圖一

【卷二冊】

日本延享丙寅(三年，1746)刊本　　00630

明傅遜撰。遜字士凱，太倉人。少游歸有光之門。萬曆間以歲貢授建昌訓導。

版匡高 **19.7** 公分，寬 **14.3** 公分。左右雙邊。每半葉八行，行十八字。註文小字雙行，字數同。版心花口，單白魚尾，魚尾上方記書名(如『左傳註解辨誤』)，魚尾下方記卷第（如『卷之上』），再下方記葉次，最下方記『日直齋梓』。刻工名:中江久四郎、太田庄右衛門、前川六左衛門等。

首卷首行頂格題『春秋左傳註解辨誤卷之上』，次行低十格題『吳郡後學傅遜著』。封面題『左傳註解辨誤』，分上下兩冊。第二冊書後扉葉牌記第一行題『延享丙寅正月』，第二行後為日本書坊及刊刻者姓名。卷首有萬曆癸未(十一年，1583)傅遜自序，書末有萬曆甲申(十二年，1584)顧天峻後序。古器圖、補遺等並依照甲寅年增版。

書中鈐有『國立中央圖/書館收藏』朱文方長印、『知雄守雌園/圖書之記』、朱文長方印、『直安/之印』白文方印。」(頁 169)。

【考證】李一遜〈左氏春秋著錄書目研究〉頁一〇六謂「四川圖書館有藏本」，又頁一一九錄有「明刊本」，題作「四川圖書館藏」，惟不知其確切版本為何？今暫列於此，以俟後考。

《嘉定縣志》131：「傅遜，字士凱132，師事歸有光133，其文134長於論今古135成敗。倭寇136圍崑山，請縋城出，詣軍府告急，乞師137得138解圍，人139服其才140，略好141《春秋

131霖案:《嘉定縣志》卷十二〈人物〉，(《四庫全書存目叢書》史二〇九冊)，頁65。

132霖案:「士凱」，應依《嘉定縣志》作「元凱」。又「凱」字下，應依《嘉定縣志》補入「少好讀書，至老不倦」等八字。

133霖案:「歸有光」，應依《嘉定縣志》作「崑山歸太僕」。又竹垞此處文句，有錯簡之失。《嘉定縣志》將「師事崑山歸太僕」等七字置於「其學長於論古今成敗」之後。

134霖案:「文」，應依《嘉定縣志》作「學」。

135霖案:「今古」，應依《嘉定縣志》作「古今」，二字互倒。

136霖案:「倭寇」二字前，應依《嘉定縣志》補入「其馳騁文辭，雖不能及，而持論常屈其師。」等十六字。

137霖案:「乞師」，應依《嘉定縣志》作「竟」。

138霖案:「得」，應依《嘉定縣志》作「得兵」。

139霖案:「人」，應依《嘉定縣志》作「于是縉紳」。

140霖案:「才」字下，應依《嘉定縣志》補入「氣焉」。

左氏》，更為之《注》，參互以訂杜氏之訛[142]，具論事之[143]得失，悉中肌理[144]。」

王氏升《讀左氏贅言》

【著錄】黃虞稷《千頃堂書目》卷二，頁四一著錄。

【書名】黃虞稷《千頃堂書目》卷二，頁四一著錄，書名題作《讀左贅言》；又現存大陸中山大學圖書館之存本，書名題作《讀春秋左氏贅言》。

未見。

【存佚】本書現有存本，存於大陸：中山大學圖書館，故當改題作「存」。又《左傳論著目錄》頁十九亦改注曰「存」。

【卷數】大陸中山大學有藏本，卷數題作「十二卷」

【版本及藏地】本書版本及藏地如下：

一、明萬曆十六年（１５８８年）刻本：（明）王升撰《讀春秋左氏贅言》十二卷，四冊，九行，二十一字，白口，左右雙邊。大陸：中山大學圖書館有藏本，（大陸）《中山大學圖書館古籍善本書目》，頁十九著錄。

又美國國會圖書館有藏本。

【增補】王重民：《中國善本書提要》曰：「【讀春秋左氏贅言十二卷】六冊（國會）

明萬曆間刻本〔九行二十一字（21.2×13）〕

原題：「荊溪後學王升著，同邑後學吳駿校。」按《明史》無升傳，他書亦不著其事蹟，惟《宜興縣志》卷八有傳云：「升字世新，原名革，督學耿天臺牒送歲貢，改名升。〔按賀邦泰序謂舊名世新。〕少孤，奉母以居。偶從友人飲且弈，母有慍色，終身不飲，即遇弈弗視也。為人志節堅貞，安貧好學。初受業於萬古齋，又學於唐荊川，並遊羅念庵、王龍溪之門，上下討論，多所領受。自守繩墨益嚴。總督胡宗憲謀梓《荊川左編》，延升校讎。時幕府士如雲，獨升以嚴見憚。會有以失律論死者，胡公遣客邵生諭意曰：子為一言，千金可得。升曰：「其人罪當死，死之，由法；可以生，生之，由總戎，何潤王生為？」嘉靖四十三年歲貢，司訓京兆，而邵生者復入宰相高拱幕，見升笑曰：猶然老儒耶？相君欲重用子，試往一見，何如？升不聽。久之，遷國子學錄。張居正相，亦欲致升門下，託升友艾穆要之，曰：行典制勒矣！升謝不應。出為成都通判，有廉譽。遷鹽課提舉，遂掛冠歸。萬曆十七年，知縣陳遴瑋延修

141霖案：「略好」，應依《嘉定縣志》作「尤好」。

142霖案：「訛」字下，應依《嘉定縣志》補入「每一事，竟以數十言」等八字。

143霖案：「事之」，應依《嘉定縣志》作「所以」。

144霖案：「悉中肌理」，應依《嘉定縣志》作「往往出人意表，世多能知之者。」。

縣志。所著有《左氏魯史》、《讀左贅言》、《四書輯略》、《四先生論宗》及《五倫分疏》、《武經七書解》等書。學者稱為孚齋先生。」是書所辯，重在書法，立說每如其人。余以其人既不彰，書亦不傳，因全錄志傳，備參攷焉。卷內有「長洲張氏藝經堂藏」、「張紹仁讀書記」等印記。

姜寶序

賀邦泰序〔萬曆十六年（一五八八）〕

自序〔萬曆十五年（一五八七）〕」（頁三一）

黃虞稷曰[145]：「升，字士新，宜興人，嘉靖中，歲貢生。」

【霖案】喬衍琯〈《經義考》所引《千頃堂書目》彙證〉云：「黃《目》末句作『嘉靖間歲貢，雲南鹽課司提舉』。　朱《考》僅引黃說。」

丁氏鈇《春秋疏義》

【著錄】黃虞稷《千頃堂書目》卷二，頁四二著錄。

未見。

【霖案】本書未見其他傳本，當已久佚。

黃虞稷曰[146]：「鈇，字君武，南直隸通州人，貢士，官平谷知縣。」

【霖案】喬衍琯〈《經義考》所引《千頃堂書目》彙證〉云：「黃《目》無『隸、官』二字。又丙本『丁鈇』作『丁鈇』，朱校作『鈇』。　朱《考》僅引黃說。」（頁三二○）

謝氏理《春秋解》

【著錄】黃虞稷《千頃堂書目》卷二，頁四二著錄。

未見。

【存佚】本書未見其他傳本，當已久佚。

陳氏林《春秋筆削發微圖》

【霖案】本書有張岐然輯本，見於《中國人民大學圖書館古籍善本書目》頁十四著錄。

一卷。

未見。

145霖案：出自：黃虞稷《千頃堂書目》卷二，頁41著錄。

146霖案：出自黃虞稷《千頃堂書目》卷二，頁42著錄。

【存佚】本書有張岐然輯本，應注曰「存」

【版本及藏地】本書版本及藏地如下：

一、明崇禎十四年（1641）君山堂刻本：九行十九字，小字雙行同，白口，單魚尾，四周單邊。卷首首頁版心下鐫「君山堂」，北京大學、清華大學、中國人民大學、中共中央黨校、北京故宮博物院、上海、東北師範大學、福建師範大學等圖書館有藏本。

李氏景元《春秋左氏經傳別行》

六卷。《經》一卷、《傳》五卷。

未見。

【霖案】本書未見其他傳本，當已久佚。

顧氏起經《春秋三傳鳧乙集》

【著錄】黃虞稷《千頃堂書目》卷二，頁四六著錄。

佚。

【存佚】李一遂〈左氏春秋著錄書目研究〉頁一三五誤作「經義考注未見」，今考《經義考》實作佚籍。

《素臣翼》

佚。

【存佚】李一遂〈左氏春秋著錄書目研究〉頁一三五誤作「經義考注未見」，今考《經義考》實作佚籍。

《竈觚餘談》

佚。

【存佚】李一遂〈左氏春秋著錄書目研究〉頁一三五誤作「經義考注未見」，今考《經義考》實作佚籍。

薛氏虞畿《春秋別典》（明）

十五卷。

存。

【版本及藏地】本書版本及藏地如下：

一、民國辛酉(十年，1921)上海博古齋影印本：(明)薛虞畿撰《春秋別典》十五卷，台北：國家圖書館有藏本。

虞畿〈自序〉曰：「昔孔子將作《春秋》，與左邱明乘如周，觀書於周史，歸而作《經》，邱明作《傳》，其於二百四十年之蹟，蓋目睹而備言之也，惡有所謂別典哉？然舊史遺文無

闕聖筆，左氏捐而不錄者眾，劉知幾謂邱明紀載當世得十之四，豈非深慨乎記事之未周與？予嘗閱往牒，見《春秋》君臣舊事散著百家，皆《三傳》所弗錄，間或微掇其端而未究其緒，存其半而不撮其全，心輒缺然，不自揆度，略仿《左氏》例，仍分十二公以統其世，稽《三傳》之人以繫其事，年不盡攷而附諸人，人不盡知而援諸事，參稽互證，纖鉅兼收，庶幾哉舊史遺文如在焉。僭謂言略成乎一家，功可裨於《三傳》，題曰《春秋別典》，別於《三傳》也，書凡一十五卷。」

弟虞賓曰：「先仲氏輯《春秋別典》未脫稿，不幸下世，郭郡公綦用唐祠部伯元言亟取而序之，臚其目於郡乘〈藝文志〉中，走復參互攷訂，刪其繁複者什一，補其闕略者什三，仲氏列章縫治博士家言出其餘力從事於此，志未信而年促，責在後人，走愧續承，殫精極慮，聊以自塞其責云爾。」

卷二百四　春秋三十七經義考卷二百四春秋三十七

姚氏咨《春秋名臣1傳》

【書名】北京圖書館藏明隆慶五年安紹芳刻本題作「《春秋諸名臣傳》。

十三卷。

【著錄】黃虞稷《千頃堂書目》卷二，頁四二著錄。

【卷數】黃虞稷《千頃堂書目》卷二曰：「一作八卷」（頁四二）。

存。

【版本及藏地】此書版本及藏地如下：

一、明隆慶五年安紹芳刻本：明邵寶撰，姚咨續補《春秋諸名臣傳》十三卷，北京圖書館藏本。

二、四庫全書存目叢書：台南：莊嚴文化出版事業股份有限公司影印北京圖書館藏本。

皇甫汸〈序〉曰2：「《春秋》國3異政，官4殊制，未嘗人人具列其事也5。司馬遷所取6若魯之柳下惠、吳之季札、晉之叔向、鄭之子產、齊之管、晏，越之范蠡、文種7，僅數十子耳；厥後8王當撰《列國諸臣傳》，效法遷史，凡一百三十四人，系以贊辭9；近10司寇大

---

1 「臣」，「四庫本」誤作「世」。　霖案：《經義考新校》頁3708校文，位於「《春秋名臣傳》」之下，其校文如下：「『《春秋名臣傳》』，文淵閣《四庫》本誤作『《春秋名世傳》』。」

2 霖案：明邵寶撰，姚咨續補《春秋諸名臣傳》，（「四庫全書存目存書本」，史九八），頁462-464。。

3 霖案：「國」前，應依原〈序〉補入「姚嘗讀班生〈表〉云：《易》叙宓羲、神農，黃帝以來，作教化民傳述，其官如郯子所論書，載唐虞之際，咨四岳、建九官，十有二牧，如羲和所掌夏殷亡，聞至周始脩，下逮」等字；又「國」字下，應依《春秋諸名臣傳》補入「既」字。

4 霖案：「官」字下，應依《春秋諸名臣傳》補入「各」字。

5 霖案：「也」字下，應依《春秋諸名臣傳》補入「《藝文志》云：『左氏即本事作《傳》，所貶損大人當世君臣有威權勢力者，是以隱其書，而不宣以避咎，《公》、《穀》、鄒、夾，又可知矣。』」等四十五字。

6 霖案：「取」字，《春秋諸名臣傳》題作「記」字。

7 霖案：「范蠡、文種」，《春秋諸名臣傳》題作「蠡、種」二字，而竹垞或以其為省稱，故補入全名，今應依上文「管、晏」例，而題作「蠡、種」也。

8 霖案：「厥後」二字下，應依《春秋諸名臣傳》補入「陸淳、劉敞輩互有《集傳》，惟」等十字。

9 霖案：「辭」字下，應依《春秋諸名臣傳》補入「庶幾近之，而今多湮遠矣！又鄭樵《通志》詳而未覈，失之蕪穢」等二十三字。

庚劉公撰《春秋列傳》，其善惡賢不肖、得失治亂[11]昭焉。錫山邵文莊公[12]晚取春秋諸名臣言行錄，纂述成編，彌留之日，寢堂弗戢，燎原為災[13]，藏山毀草[14]，惜哉！皇山姚隱君[15]取[16]文莊之意，補輯其書[17]，傳始於[18]周[19]辛伯，迄於虞宮之[20]奇，凡一百四十八人，勒為一十三卷，校[21]王生所撰，文[22]簡而事精矣[23]，門人安[24]茂卿[25]取而梓之[26]。」

沓〈自序〉曰[27]：「邑[28]先達邵文莊公嘗讀《春秋左氏傳》，凡其人之嘉言善行，與其

10霖案：「近」字，應依《春秋諸名臣傳》題作「我明」二字，竹垞或以二字有違清諱而改之，今據以改為「我明」。

11霖案：「治亂」二字下，應依《春秋諸名臣傳》補入「若將」二字。

12霖案：「邵文莊公」，應依《春秋諸名臣傳》題作「文莊邵公」四字，此文句稍有出入也。又「公」字下，應依《春秋諸名臣傳》補入「識邁更生，讀淹倚相綺齡結綬，白首懸車，雖薄書填委，錢穀啟積，耽嗜藝林，口不絕咏，手未嘗釋卷也，其篤如此。」等四十三字。

13霖案：「災」字，《春秋諸名臣傳》題作「灾」字，二字為古今字之異也。

14霖案：「草」字下，應依《春秋諸名臣傳》補入「鴻寶不燿，麟阨嗟惜哉！」等九字。

15霖案：「君」字下，應依《春秋諸名臣傳》補入「身甘裋褐，志鬱緹緗，儲無儋石，架富五車，間嘗」等十八字。

16霖案：「取」字之前，應依《春秋諸名臣傳》補入「竊」字。

17霖案：「書」字下，應依《春秋諸名臣傳》補入「園無卷帷，室有宍榻，已踰尚父之年不輟，伏生之誦，惟其志邵之志，故能言邵之言道，合而揆孚也。」等三十八字。

18霖案：「於」字，應依《春秋諸名臣傳》題作「于」字。

19霖案：「周」字下，應依《春秋諸名臣傳》補入「之」字。

20霖案：「宮之」二字，應依《春秋諸名臣傳》題作「之宮」二字，二字有錯倒之失。

21霖案：《經義考新校》頁3709，「校」字改作「挍」字，其下新增校文如下：「『挍』，文津閣《四庫》本作『較』。」。

22霖案：「文」字，應依《春秋諸名臣傳》題作「人」字，蓋「文」、「人」形相近而誤入，惟二字字義不同，故當從原書改正。

23霖案：「矣」字下，應依《春秋諸名臣傳》補入「夫始周，尊王也；繼魯，重我也。卷十有三準歲象閏也，終賤之也，非《春秋》之殷監〔鑑〕乎！」等三十一字。

24霖案：「安」字下，應依《春秋諸名臣傳》補入「子」字。

25霖案：「茂卿」二字下，應依《春秋諸名臣傳》補入「尊信其師，私淑先達」等八字。

26霖案：「之」字下，應依《春秋諸名臣傳》補入「請序于余，用廣其傳。昔戴岷續胡氏之書，嬴生表子都之業，師友淵源，義兼之矣！遂書以復安子云。隆慶辛未秋八月朔，賜進士第天官大夫敕僉雲南憲使吳郡皇甫子循撰。」等六十七字。

27霖案：「四庫全書存目叢書」史部冊九八，頁464-465。

29隱顯聞望、生榮死哀，可以昭旂常、炳縑素者，始於30周之辛伯，以迄虞宮之31奇，得一百四十八人，為書一十三卷，以準一年十二月之數，餘其一以象閏，亦例《春秋》也。書未梓行，公遽捐館，遺目錄并小論於世，或謂公時不逮志，或謂將脫稿32罹鬱攸之變，豈斯文未喪，天不俾一人專之，而欲分其美於後人邪？余生也晚，末由趨公之門牆，忝交於33郡博莘君34明伯，明伯35乃36公門人補庵37比部家嗣也，曩示茲目，要予38纂補；且故友施子羽、陸一之僉慫憑之，曰：『非汝，誰與39任者？』予40久食貧，餬口四方者五十餘年，邁疾41齋居42，三易裘葛，僅勒成編43，門人安茂卿44請授剞劂45，遂許之46。」

黃虞稷曰[47]：「咨，字舜咨，無錫人。先是邑人邵寶為是書，未竟，咨因續成之。」

【霖案】喬衍琯〈《經義考》所引《千頃堂書目》彙證〉云：「黃《目》無『字舜咨』三字。又『成之』下甲、丙本有『一作八卷，隆慶辛未序』九字。乙本則作『隆慶辛未序，一作八卷。』」（頁三二〇）

凌氏贛隆《春秋左傳注評測義》（明）

【作者】台北國家圖書館藏有「明萬曆戊子（十六年）吳興凌氏刊本」，作者題為「凌稚隆」。

【書名】本書異名如下：

一、《音註全文春秋括例始末左傳句解直解》：《中國館藏和刻本漢籍書目》頁四五著錄。

二、《左傳測義》：【著錄】黃虞稷《千頃堂書目》卷二，頁四三著錄。

三、《春秋左傳註評測議》：屈萬里《普林斯敦大學葛思德東方圖書館中文善本書志》頁四一著錄。

七十卷。

【增補】永瑢等撰《欽定四庫全書總目·存目》曰：「春秋左傳評注測義七十卷　浙江吳玉墀家藏本

明凌稚隆撰。稚隆字以棟，烏程人。是書詮釋《左傳》，以杜預注為宗，而博採諸說增益之，其於左氏之不合者，亦間有辨正。又取世次、姓氏、地名、謚號、封爵標於卷首，以便檢閱，然皆冗碎不足觀。朱彝尊《經義考》作七十卷，《浙江通志》作三十卷。此本與彝尊所記合，知《通志》為傳寫誤矣。」（卷三十，頁三九三）

【增補】〔校記〕《四庫存目》「注評」作「評注」。（《春秋》，頁五二）

存。

【版本及藏地】本書版本及藏地如下：

一、明萬曆戊子（十六年）吳興凌氏刊本：冠地理圖一幅。十行，二十字。小字雙行二十字。白口，左右雙邊。書口下題：「陶文」、「文」等刻工姓氏。細白錦紙。有萬曆丁亥（十五年）凌稚隆測言凡例識語。十二冊。台北：國家圖書館、美國普林斯敦大學葛思德東方圖書館、哈佛大學燕京圖書館、日本靜嘉堂文庫、尊經閣文庫、東京大學東洋文化研究所等地均有藏本。

又北京大學圖書館、北京師範大學圖書館、中共中央黨校圖書館、中國科學院圖書館、復旦大學圖書館、華東師範大學圖書館、河北省保定市圖書館、遼寧省圖書館、東北師範大學圖書館、山東省圖書館、蘇州市圖書館、天一閣文物保管所、湖北省圖

47霖案：出自黃虞稷《千頃堂書目》卷二，頁42著錄。

書館、湖南省圖書館、四川省圖書館、重慶市圖書館有藏本，明凌稚隆撰，《春秋左傳注評測義》七十卷，《世系譜》一卷，《名號異稱便覽》一卷，《地名配古籍》一卷，《總評》一卷，《春秋列國東坡圖說》一卷，十行二十字小字雙行同白口左右雙邊。

又南京圖書館藏本，有清丁丙跋。

【增補】《國家圖書館善本書志初稿》：「【春秋左傳注評測義七十卷二十四冊】

　　明萬曆戊子（十六年，1588）吳興凌氏刊本　　00632

　　　明凌稚隆撰。稚隆字以棟，號磊泉，烏程人。

　　　版匡高 21.7 公分，寬 14.8 公分。左右雙邊。每半葉十行，行二十字。註文小字雙行，字數同。版心花口，單魚尾，魚尾上方記書名，魚尾下方記卷第(如『卷一隱公』)，再下方記葉次、刻工名或字數。『經』、『傳』以墨圍別出。卷四第一葉版心最下方刻有『豫章吉郡郭祖寫』，卷三十一刻『豫章南邑艾香寫』。刻工名：陶文(或作文、陶)、左、子、羅、希、徐禎(或作禎、徐)、陶昂(或作昂、陶)、英、信、徐、軒、台、周、玉、楊、郭、仕、王、李、宇、莒等。

　　　首卷首行頂格題『春秋左傳註評測義卷之一』，次行低十格題『明吳興後學凌稚隆輯著』。卷末有尾題。卷首有王世貞『春秋左傳註評測義序』及范應期『刻左傳註評測義序』。序後收錄『春秋列國東坡圖說』、『東坡指掌春秋列國圖』、『春秋左傳世系譜』、『春秋左傳註評測義引用書目』、『春秋左傳註評測義姓氏』、『春秋左傳總評』、『春秋左傳名號異稱便覽』、『春秋左傳地名配古籍』、『讀春秋左傳測言』、『輯春秋左傳凡例』及『春秋左傳註評測義目錄』。文中朱筆圈點，不知出自何人。

　　　書中鈐有『國立中央圖/書館收藏』朱文長方印、『飛/玉』朱文方印。

　　　《善本書室藏書志》卷三有著錄，但書名誤為『春秋左傳評注測義七十卷』。」(頁 169~170)。

【增補】《國家圖書館善本書志初稿》：「【春秋左傳注評測義七十卷二十冊】

　　又一部　　00633

　　　缺東坡圖說與列國圖。

　　　首卷首行頂格題『春秋左傳註評測義卷之一』，次行低九格題『吳興凌雅隆輯閔元衢校』。卷首有陳文燭春秋左傳序(缺葉一，版心花口，無魚尾，與本書版式不同，當非原刻)。按本書版式行款、字體皆同前書號，唯卷端第二行多一閔元衢校。當為閔氏買版重印時填加。

　　　書中鈐有『國立中/央圖書/館考藏』朱文方印、『希古/右文』朱文方印、『檇李/吳氏』朱文方印、『小拜/經樓/藏書』白方文印。」(頁 170)。

　　　又北京大學‧北京師範大學‧中共中央黨校‧中國科學院‧復旦大學‧華東師範

大學‧天津‧保定市‧遼寧省‧東北師範大學‧山東省‧蘇州市‧天一閣文物保管所‧湖北省‧湖南省‧四川省‧重慶市等地圖書館等地均有藏本，《中國古籍善本書目》（經部）頁二五○著錄。

又南京圖書館藏本，另清丁丙跋，《中國古籍善本書目》（經部）頁二五○著錄。

又長春：東北師範大學圖書館藏本題作「明萬曆十五年吳興凌氏刻本」，明凌稚隆撰《春秋左傳注評測義》七十卷，卷首一卷，冠地理圖一幅，十行二十字，白口，左右雙邊，書口下題：陶文、文等刻工姓氏，細白錦紙，有萬曆丁亥（十五年）凌稚隆測言凡例識語，十二冊，東北師範大學圖書館有藏本。案：此本未見他本傳錄，視其版本等說明，或同於「明萬曆十六年吳興凌氏刊本」，由於凌氏原刊於萬曆十六年，是以此本當為明萬曆十六年刊本之誤。

【增補】《東北師範大學圖書館藏古籍善本書目解題》云：「是書詮釋《左傳》，以杜預注為宗，而博采諸說增益之，其與《左氏》不合者，亦間有辨正，又取世次、姓氏、地名、諡號、封爵標於卷首，以便檢閱。

凌稚隆：明，烏程人，字以棟，號磊泉，有《五車韻瑞》等。」（頁三七）

【增補】沈津著《美國哈佛大學燕京圖書館中文善本書志》：「0086　明萬曆凌氏刻本春秋左傳註評測義　　　　　　　　T717/3427

《春秋左傳註評測義》七十卷《世系譜》一卷《名號異稱便覽》一卷《地名配古籍》一卷《東坡圖說》一卷《總評》一卷，明凌稚隆撰。明萬曆十六年（1588）凌氏刻本。二十冊。半頁十行二十字，左右雙邊，白口，單魚尾，書口下間有字數及刻工。框高22‧2厘米，寬14‧7厘米。題『明吳興後學凌稚隆輯著』。前有萬曆十六年范應期序。

稚隆，字以棟，號磊泉。烏程人。

是書詮釋《左傳》，以杜注為宗，而博採諸說增益之，於左氏之不合者，亦間有辨正。其凡例有云："妄校《史》、《漢》，業已竣事矣。迺壬午漫游湖海，瀟然道次，偶出笈中所習《春秋左傳》者數種，檢閱一過，則念其章句未及節分，注釋未嘗統貫，而諸儒博議散佚載籍者，蔑從麇萃一楮而會通之，俾讀者一目無留憾也，於是復不自分，役志編纂，竊義則如測言所擬，掇述則如凡例所條，悉本成說者什而二三，參酌胸臆者什而七八，稿既脫而覆錄，校方徧而更研，荏苒寒暑，五更于是。題曰《春秋左傳註評測義》。

《四庫全書總目》入經部春秋類存目。《中國古籍善本書目》著錄。南京圖書館、天津圖書館等十八館，臺灣中央圖書館，及美國普林斯敦大學葛思德東方圖書館、日本靜嘉堂文庫、尊經閣文庫、東京大學東洋文化研究所亦有入藏。

此本有『豫章南邑艾香寫』。刻工有陶文、陶昂、徐楨、徐軒、信、台、楊、周、王、玉、左等。是書初印，白棉紙觸手如新，四百餘年來，傳世之萬曆刻本如此字畫精

湛、楮墨明麗之本不多，況又能保存如此良好者，亦鮮見其有。

日人裝幀。鈐印有『半澤文庫』。」（頁四一至頁四二）

【增補】屈萬里《普林斯敦大學葛思德東方圖書館中文善本書志》曰：「《春秋左傳註評測議》七十卷，《卷首》一卷　三十二冊　四函

明凌稚隆撰

明萬曆十六年（一五八八）原刊本。十行二十字。板匡高二一·五公分，寬一四·二公分。

卷前有萬曆十六年陳文燭及范應期兩家序文；又有王世貞序，未署年月。是書《四庫全書總目》入春秋類存目，范應期序，謂凌氏：『搜輯群書，閱五載而成註義。大都宗元凱之旨，而離則傳之；總諸家之粹，而複則鏟之。』可以見是書之概要。」（頁四一至頁四二）

【增補】王重民：《中國善本書提要》曰：「【春秋左傳註評測義七十卷卷首一卷】二十冊（《四庫總目》卷三十）（北大）

明萬曆間刻本〔十行二十字（21.8×14.1）〕

原題：「明吳興後學凌稚隆輯著。」自撰《凡例》云：「不佞妄校《史》、《漢》，業已竣事矣，迺壬午漫遊湖海，瀟然道次，偶出笈中所習《春秋左傳》者數種，檢閱一過，役志編纂。悉本成說者什而二三，參酌胸臆者什而七八，稿既脫而覆錄，校方徧而更研，荏苒寒暑五更，于是題曰《春秋左傳註評測義》，較昔所輯《史》、《漢》，董董究心品隲焉者，勞悴巡庭矣。」卷內有：「寶書堂藏書印」等印記。

凡例〔萬曆十五年（一五八七）〕」（頁三一）

二、日本上村次郎右衛門刻本：宋林堯叟撰，明凌稚隆輯，《中國館藏和刻本漢籍書目》頁四四著錄，遼寧圖書館有藏本。

三、日本寬政五年（１７９３）有文堂刻本：宋林堯叟撰，明凌稚隆輯，日本奧田元繼句讀，《中國館藏和刻本漢籍書目》頁四四、李一遂〈左氏春秋著錄書目研究〉頁一三四著錄，華東師大圖書館藏有全本；又吉林圖書館藏本存十九卷，又廣東：中山大學有藏本。

王世貞曰[48]：「以棟少習《春秋》而於《左氏》尤稱精詣，中年以來，乃盡采諸家之合

---

[48]霖案：《國立中央圖書館善本序跋集錄》頁372-373錄有此文，係根據「明萬曆戊子（十六年）吳興凌氏刊本」甄錄而來，原序內容較長，「以棟」二字之前，尚有「為春秋而著者凡四家，左氏最先出，而其大要在紀事與言，時時有所發於經，而不盡為經役。公羊、穀梁氏乃以其所得於夫子之門人者，而各出其意以釋之，蓋終其書為□（經）役而不能盡得經之旨，第公、穀之為弟子者，能世世守其說，至於漢而益盛，而左氏不復能，然自胡母生、董仲舒始治之，劉歆獨超乎其父之見而尊明其學，太常之移，幾糜躪於群喙而不之顧，嗣後浸有聞。至杜預而益精詳於訓故，參

者[49]薈蕞之，發杜預之所不合者而鍼砭之，諸評騭《左氏》而嬹者皆臚列之，《左氏》之所錯出而不易考者，或名、或字、或謚、或封號，咸置[50]之編首，一開卷而可得[51]，以棟其忠於左氏、杜氏者[52]哉[53]」

【增補】范應期〈敘〉曰：「傳春秋者三家，而左氏為最。注左氏者，自漢胡母生、董仲舒、鄭康成、賈逵、鄭眾而下，亡慮數十餘家，而晉杜元凱為最。蓋左氏羅集國典，羽翼聖經，旨遠詞文，膾炙人口，後有作者，蔑以加焉。元凱湛淊左氏，參互群傳，勒成集解，觀其例敘嚴密，庶幾不負忠臣之稱。嗣後述者紛紛，宋林堯叟、呂祖謙、陳傅良輩，更為釋解。至近世專門之家續有正傳、私攷、經世、辨疑、事義、直講等書，其一辨論攷覈甚詳，而人各一書，書各一旨，或比事而釋煩，或屬辭而義簡，亡論支離冗屑，無當聖經，而探索徒勤，即傳意反為殽亂矣。余友凌以棟氏篤古者脩，下惟發憤，業已校評馬、班二史，梓行海內，播誦藝林頗久。頃復潛心左氏，搜輯群書，閱五載而成。注義大都宗元凱之旨，而離則傳之，總諸家之粹，而複則鑣之，支分節解，脈絡貫通，錯名古地，並加配合，可謂纖悉無遺，菁華畢萃矣。又為之上下今古，折衷持衡，諸所按次，指摘廪然，一稟于正經，令後之習左氏者，不必索諸簡帙之繁，參諸義例之變，一開卷而二伯四十二年之事，瞭然如在目中矣。籍第令起元凱于地下，豈不成曠世一知己哉！而或者謂元凱慨公、穀之詭辨，嗤漢儒之附會，參稽斟酌，成一家言。自晉以前，凡深經奧義盡屬包括，亦庶幾不刊之典也，而以棟欲駕之耶？余竊謂夏后殷周盛際之顯王也，而周制大備，則以其監二代而損益。漢通經術，至宋始明，而考亭氏獨得其統，非以其集諸傳之大成乎？以棟生于元凱之後，推衍其學而刪潤之，復蒐元凱之所不及見，如宋傳昭代名家之言而捃載之，薈而成

伍諸家之說而訂正之，然其意實先傳而後經，是故其合者，或以傳而證經，而其不合者，多飾經以從傳，精識之士猶有所未滿。至宋胡安國氏之傳出，宋儒隆而尸之，右文之代乃遍用以頒學官、式多士，而三氏皆絀矣。左氏雖絀，然以其事之詳而言之妙且豔也，纂史者用其凡、摛文者擷其奧，如日星之麗霄，愈久而愈煜如。顧杜預之治左氏不必悉當，而諸家之翼之者又多散見錯雜，不可編究。凌」等三百一十一字，當據以補入，又另有范應期〈敘〉一文，竹垞未錄，亦應據以補入。又《四庫全書存目叢書》經部冊一二六，頁562-564亦錄及此〈序〉。

49霖案：「者」字下，「明萬曆戊子吳興凌氏刊本」有「而」字。

50霖案：「置」，「明萬曆戊子吳興凌氏刊本」作「寘」字。

51霖案：「可得」，應依「明萬曆戊子吳興凌氏刊本」作「得之」字。又「之」下更有「不唯左氏之精神血脈不至闕索，而吾夫子之意，十亦得八九矣。夫經以志、史以記，此自古兩言之，然而文中子猶曰，史之失，自遷、固始也，記繁而志寡，其獨不訾左氏者，志與記不偏勝也。左氏臣春秋而素，杜預臣左氏而忠」等八十六字，今據以補入。

52霖案：「氏、杜氏者」，應依「明萬曆戊子吳興凌氏刊本」作「於杜，其尤炳然」。

53霖案：「哉」字下，應依「明萬曆戊子吳興凌氏刊本」補入「蓋以棟之於太史公、班氏皆有書曰評林，而茲獨曰注評測義，曰注、曰測義，則進於評矣。余故得而序之，異日左氏之鄉有巋然而宮者，以棟不在兩廡而在堂坫之間矣。吳郡王世貞譔。」等七十一字。

書，均為左氏忠臣，而功且倍之已，豈謂其遂駕之耶？即元凱之自敘，亦云其有疑錯則備論而闕之，以俟後賢。若將謂千百年後不可無以楝荸耳，然非其中之優游厭飫宜不及此。余不敏，嘗讀中秘石經，祗服先言，無能效膏盲之鍼。若專精左氏，並有成書，則毘陵有唐中丞、新都有汪司馬、我湖有許京兆，中丞不可作已，試以此質之兩公，論始定哉！萬曆戊子月正人日，夫容閣主人范應期伯楨父述并書。」（轉錄《國立中央圖書館善本序跋集錄》經部・頁三七三至頁三七四）

【增補】黃虞稷《千頃堂書目》卷二曰：「烏程人，萬歷中貢士」（頁四三）。

錢氏應奎《左紀》（明）

【增補】〔補正〕《明史志》作《左記》。（卷八，頁十九）

十一卷。

存。

【存佚】《左傳論著目錄》頁十九著錄，題作「未見」，然本書實有明嘉靖四十四年（一五六五）刊萬曆三年(一五七五)增補本，現藏於普林斯敦大學葛思德東方圖書館，詳見【版本及藏地】的說明。

【版本及藏地】本書版本及藏地如下：

一、明嘉靖四十四年（一五六五）刊萬曆三年(一五七五)增補本：明錢應奎撰《左紀》十一卷，十二冊，二函，普林斯敦大學葛思德東方圖書館有藏本。

【增補】屈萬里《普林斯敦大學葛思德東方圖書館中文善本書志》曰：「《左紀》十一卷　十二冊　二函

　　明錢應奎撰

　　明嘉靖四十四年（一五六五）刊萬曆三年(一五七五)增補本。十二行二十字。板匡高二〇公分，寬一五・五公分。

是書《四庫全書總目》未著錄。《千頃堂書目》有之，而題錢易奎撰；『易』乃『應』之誤文。應奎事蹟無可考。此書內容，則先分國別，然後取左傳之文，依國別繫之。每國分三類：一、敘本國之政；二、敘邦交之政；三、敘本國諸臣言行。以上凡九卷，據自序，乃嘉靖四十四年所刊。卷十為系年族號；卷十一為音釋。此二卷則萬曆乙亥(三年)華起龍氏所增刻也。事見錢氏跋語。」（頁三八至頁三九）

二、明萬曆三年華叔陽刻本：明錢應奎撰《左紀》十一卷，十二行二十字白口左右雙邊，天津、甘肅省、浙江、天一閣文物保管所等地圖書館均有藏本，《中國古籍善本書目》（經部）頁二四九著錄。

邵氏弁《春秋通義略》

【書名】黃虞稷《千頃堂書目》卷二，頁四二錄有邵弁《春秋尊王發微》十卷，而翁方綱《經義攷補正》謂「《明史志》作《春秋尊王發微》十卷」，或疑此書即為《春

秋尊王發微》者也。如若參以邵弁〈自序〉、黃虞稷《千頃堂書目》之文，則二書當為同書。

二卷。

【著錄】黃虞稷《千頃堂書目》卷二，頁四二著錄。

【卷數】邵弁〈自序〉謂此書為十卷，「為《或問》一卷、《凡例輯略》一卷、《屬辭比事》八卷」，則「二卷」實為「十卷」之誤。

【增補】〔補正〕《明史志》作《春秋尊王發微》十卷。（卷八，頁十九）

存。

【存佚】本書已未見傳本，當已久佚，今據以改作「佚」籍。

弁〈自序〉曰：「昔仲尼因魯史修春秋，傳其學者三家，師說相承，褒貶為義，愚竊以為不然。《春秋》有是非而無褒貶，褒貶，一人之私也；是非，天下之公也，因天下之公是公非而無所毀譽，此春秋之志也。要之，《春秋》之教不越二端而已，故或同辭而同事，或異辭而同事，或異事而同辭。同辭同事者，正例也；異事異辭者，變例也。例以通其凡，辭以體其變，而《經》教立矣，奚取於褒貶哉？故正例之是非統於事，比事而天下之大勢可明也；變例之是非顯於辭，循辭而每事之得失可考也。不通乎例者，不可以語常；不達乎辭者，不可以盡變。說者繫日月於褒貶，析予奪於名稱，謂夷夏[54]皆由聖人之進退，亂臣賊子皆由仲尼之誅討。夫日月本乎天運，何心於褒貶？名爵定於王朝，何柄而予奪？夷夏[55]盛衰，天下大勢也，豈空言所能進退？亂賊誅討，列國政刑也，豈後世可以虛加？若進退由於仲尼，則進吳、楚而退齊、晉，聖人乃無意於安攘；誅討可以虛加，則刺公子買而奔慶父，孔子為失刑矣；又其甚者，魯桓有弒君之惡，反歸罪於天王，至於桓無貶焉，則是罪坐於鄰之人而庇匿其主也；季氏有逐君之惡而先正乎定、昭，季氏乃無譏焉，則是畏彊禦而弱其君也。故以褒貶為例，其例不可通也；以褒貶命辭，其辭不可訓也。膏肓廢疾，深痼學者之見聞；邪說詖辭，汨沒聖經之宗旨，使《春秋》之大義不明而體統不立，何由定天下之邪正哉？殊不知分之通於天下者，周為主；事之通於列國者，魯為主。《春秋》書王，所以通其分於天下也，故列五等，序王爵也；不列於五等，吳、楚之君，非王爵也。凡登名於策書，有王命者也，不登名於策書，無王命者也。禮樂征伐以達王事於天下，故曰：分之通於天下者，周為主。《春秋》書公，所以統其事於國內也，故本國之君大夫出入，必書本國之政事，廢舉必書；他國之事，接我則書，來告則書，詳內事，略外事也，故曰：事之通於列國者，魯為主。主周，則周之名分仲尼何敢紊焉？主魯，則魯之典禮仲尼何敢變焉？故策書所載，有其事，不敢隱也；無其事，不敢加也。事與詞，皆從實錄而已。事之所比為正例，正例者，通論之勢也；詞之所以為變例，變例者，即事之教也。為例之體二：謂大事必書之體、謂常事特書之體。大事必書，或書而變常者，變例也；常事不書，以非常故書者，正例也。比事而成例，循事而命辭，事辭皆從實錄，所以傳信也，舊史有闕文，存而不削，所以傳疑也。傳疑、傳

54霖案：《經義考新校》頁3711新增校文如下：「『夷夏』，文津閣《四庫》本作『王霸』。」

55霖案：《經義考新校》頁3711新增校文如下：「『夷夏』，文津閣《四庫》本作『王霸』。」

信，史家之法也；因是、因非，大道之公也。史以正王法，《經》以明王道，史法立而大道行矣，何以褒貶為？昔韓退之有言：『《春秋三傳》束高閣，獨抱遺《經》究終始。』旨哉斯言！惜無成書以示後世，唐之陸淳、啖助、趙匡，此三家者與韓公同時，議論相若，予故有取焉。嘉靖癸丑，避寇幽居，文籍罕接於目，坐臥以《經》自隨，久之，日有所記札，輒疏為《或問》一卷、《凡例輯略》一卷、《屬辭比事》八卷，總名之曰《春秋通義略》，非敢傳之人人，以俟後世之揚子雲焉爾。」

【增補】黃虞稷《千頃堂書目》卷二曰：「嘉靖癸丑，弁避寇幽居，以經自隨，久之，日有所記，札疏為《或問》一卷，《凡例輯略》一卷，《屬詞比事》八卷，總名之曰《春秋尊王發微》，通目中有弁《春秋通義》，不知即此書否。」（頁四二）。

張氏事心《春秋左氏人物譜》

一卷。

【著錄】黃虞稷《千頃堂書目》卷二，頁四四著錄。

存。

【版本及藏地】本書版本及藏地如下：

一、清抄本：明張事心撰《春秋人物譜》十二卷，湖南省圖書館有藏本，《中國古籍善本書目》（經部）頁二五○著錄。

又《左傳論著目錄》頁二六著錄此本。

事心〈自序〉曰：「《春秋》之書人也，或以名，或以字，或以官，或以爵，或以其諡號、食邑，蓋褒貶存焉。左氏於《春秋》中諸人之名字、官爵、諡號、食邑，素習口吻者，至於作《傳》，或連年之事，前書名而後書字；或一章之中，首書爵而末書諡，蓋信筆所到，初無意義於其閒也，而讀者彼此錯綜，紛然莫辨，甚至於以一人為二人，以二人為一人者，而況能溯其本始支分者乎？杜元凱癖《左氏》，有《集解》、有《凡例》、有《盟會圖》、有《長歷》，而又有《世族譜》，蓋以敘世系而明族姓，則其於人物源派意必精詳可觀也，乃其書今亡之矣，僅於注疏中見一二焉；又有著《名號歸一》者，歸而未盡，而前後且失次；又有著繫年及族號者，族而未詳，而挂漏且什三。余讀是書，自隱初至哀末，凡錄二千五百三十九人，名之曰《春秋人物纂》，其於每人名字、諡號亦粗詳矣，然世系竟未能貫始徹終，而各國亦未能兼收而並覽也。復取所纂者分國而彙編之，首世系，次中宮，周曰中宮，列國曰壺內。次子姓，則世系莫考者；次先王先后，列國曰先公先妃。則《春秋》以前者；次先裔，則本國先世支庶也；次古先裔，則古昔聖哲苗裔也；次世族，則本國功臣巨室也；而終之以臣庶。此八目者，隨諸國之有無增損焉，不能諸國一一備也；而孔門特立一目者，尊宣聖也；其古先人物，則起自上古，止商紂，另為一項於周前者，皆傳中所引也。編成，因名之曰《春秋左氏人物譜》，以明系表世，若家乘焉，故曰譜也。讀左得此，庶不至誤名號而迷本原，或亦可以補《世族》之缺乎？」

徐燉〈序〉曰：「吾鄉張子靜先生，博雅閎覽，人號書簏，生平所著述甚夥，垂老以貢

為海澄廣文，罷歸，貧日甚。先生[56]既沒，其所著作，十九散落，悽然傷之。今歲偶過友人張道輔家，得其《春秋人物譜》，皆先生手錄草稿，蟲蠹半蝕，點竄糊塗，覽者莫尋頭緒，予乃攜之長溪龜湖僧舍，旅次間寂，嚴加校訂，初稿渾為一卷，予分十二公而羅列之，重為繕寫，井然有序，第首尾糜爛，尚有缺文，客中無書，未遑考補，俟質諸沈酣麟經之士，再屬為增定，以成全書，《傳》之來禩[57]，未必於經學無少補云。」

　　黃虞稷曰[58]：「張事心，字子靜，福清人。」

　　【霖案】喬衍琯〈《經義考》所引《千頃堂書目》彙證〉云：「黃《目》末句作『福清貢士，海澄訓導』。」（頁三二○）

鄭氏良弼《春秋或問》（明）

　　十四卷。

　　【著錄】黃虞稷《千頃堂書目》卷二，頁四四著錄。

　　未見

《春秋存疑》（明）

　　一卷。

　　【著錄】黃虞稷《千頃堂書目》卷二，頁四四著錄。

　　未見。

　　【霖案】本書未見其他傳本，當已久佚。

《春秋續義》（明）

　　【書名】《中國古籍善本書目》（經部）頁二七九著錄此書，書名題作「《春秋續義纂要發微》」，《欽定四庫全書總目・存目》錄作「《春秋續義發微》，題稱或異。

　　三卷。

　　【著錄】黃虞稷《千頃堂書目》卷二，頁四四著錄。

　　【卷數】黃虞稷《千頃堂書目》卷二，頁四四著錄，卷數題作「二卷」。而《四庫存目》作「十二卷」，《中國古籍善本書目》（經部）頁二七九作「七卷」，卷數互有不同。

　　【增補】永瑢等撰《欽定四庫全書總目・存目》曰：「春秋續義發微十二卷　兩淮馬裕家藏本

56霖案：《經義考新校》頁3714增校文如下：「『先生』，《四庫薈要》本脫漏。」。

57「禩」，「四庫本」作「驥」。　　霖案：《經義考新校》頁3714校文，「四庫」二字之前，另有「《四庫薈要》本、《備要》本俱作『禩』，文淵閣」等字。

58霖案：出自黃虞稷《千頃堂書目》卷二，頁44。

明鄭良弼撰。良弼字子宗，號肖岩，淳安人，萬曆中舉人。此編取胡安國《傳》所未及者，拾遺補闕，續明其義，一步一趨，皆由安國之義而推之，故其得失亦與安國相等。朱彝尊《經義考》載良弼有《春秋或問》十四卷，《存疑》一卷，並《續義》三卷，俱云未見。今此本分十二卷，與所記卷數不符，殆彝尊以傳聞誤載歟。」（卷三十，頁三九〇）

【增補】〔補正〕《明史志》作二卷。（卷八，頁十九）

【增補】〔校記〕《四庫存目》作《春秋續義發微》十二卷。（《春秋》，頁五二）未見。

【存佚】《中國古籍善本書目》（經部）頁二七九錄有此書，為清華大學圖書館藏書，且《四庫存目》錄存此書，則當改注曰「存」。

【版本及藏地】本書版本及藏地如下：

一、抄本：明鄭良弼撰《春秋續義纂要發微》七卷，北京：清華大學圖書館有藏本。

王錫爵〈序〉曰[59]：「淳安鄭子宗說甫業《春秋》有大志，少遊武林，得江太史淵源家學，博采群議，著為《續義》、《或問》二書，闡明胡氏未盡之蘊。己卯夏，調予就正，予異焉。庚辰，予郡顧君襟宇以進士令淳重其人，即以其書寄海虞定宇趙太史，太史輒為探討重訂，已姜司成江主政潤色之，其友方春元輩裒次成帙，凡若干卷，迄，付之梓行矣。《續義》，江君有〈序〉，而《或問》一書，方春元復為代請余言弁諸首。夫《春秋》，聖人心法也，學子經生率宗胡氏，即胡《傳》外，縱窺闔邃，得聖門之肯綮者，悉置之若棄，亦惑矣。鄭子能為通方學，據《經》辨《傳》之真偽，析理別言之當否，協乎情，止乎義，而先入之見勿與焉，班班問答，確有定論，即起安國於九京，當降心而首肯者，余嘉其有羽翼《經傳》之功，冀與海內士公共之也。」

黃虞稷曰[60]：「良弼，淳安人。」

【霖案】喬衍琯〈《經義考》所引《千頃堂書目》彙證〉云：「黃《目》尚有『字宗說，萬曆舉人』七字。甲本字『宗說』在『淳』字上。」（頁三二〇）

龔氏持憲《春秋列國世家》

【作者】黃虞稷《千頃堂書目》卷二，頁四五著錄，作者題為「龔時憲」。

二十七卷。

【著錄】黃虞稷《千頃堂書目》卷二，頁四五著錄。

【卷數】黃虞稷《千頃堂書目》卷二，頁四五著錄，未題卷數。

59霖案：出自四庫本：冊169-496-附。

60霖案：出自黃虞稷《千頃堂書目》卷二，頁44。

《春秋左傳今注》（明）

【書名】黃虞稷《千頃堂書目》卷二，頁四五著錄，書名題作《左傳合注》。

四十卷。

【著錄】黃虞稷《千頃堂書目》卷二，頁四五、李一遜〈左氏春秋著錄書目研究〉頁一一九著錄。

【卷數】黃虞稷《千頃堂書目》卷二，頁四五著錄，未題卷數。

《春秋胡傳童子教》

十三卷。

俱未見。

【霖案】本書未見其他傳本，當已久佚。

黃虞稷曰61：「持憲，字行素，太倉州人。」

【霖案】喬衍琯〈《經義考》所引《千頃堂書目》彙證〉云：「黃《目》無『《春秋胡傳童子教》』條目。又『太倉州人』下有『為州學生，好著述』七字。朱《考》僅引黃說。」（頁三二一）

曹氏宗儒《春秋序事本末》（元）

【增補】李一遜〈左氏春秋著錄書目研究〉頁一一二曰：「《經義考》又有明松江曹宗僧《春秋序事本末》，按雲間為松江縣別名，元博宗僧字、《左氏本末》即《序事本末》，竹垞誤分為兩地、兩人、兩書也。」。

【作者】李一遜〈左氏春秋著錄書目研究〉頁一一二誤作「曹宗僧」。

三十卷。

【著錄】黃虞稷《千頃堂書目》卷二，頁四四著錄。

未見。

【霖案】本書未見其他傳本，當已久佚，且《春秋總義論著目錄》頁二一七注曰「佚」，今從之，故改注曰「佚」。

《春秋逸傳》（元）

三卷62。

【著錄】黃虞稷《千頃堂書目》卷二，頁四四著錄。

61霖案：出自黃虞稷《千頃堂書目》卷二，頁45著錄。

62「三卷」，「備要本」誤作「二卷」。　霖案：《經義考新校》頁3717校文，「備要本」之前，另有「《四庫薈要》本、文津閣《四庫》本、」等字；「誤作」二字前，另有「俱」字。

【增補】〔補正〕《明史志》作三卷。（卷八，頁十九）

未見。

【霖案】本書未見其他傳本，當已久佚，且《春秋總義論著目錄》頁三一注曰「佚」，今從之，故改注曰「佚」。

《左氏辨》（元）

一卷。

【著錄】黃虞稷《千頃堂書目》卷二，頁四四著錄。

【增補】〔補正〕《明史志》作三卷。（卷八，頁十九）

未見。

【霖案】《左傳論著目錄》頁十九均注曰「未見」，然本書未見其他傳本，當已久佚，故改注曰「佚」。

黃虞稷曰[63]：「宗儒，字元博，松江人，教諭。」

【霖案】喬衍琯〈《經義考》所引《千頃堂書目》彙證〉於曹宗儒《左氏辨》條下，有如下校語：「黃《目》『同安人』在『字克舉』上。又『克舉』下有『萬曆丙子鄉貢士』七字。　朱《考》僅引黃說」（頁三二一）然其文所論內容，非關曹氏者也，其中有舛錯之處。

高層雲曰[64]：「元博《序事本末》一書，按《經》以證《傳》，索《傳》以合《經》，類訂精審。」

董氏啟《春秋補傳》

十二卷。

存。

【存佚】本書已未見傳本，當已久佚，今據以改作「佚」籍。

陸樹聲〈序〉曰：「海寧董子石龍者，自少通《春秋》學，游庠校，以父喪終慕棄去，不欲與少年舉子尋行墨也。君益邃意《經》學，既所輯《春秋補傳》成，持以謁予，會予赴召君命，辭去，久之，予從金陵歸，迓予檇李，舟從吳、越之間，往返者三四，與予言，輒避席以請也，予甚愧其勤。予聞董氏其先有從陽明先生於天泉，晚得聞道陽明先生，所為記從吾道人者，君從大父也，而君父郡博中山，陽明許其志道尤篤，乃知董氏世多賢者。以君之賢幼，得從游陽明，在弟子列，豈特以《經》生自命哉？乃今不遠數百里，手一編就予，悵悵問途，君可謂不遇矣。予生晚，不及掃陽明之門，求從吾中山者與之質疑請益，晚獲與

63霖案：出自黃虞稷《千頃堂書目》卷二，頁44。

64霖案：可參看：四庫本《東維子集》〈曹元博左氏本末序〉有類似之文。

君游，盡聞其所得於先生長老者，以私淑則予方幸君，君亦何有於予也？是歲春仲，予生朝塵君遠來，燒獨夜坐，君起為壽，舉薛敬軒語，予拜且承之。予與君生同甲子，同習《三傳》，晚而志於道，又同好也，庶幾所謂三同者，因書贈君，以諗夫同社。」

鄧氏鍈《春秋正解》

未見。

【霖案】本書未見其他傳本，當已久佚。

《建昌新城縣志》：「鍈，字時雋，以貢授偃師丞，以子渼貴，贈通議大夫、河南按察使。」

章氏潢《春秋竊義》

【著錄】黃虞稷《千頃堂書目》卷二，頁四三著錄。

未見。

【霖案】本書未見其他傳本，當已久佚。

鄧氏元錫《春秋繹通》

【增補】〔補正〕《明史志》作《春秋繹》，此作「《繹通》」，與《千頃堂書目》同。（卷八，頁十九）

一卷。

【著錄】黃虞稷《千頃堂書目》卷二，頁四三著錄。

存。

【版本及藏地】本書版本及藏地如下：

一、《五經繹》本：《春秋總義論著目錄》頁六七錄之。案：鄧氏《五經繹》一書，台北：國家圖書館藏有「明萬曆丁未(35年，1607)錢塘刊本」、「明崇禎間(1628-1644)重刊本」等二種刊本。

黃氏智《春秋三傳會要》

佚。

朱氏睦㮮《春秋諸傳辨疑》（明）

【作者】黃虞稷《千頃堂書目》卷二，頁四三著錄，作者題為「周藩正睦㮮」。

【增補】黃虞稷《千頃堂書目》卷二，頁四三錄有朱睦㮮《春秋傳》一書，竹垞未錄，今據以補入。

四卷。

【著錄】黃虞稷《千頃堂書目》卷二，頁四三著錄。

【卷數】黃虞稷《千頃堂書目》卷二，頁四三著錄，卷數題作「二卷」，一作「四卷」。

未見。

【版本及藏地】本書版本及藏地如下：

一、刊本：駱兆平《新編天一閣書目》頁一八九著錄，為寧波天一閣舊物。

二、清抄本：邵懿辰撰、邵章續錄：《增訂四庫簡明目錄標注》卷三，頁一一八著錄。

【增補】邵懿辰撰、邵章續錄：《增訂四庫簡明目錄標注》卷三曰：「《春秋諸傳辨疑》四卷，明朱睦㮮撰，清鈔本。」（頁一一八）

【增補】永瑢等撰《欽定四庫全書總目‧存目》曰：「春秋諸傳辨疑四卷　浙江范懋柱家天一閣藏本

明朱睦㮮撰。睦㮮有《易學識遺》，已著錄。是編凡一百八十八條，《明史‧藝文志》著錄卷數，與此本相合。然與睦㮮所撰《五經稽疑》中說《春秋》者文並相同。據睦㮮《五經稽疑》自序，蓋此書先有[65]別本行世，後乃編入《五經稽疑》中。今《五經稽疑》已別著錄，則此本無庸復載，故附存其原名，備考核焉。」（卷三十，頁三八九）

【增補】〔校記〕《四庫存目》著錄。（《春秋》，頁五三）

【增補】駱兆平《新編天一閣書目》曰：「《春秋諸傳辨疑》四卷　明宗室朱睦㮮撰。刊本。是書不主以例解經之說，隨條辨證，凡一百八十二則。《四庫全書總目》‧春秋類存目。」（頁一八九）

三、《五經稽疑》本：朱睦㮮有《春秋稽疑》一書，而此書即《春秋經傳辨疑》，參見《欽定四庫全書總目提要》「《五經稽疑》」條下，考《五經稽疑》卷四至卷七，即屬於「《春秋稽疑》」的內容，合計四卷。

---

[65]霖案：原注云：「有」，浙、粵本作「成」。

卷二百五　春秋三十八經義考卷二百五春秋三十八

余氏懋學《春秋蠡測》

四卷。

【著錄】黃虞稷《千頃堂書目》卷二，頁四三著錄。

【卷數】黃虞稷《千頃堂書目》卷二，頁四三著錄，又曰：「一作二卷」。

存。

【存佚】本書已未見傳本，當已久佚，今據以改作「佚」籍。

祝世祿〈序〉曰：「紫陽氏博論諸《經》，於《春秋》獨少論著，觀其語魏无[1]履謂：此乃學者後一段事，莫若止看《論語》。且曰：自非理順義精，則止是校得失、考同異，與讀史傳、摭故實無異，如《論語》看得有味，則他《經》自迎刃而解。其言如是，毋亦以筆削大義涼夏所不能贊者，有非後世淺學所可管窺而蠡測邪？婺源余行之先生，於從政之暇，按《經》依《傳》，立論不詭於前人，而實卓然自得於聞見之外，其言曰：『吾創者非敢為繆悠，而因者非敢為踵襲，惟以鳴吾見焉。蓋史迷吾能持衡，聖心吾不能懸度，即有度者，如以蠡測海，此吾蠡測所以作也。』先生於書無所不讀，至國家典故更覃力研究，予嘗得其《南垣論世攷》及《三史隨筆》諸編，皆精核詳鑿，至於《論語》，則有《讀論勿藥之編》，得意疾書，見解超邁，蓋以其讀之有味者發為成言，若默契紫陽所謂前一段事者，宜乎其於此書若迎刃而解也。《春秋》、《論語》義不相蒙，而紫陽視之則若一貫，先生撰著雖富，而發明聖緒惟此二書，然則《春秋》、《論語》固可以合一說乎？非也。上辛雩，季辛又雩，先儒皆謂旱，《公羊》則謂昭公聚民以攻季氏，或者信其說，遂以夫子答樊遲遊於舞雩之言當之，謂為逐季氏發也，迂鑿附會，一至於此。烏乎！合合故迎刃而解，則為先生；泥傳而談，則為或人而已矣。」

馮氏時可《左氏討論□[2]釋》（明）

【書名】黃虞稷《千頃堂書目》卷二，頁四三著錄，題作《左氏討》二卷；《左氏論》二卷；《左氏釋》二卷。又李一迷〈左氏春秋著錄書目研究〉云：「江蘇國學圖書館，舊與《左傳詩》、《左氏論》合為一書，標曰元敏大池集。」又邵懿辰撰、邵章續錄：《增訂四庫簡明目錄標注》卷三曰：「《左氏釋》二卷，明馮時可撰。此書與左氏討左氏論合為一書，題曰元敏天池集。」（頁一一八），其說可供參考之用。

【書名】本書異名如下：

一、《左氏釋》：張壽平《公藏先秦經子注疏書目》頁一一七著錄。

1「无」字，「四庫本」誤作「元」。　霖案：《經義考新校》頁3720校文，置於「魏无履」三字下，其校文如下：「『魏无履』，《四庫薈要》本、文淵閣《四庫》本俱作『魏元履』。」

2「□」，「四庫本」作「詮」；「備要本」作「待」。　霖案：《經義考新校》頁3721校文，「四庫本」三字之前，另有「文淵閣」三字；又「詮」字下，另有「文津閣《四庫》本作『并』。」

【霖案】《中國古籍善本書目》（經部）頁二七九錄有馮時可《春秋會異》一書，竹垞未錄此書，當據以補入。

各二卷。

【增補】永瑢等撰《欽定四庫全書總目·存目》曰：「左氏討一卷左氏論一卷3　江蘇巡撫採進本

明馮時可撰。時可有《左氏釋》，已著錄。是書前有自序，稱『先為《左氏討》，繼為《左氏釋》，後為《左氏論》』。其《釋》則訓詁為多，《討》與《論》則皆評其事之是非，不知分為二書，以何別其體例也。然所討論，皆以意為之，往往失於迂曲。如謂『陽虎之攻季氏，為必受命魯君。』是真信其張公室也。豈《春秋》書盜為曲筆乎？故今惟錄《左氏釋》，而二書則附存其目焉。」（卷三十，頁三八八至頁三八九）

【增補】邵懿辰撰、邵章續錄：《增訂四庫簡明目錄標注》卷三曰：「《左氏釋》二卷，明馮時可撰。

此書與左氏討左氏論合為一書，題曰元敏天池集。」（頁一一八）

【增補】〔補正〕《明史·藝文志》時可所著《左氏討》二卷、《左氏論》二卷、《左氏釋》二卷，此「討論」二字連書，誤以兩書為一書也。（卷八，頁十九）

【增補】〔校記〕《四庫存目》作《左氏討》一卷、《左氏論》一卷，又四庫著錄《左氏釋》二卷。（《春秋》，頁五三）

存。

【版本及藏地】本書版本及藏地如下：

一、文淵閣四庫全書本：（明）馮時可撰《左氏釋》二卷，一冊，《國立故宮博物院善本舊籍總目》，上冊，頁八十八著錄，台北：故宮博物院有藏本。

【增補】永瑢等撰《欽定四庫全書總目》曰：「左氏釋二卷　江蘇巡撫採進本

明馮時可撰。時可字敏卿，號元成，華亭人。隆慶辛未進士，官至湖廣布政司參政。事迹附見《明史·馮恩傳》。此書皆發明《左傳》訓詁。中如解莊公二十五年『秋，大水，鼓，用牲於社，於門』，謂『王者事神治民，有祠而無祈，有省而無禳，用鼓已末，何況於攻，董仲舒、杜預之說皆誤。』考《周禮·大祝》，六祈一曰類，二曰造，三曰禬，四曰祭，五曰攻，六曰說。鄭康成注謂：『攻、說則以辭責之，如其鳴鼓然。』則『攻』固六祈之一矣。時可所言殊為失考。至昭公二十九年『賦晉國一鼓鐵，以鑄刑鼎』，杜《注》、孔《疏》皆謂『冶石為鐵，用橐扇火謂之鼓，計會一鼓便足』，時可則引王肅《家語注》云：『三十斤為鈞，四鈞為石，四石為鼓。』蓋用四百八十斤鐵以鑄刑書，適給於用，則勝《注》、《疏》說多矣。蓋雖間有臆斷，而

3霖案：原注云：按：此書收入馮時可《馮元成雜著》，今北京、浙江館藏明萬曆中刊本。

精核者多，固趙汸《補注》之亞也。此書舊與《左氏討》、《左氏論》合為一書，總標曰《元敏天池集》，意當時編入集內，故鈔本尚襲舊題。今惟錄此編，而所謂《討》與《論》者，則別存目，故各分著其名焉。」（卷二十八，頁三六五至頁三六六）

二、藝海珠塵本：明馮時可撰《左氏釋》二卷，馬來西亞大學圖書館有藏本。

三、民國五十七年(1968)藝文印書館百部叢書集成初編影印本：(明)馮時可撰《左氏釋》二卷，台北：國家圖書館有藏本。

四、鈔本：明馮時可撰《左氏釋》二卷，李一遂〈左氏春秋著錄書目研究〉頁一一九著錄，云：「江蘇國學圖書館，舊與《左傳詩》、《左氏論》合為一書，標曰元敏大池集。」。

五、明萬曆刊《馮元敏集》本：《左傳論著目錄》頁十九著錄，今考台北：國家圖書館藏有二本，其一存四十四卷，29冊；（匡19.3x14.1公分）正文卷端題「天池山人馮時可元敏著 弟曾可梓 姪大受 男大章同校」，9行，行18字.左右{216e3a}欄.版心白口，單魚尾，下方記刻工姓名「郁志美、文甫」等；其二存四十卷，20冊，待查其究竟屬於何卷？

黃氏洪憲《春秋左傳釋附》（明）

【書名】李一遂〈左氏春秋著錄書目研究〉頁一二〇錄作「《春秋左氏傳釋附》」。二十七卷。

【著錄】黃虞稷《千頃堂書目》卷二，頁四三著錄。

存。

【版本及藏地】本書版本及藏地如下：

一、明萬曆二十七年刻本：明黃洪憲撰《春秋左傳釋附》二十七卷，十行十九字小字雙行十九字白口左右雙邊，中國科學院有藏本，《中國古籍善本書目》（經部）頁二四八著錄。

二、明黃浩抄本：明黃洪憲撰《春秋左傳釋附》二十七卷，南京圖書館、安徽省博物館均有藏本，《中國古籍善本書目》（經部）頁二四八著錄。

洪憲〈自序〉4曰：「予在史館時，好讀《左氏春秋》，嘗考訂其全文，略采諸家箋釋，而擇《公》、《穀》之有文者附之，名曰《左氏釋附》。長兒承玄稍為增定，而鋟其半於安平署中，予巖居多暇，因銓次以卒業，而并為之敘。予聞之：孔子修《春秋》，皆約魯史策書，而又使子夏等十四人求周史記，得百二十國寶書；又與左邱明乘如周，因老聃觀書柱下，歸而成書，而邱明則為之傳。其後齊公羊高、魯穀梁赤受《經》於子夏，人自為說，於是有《公羊》、《穀梁傳》。漢武帝置《五經》博士，《公》、《穀》先後列學官，而《左氏》

4霖案：《四庫未收書輯刊》7輯1有黃洪憲輯春秋左傳釋附二十七卷，惜無序跋！待查他本。

獨絀，兩家專門弟子欲伸其師說，紛紛排擯，惟劉歆氏曰：邱明親見孔子，好惡與聖人同；《公》、《穀》在七十二弟[5]後，傳聞與親見，詳略不同。此三傳之斷案也。至其引《傳》以釋《經》，則不免牽合附會；而後世杜預集其說，為之分年相附，作《經傳集解》，見謂有功於《左氏》而不侫，竊有疑焉。蓋孔子因魯史而修《春秋》，以存王迹，惟提綱挈領，寓褒貶於片言隻字，其辭約，其旨微，誠以國史具在，文獻足徵，天下後世，自有可取以證吾言者，故曰：吾觀周道，舍魯何適矣。而說者曰：孔子修《春秋》，口授，邱明作《傳》，是欲杞、宋、魯也，是謂孔氏之《春秋》，非魯之《春秋》也；且邱明身為史官，博綜群籍，自成一家言，上自三代制度名物，下至列國赴告、策書與夫公卿大夫氏族譜傳，大而天文、地理，微而夢卜、謠讖，凡史狐、史克、史蘇、史黯之所識，《檮杌》、《紀年》、鄭《書》、晉《乘》之所載，靡不網羅捃拾，總為三十篇，括囊二百四十年之事，大都如夏、殷《春秋》及晏、呂、虞、陸《春秋》之類，非有意於釋《經》也。他日，孔子曰：『左邱明恥之，丘亦恥之。』若有竊比老彭之意，又焉知非左史在先，聖人之筆削在後？故《左氏》之文，或有《經》無《傳》，或有《傳》無《經》，或後事而先提，或始伏而終應，皆匠心獨創，逴豔千古，曷嘗拘繫為《經》役哉？大抵孔子修魯史，未嘗自明其為《經》，而後人尊之為《經》；邱明作《傳》，未嘗有意於釋《經》，而後人傳之為《經傳》，故讀《左氏春秋》者，第《經》自為《經》，《傳》自為《傳》，其可相印證者固在，而不必牽合傅會，失夫作者之意也。乃若《公》、《穀》二傳，專以釋《經》為主，往往設為問答，執義例以立斷案，雖日月、爵邑、名氏，皆以為衰鉞存焉，後人以其傳自西河，故相率宗之，不知孔子嘗言《春秋》屬商，而當時游、夏已自謂不能贊一辭，矧其後之為徒者欲字訓句釋，據私臆以擬聖《經》，其孰從而受之？愚嘗反覆《三傳》，《左氏》以史家而核於事，《公》、《穀》以《經》生而辨於理。核於事者，不失為實錄；辨於理者，不免多臆見。臆見非聖人意也，而就其中若多名言奧義可以垂世而立教者，故謂《公》、《穀》能傳聖意，不可謂《公》、《穀》盡畔聖《經》；亦不可昔人謂《春秋》素王、邱明素臣，彼二子者，其亦附庸之國乎？今國家功令業《春秋》者，率主宋儒胡安國《傳》，至欲屈《經》以就之。夫安國經生，不加於《公》、《穀》，而況去聖人之世益遠，曷若反而求之？《左氏》之為核，其次參之《公》、《穀》，猶為近古也。萬歷己亥暢月穀旦。」

【增補】〔補正〕〈自序〉內「在七十二弟後」，「弟」當作「子」。（卷八，頁十九）

【增補】黃虞稷《千頃堂書目》卷二曰：「萬歷己亥〈序〉」（頁四三）。

黃氏正憲《春秋翼附》（明）

二十卷。

【著錄】黃虞稷《千頃堂書目》卷二，頁四三、《中國古籍善本書目》（經部）頁二七九著錄。

---

5 「弟」，應依《補正》作「子」。　　霖案：《經義考新校》頁3722校文，「應依」改作「依」字；「《補正》」二字下，另有「《四庫薈要》本」；「作」改作「應作」二字。

【增補】永瑢等撰《欽定四庫全書總目·存目》曰：「春秋翼附二十卷　浙江汪啟淑家藏本

明黃正憲撰。正憲有《易象管窺》，已著錄。是書大旨，以胡安國《傳》未免過於刻核，因博採舊聞，自唐孔穎達以下，悉為折衷，於明世諸家，則多取山陰季本《私考》、金壇王樵《輯傳》二書。今觀其所論，如謂尹氏卒為吉甫之後，非即詩家父所刺者，仲孫蔑會齊高固於無婁，地非牟婁。亦間有考證。然核其大體，則未能悉精確也。」（卷三十，頁三八九）

存。

【版本及藏地】本書版本及藏地如下：

一、明刻本：明黃正憲撰《春秋翼附》二十卷，北京大學、南京圖書館有藏本。

【增補】王重民：《中國善本書提要》曰：「【春秋翼附二十卷】　十冊（《四庫總目》卷三十）（北大）

明刻本〔十行十九字（20.2×14.1）〕

原題：「明嘉禾後學廣寓居士黃正憲著，男承鼎編次。」卷末記：「檇李胡元貢書，金陵楊應元刻。」卷內有：「佐伯文庫」、「巴陵方氏傳經堂書印」、「方功惠藏書印」等印記。

賀燦然序

黃正色序」（頁二九）

賀燦然〈序〉6曰：「自漢以來7，說《春秋》者亡慮千百家，而《四傳》為最著。邱明8與夫子生同時，按魯史為傳，當不甚謬剌，然不亡牽合附會之失；夫子以《春秋》屬商，公羊高9、穀梁赤10俱本自西河，宜11不詭於12筆削之旨，乃細瑣刻深若酷吏之斷獄，夫子不

6霖案：明·黃正憲撰，賀燦然序文《春秋翼附·序》（《四庫全書存目叢書》經部冊一二。「北京大學圖書館藏明劇本」），頁40至頁43D。又竹垞所引〈序〉文，實作剪裁之作，是文節略甚巨，〈序〉前刪去九十八字，中篇刪除三百六十字，末篇刪除二百七十字，合計刪除多達七百二十八字，讀者可參看原書序文。

7霖案：「自漢以來」四字之下，《春秋翼附·序》另有「迄于國朝」四字，竹垞或以四字重複字義而刪去，今應據原書補入。

8霖案：「邱明」二字，《春秋翼附·序》作「丘明」，「邱」、「丘」之異，或因避孔子名諱而改。

9霖案：「公羊高」三字之前，《春秋翼附·序》另有「齊」字，直言公羊高之國，不當刪去，今據原書補入。

10霖案：「穀梁赤」三字之前，《春秋翼附·序》另有「魯」字，直言穀梁赤之國，不當刪去，今據原書補入。

若是苛也13；胡氏《傳》立於14學官15，士人類墨守其說，顧安國去古益遠，臆斷於16千百年之後，若射覆然，能一一懸中乎哉17？善哉18戀容氏之說《春秋》也。夫《春秋》19據事筆削，褒貶自見，非拘拘於20日月、爵氏以為袞鉞也，拘拘於21日月、爵氏之間，求所謂袞鉞者，而有合有不合，於22是曲為正例、變例之說，至云『美惡不嫌同辭』，說愈繁而愈晦矣23。戀容氏之說有功《四傳》，羽翼聖《經》，即謂24《春秋》翼可也，附云乎哉25？」

姚氏舜牧《春秋疑問》（明）

十二卷。

11霖案：「宜」字下，應依《春秋翼附・序》補入「闕疑傳信」四字。

12霖案：「於「字，《春秋翼附・序》題作「于」字。

13霖案：「也」字下，應依《春秋翼附・序》補入「彼矛盾者，一是必一非矣！」等九字。

14霖案：「於「字，《春秋翼附・序》題作「于」字。

15霖案：「學官」二字，《春秋翼附・序》題作「學宮」，「宮」、「官」字形相近，且「學官」、「學宮」均能意指「學校」，意義雷同，故二字互為混用，然原〈序〉既作「學宮」，則當以「學宮」為是。

16霖案：「於「字，《春秋翼附・序》題作「于」字。

17霖案：「哉」字下，《春秋翼附・序》另有「蓋不佞每思取漢以來諸說《春秋》家，一獄究之而未逮也。夫深于《春秋》者，斯能言《春秋》也。余不敏，不敢言其所不知，又不敢虛戀容之請，乃取《四傳》及家藏《春秋》訓釋一、二十種參互之，畢五日之力，始卒業隱公，舉一隱公，而十二公可隸也。竊于《春秋》窺其大指云。」等一百字，竹垞盡為刪去，今據以補入。

18霖案：「善哉」二字下，應依《春秋翼附・序》補入「乎」字。

19霖案：「《春秋》」二字下，應依《春秋翼附・序》補入「夫子修魯史以存不迹者也。夫其修魯史也，而魯，宗國也，其褒貶類為魯設也，其存王迹也，而周，天王也，其褒貶類為宗周設也，其有繫于魯與周者，而夫子筆之，其無繫于魯與周者，而夫子削之。孟子所謂：魯之《春秋》，而其義丘竊取之，游、夏所不能贊一詞者也。得是說而存之于《春秋》，思過半矣！蓋」等一百一十四字，竹垞盡刪去上述諸字，今補之如上。

20霖案：「於「字，《春秋翼附・序》題作「于」字。

21霖案：「於「字，《春秋翼附・序》題作「于」字。

22霖案：「於「字，《春秋翼附・序》題作「于」字。

23霖案：「矣」字下，竹垞刪去《春秋翼附・序》凡三百六十五字，由於文句頗多，難於備錄，讀者可自行參看原書序文。

24霖案：「謂」字，應依《春秋翼附・序》改作「稱」字為宜。

25霖案：「哉」字下，竹垞刪去多達二百七十字的〈序〉文內容，由於文句頗多，難於逐一校錄，讀者可自行參看原書〈序〉文。

【著錄】黃虞稷《千頃堂書目》卷二，頁四四著錄。

【增補】永瑢等撰《欽定四庫全書總目・存目》曰：「春秋疑問十二卷　浙江巡撫採進本

明姚舜牧撰。舜牧有《易經疑問》，已著錄。是書不盡從胡《傳》，亦頗能掃諸家穿鑿之說，正歷來刻深嚴酷之論，視所注諸經，較多可取，而亦不免於以意推求，自生義例。如列國之事『承告則書』，左氏實為定說，舜牧於『宿男卒，不書名』，既云『告不以名矣』，乃於『鄭伯克段』，則曰『此鄭事也，魯春秋何以書？見鄭莊處母子、兄弟之間，忍心害理，凡友邦必不可輕與之。此一語專為後日輸[26]平歸祊、助鄭伐宋起，非謂此事極大，漫書於魯之春秋也。』是不考策書之例，但牽引經文，橫生枝節。至於解『紀季姜歸京師』，謂『自季姜歸後，周聘不復加於魯，乃知以前三聘，特在謀婚。』此無論別無確據，即以年月計之，三聘之首是為凡伯，其事在隱公九年，距祭伯之逆十四年矣。有天子求婚，惟恐弗得，謀於十四年之前者乎？此并經文亦不能牽合矣。說經不應如是也。」（卷三十，頁三八九）

存。

【版本及藏地】本書版本及藏地如下：

一、明萬曆間刊四書五經疑問本：(明)姚舜牧撰《春秋疑問》十二卷，八冊，台北：國家圖書館；南京圖書館、天津圖書館；美國：普林斯敦大學葛思德東方圖書館均有藏本。

【增補】屈萬里《普林斯敦大學葛思德東方圖書館中文善本書志》曰：「《春秋疑問》十二卷　八冊　二函

明姚舜牧撰

明萬曆間原刊本。　十行二十字。板匡高二〇・六公分，寬一二・二公分。　此亦姚氏所著四書五經疑問之一。卷前有萬曆三十一年（一六一二）自序；蓋是書脫稿於書經疑問成書之前一年也。四書五經疑問，本館僅欠易經一種，餘皆有之。」（頁三七至頁三八）

二、明萬曆間刊清順治十四年姚祚重等補刻本：明姚舜牧《春秋疑問》十二卷，十行二十字白口四周單邊，大陸：中國國家圖書館、浙江圖書館、四川大學圖書館均有藏本。

舜牧〈自序〉曰[27]：「孔子曰：『吾志在《春秋》。』又曰：『其義則丘竊取之矣。』斯義何義也？書曰：『無偏無陂，遵王之義；無有作好，遵王之道；無有作惡，遵王之路。』

26霖案：原注云：「輸」，浙、粵本作「渝」。

27霖案：明・姚舜牧《重訂春秋疑問・敘》（《四庫全書存目叢書》經一二〇，頁409C~411C、《續修四庫全書》一三五-393A。案：二者版刻相同，本文取《四庫全書存目叢書》本入校。）

道路即義也，而在人心無偏陂好惡之閒28。周衰，王道浸微，人心陷溺而不知義，為竊為僭，為瀆亂29甚，或30淪於31禽獸有不忍32者，孔子有憂之，故因魯史作《春秋》，明指所謂道路者以示人，即書所云『是彝是訓是行』者耳33。而或者誤為34道在位在之說，謂35假二百四十二年南面之權以是非天下，豈其然哉36？程子曰：『《春秋經》不通，求之《傳》；《傳》不通，則求之《經》。』朱子曰：『學者但觀夫子直書其事，其義自在，有不待傳而見者。』此真善讀《春秋》者矣，而惜皆無全書。百世而上，百世而下，豈無善讀《春秋》若程、朱二子者乎？牧非其人也，惟37童稚時，先贈君淳庵38翁誨牧曰：『兒曹欲知大義，須讀《五經》。』竊志不忘，閒39取《易》、《書》、《詩》、《禮》次第讀之，輒筆所疑請問海內40。茲來粵西，甚暇，得從41《大全》諸書竊觀夫子之《春秋》無有偏陂、無作好惡，真恍若見其心者，恨不敏，不足以發也。因竊評諸儒之論有合於《經》者錄之，而又輒筆所疑，就正有道焉，亦謂涉躐42斯道路也，仰慰先君子誨牧之遺意也云爾43。」

28霖案：「閒」字，《重訂春秋疑問・敘》題作「間」字。

29霖案：「亂」字下，應依《重訂春秋疑問・敘》補入「或入于□□而」等六字。

30霖案：「或」字，應依《重訂春秋疑問・敘》改作「則幾」二字。

31霖案：「於」字，《重訂春秋疑問・敘》作「于」字。

32霖案：「忍」字下，應依《重訂春秋疑問・敘》補入「言」字。

33霖案：「耳」字下，應依《重訂春秋疑問・敘》補入「孟子曰：『王者之迹熄而《詩》亡，《詩》亡然後《春秋》作』，又曰：『《春秋》，天子之事也。』惇庸命討，此天子與天下公共之事，人人所宜共由，亦人人所可指示，以詔天下萬世者，是孔子所謂『其義則丘竊取焉』者也。竊取云者，亦謙不自居耳。」等八十四字。

34霖案：「為」字，應依《重訂春秋疑問・敘》改作「認，遂有」等三字。

35霖案：「謂」字，應依《重訂春秋疑問・敘》改作「甚謂」等二字。

36霖案：「豈其然哉」四字，應依《重訂春秋疑問・敘》改作「嗟乎！使天子而果假南面之權以是非天下，則《經》所書天王某事某事者，又將假何權以是非之哉？斷不然矣！顧《春秋》一經斷也，其案在《傳》，《傳》莫尚《左氏》矣！去聖未遠，聽睹紀載甚詳，足備後代參考，是大有功于《春秋》者，然時或有闇于大義，處《公羊》、《穀梁》知求大義矣！而附會穿鑿，時亦有之。宋諸儒輩出，胡氏而下，互有發明，豈不燦然悉備哉！然千蹊萬徑，雖可適國，而周行大路，要在折衷」等字。

37霖案：「惟」字，《重訂春秋疑問・敘》題作「唯」字。

38霖案：「庵」字，《重訂春秋疑問・敘》題作「菴」字。

39霖案：「閒」字，《重訂春秋疑問・敘》題作「間」字。

40霖案：「海內」二字下，應依《重訂春秋疑問・敘》補入「大方」二字。

41霖案：「從」字，應依《重訂春秋疑問・敘》改作「復從」二字。

42霖案：《經義考新校》頁3725新增校文如下：「『躐』，《四庫薈要》本作『獵』。」今考「涉躐」二

蕭氏良有《春秋纂傳》

　　四卷。

　　存。

　　　【存佚】本書已未見傳本，當已久佚，今據以改作「佚」籍。

　　劉芳喆曰：「良有，漢陽人，萬曆庚辰賜進士第二，歷官國子祭酒。」

沈氏堯中《春秋本義》

　　四卷。

　　　【著錄】黃虞稷《千頃堂書目》卷二，頁四三著錄。

　　　【卷數】黃虞稷《千頃堂書目》卷二，頁四三著錄，未題卷數。

　　存。

　　　【存佚】本書未見傳本，疑久佚於世，今暫判曰：「佚」，以俟後考。

　　堯中〈自序〉曰44：「孔子之修45《春秋》也，據事采文，斷46以大義，如：趙盾弒君47，教48所存也，可無改也，晉侯召王，文有49害也，所必改也。其諸筆削50，凡以存王迹而已。史有文質，詞有詳略51，不強同也。是故侵伐一也，或書人，或書爵，義係於52侵伐，不係

　　　字，《重訂春秋疑問·敘》題作「涉獵」。「獵」、「躐」都能解作「踐踏」，《荀子·議兵》：「不殺老弱，不獵禾稼。」條下，楊倞注文云：「『獵』與『躐』同」，可見二字字形雖異，但字義相同，惟《重訂春秋疑問·敘》既作「涉獵」，則應從原序文改作「涉獵」。

43霖案：「云爾」二字下，應依《重訂春秋疑問·敘》補入「若《春秋》制科，一稟胡《傳》，載在令甲，是即義之所在，諸士子所宜遵守而無岐者，余何敢及，而諸士子方習制義，請亦無視乎余言。萬曆歲在癸卯七月丁丑烏程後學姚舜牧書于粵西臯憲之吏隱齋。」等七十六字，由於事涉撰序年月，實不當任意刪除，今補之如上。

44霖案：沈堯中輯《沈氏學弢》（台南縣：莊嚴文化事業有限公司，「四庫全書存目叢書」，一九九六年八月，初版一刷），子部一三一，頁591-592。然而，本篇未有標題。

45霖案：「修」字，《沈氏學弢》題作「作」字。

46霖案：「斷」字，《沈氏學弢》題作「裁」字。

47霖案：「弒君」二字，《沈氏學弢》題作「弒其君」三字。

48霖案：「教」字下，《沈氏學弢》另有「之」字，今據以補入。

49霖案：「有」字，《沈氏學弢》題作「之所」二字。

50霖案：「其諸筆削」四字，《沈氏學弢》題作「其諸不及書者筆之；過書者削之」等字。

51霖案：「略」字，《沈氏學弢》題作「畧」字，書寫習慣不同所致。

52霖案：「於」字，《沈氏學弢》題作「于」字，書寫習慣不同所致。

於53人與爵也；會盟一也，或書名，或書字，義係於54會盟，不係於55名與字也。元年書即位，亦有不書；諸侯書葬，大夫書卒，亦有不書卒與葬；書日亦有不書王次春、正次王，亦有書時而不書月，書月而不書王；諸侯失國必名，亦有不名而名於56歸國；殺大夫必名，亦有不名而但書其官，亦有併其官而不書者，非故57略58也，史闕文也。況《經》文從《三傳》中錄出，先儒遞相授受，不無承襲之誤，59說《春秋》者，不達其義而60為之說，《左氏》具載本末，猶不失紀載之體61，《公羊》、《穀梁》各自為例，胡《傳》參用其說，說窮則62曰『美惡不嫌同辭』，俄而用此以誅人，俄而用此以賞人，使天下後世63莫識其意，是舞文史之所為，而謂聖人為之乎？矧直以天子之權予64仲尼，而以擅進退亂名實為史外傳心之65要典。夫進退，可也；擅進退，不可也。實子而名之為子，實非王而不名之為王，此非擅與亂也，乃所謂義也；實伯而退之為子，實非子而進之為子，所謂擅與亂也，非所謂義也。然則天子之事奈何？周命為子則書子，周命為伯則書伯，周不命為王則不書王，如是而已；若謂擅與亂為天子之事，是身自為亂也，而何以為孔子？然則直書其事，其誰不能，而曰游、夏不能贊一辭，何也？蓋仲尼所據者事，所采者文，而其義則斷自聖心66，隱、桓以下，詳在諸侯；文、宣以下，詳在大夫；而定、哀之際，并及陪臣67，故其言曰：天下有道，禮樂征伐自天子出；天下無道，出自諸侯，又出自大夫，又出自陪臣。見天下日入於68亂，愈趨

53霖案：「於」字，《沈氏學弢》題作「于」字，書寫習慣不同所致。

54霖案：「於」字，《沈氏學弢》題作「于」字，書寫習慣不同所致。

55霖案：「於」字，《沈氏學弢》題作「于」字，書寫習慣不同所致。

56霖案：「於」字，《沈氏學弢》題作「于」字，書寫習慣不同所致。

57霖案：「非故」二字，《沈氏學弢》題作「此非」二字。

58霖案：「略」字，《沈氏學弢》題作「畧」字，書寫習慣不同所致。

59霖案：「況《經》文從《三傳》中錄出，先儒遞相授受，不無承襲之誤，」諸字，《沈氏學弢》無上述諸字，顯見《沈氏學弢》所錄之文，未必全照序文甄錄，而有所改編。

60霖案：「而」字下，《沈氏學弢》另有「瑣」字。

61霖案：「體」字下，《沈氏學弢》另有「其與經背者，漢儒附之也。」等十字。

62霖案：「則」字下，《沈氏學弢》另有「又」字。

63霖案：「後世」二字下，《沈氏學弢》另有「求之，而」等三字。

64霖案：「予」字，《沈氏學弢》作「與」字。

65霖案：「之」字，《沈氏學弢》無此字。

66霖案：「聖心」二字下，《沈氏學弢》另有「其尊君抑臣，內夏外夷，誅亂討叛，大旨姑無論已。」等十九字。

67霖案：「陪臣」二字，《沈氏學弢》誤作「倍臣」，「陪」、「倍」字形相近而誤入，實當作「陪臣」。又《沈氏學弢》此篇下另作「陪臣」。

68霖案：「於」字，《沈氏學弢》題作「于」字。

而愈下也。齊與晉較，恆予齊；齊與魯較，恆予魯，故其言曰：齊桓正而晉文譎。齊至魯，而魯至道，蓋欲撥亂世而反之治也。又有總十二公而見者，霸主未見，諸侯雖散，而猶知有王；霸主見，諸侯雖合，而不知有王；霸業衰，則諸侯奔走秦、楚，而王亦不見於《春秋》，是以五霸為終始也。有總一公而見者，如與邾儀父盟矣，而繼書伐邾，又及宋人盟矣，而繼書伐宋，是以一事為終始也；有重其終而錄其始者，將書取郜大鼎，則始之以成宋亂；有重其始而錄其終者，既書宋災，則繼之以宋災。故書天王遣使來聘，則知隱不朝王之為慢；書王人子突救衛，則知各國伐衛之為非；至若翬之弒隱也，而先書翬帥師；慶父之弒子般及閔公也，而先書慶父帥師；晉趙盾之弒夷皋也，而先書趙盾帥師；鄭歸生之弒夷也，而先書歸生帥師；齊崔杼之弒光也，而先書崔杼帥師，故其言曰：臣弒其君，子弒其父，非一朝一夕之故，其所由來者漸矣。[69]此則聖人[70]之精義[71]也。先儒獨朱晦翁得之，而未有成書。中也不揣固陋，爰采各傳，附以己意，一以《經》義為主，而鑿者不與焉，非敢與先儒匹也，亦竊比晦翁之意云爾。萬曆庚子。」

楊氏于庭《春秋質疑》（明）

【霖案】竹垞此處錄及楊氏于庭《春秋質疑》一書，另於《經義考》卷二〇八，頁五二七錄有楊氏名未詳《春秋質疑》一書，題作「佚」，而其下所錄「李光縉曰」之文，實出於邱應和《春秋質疑·序》，是以竹垞蓋未見其書，因而誤以為二書，而有重出情況。

十二卷。

【著錄】張壽平《公藏先秦經子注疏書目》頁一四三著錄。

未見。

69霖案：《沈氏學弢》無「又有總十二公而見者，霸主未見，諸侯雖散，而猶知有王；霸主見，諸侯雖合，而不知有王；霸業衰，則諸侯奔走秦、楚，而王亦不見於《春秋》，是以五霸為終始也。有總一公而見者，如與邾儀父盟矣，而繼書伐邾，又及宋人盟矣，而繼書伐宋，是以一事為終始也；有重其終而錄其始者，將書取郜大鼎，則始之以成宋亂；有重其始而錄其終者，既書宋災，則繼之以宋災。故書天王遣使來聘，則知隱不朝王之為慢；書王人子突救衛，則知各國伐衛之為非；至若翬之弒隱也，而先書翬帥師；慶父之弒子般及閔公也，而先書慶父帥師；晉趙盾之弒夷皋也，而先書趙盾帥師；鄭歸生之弒夷也，而先書歸生帥師；齊崔杼之弒光也，而先書崔杼帥師，故其言曰：臣弒其君，子弒其父，非一朝一夕之故，其所由來者漸矣。」等字。

70霖案：「聖人」二字，《沈氏學弢》作「仲尼」。

71霖案：「義」字下，《沈氏學弢》所錄之文與〈序〉文相距甚遠，《沈氏學弢》所錄之文如下：「所謂非聖人莫能修者，蓋以是也。三傳不是之察，而求褒貶于片言隻字之間亦鑿矣。」等字。又「義」字下，《沈氏學弢》無「也。先儒獨朱晦翁得之，而未有成書。中也不揣固陋，爰采各傳，附以己意，一以《經》義為主，而鑿者不與焉，非敢與先儒匹也，亦竊比晦翁之意云爾。萬曆庚子。」等字，顯見二篇文章內容雖然雷同，卻仍有改寫之處，然沈氏《春秋本義》未見傳本，而《沈氏學弢》所錄之文，雖有改寫文句，卻能稍窺原書文句，故引以入校。

【存佚】本書有諸家版本及館藏，則書尚存於世，當據以改為「存」。

【版本及藏地】本書版本及藏地如下：

一、文淵閣四庫全書本：(明)楊于庭撰《春秋質疑》十二卷，二冊，《國立故宮博物院善本舊籍總目》，上冊，頁一○四著錄，台北：故宮博物院有藏本。

【增補】永瑢等撰《欽定四庫全書總目》曰：「春秋質疑十二卷　安徽巡撫採進本

明楊于庭撰。于庭字道行，全椒人，萬歷庚辰進士，官至兵部職方司郎中。此書之旨以胡安國《春秋傳》意主納牖，褒諱抑損，不無附會，於《春秋》大義合者十七，不合者十三，又於《左氏》、《公》、《穀》，或採或駁，亦不能悉當，因條舉而論辨之。如胡氏謂『春王正月』乃以夏時冠周月。于庭則引《禮記》『孟獻子曰，正月日至，可以有事于上帝，七月日至，可有事于其祖[72]』，證日至之為冬至，即知周以子月為正月。又胡氏謂經不書公即位為未請命于王。于庭則引文公『元年，春，王正月，公即位。』越四月『天王使毛伯來錫公命』、成公八年『秋，七月，天子使召伯來賜公命』，據此則錫命皆在即位之後數年或數月，可知前此之未嘗請命而皆書即位，胡說未可通。又胡氏以『從祀先公』為『昭公至是始得從祀于太廟』。于庭則謂：『季氏靳昭公不得從祀，其事不見於三傳。至馮山始創言之，胡氏不免於輕信。』凡此之類，議論多為精確，固非妄攻先儒，肆為異說者比也。」（卷二十八，頁三六六）

【增補】邵懿辰撰、邵章續錄：《增訂四庫簡明目錄標注》卷三曰：「《春秋質疑》十二卷，明楊于庭撰。

〔續錄〕明魏時應撰《春秋質疑》，萬曆二十八年刊本。」（頁一一八）

二、舊鈔本：(明)楊于庭撰《春秋質疑》十二卷，4冊；全幅27x15.6公分，原紙高23.3公分，9行，行17字，有微捲，正文卷端題「春秋質疑卷一　明全椒楊于庭著」，鈐有「國立中央圖書館收藏」朱文長方印、「澤存書庫」朱文方印，台北：國家圖書館有藏本。

三、民國二十三年(1934)至二十四年(1935)上海商務印書館四庫全書珍本初集影印文淵閣本：明楊于庭撰《春秋質疑》十二卷，二冊，扉頁印記「商務印書館受教育部中央圖書館籌備處委託景印故宮博物院所藏文淵閣本」，台北：國家圖書館、臺灣師範大學圖書館有藏本。

　　又馬來西亞大學圖書館有藏本。

　　又台北：國家圖書館藏本

于庭〈自序〉曰[73]：「自[74]胡氏列之學官，而《三傳》絀矣[75]；然徵事必於《左》，斷

---

[72]霖案：原注云：「可有事于其祖」，浙、粵本作「可以有事于祖」。

[73]霖案：《國立中央圖書館善本序跋集錄》頁334錄有該篇序跋，係錄自台北：國家圖書館藏「抄本」

義必於《公》、《穀》，而若之何華衰也、鈇鉞也，一切尸祝胡氏而無敢置一吻也？蓋孔子晚而作《春秋》，七十子實聞之，則退而私論之盲史掌故，而高與赤亦西河之徒也，耳而目之，而猶贊一辭不得，而況乎生千百世之下者乎？胡氏議論務異而責人近苛，間有勦《公》、《穀》而失之者，以王子虎為叔服、公孫會自鄁出奔之類是也；亦有自為之說而失之者，卒諸侯別於內而以為不與其為諸侯、滕自降稱而以為朝桓得貶之類是也。庭少而受讀，嘗竊疑之，歸田之暇，益得臚列而虛心權焉，權之而合者什七，不合者什三，則筆而識之，而《質疑》所由編矣。漢人之祀天也以牛，夸[76]人之祀天也以馬，而天固蒼蒼也，祀以牛以馬，不若以精意合也。夫不以精意求聖人，而執胡氏以訬《左》、《公》、《穀》，是祀天而或以牛或以馬也，茲予所由疑也。[77]」

【霖案】竹垞所錄序文與「抄本」序文有過多的異動，難於一一校理，今將于庭〈序〉文俱錄於下，以供參考。又台北：國家圖書館所藏「抄本」，另有邱應和〈序〉一則，竹垞未錄此序，亦一併補入。

【增補】楊于庭〈序〉曰：「自公羊氏、穀梁氏出而左氏絀；自胡氏列之學官，而公、穀亦絀，然其微事不于盲史乎？其參訂不于二氏乎？而若之何華衰也、斧鉞也？一切尸祝胡氏而亡敢置一吻也，蓋孔子晚而作春秋，其微者使弗知也，即知之，弗使告也，而七十子竊聞之，則退而私論之盲史掌故，而高與赤亦西河之徒也，耳而目之，而猶以為如天地之摹繪焉而不得，而況乎生于千百世之下而姑臆之乎？胡氏矻矻摘三傳之頹而擷其華，語多創獲，其于筆削之義邁矣，然其議論務異，而其責人近苛，間有勦公、穀而失之者，以王子虎為叔服、公孫會自鄁出奔之類是也；亦有自為之說而失之者，卒諸侯別于內，而以為不與其為諸侯，滕自降稱，而以為朝桓得貶之類是也。庭少而受讀，嘗竊疑之，歸田之暇，益得臚列而虛心權焉，權之而合者什七，不合者什三，則筆而識之，而質疑所繇編矣。博士家謂三傳出而春秋散，而胡氏執牛耳也。呂不韋懸書于市，而詔之曰，更一字者予千金。此必不得之數也。夫既列胡氏于學官，而噤左、公、穀之口，是懸之市也。既懸之市而余猶置一吻于其間，是吾家子雲老不曉事，而恨不手不韋之金以歸也。蓋漢人之祀天也，以牛；彝人之祀天也，以馬，而天固蒼蒼也。祀以牛以馬，不若以精意合也。夫不以精意求聖人，而執胡氏訬左、公、穀，是祀天而或以牛或以馬也，茲余所繇疑也。萬曆己亥春王正月穀旦，全椒楊于庭道行父譔。」（轉錄《國立中央圖書館善本序跋集錄》經部·頁三三四）

【增補】邱應和〈序〉曰：「宋王荊公疑春秋，經筵不以講，學宮不以列，萬世非之

《春秋質疑》一書。

74霖案：「自」字上，應據「抄本」序文補入「自公羊氏、穀梁氏出而左氏絀」等十二字。

75霖案：「《三傳》絀矣」四字，應據「抄本」序文改作「《公》、《穀》亦絀」四字。

76「夸」，「四庫本」作「夷」。　霖案：「夷」字當作「彝」字，今台北：國家圖書館藏有「抄本」，即題作「彝」字。

77霖案：「也」字下，應據「抄本」序文補入「萬曆己亥春王正月穀旦，全椒楊于庭道行父譔。」等十九字。

，荊公疑其所以治春秋者耳。春秋，孔子之刑書，筆則筆、削則削，雖其門人弟子，文學如游、夏，不使贊一辭，平居之雅言不及焉，必其鈇鉞華袞之微旨，有未易以語人者，而安在其後世諸儒，盡管窺之而蠡測之也。漢元康、甘露之間，召名儒大議殿中，平公、穀異同，宗公羊者詘穀梁，尊穀梁者亦詘公羊，賈長沙獨訓故左氏傳，中壘校尉歆篤好之，白左氏春秋可立，至移書太常，責讓其屈，三者遞興廢，然左氏不得與公穀並重矣。荊公之時，胡氏書未出，彼其睹漢以前儒為公、穀氏之學者，或用以繩下、或傳為峻文，雖以董江都之賢，治公羊與胡母生同業，不免于笝異事應之說，而張禹之善左氏，其流為陳欽子佚以授王莽陰移漢祚，其心竊非之，是以敢罷去之而不顧，疑其治春秋者，而並以廢孔氏之春秋，此荊公之大失也。蓋至胡氏之學興，而三傳弗廢矣，非胡氏之能廢三傳也。左氏詳於事而略於義，後世讀之者，第好其文而已，公與穀則不幸而出於漢世也。吾以為左邱明生魯春秋之時，與夫子同恥，又身掌國史典故，其所著書即於義例未甚明，于事故詳，其譔述當不至大謬。公、穀及夫子之門人沿流得之子夏，蓋亦有傳授者，義例之興于左氏烈矣，至其二家之互相抵牾，則榮廣、眭孟之徒為之也。胡康侯當宋南渡之世，折衷春秋傳以進，其意主於納牖褒諱抑損，不無附會焉，核非不精，而精或以鑿；裁非不嚴，而嚴或以拘；其炳大義者固多，其不盡符者亦有之。孟子曰，春秋，天子之事也。又曰，詩亡然後春秋作，事則齊桓、晉文，文則史，義則竊取之矣。攝事於文，左氏是已，公、穀義之所縣興也，但孟氏稱天子之事，諸儒稱孔子匹夫之事；孟氏不言假南面之權，諸儒言孔子假之夏時冠月之類，不啻多矣，故其書之所可疑者眾也。孔門惟子夏可與言詩，詩序、子夏之所作也，宋儒黜以為非子夏之所作也。三百篇之詩無淫者，詩序廢而詩有淫矣，何者？序亦不幸而出於漢世也，則又何論公、穀乎？魯魚亥豕，其訛相似，其誤不遠，郢書燕燭，解之愈精，失之愈甚矣。楊先生於六籍靡所不窺，讀春秋，間不滿胡氏說，輒置疑焉，彙而成帙，以質四方。楊先生者，春秋之孝子、公、穀之慈孫、而胡康侯氏之忠臣也，余故弁而論之，以為麟經鼓吹云。萬曆庚子五月穀旦，溫陵邱應和中甫父譔。」（轉錄《國立中央圖書館善本序跋集錄》經部・頁三三四至頁三三五）

　　陸元輔曰：「于庭，字道行，全椒人，萬歷庚辰進士。」

李氏廷機《左傳綱目定注》（明）

　　【增補】《中國古籍善本書目》（經部）頁二七九錄有李廷機《新鋟李閣老評註左胡纂要》四卷，竹垞未錄此書，今據以補入。

三十卷。

　　【著錄】李一遴〈左氏春秋著錄書目研究〉頁一一九至頁一二〇。

存。

　　【版本及藏地】本書版本及藏地如下：

　　一、明萬曆元年閩書林余泰垣刻本：明李廷機撰《春秋左傳綱目定註》三十卷，十行廿二字小字雙行同左右雙邊，中國社會科學院文學研究所、安徽省博物館等地圖書館

均有藏本，《中國古籍善本書目》（經部）頁二四九著錄。

二、明崇禎五年（１６３２）閩書林楊素卿刻本：《春秋左傳綱目定註》三十卷，十冊。半頁十行二十二字，四周雙邊，白口，單魚眉，上刻註。框高 **21・7**厘米，寬 **12・7**厘米。題『晉杜預元凱、宋林堯叟唐翁註釋，明李廷機爾張定註，書林素卿楊日彩梓行』。無序跋。安徽省圖書館、江蘇常州市圖書館、河南開封市圖書館，及日本靜嘉堂文庫、尊經閣文庫、內閣文庫、哈佛大學燕京圖書館亦有入藏

【增補】沈津著《美國哈佛大學燕京圖書館中文善本書志》：「0085　　明崇禎閩書林楊素卿刻本春秋左傳綱目定註　　　　　T717/4414

《春秋左傳綱目定註》三十卷，明李廷機撰；明崇禎五年（1632）閩書林楊素卿刻本。十冊。半頁十行二十二字，四周雙邊，白口，單魚眉，上刻註。框高 21・7 厘米，寬 12・7 厘米。題『晉杜預元凱、宋林堯叟唐翁註釋，明李廷機爾張定註，書林素卿楊日彩梓行』。無序跋。

廷機，字爾張，號九我。晉江人。萬曆十一年進士。累官禮部尚書，入參機務，遇事有執。性廉潔，然刻深偏愎，不諳大體，言路以其與申時行、沈一貫輩密相授受，交章逐之，遂乞休。卒諡文節。

廷機於《左傳》之書，又有《新刻李太史釋註左傳三註旁訓評林》七卷、《新鍥翰林李九我先生左傳評林選要》三卷。

《四庫全書總目》未收。《中國古籍善本書目》著錄。安徽省圖書館、江蘇常州市圖書館、河南開封市圖書館，及日本靜嘉堂文庫、尊經閣文庫、內閣文庫亦有入藏。按萬曆元年閩書林余泰垣先刻是書，此崇禎本或為據其重刻之本。

卷三十末有荷蓋蓮花牌記，刊『崇禎壬申年仲夏月閩書林楊素卿重梓』。」（頁四一）

俞汝言曰：「是書崇禎閒刻於建陽書坊。」

鄒氏德溥《春秋匡解》（明）

【霖案】《中國古籍善本書目》（經部）頁二七九錄有鄒德溥《新鐫鄒翰林麟經真傳》十二卷，竹垞未錄此書，當據以補入。

八卷。

【著錄】黃虞稷《千頃堂書目》卷二，頁四四著錄。

【增補】永瑢等撰《欽定四庫全書總目・存目》曰：「春秋匡解六卷78　浙江巡撫採進本

明鄒德溥撰。德溥有《易會》，已著錄。是書專擬《春秋》合題，每題擬一破題，下

78霖案：原注云：按：今上海館藏明抄本。

引胡《傳》作注，又講究作文之法，蓋鄉塾揣摩科舉之本。德溥陋必不至是，疑或坊刻偽托耶。」（卷三十，頁三八九）

【增補】〔補正〕今傳鄒德溥《春秋匡解》六卷。（卷八，頁二十）

【增補】〔校記〕《四庫存目》作六卷。（《春秋》，頁五三）

存。

【版本及藏地】本書版本及藏地如下：

一、明抄本：明鄒德溥撰《春秋匡解》不分卷，上海圖書館有藏本，《中國古籍善本書目》（經部）頁二四九著錄。

錢謙益〈序〉[79]曰：「予[80]兒時受《春秋》於先夫子，夫子[81]授以《匡解》一編，曰：此安成鄒汝光先生所刊定也。因為言鄒氏家學淵源與先生[82]之文章行履，冠冕詞垣，期他[83]日得出其門牆[84]。余鄉會二試，以先生之書得雋，雖未及親炙[85]，而余之師固有出先生之門者，比於聞風私淑，猶為有幸焉[86]。何子非鳴為令南昌，與先生之孫孝廉端侯游，相與是正其書，重付之梓[87]。」

【增補】竹垞所輯為節文，《初學集》於「梓」後，蓋刪錄如下文句，今據以補入：

人，而屬余為其序。余觀三代以後，享國長久，蓋莫如漢。當其盛時，政令畫一，經術修明。以《春秋》一經言之，自張蒼、胡母生、瑕丘江公以下，三家之弟子，遞相傳授，各仞其師說，至數百年不相改易。而董仲舒作《春秋決獄》二百三十二事，名儒蕭望之等大議殿中，各以經誼對。諸所以定大議，斷大疑，皆以《春秋》從

79「錢謙益〈序〉」，「四庫本」作「匡解原〈序〉」。　霖案：《經義考新校》頁3729校文，有較大變動，其校文如下：「『錢謙益〈序〉』，《四庫薈要》本作『錢啟新〈序〉』，文淵閣《四庫》本作『《匡解》原〈序〉』，文津閣《四庫》本作『黃虞稷〈序〉』。」。今考叢刊本《牧齋初學集‧春秋匡解序》29-311～312，又《五經翼》16-54(151-849)，又《初學集》(文海版)29-876～878錄之，顯然原應作「錢謙益〈序〉」為宜，但因為避清廷忌諱，因而改動題稱。

80霖案：《初學集》、《五經翼》於「予」字之後，有「為」字，當據以補入。又「予」字，《五經翼》引作「余」字。

81霖案：「夫子」二字之前，《五經翼》引作「先夫子」。

82霖案：「先生」二字，《五經翼》誤引作「先王」。

83霖案：「他」，《初學集》、《五經翼》題作「它」字。

84霖案：「牆」字，《五經翼》作「墻」字。

85霖案：「親炙」二字下，《五經翼》另有「先生」二字。

86霖案：「焉」字下，《五經翼》另有「耳矣」二字。

87霖案：「梓」，《初學集》作「梓人」。

事，何其盛哉！有宋之立國，不減於漢。自王氏之新學與新法並行，首紬《春秋》，以伸其三不足畏之說，遂馴致戎狄亂華之禍，沒世而不復振。其享國之治亂，視漢世何如也？嗚呼！先王之世，有典有則，詒厥子孫，崇教立術，順《詩》、《書》、《禮》、《樂》以造士，變《禮》易《樂》，革制度衣服者有罰，析言破律，亂名改作，執左道以亂政者必誅，而不以聽。士之選於司徒而升於學者，於辯言亂政之戒，恒凜凜焉。是故經學與國政，咸出於一，而天下大治。及其衰也，人異學，國異政。公卿大夫，競出其聰明才智以變亂舊章。晉之刑鼎，魯之丘甲田賦，鄭之竹刑，紛更多制，並受其敝。又其甚也，獲麛之鄙人，假田弋之說以干政事；而振鐸之後，不祀忽諸。繇此言之，經學之不明，國論之不一，其關于存亡治亂之故，猶病之著於肌表，診視者可舉目而得之，不待醫和及緩而後知其不可為也。是可視為細故哉？國家用故氏《春秋》設科，垂三百年。而鄒氏之書傳諸其祖父，至今百餘年，舉子傳習之不變。雖漢世儒者仍其師說，未有以過也。班固不云乎？士食舊德之名氏，工用高曾之規矩。國家重熙累洽，考文稽古之盛，觀於胡氏鄒氏之學，可謂信而有徵矣。天子方崇信是經，特命經筵進講。余衰病放廢，獨抱遺經，以老於荒江寂寞之濱。於非鳴之刻是書也，喜而為之敘。或以為主文譎諫，自致其矆瞀之言，庶幾謀野則獲之義，則非野人之所敢知也。崇禎六年六月序。

徐氏即登《春秋說》

十一卷。

【著錄】黃虞稷《千頃堂書目》卷二，頁四四著錄。

未見。

【霖案】本書未見其他傳本，當已久佚。

楊氏伯珂《左傳摘議》

【書名】黃虞稷《千頃堂書目》卷二，頁四四著錄，書名題作《左傳摘疑》。

十卷。

【著錄】黃虞稷《千頃堂書目》卷二，頁四四著錄。

【卷數】黃虞稷《千頃堂書目》卷二，頁四四著錄，未題卷數。

未見。

【霖案】本書未見其他傳本，當已久佚。

伯珂〈自序〉曰：「予自丁未為時廢業，是非莫白，不能不悒悒於心；戊申之春，取《左傳》讀之，見後人之評者多不察其心，漫為之說，竊歎古人之負冤亦有久而不白者，乃取一事，綴以數語，或為人所未發，或為已發而未當者，皆原其情之本來而究其勢所必至，善惡功罪，昭然分別，使漏網者誅，負冤者雪，不欲人受溢美、溢惡之名。凡古今之成說不敢偏

狗[88]，即胡氏一代成書有未確者，亦多為辨之，久而成百餘首，命曰《左傳摘議》，藏之笥中，曰『摘議』者，謂其或有一得而非舉其全也。」

黃虞稷曰[89]：「伯珂，字直甫，淮安大河衛人，萬歷丙戌進士、汾州同知。」

【霖案】黃虞稷《千頃堂書目》無「伯珂」二字，又「字直甫」作「字孟甫」

高氏攀龍《春秋孔義》（明）

【作者】本書有明崇禎十三年刻本，題作者為「明高攀龍撰，秦綱編。」。

十二卷。

【著錄】黃虞稷《千頃堂書目》卷二，頁四四、張壽平《公藏先秦經子注疏書目》頁一四三著錄。

存。

【版本及藏地】本書版本及藏地如下：

一、文淵閣四庫全書本：(明)高攀龍撰《春秋孔義》十二卷，六冊，國立故宮博物院善本舊籍總目，上冊，頁一〇五著錄，台北：故宮博物院有藏本。

【增補】永瑢等撰《欽定四庫全書總目》曰：「春秋孔義十二卷　浙江汪啟淑家藏本　明高攀龍撰。攀龍有《周易易簡錄》，已著錄。是書斟酌於左氏、公羊、穀梁、胡安國四家之傳，無所考證，亦無所穿鑿，意在[90]以經解經，凡經無傳有者，不敢信，傳無經有者，不敢疑，故名曰『孔義』，明為孔子之義，而非諸儒之臆說。雖持論稍拘，較之破碎繳繞、橫生異議，猶說經之謹嚴者矣。朱彝尊《經義考》：『此書之外別有李攀龍《春秋孔義》十二卷』。注曰：『未見』。今案書名、卷數并同，李攀龍之名又相同，不應如是之巧合。考李攀龍惟以詩名，不以經術見，其墓誌、本傳亦不云嘗有是書。豈諸家書目或有以攀龍之名同，因而誤高為李[91]者，彝尊未及考核，誤分為二歟？（卷二十八，頁三六六）

【增補】邵懿辰撰、邵章續錄：《增訂四庫簡明目錄標注》卷三曰：「《春秋孔義》十二卷，明高攀龍撰，《經義考》誤題李攀龍撰。

崇禎庚辰刊本。」（頁一一八）

【增補】胡玉縉撰、王欣夫輯《四庫全書總目提要補正》卷七曰：「案《明史‧藝文

88「狗」，備要本作「徇」。

89霖案：出自黃虞稷《千頃堂書目》卷二，頁44。

90霖案：原注云：「在」，浙、粵本作「主于」。

91霖案：原注云：按：《明史‧藝文志》有李攀龍《孔義》，無高攀龍《孔義》，今高攀龍書載兄子世泰序曰：「我伯父忠憲公有《春秋孔義》之書，」其為史誤明甚。

志》有李攀龍《孔義》，無高攀龍《孔義》，今高書載兄子世泰序曰：『我伯父忠憲公有《春秋孔義》之書』，其為史誤明矣。（陳漢章謹案：此文上言兄子，下言伯父，必有一誤。）」（頁一七八）

二、崇禎庚辰（十三年）刊本：黃虞稷《千頃堂書目》卷二，頁四四著錄。案：本書為十二卷，今寧波天一閣有藏本，僅存卷十二至十七。

　　　　又《中國古籍善本書目》（經部）頁二七九著錄，題作「明崇禎十三年秦堈刻本」，北京、中國科學院、福建省等圖書館有藏本。

三、明崇禎十三年（1640年）刻，清劍光閣重修本：明高攀龍撰，秦堈輯《春秋孔義》十二卷，九行，十九字，白口，四周單邊，書名頁鐫「劍光閣藏版」。有「盱貽王氏十四間樓藏書印」陽文篆書方朱印，大陸：中國國家圖書館、中國科學院圖書館、上海圖書館、山東省圖書館、南京圖書館、福建省圖書館、湖北省圖書館、中山大學圖書館均有藏本。

兄子世泰〈序〉曰：「韓起聘魯，觀書太史，見《易象》與魯《春秋》，有周禮在魯之歎，孔子起而暢厥大旨，則望義知歸，非孔子，安從哉？後世學者奉古之心終不勝好異之心，於是意見橫生，義理雜出，大圭呂氏以為《六經》之不明，諸儒穿鑿害之，而《春秋》為尤甚，此我伯父忠憲公有《周易孔義》之書不已，而有《春秋孔義》之書也。伯父生平性廉節介，疾惡如仇，然宅衷寬易，不為深噭可喜之論，故權衡《四傳》悉稟尼山，凡《經》無《傳》有者，不敢信也；《經》有《傳》無者，不敢疑也。其文簡，其意覈，有嚴正之義焉，有忠恕之仁焉，有闕疑之慎焉，顏以孔義者，欲誦法孔子者不失為聖人之徒也。儼海秦先生既捐貲板《周易孔義》，復續板《春秋孔義》，伯父有志，得先生而言益章，兩義明而《六經》之義無不明矣。」

　　【增補】黃虞稷《千頃堂書目》卷二曰：「崇禎庚辰刊」（頁四四）。

吳氏炯《春秋質疑》

　一卷。

　存。

　　【存佚】本書已未見傳本，當已久佚，今據以改作「佚」籍。

炯〈自序〉曰：「《春秋》，魯史之文也，因魯史以明王道，不以天子之權與。魯隱公不書即位，書天王歸賵，是以天王正魯之始也。始魯隱何也？平王之終也，王東遷而終不復，《春秋》所以作也。《春秋》繼王統也，故尊王於天，王不王有不稱天者矣。命曰天命，討曰天討，內命大夫書爵，外命大夫書字；不命於天子，不書大夫，不正其為大夫也。殺大夫必書爵，不正其專殺也。天子討而不伐，繻葛之戰，書三國從王伐鄭，不以天子主兵也。天子無出，出曰出居，居其所也，大一統之義也。王之降也，禮樂征伐自諸侯出，自諸侯出，尊王為重，召陵之師，責以包茅不入，王祭不供，存王室也；河陽之狩，不以臣召君；首止殊會，尊王子也；衛人立晉，晉非衛人所得立，許叔入許，許非叔所得入，正諸侯也，正王統之名分也。霸之衰也，禮樂征伐自大夫出：垂隴，大夫主盟之始，列士穀於宋公、陳侯、

鄭伯之下，不與諸侯等也；伐沈，大夫主兵之始，列國稱人，退諸大夫也；扈之盟，書晉大夫於諸侯之下；棐林之役，書會晉師，不書大夫，不以大夫主諸侯之兵也，維王統之脈也。大夫失政，陪臣執國命矣。陽貨柄魯入讙，陽關以叛，書盜竊寶玉大弓；南蒯以費叛、侯犯以郈叛，書圍費、圍郈而不書其叛，不與陪臣專政也，王統所以不倒置也。尊王統者，外四裔[92]，其號君與臣同詞，賤之也，進而稱人，又進而稱子，雖大不過曰子，微之也。盂之會，執宋公矣，書宋公於楚子之上，不與楚執也，薄之盟，釋宋公，書公會諸侯，不與楚釋也；宋之盟，楚駕晉矣，先書晉，存內外之防也；鍾離、黃池之會，殊會吳，不與中國同吳也，王統所以不裂也。《春秋》之事莫大於五霸：陘之次、葵邱之會、首止之盟，桓之功也；滅譚、滅遂、降鄀、遷陽，不與桓專滅；城楚邱、城緣陵，不與桓專封。桓之汰也，踐土之會、河陽之狩、朝於王所、歸衛侯於京師，文之功也；城濮之戰，伐衛致楚，執曹畀宋，文之譎也。宋襄無功於中國，而有執滕子、用鄫子之罪；秦穆有功於納晉文，而滑之入，彭衙之戰，罪不可掩；楚莊有伐陳之功，而滅蕭、滅舒蓼，以至問鼎，罪不容誅，秦穆、楚莊功不敵罪者也，是以王統正五霸之功罪也。《春秋》之義，綱常為重：納衛世子蒯聵于戚，正父子也；忽出突入，忽繫鄭而突不繫鄭，正兄弟也；會于濼，與夫人姜氏遂如齊，正夫婦也；鄭申侯、陳轅宣仲相譖以敗書，齊執濤塗，鄭殺申侯，正朋友也；書子同生，重世子也；葬宋伯姬，明婦道也，是以王統正天下之父子、兄弟、夫婦、朋友也。《春秋》之始稱元、稱天王者，奉天體元之義；終以獲麟，王道之衰，天運之窮也。春秋始終以天，以天正王，以王正列辟百官萬民，故曰：『《春秋》，天子之事也。』」

郝氏敬《春秋非左》（明）

　　【增補】《左傳論著目錄》頁十九根據《續修四庫全書總目提要》的內容，著錄郝敬《左氏新語》一書，竹垞未錄此書，當據以補入。

　　二卷。

　　【著錄】黃虞稷《千頃堂書目》卷二，頁四四著錄。

　　存。

　　【版本及藏地】本書版本及藏地如下：

　　一、日本弘化三年（１８４６）皇都書林菱屋孫兵衛刻本：《中國館藏和刻本漢籍書目》頁四八著錄，遼寧圖書館有藏本。

　　二、日本昭和三年（清乾隆三十一年）刊本：台中東海大學圖書館有藏本。

　　三、湖北叢書本：明郝敬撰《春秋非左》二卷，馬來西亞大學圖書館有藏本。

　　四、民國五十八年(1969)藝文印書館百部叢書集成初編影印本：(明)郝敬撰《春秋非左》二卷，台北：國家圖書館有藏本。

　　五、明萬曆刊《山草堂集》本：(明)郝敬撰《春秋非左》二卷，《左傳論著目錄》頁

92霖案：《經義考新校》頁3732新增校文如下：「『裔』，文津閣《四庫》本作『服』。」。

十三著錄。

六、清光緒辛卯(十七年,1891)三餘草堂刊本:(明)郝敬撰《春秋非左》二卷,台北:國家圖書館有藏本,又日本尊經閣有藏本。

【增補】《續修四庫全書總目提要》:「春秋非左二卷　光緒十七年辛卯湖北叢書用海東刻本重刊　　　張壽林

　　　明郝敬撰。是書本附載其山草集中。乙酉冬。京人有嘉其說者。抽出而刻之。又考郝氏所著春秋原解。卷末亦附有是編。則其書本為郝氏集中之一篇。而後人為之抽出。別為一書者也。全書都凡上下二卷。釐為三百三十有五條。其書不載經文。但有所論說者。則分別條錄之。繫之十二公之下。亦不別加標題。大旨以左氏非丘明。其說皆風影猜度。去道離經。非親炙先聖同心之言。自司馬遷首相推信。鄭康成杜元凱從而和之。於是末學承　。去經益遠。因摘其紕繆。而各為之說。以證其非。故題曰非左。其說蓋即孫復等廢傳之論。而疑古之勇。視孫氏尤加甚焉。其言春秋無例。但據舊史所記。而標其要領。公道難揜。是非自見。後人憑私臆斷。妄起凡例。遂多牴牾。其持論固皆中理。足破諸家紛紜轇轕之陋。而矯枉過直。或並左傳之事寔亦疑之。則不免流於偏駁矣。又核非難左氏之失。如駁費伯城郎非公命不書之誤。公為天王請糴於四國。不書者。諱之也之失。其說皆往往中理。不失為左氏之諍臣。然其間曲筆深文。師心太過之處。亦復不少。統核全書。寔瑕瑜互見之作也。」（頁七四四）

　　敬〈自序〉曰[93]:「《春秋》本事自當依《左》,舍《左》如夜行,茫不知所之矣。《公》、《穀》尚例,無《左》則例無稽;《左》言事而例始有據[94],《左》言例而人始競為例矣,故《左》者,諸《傳》之嚆矢也[95]。世人[96]謂之羽翼聖《經》,其實[97]蹖駮舛謬,不可勝數,豈親承聖訓,見而知之者歟?自司馬遷首相推信,馬季長、鄭康成、杜元凱雜然[98]和之,末學承訛,乃至以《周易．文言》語出自魯穆姜;《毛詩》古《序》謂附會《左傳》;臧宣叔媚晉卿權辭以為王制;夏父弗忌逆祀諸侯,祖天子,謂都家皆有王廟;楚子納孔寧、儀行父,謂為有禮;晉受諸侯朝貢,蔑視天子,極其崇獎,使三王罪人貌千古榮名,此類背理傷道,何可言?俗人耳食,難與口舌爭,今摘其紕謬三百三十餘條,附以管見,題曰《非左》。或曰:非《左》不非《公》、《穀》,何也?曰:《公》、《穀》則誠《公》、《穀》矣,《左》

---

[93]霖案:郝敬著《春秋直解》(《四庫全書存目叢書》經部冊一二一),卷十四,頁144a。

[94]霖案:「據」字,《春秋直解》題作「据」字,書寫字體不同所致。

[95]霖案:「也」字下,應依《春秋直解》補入「其材富而情艷,弔詭而好奇。」等字。

[96]霖案:「世人」二字下,應依《春秋直解》補入「喜之」二字。

[97]霖案:「實」字,《春秋直解》題作「寔」字,蓋書寫習慣所致。又「實」字下,竹垞刪去如下文句:「風影猜度,去道離經遠,惟其假託丘明,人莫敢指。遇紕漏,寧掩飾呵護,而不知其為偽筆耳。《左傳》誠出丘明手,親炙先聖同心之言,隻字可易,即非丘明。況」等字句,今據以補入。

[98]霖案:「雜然」二字,《春秋直解》實作「唯然」,今據以補正,改作「唯然」二字。

實非邱99明也，知左之非邱明者，然後可與言《春秋》100。」

《春秋直解》（明）

十三卷。

【著錄】黃虞稷《千頃堂書目》卷二，頁四四著錄。

【卷數】本書卷數異稱如下：

一、十五卷本：杜信孚等編纂《同名異書匯錄》頁一四〇著錄。

二、十二卷本：黃虞稷《千頃堂書目》卷二，頁四四著錄。

【增補】永瑢等撰《欽定四庫全書總目・存目》曰：「春秋直解十五卷101　浙江汪啟淑家藏本

明郝敬撰。敬有《周易正解》，已著錄。是編前有『讀春秋』五十餘條。其言曰：『今讀《春秋》，勿主諸傳先入一字。但平心觀理，聖人之情自見102。蓋即孫復等廢傳之學而又加甚焉。末二卷題曰『非左』，凡三百三十餘條，皆摘傳之紕繆。其中如『費伯城郎』，駁左氏『非公命不書』之誤，其說甚辨。『公為天王，請糴於四國，不書者諱之也』，其說亦有理。凡此之類，不可謂非左氏諍臣。至於曲筆深文，務求瑕釁。如論『賓媚人稱五霸』一條，不信杜預『豕韋昆吾』之說，必以宋襄、楚莊足其數，而謂五霸之名，非其時所應有。如此之類，則不免好為議論矣。』（卷三十，頁三九〇）

【著錄】邵懿辰撰、邵章續錄：《增訂四庫簡明目錄標注》卷三曰：「《春秋直解》十五卷，明郝敬撰，萬曆間刊本。」（頁一一九）。

【增補】〔補正〕《明史志》作十二卷。（卷八，頁二十）

【增補】〔校記〕《四庫存目》作十五卷。（《春秋》，頁五三）

存。

【版本及藏地】本書版本及藏地如下：

一、抄本：十五卷，杜信孚等編纂《同名異書匯錄》頁一四〇著錄。此書收入《郝氏九經解》，今上海師大館藏抄本。

二、明萬曆郝氏九經解本：《春秋直解》十五卷，半頁十行二十一字，四周單邊，白

99霖案：「邱」字，《春秋直解》題作「丘」字。

100霖案：「《春秋》」字下，應依《春秋直解》補入「皇明萬曆庚戌六月朔日京山郝敬叙」等字，事涉撰〈序〉時日，不當刪去，今據以補入。

101霖案：原注云：按：此書收入《郝氏九經解》，今上海師大館藏抄本。

102霖案：原注云：「自見」，浙、粵本作「恍然自見」。

口，單魚尾。框高 21·6 厘米，寬 13·9 厘米。題『郝敬解』。哈佛大學燕京圖書館有藏本。

【增補】沈津著《美國哈佛大學燕京圖書館中文善本書志》曰：「0097 明萬曆曆郝氏刻九經解本春秋直解　　　　　　　　　　　　　T693/4248

《春秋直解》十五卷，明郝敬撰。明萬曆郝千秋、郝千石刻《九經解》本。六冊。半頁十行二十一字，四周單邊，白口，單魚尾。框高 21·6 厘米，寬 13·9 厘米。題『郝敬解』。

是書為郝氏《九經解》之一。本館又有《周易正解》二十卷、《周禮完解》十二卷、《禮記通解》二十二卷、《論語詳解》二十卷。

《四庫全書總目》入經部春秋類存目。

鈐印有『四明盧氏抱經樓藏書印。』（頁四六）

敬〈自序〉曰[103]：「《六經》之文，惟《春秋》最為明顯，所書皆五霸、諸侯、大夫盟會、戰伐之事，開卷知其為亂蹟，而世儒以為隱諱之文，何歟[104]？子曰：『巧言，令色，足恭，匿怨而友其人，左邱[105]明恥之，丘亦恥之。吾之於人，誰毀誰譽？斯民也，三代所以直道而行。』此《春秋》底本，自後儒以褒貶論而底本壞。子曰：『天下有道，禮樂征伐自天子出；天下無道，禮樂征伐自諸侯出。天下有道，政不在大夫；天下有道，庶人不議。』此《春秋》格局，自後儒以事例合而格局壞。子曰：『予欲無言，天何言哉？四時行焉，百物生焉。二三子以我為隱，吾無隱乎爾，吾無行而不與二三子者，是丘也。』此《春秋》宗旨，自後儒視為深文隱語，覺仲尼胸中直是一片荊棘田地而宗旨壞。經此三壞，《春秋》於是不可讀矣。夫《春秋》無深刻隱語，無種種凡例，不以文字為褒貶，不以官爵名氏為貴賤；未嘗可五霸，未嘗貴盟會，未嘗與齊、晉，未嘗黜秦、楚、吳、越[106]，此其犖犖不然之大者。今欲讀《春秋》，勿主諸傳先入一字於胸中[107]，但平心觀理，聖人之情自見。明白易簡者，聖人之情；其艱深隱僻，皆世儒之臆說也。」

王氏震《左傳參同》（明）

【書名】本書異名如下：

一、《春秋左翼》：黃虞稷《千頃堂書目》卷二，頁四六、《販書偶記續編》卷二，頁十五著錄。

103霖案：郝敬：《春秋直解》（《四庫全書存目叢書》），經一二一冊，頁2。原書未題此文為〈序〉，竹垞以〈自序〉稱之，或為一時筆誤所致。

104霖案：「歟」字，《春秋直解》作「與」字。

105霖案：「邱」字，《春秋直解》作「丘」字。

106霖案：「越」字下，應依《春秋直解》補入「為夷狄」三字，此蓋避文字獄之禍，因而刪去不論。

107霖案：「於胸中」三字，應依《春秋直解》刪正。

四十三卷。

【增補】永瑢等撰《欽定四庫全書總目·存目》曰：「春秋左翼四十三卷108　浙江汪啟淑家藏本

明王震撰。震字子省，烏程人。其書繫傳於經文之下。凡先經起義、後經終事者，悉撮為一。《左傳》中稱號不一者，皆改從經文。稱名有經無傳者，採他書補之。前後編次，亦間有改易。案朱彝尊《經義考》有《王氏春秋左翼》，不著撰人名字109，亦不載卷數，而所錄焦竑之序，與此本卷首序合，當即此書也。」（卷三十，頁三九一）

【增補】〔補正〕《明史·藝文志》作《春秋左翼》。（卷八，頁二十）

存。

【版本及藏地】本書版本及藏地如下：

一、明萬曆癸卯（三十一年）烏程王氏原刊本：(明)王震撰《春秋左翼》四十三卷，《卷首》一卷，10冊；22.7×13.6公分，上欄高3.5公分，9行，行19字，版心白口，單白魚尾，魚尾上方記卷第，魚尾下方記魯公年號，再下方記葉次，藏印有「國立中央圖書館考藏」朱文方印、「桃蓉春經眼印」白文方印、「李詒琭印」白文方印、「魯欽」朱文方印、「吳興劉氏嘉業堂藏書印」朱文方印、「劉承幹字貞一號翰怡」白文方印、「博古齋收藏善本書籍」朱文方印等，有微捲，正文卷端題「春秋左傳卷之一　烏程後學王震編輯」，台北：國家圖書館藏有《春秋左翼》一書，該書之下有沈淮〈序〉、王震〈引〉、王豫〈跋〉等三篇序跋資料，可據以補錄。

【增補】《國家圖書館善本書志初稿》：「【春秋左翼四十三卷十冊】

明萬曆癸卯(三十一年，1603)烏程王氏原刊本　　00631

明王震撰。

版匡高22.7公分(上欄高3.5公分)，寬13.6公分。左右雙邊，分上下欄，每半葉九行，行十九字，註文小字雙行，字數同。版心花口，單白魚尾，魚尾上方記卷第，魚尾下方記魯公年號（如『魯隱公元年』），再下方記葉次(部分附刻字數)。卷四十三葉十二版心魯公年號誤刻為哀公三十八年。

首卷首行頂格題『春秋左傳卷之一』，下低三格題『烏程後學王震編輯』。卷末隔二行有尾題。第二冊封面題『春秋左翼』。卷首有沈淮『刻春秋左翼序』，王震萬曆癸卯(三十一年，1603)『春秋左翼引』及王豫『王氏刻春秋左翼跋』，後並附王震『與沈仲潤太史書』。序後有目錄、凡例，並附列國世系考、國號考異、年表、世次圖、名號歸一圖、名號考異、字例、書目、姓氏。上欄位附刻釋文。

108霖案：原注云：按：今台北中央館藏明萬歷三十一年烏程王氏原刊本。

109霖案：原注云：「字」，浙、粵本作「氏」。

書中鈐有『國立中/央圖書/館考藏』朱文方印、『姚蓉/春經/眼印』白文方印、『李詒/璵印』白文方印、『魯/欽』朱文方印、『吳興劉氏/嘉業堂/藏書印』朱文方印、『劉承幹/字貞一/號翰怡』白文方印、『博古齋/收藏善/本書籍』朱文方印。」(頁169)。

又大陸：清華大學、上海、山東省、無錫市、杭州大學、湖北省襄陽地區等圖書館均有藏本，《中國古籍善本書目》（經部）頁二四九著錄。

【增補】《杭州大學圖書館善本書目》曰：「《春秋左翼》四十三卷　《卷首》一卷　明王震撰　明萬曆三十一年（一六○三）刻本　有『子完氏讀』印及嘉業堂藏印　十冊。」（頁七）

【增補】《嘉業堂藏書志》卷一曰：「《春秋左翼》四十二卷　明萬曆刻本　明王震撰。震字子省，烏程人。其書繫傳於經文，凡先經起義，後經終事者，悉撮為一。《左傳》中稱號不一者，皆改從經文稱名。有經無傳者，採他書補之。於幼學亦便，但搜採尚少耳。萬曆癸卯自序。《與沈仲潤太史書》前有沈淮序。（繆稿）」（頁一五六）。

二、明刻本：行款與明萬曆癸卯本同，尺寸稍長，多一焦竑〈序〉，與《四庫提要》所見本合，復旦大學圖書館有藏本。

【增補】《嘉業堂藏書志》卷一曰：「又一刻。行款與前書同（筆者案：指同於明萬曆癸卯烏程王氏原刊本），尺寸稍長，多焦竑一〈序〉，與《提要》所見本合。（繆稿）」（頁一五六）。

《烏程縣志》：「王震，字子長，萬歷辛卯舉人。」

按：烏程王氏《左傳參同》四十三卷，別有〈凡例〉、〈列國世系考〉、〈國號考異〉、〈年表世次圖〉、〈名號歸一圖〉、〈名號考異〉、〈字例〉、〈書目〉、〈姓氏〉附見於前後。其〈報沈太史仲潤書〉云：「人謂僕變亂《左氏》，非敢然也。僕所為編輯者，不過因其散亂而次第之，或緣其記識闕略而補苴之，如齊桓公遷邢于夷儀、封衛于楚邱，此是僖公元年二年事也，《傳》乃載於閔公末年，當乎？否邪！又如晉獻公殺世子申生，本僖公五年事也，《傳》乃散見於莊公、閔公、僖公二三十年之間，考核者便乎？否邪！至如管仲匡合之功，孔子亟稱之，然《左氏》不詳見也；管子於召陵之役則曰：『楚人攻宋、鄭，燒炳熯[110]，使城壞者不得復築也，屋之燒者不得復葺也，要宋田[111]，塞兩川；使水不得東流東山之西，水深滅桅[112]四百里而後可田也。』於是興兵南存宋、鄭，茲亦不見桓公、管仲之

---

[110]「熯」下，應依《補正》補「焚」字。　　霖案：《經義考新校》頁3735校文，「應依」改作「依」字；「《補正》」二字下，另有「《四庫薈要》本、文淵閣《四庫》本、文津閣《四庫》本應」等字。

[111]「田」下，應依《補正》補「夾」字。　　霖案：《經義考新校》刪除此條校文。

[112]「桅」，應依《補正》作「堄」。　　霖案：《經義考新校》頁3736校文，「應依」改作「依」字；「

仁矣乎？令尹子文之忠，孔子嘉之，《左氏》未之及也，《國語》則曰：『子文緇衣以朝，鹿裘以處，未明而入朝，日晦而歸食，家無一日之積。』茲亦不見子文之殉公矣乎？三都之墮，聖人施為大略具見於此《經》文，大書屢書必自有說，《左氏》僅曰：『仲由為季氏宰，將墮三都。』抑何略也？《家語》則云：『孔子言於公曰：古者家不藏甲，大夫無百雉之城，今三家過制，請損之。』此出自聖人墮郈、墮費本意，傳胡可不載？至西狩獲麟，聖《經》於此絕筆，原有深意，《左氏》乃曰：『叔孫氏之車子鉏商獲麟，以為不祥，賜虞人，仲尼觀之，曰：麟也。然後取之。』其於《經》義，惡覩萬一？《家語》紀孔子之言則曰：『麟之至，為明王也；出非其時而被害，是以悲之。』此出自聖人絕筆至情，又何嫌攙入己？諸所增益，大都不出此類，獨《左逸》、《說林》等書謬為纂附，疑於真偽錯雜；然鄙意傳疏主於明《經》，苟於《經》義有裨，雖附見無傷也，矧細書傳後原與本傳毫無混淆，又何真偽錯雜之足疑乎？此書出，讀者可省檢閱覆覈之勞，其於初學不無小補，聖人蓋云：『屬辭比事，《春秋》教也。』僕之編輯，儻亦屬比之萬一乎？」其著書大略，具見此書，故錄之。

【增補】〔補正〕竹垞案：「燒頭燶」下脫「焚」字，「要宋田」下脫「夾」字，「梛」當作「塊」。（卷八，頁二十）

魏氏時應《春秋質疑》（明）

十二卷。

【著錄】黃虞稷《千頃堂書目》卷二，頁四四著錄。

存。

【版本及藏地】本書版本及藏地如下：

一、明萬曆二十八年刊本：明魏時應撰《春秋質疑》十二卷，《中國古籍善本書目》（經部）頁二七九、杜信孚等編纂《同名異書匯錄》頁一四○著錄。中國科學院圖書館有藏本，(卷十有抄配卷十二缺首頁)，八行二十二字小字雙行同白口四周單邊有刻工。

【增補】邵懿辰撰、邵章續錄：《增訂四庫簡明目錄標注》卷三曰：「《春秋質疑》十二卷，明楊于庭撰。

〔續錄〕明魏時應撰《春秋質疑》，萬曆二十八年刊本。」（頁一一八）

【增補】《續修四庫全書總目提要》：「春秋質疑十二卷　萬曆二十八年刊本　　　張壽林

　　明魏時應撰。時應字去違。豫章人。考南昌縣志云。魏時應字去違。萬曆乙未進士。歷官南京通政使。是編前有萬曆庚子柯挺。及萬曆己亥田居中二序。知其書實成於萬曆二十七年己亥間。全書都凡十有二卷。分十二公。每公為一卷。核其大旨。蓋專為場屋揣摩而作。語多凡陋。義亦膚淺。而田居中序乃極稱其書以意融傳。弗泥於傳。以神解經。弗盭于經。旨無奧而不闡。題稍僻而必刪。今考其書。體例與鄒德溥

春秋匡解。趙恒春秋錄疑略同。不過因比事屬詞之義。為春秋制義擬題作解。其所詮釋。幾全本胡傳。而敷衍其意。既未嘗訂正以三傳。亦不知訂正以諸儒之說其中若一元也。而明用編年得禮不同解。一盟也。而惡私惡渝。非常謹始不同解。諸如此類。一步一趨。莫非由康侯之義而推之。是以詮釋經旨。則蹈常襲故。如膠柱而鼓瑟。標擬經題。則摘僻搜奇。等猜謎與射覆。總觀全書直為科舉制義而設。非通經之所尚也。按晚明之世。此類講章。層出不窮。名為發揮經義。實是揣摹之本。於聖人筆削之旨。如風馬牛之不相及。是編之作。正可以為炯鑑。居中以交游之故。而盛稱之。蓋亦可以見一時之風氣矣。朱彝尊經義考春秋類三十八引劉芳喆曰。此為舉子業而作。蓋深知其書者。今附存於目。俾學者可以見明季經學之弊焉。」（頁七四五）

《南昌縣志》：「魏時應，字去違，萬歷乙未進士，歷官南京通政使。」

劉芳喆曰：「此為舉子業而作，前有柯挺、田居中二序。」

【增補】黃虞稷《千頃堂書目》卷二曰：「南昌人，萬歷乙未進士，光祿寺卿。」（頁四四）。

曹氏學佺《春秋闡義》

【增補】黃虞稷《千頃堂書目》卷二，頁四四錄有曹學佺《春秋傳刪》十卷，竹垞未錄此書，當據以補入。

十二卷。

【著錄】黃虞稷《千頃堂書目》卷二，頁四四著錄。

【增補】永瑢等撰《欽定四庫全書總目·存目》曰：「春秋闡義十二卷　浙江汪啟淑家藏本

明曹學佺撰。學佺有《易經通論》，已著錄。是書朱彝尊《經義考》注曰『未見』，蓋不甚傳。大抵捃摭舊文，無所闡發。」（卷三十，頁三九〇）

未見。

【存佚】本書《欽定四庫全書總目·存目》錄有此本，竹垞當日尚有存本，當注曰「存」。

《春秋義略》

三卷。

【著錄】黃虞稷《千頃堂書目》卷二，頁四四著錄。

未見。

【霖案】本書未見其他傳本，當已久佚。

徐氏鑒《左氏始末》

【著錄】黃虞稷《千頃堂書目》卷二，頁四四著錄。

未見。

　　【霖案】本書未見其他傳本，當已久佚。

高佑釲曰：「鑒，字正宇，豐城人，萬曆辛丑進士，太僕少卿。」

　　【增補】黃虞稷《千頃堂書目》卷二曰：「字觀甫，豐城人，萬曆辛丑進士，太僕寺卿。」（頁四四）。

王氏世德《左氏兵法》（明）

　　□卷

　　【著錄】黃虞稷《千頃堂書目》卷二，頁四四、李一遜〈左氏春秋著錄書目研究〉頁九九著錄。

　　【卷數】黃虞稷《千頃堂書目》卷二，頁四四著錄，未題卷數。

存。

　　【存佚】本書已未見傳本，當已久佚，今據以改作「佚」籍。

黃虞稷曰[113]：「世德，字長民，南康人，萬曆辛丑進士，巡撫遼東都御史。」

　　【霖案】「南康人」，黃虞稷《千頃堂書目》題作「永康人」，又「巡撫遼東都御史」，黃虞稷題作「巡撫雲南都察御史」，其中文字出入頗大。

113霖案：出自：黃虞稷《千頃堂書目》卷二，頁44。

卷二百六　春秋三十九經義考卷二百六春秋三十九

張氏銓《春秋補傳》

十二卷。

【著錄】黃虞稷《千頃堂書目》卷二，頁四五著錄。

存。

【存佚】本書已未見傳本，當已久佚，今據以改作「佚」籍。

陸元輔曰：「公字見平，沁水人，萬歷甲辰進士，巡按遼東，死於難，諡忠烈。」

【增補】〔補正〕陸氏輔條內「公字見平」。案：《明史·忠義傳》云：「字宇衡。」（卷八，頁二十）

李遜之[1]曰：「張忠烈公方任江西巡按，時先忠毅公應昇為南康司，李在官著《春秋補傳》，先公為之校正，及按遼東，及於難，幸書猶存。」

錢氏時俊《春秋胡傳翼》（明）

三十卷。

【著錄】黃虞稷《千頃堂書目》卷二，頁四三、張壽平《公藏先秦經子注疏書目》頁一三一著錄。

存。

【版本及藏地】本書版本及藏地如下：

一、明萬曆三十九（辛亥）年刊本：錢時俊輯《春秋胡傳翼》三十卷，十冊，二七公分，線裝，明萬曆三十九年(1611)翁憲祥序，錢謙益〈序〉，有朱藍筆圈點批校，排架號：0081，光碟代號：OD003A，台北：中研院史語所有藏本。

又《中國古籍善本書目》（經部）頁二七九著錄，北京大學、山東省、常熟市圖書館有藏本。

【增補】《中央研究院歷史語言研究所善本書目》曰：「《春秋胡傳翼》三十卷十冊　明錢時俊輯　明萬曆三十九（辛亥）年刊本。」（頁七）

【增補】王重民：《中國善本書提要》曰：「【春秋胡傳翼三十卷】十四冊（北大）明萬曆間刻本〔十行二十一字（19.1×14.1）〕

原題：「明後學海虞錢時俊用章甫輯。」按《常昭合志稿》卷二十五頁三十六上：「

---

1 「李遜之」，「四庫本」作「李之遜」。　　霖案：《經義考新校》頁3739校文，「四庫本」三字之前，另有「文淵閣」三字；「作」改作「誤作」二字。

時俊字用章，號仍峰。少力學，貫通《春秋》四傳。登進士，以工部主事差北新關。終湖廣按察副使，所至以清惠聞。」又按時俊為錢岱之子，錢謙益之姪。是書刻於杭州，正視榷北新關時也。《凡例》云：「國朝制科宗胡氏，故是編以《胡傳》為主，凡三傳諸子百家與《胡傳》相發明者，悉為採錄」云。卷內有：「家在雲間」、「知止堂」等印記。

翁憲祥序〔萬曆三十九年（一六一一）〕

金學曾序〔萬曆三十九年（一六一一）〕

錢謙益序〔萬曆三十九年（一六一一）〕

自記〔萬曆三十九年（一六一一）〕」（頁二九）

【增補】邵懿辰撰、邵章續錄：《增訂四庫簡明目錄標注》卷三曰：「《春秋胡傳翼》三十卷，明錢時俊輯，萬曆三十九年刊本。」（頁一一八）

【增補】《續修四庫全書總目提要》：「春秋胡傳翼三十卷　萬曆三十九年刊本　　　　張壽林

　　明錢時俊撰。時俊字用章。海虞人。侍御錢汝瞻之長公子也。父子皆潛研經術。汝瞻以詩經名家。時俊則邃於春秋之學。被命視榷武林。行清能高。居恒閉衙齋讀春秋。不異經生時也。是編前有萬曆辛亥翁憲祥及錢謙益敘。又編首凡例下。有萬曆辛亥時俊題識。知其書寔成於萬曆三十九年辛亥。全書都凡三十卷。而以是編凡例。胡傳凡例。春秋正經音訓。杜預左氏傳序。何休公羊傳序。范甯穀梁傳序。程子傳序。胡氏傳序。列之編首。不入卷次。其書大旨以明季科舉之例。多宗胡傳。而胡氏作傳。雖出創獲。至其發明源委。則本之先儒。故以胡傳為主。更招摭三傳諸子百家之與胡傳相發明者。彙集於下。以翼成其說。故以春秋胡傳翼名其書。今核其說。雖主胡傳。並採公穀二傳附會之論。及諸家深刻嚴酷之說。從而鍛鍊之。不免拘例說經之失。然其間於左傳之事蹟。亦所不廢。其論三家。謂左氏據簡策以敘事。公穀據事以言義。三者不可偏廢。若捨事蹟而言義例。則如獄吏捨佐證而判是非。烏見不牽合附會也。其說亦不失為持平之論。又左傳敘事之顛末。往往相距數年。前後錯出。是編皆撮其始終。互見於正傳之上下。使一事之端緒可尋。脈絡不紊。其所處置。亦頗稱有當。惟春秋一書。古今聚訟。胡氏傳曲為之解。已多牴牾。是編更引諸家臆斷之論以輔翼之。重複糾結。未免治絲益棼之嫌。如開篇春王正月之說。胡氏以為夫子行夏之時。改周正朔。故以夏時冠周月。不知夏時之謬論。自張以寧之後。辨析已無疑義。是編乃仍就其說。反覆支離。則大端已失。其他亦不過陳陳相因之論而已。」（頁七四五至頁七四六）

錢謙益[2]〈序〉曰：「余姪水部[3]用章氏輯《春秋胡傳翼》成，不佞讀而歎曰：『嗟乎！

---

[2]霖案：《經義考新校》頁3740新增校文如下：「『錢謙益』，《四庫薈要》本作『錢有終』。」。

[3]「錢謙益〈序〉曰：余姪水部」，「四庫本」作「羅喻義曰：常熟錢君」。　　霖案：《經義考新校》

《經》學之不明，未有甚於《春秋》者也。他《經》以《經》為《經》，而《春秋》以《傳》為《經》，他《經》之《傳》，傳《經》為《傳》，而《春秋》則人自為《傳》，自漢泊元，未有底也。明興，乃始布侯於文定，海內靡然從之，無敢操戈者。於《左氏》則核者誣之，於二氏則誣者核之，此則胡之失也。仲尼之所削者，不可見矣；其所筆者，具在據事直書，內不敢易史書，外不敢革赴告；而一字褒貶，口銜天憲，亦可以令吳、楚之僭王者乎？此又胡之失也。元年之元也，鼎銘先之矣；五等諸侯之稱公也，《儀禮》先之矣，由此推之，凡所謂一字一句傳義比例者，非棄灰之刑，則畫蛇之足也，此又胡之失也。昔之《春秋》以《三傳》為《經》，今之《春秋》以胡氏一家言為《經》；雖然，胡氏之書，大義備焉，況功令在是，童而習之，用以郛眾說，斷國論，不猶賢於說鈴書肆乎哉？用章之為是編也，豈惟胡氏功臣，抑亦導明《經》者之先路也。近世趙恆先生著《錄疑》以纘塞耳，三年而發之聾矣。余少不自量，欲網羅百家，推明孔氏筆削之旨，未三載而以懶廢，令余得深湛如用章，豈遂遜古人哉？姑書之，以志余愧而已。」[4]

陸元輔曰：「仍峰錢氏，常熟人，萬歷甲辰進士，授工部主事，歷郎中，終湖廣按察副使。」

【增補】黃虞稷《千頃堂書目》卷二曰：「常熟人，嘉靖進士，萬歷辛亥〈序〉」（頁四三）。

賀氏仲軾《春秋歸義》（明）

三十二卷。《總序雜說》一卷。

【著錄】黃虞稷《千頃堂書目》卷二，頁四六著錄。然而，（大陸）《中山大學圖書館善本書目》頁二三著錄，卷數題作「二十三卷」，另有《總說》一卷。

【書名】《總序雜說》一書，《中國古籍善本書目》（經部）頁二八〇錄作《總說》。

【卷數】《中國古籍善本書目》（經部）頁二八〇著錄「清順治刻本」，卷數題作「十二卷」。

存。

【版本及藏地】本書版本及藏地如下：

一、清順治刻本：明賀仲軾撰《春秋歸義》十二卷，湖北省圖書館有藏本。

二、清康熙二十七年（１６８８年）刻本：明賀仲軾撰《春秋歸義》二十三卷，《總說》一卷，十五冊，九行，二十字，小字雙行，字數同，白口，四周單邊，大陸：中山大學圖書館有藏本。

頁3740校文，「四庫本」三字之前，另有「文淵閣」三字。

[4]霖案：《經義考新校》頁3720新增校文如下：「『錢謙益』至『以志余愧而已』三百八十二字，文津閣《四庫》本脫漏。」。

三、道光八年重刊本：明賀仲軾撰。清范驤刪訂《春秋歸義摘要》十二卷。

【增補】《續修四庫全書總目提要》：「春秋歸義摘要十二卷　道光八年重刊本　　　張壽林

　　明賀仲軾撰。清范驤刪訂。仲軾字景瞻。衛輝之獲嘉人。少而近癡。嗜讀書。無他好。十八歲里選。萬曆三十一年癸卯二十四歲舉於鄉。三十八年庚戌成進士。甫釋褐具疏批鱗。忠直之氣。中外欽仰。筮仕陝西醴泉令。累官至武德兵備。甲申之變。投繯自經。妻妾四皆從死。著有春秋歸義三十二卷。總序雜說一卷。便考十卷。及兩宮鼎建記等書行於世。范驤字文白。號默庵。海寧人。諸生。工書。所著有默庵集若干卷行於世。是編前有順治戊戌張縉彥范印心二人序。及崇禎十六年癸未仲軾自序。原序作十有五年歲在癸未。按十五年為壬午。疑五當為六之誤。按其書之作。據賀氏自序云。始於萬曆戊午。成於崇禎甲戌。蓋自萬曆四十六年至崇禎七年。凡十有七年。始克竣事。又據范印心序云。是書凡一再剟刪。初則華亭陳徵君序行之。繼則丹陽湯平子校刻。先生復手自改定。予家藏其副。今年備兵武林。與方伯張大隱先生謀所以不朽是書者。家文白讀而愛慕其人。病其序事過長。為撮其指要。則是編蓋清順治十五年戊戌。海寧范驤病賀氏原書之繁瑣。因撮其精要。存十有二卷。而以燕南孫奇逢所撰殉義景瞻賀公傳附之卷首。不入卷次。故以春秋歸義摘要為名焉。按孫奇逢殉義景瞻賀公傳。稱仲軾作春秋歸義。務求合宣聖筆削之意。翻駁古今成案。獨伸胸臆之所欲言。今考其書。蓋取公穀左氏胡傳。參會之而酌以己意。大抵力破諸家屈經從例之弊。謂諸儒說經。執之太嚴。求之太深。遂使義例曲生。某字某例。某例某用。穿鑿支離。附會膠固。若法吏之深文巧詆。及其例之不可概施。則又為正變之說。極而至於正變之所不能通。則又曰美惡不嫌同詞。其弊遂至曲經從例。使正經之義。為之猥碎。直同斷爛朝報。不知春秋原本無例。例者國史命名之常。紀事之體。聖人不過竊取其義。神而明之。故其書大旨。惟以尊王為主。舉春秋二百四十年之事。皆歸於斯義。書中首辨夏時冠周月之疏謬。次正創例說經之乖舛。他如諸家所謂聖人竊南面之權。進退天子諸侯大夫。以天子之權予魯。及素王素臣以天自處諸謬說。悉矯其非。而辨其惑。凡其持論。頗稱精當。雖其間亦多陳陳相因之論。或懸揣臆斷之說。於春秋本旨。未能盡愜。然駁正舊說。時有特見。其長固不可沒也。」（頁七四五）

《春秋便考》（明）

【書名】（大陸）《中山大學圖書館善本書目》頁二三著錄，書名題作《春秋提要便考》。竹垞析為二書，題作《春秋便考》、《春秋提要》，卷數各作「十卷」，各有〈序〉文一篇，惟現存書籍既作「《春秋提要便考》，則當以此為是，而竹垞應為誤析為二條著錄，實則原書僅為單獨一書，且卷數亦僅作「十卷」，而非併合作「二十卷」。

十卷。

【著錄】黃虞稷《千頃堂書目》卷二，頁四六著錄。

存。

【版本及藏地】本書版本及藏地如下：

一、清康熙二十七年（１６８８年）刻本：明賀仲軾輯《春秋提要便考》十卷，三冊，九行，二十字，小字雙行，字數同，白口，四周單邊，大陸：中山大學圖書館有藏本。

二、續修四庫全書本有影本問世。

仲軾〈自序〉曰5：「《春秋》文、武之法也6，修其法以明7文、武之道，以其朝聘、會盟、崩薨、卒葬、侵伐、取滅、弒殺、奔逃者，以綱紀天下之君公卿大夫士，以治天下之君臣父子，君臣父子之道得而人心斯正，人心正而天子始尊，天子尊而君公卿大夫士乃各得其所，然後8斯民始可得而理也。故曰：《春秋》，聖人之所以治亂世也，以心法為刑書也。不然亂臣賊子豈刀鋸可以懾服，詞令可以告戒9，乃《經》成而知懼者，何邪？吾以此知《春秋》之聖功神化，不專在片言隻字之末，故曰：一字之褒，榮於華袞；一字之貶，辱於斧鉞。一字之義未明，而執之太嚴，求之太深，遂使義例曲生10，遷就牽合，引證辨11難，聖經為之猥碎，則直以斷爛朝報棄之無惑也。故《經》之敝也，是創例說《經》者之罪也；及其例之不可槩施，則又為正12、變例之說，曰正例，非聖人不能修；變例，非聖人不能裁，極而至於正變之所不能通，則又曰『美惡不嫌同詞』，以聖人經世之深心，必欲引繩於諸家之例解，使例而可以盡《春秋》也。例至今在也，做例擬《經》，人人可為《春秋》13矣。夫史臣之法莫嚴於董狐、南史氏，其所以書趙盾、崔杼弒其君者，何嘗有一字減於《春秋》，曾不能懼二賊臣於靦面？《春秋》所以書趙盾、崔杼弒其君者，亦何嘗有一字加於二史？顧以隔世之追書乃能令二賊臣骨寒於既朽邪14？蓋15聖人所以正人心以正萬世者，不在修詞之末

5霖案：《續修四庫全書》冊一三六，頁184-186所錄之文，有極多的異文，疑為改寫或另有所本?今審視其文，所刪之文句，多與夷狄稱謂有關，換言之，多數係避清廷諱而改，至於是竹垞所改？抑或竹垞另有所本？則難以確知，今暫記疑點如上，以俟後考。

6霖案：原〈序〉於「《春秋》文、武之法也」之前，另有多達六百一十三字被刪，其文句多涉及「夷狄」、「豺狼」、「洪水猛獸」等諸多疑犯清諱之語，或為此〈序〉被大量改寫之因。由於刪棄之文句，多達六百一十三字，難於逐一校錄，讀者可詳見原〈序〉。

7霖案：「修其法以明」五字之前，原〈序〉另有「裁其事以寓文武之法」等九字，適巧對應「修其法以明文武之道」，今據以補入。

8霖案：「然後」二字下，應依原〈序〉補入「四代可兼，九經可舉，」等八字。

9霖案：「告戒」二字下，應依原〈序〉補入「況泗水之私史，又非有誅賞行乎其閒」等十五字。

10霖案：「生」字下，應依原〈序〉補入「某字某例、某例某用，是為書法」等十二字。

11霖案：「證辨」二字，原〈序〉作「正辯」二字。

12霖案：「正」字下，原〈序〉另有「例」字，今據以補入。

13霖案：「《春秋》」二字下，應依原〈序〉補入「蒲世」二字。

14霖案：「邪」字下，應依原〈序〉補入「故第以例而已矣！孔氏之《春秋》，亦猶之董狐、南史氏之

亦明矣。吾故云：《春秋》原無例，而後人專以例論《春秋》，失《春秋》之遠[16]也[17]。故《春秋》有裁斷而無比附，有是非而無命討，有功罪而無賞罰，有時書爵、書字而不必皆無罪，有時書名、書人而不必皆有罪。臨之以天子之尊，質之以文、武之法，事如其事而止，人如其人而止；事如其事，人如其人，而義行於其閒[18]矣。義顯而功罪分，功罪分而是非定，辭達而已，何者是例？何者是書法？凡言例、言書法[19]，於是乎有進退諸侯、大夫之說，於是乎有竊二百四十二年南面之權之說，於是乎有素王、素臣之說，於是乎有以天自處之說，置聖人於壞法亂紀而莫敢矯其非。嗟乎！天子之刑賞可要，強侯之生殺可擅，權臣之威命可移，士庶之耳目可欺，惟聖人之是非不可假，故亂臣賊子所不屑得之於天子與夫君卿大夫士庶者，而獨不能乞之於泗水匹夫之筆，此《春秋》之所以重也。每伏而讀之，疑[20]夫《傳》之所說不類《經》意，而例更甚，斷以為聖人之所以為《經》決不在此[21]，乃取《公》、《穀》、《左氏》、胡《傳》參會之，酌[22]以己意，名之曰《春秋歸義》[23]。『歸義』云[24]者，歸於

書也，然在孔子則何遂為經，在二氏則何直為史，以此二事推之，則」等四十九字。

15霖案：「蓋」字，原〈序〉無之，當據以刪正。

16「遠」，「四庫本」作「旨」。　　霖案：《經義考新校》頁3742校文，「四庫本」三字之前，另有「文淵閣」三字。今考原〈序〉正作「遠」字，而四庫本所錄之文，當為傳寫錯誤所致。

17霖案：「也」字下，應依原〈序〉補入「是欲替游、夏之所不能替，而大賢昕夕之聆承不如鄙儒猜度之附會也，然則例可盡廢乎？曰：「有之例者，國史命名之常，紀事之體，聖人因史之舊文，神而明之，以寓化裁，譬如寒暑代謝，風雨晦明，天地之例也。謂天地有心，以行於其間，則天地陷聖人之經，亦有寒暑風雨晦明，而謂聖人有心以行於其間，則聖人陷故無意，無必從心，是矩原不用是為準則，豈有預立一切之科條，以為吾之袞鉞者邪！」等一百五十四字。

18霖案：「閒」字，原〈序〉作「間」字。

19霖案：「書法」二字下，應依原〈序〉補入「皆於語言文字，中論《春秋》耳，拘泥太甚，尊奉支離，則」等十九字。

20霖案：「疑」字，應依原〈序〉作「甚疑」二字。

21霖案：「此」字下，應依原〈序〉補入「又無所師承，得以質其所疑。」等十一字。

22霖案：「酌」字，應依原〈序〉作「因酌」二字。

23霖案：「《春秋歸義》」四字下，應依原〈序〉補入「以天子諸侯大夫夷狄為之經，以朝聘、會盟、崩薨、卒葬、侵伐、取滅、弒殺、奔逃為之緯，其要在存大經，明大法，使天子不遂泯沒於上，諸侯大夫夷狄不遂，漫然無所統紀於下，功罪昭然，命討具在，苟東周可為，第舉此揭之耳，不專為一人之善惡，亦不專為一事之得失，二百四十二年之內，直一事二百四十二年之事，直一義苟不關於天子諸侯與夫君臣、父子、夫婦、中國夷狄，亂臣賊子，雖重弗及，故識聖人之意，然後可以讀《春秋》，載觀諸家之《傳》，煩碎未更，僕數其甚者，如舍尊王不論，而為無王、去王，弗若天去天之說；舍生殺大政不論，而為國人殺之之說；舍華夷大分際不論，而為有詞書爵不為楚罪之說；舍諸侯薨葬大典禮不論，而為錄內行之說；舍諸聘問大節目不論，而為用兵有制之說；舍國家大營建大興滅不論，而煬官誅諡東國，貶名更鑿出於人理之外，此皆例中所生之

尊王之義而已。是書也[25]，始於萬曆戊午，成於崇禎甲戌云[26]。」

　　黃虞稷曰[27]：「仲軾，字景瞻，獲嘉人。萬曆庚戌進士[28]，為武德兵備副使，家居聞甲申寇難[29]，衣冠北向，題字几上，自經死[30]，妻妾五人感其義，皆同死[31]。」

《春秋提要》（明）

　　十卷。

　　存。

　　【版本及藏地】本書版本及藏地如下：

　　一、康熙二十七年（１６８８年）刻本：《春秋總義論著目錄》頁四六著錄，題作「清刻本」。又大陸：中山大學圖書館有藏本，題作「清康熙二十七年刻本」，明賀仲軾輯《春秋提要便考》十卷。

　　仲軾〈自序〉曰：「《春秋》舊有提要，然事不盡載，稽考無當焉。今特總《經》文而悉志之，詳事情之同異，味聖《經》之折衷，可得其梗㮣，則執一事而不會其全，守單辭而不窺其異，將自知其不可通矣。但分類太繁，近於瑣屑，殊非聖《經》本意；今第求其易考耳，非分門立例之說也。改削數易，迄半年乃始就緒，而猶有未盡合者焉，姑存其大凡可也。」

朱氏國盛《拜山齋春秋手抄》

　　十二卷。

　　枝節，與作《經》之意無干，春秋中賢人姓名不見於《經》者何限，而諸侯失職者，亦未能人人盡誅之，卽先王典籍，亦未嘗一一盡收之，今之所謂」等字。又上述內容，亦有涉及華夷之辨者，是為犯忌諱之事，是以竹垞輯錄內容之時，或有意刪棄之，今據原書〈序〉文補入。

24霖案：「云」字，原〈序〉無此字，當刪。

25霖案：「是書也」三字，原〈序〉無此三字，而是「亦安知夫不有一言一義，可以補前人之所未備，谿傳例之同疑邪」等字，今據原〈序〉改之。

26霖案：「云」字下，應依《春秋歸義·序》補入「崇禎十有五年歲在癸未孟夏之吉賀仲軾自序」等十九字。

27霖案：黃虞稷《千頃堂書目》卷二，頁46。

28霖案：《千頃堂書目》無「萬曆庚戌進士」等六字。

29霖案：《經義考新校》頁3743新增校文如下：「『家居，聞甲申寇難』，文津閣《四庫》本作『家中聞猝遭國變』。」。今考「甲申寇難」，《千頃堂書目》題作「甲申之變」。

30霖案：「自經死」三字，應依《千頃堂書目》改作「自縊死，臨死顏色不變，陽陽如平生。」

31霖案：「妻妾五人感其義，皆同死。」等十字，應依《千頃堂書目》改作「妻妾四、五人，皆感其義，同死。」；又「同死」之後，原書另有「其書有駁夏時冠周月之失，博辨拘例說經者之非。」等二十字。

存。

【存佚】本書已未見傳本，當已久佚，今據以改作「佚」籍。

劉芳喆曰：「朱國盛，字雲來，華亭人，萬曆庚戌進士，除工部主事，累官至工部尚書，以太常寺卿回籍，坐黨案閒住。」

卓氏爾康《春秋辨義》（明）

【書名】本書異名如下：

一、《春秋辯義》：張壽平《公藏先秦經子注疏書目》頁一四三著錄。

【增補】根據王重民：《中國善本書提要》頁二九著錄，卓氏尚有《春秋經義》二卷、《春秋傳義》一卷、《春秋書義》四卷、《春秋不書義》一卷、《春秋時義》一卷、《春秋地義》一卷等書，竹垞未能錄及上述諸書，今據以補入。

三十卷。

【著錄】黃虞稷《千頃堂書目》卷二，頁四五著錄。

【卷數】本書卷數異同如下：

一、四十卷：《國立中央圖書館善本序跋集錄》頁三四〇著錄。

二、三十九卷：《嘉業堂藏書志》卷一，頁一六〇、張壽平《公藏先秦經子注疏書目》頁一四三著錄。

三、三十卷：黃虞稷《千頃堂書目》卷二，頁四五著錄，題作「一作三十卷」。

【增補】明崇禎間仁和吳夢桂校刊本錄有孔貞運〈序〉、阮漢聞〈序〉、張文光〈序〉、石確〈序〉、卓爾康〈序〉，惜皆為竹垞略去，甚為可惜，今當據以補入。

【增補】〔補正〕《明史志》作四十卷。（卷八，頁二十）

【增補】〔校記〕《四庫》本三十九卷。（《春秋》，頁五三）

存。

【版本及藏地】本書版本及藏地如下：

一、卓爾康自刊本：明卓爾康撰《春秋辨義》三十卷。

【增補】邵懿辰撰、邵章續錄：《增訂四庫簡明目錄標注》卷三曰：「《春秋辨義》三十卷，明卓爾康撰。

有刊本。朱修伯曰：「爾康自刊，其板猶存。」（頁一一八）

二、明崇禎間仁和吳夢桂校刊本：(明)卓爾康撰《春秋辨義》四十卷，12 冊;20.6x14公分，9 行，行 19 字，單欄，版心白口，單魚尾，四周單邊，上方記書名，中間記卷第，下方書葉次，有微捲，正文卷端題「春秋辯義卷之一　武林卓爾康去病甫著」，有崇禎癸酉冬十月華陽孔貞運開仲甫題〈序〉、天啟甲子秋崇禎九月大騩山樵阮漢

閟撰〈序〉、崇禎七年仲夏望日天中張文光謹識〈序〉、楚黃有弟石碻拜撰〈序〉、崇禎辛未中秋武林卓爾康去病父撰〈序〉等等，鈐有「吳興劉氏嘉業堂藏書印」朱文方印、「己丑進士」白文方印、「劉承幹字貞一號翰怡」白文方印、「結一廬藏書印」朱文方印、「國立中央圖書館考藏」朱文方印，台北：國家圖書館有藏本。

又一本，上海：復旦大學圖書館有藏本。

又《中國古籍善本書目》（經部）頁二八〇著錄，惟諸書錄作「明卓爾康撰，《春秋辯義》三十八卷」，顯然卷數與其他分卷稍有不合，今北京、北京大學、上海、黑龍江省社會科學院等地圖書館均有藏本。

【增補】《嘉業堂藏書志》卷一曰：「《春秋辨義》三十九卷　明崇禎刻本　明卓爾康撰。是書大旨，分為六義：曰經義，曰傳義，曰書義，曰不書義，曰時義，曰地義。持論皆為醇正。其經文每條之下，皆雜取舊說，排比詮次，而斷以己意。每公之末，又各附以《列國本末》一篇，舉繫於盛衰興亡之大者，別為類敘，亦頗有體要。在明季說《春秋》家，最為得體，亦有闡發。崇禎癸酉刻。前有孔貞運序、自序。（繆稿）」（頁一六〇）

【增補】王重民：《中國善本書提要》曰：「【春秋辯義三十卷經義二卷傳義一卷書義四卷不書義一卷時義一卷地義一卷】　十六冊（《四庫總目》卷二十八）（北大）

明崇禎間刻本〔九行十九字（20.7×13.2）〕

原題：「武林卓爾康去病甫著。」《目錄》末題：「仁和吳夢桂較刻。」卷內有：「巴陵方氏傳經堂藏書印」、「方功惠藏書印」等印記。

孔貞運序〔崇禎六年（一六三三）〕

石碻序

阮漢閟序〔天啟五年（一六二五）〕

自序〔崇禎四年（一六三一）〕」（頁二九）

三、文淵閣四庫全書本：(明)卓爾康撰《春秋辨義》三十八卷，三十冊，《國立故宮博物院善本舊籍總目》，上冊，頁一〇五著錄，台北：故宮博物院有藏本。

【增補】永瑢等撰《欽定四庫全書總目》曰：「春秋辨義三十九卷[32]　浙江巡撫採進本

明卓爾康撰。爾康有《易學》，已著錄。是書大旨分為六義：曰經義，曰傳義，曰書義，曰不書義，曰時義，曰地義，持論皆為醇正。其經文每條之下，皆雜取舊說，排比詮次，而斷以己意。每公之末，又各附以列國本末一篇，舉繫於盛衰興亡之大者，

---

[32]霖案：原注云：按：文淵閣庫書題作《春秋辨義》三十卷、卷首八卷，《總目》與之不符。

別為類敘，亦頗有體要。中間如『甲戌己丑，陳侯鮑卒』，以為是甲戌年正月己丑，史官偶倒其文。不知古人紀歲，自有閼逢攝提格等歲陽[33]二十二名。其六十甲子，古人但用以紀日，不以紀歲。又如五石六鶂謂[34]外災，何以書？為其三恪，且在中國。不知晉之梁山崩，宋、衛、陳、鄭災，豈皆三恪乎？又『天王狩于河陽』，謂『晉欲率諸侯朝王，恐有畔去者，故使人言『王狩』以邀之。』其心甚盛，無可訾議，尤為有意翻新，反於理有礙，此類皆不可為訓。然如謂『鄭人來渝平』，當依左氏訓更成，其以墮成不果成者，文義皆誤；又解『戎伐凡伯于楚丘』，謂『一國言伐，一邑亦言伐，一家言伐，一人亦言伐。《公羊》以伐為大，乃不知侵伐之義，強為之辭』，則皆明白正大，足破諸說之拘牽，在明季說《春秋》家，猶為有所闡發焉。」（卷二十八，頁三六六至頁三六七）

【增補】邵懿辰撰、邵章續錄：《增訂四庫簡明目錄標注》卷三曰：「《春秋辨義》三十卷，明卓爾康撰。

有刊本。朱修伯曰：「爾康自刊，其板猶存。」（頁一一八）

【增補】孔貞運〈序〉曰：「明興，經生家各占一經，其占春秋者，非春秋經傳不習。傳不一家，家不一說，獨於胡文定則不啻律令稟之，而衣冠抵掌肖之，迺朱子謂其以義理穿鑿者亦復不少，將孰使辯吾夫子之誠乎？余家先師固曰，其義則丘竊取之矣，鳳至圖呈，位顯而道亦顯，其義明；麟泣鳳歌，道在而位不在，其義晦。位在者，以彰瘴公之天下；位不在者，以知罪聽之後世，又何辯乎哉！子輿氏曰，孔子成春秋而亂臣賊子懼。又曰，予豈好辯哉？予不得已也。即文定傳春秋亦曰，緣周而來千有餘歲，其書未亡，其出於人心者猶在，蓋有不得已焉耳，則亦有不得已焉耳。此兩賢者之不得已者何居？誠亦有見夫楊、墨橫議，無父無君慘於洪水猛獸之害，而宣政、靖康之間，中國不能令而夷狄進也。又安能起姬旦於九原，而是膺是懲之，故兩賢為此憤而辯也。今天下無楊、墨未嘗無橫議，議滋紛、義滋晦，欲明春秋之義，當正亂賊之原。子輿氏不又云乎，苟為後義而先利，不奪不厭。則春秋中五伯諸侯以及大夫陪臣為逼、為僭、為篡奪，一失夷狄，再失禽獸，要不過起於利之一念為之。善夫去病氏之辯義也，其折盾獄曰，盾之所以不免於罪者，止戀此正卿耳，若已越境惡得有卿？既不為卿，弒君何為？於乎！論至此而盾始無可展辯矣。彼吾夫子之所謂越境乃免者，義不在茲乎！而胡氏止曰，亡而越境，謂去國而不反也，然後君臣之義絕、則陳文子違一邦、又違一邦，何得不為仁人乎？而將何以令天下後世之為亂臣賊子懼耶？去病之學深且博矣，其所引據多先秦古書，藏山埋冢之秘，卓乎獨立，確乎自信，以故所著春秋六義，貫串上下，折衷精微，使聖人有一事必有一義之旨，開卷瞭然，如既望月，靡有圓虧；如大震電，靡不驚悚，其有功於素王豈淺尠哉！然去病自序曰，潛學二十餘年始成，辯乎？好辯乎？其亦有不得已焉者矣。昔服子慎既善春秋，欲參考異同，聞崔烈聚徒講義，逐匿姓名為烈門下都養，從戶壁聽之，既知不能諭己，

---

[33]霖案：原注云：「歲陽」前，浙、粵本有「歲陰」二字。

[34]霖案：原注云：「謂」，浙、粵本作「為」。

稍共諸生敘其短長，烈異之。然素聞虔名，意疑焉，旦往及寢，遽呼子慎、子慎，虔不覺驚應，遂相友善。余素習此經而苦此未能精，乃往年成均橋門之聚，則去病在也，其所驚疑友善，正與此同，故為之論敘如此。時崇禎癸酉冬十月，華陽孔貞運開仲甫題。」（轉錄《國立中央圖書館善本序跋集錄》經部·頁三四〇至頁三四一）

【增補】阮漢聞〈序〉曰：「凡經以儒先明亦以儒先晦者傳也，傳不盡經，求經必傳，若之何不鑿且支。夫聖賢地位既殊，言解自異，子貢不聞性天，儒先盡抉奧秘，是何天縱多而階升易，則後賢皆已集大成。孔子不必師萬世，故無傳而經意圓，吾心靈時亦弋獲；有傳而經意滯，彼傳說先入，乃為柴立之障矣，此害春秋尤甚。蓋禮樂征伐自天子出，實孔子之言，即作春秋之旨，孟氏安得不云天子之事哉？然知我、罪我亦似曲闡維世之心，而不可據以為實，何也？春秋，魯史也，正文勝弊闕文，亡官溺職，文不足徵之史也。于是芟煩去謬，私表明之，若曰：周不能自有其權，而丘能竊取其義，義明在茲之文也。不但立作史之體，據事以書，如事而止，原不必刑人賞人也。不必刑人賞人，又誰知之？而誰罪之？然是時求知孔子者不可得，求罪孔子者亦不可得，又何也？罪孔子者必自知其非，自知其非而惡發其隱，必律襲祖憲，與孔子同道，既同道矣，何浚恆冥豫，而甘府辜一時，貽譏萬世哉！惟舉世莫能罪，即莫能知，是以博夜之人禽不辨，而孔子亦不慮罪也，唯嘆莫我知。曰：知我者其天夫，天之培覆例也，栽培傾覆無例也，培必于栽，傾必于覆，則無例之例也。孔子猶天而斷斷字句，某書例、某不書亦例、某通例、某變例乎？且無論是隱攝，而攝位之臣誰予謚乎？麟獲而細民之獵得稱狩乎？此歐陽文忠之獨解也。李獻吉氏嘗見秦權字為春王正月，則改月無疑，以是知棘榛矛盾，皆傳注所自造，而目以刑書，遂流為決獄比，故曰以儒先明亦以儒先晦者傳也。錢塘卓去病先生沉酣六經，討正三禮，其于春秋猶杜癖左，不惜夸父之日，欲劈五丁之山。三十年來無傳不究、無說不參、無舛不圓、無微不解，而大指以斒斕還尼山，不屑以蛙紫予影國。一日與談春秋，已復談易，余因語曰，孔子志在春秋、行在孝經，乃欲加年學易，無乃春秋與易通乎？夫易以日月兩曜字，而春秋以溫肅四序名也；易君乾用六子，而春秋驅列辟奉天王，不得已錄桓文霸功，如長男震也；易三百八十四爻廣大悉備，而春秋二百四十年行事，事可麗爻。爻可藏事也。易扶陽抑陰，內君子外小人，而春秋謹華夷、嚴僭竊，何懼之認也。易吉凶悔吝，惟德、位、時所自取，曾不少予奪之；而春秋善敗功過，亦德位時所自現，又誰少進退之也。夫易道陰陽，春秋辨名分，世有通陰陽消長之故，而忘名分畫一之紀者歟？故易非史，實史之準；春秋無例，譬易之爻。易卜筮前，民不可不占；春秋果斷爛朝報，可以不讀邪？去病大是余言，乃出所著辯義，讀之，有云，如易之八卦，一斷一連，禮之三千，半周半折，已先得乎心矣。厥旨有六：一經義、次傳義、次書義、次不書義、次時義、次地義。夫經義，賈櫝家所遺；傳義專門家所守；書、不書義，聚訟家所爭，得時義、地義以參伍其間，則正照、側照透入容光，比類觸類，嚴如鐵案，而冥會書、不書之緣，即可融傳之多齟、合經之真綮，例而不例，不例而例，去病殫心哉！亦聞汛海與占星者乎？海迷四向，瞻斗極寢矣。一細星失次，必于垣隈躔曲窮搜得之，以原不離碧落，故孔子非斗極歟？一傳駁、一事訛，非細星失次歟？全經櫛比條列，非碧落歟？而去病于孔子筆削無剩旨可知也，若求經必傳，是翻甘石之譜，求失次之星耳。噫嘻！說經之蠹，寧第信傳已哉！堅其喙，自尊其壇

，視玄操戈伯盜璧何異？蓋三傳亦可得而揚搉矣。左失也誣，豈奇艷之文而及門之筆何據？而丘明為弟子又何據？而左氏為個丘明獨以事合經，不以意說經，其識超矣。公、穀主說經矣，師說臆說流傳不經，說謂為孔子說可乎？後此又奚誅焉？晉劉兆著三傳調人，調三傳，味無如嚼孔子哉，浚井得美水，唐主亦病穿鑿乃爾。而鄭夾漈深詆洪範、春秋之學欺天欺人，迫自為傳，盡汰從來褒貶語，畸人哉！若去病真素臣也，當奪左氏予之，去病人品長者，藝文哲匠，秉鐸署篆到處，輒有可傳，不具論，論其春秋明數千年所晦而功于聖門如左。天啟甲子秋、崇禎九月重九，大駴山樵阮漢聞撰。」（轉錄《國立中央圖書館善本序跋集錄》經部·頁三四一至頁三四二）

【增補】張文光〈序〉曰：「農山吾師少治詩，遂以詩冠多士，潛心六藝，著述千秋，先成有春秋辨義，意欲羽翼聖經，提醒幾希，蓋宇宙大有關係之書也。嗟嗟義之一字，吾夫子從千埋萬沒中，特為拈出，緣人心有義，譬衣中有珠，貧子亦不乏，奸回亦不乏，大義一經吾夫子點破，則光芒燭天，陰霾毒霧時尤為耿耿。今吾師讀盡異書，友盡異人，涉獵盡異境，自做秀才時，以至歷任南北，浮沉數十載，歲月既深，校讐更慎，刪繁就簡，勒成一家言，然題之以六義者何居？余嘗反覆卒業，有低回不能已已者，因義而測其意，因六而相其宜，以之治內，以之治外，無一非意中所宜者。況去繁露之枝蔓而以義斷之，抉胡、趙之艱滯而以義扶之，方且令鄭玄、張楷輩為之咋舌，庶與吾夫子取義之旨相脗合云。夫六經惟春秋與易相為表裏，小往大來，上天下澤，羲皇以一畫洩之，周文以吉凶悔吝惕之，義至微也；春秋則係王於天、係正於王，嚴一字之褒貶，俾亂臣賊子懼，義至著也。且云假年學易，可無大過；知我罪我，其惟春秋，則微意概可想矣。吾師居恆以身用易，今標其義曰六者，殆衍六畫之義，而抱垂範六字之思焉？即虞廷十六字刪述六經，垂憲萬世之旨，無不隸括。昔崔烈既精春秋，集門下士為講授，服虔艷慕皈依，遂匿姓名為烈門人，賃作食，每當講時輒竊聽壁間，終身師之，後亦以春秋名世，古人之好學乃爾。余既幸受知於吾師之門，而卒株守毛詩，不能圓神於貞淫勸賞之意，所貴志在春秋者謂何？將無上負崔烈、下愧子慎邪！聊書數行以發明吾師之苦心。崇禎七年仲夏望日，天中張文光謹識。」（轉錄《國立中央圖書館善本序跋集錄》經部·頁三四三）

【增補】石礵〈序〉曰：「賞罰者，聖王所以驅一世於善也；是非者，聖人所以持萬世之公也。春秋一書有是非而無賞罰，蓋以天子之事，而託於庶人之議，議其盡天下之心乎？議者，義也，因其言以繹其義，乃可以讀春秋。後世學孔子作春秋者，非僭則亂、非亂則散，惟不明其義以至此，虎林卓去病先生命世才也，其為文宏傑瑰麗，籠罩靡前，予弱冠時讀之，輒有千里命駕之想，茲者予吏朱方，先生仗節南院，移書見及，以所著春秋六義屬予為序。余學詩人也，未嘗習春秋，且以夫子之筆，而令游、夏贊之，無乃阿所好而忘其醜乎？雖然，何慕先生之深，而不能贈先生以一言也。君子有酒，鄙人鼓缶，雖不見好，亦不見醜，隋氏之璧、夏后氏之璜，見者皆能寶之。凡人之情，欣賞而畏刑，春秋之法詳內而略外，其所以賞人之功、譏人之過，大約以是非之說濟賞罰之窮，而恆寓意於筆削之間，故有書法、有不書法，辭謹而嚴、旨彰而隱，未易竟也。先生詮理而鏡辭，述訓以循旨，羽翼經傳，闡幽入微，綜覈名實，合天時地利以通乎人心，使列國之形洞如指掌，曲尋作者之意，而深著乎萬世君臣父子之常，喤喤乎厥聲也哉！今當賞罰大明之世，不僭不濫，固已超軼三代、比隆唐

虞，而先生復以閫中肆外之才，提要鉤玄，發明春秋之義，維持人極，以昭垂不朽，其所以持萬世之公，而挽江河於日下者，真聖人之徒也。明天子廣廈細旃，勤心經術，一旦下求今之董狐，束帛加璧迎先生於天祿、石渠之間，疇謂非稽古之力耶？予不敏，策愧眾卿，才愆文德，詎足窺先生之源蘊，亦猶渴者操觚江海間，飲之滿腹而已，又焉知江海之大哉？說詩解頤、譚道絕倒，敢以一言慰疇昔仰止之意，因濡筆為之序。楚黃友弟石確拜撰。」（轉錄《國立中央圖書館善本序跋集錄》經部・頁三四三至頁三四四）

爾康〈自述〉[35]曰：「『辨義』[36]者，一曰《經》義，二曰《傳》義，三曰書義，四曰不書義，五曰時義，六曰地義。[37]」

---

[35]霖案：《國立中央圖書館善本序跋集錄》頁345錄有原整序文，而竹垞所錄之文，過於刪節，當據原序補入完整文句。又四庫本：卓爾康《春秋辨義》卷首三錄有此文。

[36]霖案：「辨」字，「明崇禎間仁和吳夢桂刊本」題作「辯」字。又卓爾康原〈序〉文較長，於「辨義」前，尚有「春秋經世，聖人之志也。東周之衰，麟泣鳳歌，夫子不得行道使天下復見文武、成康之盛，而徒竊取其義以寄志，然而不免為議矣。故禮樂征伐自諸侯出，諸侯之罪也；政在大夫，大夫之罪也，庶人而議，庶人之罪也；夫子以議自任、且以罪自任者，不得已焉耳。莊生竊窺之曰，春秋議而不辯。千古說春秋者，孟子彼善於此，得春秋之事；莊生議而不辯，得春秋之意，後聖復起，不與易矣。唐、宋儒者啖、陸輩，家自一學、人立一說，庚矢羿弓如聚訟，然不止於辯，所謂義者安在？夫義者，立於至精、遊於眾適，惟至精非微妙難幾；惟眾適即日用可合。人能虛心平氣，鋪文觀義，隨其深隱，自在現前，蓋天下未有不即人心而合於義也。無奈諸儒各生我見，因其近資，或以純貶生辭、或以復仇起解，方聞隔守將牢而不通，試匹魯論子妻一事，謝上蔡氣高者也，則謂聖人擇壻驚人；楊龜山氣弱者也，則謂聖人求人者薄，著意者以為厚兄薄己，自守者又謂可保妻孥，春秋諸家說亦猶此，將聖人明白正大之文、精微玄妙之義，各就其私，展轉蔽陷，或入於無明阿閦而不可知，夫子之心不滋戚乎？故學者謂春秋正下，則如敬翔言諸侯戰爭之書已耳，即朱子以為末後一節是亦作方人事從識上論也。程子曰，春秋一句一事，乃窮理之要。黃楚望曰，推窮不得，先須要悟。夫至於窮理與悟，而春秋可作作文字觀哉？予小子冥頑黯淺，學易未見一分，中詩不知何等，顧讀書觀理頗得虛平，每見春秋雜說，心多不安，已得元人黃楚望暨國初趙子嘗、嘉靖時熊過氏書而讀之，竊有所會，於是博採前言，參以獨見，潛學二十餘年，著成一書，名曰」等五百五十字，今據「明崇禎間仁和吳夢桂刊本」補入。

[37]霖案：「地義」二字下，應據「明崇禎間仁和吳夢桂刊本」序文補入「而十二公義以序次，焉之于辯矣，然而辯非聖人意也，不得已也。初時好作闊大之見，以為此書並無成例，不過寫取於此，使人自然畏懼，如此，誠與日記簿相似，所謂義者安在？及究心全經，料簡每事，或拈出另書，比觀本類，或仍入全文，或旁射他例，心秤目衡，針投黍累，始知春秋一事必有一義，真如易之八卦，一斷一連，自然觀察；禮之三千，半周半折，許大精神毫不可移，一無所強，特其義隱難知，故妄為人穿鑿耳。語曰，春秋隱而易顯，至哉言乎。崇禎辛未中秋，武林卓爾康去病父撰。」等一百八十八字。

【增補】黃虞稷《千頃堂書目》卷二曰:「一作三十卷,崇禎辛未〈序〉」(頁四五)。

羅氏喻義《春秋野篇》

【增補】黃虞稷《千頃堂書目》卷二,頁四五錄有羅喻義《春秋是正》一書,竹垞未錄,今當據以補入。

十二卷。

存。

【存佚】本書已未見傳本,當已久佚,今據以改作「佚」籍。

喻義〈自序〉曰:「春秋有義無例,例繁而義隱矣,焉用例?然究未有能破除之者,《野篇》所為作也。或問《三傳》,曰:後進之禮樂也,其辭文。予於《春秋》,行古本而已矣。崇禎丁丑。」

周氏希令《春秋談虎》(明)

【作者】張壽平《公藏先秦經子注疏書目》頁一四三著錄,作者題為「周希令等撰」,是書非出一人之手,如據周希令的序文,則尚有徐二孺參與撰書工作。又根據《中國古籍善本書目》(經部)頁二八〇所錄,則作者尚有「方尚恂」,可見是書曾經多人之手編輯,而竹垞以周希令一人代之,當於「周氏希令」之下標一「等」字,較為恰當。

【書名】本書異名如下:

一、《新刻春秋談虎講義》:《國立中央圖書館善本序跋集錄》頁三三七著錄。

二、《新刻春秋談虎講意》:《中國古籍善本書目》(經部)頁二八〇著錄。

【增補】本書有周希令〈序文〉一則,見載於《國立中央圖書館善本序跋集錄》頁三三七至頁三三八。

十二卷。

【著錄】張壽平《公藏先秦經子注疏書目》頁一四三著錄。

存。

【版本及藏地】本書版本及藏地如下:

【版本及藏地】本書版本及藏地如下:

一、明天啟甲子(四年)刊本:明周希令等《新刻春秋談虎講意》十二卷,四冊,**20.7x14.2**公分,**9** 行,行 **22** 字. 單欄. 版心白口,四周單邊,上方記書名,中間書魯公名,下方記葉次,書中卷五缺十七、十八兩葉,卷七第十二葉,卷八葉三十一至三十四左上角殘缺,卷九則缺首葉及第七葉,卷十二哀公第十二葉後缺數葉(不確其數),台北國家圖書館有藏本。

又北京師範大學、中國科學院、上海等圖書館均有藏本。

【增補】《國家圖書館善本書志初稿》：「【新刻春秋談虎講意十二卷四冊】

明天啟甲子(四年，1624)刊本　00555

明周希令等撰。

版匡高 **20.7** 公分，寬 **14.2** 公分。左右單邊，每半葉九行，行二十二字。註文小字雙行。版心花口，上方記書名，中間書魯公名(如『隱』)，下方記葉次。書中卷五缺十七、十八兩葉，卷七缺第十二葉，卷八葉三十一至三十四左上角殘缺，卷九則缺首葉及第七葉。卷十二哀公第十二葉缺數葉（不確其數）。

首卷首行頂格題『新刻春秋虎講意隱公擬一卷』，次行低六格及第三行各題『豫章周希令子儀父』及『嚴陵方尚怕威侯父』會講，第四行則題『淳邑徐有成二孺父裁定』。卷首有前闕序一篇，不知何人所作。書眉及正文附刻批註。文中墨圈斷句，有部分朱筆圈點。

書中鈐有『國立中央圖/書館收藏』朱文長方印。」(頁 **149**)。

【增補】周希令〈序〉曰：「新恩於閩之泉江，奈塵紛羈冗，難以卒就，而淳溪徐二孺先生，髫時曾同授經於麻城安成間，且家學淵源，甲科奕葉，海內麟壇，無不推讓，又為茝荷先生同邑，余道過桐陵，即以是編愨其完局，二孺於是閉關埋首，研鑽力索，出家藏之秘義，彙十二公之擬題，意無不周、旨無不貫，上可以闡明聖人作經之義，次可以透發方周會講之全，下可以開示後學比合之秘。間有當年康侯蓄而未露之意，一一剖抉其微，直使素王活現，讀之終篇，不覺心爽情怡、氣清神王。不以自秘，付之棗梨，以公寓內，真治麟之模範、而不朽之大業矣。榜曰談虎，其說則悉備於徐希聲先生之敘中。時天啟甲子歲七月既望。」（轉錄《國立中央圖書館善本序跋集錄》經部‧頁三三七至頁三三八）

劉芳喆曰：「希令，字子儀，江西寧州人。萬歷癸丑進士，改庶吉士，授兵科給事中，歷太常少卿。」

方氏孔炤《春秋竊論》

【著錄】黃虞稷《千頃堂書目》卷二，頁四六著錄。

未見。

【霖案】本書未見其他傳本，當已久佚。

陳氏禹謨《左氏兵略》（明）

【作者】李一遂〈左氏春秋著錄書目研究〉頁九九著錄，題作「陳禹模」。並云：《提要》「模」作「謨」。

【增補】〔補正〕《明史志》作《左氏兵法略》。（卷八，頁二十）

三十二卷。

存。

【版本及藏地】本書版本及藏地如下：

一、明天啟癸亥(三年)刊本：(明) 陳禹謨撰; (明)左光斗刪訂《左氏兵略》二卷（案：當為３３卷之誤），10 冊(2 函);27 公分 21.8x15.2 公分，9 行 20 字，小字雙行，20 至 30 字不等. 雙欄. 花口. 黑魚尾，鳥石山房文庫叢書之一，臺灣大學圖書館有藏本，《左傳論著目錄》頁八四著錄。

二、明彭端吾等四川刊本：(明)陳禹謨撰《左氏兵略》三十二卷，16 冊；(匡 24.5x15.1 公分)，有微捲，正文卷端題「巡撫四川等處...彭發刻 海虞陳禹謨錫玄甫輯 宛陵徐騰芳雲卿校」，序：「中州彭端吾撰」，「題辭 海虞錫玄甫陳禹謨書于龍湖公署」，跋：「布衣陳以敬仲儒撰」，9 行，行 20 字，夾註雙行字數同，台北：國家圖書館有藏本。

三、明萬曆吳用先等刻本：中國科學院圖書館有藏本，為《四庫全書存目叢書》的底本。

四、台北武學出版社據「明天啟三年刊本」影印本：民國四十五年印本，577 面 ；19 公分，台北：國家圖書館中文書庫有藏本。

五、《四庫全書存目叢書》據據中國科學院圖書館藏明萬曆吳用先等刻本影印本：陳禹謨《左氏兵略》三十二卷，台南縣：莊嚴文化出版事業有限公司，子部，冊三十二，民國八十四年出版。

禹謨〈自序〉曰[38]：「師出以律，兵安可無法也[39]？世之談兵家，類祖孫、吳而軼[40]《左氏》，詎知孫、吳之法寄於言，《左氏》之法寄於事，徵言於事則虛，徵事於言則核，故舍《左氏》而言兵法，此[41]不循其本者也[42]。孫、吳以一家言行世世得述[43]焉，《左氏》主說

---

[38]霖案：《左氏兵略.題辭》(「四庫全書存目叢書本」子部三二冊)，頁237-238。又本文原書作「〈題辭〉」，非題作〈自序〉也。

[39]霖案：「也」字下，應依原〈題辭〉補入「顧法之用圓矣，古名將以法勝者什九，以非法勝者什一，則將取法乎？將取非法乎？余以為懲馬服，簡驃姚，兩者交失之，惟執法者以求法，則殆庶焉。」等字。

[40]霖案：「軼」字，應依原〈題辭〉作「軮軼」二字。

[41]霖案：「此」字下，應依原〈題辭〉補入「夫」字。

[42]霖案：「也」字下，應依原〈題辭〉補入「《左氏傳》中如云：『止戈為武，師克在和』，禮樂慈愛為戰，所畜德刑，詳禮義，信為戰之器，其有折衝樽俎之遺風乎？此孫、吳概未及者，孫吳直用詭道見奇耳！傳之偽道贏張，五承三復，亦嘗盡真詭道不由也。《左》之於法備矣。自昔以謀《左》稱名將者不少，若漢冠子翼、馮公孫；晉杜元凱、梁王君才，宋曹寶臣、岳武穆，其最著者，子翼捕誅復將，則曲梁之罰也。公孫獨屏樹下，則晉帥之讓也；元凱起火巴山，則奪心之奇也；君才沈船江水，則焚舟之役也；寶臣因險限敵則阻隘之利也；武穆之謀審先定，則敗荊致絞之術

《經》，故談兵即工而分次十二公者，世徒指為富豔之緒論，與巫醫、夢卜同類而忽44之，如隗禧知為相斫書矣，猶云不足精意，則章縫之束於見也，況介胄士又安所得肆及之哉？予故特為表章，命曰《左氏兵略》，成一家言，稍證以《武經》諸書及往45代得失之林，俾與孫、吳並存焉46。」

又〈進呈疏〉曰47：「臣聞48《司馬法》曰：『天下雖安，忘戰必危。』故49自古帝王未有能去兵者，恭惟我皇上御極以來50，天下見為已治已安矣，抑臣猶切隱憂，不勝過慮，因濫竽樞寮51之末，每究心韜略52之編。竊謂：今談53兵者，輒祖孫、吳，乃54《春秋左傳》一書，尤兵家祖也55。邱56明依《經》立《傳》，義無不該，至所敘當年戰攻事，則有金版

也．若元凱身不跨馬，射不穿札，卒領征南，任策平吳勳，尤可謂得《左》之深者；蓋生平有《左》癖，所蓄積素也。又唐太宗嘗曰：『朕觀千章萬句不出，多方以誤之一句而已。』李衛公深以為然。按此語出《左氏》，用《左》之明效大驗，晷可睹矣。第」等字。

43霖案：《經義考新校》頁3746新增校文如下：「『述』，文津閣《四庫》本作『傳』。」

44霖案：「忽」字，應依〈題辭〉改作「簡忽」二字。

45霖案：「往」字，〈題辭〉作「徃」字。

46霖案：「焉」字，〈題辭〉無此字，惟於「並存」二字下，另有「然可傳者法耳，而法法者，胡可傳也。玅在呼吸間以圓用之，不應取法，不應取非法，慎毋蹈馬服覆轍，貽驩姬咲，則不倿幸為素臣之功臣矣。欽差整飭敘馬瀘等處兵備四川按察司僉事海虞錫玄甫陳禹謨書于龍湖公署。」等字。

47霖案：原〈進呈疏〉題作「〈進左氏兵畧疏〉」，本文出自《兵氏兵畧》(《四庫全書存目叢書》子部冊三二)，頁242-243。

48霖案：原〈進呈疏〉於「臣聞」二字之前，另有「為進《左氏兵畧》，以效愚衷，以裨戎務事。」等十五字，事涉其進呈此書的動機，今據原〈疏〉補入。

49霖案：「故」字下，應依原〈疏〉補入「故兵之設久矣。」等六字。

50霖案：「來」字下，應依原〈疏〉補入「德耀中天，功燭上宙，威稜外震，訓謨內昭，致使殊族回回，而革心小醜間葵而旋殄。」等三十二字。

51霖案：「寮」字，原〈疏〉作「僚」字。

52霖案：「略」字，原〈疏〉作「畧」字。

53霖案：《經義考新校》頁3746新增校文如下：「『談』，文津閣《四庫》本誤作『謂』。」

54霖案：「乃」字之下，應依原〈疏〉補入「孫、吳之前，有」等五字。

55霖案：「也」字下，應依原〈疏〉補入「蓋春秋時，王風既替，霸術始倡，日尋干戈，競相雄長，是時左」等二十二字。

56霖案：「邱」字，原〈疏〉作「丘」字，蓋竹垞或避孔子諱而改之。

六弢所未洩者57，如兵首人和，則有以德和民、師克在和之訓；武不可黷58，則有不戢自焚、止戈為武之詞；語正，則召陵、城濮諸師仗其義；語奇，則衷師夾擊、潛涉宵加妙59其機；詭譎，則曳柴設旆、偽羅詐盟窮其幻；行陳，則鵝鸛魚麗、左右勾拒善其法；勇者60，則先登免冑、帶斷桀石昭其能；技藝，則用革、用木、用矛、用劍程其巧；舟車步騎，則餘皇乘廣、崇卒小駟詳其說；天官時日、菁龜占候，則卜偃、史墨、徒父、師曠之儔通其奧。古今用兵家未有不出其彀中者61，第其書62不著於63兵志，其詞散於64全帙而未別其指歸，介冑之夫於65是知有孫、吳，竟不知有《左氏》，不幾溯流而忘源乎？臣特於66《左氏傳》中，就其論戰攻者表而出之，而成是編67，姑舉一二：即如西北利車戰，乘廣之制不可考68乎？東南利舟師，餘皇之式不可追乎？中國之長技莫如火攻，燧象不可做69乎？兵家之勝算莫如用奇，墮伏不可施乎？以悅70禮樂、敦詩書者謀帥，必無不識一丁者矣；以赦孟明復、桓子者使過，必無掩於一眚者矣；以殺顛頡、戮楊干71者罰罪罰行，而孰不知懲？以魯銘鐘、晉賜樂者賞功賞行，而孰不知勸？有所以恤軍士之寒，挾纊詎不知感？有所以濟軍士之飢，庚

57霖案：「者」字，應依原〈疏〉作「與洩之而未見諸行者，洋洋纚纚，不啻列眉指掌，然。」等二十字，竹垞或為節省篇幅，而逕改字句也。

58霖案：《經義考新校》頁3746新增校文如下：「『黷』，文津閣《四庫》本誤作『覿』。」。

59霖案：「妙」字，原〈疏〉作「玅」，為古今字之異，於字義無差。

60霖案：「勇者」，應依原〈疏〉作「勇敢」。

61霖案：「者」字，原〈疏〉無此字，卻另有「而能逸其域外者誰哉？嘗博稽古名將淵源《左氏》者，殆更僕未易數也，若再傳而為楚之吳起，七傳而為漢之張蒼、馮奉，世以折衝標夙譽寇恂，、馮異為炎鼎佐中興、賈逵之課讀常遍、關羽之諷誦不輟、杜預有耽思之癖、王僧辨擅該博之稱、楊注之勤學專精、路泌之能究深旨、李存勗之稍習通義、狄武襄之折郎淹通、岳武穆之識超行伍，凡此皆習《左氏春秋》最較著者，《左氏》有裨于兵家信矣！」等字，今據以補入。

62霖案：「書」字下，應依原〈疏〉補入「列于史官，而」等五字。

63霖案：「於」字，原〈疏〉作「于」字。

64霖案：「於」字，原〈疏〉作「于」字。

65霖案：「於」字，原〈疏〉作「于」字。

66霖案：「於」字，原〈疏〉作「于」字。

67霖案：「編」字下，應依原〈疏〉補入「夫以冀以古人之糟粕，備將畧之萬一云爾，何者兵可百年不試，而不可一日不講。」等字。

68霖案：「考」字，原〈疏〉作「玫」字。

69霖案：《經義考新校》頁2747新增校文如下：「『做』，《四庫薈要》本作『放』。」。

70霖案：《經義考新校》頁3747新增校文如下：「『悅』，文淵閣《四庫》本作『說』。」。

71霖案：《經義考新校》頁3747新增校文如下：「『楊干』，《四庫薈要》本作『揚干』。」，今考「楊干」二字，原〈疏〉正作「揚干」。

癸從此無呼；因壘可降以攻，[72]則何弗克？不虞豫戒以守，[73]則何弗固[74]？大都兵家妙[75]用潛于九天九地，幻于疑鬼疑神，疾于迅雷掣電，不可遙度，不可預設[76]，不可以成案，拘然談兵者必曰兵法。夫斷木為棊，挽革為鞠，亦皆有法焉，況兵凶戰危何事也[77]，豈[78]可師心自用而漫焉嘗試[79]哉[80]？臣謹輯[81]《兵略》[82]一編，凡三十二卷，謹用繕寫裝潢成帙，恭進御前，仰祈皇上于[83]清燕之餘俯垂睿覽。」

馮氏夢龍《春秋衡庫》（明）

　　【書名】哈佛大學燕京圖書館有馮夢龍撰《春秋大全》三十卷，《附錄》三卷，實為坊賈為求射利之故，擅自篡改書名，原書應為馮氏《春秋衡庫》一書。

　　【增補】永瑢等撰《欽定四庫全書總目‧存目》曰：「別本春秋大全三十卷　內府藏本

明馮夢龍撰。是書雖以《春秋大全》為名，而非永樂中官修之原本。其體例惟胡安國《傳》全錄，亦間附《左傳》事迹，以備時文掊摭之用。諸家之說，則僅略存數條。其《凡例》有云：『《大全》中諸儒議論，盡有勝胡氏者，然業已宗胡，自難並收以亂耳目。』是不亦明知其謬而為之歟？（卷三十，頁三九一）

　　【增補】邵懿辰撰、邵章續錄：《增訂四庫簡明目錄標注》卷三曰：「《春秋衡庫》三十卷，附錄三卷，備錄一卷，明馮夢龍輯，天啟刊本，又天啟刊二十七卷本。」（頁一一八）

72霖案：「以攻，」，標點斷句應改作「，以攻」。

73霖案：「以守，」，標點斷句應改作「以守，」。

74霖案：「固」字下，應依原〈疏〉補入「至于諸名將用兵，臣所採證《左氏》者，即未必一一券合，總不失為《左氏》緒餘，可備參伍于師中，而酌權宜于臨敵者也。」等字。

75霖案：「妙」字，原〈疏〉作「玅」，為古今字之異，於字義無差。

76霖案：《經義考新校》頁3747新增校文如下：「『預設』，文津閣《四庫》本作『預度』。」。

77霖案：「也」字下，應依原〈疏〉補入「昔人云：『持大兵者，如擎盤水，一致差跌求止。』等字。

78霖案：「豈」字，應依原〈疏〉作「豈得此」三字。

79霖案：「漫焉嘗試」，應依原〈疏〉作「嘗試漫為」，其中「焉」字為「為」字之誤植，且「嘗試」、「漫焉」二詞互倒，今據原〈疏〉改正。

80霖案：「哉」字下，應依原〈疏〉補入「《武經》七書，天下莫不戶誦家傳，凡以法在焉故也。《左氏》固兵家祖，獨奈何置不講邪？」等字。

81霖案：「謹輯」二字，應依原〈疏〉作「以是輯為」四字。

82霖案：「《兵略》」二字，原〈疏〉作「《兵畧》」

83霖案：「于」字，原〈疏〉作「於」字。

【霖案】《國立中央圖書館善本序跋集錄》頁三三八錄有明天啟五年刊本，其中有明李長庚〈序〉，竹垞未錄此序，今據以補入。又邵懿辰撰、邵章續錄：《增訂四庫簡明目錄標注》卷三，頁一一八錄有馮夢龍《麟經指月》一書，竹垞未錄此書，今據以補入。

三十卷。又《附錄》二卷。

【增補】《國立中央圖書館善本序跋集錄》頁三三八錄有李長庚〈序〉一則，且明・天啟五年刊本題「《附錄》三卷，《備錄》一卷」，可校改竹垞登錄之失。

又馮氏尚有《麟經指月》一書未見著錄，今據張壽平《公藏先秦經子注疏書目》頁一四三所錄之文補入。

【增補】永瑢等撰《欽定四庫全書總目・存目》曰：「春秋衡庫三十卷84　浙江吳玉墀家藏本

明馮夢龍撰。夢龍字猶龍，吳縣人。崇禎中由貢生官壽寧縣知縣。其書為科舉而作，故惟以胡《傳》為主，雜引諸說發明之。所列『春秋前事』、『後事』，欲於經所未書，傳所未盡者，原其始末，亦殊沓雜。」（卷三十，頁三九一）

【增補】〔補正〕《明史志》作二十卷。（卷八，頁二十）

【著錄】黃虞稷《千頃堂書目》卷二，頁四六、張壽平《公藏先秦經子注疏書目》頁一四三、《中國古籍善本書目》（經部）頁二八一著錄。

【卷數】《國立中央圖書館善本序跋集錄》頁三三八著錄，題作「三十卷」，則《補正》引《明史志》作二十卷，或為節本。

存。

【版本及藏地】本書版本及藏地如下：

一、明天啟五年刻本：明馮夢龍撰《春秋衡庫》三十卷，《附錄》三卷，《備錄》一卷，十行十九字，小字雙行注，19.7x13.1 公分，白口，四周單邊。有李長庚天啟五年〈序〉，而諸書有與《春秋》相關者合增刻為一書。十二冊。台北國家圖書館（二部）、中研院史語所善本書室；長春：東北師範大學圖書館有藏本。

又（大陸）《中山大學圖書館善本書目》頁二三錄有一本，版本亦題作「明天啟五年刻本」，然首有《附錄》，末《備錄》各一卷，且行款為十行，二十字，小字雙行，字數同，眉批小字，行四字，白口，四周單邊，與上述之本不符，疑另為一本。

又《中國古籍善本書目》（經部）頁二八一著錄，十行二十字白口四周單邊，首都、北大學、北京師範大學、中共中央黨校、中國社會科學院文學研究所、中國社會科學院哲學研究所、上海、華東師範大學、上海辭書出版社、天津師範大學、吉林大學、東北師範大學、陝西省、山東師範大學、南京、蘇州市文物管理委員會、浙江、

84霖案：原注云：按：今台北中央館藏明天啟五年刊《春秋衡庫》三十卷《備忘》一卷。

武漢、中山大學、四川省、重慶市等圖書館均有藏本。

又天一閣文物保管所另藏一本，有清應紀奉批注，明馮夢龍輯，《春秋衡庫》三十卷，《附錄》三卷，《備錄》一卷，十行二十字白口四周單邊。

【增補】《國家圖書館善本書志初稿》：「【春秋衡庫三十卷附錄三卷備錄一卷八冊】

　　明天啟五年(1625)刊本　　00556

　　　明馮夢龍撰。　夢龍(1574-1646)字猶龍，又字耳猶，號翔甫，一號姑蘇詞奴，吳縣人。

　　　版匡高 19.7 公分，寬 13.1 公分。四周單邊。每半葉十行，行二十字。註文小字雙行。版心花口，單白魚尾，上方記書名，中間記卷第(如『卷一』)，下方書葉次。

首卷首行頂格題『春秋庫衡卷一』，下方低四格題『馮夢龍輯、張我城參』。卷末有尾題。卷首有天啟五年李長庚春秋衡庫序一篇。序後有凡例十則，凡例後有附錄三卷。正文後附備錄一卷。書眉附刻釋音、釋文。文中朱筆圈點，不知出自何人之手。

書中鈐有『國立中央圖/書館收藏』朱文長方印、『鄭潚之印』白文方印、『平/子』朱文方印、『蘭/皋』白文方印、『漢/莊氏』白文方印、『漢/莊/氏』白文方印。」(頁 149~150)。

【增補】《國家圖書館善本書志初稿》：「【春秋衡庫三十卷附錄三卷備錄一卷六冊】

　　又一部　　00557

　　備錄缺五至二十一葉。

　　書中鈐有『國立中央圖/書館收藏』朱文長方印。」(頁 150)。

【增補】《中央研究院歷史語言研究所善本書目》曰：「《春秋衡庫》三十卷，《附錄》一卷，《備錄》一卷，八冊　明馮夢龍撰　明天啟間刊本。」（頁八）

　　【增補】《東北師範大學圖書館藏古籍善本書目解題》曰：「此書為科舉而作，以胡傳為主，雜引諸說發明之，所春秋前事後事，欲於經所未書，傳所未盡者，原其始末亦殊沓雜。

　　　馮夢龍：明，吳縣人，字猶龍。崇禎中貢生，知壽寧縣，才情跌宕，善詩文，尤工經學。有《春秋衡庫》、《別本春秋大全》、《智囊補》、《譚概》等。」（頁二九）

【增補】王重民：《中國善本書提要》曰：「【春秋衡庫三十卷附錄一卷備錄一卷】十冊（《四庫總目》卷三十）（北大）

　　明天啟間刻本〔十行二十字（**19.7×12.7**）〕

　　原題:「馮夢龍輯,張我城參。」按《附錄》載春秋以前事,《備錄》記哀公十四年獲麟以後事。是書「一以功令為主」,《凡例》中已自言之,吾人觀於「衡庫」命名,亦能知其意也。夢龍纂是書於《指月》以後,為刻小說之書林葉昆池所刻,蓋當時刻舉業書者,多兼刻小說也。攷《四庫總目》於《衡庫》之後,又載夢龍《別本春秋大全》三十卷,《提要》引《凡例》云:「《大全》中諸儒議論,儘有勝胡氏者,然業已宗胡,自難並收,以亂耳目。」此言正在此書《凡例》中。疑所謂《別本春秋大全》者,實即是書,特為坊賈改頭換面,以冀多售耳,非夢龍別有一書也。附識於此,他日見《別本大全》,再取此本校之。卷內有:「明倫館印」、「安政七改」等印記。

李長庚序〔天啟五年(一六二五)〕」(頁二九)

二、明天啟刻本:《增訂春秋衡庫》三十卷,《附錄》三卷,《備錄》一卷,半頁九行十八字,四周雙邊,白口,無魚尾。框高 12.3 厘米,寬 11.9 厘米。題『馮夢龍輯,余璟參』。前有余璟序。哈佛大學燕京圖書館有藏本。按此本與明天啟五年刻本的行款.框高.框寬均有不同,是為不同之本。

　　【增補】沈津著《美國哈佛大學燕京圖書館中文善本書志》:「0100　明天啟刻本增定春秋衡庫　　T693/3240

　　《增定春秋衡庫》三十卷《附錄》三卷《備錄》一卷,明馮夢龍撰。明天啟刻本。十二冊。半頁九行十八字,四周雙邊,白口,無魚尾。框高 12.3 厘米,寬 11.9 厘米。題『馮夢龍輯,余璟參』。前有余璟序。

　　馮夢龍,字猶龍,又字子猶,別號龍子猶、墨憨齋主人、顧曲散人、詞奴等。長洲人。少年時即有才情,博學多識,為人曠達,治學不拘一格,行動亦每每不受名教束縛。早年進學之後,屢考科舉不中,久困諸生間,落魄奔走,曾以坐館教書為生。崇禎三年,取得貢生資格,任丹徒縣訓導,七年升福建壽寧知縣,十一年秩滿離任,歸隱鄉里。為著名通俗文學家、戲曲家。著作甚豐。

　　衡庫者,喻心中有物而不露于外。《管子・七法》:『衡庫者,天子之禮也。』尹知章注:『衡者,所以平輕重;庫者,所以藏寶物,不令外知者也。言王者用心,常尚準平天下,既知輕重審用于心,無令長耳目者所得,此則天子之禮然也。』按明刻本《春秋衡庫》末有周應華跋,云:『吾師茲輯,主以經文,實以《左》,《國》,合以《公》、《穀》,參以子史,證以他經,斷以胡氏,輔以群儒。刪繁取精,針銼不失,可謂衡矣;採實兼華,字句不漏,可謂庫矣。衡而且庫,二百四十二年之行事,前源後委,聯如貫珠;甲是乙非,炳如列燭,可謂善讀《春秋》矣。』

是書附錄三卷為各傳序略及春秋綱領、提要,列國始末,兩周事考。又有馮夢龍發凡十則,嘗以此發凡與本館所藏《春秋大全》之凡例相核,中僅第八、九二則不同,餘皆同。

　　余璟序云:『《衡庫》一出,而通《春秋》之三難,益《春秋》之三快,猶龍氏自言,有此書可無觀他書,誠確論也。《春秋》稱孤注,得此翼之,可無患孤,麟經

大明之會，再增一大快哉！繇斯言觀之，則《衡庫》一書，李長庚先生蚤已醉心矣。今猶龍先生復加裁定，補其缺，拾其遺，舉諸子百家之書有當于經傳者，無不悉載，且隻字無偽，片言不漏，一覽而十二公二百四十二年賢奸治亂之事如列鬚眉，并孔子筆削之嚴，具可悠然想見焉。是猶龍先生可為《春秋》功臣，信不誣也，奚啻增定衡庫已哉！』按余序約五分之四皆錄《春秋衡庫》李長庚序。余璟，字景玉。

上海古籍出版社近年出版〈馮夢龍全集〉第二冊中，收有名刻本《春秋衡庫》。明刻本為半頁十行二十字，書眉上刻評。題『馮夢龍輯，張我城參』。全書字體作仿宋。此增定本則明顯不同，且字體為寫刻。又卷一『魯隱公上』，此本增出隱公小傳並《左傳》一段。另胡《傳》也較明刻本多出一百十六字。

《四庫全書總目》入經部春秋類存目。《提要》云：『其書為科舉而作，故惟以胡《傳》為主，雜引諸說發明之，所列《春秋》前事後事，欲於經所未書，傳所未盡者，原其始末，亦殊沓雜。』

扉頁刊『增定春秋衡庫。輯諸家音註。馮猶龍先生手授。已任堂藏版』。鈐有『如有翻刻，千里必究』。是書天頭極高，幾相等于原板框之一半。如不算天頭，當成巾箱小本。

《中國古籍善本書目》著錄有明天啟五年刻本《春秋衡庫》，大陸所藏計二十餘部。此為增訂之本，不見各家書目著錄。」（頁四七）

三、明刻本：此本書名題作《春秋大全》，乃是書賈為求射利，因而篡改書名所致，實為《春秋衡庫》一書，此本半頁十行二十字，四周單邊，白口，單魚尾，書眉上刻註。框高 19．1 厘米，寬 12．8 厘米。題『馮夢龍輯，張我城參』。前有天啟五年〈1625〉李長庚序。哈佛大學燕京圖書館有藏本。

【增補】沈津：《美國哈佛大學燕京圖書館中文善本書志》：「0099 明刻本春秋大全　　T693/3240．2　C．2

《春秋大全》三十卷《附錄》三卷，明馮夢龍撰。明刻本。十六冊。半頁十行二十字，四周單邊，白口，單魚尾，書眉上刻註。框高 19．1 厘米，寬 12．8 厘米。題『馮夢龍輯，張我城参』。前有天啟五年〈1625〉李長庚序。

是書附錄三卷為各傳序略、兩周事考、列國始末。又有馮夢龍撰發凡十則。按，將此發凡與本館所藏《增訂春秋衡庫》之凡例核對，中僅第八、九二則不同，餘皆同。此書實即夢龍撰《春秋衡庫》，坊賈為惑人耳目，故篡改書名，以達射利目的。

《中國古籍善本書目》未著錄。馮夢龍研究專家陸樹崙有《馮夢龍研究》，所見馮氏著作注釋、輯本甚多，然于此書則謂『未見』。《蘇州府志》馮夢龍著述目中列有此書。《四庫全書總目》亦存其目。《提要》云：『是書雖以《春秋大全》為名，而非永樂中官修之原本，其體列惟胡安國傳全錄，亦間附《左傳》事迹，以備時文捃摭之用。諸家之說，則僅略存數條。』

扉頁刊『春秋大全。馮猶龍先生訂。本衙藏版』。鈐有『不學不知其義』、『

學耕堂珍賞』印。

本館又有覆本一部，四冊。鈐印有『淳古堂』、東田小郡大和村古　小井莊又衛門之』。扉頁鈐『寶翰樓藏書記』印。」（頁四六至頁四七）

四、明末刻本：明馮夢龍輯，《春秋衡庫》三十一卷，附一卷，九行十八字小字雙行同白口四周雙邊，北京大學圖書館、上海社會科學院圖書館有藏本。

五、明己任堂刻本：明馮夢龍輯，《增定春秋衡庫》三十卷，《備錄》一卷，九行十八字白口四周雙邊，山東師範學院圖書館有藏本。

【增補】李長庚〈序〉曰：「余邑春秋其世業也，習是經者十人而九，余離諸生業三十餘年，見譚者怳隔世事，獨於春秋有見獵心，常夢中讀春秋，呫呫在口。席上有譚春秋新題影響者，好與相角，庶幾杜氏癖也。每思國家明經初指，非以隱癖傲士，欲輯一書備載近代各家之題，採加評定，而馮猶龍氏指月一刻先余同然，又大全中諸儒所說，有與胡相發明者、有愈於胡氏者，其他蕪雜，可少刪芟，而諸書有與春秋相關者，合增刻為一書，猶龍氏近復以衡庫出矣。猶龍氏才十倍於余，是二書出，為習春秋者百世之利也。余嘗謂習春秋有三難，亦有三快，易、詩、書、禮同出聖經，義理顯著，有爾雅及漢詁諸書，宋儒循而注之，雖微義不存而詞旨曉然；惟春秋褒貶刑賞在一字中，或在言外，而變例雜出、異同不嫌，令學者以臆相推測，其難一。國初功令春秋，左氏、公羊、穀梁、程氏、胡氏並用，而後專用胡氏，有明知其過，刻者有意於宋南渡後事，故相形斷者未必一一盡合，而功令所在，不得不抑心意以從之，其難二。國初經題仍宋經義，或出數題之大意中相近者、或相反者，聽各為條答，而後乃以某傳某句搭題，或傳意影搭、或脫母搭、或取左氏搭、或取各注疏搭，若射覆胸鈎，他經入闈，止慮文之不佳，春秋入闈，先慮題之不習，其難三。然他經製詞造格與書藝同，多用宋儒注疏中語，無論子史，即六經語稍僻、自稱粗、音稍聱者，不得輕入；士之好古文辭者，謂時藝薄之。而春秋奉左氏為祖禰，門風特異，語在他經藝號壯者，置之春秋藝中尚覺萎薾，所稱引與古文詞無異，其快一。他經時藝多俳體，比辭相對，限之以八，跅弛之材不得少騁，而春秋體裁可為短長，如論如策，不為三尺文格所拘，其快二。士各執一經，勢難兼習，博者不過借字句以供筆端耳。春秋則引用各經，相為表裏，中與詩義相發者，比之傳序更明；易筮之法，賴左氏以存；樂記一書，止存其理，而聆音辨器，不如左國之晰，斯以一經全五經之用也，其快三。衡庫一出，而通春秋之三難、益春秋之三快，猶龍氏自言有此書可無觀他書，誠確論也。春秋稱孤經，得此翼之，可無患孤，麟經大明之會，再增一大快哉！抑余有未盡之說，蓋春秋單題自有難也，以傳者逆經者心、以學者逆傳者心，或隱在一字之難、或絓緒雜出之難、或輕重不侔之難、或書法三四五六之難、或出於會盟、征伐之外，而涉性命理學之譚者之難，近世主司非本經，而反以搭題難士，溺其旨矣。余意於傳上直標某為關捩、某為旁岐、某為形影、某為尺蠖、某為血脉、某屬駢枝、某為型模、某相河漢、某為牖中之日、某為或張之孤，難易既明，正岐有辨，則主司不至謬誤。又經題中如于洮乞盟踐土、翟林伐鄭之類，咸以例對案，虛實不同，可以見士筆力，而近藝改為二段。夫經文嚴謹，有單則倒，輕重殊也；有分則對，輕重等也；豈有輕重等而故為不對，以從所自便之體哉？至於無傳單題，非文定之疏也，必寄見某傳

，或與某傳相同，所以前密後疎者，正以義例見前，得從同以比斷，即猶律家之以准某例、醫案之借用某方也，茲宜於無傳單題。定引某傳而不必旁採各注，尤與胡氏原不立傳之本一心相合也。具此數說以聽猶龍氏之裁定，無非欲為春秋成一全書耳。時天啟五年九月，楚黃友人李長庚撰。」（轉錄《國立中央圖書館善本序跋集錄》經部・頁三三八至頁三三九）

劉芳喆曰：「夢龍，字猶龍，長洲人。」

【增補】黃虞稷《千頃堂書目》卷二曰：「前後《附錄》者，紀春秋以前《國語》所載及獲麟以後續傳也。」（頁四六）

【增補】《東北師範大學圖書館藏古籍善本書目解題》云：「此書為科舉而作，以胡傳為主，雜引諸說發明之，所列春秋前事後事，欲於經所未書，傳所未盡者，原其始末亦殊沓雜。」（頁二九）

汪氏應召《春秋傳》

十三卷。

存。

【存佚】本書已未見傳本，當已久佚，今據以改作「佚」籍。

俞汝言曰：「應召，徽州人，撰《春秋汪氏傳》十三卷，萬歷乙巳自為之序。」

楊氏時偉《春秋賞析》（明）

【霖案】《欽定四庫全書總目》卷四四「《正韻牋》」條下云：「時偉有《春秋編年舉要》已著錄。」，今《經義考》未錄此書，當據以補入。又《欽定續文獻通考》卷一六一，頁二四錄楊氏《春秋編年舉要》一書，無卷數，解題云：「時偉，字去奢，長洲人。」，又云：「臣等謹案：是書成于崇禎甲戌，凡前後二編，皆倣《史記》〈年表〉之例，前為《春秋列國編年舉要》，後為《獲麟後七十七年編年舉要》。」（卷一六一，頁二四）

二卷。

存。

【版本及藏地】本書版本及藏地如下：

一、明天啟元年刻本：明楊時偉撰《春秋賞析》二卷，九行十八字白口四周單邊有刻工，《中國古籍善本書目》（經部）頁二八一著錄，南京大學圖書館有藏本。

劉芳喆曰：「時偉，字去奢，吳人。」

【增補】〔補正〕案：時偉，長洲人，專治胡氏《春秋》，嘗補牋《洪武正韻》。（卷八，頁二十）

唐氏大章《春秋十二公明辨》

未見。

【霖案】本書未見其他傳本，當已久佚。

黃虞稷曰[85]：「仙遊人[86]。」

吳氏從周《左傳纂》

【增補】黃虞稷《千頃堂書目》卷二，頁四一錄有吳從周《左傳兵法》一書，竹垞未錄，今據以補入。

四卷。

【著錄】黃虞稷《千頃堂書目》卷二，頁四一著錄。

未見。

【霖案】本書未見其他傳本，當已久佚。

【增補】黃虞稷《千頃堂書目》卷二曰：「字崇文，邵武府人，嘉靖中貢士，為浙江慶元縣訓導，有禦倭功升國子監博士。」（頁四一）。

張氏承祚《春秋歸正書》

未見。

【霖案】本書未見其他傳本，當已久佚。

《廣平府志》：「張承祚，肥鄉人，萬歷中歲貢生，官同知，以子懋忠貴，贈錦衣衛左都督。」

陳氏可言《春秋經傳類事》

【書名】黃虞稷《千頃堂書目》卷二，頁四四著錄，書名題作《春秋左傳類事》。

三十六卷。

【著錄】黃虞稷《千頃堂書目》卷二，頁四四著錄。

未見。

【霖案】本書未見其他傳本，當已久佚。

陸元輔曰：「可言，字以忠，嘉定人。好《左氏傳》，謂編年紀事，或一年之內，數事錯陳；或一事始終，散見於數年與數十年之後，學者驟讀之，未易得其要領，乃倣建安袁氏《通鑑紀事本末》，作《春秋經傳類事》，凡九十餘條、三十六卷。其釋義主杜氏，而多所損益；《傳》有與《經》戾者，則參之《公羊》、《穀梁》《二傳》，歷二十年而後成，竟

85霖案：出自黃虞稷《千頃堂書目》卷二，頁45著錄。

86霖案：「仙遊人」之前，黃氏原文有「字士一」等三字。又其後另有如下文句：「天啟中貢士，以經為主，不規規於三禮。」，當據以補入

窮困以歿。」

【增補】黃虞稷《千頃堂書目》卷二曰：「字以忠，嘉定縣人，以《春秋》名家，好《左氏傳》，倣《通鑑紀事本末》，為是書，凡九十餘條，傳有與經戾者則參之《公羊》、《穀梁》，歷二十餘年書成。」（頁四四）。

秦氏淪《春秋類編》

【作者】駱兆平《新編天一閣書目》頁二七三著錄，題作「明秦鑰撰」，「淪」、「鑰」形近而誤。

【卷數】駱兆平《新編天一閣書目》頁二七三著錄，卷數題作「三十二卷」。

未見。

【存佚】本書既有天一閣藏本，理當改注曰「存」。

【版本】本書版本如下：

一、刊本：駱兆平《新編天一閣書目》頁二七三著錄。

【增補】駱兆平《新編天一閣書目》曰：「《春秋類編》三十二卷　明秦鑰撰。刊本。是書仿《史記》〈本紀〉、〈世家〉、〈列傳〉之例，分人編次。」（頁一八九）

戴氏文光《春秋左傳標釋》（明）

【著錄】孫殿起《販書偶記》續編卷二，頁十五；《東北師範大學圖書館藏古籍善本書目解題》頁三三。

【作者】據《中央研究院歷史語言研究所善本書目》頁八著錄，題作者為「明戴文光標釋　張我城參定」，則張我城亦參與是書的編纂。

【書名】《中央研究院歷史語言研究所善本書目》著錄，書名僅題作《春秋左傳》。

三十卷。

存。

【版本及藏地】本書版本及藏地如下：

一、明天啟五年（1625）必有齋自刻本：明戴文光撰《春秋左傳標釋》三十卷，八冊，二六公分，九行十九字，白口，四周單邊。書口下鐫「必有齋」三字。卷一鐫長洲金麟仁甫書，旌邑劉權伯衡鋟，六冊，有明天啟五(乙丑)年(1625)戴文光〈序〉及〈凡例〉，又文震孟〈序〉；附附杜元凱〈原序〉，〈世系〉一卷，〈世次圖〉一卷，〈姓氏表〉一卷。台北：中央研究院史語所；長春：東北師範大學圖書館、杭州大學圖書館有藏本。

又中央研究院所藏之本，末二葉鈔配，排架號: 1-1-5，光碟代號: OD004A，又江蘇國學圖書館、日內閣文庫均有藏本（另有《首》一卷）。

又北京、東北師範大學、南京市、杭州大學、武漢大學等地圖書館均有藏本，《

中國古籍善本書目》（經部）頁二五〇著錄。又南京市圖書館有「清呂延平批」之本。

【增補】《中央研究院歷史語言研究所善本書目》曰：「《春秋左傳》三十卷，八冊　明戴文光標釋　張我城參定　明天啟五（乙丑）年刊本。」（頁八）

【增補】《東北師範大學圖書館藏古籍善本書目解題》云：「其書參百家之長，標獨得之識，而又條其世圖，表其姓氏，使閱者一目了然。

　　戴文光：明，吳人，字周得。」（頁三三）

陳氏宗之《春秋備考》

八卷。

存。

【存佚】本書已未見傳本，當已久佚，今據以改作「佚」籍。

宗之〈自序〉曰：「《春秋》，聖人之史，天文、五行、地理、禮樂、人物皆具焉，百世而後傳聞異詞，《三傳》之牴牾、十二國之棼錯，而可以漶漫無考乎？棘闈取士，傳宗康侯，為胡氏之《春秋》，非孔氏之《春秋》矣；講疏詁題，義取穿鑿，則為安成、麻黃之《春秋》，并非胡氏之《春秋》矣。則夫萃其異同、釐其沿革於以具訓，蒙士所當務矣。是編也，友人張君燮實殫蒐集，而屬予總其成焉。」

陸氏曾曄《春秋所見所聞所傳聞》

【作者】黃虞稷《千頃堂書目》卷二，頁四四著錄，題作「陸增曄編」，是則陸增曄為編者，而非撰者。

三卷。

未見。

【霖案】本書未見其他傳本，當已久佚。

【增補】黃虞稷《千頃堂書目》卷二曰：「字章之，會稽人。」（頁四四）。

華氏時亨《春秋敘說》

未見。

【霖案】本書未見其他傳本，當已久佚。

梅氏之熉《春秋因是》

三十卷。

存。

【存佚】本書曾經列入《欽定四庫全書總目·存目》，是則竹垞當日之時，應有存籍在世，惟其後已未見傳本，今據以改作「佚」籍。

趙吉士曰：「梅之熉，字惠連，麻城人。」

【增補】永瑢等撰《欽定四庫全書總目·存目》曰：「春秋因是三十卷　浙江巡撫採進本

明梅之熉撰。之熉字惠連，麻城人。是編專為《春秋》制義比題傳題而作。每題必載一破題，而詳列作文之法。蓋舊制以《春秋》一經可命題者不過一百餘條[87]，慮其易於弋獲，因而創為合題。及合題之說紛紜淆亂，試官、舉子均無定見，於是此類講章出焉。夫信傳不信經，先儒以為詬厲，猶為三傳言之也。至於棄置經文，而惟於胡《傳》之中推求語氣以行文，經已荒矣。其弊也，又於胡《傳》之中摘其一字、兩字，牽合搭配，以聯絡成篇，則併傳亦荒矣。此類講章，皆經學之蟊賊，本不足錄。特一以見場屋舊制，所謂比題、傳題者其陋如此，並非別有精微；一以見明季時文之弊，名為發揮經義，實則割裂傳文，於聖人筆削之旨，南轅北轍，均可以為炯鑑。故附存其目，為學《春秋》者戒焉。」（卷三十，頁三九四）

夏氏元彬《麟傳統宗》（明）

十三卷。

【增補】永瑢等撰《欽定四庫全書總目·存目》曰：「麟傳統宗十三卷　浙江巡撫採進本

明夏元彬撰。元彬本名彪，字仲弢，德清人。其書餖飣成編，漫無體例。隱公之前冠以《國語》十數條，以志周東遷始末。蓋仿馮夢龍《春秋衡庫》為之，而疏略尤甚。經文之下，或錄《左氏》，或取《公》、《穀》、《國語》隸之。或標傳名，或不標傳名。其附錄者，或有附字，或無附字。端緒茫然，猝難究詰。又如『費伯』之注誤在『盟唐』之下，『楚殺公子側』傳上，忽注云『出宋楚平傳』。『衛州吁弒君』下，只載《詩·綠衣》一章，並無他注。壬午大閱，全錄《周官》中春教振旅以下四則，亦不置一詞。如是者指不勝屈。文震孟序乃稱其『得於經術者深』，亦可異矣。」（卷三十，頁三九三至頁三九四）

【增補】〔補正〕今傳夏元彬《麟傳統宗》十二卷。（卷八，頁二一）

存。

【版本及藏地】本書版本及藏地如下：

一、明崇禎刻本：明夏元彬撰《麟傳統宗》十三卷，《中國古籍善本書目》（經部）頁二八一著錄，九行廿一字白口四周單邊，北京故宮博物院有藏本。又沈初等《浙江採集遺書總錄》乙·頁四二著錄此書，惟僅作「刊本」，且題作「明夏元彬輯《麟傳統宗》十二卷」，而考之永瑢等撰《欽定四庫全書總目·存目》所錄「浙江巡撫採進本」，同作「十三卷」，且現存明崇禎刻本，亦題作「十三卷」，是否有「十二卷」之本，恐有考證之處。

87霖案：原注云：「一百餘條」，浙、粵本作「七百餘條」。

二、四庫全書存目叢書本：明夏元彬撰《麟傳統宗》十三卷，台南：莊嚴文化事業出版股份有限公司影印故宮博物院藏明崇禎刻本。

文震孟〈序〉曰[88]：「夫子[89]因《魯史記》作《春秋》[90]，《左氏》乃為之《傳》，傳其事不晰其義，若曰其[91]義，則子言之矣[92]。漢初有《公羊》、《穀梁》[93]之學，各有崇[94]師[95]，互立意義，天子主為是非同異，大議殿中[96]，揚雄[97]所謂[98]：曉曉[99]之學，各習其師者也[100]。吾友夏仲弢覃思《經》學[101]，爰集諸傳，下及戰國《短長》諸篇，彙為一書，源派分

88霖案：《四庫全書存目叢書》經部冊一二七，頁369-371。

89霖案：「夫子」二字下，應依原〈序〉補入「蓋曰：『我欲著之空言，不如見之行事也』。乃」等十六字。

90霖案：「《春秋》」二字下，應依原〈序〉補入「則《春秋》固夫子之實事矣，弟子退而異說轉失其真。」等二十字。

91霖案：「其」字，原〈序〉無此字，當據以刪正。

92霖案：「矣」字，原〈序〉無此字，當據以刪正。又「之」字下，應依原〈序〉補入「以是稱素臣也。」等六字。

93霖案：「《穀梁》」二字下，應依原〈序〉補入「鄒氏、夾氏；鄒、夾兩家湮沒不傳，而《公》、《穀》」等十五字。

94霖案：「崇」字，應依原〈序〉改作「顓」字。

95霖案：《經義考新校》頁3752新增校文如下：「『崇師』，《四庫薈要》本、文淵閣《四庫》本俱作『專師』。」。

96霖案：「殿中」二字下，應依原〈序〉補入「《左氏》本出於漢初張蒼，梁太傅始為訓詁，授趙人貫公，京兆尹張敞、蕭傅望之、黎陽賈護皆善言《左氏》，然終漢世不能與《公》、《穀》埒。劉歆典校正定，欲見於國學，諸儒莫應，建武中，尚書令韓歆請立而未行，時陳元最明《左傳》，又上書訟之，於是以魏郡李封為左氏博士，旋復報罷。至永明中能為《左氏》者擢高第為講郎，其後，賈逵、服虔並為訓解，至魏始行於世。晉杜預又為《集解》，盛行服義，而《公》、《穀》浸微，殆無師說矣。以至今日，或遂不能舉其詞，即習讀《左氏》者，亦唯慕悅其文章而已，無論北闕定疑，雨雹辨忒，與夫授樵曳柴，經世務者，代無其人，即黃能入寢，巨骨出吳，枯矢集庭，亥身役杞，博物志怪，誰其原本於六經者乎？故」等字。

97霖案：「揚雄」二字，原〈序〉作「楊雄」。

98霖案：「所謂」二字，原〈序〉作「曰：『今之學者，非獨為之華藻，又從而繡其鞶帨，即。』」等字。

99霖案：「曉曉」二字，原〈序〉作「譊譊」，二字偏旁不同。

100霖案：「者也」二字，原〈序〉無之，當據刪之。又原〈序〉另有「如曩者何休之《膏肓》、《廢疾》，鄭玄之《駮議》、沈宏之《五辨》、賈逵之《朱墨列》、服氏之《釋痾》、《塞難》、王述之《辨證》、糜信理之《漢議》，亦人與言俱亡，不可復覿矣。為人君父，為人臣子，俱不可以不知《春

而指歸合。凡昔所稱輸攻墨守[102]者，一切歸於混同，而均以羽翼素王[103]。蓋十年而後成，其功博，其志[104]苦矣[105]。」

俞汝言曰[106]：「夏元彬，初名澎，字仲弢，德清人。」

孫氏范《春秋左傳分國紀事》（明）

【作者】黃虞稷《千頃堂書目》卷二，頁四六、《東北師範大學圖書館藏古籍善本書目解題》頁三二俱題作「孫范」，又李一遂〈左氏春秋著錄書目研究〉頁一一三作「孫範」；「范」、「范」、「範」三字，因字形相近而誤。

【書名】黃虞稷《千頃堂書目》卷二，頁四六題作《左傳紀事本末》；又《東北師範大學圖書館藏古籍善本書目解題》頁三二著錄，書名題作《左傳分國紀事本末》，同於《明史志》的著錄。

二十卷。

【卷數】《東北師範大學圖書館藏古籍善本書目解題》頁三二著錄，卷數題作「二十二卷」，同於《明史志》的著錄。

【增補】《東北師範大學圖書館藏古籍善本書目解題》頁三二另錄有《世次圖》一卷，竹垞未及著錄，今據以補入。

【增補】〔補正〕《明史志》作孫范《左傳紀事本末》二十二卷。（卷八，頁二一）

存。

【版本及藏地】本書的版本及藏地如下：

一、明崇禎十一年刻本：明孫范《左傳分國紀事本末》二十二卷，又《世次圖》一卷。九行，二十字。白口，四周單邊。有吳太沖崇禎戊寅年〈序〉。八冊。長春東北師範大學圖書館有藏本。

秋》，《春秋》之學，不講而朝紀日凌，國際漸啟，世道秕僻，剝橈滋萌，又安怪哉！」等字。

101霖案：「學」字之下，應依原〈序〉補入「亦既名家」四字。

102霖案：「守」字之下，應依原〈序〉補入「朋樹局分」四字。

103霖案：「王」字之下，應依原〈序〉補入「鼓吹聖統」四字。

104霖案：「志」字，應依原〈序〉題作「心」字。

105霖案：「矣」字下，應依原〈序〉補入「則寧徒▨華競彩，炫示經生已哉！昔公孫子治《春秋》，以白衣為丞相，學士大夫侈言之，然不免曲學阿世之譏，或說嚴彭祖天時不勝人事，君亡貴人左右之助，經誼雖高，不至宰相。嚴謝曰：『凡修經術，固當修行先王之道，何可委曲從俗，苟求富貴耶！』蓋以經經世，先以經律身，儒者之見於行事，固如此，仲弢清真有志操，其所得於經術者深，此固其先資矣。竺塢山史文震孟纂。」等字。

106霖案：參考四庫本《欽定續文獻通考》167之文，得補相關資料。

又日本尊經閣文庫有藏本。

【增補】《東北師範大學圖書館藏古籍善本書目解題》云：「《左傳分國紀事本末》。冠《世次圖》一卷。其中卷第十。計：周傳一卷、魯傳三卷、鄭傳二卷、衛傳一卷、齊傳一卷、魯傳一卷、晉傳六卷、楚傳四卷、吳傳一卷、陳傳一卷。

孫范：明，武林人，字醫儀，號廣霞居士。生平以韓范自期，飢驅而仕通。籍十年貧且益甚，其廉潔固性所然也。」（頁三二）

范〈自序〉曰：「說《春秋》者曰義、曰事，義斷於聖心，末學難曉，事則存乎《左氏》，可循覽而得也。顧其為書，年經國緯，緒端紛出，覽者未能一目便了，是用倣之史家，變編年為紀事，以事系國，以國系君，有一事而連綴三五國、上下數十年者，則原其事之所始與其所歸，還系所應屬之國，庶覽一事之本末，而即因事以知其國勢之強弱、人才之盛衰，二百四十餘年之故，網羅胸中，出為濟世匡時之用，是今日所為輯傳意也。」

【增補】黃虞稷《千頃堂書目》卷二曰：「字匡儀，崇禎戊寅序。」（頁四六）

章氏大吉《左記》

十二卷。

存。

【版本及藏地】本書的版本及藏地如下：

一、明崇禎刻本：明章大吉撰《左記》十二卷，十行二十字白口四周單邊，北京大學、清華大學、北京師範學院、復旦大學、天津、東北師範大學、天一閣文物保管所、湖北省等地圖書館均有藏本，《中國古籍善本書目》（經部）頁二五〇著錄。

大吉〈自序〉曰：「《左氏》編年，太史公紀傳，此千古史之準。予媿元凱，而亦有《左氏》癖，自少至老不倦。第列國雜敘，《經傳》互刊，觀覽不便，僭截《左氏》文就《史記》體，合而名之曰《左記》。事以國麗，文以事聯，雖割裂之罪無所逃，而實不敢筆削一字，燦然成文，便覽觀焉。雖然，列世系，則一姓梗槩備矣；要始終，則當局吉凶辨矣。前兆或同後驗，古算或勝今籌，災祥可按，狐鼠足懲。余三復之，不容緘口，漫憑臆見，論列於簡末，幸同志者鑒之。」

俞汝言曰：「章大吉，字惠伯，山陰人。」

徐氏允祿《春秋愚謂》

四卷。

【著錄】黃虞稷《千頃堂書目》卷二，頁四六著錄。

未見。

【霖案】本書未見其他傳本，當已久佚。

陸元輔曰：「徐允祿，字汝廉，嘉靖諸生。取《春秋》三傳及《胡氏傳》撮其大旨於前，而折衷以己意；四家都無當者，更出獨見斷之，如『尹氏卒』，以為鄭之尹氏，即隱公與之

同歸而立鍾巫之主者也。其他大抵類此。」

【增補】黃虞稷《千頃堂書目》卷二曰：「字汝廉，嘉定縣人。取《左》、《公》、《穀》、《胡》四傳，撮其大旨於前，而折衷以己意，有四傳俱無當者，更出己見斷之。」（頁四六）。

顧氏懋樊《春秋義》

三十卷。

【著錄】黃虞稷《千頃堂書目》卷二，頁四六著錄。

未見。

【存佚】本書四庫存目著錄，當改注曰「存」

【版本及藏地】本書版本及藏地如下：

一、明顧景祚刻本：杜信孚等編纂《同名異書匯錄》頁一三八著錄此書，惟僅作「明刊本」，未明確切版本，今考無錫市圖書館有藏本，題作：明顧懋樊撰，《桂林春秋義》三十卷，九行十七字小字雙行十六字白口四周單邊，而杜氏所作「明刊本」，當即此本。

【增補】永瑢等撰《欽定四庫全書總目・存目》曰：「春秋義三十卷　江蘇周厚堉家藏本

　　明顧懋樊撰。懋樊有《桂林點易丹》，已著錄。是書朱彝尊《經義考》云未見。前有懋樊自序，稱以胡《傳》為宗，參之《左氏》、《公》、《穀》三家，佐以諸儒之說。今觀其書，直敷衍胡《傳》為舉業計耳。未嘗訂正以三傳，亦未嘗訂正以諸儒之說也。」（卷三十，頁三九三）

【增補】〔校記〕《四庫存目》著錄。（春秋，頁五三）

張氏岐然《春秋五傳平文》（明）

【書名】本書異名如下：

一、《春秋四家五傳平文》：《中國人民大學圖書館古籍善本書目》頁十四著錄。

【增補】《中國古籍善本書目》（經部）頁二八二著錄，尚有張岐然輯《春秋五傳綱領》一卷、《春秋諸國興廢說》一卷、《春秋筆削發微圖》一卷、《春秋名號歸一圖》二卷、《春秋二十國年表》一卷等書，竹垞未錄上述諸書，今據以補入。

　　又李一遜〈左氏春秋著錄書目研究〉頁一二二錄有張歧然《春秋左傳綱目杜林詳注》十二冊，有雍正十三年崇文堂刻本，其中「張歧然」為「張岐然」之筆誤，今據以補入，並改其作者為「張岐然」。

【增補】永瑢等撰《欽定四庫全書總目・存目》曰：「春秋五傳平文四十一卷　內府藏本

明張岐然編。岐然字秀初，錢塘人。其書採《左傳》、《公羊傳》、《穀梁傳》胡安國《傳》，而益以《國語》。《國語》亦稱『春秋外傳』，故謂之『五傳』。曰『平文』者，明五傳兼取，無所偏重之義也。其自序曰：『嘗與虞子仲皓泛覽《春秋》七十二家之旨，蓋鮮有不亂者。及觀近時經生家之說，殆不可復謂之《春秋》。究其弊，率起於不平心以參諸家，而過尊胡氏。久之惟知有胡氏傳，更不知有他氏。又久之惟從胡《傳》中牽合穿鑿，並不知有經。此所謂亂之極也』云云。考胡安國當高宗之時，以《春秋》進講，皆准南渡時勢以立言。所謂喪欲速貧，死於速朽，有為言之者也。元、明兩代，時異勢殊，乃以其源出程子，遂用以取士，已非安國作傳之初意。元制兼用三傳，明制兼用張洽傳，蓋亦陰知胡安國之多僻而補救其偏。永樂中修《春秋大全》，襲用汪克寬《纂疏》，乃專尊胡《傳》，又非廷祐、洪武立法之初意。然胡廣等之《大全》，雖偏主一家，傷於固陋，猶依經立義也。其後剽竊相仍，棄經誦傳，僅摘經文二、三字以標識某公某年，迨其末流，傳亦不誦，惟約略傳意，標一破題，轉相授受而已，蓋又并非修《大全》之初意矣。岐然指陳流弊，可謂深切著明。故其書皆參取四傳以救胡《傳》之失。雖去取未必盡當，要其針砭俗學，破除錮習，於《春秋》不為無功。惟五傳皆具有成編，人所習誦，不待此刻而傳。故取其衛經之意，而不復錄其書焉。」（卷三十，頁三九四）

四十一卷。

【卷數】中國人民大學圖書館藏本錄有「《卷首》一卷」

存。

【版本及藏地】本書版本及藏地如下：

一、明崇禎十四年（1641）君山堂刻本：明虞宗瑤輯《春秋提要》二卷，九行十九字，小字雙行同，白口，單魚尾，四周單邊。卷首首頁版心下鐫「君山堂」，北京大學、清華大學、中國人民大學、中共中央黨校、北京故宮博物院、上海、東北師範大學、福建師範大學等圖書館有藏本。

【增補】王重民：《中國善本書提要》曰：「【春秋四家五傳平文四十一卷春秋圖一卷提要二卷名號歸一圖二卷春秋年表一卷平文卷首一卷】

二十四冊（《四庫總目》卷三十）（北大）

明崇禎間刻本〔九行十九字（20.1✕13.7）〕

原題：「明仁和張岐然秀初手輯，錢塘吳漢翀舉遠參閱。」岐然事蹟無攷，據吳漢翀序：「始於庚辰孟夏，卒於辛巳仲秋，閱月十六，而《平文》之書以成。」則是書纂成于崇禎十三、十四年間也。下書口刻「君山堂」三字。

張岐然序

吳漢翀序」（頁三一）

二、清乾隆間連元閣刻文華閣印本：香港中文大學圖書館有藏本。

【增補】《香港中文大學圖書館古籍善本書錄（增訂版）》曰：「０８３　　PL2470.H42(崇基)

《春秋五傳》十七卷《首》一卷

　明張岐然編　清張墣重編

　清乾隆間連元閣刻文華閣印本

　十七冊

　　匡高二十・九公分，寬十四・八公分

　　上下二欄：上欄刻"國語"、"公羊傳"、"穀梁傳"，九行十三字，小字雙行同；下欄刻"左傳"、"胡傳"、"附東萊博議"，九行二十字，小字雙行同

　　序、目錄、卷一首頁版心刻"連元閣板"

　　內封題"仁和張岐然先生原本，文華閣藏板"

　　前有乾隆六年張墣序

　　鈐有"關濟川先生捐贈"印

　　張序曰："夫五傳者，傳春秋也……仁和張岐然先生條而合之，標曰五傳平文，然林、朱發明《征南》、《訓左》所未及，刪而不入。何、范集解《公》、《穀》多支離，繁而不汰者，則功虧一簣也……妄意分為二截，以《公》、《穀》、《外傳》次其上，而以經文、《左》、《胡》編於下，間又增附《東萊先生博議》，有綱有目，有論有斷。"

０８４　PL2470.H42(聯合)

又一部

十七冊

鈐有"南海馮貽嘉堂所藏印"」（頁二五）

三、四庫全書存目叢書本：明張岐然輯，《春秋四家五傳平文四十一卷，首一卷，附八卷，此本係影印清華大學圖書館藏明崇禎十四年君山堂刻本。

岐然〈自序〉曰107：「記曰：《春秋》之失亂，屬辭比事而不亂者，深於108《春秋》者也。予109嘗與虞子仲皜泛覽《春秋》七十二家之旨，蓋鮮有不亂者；及觀近日經生家之

107霖案：《四庫全書存目叢書》經部，冊一二八，頁588-591。

108霖案：「於」字，原〈序〉作「于」字。

109霖案：「予」字，原〈序〉作「余」字。

說，尤可訕笑，殆不復可謂之《春秋》，又不止於110亂矣。究其弊，率起不平心以參諸家而過尊胡氏，久之，習讀者惟知有《胡氏傳》，更不知有他氏矣；又久之，習讀者惟從《胡傳》中牽合穿鑿，并不知有《經》矣。昔范叔有言：臣居山東時，聞齊之有田文，不知其有王；聞秦之有太后、穰侯、高陽、涇陽，不知其有王。今習讀者惟知有胡氏，不知其有《春秋》，此所謂亂之極也111，而其弊率起於112過尊胡氏113。胡氏之說《經》，亦未嘗不按《左氏》、參《公羊》、據《穀梁》，而敢獨為之說，《左氏》之說未當，《公》、《穀》或正之；《三傳》之說未盡，唐、宋諸儒閒114發之，胡氏乃始起而和合眾家，約略115《經》旨，大暢己意為《春秋》116。然則今之單任胡氏者，反以罪累胡氏，我知必胡氏所深憎也117。輒與吾友舉遠氏合《三傳》而存其註，取胡氏而平其文，又附以《左氏》之《外傳》焉。夫治《春秋》者，立之案，附之斷，誠不厭詳且盡也，則凡諸子百家之書，有可采118者舉，未可棄矣。使姑發其端，持其平，則試取四家《五傳》之文而參和之，其相符者幾何也，相戾者幾何也；然後考119諸儒之說而折衷焉，比《經》文之事，屬其辭而條理焉，將其不可得而亂者自出也。予120向期與虞子博采諸家，存其合者而閒121附己意，名曰《春秋止亂》，虞子逝而未之成也。今先以四家《五傳》之平文平122學士家之心，而後出予123所與先友夙

110霖案：「於」字，原〈序〉作「于」字。

111霖案：「也」字下，應依原〈序〉補入「卒之殊有非胡氏意，而妄為鈎合，漫謂之傳意，猶之陪臣、大夫代相陵也。」等字。

112霖案：「於」字，原〈序〉作「于」字。

113霖案：「胡氏」之下，應依原〈序〉補入「夫有所過，而偏任之，非平也。詩曰：『神之聽之，終和且平。』凡思持天下平者，非和未有能平者也。初」等字。

114霖案：「閒」字，原〈序〉作「間」字。

115霖案：「略」字，原〈序〉作「畧」字。

116霖案：「《春秋》」二字下，應依原〈序〉補入「功臣」二字。

117霖案：「也」字下，應依原〈序〉補入「夫以水濟水，必無能食者，謂其亡味也。琴瑟專一，必無能聽者，謂其爽音也。穿鑿一家，支離變眩，必無通解者，謂其離經也，今治《春秋》，求不離經，雖欲不參合眾家，不可得矣。參合眾家，雖欲不根本《三傳》，不可得矣。然而，《三傳》注疏之書，苦其不并也。抑又憚煩《大全》諸儒之說，，苦其不平也。抑又患複。」等字。

118霖案：「采」字，原〈序〉作「採」字，偏旁不同也。

119霖案：「考」字，原〈序〉作「攷」字

120霖案：「予」字，原〈序〉作「余」字。

121霖案：「閒」字，原〈序〉作「間」字。

122霖案：「平」下，應依原〈序〉補入「我」字。

123霖案：「予」字，原〈序〉作「余」字。

夜商榷之書以就正焉，亦曰將以持《春秋》之平，無徒為胡氏之罪人爾也[124]。」

馮氏瑛《春秋前議》

　　一卷。

　　存。

　　【存佚】《春秋總義論著目錄》頁十二注曰：「未見」，然此書久未見傳本，當已久佚，今改注曰「佚」。

俞汝言曰：「其書言天文主夏時。」

周氏廷求《春秋二十編》

　　三卷。

　　存。

　　【存佚】《春秋總義論著目錄》頁二一七注曰「佚」，今本書確實未見任何傳本，當已久佚，故應改注曰「佚」。

廷求〈自序〉曰：「《春秋》一書，聖人所以著尊親大義也。立尊之名，示尊之義，筆之於魯史之上，雖古無天王之稱，而亦不嫌創也；核親之實，得親之情，繫之於周歷之正者，雖詳一春王之文，而亦不厭贅也。王則稱天，尊之至也；春則書王，親之至也；尊尊親親，義之至也，此則夫子所以作《春秋》之意也。或曰：『夫子意在存王迹，而作《春秋》則止存周室之文足矣，胡為乎備載列國之事邪？』曰：『尊其尊，親其親者，尊親之大義也。合眾尊以成一尊，合眾親以成一親者，尊親之至願也。今考全史所載，則見正朔頒於其上，列國承於其下，典禮按於其故，功業俟於其新，治亂繫於其人，盛衰存於其事，罪案嚴於其論，災異謹於其徵，一人雖拱手無為，而諸侯若奉行不替，於此見聖人竊取之義矣。至於今誦天王之稱，有以知聖人之尊王者，尊之惟恐不至；讀春王之文，有以知聖人之親周者，親之惟恐或忘也。歸聘錫葬之事，雖當式微之日，而列國無不以受王命為榮；會同誓信之舉，雖當更霸之期，而盟主無不以藉王臣為重；河陽一狩，京師特朝，依然巡守述職之盛事也；天子賜命而共仰繼明之照，元戎啟行而三勤伐鄭之師，依然禮樂征伐之雄風也；寤生不共而三國從王以伐，負芻已服而京師受命以歸，豈非司馬、司寇之典，猶是一人總其成乎？緣陵之城，諸侯盡入，宿衛成周之城，大夫敢效賢勞，豈非維屏維翰之業，猶是普天同其戴乎？若然者，世雖衰也，道雖微也，一王之分，初不失其為尊也；萬國之衛，初不失其為親也，直取十有一王[125]之行事，筆之於《經》，而義已足昭揭於千古矣，又何必鋪張其事，粉飾其辭，然後有以明天子之事哉？故夫尊親者，至教之所自始也；尊其尊而親其親，大義之所自明也。

124霖案：「也」字，應依原〈序〉改作「已」字。又原〈序〉於「也」字下，另署有「仁和張岐然秀初甫撰」等字。

125霖案：《經義考新校》頁3757新增校文如下：「『十有一王』，依《四庫薈要》本應作『十有二王』。」。

使人盡知尊其尊而親其親，則《經》義之所以揭日月而中天也。廷求自天啟三年說《春秋》，迄崇禎四年論定，分編二十，期不失夫子筆削之初意云爾。』

陳氏士芳《春秋四傳通辭》（明）

十二卷。

存。

【版本及藏地】本書版本及藏地如下：

一、明奏星堂刻本：明陳士芳撰《春秋四傳通辭》十二卷，《中國古籍善本書目》（經部）頁二八二著錄，湖北省圖書館有藏本。

【增補】永瑢等撰《欽定四庫全書總目·存目》曰：「春秋四傳通辭十二卷　　浙江巡撫採進本

明陳士芳撰。士芳字清佩，海寧人。是書採輯《左氏》、《公羊》、《穀梁》、《胡氏》四傳，削其繁冗。其《左氏傳》之不附經文者，咸刪汰無遺。亦閒附己意於其下。因董仲舒有『《春秋》無通辭，隨變而移之』語，遂題曰『通辭』，以明義例之有定。然名曰『四傳』，實則依附胡氏，無所異同。名曰『考校經文，去取三傳』，實則合胡氏者留，不合胡氏者去，未嘗以經正傳也。」（卷三十，頁三九一）

卷二百七　春秋四十經義考卷二百七春秋四十

王氏道焜等《春秋杜林合注》（明）

【作者】黃虞稷《千頃堂書目》卷二，頁五一著錄，惟不知作者，今竹垞考知為王道焜等人所輯。又據陸元輔所云，則作者為王道焜、趙如源共輯此書。

又李一遂〈左氏春秋著錄書目研究〉頁一一九將「趙如源」誤作「趙各源」。

【書名】明崇禎刻本，書名題作《春秋左傳杜林合注》五十卷。

【著錄】黃虞稷《千頃堂書目》卷二，頁五一著錄。

存。

【版本及藏地】本書版本及藏地如下：

一、明崇禎刻本：原五十卷，寧波天一閣有藏本，題作「五冊，存卷五至十，十六至二十，三十一至四十，四十七至五十。」

二、文淵閣四庫全書本：《左傳杜林合注》五十卷，《國立故宮博物院善本舊籍總目》，上冊，頁八十四著錄，台北：故宮博物院有藏本。

【增補】《四庫全書總目提要》：「左傳杜林合注五十卷　　左都御史崔應階進本

明王道焜、趙如源同編。案朱彝尊《經義考》載宋林堯叟《春秋左傳句解》四十卷，引鄭玫之言曰：「堯叟字唐翁。崇禎中杭州書坊取其書，合杜《注》行之。」又載此書五十卷，引陸元輔之言曰：「王道焜，杭州人，中天啟辛酉鄉試。與里人趙如源濬之共輯此書」云云。今書肆所行，卷數與彝尊所記合，而削去道焜、如源之名。又首載《凡例》題為堯叟所述，而中引永樂《春秋大全》，殆足哈嚛。蓋即以二人編書之《凡例》改題堯叟也。杜預注《左氏》，號為精密，雖隋劉炫已有所規，元趙汸、明邵寶、傳遜、陸粲，國朝顧炎武，惠棟又遞有所補正，而宏綱巨目，終越諸家。堯叟之書，徒以箋釋文句為事，實非其匹第。古注簡奧，或有所不盡詳，堯叟補苴其義，使淺顯易明，於讀者亦不無所益。且不似朱申《句解》於傳文橫肆刊削，故仍錄存之，以備一解。中附陸德明《音義》，當亦道焜等所加，原本所有，今亦并存焉。」（卷二十八，頁三六八）

【增補】邵懿辰撰、邵章續錄：《增訂四庫簡明目錄標注》卷三曰：「《左傳杜林合注》五十卷，明王道焜、趙如源同編，以宋林堯叟《左傳句解》，散附杜注之下。

崇禎中杭州刊本，汲古閣刊本。

〔續錄〕天啟問奇閣刊本，芥子園本，大文堂刊本。」（頁一一九）

【增補】胡玉縉撰、王欣夫輯《四庫全書總目提要補正》卷七曰：「陸氏《藏書志》有元刊本《音注全文春秋括例始末左傳句讀直解》七十卷，有〈四凶圖〉，有〈十二

戰國圖〉，有〈綱目〉，其案語云：『明崇禎時，杭州書坊以林注分附杜注而是書遂晦，今以合刻本較之，有以林注作杜注杜注作林注者，不僅奪落刪削已也，此猶林氏原書。』據此，則《句解》乃七十卷，瞿氏《目錄》同。」（頁一七九）

三、明天啟六年問奇閣刊本：江蘇國學圖書館有藏本。

　　晉杜預、宋林堯叟撰、唐陸德明音義、明王道昆　趙如源輯《春秋左傳杜林合注》五十卷，九行二十字小字雙行同四周單邊，華東師範大學圖書館、吉林大學圖書館、金華圖書館、湖南師範學院圖書館有藏本。

四、民國十五年上海昂章圖書局印本：李一遂〈左氏春秋著錄書目研究〉頁一一九著錄。

五、芥子園本：邵懿辰撰、邵章續錄：《增訂四庫簡明目錄標注》卷三，頁一一八著錄。

六、大文堂本：邵懿辰撰、邵章續錄：《增訂四庫簡明目錄標注》卷三，頁一一八著錄。

七、杭州刊本：邵懿辰撰、邵章續錄：《增訂四庫簡明目錄標注》卷三，頁一一八著錄。

八、汲古閣刊本：邵懿辰撰、邵章續錄：《增訂四庫簡明目錄標注》卷三，頁一一八著錄。

九、清書業堂刻本：中國歷史博物館有藏本。

【增補】《中國歷史博物館藏普通古籍目錄》曰：「０ ０ ８ ２

春秋左傳杜林合注　五十卷

　（晉）杜預注

　清書業堂刻本

　十六冊

　（史６０５９）」（頁九）

陸元輔曰：「道焜，杭人，中天啟辛酉鄉試，與里人趙如源濬之共輯此書。」

陳氏肇曾《春秋四傳辨疑》

未見。

　【霖案】本書未見其他傳本，當已久佚。

林偉曰[1]：「陳肇曾，字昌箕，福州人。天啟辛酉舉人，官禮部司務。《辨疑》一書，

---

1 霖案：此文尚未考出源自何書，惟《福建通志》卷二七錄及「陳肇曾」條（臺北：臺灣商務印書館

曹學佺序之。」

【增補】吳綺撰，《林蕙堂全集》卷十七，〈送陳昌箕下第歸閩時，以紫晶章見貽〉云：「北固風前一寄書，十年猶自困樵漁。多才莫倚中山管，失路空懷下澤車。醉客留歡金菡萏，美人充贈玉蟾蜍。憑君珍重凌雲氣，狗監曾聞薦子虛。」（四庫本，冊一三一四，頁五三四）

華氏允誠《春秋說》

未見。

【霖案】本書未見其他傳本，當已久佚。

嚴繩孫曰：「先生字汝立，天啟壬戌進士，除工部都水司主事，見鄒元標輩以講學去位，遂拂衣歸，久之，補工部營膳2司主事，進兵部職方員外郎，劾大學士溫體仁、吏部尚書閔洪學，尋乞終養歸里。」

【增補】黃虞稷《千頃堂書目》卷二曰：「長洲籍，無錫人。天啟壬戌進士吏部主事。」（頁四五）。

【增補】〔補正〕嚴繩孫條內「營膳司」，「膳」當作「繕」。（卷八，頁二一）

張光家曰：「先生說《春秋》義多主《公羊傳》。」

倪氏元璐《春秋鞠說》

未見。

【霖案】本書未見其他傳本，當已久佚。

黃氏道周《春秋表正》

【著錄】黃虞稷《千頃堂書目》卷二，頁四六著錄。

【增補】永瑢等撰《欽定四庫全書總目·存目》錄有黃道周《春秋揆》一卷，竹垞未錄此書，卻錄有「《春秋撰》一卷」，疑二書實為同書，但因未有其他證據證明之，故暫時先行增補此條著錄，以俟後考。

未見。

【霖案】本書有相關傳本，故應改注曰「存」。

【版本及藏地】本書版本及藏地如下：

，「景印文淵閣四庫全書」冊五二八，民國七十五年三月，初版），其下注文云：「福州人，舉人」（頁387），可以參校此文。又《西河集》卷一四六另有相關文句。

2「膳」，應依《補正》作「繕」。　霖案：《經義考新校》頁3759校文，「應依」改作「依」；「《補正》」二字下，另有「《四庫薈要》本、《備要》本」；「作」改作「應作」二字。

一、石齋先生經傳九種本：《春秋總義論著目錄》頁二一八著錄。

二、四庫全書本：《春秋總義論著目錄》頁二一八著錄。

《春秋撰》

一卷。

存。

【存佚】《春秋總義論著目錄》頁十二注曰「未見」，然本書久未見傳本，當已久佚，又《春秋總義論著目錄》頁六八注曰「佚」，今從之，今改注曰「佚」。案：《春秋總義論著目錄》重複著錄此書，其於存佚判別互異，今以《春秋總義論著目錄》頁六八所錄為是。

鄧氏來鸞《春秋實錄》（明）

【霖案】明崇禎間刊本錄有沈演〈序〉一文，竹垞未錄此文，今據《國立中央圖書館善本序跋集錄》頁三三九所載之文補入。

【增補】永瑢等撰《欽定四庫全書總目·存目》曰：「春秋實錄十二卷3　浙江吳玉墀家藏本

明鄧來鸞撰。來鸞字繡青，宜黃人。天啟壬戌進士，官至武昌府知府。是編專為科舉而作，故其《凡例》曰：『《春秋》從胡，凡左與胡觭者必削，定是非也。』又曰：『《春秋左傳》惟有關經題者載之，從簡便也。』其書可不必問矣。」（卷三十，頁三九二）

【增補】邵懿辰撰、邵章續錄：《增訂四庫簡明目錄標注》卷三曰：「《春秋實錄》十二卷，明鄧來鸞撰，崇禎刊本。」（頁一一八）

十二卷。

【著錄】張壽平《公藏先秦經子注疏書目》頁一四三著錄。

存。

【版本及藏地】本書版本及藏地如下：

一、明崇禎間刊本：明鄧來鸞《春秋實錄》十二卷，6 冊;21.6x13.9 公分，9 行，行 21 字. 單欄. 版心白口，單魚尾，上方記書名，中間記卷第，下方書葉次，有微捲，台北國家圖書館有藏本。

又《中國古籍善本書目》（經部）頁二八一著錄，北京大學圖書館有藏本。

【增補】《國家圖書館善本書志初稿》：「【春秋實錄十二卷六冊】

明崇禎間刊本　00558

3霖案：原注云：按：今台北中央館藏明崇禎間刊本。

明鄧來鸞撰。

版匡高 **21.6** 公分，寬 **13.9** 公分。四周單邊。每半葉九行，行二十一字。註文小字雙行，字數同。版心花口，單魚尾，上方記書名，中間記卷第(如『卷一』)，下方書葉次。

首卷首行頂格題『春秋實錄卷之一』，次行低九格題『昭武鄧來鸞繡青父篇』。卷首有崇禎壬申(五年，1632)沈演撰序一篇。序後有凡例。

書中鈐有『翰林/院印』漢滿朱文大方印、『繡谷亭/續藏書』白文長方印、『國立中/央圖書/館考藏』朱文方印、『竹/坨』朱文方印、『吳/城』朱文方印、『敦/復』朱文方印。」(頁 **150**)。

【增補】沈演〈序〉曰：「六經皆切世用，而春秋于法家為近，比事即招案、書法即斷書。法一本周禮，猶斷之用律，然必案明備而後斷，瞭然截然，當之者懍然、閱之者快然，以法格不法，法當如是，顧袞鉞法嚴一字，微乎微乎！視律文更閎，其義例散見于三傳而衷于康侯，蓋國制然，取其兼考同異而統于一耳。左氏雖正案，乃其詳或錯出國語，本末未備；公、穀雖晚出，各本師說，或與左氏謬戾而義例脗合者，何可廢也。經生誦習左氏，覆卷不失一二者百一，或先經、或後經、或依經、或錯經，剖析如鏤塵者千一，若乃苞國語、鈞二氏所見、所聞、所傳聞如指掌，判義例如貫珠，微詞奧義，炳若日星，所誅進千萬世為法誡，若素王面命，恐萬人不得一也。無它案，無統紀也，案蒙則律訛、案漏則律疑，一事出入，尚多猶豫，而欲以定萬世是非、窺聖賢微沙之間，其可乎？既以胡明經，當以案翼胡，彙三家言筆削，一衷康侯，以為寔錄，童而習之，學者知所宗，庶幾出入，不諱所聞，斯鄧氏之志也。鄧子劌直無膽徇，內外明法，堅不可撓，其言曰，吾與割脥，無寧取裁，文省而事核，巨細畢舉，夫浮誇于道法何當？茲千古談經嚆矢，非特為帖括津梁也。時崇禎壬申仲秋朔二日，友人西吳沈演撰。」(轉錄《國立中央圖書館善本序跋集錄》經部・頁三三九至頁三四〇)

劉芳喆曰：「來鸞，字繡青，宜黃人，天啟壬戌進士，武昌知府，其書吳興沈演序之。」

林氏胤昌《春秋易義》

十二卷。

【著錄】黃虞稷《千頃堂書目》卷二，頁四五著錄。

未見。

【霖案】本書未見其他傳本，當已久佚。

黃虞稷曰[4]：「晉江人，天啟壬戌進士，官吏部郎中。」

【霖案】黃虞稷《千頃堂書目》於「晉江人」三字前，有「以《易》證《春秋》之義

4霖案：出自黃虞稷《千頃堂書目》卷二，頁45。

，故曰《易義》。胤昌，字為磐。」等十六字。又「官吏部郎中」作「官吏部文選司郎中」。

張氏國經《春秋比事》

七卷。

【著錄】黃虞稷《千頃堂書目》卷二，頁四五著錄。

未見。

【霖案】本書未見其他傳本，當已久佚。

黃虞稷曰[5]：「漳浦人，天啟壬戌進士，四川布政司參政。」

黎氏遂球《春秋兵法》

未見。

【霖案】今未見諸家館藏著錄，恐已佚失。

遂球〈自序〉曰：「兵事著於黃帝，不可得而考矣。世之傳者，不過與陰陽時日之書等，予無取焉，其可稽據者，則無如《春秋》。予少即受《左氏》於先高士，然其時海內平治，不過以為詞令之式；廿年來，四方多事，予以書生遨遊諸公閒，羽檄飛至，閒輒以意談兵，時多奇中，然不敢自信為能也。會以省母，從吳歸粵，舟中無事，因取《左氏》諸兵事別為端委，手自寫記，時以己意附於其末。適友人有以書籍見質者，始知昔人久已有是編，予甚自笑其勞，然頗覺其泛引無當，則又不容自廢，以精切而明著蓋無如予本也。」

張氏溥《春秋三書》（明）

【增補】本書包含《春秋列國傳》二四卷、《春秋四傳斷》六卷、《春秋書法解》一卷，合計三十一卷。惟依據竹垞著錄之法，應裁篇而出，另立三條新目。

又李一遂〈左氏春秋著錄書目研究〉頁一二六錄有張溥「《春秋左傳句解》一書，竹垞未錄此書，當據以補入。

三十一卷。

【著錄】黃虞稷《千頃堂書目》卷二，頁四六著錄。又張壽平《公藏先秦經子注疏書目》頁一四九著錄《春秋列國論》二十四卷，即上述所云《春秋列國傳》一書。

【增補】永瑢等撰《欽定四庫全書總目·存目》曰：「春秋三書三十二卷　副都御史黃登賢家藏本

明張溥撰。溥有《詩經注疏大全合纂》，已著錄。是書第一編曰《列國論》，凡二十四卷；第二編曰《四傳斷》，凡七卷；第三編曰《書法解》，凡一卷。同時徐汧、張采為之序。采又有《例言》，稱：『《列國論》中尚闕「雜國」一題，《四傳斷》中

5霖案：出自黃虞稷《千頃堂書目》卷二，頁45。

，僖公闕十餘年，文公全闕，襄公以下亦全闕，采間為補之；《書法解》為目多端，僅成一則」。溥與采倡立復社，聲氣交通，蔓延天下，為明季部黨之魁。其學問則多由涉獵，未足專門。其所撰述，惟《漢魏六朝一百三家集》蒐羅放佚，採摭繁富，頗於藝苑有功。然在當時，止與梅鼎祚《文紀》諸書齊驅並駕，較之楊慎、朱謀㙔，考證已為少遜矣。至於經學，原非所擅長，此書為未成之本，亦別無奧義。采等以交游之故，為掇拾補綴而刊之，實不足以為溥重也。」（卷三十，頁三九二）

【卷數】【增補】〔校記〕《四庫存目》三十二卷。（《春秋》，頁五三）

存。闕。

【版本及藏地】本書版本及藏地如下：

一、明末刻本：明張溥撰《春秋列國論》二十四卷，《書秋書法解》一卷，十行二十字，有小字雙行注，白口，左右雙邊。十六冊。長春東北師範大學圖書館有藏本。又沈津《美國哈佛大學燕京圖書館中文善本書志》錄有明末刊本，疑即此本，北京圖書館、南京圖書館等八館，及日本內閣文庫、哈佛大學燕京圖書館亦有入藏。

【增補】《東北師範大學圖書館藏古籍善本書目解題》：「本書第一編為《春秋列國論》二十四卷（缺雜國一題），第二編為《春秋四傳斷》六卷（缺僖公文公以下多年）第三編為《春秋書法解》一卷，此書為未成之本，張采為之補綴而刊行，實不足以為溥重也。

張溥：明，太倉人，字天如。崇禎間溥集郡中名士，相與復古學。名其文社曰復社，及成進士，交游日廣。有《詩注疏大全合纂》、《春秋三書》、《歷代史論》二編、《漢魏六朝一百三家集》。」（頁二八至頁二九）

【增補】沈津著《美國哈佛大學燕京圖書館中文善本書志》：「0078 明末刻本春秋三書　　　　　　　　　　　T693/1334

　　《春秋三書》三十一卷，明張溥撰。明末刻本。八冊。半頁十行二十字，左右雙邊，白口，單魚尾。框高19‧8厘米，寬13‧6厘米。題「明婁東張溥西洺父著」。前有張采序。

　　三書為《春秋列國論》二十四卷、《春秋諸傳斷》六卷、《春秋書法解》一卷。其《列國論》取《春秋》所載，分國綴事，終一君則為考經傳，嚴褒譏，如列國各有史、列國君各有傳。《諸傳斷》則指摘諸傳，明具異同，總一年中是否，務取經通，不隨傳惑。《書法解》因《春秋》書法不一，尊周則卑列國、內魯則外列國，有一事同詞、一事殊詞者，因比事分類，倫脊條目，仍會新舊群說，次第簡端。三書中，《列國論》已完書；《傳斷》中缺文公，後缺襄公以下，僖公亦間缺數年；《書法解》僅見一篇。《四庫提要》云：「此書為未成之本，亦別無奧義，采等以交游之故，為掇拾補綴而刊之，實不足以為溥重也。」

　　《四庫全書總目》入經部春秋類存目。《中國古籍善本書目》著錄。北京圖書館、南京圖書館等八館，及日本內閣文庫亦有入藏。

鈐印有『陳宣緝字熙庵號時境』、『陳時境氏居稽室藏』。」（頁三七至頁三八）

張采〈序〉曰6：「《三書》者，我友張子讀《春秋》所作也。曷云《三書》？一曰《列國論》7，是則張子分之以明《經》；一曰《諸傳斷》8，是則張子合之以明《經》，一曰《書法解》9，是則張子分合一致以明《經》。此三書者，左右往賢，綱領來訓，使天假之年，剞10期可竟，不幸短折11，張子於12《經》沒身已矣。今就所屬稿，《列國論》13已完14；《傳斷》15中缺文公，復16缺襄公以下，其17僖公閒18缺十餘年19；《書法解》20為目多端，而僅

成一,則[21]竊謂以此行世,亦可羽翼《經傳》。而賈人不知,強予續之,復不自量,輒許其請,但病中多廢不克即竟,因先完僖公出正同志,其他所缺亦小有條緒,隨容續布。嗟夫!朋友一倫,于今涼薄,兩人相期二十餘年,頗著海內,未了後補,豈止文章?正不欲漫計工拙、殊觀生死云爾。」

【霖案】「《書法解》」以下諸文,係出自張采〈例詞〉的節文,今將張采完整〈例詞〉輯錄如下,以供參考。

【增補】張采〈例詞〉曰:「是書所闕,《列國論》,尚有《雜國》一題,《諸傳斷》中闕文公,後闕襄公以下,其僖公間闕十餘年。《書法解》為目多端,而僅成一則,竊謂以此行世,亦可羽翼經傳,而賈人不知才分高下,迺強余貂續,復不自量,輒許其請,但病多中廢,不克即竟,因先完僖公,出正同志,其他所闕,亦小有條緒,隨容續布。嗟夫!朋友一倫,于今涼薄,兩人相期二十餘年,頗著海內,未了後補,豈止文章,正不欲漫計工拙,殊觀生死云爾。南郭張采識。」(經一二五冊,頁八。)

【增補】黃虞稷《千頃堂書目》卷二曰:「字天如,太倉人。崇禎辛未進士,翰林院庶吉士,學者稱西銘先生。」(頁四六)。

吳氏希哲《春秋明微》(明)

【增補】〔校記〕丁氏《八千卷樓》著錄作《麟旨明微》,不分卷。(《春秋》,頁五三)

【書名】丁氏《八千卷樓書目》題作「《麟旨明微》;《中國古籍善本書目》(經部)頁二八二同之。又錢謙益《牧齋初學集》卷二十九,錄有〈麟旨明微序〉,即竹垞下文所引錢謙益的序文,雖文句稍有出入,但此書理應題作《麟旨明微》,而竹垞未見其書,且據轉輾傳聞,而誤作《春秋明微》,當據諸說改正。

【卷數】丁氏《八千卷樓》著錄,不分卷,而《中國古籍善本書目》(經部)頁二八

20霖案:「《書法解》」三字下,竹垞所引「為目多端,而僅成一,則竊謂以此行世,亦可羽翼《經傳》。而賈人不知,強予續之,復不自量,輒許其請,但病中多廢不克即竟,因先完僖公出正同志,其他所缺亦小有條緒,隨容續布。嗟夫!朋友一倫,于今涼薄,兩人相期二十餘年,頗著海內,未了後補,豈止文章?正不欲漫計工拙、殊觀生死云爾。」諸字,俱與今存《春秋三書.序》不同,實出自張采〈例詞〉之句,而竹垞妄自併合〈序文〉與〈例詞〉文句,應刪去上述訛增之句,而於「《書法解》」下,補入如下文句:「僅見一首,悉出問世,表厥苦心,脫嘲凌落,則應之曰:『昔橫渠先生,為門人雜說《春秋》,其書未成,今說《春秋》者,未嘗不引橫渠。張子書成累冊,信其必傳,夫復奚辨。惟國家崇重六經,諸功在訓詁,咸得俎豆宮墻,獨張子音沈響邈,積茂弗章,意謂源流不差,將傳人繼起,經明之士,當有感於斯篇。』友弟張采頓首題于知畏堂。」等一百二十二字,始為張采的完整〈序文〉,至於上述訛增之句,當另出一條解題以繫之,題作「張采〈例詞〉曰」。

21霖案:「一,則」二字,《點校補正經義考》誤斷文句,實則應作「一則,」。

　　二題作「十二卷」。

未見。

【存佚】《中國古籍善本書目》（經部）頁二八二著錄，北京師範大學、中國科學院、遼寧省、南京等圖書館有藏本，故本書應改注曰「存」。

【版本及藏地】本書版本及藏地如下：

一、明崇禎十四年刻本：吳希哲撰《麟旨明微》十二卷，十行廿六字白口左右雙邊有刻工，北京師範大學、中國科學院、遼寧省、南京等圖書館有藏本。

【增補】《續修四庫全書總目提要》：「麟旨明微十二卷　明崇禎十四年刻本　　　楊鍾羲

　　　　明吳希哲撰。希哲字睿卿。青溪人。明制春秋合題之法。沿宋元之舊。蓋以春秋一經。可命題者不過七百餘條。州郡問目。重複甚多。每遇程文。鮮不相犯。紹興五年。聽於三傳解經處相兼出題。學者因求闊合會通之法。以為決科之計。元人楊維楨有春秋合題著說。黃復祖有春秋經疑問答。晏兼善有春秋透天關。皆為科舉而作。無關經義。明趙恒春秋錄疑。取經文可為試題者。每條總括二語。如制藝之破題。合題附後。標舉所以互勘對舉之意。鄒德溥春秋匡解。專擬春秋合題。擬一破題。講作法。張杞麟經統一篇。以可作試題者。截其中二三字為目。各以一破題括其意。合題亦各擬一破題。并詮注作文之要。陳于鼎麟旨定。則但標擬題。各以一破為式。而略為詮釋於下。以麟字代春秋。命名已陋。其書可知。張朝陽貢舉考。備列明代試題。他經皆具經文首尾。惟春秋僅列題中兩三字。如盟密夾谷之類。俗學荒經。共趨簡易。四庫提要。於春秋因是春秋正業諸書。謂此類講章。皆經學之蠹賊。著之以見場屋舊制。所謂比題傳題者。非有精微。時文之弊。牽合搭配。始則棄經誦傳。其末併傳亦荒。炯鑑昭然。言之痛切。希哲此書。固當早在擯斥之列。春秋學有類此者。皆可置而不論矣。」（頁七四七）

　　錢謙益[22]〈序〉曰：「淳安睿卿吳公世授《春秋》起家，成進士，以治行第一擢居掖垣，天子知其能，特命督賦江南，暇手一編，據案呻吟，援筆塗乙，若唐人所謂兔園冊者，則其所著《春秋明微》[23]也。給諫承籍家學，專精覃思，於是經注疏、集解以及宿儒講論、經生經義，窮其指歸，疏其蕪穢，窮年盡歲，彙為是書。昔者漢世治《春秋》，用以折大獄、斷國論；董仲舒作春秋決事比，朝廷有大議，使使者就其家問之，其對皆有明法，何休以《春

22「錢謙益」，「四庫本」作「羅喻義」。　霖案：《經義考新校》頁3763校文，「四庫本」三字之前，另有「《四庫薈要》本作『錢陸燦』，文淵閣」等字；又「羅喻義」三字下，另有「文津閣《四庫》本『黃虞稷』。」。今考此條解題，係出於錢謙益《牧齋初學集》卷二十九，〈麟旨明微序〉。錢〈序〉與竹垞所錄序文，出入頗大，難於逐一校改，今僅校改重大出入之文，並且輯補完整序文於此〈序〉之後，以供讀者參考。又出自四庫叢刊本《牧齋初學集‧麟旨明微序》冊29-，頁319-320；又《初學集》（文海版）冊29-頁889-890。

23霖案：「《春秋明微》」四字，應從《牧齋初學集》題作「《麟旨明微》」，此則書名與原〈序〉未合。

秋》駁漢事，服虔又以《左傳》駁何休，所駁漢事十六[24]條，故曰：『屬辭比事，《春秋》教也。』胡文定生當南渡之時，懲荊舒之新學，閔靖康之遺禍，敷陳進御，拳拳以大義摩切人主。今《春秋》取士，斷以文定為準，士子射策決科，朝而釋褐，日中而棄之矣。給諫於是《經》，童而習之，進取不忘其初，籚衍縱橫，朱墨狼藉，誠欲使天下學者通《經》學古，以董子、胡氏為的也，給諫之意遠矣。」

【增補】〔補正〕〈序〉內「漢事十六條」當作「六十」。（卷八，頁二一）

【增補】錢謙益〈麟旨明微序〉曰：「淳安吳君睿卿世授《春秋》起家，成進士，以治行第一擢居掖垣，條上天下大計，劗切詳盡，皆可見之施行。天子知其能，特命督賦江南，爬搔勾稽，勤恤民隱，傳遽促數食飲錯互時時以其閒手一編，據案呻吟，援筆塗乙，如唐人所謂兔園冊者，則其所著《麟旨明微》也。蓋給諫承藉家學，數踏省門，專精覃思，於是經注疏、集解以及宿儒之講論、經生之經義，支離覆逆，浩煩疑互，一一窮其指歸，疏其蕪穢，窮年盡氣，彙為是書。學者如見斗杓，如得指南，無復有白首紛如之歎，此其所有事焉者也。然而，給諫之意則遠矣。昔者漢世治《春秋》，用以折大獄、斷國論；董仲舒作《春秋決事比》，朝廷有大議，使使者就其家問之，其對皆有明法，何休以《春秋》駁漢事，服虔又以《左傳》駁何休，所駁漢事六十條，故曰：『屬辭比事，《春秋》教也。』胡文定生當南渡之後，懲荊舒之新學，閔靖康之遺禍，敷陳進御，拳拳以君臣夷夏之大義，摩切人主。祖宗驅斥胡元復函夏之舊春秋傳解，斷以文定為準，蓋三百年持世之書，非尋行數墨以解詁為能事而已也。今之學者授一先生之言，射射策甲科，朝而釋褐，日中而棄之。有如漢人所謂仍其師說，以《春秋》決事者乎！有如文定揭柱新說，埽蕩和議，卓然以其言持世者乎。給諫之於是《經》也，童而習之，進取不忘其初，籚衍縱橫，朱墨狼藉，誠欲使天下學者通《經》學古，謀王體，而斷國論，以董子、胡氏為儀的也。故曰：給諫之意遠矣。余家世授《春秋》，約略如給諫衰遲失學，不能有所譔著，給諫是書於余一言之戈獲必有取焉，先民之言，詢於□蕘，郢人誤書舉燭，而楚國大治。給諫之能謀國也，殆將以是書券之，吾有望矣，是為〈敘〉。」（《牧齋初學集》卷三十，頁三一九至頁三二〇。）

劉芳喆曰：「希哲，字睿卿，淳安人，崇禎辛未進士，除惠州府推官，擢刑科給事中。」

孫氏承澤《春秋程傳補》（清）

十二卷。

【卷數】「清康熙刻本」題作「二十卷」，故題作「十二卷」者，或為殘本，或為誤倒，當據以改正。

---

24 「十六」，應依《補正》作「六十」。　霖案：《經義考新校》頁3763校文，「應依」改作「依」字；「《補正》」二字下，另有「《四庫薈要》本、文淵閣《四庫》本應」等字。今考錢謙益：《牧齋初學集》卷二九，〈麟旨明微序〉作「六十」，蓋二字互倒，此或係翁方綱《經義考補正》所據之本。

【增補】永瑢等撰《欽定四庫全書總目·存目》曰：「春秋程傳補二十卷25　浙江汪啟淑家藏本

國朝孫承澤撰。承澤有《尚書集解》，已著錄。是編以程子《春秋傳》非完書，集諸儒之說以補之。其詞義高簡者重為申明，缺略者詳為補綴。書成於康熙九年。按伊川《春秋傳》，《宋史·藝文志》作一卷，陳亮《龍川集》有《跋》云：『伊川先生之序此書也，蓋年七十有一矣。四年而先生沒26。今其書之可見者才二十年。』陳振孫《書錄解題》云：『略舉大義，不盡為說，襄、昭後尤略。』考程子《春秋傳序》作於崇寧二年，書未定而黨論興，至桓公九年止。門人間取經說續其後，此陳亮所謂可見者二十年也。是書桓公九年以前全載程傳，十年以後以經說補之。經說所無者，採諸說補之。中取諸新安汪克寬《纂疏》者居多。《纂疏》即明代《春秋大全》所本。其書堅守胡安國《傳》，則仍胡氏之門戶而已，未必盡當程子意也。又所補諸傳，皆不出姓氏，於原文亦多所芟改。其桓公九年以前程子無傳者，亦為補之。則是自為一書，特托名於程子耳。考陳亮《跋》有云：『先生於是二十年之間，其義甚精，其類例甚博。學者苟優柔厭飫，自得於意言之表，不必惜其缺也。』然則何藉承澤之補乎？（卷三十一，頁三九五）

存。

【版本及藏地】本書版本及藏地如下：

一、清康熙刻本：清孫承澤撰《春秋程傳補》二十卷，《中國古籍善本書目》（經部）頁二八三著錄，北京故宮博物院有藏本。

吳氏主一《春秋定衡》

未見。

【霖案】本書未見其他傳本，當已久佚。

《金華府新志》：「吳主一，字協一，義烏人，崇禎癸酉舉人，署會稽教諭，著《春秋定衡》。」

堵氏胤錫《春秋澤書》

未見。

【霖案】本書未見其他傳本，當已久佚。

陸元輔曰：「牧遊先生籍本無錫，家於宜興，中崇禎丁丑進士，授南京戶部主事，陞長沙知府。」

夏氏允彝《春秋四傳合論》

25霖案：原注云：按：今故宮博物院藏清康熙刻本。

26霖案：原注云：「沒」，浙、粵本作「歿」。

佚。

余氏光、弟颺《春秋存俟》（明）

　　【作者】黃虞稷《千頃堂書目》卷二，頁四六著錄，僅題作者為「余颺」

　　【增補】王重民：《中國善本書提要》頁三〇著錄，尚有《總論》一卷，竹垞未錄此
書，今據以補入。

十二卷。

　　【著錄】黃虞稷《千頃堂書目》卷二，頁四六、孫殿起《販書偶記續編》卷二，頁十
七著錄。

存。

　　【版本及藏地】本書版本及藏地如下：

　　一、明弘光元年文來閣刻本：明余光、余颺撰《春秋存俟》十二卷，北京圖書館有藏
本。

　　二、明崇禎間刻本：北京大學圖書館有藏本。

　　【增補】王重民：《中國善本書提要》曰：「【春秋存俟十二卷總論一卷】六冊（北
大）

　　明崇禎間刻本〔九行二十字（20.7×13.5）〕

　　原題：「明閩中余光、余颺全治、弟余亮、余颺全讀。」按康熙間金棨謝修《莆田縣
志》卷二十二《人物志》云：「余颺字虜之，崇禎丁丑進士，以制舉業與同年生夏允
彝、陳子龍齊名，海內爭傳誦之。授宣城知縣，己卯分校鄉闈，庚辰丁外艱，服闋，
補上虞縣，未幾賦歸，杜門著書。刻有《蘆中詩文集》四十卷，《蘆蠟史論》、《識
小錄》各若干卷。颺天性孝友，事伯兄光愛敬特至。光字希之，郡諸生，有文名，鏃
屬名節，湛心著述，所著有：《春秋存俟》、《李賀詩註》及《耐菴集》十卷。」今
按是書題光與颺「全治」，則為二人合著者。此本下書口刻「文來閣踞觚錄」，不知
何謂？觀其雜輯舊說，不過為習舉業者作讀本而已。卷內有：「鳳城書庫之印」等印
記。

　　李世熊序〔崇禎十二年（一六三九）〕」（頁三十）

　　三、光緒乙酉中冬刊：孫殿起《販書偶記續編》卷二，頁十七著錄。

李世熊曰：「吾友余希之、虜之治《春秋》也，始闢諸儒之陋，繼闢《四傳》之迷，
究乃舉闢《四傳》、闢諸儒者而并闢之，考世知人，據情得實，務合筆削之初意而止。」

陸元輔曰：「余光，字希之；颺，字虜之，莆田人。□27中崇禎丁丑進士，官上虞知縣。」

27「□」字，應依《補正》作「颺」。　　霖案：《經義考新校》頁3765校文，「應依」改作「依」字；

【增補】黃虞稷《千頃堂書目》卷二曰：「（颺）字廞之，莆田人。崇禎丁丑進士，宣城知縣吏部主事。」（頁四六）

【增補】〔補正〕陸元輔條內「□中崇禎丁丑進士」，「中」上是「颺」字。（卷八，頁二一）

來氏集之《春秋志在》（明）

十二卷。

【著錄】黃虞稷《千頃堂書目》卷二，頁四六著錄。

存。

【版本及藏地】本書版本及藏地如下：

一、清順治間刊本：邵懿辰撰、邵章續錄：《增訂四庫簡明目錄標注》卷三曰：「《春秋志在》十二卷，明來集之撰，清順治間刊本。」（頁一一九）。

又中國科學院圖書館、湖北省圖書館藏有「清初倘湖小築刻本」，疑即此本也。

孫廷銓〈序〉曰[28]：「說《春秋》[29]如說《詩》，皆以意逆志之書也。《詩》之志在[30]乎美刺，衛宏、毛、鄭說人人殊；《春秋》之志存乎褒譏，《左氏》、《公》、《穀》說人人殊，要無違乎美刺、褒貶[31]之正而止爾[32]。漢置《春秋》博學之士[33]，《左氏》獨後，世[34]為《公羊》、《穀梁》者從而非之；然《公》、《穀》去聖人差遠，為《左氏》者亦非之，膏肓、墨守、廢疾蓋交譏也。至宋儒削斷《三傳》[35]，胡氏遂盡廢其書，創[36]為新例[37]；然立

「《補正》」二字下，另有「《四庫薈要》本、文淵閣《四庫》本、《備要》本應」等字。

[28]霖案：《沚亭文集》卷下，（《四庫全書存目叢書》集二〇〇），頁54-55。

[29]霖案：「《春秋》」二字下，應依《沚亭文集》卷下補入「蓋」字。

[30]霖案：「在」字，應依《沚亭文集》卷下改作「存」字。

[31]霖案：「褒貶」二字，應依《沚亭文集》改作「褒譏」。

[32]霖案：「爾」字下，應依《沚亭文集》補入「雖然詩人詠歎其辭，隱約其旨，而〈淄衣〉之好賢，猶振振然；〈巷伯〉之惡惡，有甚甚之辭焉。《春秋》的繁殺其辭，隱約其旨，貴賤不嫌同好；美惡不嫌同辭，是其志則一一而逆之者，或難易殊也。」等字。

[33]霖案：「博學之士」四字，應依《沚亭文集》改作「博士之學」，其中竹垞所引字句，則多有誤倒之處。

[34]霖案：「後，世」，《點校補正經義考》誤斷文句，蓋「世」字，《沚亭文集》原題作「出」字，是以此文前後應作「《左氏》獨後出，為《公羊》、《穀梁》者從而非之。」

[35]霖案：「《三傳》」二字下，應依《沚亭文集》補入「其說千指，如祭仲之行權也；鬻拳之兵諫也；季友之必緩追逸賊也；趙宣孟之弒君而稱賢大夫也；衛出公之得以王父命辭父命也，後學執為談柄似矣。而」等六十字。

乎38趙宋以指春秋，其於隱、桓加遠矣，則未知聖人之志果在彼歟？在此歟？我友來子初獨成一書39，其意頗異乎四家，蓋以諸儒之說可以理裁聖人之旨，斷難例拘，其或《經》有微文，前後互見，為《傳》所未見40者，則表而出之；其有《經》意顯白，本無義例，而《傳》好為曲說，以致41失實滋疑者，則辨而正之；其有此《傳》所引而彼《傳》或殊，此《傳》所進而彼《傳》或退之，排詆紛紜、樊然淆亂，則折衷而求其必合，皆比《經》發義，錯《傳》成文，綴以世史，附以新意，著為百有八篇，號曰《春秋志在》，蓋言聖人之志之所在也42。來子之書，蓋43不失褒譏之正者矣44。」

《四傳權衡》

一卷。

【著錄】黃虞稷《千頃堂書目》卷二，頁四六著錄。

【增補】〔校記〕丁氏《八千卷樓書目》不分卷。（《春秋》，頁五三）

存。

【版本及藏地】本書版本及藏地如下：

一、《來子談經》本：《春秋公羊傳論著目錄》頁二五、《春秋穀梁傳論著目錄》頁二三錄之，未題藏地。

36霖案：「創」字，《泐亭文集》作「㓨」字。

37霖案：「新例」二字下，應依《泐亭文集》補入「後世取之以便制科。」等八字。

38霖案：「乎」字，應依《泐亭文集》作「於」字。

39霖案：「初獨成一書」五字，應依《泐亭文集》改作「以治《春秋》得上第，已而棄去其說，更為論著，以成此書。」，而竹垞擅改文句，與原文不同。

40霖案：「見」字，應依《泐亭文集》改作「發」字。

41霖案：「以致」二字，《泐亭文集》無之，當刪。

42霖案：「也」字下，應依《泐亭文集》補入「或云：先儒說《春秋》者，皆兼總條貫，分別義類章句，而訓注之，其言皆有統緒，故雖繁稱博舉，終歸整齊。今來子之書，自喻已志而已，即一言一事，不憚諄復，往往文止而復起，義盡而更生，非意所及，即君或數年，年或數事，事或數人，人數十人，闕然無一詞焉，豈聖人之志，固有至，有不至歟？何詳畧之異也。夫善解紛者不複言，善治獄者不煩辭，從其大而斷定之，掇其隱而微中之，即有不及，而其全理固已渙然，于吾所及之中矣。」等字，竹垞任意刪除上述諸字，今補錄如上。

43霖案：「蓋」字，《泐亭文集》無此字，當刪正。

44霖案：「矣」字，應依《泐亭文集》改作「也」字。又「也」字下，應再補「如必章句訓注而已，是韓嬰之《外傳》，不得稱《詩》；而董子之《繁露》，不復繫以《春秋》也，豈通人之論哉！」等字。

二、明刊倘湖樵書本：

【增補】《續修四庫全書總目提要》：「四傳權衡不分卷　明刊倘湖樵書本　　　　張壽林

　　　明來集之撰。集之字元成。蕭山人。崇禎進士。官安慶府推官。所著有春秋志在十二卷。已著錄。是編與志在同為集之所撰倘湖樵書之一種。編首有集之自序。謂向者作春秋志在。固已舉其大端。茲又取四傳而權衡之。權衡之者。將以準其是非也。是其書大旨在取春秋左氏公羊穀梁及胡氏四家之傳。而權衡其得失。故以四傳權衡其書。按清朱彝尊經義考春秋類著錄集之所撰四傳權衡一卷。是編不分卷。亦不論全經。但有所論說。則分別條錄之。而注某年於各條之下。詳其所論。雖曰權衡是非。寔於四傳之得失罕所攻駁。惟取四傳而銖之兩之。折衷之。求其必合於經義者。以為之說。凡此傳所引。而彼傳或殊。此傳所進。而彼傳或退之。排詆紛紜。樊然淆亂者。皆比經發義。錯傳成文。勘酌之以歸於至當。其有經意顯白。本無義例。而諸傳曲為之說。以致失寔滋疑者。則悉從刊削。其或經有微文。前後互見。為諸傳所未見者。則以己意表而出之。按集之撰春秋志在。謂春秋之志。在乎褒貶。是編與志在相輔而行。故其立論。雖於諸傳苛刻嚴酷之說。略有平反。然大旨仍不離於褒貶。且又時時好為議論。而疏於考証。如論莊公八年冬十有一月癸未齊無知弒其君諸兒。及莊公十二年宋萬弒其君捷出奔陳之類。往往曼延於經義之外。蓋猶不出明人臆斷之學。而未嘗知三傳之古義也。」（頁七四七）

三、清刻本：　來集之　撰《四傳權衡》一卷，一冊，9行18字白口四周單邊，版心下鐫「倘湖小築」，中國國家圖書館有藏本。

　　集之〈自序〉曰：「予向者作《春秋志在》，固已舉其大端，茲又取《四傳》而權衡之，權衡之者，將以準其是非也。不權衡《春秋》而權衡四傳者，以今日之是非準千古以上之是非，將有所不確；以吾小儒之是非準大聖人之是非，終有所不敢，亦曰取《四傳》而銖之、兩之，以酌其平云爾。」

林氏尊賓《春秋傳》（明）

　　【書名】《中國古籍善本書目》（經部）頁二八二著錄，書名作《春秋林氏傳》。

十二卷。

存。

　　【版本及藏地】本書版本及藏地如下：

一、明崇禎十四年凌義渠刻本：明林尊賓撰《春秋林氏傳》十二卷，莆田縣圖書館有藏本。

　　張溥〈序〉曰：「制義盛而絕學微，《五經》之義，終世不能明也；其尤病者，莫甚於《春秋》。《春秋》之書，《左氏》、《公》、《穀》《三傳》並立，文定晚出，其學反貴，非南宋之文高於前人也，其用法也嚴，其持說也峻，意主於復讎，以儆和議之非；論歸於自強，以發忘親之痛。主構相檜怫然惡之，而抗辭無避，天理人欲，反覆深切，雖其間少褒多

貶，文近深刻；然遏邪防亂，與其過而縱之，無寧過而閑之也。莆田林燕公通《春秋》，紬繹諸家，更出新義，自成一書，曰《林氏傳》。窺其意，將以陳君舉趙子常自命。給諫凌茗柯先生出轄閩海，搜揚多士，首得燕公，延致上座，今莅吾禾，燕公不遠數千里褐衣上謁，以《春秋傳》見，給諫為梓以《傳》。予方補葺《春秋》，有三書之役，以編年敘事，以列國敘人，以書法敘義例，更喜得林書，筆之簡端，無異班荊道舊也。」

尊賓自敘曰：『《春秋》何以有《傳》也？孔子之心不能徧天下萬世，而口授之，為孔子徒取其所不能口授者，代為傳之，遂使天下萬世無不若自孔子口授之者，而《春秋》傳矣。傳自左氏有之，公羊氏、穀梁氏有之，迄今惟胡氏獨尊獨信，一氏興而諸氏廢；雖然，孔子尚未能徧天下萬世而口授之，則孔子之心又豈一氏所能代為之傳也哉？此林氏之所以繼而有傳也。』

鄭玥曰：「莆田林尊賓，字燕公撰，尊賓以崇禎壬午舉於鄉。林氏《傳》十二卷，成於崇禎辛未，凌侍御義渠、張吉士溥、夏吏部允彝皆為之〈序〉。」

宋氏徵璧《左氏兵法測要》（明）

二十二卷。

【著錄】李一遂〈左氏春秋著錄書目研究〉頁九九著錄。

【卷數】今北京大學圖書館藏明末劍閣齋本，卷數題作宋徵璧《左氏兵法測要》二十卷，《卷首》二卷，合計「二十二卷」，竹垞所云，既題作《左氏兵法測要》，理當題作「二十卷」，而非「二十二卷」。

存。

【版本及藏地】本書版本及藏地如下：

一、明崇禎刊本：日尊經閣文庫有藏本。又北京大學圖書館藏明末劍閣齋刻本，疑即尊經閣文庫所題「明崇禎刊本」，今暫列於此，以俟後考。又《四庫全書存目叢書》子部冊三十四錄有此書，讀者可自行參看此書。

又台北：國家圖書館錄有一本，題作（明）宋徵璧撰；（明）徐孚遠評閱《左氏兵法測要》二十卷卷首一卷，六冊，8 行 20 字小字雙行同白口四周雙邊單魚尾，版心下鐫劍閣齋，有明崇禎間序，鈐「延古堂李氏珍藏」、「穀士」、「古□一百城樓主人珍藏書畫印記」印 。

二、清初刻本：浙江圖書館有藏本。

三、《四庫全書存目叢書》影印北京圖書館藏明末劍閣齋刻本：(明)宋徵璧撰《左氏兵法測要》二十卷首二卷，靜宜大學蓋夏圖書館、台北：國家圖書館、東海大學、清華大學圖書館均有藏本。

方岳貢〈序〉曰45：「今天下多事緩急少依賴之人，或以為文武之途分，故不盡人材46之用，而實非也47。洪武中，有司請立武成王廟，聖祖諭之：以文武之道本出於一，合則人才盛，分則人才衰，遂罷武成廟不立48。豈不以養成於49學校50，漸之以《經》術，如羆如虎之士，惟我所用之哉51？不觀於52春秋之事乎？晉文之擇帥也，爰舉郤縠53，以其悅54禮樂而敦詩書也55，故入則為卿，出則為帥56；至於57司馬、軍尉之屬，皆慎其選，於是魏絳、羊舌父子終身其聞58，故軍無秕政，所向成功。及至後世，別流以處之，分銓以序之，文事武備，離而為二，而古意衰矣。尚59木宋子60著《左氏測要》一書61，援古證今62，不私其

45霖案：宋徵璧撰，方岳貢序《左氏兵法測要・敘》(《四庫全書存目叢書》子部冊三四)，頁354C～356C。

46霖案：「材」字，《左氏兵法測要・敘》作「才」字。

47霖案：「而實非也」四字，應依《左氏兵法測要・敘》改作「然非制之失也」。

48霖案：「立」字下，應依《左氏兵法測要・敘》補入「也」字。

49霖案：「於」字，《左氏兵法測要・敘》題作「于」字。

50霖案：「學校」二字，《左氏兵法測要・敘》原文誤作「學較」，而竹垞改為「學校」，實較合於文意。

51霖案：「哉」字下，應依《左氏兵法測要・敘》補入「沿至今日，習韜鈐之言者，以其言為羔鴈，薦寵於公卿間，一旦授以事任，不旋踵敗去，以故，恒以談兵事為諱，諱而不習，文武之途遂判。士大夫可與從容，不可與兵革，其蔽見於此矣！是何」等七十二字。

52霖案：「於」字，《左氏兵法測要・敘》題作「于」字。

53「郤縠」，應依《補正》作「郤縠」。　霖案：《經義考新校》頁3768校文，「應依」改作「依」字；「《補正》」二字下，另有「《四庫薈要》本、文淵閣《四庫》本應」等字。今考此文出自《左氏兵法測要・敘》，原文題作「欲縠」。

54霖案：《經義考新校》頁3768新增校文如下：「『悅』，文淵閣《四庫》本作『說』字。」。

55霖案：「也」字下，應依《左氏兵法測要・敘》補入「而於時列國亦多得人。」等九字。

56霖案：「帥」字下，應依《左氏兵法測要・敘》補入「一人而二事兼焉，不別求材也。」等十二字。

57霖案：「於」字，《左氏兵法測要・敘》題作「于」字。

58霖案：「聞」字，《左氏兵法測要・敘》題作「間」字。

59霖案：「尚」字，《左氏兵法測要・敘》題作「上」字。

60霖案：「宋子」二字下，應依《左氏兵法測要・敘》補入「博學潔修士也」等六字。

61霖案：「書」字下，應依《左氏兵法測要・敘》補入「予從眉公先生處受而讀之，則間語陳先生曰：『古之立言者，或功成而後垂之為書；或著書而未必能見其功。夫以宋子之才，即連舉不第，年齒僅踰立耳，未能不遇也，要何不可致，乃章章以談兵自處耶！』陳先生曰：『宋之之為此也

所見，不避其所難63，其書斷然不可廢矣。使國家異日收文武之用者，其在斯64歟？65」

【增補】〔補正〕方岳貢〈序〉內「郤縠」當作「卻縠」。（卷八，頁二一）

李雯〈序〉曰66：「往者67春秋之世，天下五十餘國，霸莫如齊、晉；強莫如秦、楚，固嘗仗師武之力，藉戰勝之威矣。其他小國之師68，以衛之弱而可以勝於69齊、以小邾之微而可以勝於70魯、以魯之衰而可以勝於71宋72、以越之敗而可以復於73吳，是皆當時士大夫習於74兵、嫺於法也。至於今75天下一統，天子之威行於76萬里，天下勝兵無慮數百萬，而自戊午用兵以來，二十餘年77，盜日益多，兵日益弱，求其一矢相加，遺78不可得，反不若

，非以自炫鬻也。夫躬耕讀書，若徐、宋二子者，安往不得貧賤，要以四郊多壘，士人與其工于肇悅為雕繪之學，孰若與同志之朋講求切要。』等字。

62霖案：「今」字下，應依《左氏兵法測要・敘》補入「因勢立志，則空談何必非實事，宋子卽未能見諸施行乎，要以公其書于天下，自當有所裨益，此則宋子之志矣。」因相與歎曰：」等字。

63霖案：「難」字下，應依《左氏兵法測要・敘》補入「宋子，君子也。」等五字。

64霖案：「斯」字下，應依《左氏兵法測要・敘》補入「編」字。

65霖案：《經義考新校》頁3768新增校文如下：「『其在斯歟』，文津閣《四庫》本作『其在斯人歟』。」。今考「歟」字下，應依《左氏兵法測要・敘》補入「其在斯編歟？襄西友人方岳貢題」等十三字，其中「其在斯編歟？」同時出現二次，蓋特意強調其書價值。

66霖案：宋徵璧撰，李雯序《左氏兵法測要・敘》（《四庫全書存目叢書》子部三四），頁366A~367B。

67霖案：「往者」二字之前，李雯〈序〉另有「或問：『用兵之道，有神力乎？』余曰：『否。』，『有奇謀乎？』，余曰：『否。』用兵之道，實事而已。士大夫習則常勝，常勝則常有兵；不習則常不勝，常不勝，則常無兵。」等字，竹垞所引之文，刪去首段文句，今據以補入。又「往」字，李雯〈序〉作「徃」字。

68霖案：「師」字下，應依李雯〈序〉補入「莫不勤戰，以鄭之介於兩大之間，為楚則楚重，為晉則晉重。」等二十三字。

69霖案：「于」字，李雯〈序〉作「於」字。

70霖案：「于」字，李雯〈序〉作「於」字。

71霖案：「于」字，李雯〈序〉作「於」字。

72霖案：「宋」字下，應依李雯〈序〉補入「以吳之夷而可以爭長於晉」等十一字，事涉夷狄之名，有礙清諱，因而見棄，今依原〈序〉補入。

73霖案：「于」字，李雯〈序〉作「於」字。

74霖案：「于」字，李雯〈序〉作「於」字。

75霖案：「今」字下，應依李雯〈序〉補入「日」字。

76霖案：「于」字，李雯〈序〉作「於」字。

77霖案：「年」字下，應依李雯〈序〉補入「虜日益橫」四字，事涉夷虜，有礙清諱，因而見刪，今

於[79]春秋之小國者，其士大夫不習於[80]兵、不嫻於[81]法[82]也。嗟乎[1]是[83]安得司馬穰苴、孫武、吳起者而後可用兵[84]哉？尚木少為《左氏》之學[85]，樂觀其治兵行師、攻謀交伐[86]之術，因哀集其事，通其流略[87]，至於[88]輓[89]近，皆較量而籌畫之，為《左氏兵法測要》二十[90]卷[91]，此真救時之書也。今天下多故，聖人宵衣，苟有百里之寄，不能必其一日之無事，則不能必其不用兵；不能必其不用兵，則不可以不知兵。官長為將帥，子弟為徒眾，出才智以進退，用爪牙以角拒，此猶筐篋簿書之事，不可以為非常之舉、不意之變也。古之人蓋嘗行之於[92]樽俎之間，出之於[93]衽席之上矣。讀是書者[94]，其勉之哉[95]。」

【增補】〔補正〕李雯〈序〉內「測要二十卷」，「十」下脫「二」字。（卷八，頁二一）

據以補入。

78霖案：「遺」字下，應依李雯〈序〉補入「者，而」二字。

79霖案：「若於」二字，應依李雯〈序〉改作「及于」二字。

80霖案：「于」字，李雯〈序〉作「於」字。

81霖案：「于」字，李雯〈序〉作「於」字。

82霖案：「法」字下，應依李雯〈序〉補入「以為兵家之道，出入變化，自有天才，不可學而能」等十九字。

83霖案：「是」字下，應依李雯〈序〉補入「又」字。

84霖案：「可用兵」三字，李雯〈序〉作「兵可用」，是則文句有前後倒置之異，雖然意義並無不同，但竹垞所引文句，已有擅改文句之失。

85霖案：「學」字下，應依李雯〈序〉補入「有當陽之癖」等五字。

86霖案：「交伐」二字，李雯〈序〉題作「伐交」，二字互倒，今依原〈序〉改作「伐交」二字。

87霖案：「略」字，李雯〈序〉作「畧」字。

88霖案：「于」字，李雯〈序〉作「於」字。

89霖案：「輓」字，應依李雯〈序〉改作「晚」字，「輓」、「晚」字形相近而誤入。

90「二十」，應依《補正》作「二十二」。　霖案：《經義考新校》頁3769校文，「應依」改作「依」字；「《補正》」二字下，另有「《四庫薈要》本應」等字。此為卷數有誤之例。

91霖案：「卷」字下，應依李雯〈序〉補入「余讀而誦之，曰：」等六字。

92霖案：「於」字，李雯〈序〉作「于」字。

93霖案：「於」字，李雯〈序〉作「于」字。

94霖案：「讀是書者」四字，應依李雯〈序〉改作「士大夫」三字。

95霖案：「哉」字下，應依李雯〈序〉補入「毋使關壯繆狄，武襄笑人，則夷盜可以平，而兵革可以息也，此又宋子之志也。」等三十字，事涉夷狄之諱，因而見棄，今據以補入。

陳子龍〈序〉96曰：「《左氏兵法測要》者，我友宋子尚木因舊史、論得失、審形勢、觀世變，以窮兵械之本，乃引《經》立政之書，非特權謀之用也。春秋以來97，言兵之家不可勝數，然大要虛設機勢，以為無方之應，未嘗櫛98比以驗之於事，曰：彼固無常形與常說也。至唐杜君卿始依孫、吳證往事，而其後則宋仁宗之祕略，以至曾公亮、丁度、楊肅之徒，咸集史冊之遺文，為權家之龜鑑，可謂備矣。然其體，每以類相從，而未能旁引曲譬，推見未然，以極於變化異同之際，是故存焉而弗尊。今觀尚木之書，其立本也正，其釋義也詳，其設慮也微，其觸類也廣；或古人所已成之事而代為之勝算，或古人所未及之思而推之於必然，使人讀其書，雖天下之至懦弱者，莫不欣然思一奮其智，則世之知兵而善用，孰有踰此者乎？然則何以必左氏也？世稱《左氏》好談兵，非《左氏》之好談兵，而春秋之賢士大夫皆能為兵也。且兵法之變，春秋始也99。夫十二國並100立，五霸迭興，鬭智角力，則於兵制不得不有所變，故魯之邱101甲、齊之參國、晉之六軍、楚之二廣102、秦之三軍103，凡此皆非古制也，而各有善用之道。春秋之君，欲知人之賢否而決其勝負，必驗之於治兵104，於命將，則國之三卿與諸大夫而已105。是故大者以強，小者以存。然則不倍先王之教而可為後世之用者，舍《左氏》，誰與歸哉106？今國家休德纍葉，上繼周、漢，而內訌外決，莫

96霖案：宋徵璧撰，陳子龍叙《左氏兵法測要‧叙》(《四庫全書存目叢書》子部三四)，頁361-364。

97霖案：《經義考新校》頁3769新增校文如下：「『春秋以來』，文津閣《四庫》本誤作『春秋之來』。」

98霖案：「櫛」字，陳子龍〈叙〉作「節」字。

99霖案：「也」字，應依陳子龍〈叙〉補入「前此無知兵者乎？曰：『有之，而不能及也。』卽無論黃帝、蚩尤之屬，而胤之征南巢之役，牧野商奄之駕，申約束布大義而已。其設奇用間之方，未之備也。』後此無知兵者乎？曰：『有之，而非所尚也。』七國牲牢其民而有技擊，武卒、銳士、虎賁之號，使民以殺戮為爵賞，其所為將者，非羈旅之險夫，則凶殘之悍士，於國家非有骨肉係屬之義，其人非有《詩》、《書》、《禮》、《樂》之澤也。是故斬首或以十萬計，坑卒或以四十萬計，生民之禍烈矣。夫軍事莫密於治兵，莫重於任將，治兵必損益古法，以參酌時制，使法度有所定，而耳目有所新，則繁簡無寡，皆了然得我所以制勝之具，任將必我之腹心大臣，剛毅而有盛德，寬大而有智勇者，然後所向而成功，功成而民以安，國以靖。嗟乎！兵法之日變，此春秋之異於先生也，任將之不失，此春秋之同於生王也。」等字。

100霖案：「並」字，陳子龍〈叙〉作「竝」字。

101霖案：「邱」字，陳子龍〈叙〉作「丘」字，此蓋避孔子名諱而改也。

102霖案：「廣」字下，應依陳子龍〈叙〉補入「若敖、申息之屬」等六字。

103霖案：「軍」字下，應依陳子龍〈叙〉補入「陷陣」等二字。

104霖案：「兵」字下，應依陳子龍〈叙〉補入「是以兵精而戰也，亦不能寡殺，至」等十三字。

105霖案：「已」字，應依陳子龍〈叙〉補入「夫魏犫、狼□之流，天下之至勇也，而未嘗將也。仁而好禮，戢下而附上，則元帥之材也。」三十三字。

106霖案：「哉」字下，應依陳子龍〈叙〉補入「不然，尚木奚取焉？夫兵之必不可泥於井田也，將之

知所措，何哉？擁兵百萬，而不能設法以治之；士大夫不能專將，而屬於麤悍之人也。尚木慨然發憤，以兵為必可用[107]，故其為書，於[108]得失[109]詳著焉[110]。旨哉言乎[111]！讀其[112]書而憬然有志於斯者，予願為執鞭矣。」

徐孚遠〈序〉曰[113]：「今[114]天下蓋多事矣，然其時尚可為，失今不為，後且有什伯[115]難於此者[116]。顧時之所急，無甚於兵[117]，尚木[118]乃取[119]《左氏》之言係兵事者，博以古驗，參以今指，予受而點次之時，亦以己意相出入也。既成，尚木[120]請予[121]序言焉。予[122]惟子

必不可屬於鄙人武士也，三代以後皆然矣。三代以後稱盛者，莫如漢，而漢之治，則王霸雜，此即春秋之所為治也，而儒者之言曰：『霸術必不可用。』夫孔子生三代之前，而不能廢霸矣！何儒者於三代之後，而獨能廢之？甚矣！其誇而無當也。」等字。

107霖案：「用」字下，應依陳子龍〈叙〉補入「而薦紳之家，每以為諱。尚木解之曰：安敢侈然以為子大夫憂，非必親桴鼓，冒矢石也。進賢而退不肖則本端矣、奉公而執法則威立矣、潔己而卹下則民固矣、扶弱而救災則隣懷矣、機敏而辭辨則敵畏矣。今之兵弱而武弛者，非皆封疆之罪也，數者之無一焉足恃也。」等字。

108霖案：「於」字，應依陳子龍〈叙〉作「凡數者之得失」等六字。

109霖案：「失」字下，應依陳子龍〈叙〉補入「皆」字。

110霖案：「焉」字下，應依陳子龍〈叙〉補入「而一本於兵者」等六字。

111霖案：「乎」字下，應依陳子龍〈叙〉補入「嗟乎！當今不乏賢士大夫矣！縱不能親桴鼓、冒矢石也，其為管敬仲之修政、趙成子之推賢、隨武子之謀身、公孫子美之交隣、魏莊子之靖國乎？」等五十五字。

112霖案：「其」字，應依陳子龍〈叙〉改作「尚木之」三字。

113霖案：宋徵璧撰，徐孚遠序《左氏兵法測要‧序》（《四庫全書存目叢書》子部三四），頁359A~361B。

114霖案：「今」字之前，應依《左氏兵法測要‧序》補入「余之為諸生老矣！上木亦數上公車，數不用。既自相語曰：」等二十二字。

115霖案：「什伯」二字，應依《左氏兵法測要‧序》改作「十百」二字。

116霖案：「者」字下，應依《左氏兵法測要‧序》補入「徒恨不能以其私議，通於薦紳先生間，雖我二、三兄弟在仕籍者，則亦以我兩人為狂，嘗不能畢其說也。」等四十字。

117霖案：「兵」字下，應依《左氏兵法測要‧序》補入「即欲強默如藿食之憂，何」等十字。

118霖案：「尚木」二字，《左氏兵法測要‧序》作「上木」。

119霖案：「取」字，《左氏兵法測要‧序》作「耴」字。

120霖案：「尚木」二字，《左氏兵法測要‧序》作「上木」。

121霖案：「予」字，《左氏兵法測要‧序》無此字，當刪。

122霖案：「予」字，《左氏兵法測要‧序》作「余」字。

瞻之論孫子也，謂其書十三篇，雜然言之，而聽用者之自擇[123]也，今尚木[124]之書其亦雜然言之者乎[125]？夫兵家之言，其變無方，制勝於兩陳之間[126]者，隨其勢而導之耳。若夫當今所急[127]談者[128]，以兵力不足為憂，議欲期[129]月宿糧，聚十餘萬甲士，一鼓而殄群寇。夫糧非可卒辦[130]，甲士非可卒聚，此期[131]月以前，能使吾民忍死以待天兵之來乎？且將之能者，不必用眾；用眾者，未必能辦[132]事[133]，然則用眾非良將法也。賊寇所在縱橫，我兵尾而衛[134]之，恣取[135]掠耳，縱賊不擊，其弊坐此[136]，如使嚴為約束，曰：行省自守至折[137]，使寇得入境，有誅；將帥各率[138]其卒伍，掠一物者，有誅。如此，有縱賊之罰，無緩寇之利[139]，

123霖案：「擇」字，《左氏兵法測要・序》作「擽」字。

124霖案：「尚木」二字，《左氏兵法測要・序》作「上木」。

125霖案：「乎」字下，應依《左氏兵法測要・序》補入「其亦有大指所在，言之重複，而使人得其切用，以濟國事者乎。」等二十四字。

126霖案：「閒」字，《左氏兵法測要・序》作「間」字。

127霖案：「急」字下，應依《左氏兵法測要・序》補入「蓋有五者，余於《左氏》得五言焉，誠能盡用此五言，內奠乞活，外攘建夷，在指顧之間矣。其說在郤克之請車乘也；在子產之論治國也；在欒武子之論楚師也；在魏絳之論和戎也；在晉人使巫臣通吳以制楚也。今之」等八十二字，事涉夷狄之事，有礙清諱，因而見棄，今據以補入。

128霖案：點校本作「若夫當今所急談者」，將「談者」與「若夫當今所急」諸字連讀，蓋未能細校原〈序〉，而致斷句有誤，其中「談者」，應從「今之」二字連讀，即「今之談者以兵力不足為憂」。而不該與「若夫當今所急」諸字連讀，今校讀如上。

129霖案：「期」字，《左氏兵法測要・序》作「朞」字。

130「辨」，「四庫本」作「辦」。　霖案：《經義考新校》頁3770校文，「四庫本」三字之前，另有「文淵閣」三字。今考《左氏兵法測要・序》亦作「辦」字，「四庫本」當係據原書改正。

131霖案：「期」字，《左氏兵法測要・序》作「朞」字。

132「辨」，「四庫本」作「辦」。　霖案：霖案：《經義考新校》頁3770校文，「四庫本」三字之前，另有「文淵閣」三字。今考《左氏兵法測要・序》亦作「辦」字，「四庫本」當係據原書改正。

133霖案：「事」字下，應依《左氏兵法測要・序》補入「徒以不足為解免地耳。郤子伐齊，與之城濮之賦，而乃求益焉。郤子自以為不能，故請益車乘。」等三十六字。

134霖案：「衛」字，《左氏兵法測要・序》作「衞」字。

135霖案：「取」字，《左氏兵法測要・序》作「耴」字，。

136霖案：「此」字下，應依《左氏兵法測要・序》補入「夫使紀律不嚴，官軍殺我，其毒已甚，何用討賊乎？且盜非有雄志也，兵非素擅廢立，若唐季之事也。」等三十八字。

137霖案：「至折」二字，應依《左氏兵法測要・序》改作「其地」。

138霖案：「率」字，應依《左氏兵法測要・序》改作「部」字。

以此治盜，度可不日平也。京營之卒，內以備禦，外以討伐，我朝固嘗用之矣。沿習至今，汰之不可，練之不能，一旦有事，何以待之？且其為制，或合而分，或分而合，所以140便簡141閱也。可不為之變計乎142？曩時三衛143為我藩籬，時以警144告我，我得為備；今145不撫之為我用，而拒之為我敵146，豈完策乎147？今試於148宣、雲之間149，招攜其族類，以為我屏蔽，效可睹也。麗人之奉正朔，無虞於此者150，今者受攻151，而我未有以為援也。蓋以少出師不足以為重，而多出師則非力所及也，然亦當事者之失計矣。漢武不憚封侯之賞，以募使絕域者，何也？伐交之策也。我縱未有以為援，且當募博望、定遠之流，與之一節，以朝命慰勞其君臣，而因監其軍，使彼猶有所繫，而不至折而他降152。昔者，吳至弱國也，巫臣通晉於吳153，而楚人始罷於奔命。故通麗者，所以制絕域154也155。行前之三言以治內，

139霖案：「利」字下，應依《左氏兵法測要·序》補入「子產之言曰：『火烈則人鮮死焉；水弱則人多死焉。』」等十九字。

140霖案：「以」字下，應依《左氏兵法測要·序》補入「新耳目」三字。

141霖案：「簡」字，應依《左氏兵法測要·序》改作「揀」字，「簡」、「揀」同音而誤用，今據原〈序〉改作「揀」字。

142霖案：「乎」字下，應依《左氏兵法測要·序》補入「欒武子之言曰：『楚君之戎，分為二廣，右廣初駕，左則受之，各當其序，以備不虞，故能定霸。』今訓練之法日弊，而為城郭之計，此奸人所以生心也。」等五十五字。

143霖案：「衛」字，《左氏兵法測要·序》作「衞」字。

144霖案：「警」字，應依《左氏兵法測要·序》改作「虜之出入」四字，蓋夷虜之事，犯清忌諱，故竹垞改之，今據原〈序〉改正。

145霖案：「今」字，應依《左氏兵法測要·序》改作「至於穆廟初年，大虜解辮內向，邊人無事，今者奴寇既劇，而順義部落烏散矣！」等三十字，事涉夷虜之事，犯清忌諱，故竹垞改之，今據原〈序〉改正。

146霖案：「敵」字下，應依《左氏兵法測要·序》補入「使奴得聯屬內外諸部以逞志於我」等十四字。

147霖案：「乎」字下，應依《左氏兵法測要·序》補入「魏絳之言曰：『和戎有五利，晉用其謀，邊鄙輯睦。』」等十八字。

148霖案：「試於」二字，應依《左氏兵法測要·序》改作「夷部猶在」，事涉夷虜之事，為竹垞改去相關文句，今據原書改正。

149霖案：「間」字，《左氏兵法測要·序》作「間」。

150霖案：「者」字下，應依《左氏兵法測要·序》補入「神廟以數年之力，存而復之。」等十一字。

151霖案：「受攻」二字，應依《左氏兵法測要·序》改作「為奴所乘」四字。

152霖案：「他降」二字，應依《左氏兵法測要·序》改作「為奴屬」三字。

153「通晉於吳」，應依《補正》作「通吳於晉」。　霖案：《經義考新校》頁3771校文，「應依」改作

行後之二言以制外，天下其庶可為乎？若夫奇正之方，變合之用156，心知其然而不能道也157。尚木158能言之，亦惟尚木159能用之爾160。」

【增補】〔補正〕徐孚遠〈序〉內「通晉於吳」，當作「通吳於晉」。（卷八，頁二一）

朱一是曰：「華亭宋尚木未第日成《左氏兵法測要》一書，予同年友徐孚遠闇公實討論潤色之，時大學士方公知松江府事，首為之序，而同里何剛慤人、周立勳勒卣、李雯舒章、陳子龍臥子及孚遠皆序之。」

【增補】周立勳〈左氏兵法測要序〉曰：「昔之言兵者，皆本《左氏》，予讀其書，見叙列戰功與師之曲直而已，非有陰謀決策，若孫、吳家言，可以為法者也，而善師者顧祖之何與？予於上木《測要》之編，而知其略矣。周室缺微，諸侯力政，未遠仁義，故趙衰之謀，郤縠曰：『說《禮》、《樂》，而敦《詩》、《書》，救災恤患，師必有成。足高心蕩，不待能者而知其覆亡之將至矣。當時，齊、秦、晉、楚諸國，無歲不用兵，而帥乘輯睦，諸侯畢從，則其驗也。今慷慨之士，蘊伏草莽，天下事無敢言者，薦紳先生恥談兵革，擐甲胄而典封疆，又皆不習成敗之故，興廢之繇，若古之名將能制勝也。上木耴〔取〕《左氏》已成之法，而參伍後事，凡遠近離合，勞逸多少之數，無不備具，昭然可行而復也。豈與夫不習已事，而好言縱橫之術者比乎？且言兵者未必能用；用其言者未必即效，要以為罪焉！孰如前後相引，順之則勝，違之則敗，可燭照而覩。若上木是編之詳而白也。夫兵之不善訓練，失也。若鄭之二拒

「依」字；《補正》二字下，另有「《四庫薈要》本、文淵閣《四庫》本應」等字。今考此文出自《左氏兵法測要・序》，原文正作「通晉於吳」，蓋二字互倒也，竹垞根據《左氏兵法測要・序》錄作「通晉於吳」，惟《左傳》成公七年有「通吳於晉」之文，是則翁方綱所據之本也，此處原〈序〉既作「通晉於吳」，而輯錄〈序〉文之時，宜存其原貌，惟需小注說明其誤，是則錯誤，宜歸屬於徐孚遠誤記所致。

154霖案：「絕域」二字，應依《左氏兵法測要・序》改作「奴」字，蓋事涉奴虜之事，故為竹垞改去，今據原書改正。

155霖案：「也」字下，應依《左氏兵法測要・序》補入「此五言者，余以為切今之奇也。」等十二字。

156霖案：「用」字，應依《左氏兵法測要・序》改作「勢」字。

157霖案：「也」字，應依《左氏兵法測要・序》改作「之」字。又「之」字下，應依《左氏兵法測要・序》補入「即強為一言，自非機鑒，不惑之士，固未能審耴舍〔取捨〕定猶豫也。」等二十三字。

158霖案：「尚未」，《左氏兵法測要・序》作「上木」。

159霖案：「尚未」，《左氏兵法測要・序》作「上木」。

160霖案：「爾」字，《左氏兵法測要・序》作「哉」字。又「哉」字下，應依《左氏兵法測要・序》補入「余無用於世矣，將買田而隱焉。諸葛司馬或出或處，所見正同也。」等二十五字。

、楚之兩廣、晉之三軍三行，進退截如矣！以言乎軍，寠則楚之授子、晉之伐木，及
與豫異矣，以言乎設奇攻敵，則若祝聃之禦戎也，嘗而去之為覆以待之；魏舒之毀車
以及狄也，為五陣以相離，克之卜于阨，是皆可行矣，而要有時事之可援者，二晉隨
會之為中軍也，盜皆入秦，今流入半，天下兵不尾賊，反收賊之棄以為厚利焉，可慮
也。河曲之戰，士會在秦，知晉之實，晉人患之，楚材晉用，楚是以熸。今我叛將皆
為奴用，而又棄屬國與屬夷焉，幸其不來，以為固是可恃乎？不可恃乎？予年長矣，
不為世用，偃臥蓬藋，無復從軍之氣，上木雖困公車，然不久將大用於世，用繫虜內
弭盜，以是盡驗也。豈曰：『苟取〔取〕富貴以自娛，樂軍旅之事，未之學也哉！予
以測上木之志，與其用矣！丁丑仲冬同里盟弟周立勳序。」（『四庫全書存目叢書』
本，子部，冊三四，頁三五七至頁三五八）

卷二百八　春秋四十一經義考卷二百八春秋四十一

劉氏城《春秋左傳地名錄》（明）

二卷。

【著錄】黃虞稷《千頃堂書目》卷二，頁四六著錄。

【卷數】李一遂〈左氏春秋著錄書目研究〉頁一○六題作「三卷」。

存。

【版本及藏地】本書版本及藏地如下：

一、明崇禎刻本：明劉城撰《春秋左傳地名錄》二卷，附《春秋外傳國語地名錄》一卷，泰州市圖書館有藏本，今已有影印本行世。

【增補】永瑢等撰《欽定四庫全書總目·存目》曰：「春秋左傳地名錄二卷　浙江巡撫採進本

明劉城撰。城字伯宗，貴池人。是編前列國名，後列地名，各以十二公時代為序。地名之下各有注，少僅一、二字，多亦不過六、七字，蓋隨手集錄，姑備記誦，無所考正。視後來高士奇、江永二家之書，不及遠矣。」（卷三十，頁三九四）

二、四庫全書存目全書影泰州市圖書館藏明崇禎刻本：台南縣：台南縣：莊嚴文化事業有限公司一九九六年影印發行

城〈自序〉曰1：「《五經》志2地理者，〈禹貢〉而外，《詩》亦頗著，然無若《春秋》之專3且多矣。少4讀左氏傳，苦繁多5，欲小撮6之，便記識也。已按《文獻通考》及《國史經籍志》，漢嚴彭祖、晉裴秀、杜預、宋楊湜、張洽、鄭樵、元杜瑛7、明楊慎8，各有《春秋》地名圖譜書9，私擬得其本10，綜同異，覈事情，畫方輿，紀因革，可判若列眉矣；而

1霖案：明劉城：《春秋左傳地名錄·序》，(《四庫全書存目叢書》經一二八冊)，頁553。

2霖案：「地」，《春秋左傳地名錄·序》作「誌」。

3霖案：「專」，應依《春秋左傳地名錄·序》作「顓」。

4霖案：「少」字前，應依《春秋左傳地名錄·序》補入「予」字。

5霖案：「多」字下，應依《春秋左傳地名錄·序》補入「靡記，意」等三字。

6霖案：「撮」，應依《春秋左傳地名錄·序》作「摘」。

7霖案：「瑛」，應依《春秋左傳地名錄·序》作「英」

8霖案：「明楊慎」三字，原《春秋左傳地名錄·序》無此三字，當係竹垞自行增補之文，原序文於「英」字下，僅有「輩」字，今當刪去三字。

9霖案：「書」，應依《春秋左傳地名錄·序》作「諸書」。

藏書弗廣，載籍亦湮，每以為憾。茲者消夏九華，參觀《三傳》，輒11有疏議，與12諸家相出入，因以其餘13別錄地名二卷14，此在《經》義最為麤15末，然可備遺忘云，顧不知於16諸圖譜為何如也？崇禎癸酉17。」

【增補】黃虞稷《千頃堂書目》卷二曰：「字伯宗，貴池人，貢士。崇禎中，江西布政使張秉文保舉堪任州牧，辭不就。」（頁四六）。

《左傳人名錄》（明）

一卷。

存。

【存佚】《左傳論著目錄》頁九〇錄作「未見」，今考諸家館藏，尚未見及此書，當改注曰「佚」，以俟後考。

城〈自序〉曰：「予既為《春秋地名錄》矣，復錄人名焉。蓋春秋中人，自天王世辟，而外氏或以地、以官、以祖父，載筆者或名之字之諡之，一人數稱，前後貿易，類聚而繫之一身，然後無錯惑也。焦氏《經籍志》有《春秋宗族名氏譜》五卷、《春秋諡族譜》一卷、《春秋名號歸一圖》二卷、《春秋名字異同錄》五卷，今惟《歸一圖》盛傳，則予錄之亦未可少矣。抑有感焉，諸人什三見《經》，什七見《左傳》。按左本以氏18行，漢儒以降，遂定為邱明。或疑『邱明恥之，丘亦恥之』，其辭氣近於竊比，恐邱明未為受業弟子，予至今思之亦無確據。是即左氏一人已有疑義，況左氏所傳之人哉？又烏知人之果有無而名之果是否也？錄成，為一歎云。」

顧氏炎武《左傳杜解補正》（清）

三卷。

【著錄】李一遂〈左氏春秋著錄書目研究〉頁一二〇著錄。

10霖案：「本」，應依《春秋左傳地名錄·序》作「一本」。

11霖案：「輒」字前，應依《春秋左傳地名錄·序》補入「隨筆」二字。又「輒」，《春秋左傳地名錄·序》作「輙」字。

12霖案：「與」，應依《春秋左傳地名錄·序》作「頗與」。

13霖案：「其餘」，應依《春秋左傳地名錄·序》作「餘便」。

14霖案：「二卷」，應依《春秋左傳地名錄·序》作「析為二卷」。

15霖案：「麤」，《春秋左傳地名錄·序》作「粗」。

16霖案：「於」，《春秋左傳地名錄·序》作「于」。又「于」字下，應依《春秋左傳地名錄·序》補入「漢、晉、宋、元」四字。

17霖案：「癸酉」二字下，應依《春秋左傳地名錄·序》補入「夏五貴池劉城識」等七字。

18霖案：《經義考新校》頁3773新增校文如下：「『氏』，文津閣《四庫》本誤作『字』。」。

存。

【版本及藏地】本書版本及藏地如下：

一、清光緒三十二年吳縣氏上海刊亭林遺書之一：(清)顧炎武撰《左傳杜解補正》三卷，《國立故宮博物院善本舊籍總目》，上冊，頁八十四、張之洞《書目答問補正》卷一，頁三九等著錄，台北：故宮博物院有藏本。

又馬來西亞大學圖書館有藏本。

【增補】耿文光《萬卷精華樓藏書記》卷八曰：「《左傳杜解補正》三卷　國朝顧炎武撰

亭林十種本。遺書之一。近有重刊本二十種。顧氏自序曰：《北史》言周樂遜著《春秋序義》，通賈服說，發杜氏違，今杜氏單行而賈服之書不傳矣。吳之先達邵氏實有左觿百五十餘條。（小注云：文光案：明刻邵氏《經史全書》，內有此種。）又陸氏粲有《左傳附注》。傅氏遜本之為辨誤一書，今多取之，參以鄙見，名曰補正，凡三卷。若經文大義，左氏不能盡得，而公穀得之。公穀不能盡得，而啖趙及宋儒得之者，則別記之於書，而此不具也。

文光案：《左傳》有姚培謙校刊本，杜注外有所增益，其眉間甚寬。幼讀左氏傳，恒苦杜注之略，因錄諸家說於上方，補正其一也。今備列諸本於後，使讀者有考焉。

左傳官名考二卷，函海本。《左傳事緯》四卷，函海本與馬本不同。《左傳》五十，凡經韻樓本、《左傳》釋人原本、《左傳解詁》漢魏遺書本、《春志四傳私考》、《左傳校勘記》、《惠氏左傳補注》、《左傳小疏》、《左傳異禮略》蛾術堂本、姚氏《左傳補注》，湖南局本、《左傳補疏》，學海堂本、《左氏蒙求藝海》本、《芬欣閣》本、《馬氏左傳事緯》、《左傳義注舉要》、《左氏古經》、《趙汸左傳補注》、《左氏傳說》通志堂本、《義門讀書記》、《左氏春傳》二卷、《群經義證左傳》三卷，授堂本、《經讀考異左傳》一卷、《困學聞》第六卷為左傳、宋程大昌《考古編》內有《左傳》、《瞥記》第二卷《左傳》五十條、《南江札記》、孔氏所著書、《十駕齋養新錄》。（小注云：以上三種皆有左傳說。）官本《左傳注疏》有考證，仿岳氏本同。《春秋名號歸一圖》《春秋年表》皆左氏一家之學。《原本春秋大事表》珠塵本、《春秋識小錄》、《左傳職官、地名、人名》，皆讀左者不可缺之書。《重論文齋筆談》解亥有二首六身一條，最為詳明。姚氏《惜抱軒全集》有《左傳補注》，其他一二條有見於諸書者，不及備載。

沈欽韓《左傳補注》十二卷，功訓堂本。

明監本《正義杜注》多脫落。」（頁三〇七至頁三〇八）

二、學海堂本：張之洞《書目答問補正》卷一，頁三九。

三、借月山房彙鈔本：顧炎武撰《左傳杜解補正》三卷，二冊，第六至第七冊，張之洞《書目答問補正》卷一，頁三九著錄，馬來西亞大學圖書館有藏本。

四、指海本：顧炎武《左傳杜解補正》三卷，張之洞《書目答問補正》卷一，頁三九著錄，馬來西亞大學圖書館有藏本。。

五、璜川叢書本：張之洞《書目答問補正》卷一，頁三九。

六、日本明和四年（１７６７）刻本：《中國館藏和刻本漢籍書目》頁四八著錄，北大、遼寧圖書館有藏本。

七、文淵閣四庫全書本：(清)顧炎武撰《左傳杜解補正》三卷，三冊，《國立故宮博物院善本舊籍總目》，上冊，頁八十四著錄，台北：故宮博物院有藏本。

【增補】永瑢等撰《欽定四庫全書總目》曰：「左傳杜解補正三卷　通行本

國朝顧炎武撰。炎武一名絳，字寧人，崑山人。博極群書，精於考證，國初稱學有根柢者，以炎武為最。李光地嘗為作《小傳》，今載《榕村集》中。是書以杜預《左傳集解》時有闕失，而[19]賈逵、服虔之注、樂遜之《春秋序義》今又不傳，於是博稽載籍，作為此書。至邵寶《左觽》等書，苟有合者，亦皆採輯。若『室如懸磬』，取諸《國語》；『肉謂之羹』，取諸《爾雅》；『車之有輔』，取諸《呂覽》；『田祿其子』，取諸《楚辭》；『千畝原之在晉州』，取諸鄭康成；『祐為廟主』，取諸《說文》；『石四為鼓』，取諸王肅《家語注》；『祝其之為萊蕪』，取之[20]《水經注》。凡此之類，皆有根據。其他推求文義，研究訓詁[21]，亦多得《左氏》之意。昔隋劉炫作《杜解規過》，其書不傳，惟散見孔穎達《正義》中。然孔疏之例，務主一家，故凡炫所規，皆遭排斥，一字一句無不劉曲而杜直，未協至公。炎武甚重杜《解》，而又能彌縫其闕失。可謂掃除門戶，能持是非之平矣。近時惠棟作《左傳補注》，糾正此書『尨涼』一條，『大司馬固』一條，『文馬百駟』一條，『使封人慮事』一條，『遇艮之八』一條，『豆區釜鍾』一條。然其中『文馬』之說，究以炎武為是。棟又摘其引古《春秋左氏說》，但舉《漢書·五行志》之名，又摘其『禮為鄰國闕』一條，用服虔之說而不著所自。案徵引佚書，當以所載之書為據。棟引世本不標《史記注》，引京相璠土地名不標《水經注》，正體例之疏，未可反譏炎武。至服虔一條，當由偶忘出典。棟注『昭公二十九年，賦晉國一鼓鐵』，證以王肅《家語注》，亦明馮時可之說，未標時可之名也，是固不以掠美論矣。」（卷二十九，頁三六九至頁三七○。）

【增補】邵懿辰撰、邵章續錄：《增訂四庫簡明目錄標注》卷三曰：「《左傳杜解補正》三卷，清顧炎武撰。

亭林十種本，指海本，阮刻經解本，墨海金壺本，康熙中蘇州刊杜注本附後。

〔續錄〕璜川吳氏刊本，日本明和四年刊本。」（頁一一九）

八、清道光九年(1829)廣東學海堂刊咸豐十一年(1861)補刊本：(清)顧炎武撰《左傳杜解補正》三卷，台北：國家圖書館有藏本。

---

[19]霖案：原注云：「而」，粵本缺。

[20]霖案：原注云：「之」，浙、粵本作「諸」。

[21]霖案：原注云：「訓詁」，底本作「詁訓」，據浙、粵本改。

九、清光緒十四年(1888)上海點石齋石印本：(清)顧炎武撰《左傳杜解補正》三卷，台北：國家圖書館有藏本。

十、民國九年(1920)上海博古齋影印本：(清)顧炎武撰《左傳杜解補正》三卷，台北：國家圖書館有藏本。

十一、清光緒十一年(1885)上海文瑞樓石印本：(清)顧炎武撰《左傳杜解補正》三卷，台北：國家圖書館有藏本。

十二、皇清經解本：顧炎武《左傳杜解補正》三卷，馬來西亞大學圖書館有藏本（三部）。

十三、亭林全集本：李一遂〈左氏春秋著錄書目研究〉頁一二〇著錄。

十四、經學叢書本：李一遂〈左氏春秋著錄書目研究〉頁一二〇著錄。

炎武〈自序〉曰[22]：「《北史》言周樂遜著《春秋序義》，通賈，服說，發杜氏違，今杜氏單行而賈、服之書不傳矣。吳之先達邵氏寶有《左觿》百五十餘條，又陸氏粲有《左傳附註》[23]，傅氏遜本之，為《辨誤》一書，今多取之，參以鄙見，名曰《補正》，凡三卷。若《經》文大義，《左氏》不能盡得而《公》、《穀》得之，《公》、《穀》不能盡得而啖、趙及宋儒得之者，則別記之於書，而此不具也。」

孫氏和鼎《春秋名系彙譜》

四卷。

未見。

【霖案】本書未見其他傳本，當已久佚。

和鼎〈自序〉曰：「讀《春秋》者，以深求義理為務，名系非所急也。然二百四十餘年之間，事關禮樂刑政者，屈指可數，而誅賞之變，難以言窮，要不越國爵名氏以為之差而已。特聖《經》有案無斷，不得不藉諸《傳》以折衷，乃《經》文先自異，《三傳》又互異。《左氏》更爭奇炫博，變換文辭，以成其異；每當尋繹義理，亹亹忘倦之時，忽以稱謂異同滋疑殆而沮其說，以小害大，何可勝道，而能不為之所乎？先君少時，嘗為之譜，為友人借鈔失去，後復增新例而輯之，惜脫稿者十不逮三，未便行世；而國門所懸《異名考》、《姓氏表》、《名號歸一圖》等書，雖根株略具，而散漫無統，仍費推求，不類先君所輯，能兼[24]總條貫，洞人心目。和鼎乃遵原式，踵而成之，題曰《春秋名系彙譜》。上溯三皇，原其始以察則也，下訖呂秦者，究其終以觀變也。生名終諱、胙土命氏之典，皆廢於秦，後世雖或舉行，而空文徒具，實意已非，難云復古，故以秦為終也。仍繫之《春秋》者，原其所自作也。微異求同，不嫌煩聒，豈曰僅成先君之志，亦欲觀者捐疑殆而專尋繹，其於聖《經》未必無涓滴之

22霖案：顧炎武：《亭林文集》卷之二，〈左傳杜解補正序〉，頁27。

23霖案：「註」，《亭林文集》作「注」。

24霖案：《經義考新校》頁3774新增校文如下：「『兼』，文津閣《四庫》本誤作『蕪』。」。

助云爾。」

劉芳喆曰：「和鼎，嘉定縣人，巡撫都御史元化之子，今翰林致彌之父也。嘗撰石鼓文考據《左氏傳》，定為成王之鼓，辨甚確。《春秋名系彙譜》一書，惜未之見。」

秦氏沆《春秋綱》

三卷。

存。

【存佚】本書已未見傳本，當已久佚，今據以改作「佚」籍。

沆〈自序〉曰：「孟子以《春秋》之作始於《詩》亡，觀其大矣。夫子刪《詩》，〈王風〉始於〈黍離〉，考之於史，〈黍離〉之作在平王二十四年，而《春秋》之始隱公，則平王四十九年也，夫子何取乎隱公而始修之邪？蓋善乎舊史之不書即位也。夫子為政必也正名，隱公不正其名，故不即位，而國史不書隱以攝位自居，故王職不共，王葬不會，嗣王不朝居，然自以為得計矣；而下之應之者，無駭入極矣、翬帥師矣、身弒矣，迄於襄、昭、定、哀，卒成尾大不掉之禍，不可復振，夫子傷宗國之陵夷上下於二百餘年之間，而知其所以致此者，實隱公啟之也。非名不正之明驗歟？夫子曰：『吾猶及史之闕文也。』蓋善乎其不書即位也，此正名之先得我心者也，此修《春秋》所為託[25]始也。《詩》亡而《春秋》作，《春秋》之作，始於隱公，殆謂是乎殆謂是乎於是參之以列國之聘問、會盟、征伐、興衰、治亂之效，行其褒貶，著之為一國之書，垂之為萬世之訓，而夫子治國平天下之道賢於堯舜，而其大要歸於正名。余揣摹其旨，竊窺其道，摘其綱而為之目，約其事而比次之，以見一字之同，一言之異，一文之詳略，而是非遂可以尋，情事盡能劃見，信非聖人莫能修之，余豈敢謂遂能明聖人之微哉？蓋以《經》解《經》，或當無舛，尋其旨趣，與後之君子商之耳。」

朱氏鶴齡《左氏春秋集說》（清）

十二卷。

【卷數】據邵懿辰撰、邵章續錄：《增訂四庫簡明目錄標注》卷三，頁一二〇著錄，題作「十」卷，竹垞此處題作「十二卷」，或係加入「《凡例》二卷」，合而論之。

未見。

【存佚】本書有道光二十九年刊本，竹垞當日應有存本，當改注曰「存」。

【版本及藏地】本書版本及藏地如下：

一、道光二十九年刊本己酉強恕堂刊本：清朱鶴齡撰《左氏春秋集說》十卷附《春秋凡例》二卷，邵懿辰撰、邵章續錄：《增訂四庫簡明目錄標注》卷三，頁一二〇著錄。

【增補】《續修四庫全書總目提要》：「左氏春秋集說十卷附春秋凡例二卷　道光二

25霖案：《經義考新校》頁3775新增校文如下：「『託』，文津閣《四庫》本作『托』。」。

十九年己酉強恕堂刊本　張壽林

　　清朱鶴齡撰。鶴齡字長孺。自號愚庵。吳江人。明諸生。長於箋疏之學。所著有尚書埤傳。詩經通義。讀左日鈔。四庫已著錄。是編前有鶴齡自序。不著年月。其書都凡十卷。卷首附金壇王樵春秋凡例二卷。而以唐順之讀春秋法及左氏春秋集說附記十二則列冠編首。考清朱彝尊經義考春秋類四十一著錄鶴齡左氏春秋集說十二卷。注云未見。卷數視是編多二卷。意者。或合王氏凡例二卷而言之歟。大旨以春秋之亂。由於凡例之紛紜。治春秋者。固不可屈聖人之經以從例。亦不可盡廢諸例。而失宣聖之奧義。故博採諸家之說。以補正左氏之闕　。其所以獨宗左氏者。蓋以左氏傳經。獨詳史事。且在公穀之先也。今考其書。經文專據左氏。而參以公穀。並節略其事跡於經文之下。然後採杜注孔疏及啖助趙匡陸淳等數十家之論。分注其下。而於啖趙陸三家之書。所取尤多。至於凡例。則全據金壇王氏之論。大抵集舊說者十之六七。出己意者十之三四。故以集說名其書。核其所採。擇長棄短。於古今諸儒膠固之說。頗知刊剟。其攻駁杜氏之闕誤。亦往往中理。又力斥林堯叟注釋之疏陋。而盡汰其說。持論尤稱允當。雖其間詮釋經義。或未能盡愜。不免瑕瑜互見。然薈聚眾長。彙為一編。治左氏春秋者。亦可資為參考焉。」(頁六八一)

　　鶴齡〈自序〉曰[26]：「記曰：『屬辭比事而不亂，深於《春秋》者也。』今之說《春秋》，何其亂與？則凡例之說為之也。自《左氏》立例，《公》、《穀》二氏又有例，啖、趙以下亦皆有例，言人人殊，學者將安所適從？如：稱爵者，褒也，而會盂何以書楚子，則非盡褒也；稱人者，貶也，或將卑師少也，而僖公之前，何以君大夫將皆稱人，則非盡貶與將卑師少也；稱字者，貴之也。而邾儀父、許叔、蕭叔有何可貴乎？殺大夫稱名者，罪之也，而陳洩冶、蔡公子燮有何可罪乎？諸侯失國名，而夔子、萊子不名；滅同姓名，而楚滅夔、齊滅蔡[27]不名，則其說窮矣。不書公子為削其屬也，而弒君如楚商臣、齊商人反稱公子，則其說又窮矣。卿卒必記日月、公至必告於廟，益師不日，薄之也，而成公以後皆書日；桓會不致，安之也，而公行大半不書至，則其說又窮矣。不得已有變例之說，夫所貴乎例者，正取其一成而不可易，若前後游移，彼此乖忤，何以示萬世之繩準？嗚呼！夫子作《春秋》，上明天道，下正人事，變化從心，安得有例？例特史家之說耳。自隱、桓至定、哀，二百四十二年間[28]，載筆者既[29]非一人，則或詳或略[30]，不免異辭，所見所聞，難於一概，就史法言之，

26　霖案：朱鶴齡，《愚菴小集》卷七，〈左氏春秋集說序〉，(台北：臺灣商務印書館，「景印文淵閣四庫全書」冊一三一九，民國七十五年三月，初版)，頁78-79。

27　「蔡」，應依《補正》作「萊」。　　霖案：《經義考新校》頁3776校文，「應依」改作「依」字；「《補正》」二字下，另有「文淵閣《四庫》本應」等字。今考「萊」，國別名，春秋時為齊靈公所滅，其故址約在今山東省黃縣東南，而竹垞將其改作「蔡」字，實乃誤作他國也。其次，滅蔡國者，實為楚國，而非齊國，是以證之「齊滅蔡」之說，實不足據也。又《愚菴小集》卷七，〈左氏春秋集說序〉適作「萊」，則原書應作「萊」，而竹垞《經義考》誤作「蔡」也，翁方綱《經義考補正》嘗考其失，惟未明言出處，而翁氏或據《愚菴小集》之文訂正也。

28　霖案：「間」字，《愚菴小集》作「間」字，「間」、「間」二字，書寫習慣而致異，古書版本常相通

尚無一成之例，而乃欲執後人之例以按《經》，又欲屈聖人之《經》以從例，其可乎哉？然則如之何？亦曰：求之《春秋》之所以作而已矣。夫子曰：『吾志在《春秋》。』又曰：『其義則丘竊取之。』何謂志？尊天子，內中國，討亂臣賊子，尊王賤霸是也。何謂義？善者，吾進之予之，惡者，吾退之奪之，彼善此者，吾猶進之、予之，純乎惡者，吾急[31]退之、奪之是也。志以義明，義以時立。春秋之始，諸侯驟強，則絀諸侯以扶天子；春秋之中，大夫專政，則絀大夫以扶諸侯；春秋之季，陪臣亂國，則又絀陪臣以扶大夫。而前之治楚，後之治吳、越，往往示其意於獎桓、文，愛宗國，爵齊、晉、宋、衛諸君之中。若此者，凡以尊天子也，明王道也，一筆一削，蓋皆隨世變而為之權，世變異，則書法亦異，而豈有變例、正例之可求哉？後之說者，乃曰：『聖人有貶無褒。』或又曰：『聖人初無褒貶。』夫有貶無褒，則《春秋》為司空城旦之書，聖人宅心不應如是刻覈；若無褒無貶，則全錄舊史，是非[32]不明，何以有知我罪我之言，而能使亂臣賊子懼邪[33]？吾故專以聖人之志與義為斷：不能得乎聖人之志與義，則隨事生說，辨愈繁而不可立教；能得乎聖人之志與義，則凡例諸說，何嘗不可與聖《經》之微文奧旨相為發明；而近世儒者著論，乃欲盡舉夫例而廢之，其亦固而不可通也已。予[34]為此書，主以《左氏傳》，取杜《注》、孔《疏》及《公》、《穀》、啖、趙數十家之論，聚而觀之，參互權衡，稿[35]凡數易，疢疾寒暑，腕不停書，雖未知於聖人之志與義若何，而古今諸儒支離膠固之說，刊剟無餘，少以資學者經術經世之用[36]，庶幾於屬辭比事而不亂之旨或有當云。」

【增補】〔補正〕〈自序〉內「齊滅蔡」，「蔡」當作「萊」。（卷八，頁二一）

《讀左日抄》

【增補】張壽平《公藏先秦經子注疏書目》頁一一七錄有朱鶴齡《讀左日鈔補》二卷；竹垞未錄此書，當據以補入。

【書名】本書異名如下：

一、《讀左日鈔》：張壽平《公藏先秦經子注疏書目》頁一一七著錄。

□卷

。

29霖案：「既」字，《愚菴小集》作「旣」字。

30霖案：「略」字，《愚菴小集》作「畧」字。

31霖案：「急」字，《愚菴小集》作「亟」字。

32霖案：《經義考新校》頁3777新增校文如下：「『是非』，文津閣《四庫》本誤作『是亦』。」。

33霖案：「邪」字，《愚菴小集》作「耶」字。

34霖案：「予」字，《愚菴小集》作「余」字

35霖案：「稿」字，《愚菴小集》作「藁」字

36霖案：「用」字，應依《愚菴小集》作「助」字

【卷數】本書卷數應為十二卷，張壽平《公藏先秦經子注疏書目》頁一一七著錄。

【增補】〔補正〕今傳朱鶴齡《讀左日抄》十二卷又補二卷。（卷八，頁二一）

【增補】〔校記〕《四庫》本十二卷補二卷。（《春秋》，頁五四）

未見。

【存佚】本書有文淵閣四庫全書本，故應改注曰「存」

【版本及藏地】本書版本及藏地如下：

一、文淵閣四庫全書本：台北故宮博物院有藏本。

【增補】永瑢等撰《欽定四庫全書總目》曰：「讀左日鈔十二卷補二卷　浙江巡撫採進本

國朝朱鶴齡撰。鶴齡有《尚書埤傳》，已著錄。是書採諸家之說，以補正杜預《春秋經傳集解》之闕訛。於趙汸、陸粲、傅遜、邵寶、王樵五家之書所取為多。大抵集舊解者十之七，出己意者十之三，故以『鈔』名。所補二卷，多用顧炎武說。炎武《杜解補正》三卷，具有完帙，此所採未及什一。其凡例稱：『庚申之秋，炎武自華陰寄《左傳注》數十則。』蓋是時《杜解補正》尚未成也。鶴齡斥林堯叟《音義》之陋，所取僅三、四條，持論極允。至孔穎達《正義》，家弦戶誦，久列學官，斷無讀注而不見疏者，乃弦戶誦，久列學官，斷無讀注而不見疏者，乃連篇採掇，殊屬贅疣。至襄公九年傳，閏月當作門五日，本為杜注，乃引以補杜，尤為床上床矣。他如定公八年傳，謂：『公山不狃之意在於張公室，陽虎之意不在公室，但欲假公室以制三桓，為利而已。』定公十二年傳則云：『公山不狃、叔孫輒之徒，據費以畔，說者謂叛季非叛魯，其說非也。彼稔見三家不臣之迹，尤而效之，藉口於張公室耳』云云，是一事而臧否頓殊。又如莊公二十二年傳，引《史記正義》以未羊異女為姜姓之訓，於昭公九年傳，又續引汪琬說[37]駁張守節失左氏之指，是一義而去取迥異，皆未免於小疵。然其中如引斗辛以駁伍員之復仇，天經地義，為千古儒者所未發。引定公五年、文公十七年二傳，證公壻池非晉侯之壻，引《檀弓》越人弔衛將軍文子事，證秦人歸僖公成風之襚，引《漢書・王嘉傳》證屈蕩尸之當作戶之之類，亦具有考證。雖瑕瑜并陳，不及顧炎武、惠棟諸家之密，而薈萃眾長，斷以新義，於讀《左傳》者，要亦不為無補焉。」（卷二十九，頁三七一至頁三七二）

【增補】邵懿辰撰、邵章續錄：《增訂四庫簡明目錄標注》卷三曰：「《讀左日鈔》十二卷，補錄二卷，清朱鶴齡撰。

有刊本。

〔續錄〕鶴齡又有《左氏春秋集說》十卷，凡例二卷，道光二十九年刊本。（頁一二〇）

37霖案：原注云：「汪琬說」，浙、粵本作「汪琬之說」。

【霖案】《左傳論著目錄》頁二○根據《中國歷代藝文總志》著錄朱鶴齡撰《讀左日抄》十二卷，補二卷，並云：「按《經義考》不著卷數，云未見，又別著錄《左氏春秋集說》十二卷，《偶記續編》亦著錄之，作十卷凡例二卷，疑即此書而異名。」。

二、清康熙二十年刻本：清朱鶴齡撰，《讀左日鈔》十二卷，《補》二卷，上海圖書館、復旦大學圖書館、湖北省圖書館有藏本。

鶴齡〈序〉38曰：「《春秋三傳》並立，《公》、《穀》乃經師之學，《左氏》獨詳於史事。蓋古者史世其官，左氏必世為魯史，如晉之董孤、齊之南史、楚之倚相，能尊信聖《經》而為之作《傳》，廣求列國諸史乘，管仲、晏嬰、子產、叔向諸名卿佐之行事無不詳，以及卜筮、夢占、小說、雜家之言無不采，大事策書，小事簡牘，閎稽逖覽，綜貫秩然，故其文章最為典則華贍，而後之儒者或病其誣39，或病其浮夸，或病其立論多違理傷教，則何也？夫子感獲麟而作《春秋》，去夢楹不三載，其旨趣未及顯以示人，左氏之遊40聖門也晚，又未必與游、夏之徒上下其議論，則其踳41駁而不純者固宜有之。且左氏所稱書、不書、先書、故書之類，皆本之舊典，為史家成法，聖《經》則不可以史法拘，或事同而義異，或事異而義同，夫子蓋有特筆存焉。自不修《春秋》既亡，不知何者為筆？何者為削？各信胸臆，穿鑿繁興，至於紹興之進講，而說之殽雜極矣。雖然，筆削所據，惟事與文，左氏即閒有舛訛，而臚陳二百四十二年史事，則十得八九。杜元凱推校《經傳》，亦極精詳，學者誠淹通此書，研究事情，因以推求書法，一切刻深碎瑣之見，勿橫據於胸中，而以義理折衷之，安在筆削之精意不可尋繹而得乎？今左氏之書，家傳戶習，特其筆法簡古，文之艱42澀者、義之隱伏者，往往費人推索，元凱注既多未備，而孔仲達疏復卷帙繁重，學士家罕闚其書。東山趙子常特申不書之旨，輯為補注，多與《經》義相證，發予珍祕有年，復廣演而博通之，疏瀹幽滯，辨正譌舛，自孔《疏》而下，弋獲於劉原父、呂東萊、陳止齋、王伯厚、陸貞山、邵國賢、傅士凱者居多，又取春秋人物，引繩墨而論斷之，使學者知古今人材之盛，莫過於春秋；兵法之精，亦莫過於春秋，應變出奇，益人神智，讀史者當有取焉。至於《左氏》全文，明曉易見者，則概不之及。自愧謏43陋，此不過備遺忘、資討論而已，若欲從事聖《經》，成一家之學，必如黃楚望所云：先以《經》證《經》，次引他《經》證，又次以《經》證《傳》，又以以《傳》證《經》，展轉相證，更復出入群書。此非予力所能任也。姑存其說，以俟後世之述作君子。」

38霖案：出自：《愚菴小集》卷七，(台北：臺灣商務印書館，「景印文淵閣四庫全書」冊一三一九，民國七十五年三月，初版)，頁77-78。

39「誣」，應依《補正》作「巫」。　　霖案：《經義考新校》頁3779校文，「應依」改作「依」字；「《補正》」二字下，另有「《四庫薈要》本、文淵閣《四庫》本應」等字。

40霖案：《經義考新校》頁3779新增校文如下：「『左氏之遊』，文津閣《四庫》本誤作『左氏之遊』。」

41霖案：《經義考新校》頁3779新增校文如下：「『踳』，文津閣《四庫》本誤作『踳』。」。

42霖案：《經義考新校》頁3779新增校文如下：「『艱』，文淵閣《四庫》本誤作『難』。」。

43霖案：《經義考新校》頁3780新增校文如下：「『謏』，文津閣《四庫》本誤作『謮』。」。

【增補】〔補正〕〈自序〉內「或病其誣」，「誣」當作「巫」。（卷八，頁二二）

陸氏圻《春秋論》

九篇。

存。

【存佚】本書已未見傳本，當已久佚，今據以改作「佚」籍。

繆泳曰：「陸圻，字麗京，又字景宣，錢塘貢士，甲申後隱於醫，尋入丹崖為僧[44]，不知所終。」

魏氏禧《左傳經世》（清）

【書名】本書異名如下：

一、《左傳經世鈔》：《山東省圖書館館藏海源閣書目》頁二七、張壽平《公藏先秦經子注疏書目》頁一二三著錄。

【增補】李一遂〈左氏春秋著錄書目研究〉頁一○○錄有魏禧《左氏兵法》一書，竹垞未錄此書，當據以補入。

三十卷。

【卷數】清乾隆間聯墨堂刊本題作「二十三卷」。

未見。

【存佚】本書有諸家刊本，也能見諸館藏，說法詳見下文。竹垞誤注曰「未見」，當改注「存」。

【版本及藏地】本書版本及藏地如下：

一、清乾隆十三年（１７４８）彭家屏聯墨堂刊本：清魏禧輯《左傳經世鈔》二十三卷，十冊，有「徐國安」藏印及墨筆眉批，附乾隆十三年(1748)彭家屏撰，魏禧撰〈序文〉，台中東海大學圖書館有藏本。

又大陸：中山大學圖書館、江蘇國學圖書館、山東圖書館均有藏本，李一遂〈左氏春秋著錄書目研究〉頁一二七錄之。

又南開大學圖書館、哈爾濱師範大學圖書館、華中師範學院圖書館有藏本。

【增補】《山東省圖書館館藏海源閣書目》曰：「《左傳經世鈔》 二十三卷／（清）魏禧評點·－清乾隆１３年（１７４８）彭家屏刻本·－６冊（１函）；１９·２×１４·２cm·－９行２１字，小字雙行同，白口，左右雙邊，單黑魚尾，有『七

44霖案：《經義考新校》頁3780新增校文如下：「『甲申後隱於醫，尋入丹崖為僧』，文津閣《四庫》本作『入丹崖』。」。

錄齋藏書記』印」（頁二六至頁二七）

又香港中文大學圖書館有藏本。

【增補】《香港中文大學圖書館古籍善本書錄（增訂版）》曰：「０７４　**PL2470.H48**

《左傳經世鈔》二十三卷

清魏禧撰

清乾隆十三年（１７４８）彭家屏聯墨堂刻本

十冊

匡高十八‧二公分，寬十二‧八公分

九行二十一字，小字雙行同

白口，單魚尾，左右雙邊

內封題"聯墨堂藏板"

卷端署"寧都魏禧冰叔評點，夏邑彭家屏樂君參訂"

前有魏禧自序，乾隆十三年彭家屏序

０７５　**PL2470.H48.C2(崇基)**

又一部

十冊

０７６　**PL2470.H48(聯合)**

又一部

十冊」（頁二三）

【增補】《續修四庫全書總目提要》：「左傳經世鈔二十三卷　乾隆戊辰刻本　楊鍾羲

清魏禧撰。彭家屏參訂。禧字叔子。一字凝叔。號裕齋。寧都人。明諸生。康熙十七年舉博學宏詞。以疾辭。家屏字樂書。夏邑人。官江西布政使。左氏傳春秋經世之學。禧於古人經世大用。左氏隱而未發之旨。隨筆評注。以示門人。謂如石錯銖吁厚。范宣子饗欒盈。陰飴甥爰田州兵之謀。晏嬰不死崔杼。子產焚載書及子皮授子產政諸篇。皆古今定變大略。而陰飴甥會秦伯王城。燭之武夜縋見秦伯。蔡聲子復伍舉。則詞令之極致。家屏以是編專主論事。舊本有涉及選左餘緒者。概從刪削。地名沿革。照方輿訂定注明。意有所得。附諸篇末。其謂詩三百篇。言威儀處最詳。禮雖漢人所記。多古禮之遺。舉動之間。雖小必敬。春秋之時。世亂極矣。而當時賢人君子。於左右周旋進退俯仰之節。猶致意焉。可見文武周公之遺澤未盡泯也。子貢觀兩君之執玉而知其將亡。北宮文子觀公子圍之威儀而知其不終。益知當時之所講者深矣。

議論到地。」(頁六八二)

二、清刊本：(清)魏禧撰《左傳經世鈔》二三卷，十冊，86.8.8 已拍成微捲一捲，台北：國家圖書館有藏本。

禧〈自序〉曰45：「讀書所以明理也，明理所以適用也。故讀書不足經世，則雖外極博綜，內析秋毫，與未嘗讀書同。經世之務，莫備於史，禧嘗以為；《尚書》，史之大祖46；《左傳》，史之大宗47。古今治天下之理，盡於《書》；而古今御天下之變，備於《左傳》。明其理，達其變，讀秦、漢以下之史，猶入宗廟之中，循其昭穆而別其子姓，瞭如指掌矣。嘗觀後世賢者，當國家之任，執大事，決大疑，定大變，學術勳業，爛然天壤，然尋其端緒，求其要領，則《左傳》已先具之。蓋世之變也，弒奪、烝報、傾危、侵伐之事，至春秋已極；身當其變者，莫不有精苦之志48，深沈之略，應猝之才，發而不可禦之勇，久而不回之力，以謹操其事之始，終而成確然49之效，至於兵法奇正之節，自司馬穰苴、孫、吳以下，不能易也。禧少好《左氏》，及遭變亂50，放廢山中者二十年，時時取而讀之，若於古人經世大用，《左氏》隱而未發之旨，薄有所會，隨筆評注51，以示門人。竊惟《左傳》自漢、晉至今歷二千餘年，發微闡幽，成一家言者，不可勝數，然多好其文辭篇格之工，相與議論而已。唐崔日用工《左氏》學，頗用自矜，及與武平一論三桓七穆，不能對，乃自慚52曰：吾請北面。徐文遠從沈重質問《左氏》，久之辭去，曰：先生所說，紙上語耳53。禧嘗指謂門人：學《左氏》者，就令三桓七穆口誦如流，原非所貴，其不能對，亦無足慚54，此蓋博士弟子所55務，非古人讀書之意。善讀書者，在發古人所不言，而補其未備，持循而變通之，坐可言，起可行而有效，故足貴也。禧評注之餘，閒作《雜論》二十篇、《書後》一篇課諸生，作《雜問》八篇，用附卷末，就正於有道。56《左氏》好紀怪誕，溺功利禍福之見，論時駁

45霖案：魏禧：《左傳經世．自敘》，「續修四庫全書本」，頁287。

46霖案：「大祖」，《左傳經世．自敘》作「太祖」。

47霖案：「大宗」，《左傳經世．自敘》作「太宗」。

48「志」，四庫本作「思」。　　霖案：《經義考新校》頁3781校文，「四庫本」三字之前，另有「文淵閣」三字；「作」改作「誤作」二字。今考此文出自《左傳經世．自敘》，原文實作「志」字。

49霖案：「確然」，《左傳經世．自敘》作「确然」。

50霖案：《經義考新校》頁3781新增校文如下：「『及遭變亂』，文津閣《四庫》本作『後遭坎軻』。」。

51霖案：「注」，《左傳經世．自敘》作「註」。

52霖案：「慚」，《左傳經世．自敘》作「慙」。

53霖案：「耳」，《左傳經世．自敘》作「爾」。

54霖案：「慚」，《左傳經世．自敘》作「慙」。

55霖案：「所」，《左傳經世．自敘》作「之」。

56霖案：「禧評注之餘，閒作《雜論》二十篇、《書後》一篇課諸生，作《雜問》八篇，用附卷末，就正於有道。」，案：上述之文，原序無之，疑竹垞闌入其他文獻之文，當據以刪去。

而不醇57；然如石碏誅吁、厚，范宣子禦欒盈，陰飴甥爰田、州兵之謀，晏嬰不死崔杼，子產焚載書，及子皮授子產政諸篇，皆古今定變大略58；而陰飴甥會秦伯王城，燭之武夜縋見秦伯，蔡聲子復伍舉，則詞命之極致，後之學者，尤當深思而力體之也59。」

【增補】〔補正〕〈自序〉內「唐崔日用工《左氏》學，頗用自矜，及與武平一論三桓七穆，不能對，乃自慙」。按《唐書·武平一傳》：崔日用問三桓七穆，武平一知之。平一問齊、晉、楚三國所屬之諸侯及三國執政之人，日用不知。此似誤記。（卷八，頁二二）

陳氏許廷《春秋左傳典略》（清）

十二卷。

【著錄】黃虞稷《千頃堂書目》卷二，頁四四著錄。

【卷數】李一遂〈左氏春秋著錄書目研究〉誤作「七十二卷」。

【霖案】《春秋左傳典略》共收錄一百八十五則考辨之文，其中隱公十六則、桓公十一則、莊公十六則、閔公二則、僖公二十五則、文公一十五則、宣公九則、成公十六則、襄公二十六則、昭公三十一則、定公九則、哀公九則。

【增補】永瑢等撰《欽定四庫全書總目·存目》曰：「春秋左傳典略十二卷60　江蘇巡撫採進本

明陳許廷撰。許廷字靈茂，海鹽人。萬曆中諸生，以薦授兵部司務。其書以十二公為十二卷61，皆摘取《左氏》中單文隻字可資考核者，證以他書。繁稱博引，以詭麗為宗，不專主於疏通經義。然就其所論，亦往往失之穿鑿。如『衛懿公好鶴』，則取浮邱公之言，『秦人歸帑62』，則指為漢興之讖，多未免於蕪雜也。」（卷三十，頁三九一）

存。

【版本及藏地】本書版本及藏地如下：

一、明崇禎刻本：明陳許廷撰《春秋左傳典略》十二卷，八行十九字白口四周雙邊，李一遂〈左氏春秋著錄書目研究〉頁一〇一著錄，稱「浙江圖書館藏」。又《左傳論著目錄》頁一一三亦錄有此一刊本。

57霖案：《經義考新校》頁3782新增校文如下：「『醇』，文淵閣《四庫》本作『純』。」

58霖案：「略」，《左傳經世·自敘》作「畧」。

59霖案：「也」字下，當依《左傳經世·自敘》補入「寧都易堂魏禧書」等七字。

60霖案：原注云：按：今上海辭書出版社、山東、浙江館藏明崇禎刻本。

61霖案：原注云：「以十二公為十二卷」，浙、粵本作「以一公為一卷」。

62霖案：原注云：「帑」，底本作「孥」，據浙、粵本及《左傳》原文改。

又上海辭書出版社、山東省、浙江等地圖書館均有藏本，《中國古籍善本書目》（經部）頁二五〇著錄。

二、影印本：本書有崇禎二年刊本，已有影印本行世。

許廷〈自序〉曰[63]：「先文邃著《五經疑》，《詩》與《春秋》，稍已散佚，廷不及闚其全，閒[64]欲續成而未遑也。今夏偶取《內外傳》[65]讀之，自[66]晉、唐以還，崇獎《左氏》[67]鮮復病其膏肓者，繫征南之力耳[68]。征南於《左氏》[69]，分條同貫，比義合要，皆[70]洞其趣，故[71]夾漈稱之[72]。長夏餘閒，往復其解心乎愛之子[73]，自揆茹私更埤益焉[74]。於約而盡者，疏其旨；於辨而裁者，類其徵，於岐而不害者，綴其異[75]，目之曰典略，凡十有二卷。竊愧[76]不能揚攉《左氏》[77]，討先文邃之散佚[78]，《晉語》云：咫聞則多。或非謇言耳。崇禎二

63霖案：陳許廷：《春秋左傳典略．自序》，（《四庫全書存目叢書》經一二四冊），頁6。

64霖案：「閒」，《春秋左傳典略．自序》作「間」。

65霖案：「《內外傳》」三字下，應依《春秋左傳典略．自序》補入「合高、淑兩家衷序之，使事義斷章，頭訖條屬，一切《本氏》為攘，以兩家埤益焉。衷序且竟，因愾然于《三傳》之迭為廢興也。雖傳聞親見，污隆異揆。然」等五十七字。

66霖案：「讀之，自」三字，原序無之，當係竹垞擅加改動所致，今當刪正。

67霖案：「《左氏》」，《春秋左傳典略．自序》作「盲史」，竹垞或據文意改作「《左氏》」也。

68霖案：「耳」字，應依《春秋左傳典略．自序》補入「武子塵標牙韻，未能度越晉人。邵公條例十有七年，無捄二創，大抵促數耗矣。獨」等三十一字。

69霖案：「《左氏》」二字下，應依《春秋左傳典略．自序》補入「蒐伐遐異，騁騖極博，微彰顯幽之宏致，逕屈覆逆之殊情。」等二十二字。

70霖案：「皆」字下，應依《春秋左傳典略．自序》補入「弋其的而」等四字。

71霖案：「故」，應依《春秋左傳典略．自序》刪。

72霖案：「稱之」二字下，應依《春秋左傳典略．自序》補入「雖羲氏緯天，夏后鈇，水允哉無以尚也。」等十五字。

73霖案：《經義考新校》頁3782新出校文如下：「『子』，文津閣《四庫》本誤作『不』。」今考「子」字，當依《春秋左傳典略．自序》作「不」字。

74霖案：《經義考新校》頁3782於「往復其解心乎愛之子，自揆茹私更埤益焉」二句，重新斷為「往復其解，心乎愛之，子自揆茹私更埤益焉。」，斷句略有調整。

75霖案：「異」字下，當依《春秋左傳典略．自序》補入「演以靈緯，藏以鄙裁，其見聞傳聞，淳耀今古者，不敢牘而登之也。」等二十五字。

76霖案：「愧」字下，當依《春秋左傳典略．自序》補入「羌瑣多蕪，闌單失力。」等八字。

77霖案：「《左氏》」二字下，應依《春秋左傳典略．自序》補入「劑異味，闢異境，鼓芳風以扇遊塵，方駕唐杜，淳燿今古，如味之酋腊柔嘉，嘗胹可以動指，如竟之靈窈絕，遊目可以虞懷，使迴

年79。」

　　俞汝言曰：「許廷，字靈茂，海鹽人80。」

何氏其偉《春秋胡諍》

　　一卷。

　　存。

　　【存佚】本書已未見傳本，當已久佚，今據以改作「佚」籍。

　　其偉〈自序〉曰：「呂氏大圭云：《春秋》穿鑿之患，其原起於《三81傳》，而後之諸儒又從而羽翼之，彼此矛盾，前後牴牾，紛紛聚訟，而聖人之意益以不明。不知聖人之意，聖人之經自明也。夫諸儒之為穿鑿無論已，至於胡氏之說行，而明興專用為功令，及觀制義發題，則居然孔氏無《經》而《經》在胡氏焉。世之尊胡氏者方過於孔氏，是固胡氏之《春秋》矣，乃以為孔氏之《春秋》，孔氏82焉可誣已夫？孔氏之於《春秋》也，修焉而非作也。修則舊史參半焉，諸凡名稱、爵號之異同，與夫日月之詳略，皆呂氏所謂謄史之舊而褒貶不與者也。褒貶不與於名稱、爵號與日月，則是非善惡之繫乎其文較然已，而必欲穿鑿於一人一字之間，而係二百四十二年之諸侯大夫盡入孔氏之深文為刻為薄為專，其誣聖何如？而況彼此之矛盾、前後之牴牾者，又比諸儒甚焉久矣。世第習焉而不察，是焉而不疑，且翕然於功令之中而不敢也。予故諍其尤悖者，竊以附呂論云。」

王氏挺《春秋集論》

　　未見。

　　【霖案】本書未見其他傳本，當已久佚。

　　劉芳喆曰：「挺，字周臣，太倉州人。」

　　環之者，觀我垂顧，盱其駭矚，猶冀千秋而後，丕淮燒策，未炫精靈，習其讀，問其傳，闚武庫而興美哉之憾。」等八十八字。

78霖案：「佚」字下，當依《春秋左傳典略．自序》補入「劉覽於是，而以為中遠之尊。」等十一字。

79霖案：「年」字下，應依《春秋左傳典略．自序》補入「歲在玄枵，辰在壽星，浙淛陳許廷靈茂甫識於一笑山之桐臺。」等二十四字。

80 霖案：「人」字之下，《欽定續文獻通考》卷一五四（台北：臺灣商務印書館，「景印文淵閣四庫全書」冊六三〇，民國七十五年三月，初版），頁143，另有「萬曆中諸生，以薦授兵部司務。」等字，可補竹垞徵引內容。

81「三」，「備要本」作「二」。　　霖案：《經義考新校》頁3783校文，位於「《三傳》」二字下，其校文如下：「『三《傳》』，《備要》本誤作『二《傳》』。」。

82霖案：《經義考新校》頁3782新增校文如下：「『孔氏』，文津閣《四庫》本作『孔子』。」。

俞氏汝言《春秋平義》（清）

十二卷。

【著錄】《嘉業堂藏書志》卷一，頁一六一、張壽平《公藏先秦經子注疏書目》頁一四四著錄。

存。

【版本及藏地】本書版本及藏地如下：

一、手稿本：清俞汝言撰《春秋平義》十二卷，南京圖書館有藏本，說法詳見《中國古籍善本書目》（經部）頁二八四、崔富章《四庫提要補正》頁一七六。

二、文淵閣四庫全書本：(清)俞汝言撰《春秋平義》十二卷，七冊，《國立故宮博物院善本舊籍總目》，上冊，頁一〇五著錄，台北故宮博物院有藏本。

【增補】永瑢等撰《欽定四庫全書總目》曰：「春秋平義十二卷[83]　浙江巡撫採進本

國朝俞汝言撰。是書多引舊文，自立論者無幾。然自宋孫復以來，說《春秋》者務以攻擊三傳相高，求駕乎先儒之上，而穿鑿煩碎之弊日生。自元延祐以後，說《春秋》者務以尊崇胡《傳》為主，求利於科舉之途，而牽就附合之弊亦遂日甚。明張岐然嘗作《五傳平文》以糾其謬，而去取尚未能皆允。汝言此書亦與岐然同意，而簡汰精審，多得經意，正不以多生新解為長，前有自序謂：『傳經之失不在於淺，而在於深，《春秋》為甚。』可謂片言居要矣。此本為汝言手稿，其中塗乙補綴，朱墨縱橫，其用心勤篤，至今猶可想見也。朱彝尊《經義考》載繆泳之言稱：『汝言研精經史，尤熟明代典故[84]。嘗撰有《宰相列卿年表》，其詩古文曰《漸川集》，今皆未見。』蓋亦好學深思之士，所由與枵腹高談者異歟。」（卷二十九，頁三七一）

【增補】邵懿辰撰、邵章續錄：《增訂四庫簡明目錄標注》卷三曰：「《春秋平義》十二卷，清俞汝言撰。

四庫箸錄，即從汝言手稾傳鈔。」（頁一二〇）

【增補】崔富章《四庫提要補正》曰：「《國朝採進書目·浙江省第八次呈送書目》載《春秋平義》十二卷，明俞汝言著，四本。《浙江採集遺書總錄》注明『寫本』。此即庫書底本。後為丁丙所得，見於《善本書室藏書志》卷三：『是帙即其手稿，經館臣校正發謄，上鈐翰林院印，厥後發還本省者也。有『雙溪遺老』、『俞汝言印』，『石吉氏』三印，手序自題丙辰仲冬，為康熙十有五年，至今已二百餘年矣，可不貴哉！』此手稿今歸南京館。

文瀾閣庫書原本佚，今存丁氏補抄本七冊。補抄與原抄同出一源。」（頁一七六至頁一七七）

83霖案：原注云：按：此條，浙、粵本排在「《春秋四傳糾正》」之前，與文淵閣庫書排列次序不符。

84霖案：原注云：「尤熟明代典故」，浙、粵本作「尤熟於明代典故」。

三、鈔本：復旦大學圖書館有藏本。

【增補】《嘉業堂藏書志》卷一曰：「《春秋平議》十二卷　鈔本　俞汝言撰。汝言字石吉，秀水人，前明諸生。研精經史，尤熟於明代掌故，嘗撰《宰相列卿年表》。有詩文集，曰《漸川集》。此書首有自序，云：是書之言，多出於儒老，不入臆測一語。使其言足錄，不以其入而棄之；使其言不足錄，亦不以其人而存之。務得其平而已，故以『平義』命名。誠所謂好學深思者矣。（繆稿）」（頁一六一）

《春秋四傳糾正》（清）

一卷。

【著錄】張壽平《公藏先秦經子注疏書目》頁一四四著錄。

【卷數】四庫全書本不分卷數。

存。

【版本及藏地】本書版本及藏地如下：

一、文淵閣四庫全書本：(清)俞汝言撰《春秋四傳糾正》不分卷，一冊，《國立故宮博物院善本舊籍總目》，上冊，頁一〇五著錄，台北故宮博物院有藏本。

【增補】永瑢等撰《欽定四庫全書總目》曰：「春秋四傳糾正一卷　浙江巡撫採進本

國朝俞汝言撰。汝言字石吉，秀水人，前明諸生[85]。康熙丙辰，汝言撰[86]《春秋平義》始脫稿，乃作此書以綜括其大旨[87]。相傳其晚年失明，口授而成之者也。書中摘列《春秋》三傳及胡安國《傳》之失，隨事辨正，區為六類。一曰尊聖而忘其僭，計八條；二曰執理而近於迂，計十五條；三曰尚異而鄰於鑿，計二十三條；四曰臆測而近於誣，計四十三條；五曰稱美而失實情，計八條；六曰摘瑕而傷鍥刻，計六條。末附《春王正月辨》一篇，申左氏、公羊、孔安國、鄭玄之說，明周正改時改月，《春秋》正朔皆從周。其中如『華督奪孔父之妻』、『齊桓因蔡姬而侵蔡』。史家簡策相傳，必有所據。即就傳文而論，亦無以斷其必不然。汝言皆以為臆測近誣，轉未免自蹈臆測。又《公羊》褒齊襄之復仇，固為謬戾。然『紀侯譖齊哀公於周，至於見烹』，則實有其事。汝言乃謂語言之故不足為仇，亦不甚可解。至《春王正月辨》中，謂《左傳》『王周正月』句，『王周』二字，猶漢稱皇漢、宋稱皇宋之義。則不知正月、正歲并見，《周禮》兼用夏正，實亦王制。故特言『王周正月』，明非夏時。無庸牽引漢、宋，橫生曲說。又一行、衛朴推驗《春秋》日食，皆合於『建寅』一條。汝言無以難之，遂泛謂不足深據。不知日月交食，推朔望不推時令。建子建寅，食限無殊。一語可明，亦不必顧預其說。如斯之類，雖或間有小疵，然六類之中，大抵皆立義正大，持

85霖案：原注云：「汝言」至「諸生」，浙、粵本不載，而載於下條《春秋平義》「俞汝言撰」句之後。

86霖案：原注云：「撰」，浙、粵本無。

87霖案：原注云：「乃作此書以綜括其大旨」，浙、粵本作「是歲之夏，復續作此書以綜括大旨」。

論簡明。一卷之書，篇帙無幾，而言言皆治《春秋》者之藥石，亦可謂深得經意者矣。」（卷二十九，頁三七一）

【增補】邵懿辰撰、邵章續錄：《增訂四庫簡明目錄標注》卷三曰：「《春秋四傳糾正》一卷，清俞汝言撰。

四庫箸錄，即從汝言手槀傳鈔，昭代叢書本。」（頁一二〇）

二、昭代叢書本：清俞汝言撰《春秋四傳糾正》一卷，馬來西亞大學圖書館有藏本。

三、清抄本：清俞汝言撰《春秋四傳糾正》一卷，上海圖書館有藏本。

四、清道光十三年(1833)刊本：(清)俞汝言撰《春秋四傳糾正》一卷，台北：國家圖書館有藏本。

五、手稿本：邵懿辰撰、邵章續錄：《增訂四庫簡明目錄標注》卷三，頁一二〇著錄。

六、清抄本：清俞汝言撰，《春秋四傳糾正》一卷，有丁丙跋，南京圖書館有藏本。

汝言〈自序〉曰[88]：「《六經》之不明，諸儒亂之也。自王輔嗣以《老》、《莊》言《易》，而《六經》有道矣；鄭康成以讖緯言禮，而《六經》有數術家矣；《公》、《穀》、胡氏以名稱褒貶言《春秋》，而《六經》有名家、法家矣。彼其初未始不欲探聖人之精蘊，而智識弇淺，強求深遠，習見郡國之府寺，而以為宮闕之巍峨不過如是，不知輔相之道，而以行師折獄之才智經邦國也；淺求之而爽其度，深求之而愈失其大體。迨至有宋大儒程、朱輩出，而後正其紕謬，《易傳本義》成而輔嗣卷舌，《儀禮經傳通解》定而康成束手退矣。若夫《春秋》，左氏親見聖人，《公》、《穀》傳諸高第弟子，而偏駁者半焉；康侯[89]品高學博，文章能暢所欲言，方以為程氏之正傳而疵纇不少，新安朱子心知之而不敢端言其過，其說時時見於弟子講論之餘，而後人又不能推明其義，徒使附會穿鑿刑名法術之言，出於一代大儒而不覺，是可異也。汝言不揣，纂集諸家，自為一書，先之以《四傳》糾正，為六端以該之：一曰：尊聖而忘其僭；二曰：執理而近於迂，三曰：尚辭而鄰於鑿；四曰：億測而涉於誣，五曰：稱美而失情實；六曰：摘瑕而傷鍥刻。六者之弊去而後可以讀《春秋》矣。顧愚陋荒落，何敢效鍼石於前賢，聊以志願學之，自略見其大指而已。丙辰仲夏。」

繆泳曰：「俞汝言，字右吉，秀水人。甲申後棄諸生[90]，研精《經》史之學，尤熟於明代典故，擬成一書，僅先就《宰輔列卿年表》[91]而已。晚專治《春秋》，其詩古文曰《漸川

---

[88]霖案：四庫本(《四庫》冊一七四，頁387)。

[89]霖案：《經義考新校》頁3785新增校文如下：「『康侯』，文淵閣《四庫》本作『康成』。」

[90]霖案：《經義考新校》頁3785新增校文如下：「『甲申後棄諸生』，文津閣《四庫》本作『中年閉戶獨居』。」

[91]霖案：《經義考新校》頁3785新增校文如下：「『《宰輔列卿年表》』，文淵閣《四庫》本、《四庫總目》俱作『《宰相列卿年表》』。」

集》。」

王氏寅《春秋自得篇》

十二卷。

存。

【存佚】本書未見其他傳本，當已久佚。

寅〈自序〉曰：「聖人所作之書，慮無有藉乎人以明者。《春秋》之成也，游夏不能贊焉。聖人為《經》，左氏為《傳》，各自為書，是故《左氏》之文有先《經》而起者，有後《經》而終者，有不本乎《經》而別自為紀者，則其讀未修之《春秋》而就者也。嗣乎《左氏》，而有《公》、《穀》，始因《經》以起義，大都緣《左氏》之舊文而閒附以己意云爾。漢室諸儒，各有攸聞，辭多散見；程氏、胡氏旨益精詳，例從巧合。然不讀《三傳》，其義亦無自而起；且胡氏者，志存悟主，謂宋之南與周之東，固[92]可取而譬也，或強《經》以從己有之。予疑聖人所作之書，當有不必《三傳》而明者。蓋聖人之言曰：『天下有道，則禮樂征伐自天子出。』春秋會盟征伐，非自為主，則霸國為之主，故曰：《春秋》，孔氏之刑書也。且獨不聞孟子之言乎？《春秋》成而亂臣賊子懼。『《春秋》，天子之事也』，亂臣賊子無天子於心，聖人則以天子之法治之，曰：此正朔者，猶之乎天子之正朔也。禮樂征伐自諸侯出、自大夫出，曾天子之法具在，而藐不知畏，是果何代之諸侯？何國之大夫乎？抑何決裂倒置一至此也？是故立一天子於上，斯諸侯大夫之罪咸可得而定矣；諸侯大夫之罪定，斯天子之法伸矣。是果必待《三傳》而明者乎？直書焉而見，比類焉而見，散錯不齊焉而亦見，予何敢作《傳》？慮夫尊《傳》而失《經》者，流俗之士或所不免，故為姑舍諸《傳》，參引他《經》，特據聖《經》以為之注，後之學者謂補先儒之未足焉可也，謂翻先儒之案不可也。夫知我罪我，聖人猶將聽之，又何況疏賤庸劣如予者乎？與其開罪於聖人，無寧開罪於先儒耳。讀斯注者，尚其諒予之心也夫。崇禎壬午。」

金氏鏡《春秋集義》

十二卷。

未見。

【霖案】本書未見其他傳本，當已久佚。

錢氏　《春秋志禮》

八卷。

存。

【存佚】本書已未見傳本，當已久佚，今據以改作「佚」籍。

自序曰：「在昔言《春秋》者，莫不以為聖人刑書，於是引經斷獄，皆以《春秋》為

92霖案：《經義考新校》頁3786新增校文如下：「『固』，文津閣《四庫》本誤作『因』。」。

名，遂據為律法斷例，刻深其文，無寬和之氣，使聖人褒諱隱惡，謹嚴而存忠厚之思，流於薄而不返，嗚呼！此豈仲尼不為已，甚者之所為哉？昭公二年，韓宣子如魯，見《易象》與魯春秋曰：『周禮盡在魯矣！吾乃今知周公之德與周之所以王也。』韓子所見，蓋周[93]之舊典禮經。雖仲尼之[94]所未修，而周公之法制未嘗不在於魯也。故其先慶父之難，齊之戰國者曰：魯猶秉周禮。周禮，所以本也。國之將亡，本必先撥，而後枝葉從之。今魯不棄周禮，未可動也。莊、僖以來，更十數公而無改，韓起猶及見之，故『仲尼因魯史策書成文，考其真偽，志其典禮。上以遵周公之遺制，下以明將來之法。』《傳》故曰：『其善志。』惟上之人能使昭明。《左》昭三十一年《傳》。又曰：『《春秋》之稱，微而顯，志而晦，婉而成章，盡而不汙，懲惡而勸善，非聖人，誰能修之？』《左》成十四年《傳》。所謂勸善者，君子之事也；婉而成章者，曲從義訓，以示大順者也；志而晦者，約言紀事，以示法制者也。故曰：王道之正，人倫之紀，備矣。仲尼亦曰：予作《春秋》，以正亂制。由是言之，《春秋》者，禮義之大宗也。禮，禁未然之前；法，施已然之後。法之所為用者易見，而禮之所為禁者難知，故聖人從而修之，所以興禮教而使人自遠刑法之端者也。禮樂之數，莫不具備於斯，是以後之言禮者，非《春秋》之義不足以定其去從。嗚呼！美哉！洋洋乎經緯萬端，宰制人極，孰有蹝於此哉？予用是約《春秋》之大凡，捃摭傳紀，總其條貫，以類分為十志，而以禮志為首，傳音附於魯事，使稽古考治術者，有以見王道之大端，周公之遺法，儒說之要歸；足以致治興教，立俗范事，施諸後世而無惑，豈徒博物云爾哉！」

按：錢氏《春秋志禮》，其綱曰吉，曰凶，曰軍，曰賓，曰嘉。吉禮之目八：曰郊，曰望，曰雩，曰考，曰烝，曰嘗，曰禘，曰大事；凶禮之目五：曰喪，曰荒，曰弔，曰救災，曰禬；軍禮之目四：曰大閱，曰治兵，曰大蒐，曰狩；賓禮之目十一：曰朝周，曰朝魯，曰公如他國，曰外諸侯相朝，曰內大夫如周聘，曰列國聘周[95]，曰諸國來聘，曰內大夫聘列國，曰諸侯相聘，曰周來聘，曰周聘諸國；嘉禮之目七：曰飲食，曰冠，曰昏，曰賓射，曰燕饗，曰脤膰，曰賀慶；錫命有三：曰周來錫命，曰周命列國，曰周命諸大夫；其一為雜記。

張氏睿卿《春秋傳略》

未見。

【霖案】本書未見其他傳本，當已久佚。

馮氏如京《春秋大成》（清）

【著錄】孫殿起《販書偶記續編》卷二，頁十七。

三十一卷。

【卷數】《東北師範大學圖書館藏古籍善本書目解題》頁三〇著錄，題作《春秋大成

93霖案：《經義考新校》頁3788新增校文如下：「『周』，文津閣《四庫》本作『周公』。」。

94霖案：《經義考新校》頁3788新增校文如下：「『之』，文津閣《四庫》本脫漏。」。

95「周」，「四庫本」作「問」。　　霖案：《經義考新校》頁3789校文，「四庫本」三字之前，另有「文淵閣」三字。

》三十卷，《備錄》一卷；又孫殿起《販書偶記續編》卷二，頁十七著錄，題作「《春秋大成》三十一卷，首《圖考》一卷」，則卷數分合，或有小異。

存。

【版本及藏地】本書版本及藏地如下：

一、清順治十一年刻二節版印本：清馮如京匯纂《春秋大成》三十卷，《備錄》一卷，下節十行十六字，上節十四行十八字，白口，四周雙邊。書下鐫介軒二字。有馮雲驤順治甲午年〈序〉及馮如京順治甲午年〈序〉。八冊。東北師範大學圖書館有藏本。

又北京大學、北京故宮博物院、東北師範大學、安徽省、重慶市等圖書館均有藏本。

【增補】《東北師範大學圖書館藏古籍善本書目解題》云：「是書上匯各家秘旨，下訂衡庫諸書，縷分支析，經傳兼備，與四書互為發明，指拔批閱處，有功於後學。

馮如京：清，代州人，字秋水，一字紫乙。順治拔貢，授永平知府，累遷廣東左布政使。作詩頗清利，有《秋水集》。」（頁三〇）

劉芳喆曰：「如京，字秋水，代州人，仕至廣東布政使。」

董氏漢策《春秋傳彙》

十二卷。

存。

【存佚】本書已未見傳本，當已久佚，今據以改作「佚」籍。

趙吉士曰：「漢策，字帷儒，烏程人，范制府承謨巡撫浙江，以人材薦，將除科道矣，為言者所劾去。」

瞿氏世壽《春秋管見》（清）

【增補】瞿世壽另有《春秋年譜》一書，稿本藏於美國哈佛大學燕京圖書館，沈津《書城挹翠錄》頁十曾著錄其書，今據以補入。

十三卷。

【著錄】張壽平《公藏先秦經子注疏書目》頁一四五著錄。

【卷數】本書卷數異同如下：

一、八卷：張壽平《公藏先秦經子注疏書目》頁一四五著錄。

存。

【版本及藏地】本書版本及藏地如下：

一、清陳鍾英手鈔本：清瞿世壽撰《春秋管見》八卷，四冊，陳氏批校并跋，台北國家圖書館有藏本。

【增補】《國家圖書館善本書志初稿》：「【春秋管見八卷四冊】

　　清陳鍾英手鈔本　　00563

　　清瞿世壽撰。

　　全幅高 24.1 公分，寬 15.7 公分。每半葉十行，行二十四字。版心上方書魯公名(如『隱』)，下方書葉次。註文小字雙行，字數同。

　　首卷首行頂格題『春秋管見卷之一』，次行低十格題『虞山後學瞿世壽脩齡』。首卷書眉有陳鍾英註曰：『元書未有卷數今始定為八卷』。其卷次分法為隱桓一卷、莊閔一卷、僖一卷、文宣一卷、成一卷、襄一卷、昭一卷、定哀一卷。書眉有多處陳氏批註。卷末有陳鍾英手書識語，說明版本由來及手書經過，並附印記。

　　書中鈐有『吳興/張迺熊/鑒定』朱文方印、『張/芹伯』朱文方印、『覽良/經眼』白文方印、『歸禮/堂/藏書』朱文方印、『國立中央圖/書館收藏』朱文長方印、『吳興/張鈞/衡印』白文方印、『石銘/又號/適圜』朱文方印、『適圜/珍藏』朱文方印、『張印/乃熊』白文方印、『芹/伯』朱文方印、『迻/圜』朱文方印、『張/石銘』朱文方印、『字曰/禹和』朱文方印、『一字/可權』白文方印、『湖州/烏程/縣人』朱文方印、『張氏/藏書』朱文方印、『芹伯/手校』朱文長方印、『迻圜/收藏』朱文長方印。」(頁 151)。

二、清康熙三十一年香綠居刻本：清瞿世壽撰，《春秋管見》四卷，附《年譜》一卷，北京：清華大學圖書館有藏本。

【增補】陳鍾英〈跋〉曰：「此書元本為周君孝均家所藏，周沒歸仲君湘，今歸于我。緣元本非一人所抄，字跡公拙，天懸地隔，殊不雅觀，故另抄副本，且備佚亡也。元抄於聖祖廟諱則避之，以下不避，蓋康熙間人也。今校正誤字百數十，庶幾善本矣。吳江陳鍾英識。」（轉錄《標點善本題跋集錄》頁二三）

　　世壽〈自序〉96曰：「予幼失學，寡昧無聞，弱冠後，棄舉子業，思究《經》義，遭家多難，又乏師承，年四十二，薄遊閩南，喜得《春秋三傳》善本，厥後自閩而燕，自燕而豫，而魯，搜羅請乞，又得漢、唐、宋諸儒《經》解數十種，早夜尋繹，謬因一得，著為《春秋管見》四卷，七年之間，稿凡三易，竊謂宮牆數仞，幸得其門。五十遊秦，旅寓藍田官舍，藍田為嘉禾阮不巖先生舊治，先生歿後，甲子十月，先生卒於官。遺編散失，忽檢廢籃，得書數冊，係先生批校《春秋五傳》，丹黃塗乙，手澤猶新，次其卷帙，止闕昭公二十一年至三十二年，亟取而補綴之。詳其意義，迥別塵詮，始悟聖《經》本極廣大，諸儒以狹小窺之；本極通達，諸儒以固必泥之；本極平常，諸儒以穿鑿釋之，故詮解愈多，《經》義愈晦。因取舊本之合於《經》者，疏通證明之；局於例者，芟夷蘊崇之。四閱春冬，稿又二易，雖爝火螢光，稍堪流照97，然非先生導其前路，萬難遵彼周行，後海先河，淵源有自，聊為敘述，

<hr>

96霖案：《標點善本題跋集錄》有蒐及此書，但惜未收序！《善本序跋集錄》亦無此序！

97「照」，「備要本」作「昭」。　　霖案：《經義考新校》頁3790校文如下：「『流照』，《備要》本誤作

以志不諼。時康熙歲次壬申仲春二月生魄後四日也。」

姜氏希轍《春秋左傳統箋》（清）

【書名】（大陸）《中山大學圖書館古籍善本書目》題作《左傳統箋》。李一逯〈左氏春秋著錄書目研究〉頁一二一誤作「《左通統箋》」

二十五卷。

【卷數】《四庫存目》作三十五卷，又大陸中山大學圖書館有藏本，亦題作「三十五卷」；李一逯〈左氏春秋著錄書目研究〉題作「二十四卷」。

【增補】〔校記〕《四庫存目》作三十五卷。（《春秋》，頁五四）

存。

【版本及藏地】本書版本及藏地如下：

一、清康熙十五年（１６７６）刻本：（清）姜希轍撰《左傳統箋》三十五卷，二十四冊，九行，二十一字，小字雙行，字數同，白口，四周單邊，大陸：中山大學圖書館有藏本。

又中國人民大學圖書館有藏本，《中國人民大學圖書館古籍善本書目》頁十三著錄。

【增補】《中國人民大學圖書館古籍善本書目》曰：「００９５　１６１／３９

（清）姜希轍撰

清康熙十五年（１６７６）刻本

十二冊一函

九行二十一字，小字雙行同，白口，單魚尾，四周單邊。封面鐫『春秋左傳杜林統箋』、『本衙藏板』。」（頁十三）

二、文淵閣四庫全書本：台北故宮博物院有藏本。

【增補】楊武泉《四庫全書總目辨誤》曰：「毛奇齡《姜君希轍行狀》：『君諱希轍，浙之會稽人。』又《定庵姜公神道碑銘》云：『公諱希轍，字二濱，別字定庵，明禮部尚書箴勝公之孫，工部都水司郎中紫璜公之子也。世居餘姚……曾祖翼龍公由禮部郎中出守，以建國本上書罷職，贈光祿卿，遂徙家會稽，為會稽姜氏。』（以上二文載錢儀吉《碑傳集》卷五四）是姜希轍乃會稽人，作『餘姚人』誤也。」（頁三四）

馬氏驌《春秋事緯》（清）

【書名】《馬來西亞大學中文圖書目錄》七一八‧一著錄，書名題作《左傳事緯》。

『流昭』。」

二十卷。

　　【卷數】張之洞《書目答問補正》卷一，頁四○著錄，題作「《左傳事緯》十二卷，《附錄》八卷」，顯見竹垞登錄「二十卷」，乃是併合《左傳事緯》與《附錄》言之。

　　又漢陽朝宗室活字版本無《附錄》，且竹垞案語明白標示馬氏《左傳事緯》凡十二卷，故應改「二十卷」為「十二卷」。

　　【增補】《天津市人民圖書館藏活字本書目》頁二著錄此書，附《左傳字釋》一卷，竹垞僅錄及《春秋事緯》一書，今據以補入。

存。

　　【版本及藏地】本書版本及藏地如下：

一、山東馬慶刻本：張之洞《書目答問補正》卷一，頁四○著錄，題作「馬氏自刻本」，四川圖書館有藏本。

二、清同治七（一八六七）年漢陽朝宗室活字版本：清馬驌編《左傳事緯》十二卷，附《左傳字釋》一卷，十二冊，無《附錄》八卷，張之洞《書目答問補正》卷一，頁四○著錄。

三、許元淮刻本：張之洞《書目答問補正》卷一，頁四○著錄。

四、蘇州潘氏敏德堂刻本：張之洞《書目答問補正》卷一，頁四○著錄。

五、函海本：清馬驌撰《左傳事緯》四卷，張之洞《書目答問補正》卷一，頁四○著錄，馬來西亞大學圖書館有藏本。

六、清順治間刊本：十二卷，附錄八卷，張壽平《公藏先秦經子注疏書目》頁一二一著錄，台北中研院史語所有藏本。

七、文淵閣四庫全書本：台北故宮博物院有藏本。

　　【增補】永瑢等撰《欽定四庫全書總目》曰：「左傳事緯十二卷附錄八卷98　山東巡撫採進本

國朝馬驌撰。驌字驄御，又字宛斯，鄒平人。順治己亥進士，官淮安府推官，終於靈璧縣知縣。是書取《左傳》事類分為百有八篇，篇加論斷。首載晉杜預、唐孔穎達《序論》及自作《左丘明小傳》一卷，《辨例》一99卷，《圖表》一卷，《覽左隨筆》一卷，《名字100譜》一卷，《左傳字奇》一卷，合《事緯》為二十卷。內地輿有說無圖，蓋未成也。王士禎《池北偶談》稱其博雅嗜古。尤精《春秋左氏》學，載所著

諸書與此本并同，惟無《字奇》及《事緯》，豈士禎偶未見歟？三傳之中，《左氏》親觀國史，事迹為真，而褒貶則多參俗議。《公羊》、《穀梁》二家得自傳聞，記載頗謬，而義例則多有師承。《朱子語錄》謂：『《左氏》史學事詳而理差，《公》、《穀》經學理精而事謬。』蓋篤論也。驌作是書，必謂《左氏》義例在《公》、《穀》之上，是亦偏好之言。然驌於《左氏》，實能融會貫通，故所論具有條理，其《圖表》亦皆考證精詳，可以知專門之學與涉獵者相去遠矣。」（卷二十九，頁三七二）

【增補】邵懿辰撰、邵章續錄：《增訂四庫簡明目錄標注》卷三曰：「《左傳事緯》十二卷，附錄八卷，清馬驌撰。附錄杜預、孔穎達序論，及驌所作《左邱明傳》，共一卷，《辨例》三卷，《圖表》一卷，《覽左隨筆》一卷，《名氏譜》一卷，《左傳字奇》一卷。

許氏刊本，函海內別本四卷，翻刻本，無附錄。

〔續錄〕嘉慶六桐書屋刊本，清澄懷堂刊本，附《左傳字釋》一卷。

驌又有《春秋列國表》一卷，光緒二十八年刊本。（頁一二〇）

八、懷澄堂本：馬驌撰《左傳事緯》十二卷，乾隆甲辰仁和黃暹重刊本。

【增補】耿文光《萬卷精華樓藏書記》卷八曰：「《左傳事緯》十二卷　國朝馬驌撰

懷澄堂本。乾隆甲辰仁和黃暹重刊，前有許無淮序，攬宣齋主人例略六條，左氏小傳一篇，目錄自鄭叔段之亂至災異共一百八篇，《左傳字解》一卷，分通用、直音二目，簡明目錄，有附錄八卷，此本無之。

許氏序曰：《春秋事緯》為馬氏《繹史》中之一類。《繹史》板久不存，《事緯》另列成部而孤行不廣。其例略曰：易編年為敘事篇目一百有八，令讀者一覽即解，且無遺忘之病，誠善本矣。其篇末組織新艷，貫串恣肆，尤臨文必備之書。余寶是書有年，及門黃子春渠，請重鐫之，爰畀是書而付之梓。」（頁三〇九）

九、康熙間刊本：李一遂〈左氏春秋著錄書目研究〉頁一一三著錄，大陸：中山大學有藏本。

又上海圖書館、湖北省襄陽地區圖書館有藏本，清馬驌撰《左傳事緯》十二卷，《前書》八卷。

又中國人民大學有藏本，《中國人民大學圖書館古籍善本書目》頁十三著錄。

【增補】《中國人民大學圖書館古籍善本書目》曰：「〇〇九六　一六一／一三

左傳事緯十二卷前書八卷

（清）馬驌撰

清康熙間刻本

十冊二函

九行二十二字，白口，單魚尾，左右雙邊。眉上鐫評。」（頁十三）

十、嘉慶六朝書屋本：李一遂〈左氏春秋著錄書目研究〉頁一一三著錄，大陸：南京大學圖書館有藏本。

按：馬氏《左傳事緯》凡十二卷，前有〈序傳〉一卷、〈辯例〉三卷、〈圖說〉一卷、〈覽左隨筆〉一卷、〈春秋名氏譜〉一卷、〈左傳字音〉一卷。驌，字宛斯，鄒平人，嘗會萃三代之書為《繹史》，人目之曰馬三代。」

【增補】〔校記〕《四庫》本《左傳事緯》十二卷《附錄》八卷。（《春秋》，頁五四）

湯氏秀琦《春秋志》

十五卷。

存。

【存佚】本書已未見傳本，當已久佚，今據以改作「佚」籍。

宋犖〈序〉曰：「文中子有言曰：述作紛紛，制理者參而不一，陳事者亂而無緒，考之《春秋》為尤甚。《春秋》文成數萬，其旨數千，後儒各持所見，以推測聖人之意，事不得其緒，理不衷於一，何能義蘊瞭然乎？故《三傳》作而《春秋》散，昔人已致歎矣。加以杜、鄭、何、范之箋注，其用心可不謂勤乎？至胡康侯作《傳》，大旨本於伊川而又兼綜眾論之長，《春秋》藉是而有定，亦未免時有牴牾。李愿中云：《春秋》難看，學者未到聖人灑然處，安能無失？如近代治《春秋》，不惟棄《經》而從《傳》，又且畔《傳》而作支離煩碎之辭，乃治《經》之蠹也。臨川湯子弓菴作《春秋志》，其為書也，分事與理為二體。事則統以年表，而為表者八；理則統以書法，而為法者四。八表各主一事為綱，二百四十二年之首尾，數簡足以瞭之；其書法四種，以精義為經，比事為緯，而條例遺旨且足為交參考互之資，其為道也備矣。以此陳事，寧復亂而無緒乎？以此制理，寧復參而不一乎？元趙仁甫作《春秋通旨》時，未有知者，姚文正公督師襄漢見而異之，始大顯於世。今予旬宣於此，而得一弓菴，在弓菴不僅以仁甫自處，然其所著《春秋志》既為予所知，寧能無一言而讓姚公專美於前邪？弓菴為湯義仍先生從孫，先生以文詞擅名當代，弓菴能世其業，而更以經術是好，魏公之後，繼以南軒，樹立不同，皆足以垂於不朽，豈非獨行君子哉？」

毛氏奇齡《春秋傳》（清）

【增補】張壽平《公藏先秦經子注疏書目》頁一四四錄有毛氏《春秋簡書刊誤》二卷，竹垞未能著錄此書，當據以補入。

又《馬來西亞大學中文圖書目錄》七一八‧一錄有毛氏《春秋占筮書》三卷，竹垞未錄此書，今據以補入。

【書名】本書異名如下：

一、《春秋毛氏傳》：張壽平《公藏先秦經子注疏書目》頁一四四著錄。

三十六卷。

【著錄】張壽平《公藏先秦經子注疏書目》頁一四四著錄。

存。

【版本及藏地】本書版本及藏地如下：

一、西河集本：張之洞《書目答問補正》卷一，頁四六。

【增補】耿文光《萬卷精華樓藏書記》卷八曰：「《春秋毛氏傳》三十六卷國朝毛奇齡撰

西河合集本。毛氏所著《春秋》，是書之外《春秋屬辭比事記》四卷，《春秋條貫篇》十一卷，《春秋簡書刊誤》二卷，《春秋占筮書》三卷。

毛氏自序曰：《春秋》者，魯史之名也。古凡史官記事必先立年時月日而後書事於其下，謂之紀年。然每歲所書，四時必備，祇名春秋者，春可以賅夏，秋可以賅冬也。先仲氏云：春秋為六經之一，三代以前早有之，至三代以後則祇傳夫子一書，而前此《春秋》之書亡焉。古凡稱六藝即六經也，即易、書、詩、禮、樂與春秋也。其以此六藝為教，謂之六教。《禮記經解》所云：詩教、書教、禮教、樂教、易教與春秋教，此夫子之言也。夫子言古王之為教，本如是也。其以此六藝為學，謂之六學。班《志》云：易學如天，當無時不學，而詩書禮樂與春秋共學，則如天之有五行，必三年通一藝，自十五入大學，後至三十而五學始立，故西漢劉歆輯內府古文春秋名六藝略，而漢志謂古之王者，左史記言，右史記事，事為春秋，言為尚書。帝王靡不同之。是三代以來原有是書，與《尚書》并傳。秦火以後，遂以夫子之春秋當六經之數。按《周禮》：內史讀四方之書，事謂書四方之事，而讀於王前，此記事也。若外史掌四方之志，謂標志其名，而列作題目以告於四方，故又曰外史掌書名以達於四方，其所謂記，即春秋之傳也。所謂志即《春秋經》也，特志簡而記煩，簡則書之於簡，謂之簡書，以竹為之，但寫一行字者；煩則書之於策，謂之策書，單策為簡，聯簡為策，以編合竹簡，合兩竹為一冊，簡策之例，必具三書：一讀本國，一上之王朝，一告之四方。邦國諸侯春秋記事，原有門部，作志者，因門為題，就事立志，謂之籤題，見於舊史者，其法式有二十二門，而統以四例慨之隱公二字，魯史文也。舊史官所標之字。」（頁三〇九至頁三一〇）

二、學海堂本：張之洞《書目答問補正》卷一，頁四六。

三、文淵閣四庫全書本：(清)毛奇齡撰《春秋毛氏傳》三十六卷，十八冊，《國立故宮博物院善本舊籍總目》，上冊，頁一〇五著錄，台北故宮博物院有藏本。

【增補】永瑢等撰《欽定四庫全書總目》曰：「春秋毛氏傳三十六卷　浙江巡撫採進本

國朝毛奇齡撰。奇齡有《仲氏易》，已著錄。自昔說《春秋》者，但明義例，至宋張大亨始分五禮。而元吳澄因之，然粗具梗概而已。奇齡是書分『改元』、『即位』、『生子』、『立君』、『朝聘』、『盟會、『侵伐』、『遷滅』、『昏覯』、『享唁』、『喪期』、『祭祀』、『蒐狩』、『興作』、『甲兵』、『田賦』、『豐凶』、『災祥』、『出國』、『入國』、『盜殺』、『刑戮』，凡二十二門。又總該以四例：曰禮例，曰事例，曰文例，曰義

例。然門例雖分，而卷之先後，以101經為次。無割裂分隸之嫌，較他家體例為善。其說以《左傳》為主，間及他家。而最攻擊者，莫若胡安國《傳》。其論安國開卷說『春王正月』，已辭窮理屈，可謂確論。然《左傳》『元年春，王周正月』之文，本以《周禮》正歲、正月102兼用夏正，夏正亦屬王制，故變文稱『王周正月』，以為『建子』之明文。而奇齡乃讀『春王』為一句，『周正月』為一句，謂『王』字乃『木王於春』之『王』，而非『天王』之『王』，其為乖謬，殆更甚於安國。又如鄭康成《中庸注》：『策，簡也。』蔡邕《獨斷》亦曰：『策者，簡也。其制長二尺，短者半之。』《春秋正義》曰：『大事書於策者，經之所書也，小事書於簡者，傳之所載也』，又曰：『大事後雖在策，其初亦記於簡。』據此則經、傳『簡』『策』并無定名，故『崔杼』之事，稱『南史氏執簡』，而『華督』之事，稱『名在諸侯之策』，其文互見，奇齡乃以簡書、策書為經、傳之分，亦為武斷。然其書一反胡《傳》之深文，而衡以事理，多不失平允之意。其義例皆有徵據，而典禮尤所該洽。自吳澄《纂言》以後，說《春秋》者罕有倫比，非其說《詩》說《書》，好逞臆見者比。至於喧呼凶詖，則其結習所成，千篇一律，置之不議不論可矣。』（卷二十九，頁三七二至頁三七三）

【增補】邵懿辰撰、邵章續錄：《增訂四庫簡明目錄標注》卷三曰：「《春秋毛氏傳》三十六卷。清毛奇齡撰。

西河合集本，阮刻經解本。」（頁一二〇）

四、清道光九年(1829)廣東學海堂刊咸豐十一年(1861)補刊本：(清)毛奇齡撰《春秋毛氏傳》三六卷，台北：國家圖書館有藏本。

五、清光緒十四年(1888)上海點石齋石印本：(清)毛奇齡撰《春秋毛氏傳》三六卷，台北：國家圖書館有藏本。

六、清康熙間(1662-1722)書留草堂刊本：(清)毛奇齡撰《春秋毛氏傳》三六卷，台北：國家圖書館有藏本。

七、皇清經解本：清毛奇齡撰《春秋毛氏傳》七冊，馬來西亞大學圖書館有藏本（三部）。

李塨〈序〉曰：「《六經》有二亡，其顯亡者曰《樂經》，其未嘗亡而實亡者曰《春秋》。夫抽二百四十二年一千八百餘條之書，而按之無事，繹之無緒，疏觀之漫無條理，逐節而分析之，則又無所於穿貫，於是求其說而不得，妄曰：《經》為綱，《傳》為目。而《經》非綱也，文有篇題，非事有領要也。又曰：《傳》為案，《經》為斷。而《經》非斷也，策有褒譏之實，簡無剖判之名也。乃博求之事，而《三傳》同異參錯不決，即轉而求之諸儒之釋文與釋義，而意旨雜出，率謬誤而不可為法，則直舉而棄置之，曰：非聖《經》也。不立學，不令取士，而《春秋》亡矣。顧無學之徒強起補救，自出其臆說，而反使聖人之旨詘而就我，以為可以立學、可以取士，而世之取士者，即用其所為說標以為題，而聖人之旨渺無聞焉。

101霖案：原注云：「以」，浙、粵本作「依」。

102霖案：原注云：「月」，底本誤作「日」，據浙、粵本改。

譬之入齊者，但知有田文，而不知有王入秦關者；第聞有太后、穰侯、高陽、涇陽，而並不知有西秦之主，而《春秋》更亡。夫前此之亡，有窮拒君，明明可驗；而今此之亡，則陰移其鼎，大之如典午之浸易，次之如陽翟之暗奸，潛窺盜據，一去而不可挽矣。《經解》曰：『《春秋》之失亂。』亂者，亡之端也。又曰：『屬辭比事而不亂，則深於《春秋》者也。』夫屬辭比事，治亂之法也。先生知其然，專為治《經》。夫治《經》非棄《傳》也，《經》賴《傳》以見，而可棄乎？然而吾治《經》云耳，因為立一例，曰：以《傳》釋《經》，不以《經》釋《傳》。蓋惟恐如取士之以《經》從《傳》也。乃取史官記事法，以設門部，經若干條，條若干事，事若干門，門若干部，如一朝聘門，而有朝部、有聘部、有來朝部、有往朝部、有來朝嗣君往朝嗣君部、有嗣君來朝嗣君往朝部。而於是連其書法之通覈，謂之屬辭；較其記事之參變，謂之比事，而予奪見焉。推之二十二門之辭事，皆如是矣。是以侵伐有門，盟會有門，前後大小皆得聯絡於其間，條理穿貫，一往明析，於是始為之治《傳》。就《三傳》之中，取其事之與《經》合者曰《傳》，且別其《傳》之與史合者曰策書，不特杜預、何休、賈逵、范甯受其區別，即《公羊》、《穀梁》指斥如刪隸，必不使得與《左氏》策書互相溷亂；而至於唐後諸儒，則雖備觀其說，而百無一合，大率棄置不屑道，而胡氏一書反三致意焉，以為是書者固亂《經》之階，而亡《經》之本也。閒考先生立說，不好詭異，不以武斷勝，每所考校，必與門部相依而分，乃一祛雜例，若所稱三體、五情、七缺、九旨者，而以四例該之。昔者韓宣子觀魯《春秋》，曰：周禮在魯。則禮者，固《春秋》要領也。《孟子》曰：『其事則齊桓、晉文，其文則史，其義則丘竊取之矣。』則事與文與義，又《春秋》之所自備也。以春秋大夫如韓起，以善讀《春秋》如孟氏子，其為說必有當於《春秋》，而先生取以為例，未嘗拗曲揉直，強求其合，而以四例而比之《三傳》與諸家，則《三傳》、諸家不異焉；以四例而比之二百四十二年之文與事，而二百四十二年之文事不能外焉，此非夫子之《春秋》乎？於是又立一例，曰：以《經》釋《經》，不以《傳》釋《經》。任取《經》文一條，而初觀其禮，繼審其事，繼核其文，又繼定其義，而經之予奪進退，無出此者。始以《春秋》為《經》，不傳事，而傳事固如此，以為無緒、無條理、并無穿貫[103]，而其緒與條理、穿貫又如此，如此而猶謂《春秋》之亡，非藉是書以存之不得矣。塨世受《經》學，長而徧遊諸《經》師之門，其於《春秋》亦既浸淫乎其閒，而茫無畔岸，讀先生之書而豁然，而擴然，而浩浩然。夫塨豈不深觀乎漢後諸儒與宋、元、明迄今之為《春秋》者，而敢漫然贊一詞也乎？」

　　按：毛氏說《春秋》分二十二門：一曰改元，二曰即位，三曰生子，四曰立君，五曰朝聘，六曰盟會，七曰侵伐，八曰遷滅，九曰昏覯，十曰享唁，十一曰喪葬，十二曰祭祀，十三曰蒐狩，十四曰興作，十五曰甲兵，十六曰田賦，十七曰豐凶，十八曰災祥，十九曰出國，二十曰入國，二十一曰盜弒，二十二曰刑戮。而總括以四例：一曰禮例，謂前二十二門皆典禮也；二曰事例，則以二十二門一千八百餘條無非事也；三曰文例，則史文之法也；四曰義例，則貫乎禮與事與文之閒。

103霖案：《經義考新校》頁3794新增校文如下：「『穿貫』，文津閣《四庫》本誤作『貫穿』。」

《屬辭比事紀》104（清）

【書名】本書異名如下：

一、《春秋屬辭比事記》：張之洞《書目答問補正》卷一，頁四五著錄。

二、《春秋屬辭比事紀》：《馬來西亞大學中文圖書目錄》六五九‧一著錄。

六卷。

【著錄】張壽平《公藏先秦經子注疏書目》頁一四四著錄。

【卷數】本書卷數異同如下：

一、四卷：張之洞《書目答問補正》卷一，頁四五著錄。

未見。

【存佚】本書世間多有傳本，故應改注曰「存」

【版本及藏地】本書版本及藏地如下：

一、西河集本：張之洞《書目答問補正》卷一，頁四五著錄。

二、學海堂刊本(清道光九年(1829))：張之洞《書目答問補正》卷一，頁四五著錄。

三、龍威秘書本：清毛奇齡撰《春秋屬辭比事紀》四卷，張之洞《書目答問補正》卷一，頁四五著錄，馬來西亞大學圖書館有藏本。

四、文淵閣四庫全書本：(清)毛奇齡撰《春秋屬辭比事記》四卷，三冊，《國立故宮博物院善本舊籍總目》，上冊，頁一〇五著錄，台北故宮博物院有藏本。

【增補】永瑢等撰《欽定四庫全書總目》曰：「春秋屬辭比事記四卷　浙江巡撫採進本

國朝毛奇齡撰。奇齡作《春秋傳》，分義例為二十二門，而其書則仍從經史十二公之序，此乃分門隸事，如沈棐、趙汸之體，條理頗為明晰，考據亦多精核。蓋奇齡長於辨禮，《春秋》據禮立制，而是書據禮以斷《春秋》，宜其秩然有紀也。至《周禮》一書與《左傳》多不相合，蓋《周禮》為王制，而《左傳》則皆諸侯之事，《周禮》為初制，而《左傳》則皆數百年變革之餘，強相牽附，徒滋糾結。奇齡獨就經說經，不相繳繞，尤為特識矣。是書為奇齡門人所編，云本十卷，朱彝尊《經義考》惟載六卷，且云『未見』。此本於二十二門之中，僅得七門，而『侵伐』一門，尚未及半。蓋編次未竟之本。雖非完書，核其體要，轉勝所作《春秋傳》也。」（卷二十九，頁三七三至頁三七四）

【增補】邵懿辰撰、邵章續錄：《增訂四庫簡明目錄標注》卷三曰：「《春秋屬辭比

104「紀」，應依〈校記〉作「記」。　　霖案：《經義考新校》頁3795校文差異較大，其文如下：「『《屬辭比事紀》』，依〈校記〉應作『《屬辭比事記》』。」

事記》四卷，清毛奇齡撰。

西河合集本，阮刻經解本。

〔續錄〕龍威祕書本。」（頁一二〇）

【增補】〔校記〕「紀」當作「記」，《四庫》著錄本四卷。（《春秋》，頁五四）

五、清道光九年(1829)廣東學海堂刊咸豐十一年(1861)補刊本：(清)毛奇齡撰《春秋屬辭比事記》四卷，台北：國家圖書館有藏本。

六、清光緒十四年(1888)上海點石齋石印本：(清)毛奇齡撰《春秋屬辭比事記》四卷，台北：國家圖書館有藏本。

七、民國五十八年(1969)藝文印書館百部叢書集成初編影印本：(清)毛奇齡撰《春秋屬辭比事記》四卷，台北：國家圖書館有藏本。

八、清康熙間(1662-1722)書留草堂刊本：(清)毛奇齡撰《春秋屬辭比事記》四卷，台北：國家圖書館有藏本。

九、皇清經解本：清毛奇齡撰《春秋屬辭比事記》四卷，馬來西亞大學圖書館有藏本（三部）。

《春秋條貫篇》（清）

十一卷。

存。

【版本及藏地】本書版本及藏地如下：

一、清康熙間(1662-1722)書留草堂刊本：(清)毛奇齡撰《春秋條貫篇》十一卷，台北：國家圖書館有藏本。

王氏名未詳《春秋左翼》

【作者】黃虞稷《千頃堂書目》卷二，頁四六著錄，作者題為「王震」。

【卷數】黃虞稷《千頃堂書目》卷二，頁四六著錄，卷數題為「四十三卷」。

【書名】《經義考》另錄有王震《左傳參同》四十三卷，本書乃一書二出，重複著錄，惟其書名稍有不同。又李一遂〈左氏春秋著錄書目研究〉頁一〇六錄作《春秋左翼圖表》。

未見。

【存佚】本書應改注曰「存」

【版本及藏地】本書版本及藏地如下：

一、明萬曆癸卯（三十一年）烏程王氏原刊本：(明)王震撰《春秋左翼》四十三卷，《卷首》一卷，10冊;22.7╳13.6公分，上欄高3.5公分，9行，行19字，版心白口，

單白魚尾，魚尾上方記卷第，魚尾下方記魯公年號，再下方記葉次，藏印有「國立中央圖書館考藏」朱文方印、「桃蓉春經眼印」白文方印、「李詒璵印」白文方印、「魯欽」朱文方印、「吳興劉氏嘉業堂藏書印」朱文方印、「劉承幹字貞一號翰怡」白文方印、「博古齋收藏善本書籍」朱文方印等，有微捲，正文卷端題「春秋左傳卷之一　　烏程後學王震編輯」，台北：國家圖書館藏有《春秋左翼》一書，該書之下有沈淮〈序〉、王震〈引〉、王豫〈跋〉等三篇序跋資料，可據以補錄。

又大陸：清華大學、上海、山東省、無錫市、杭州大學、湖北省襄陽地區等圖書館均有藏本，《中國古籍善本書目》（經部）頁二四九著錄，九行十九字白口左右雙邊單魚尾。

【增補】《杭州大學圖書館善本書目》曰：「《春秋左翼》四十三卷　《卷首》一卷　明王震撰　明萬曆三十一年（一六〇三）刻本　有『子完氏讀』印及嘉業堂藏印　十冊。」（頁七）

【增補】《嘉業堂藏書志》卷一曰：「《春秋左翼》四十二卷　明萬曆刻本　明王震撰。震字子省，烏程人。其書繫傳於經文，凡先經起義，後經終事者，悉撮為一。《左傳》中稱號不一者，皆改從經文稱名。有經無傳者，採他書補之。於幼學亦便，但搜採尚少耳。萬曆癸卯自序。《與沈仲潤太史書》前有沈淮序。（繆稿）」（頁一五六）。

二、明刻本：行款與明萬曆癸卯本同，尺寸稍長，多一焦竑〈序〉，與《四庫提要》所見本合，復旦大學圖書館有藏本。

【增補】《嘉業堂藏書志》卷一曰：「又一刻。行款與前書同（筆者案：指同於明萬曆癸卯烏程王氏原刊本），尺寸稍長，多焦竑一〈序〉，與《提要》所見本合。（繆稿）」（頁一五六）。

焦竑〈序〉曰[105]：「《左氏》之用，不盡於[106]說《經》，而善說《經》者，無如《左氏》。彼其事判於數世之後，而幾隱於[107]數世之前，或以一事基敗，或以一人創治，或內算失而外算[108]猖，或微蘗萌而鉅以壞，要以絲牽繩聯，迴環映[109]帶，如樹之有根株枝葉，扶疎[110]附麗，使人優游浸漬，神明默識，而忽得其指歸，二百四十年[111]之成敗宛如一日，

105霖案：《春秋左翼》焦竑〈序〉，(《四庫全書存目叢書》經一二二冊)，頁292-293。

106霖案：「於」，《春秋左翼‧序》作「于」。

107霖案：「於」，《春秋左翼‧序》作「于」。

108霖案：「算」，《春秋左翼‧序》作「以」。

109霖案：「映」，《春秋左翼‧序》作「暎」。

110霖案：「疎」，《春秋左翼‧序》作「疎」。

111霖案：《經義考新校》頁3796新增校文如下：「『二百四十年』，文津閣《四庫》本作『二百四十二年』。」

七十二君之行事通為一事，故曰奇也。漢、魏以上，《經傳》單行，元凱氏始以《傳》從《經》，而於[112]其無所主名者，則強為先《經》始事、後《經》終義、依《經》辨理、錯《經》合異[113]之說，以盡其變例。是徒知以《公》、《穀》讀《左氏》，而不知以《左氏》讀《左氏》；徒知合《經》以為《左氏》重，而不知離《經》以為《春秋》用也。予[114]每歎[115]《春秋》以聖人經世之書，而為章句小儒割裂破碎，皆始於[116]不善讀《左氏》故耳。王君子省癖《左》有年，既已獨詣其深，而苦學者算海量沙，出沒委頓，遂專主以《經》而類從其事，使[117]開卷了然，無俟[118]沈酣反覆，而聖人經世之大法，目擊而存，以一洗元凱始事終義之陋。昔人之論《管子》也，以為變《司馬法》之鉤聯蟠踞者而為直截簡易，故其法可以進攻而不利退守。夫世豈有不守而能攻者哉？故予[119]謂之書也，不特《左氏》之鼇弧，抑亦《春秋》之墨守也歟[120]」

【增補】沈淮〈序〉曰：「按劉勰氏云春秋經旨幽隱，文詞婉約，左丘明同時，實得微言，創為傳體。傳者，轉也。轉受經旨，授之人人也。左傳名家，漢則有張蒼、賈誼、馬遷、董仲舒、胡母生、翟方進輩，而劉歆為最。東漢則有賈公、何休、服虔、李育、潁容輩，而謝該為最。晉則杜元凱，唐則柳宗元，宋則林堯叟，我明則趙徵士汸之屬詞、唐中丞順之之始末、薛學憲應旂之薛編、汪司馬道昆之節文，諸書犁然足考矣，如帝王都市，四海珍奇，遊目不暇，後之人又何加焉！迨余同年王子省左翼出，又若攬天子左藏之籍，累代名玩，次第列陳，纖悉品識，不待賈、胡指喻，而草野寒士皆能涉獵而名數之矣。謂左之錯經引驗而不便次閱也則合之；謂左之稱號博綜而不便考核也則一之。一事而散見則總之，經史子集有裨于左氏則采之，近代名儒擬左而關大義則附之，年有表、國有圖、編有次、字有正、音有釋、網羅二百餘年，搜剔千八百國，抽思廿載，易稿十餘次，然後就緒，左氏大義渙如矣。無論業左者洞心爽目，初學經生循途涉徑，猶足升其堂、入其室也。何止翼左，兼可明經。余服膺數四，命付梓人，以公同好云。子省以禮經起家，高義奇文，綽有心得，著為左衍，特其一班爾。年眷弟沈淮。」（轉錄《國立中央圖書館善本序跋集錄》經部・頁三七一）

112霖案：「於」，《春秋左翼・序》作「于」。

113霖案：《經義考新校》頁3788新增校文如下：「『異』，文津閣《四庫》本誤作『義』。」。

114霖案：「予」，《春秋左翼・序》作「余」。

115霖案：「歎」，《春秋左翼・序》作「嘆」。

116霖案：「於」，《春秋左翼・序》作「于」。

117霖案：《經義考新校》頁3797新增校文如下：「『使』，文津閣《四庫》本作『便』。」。

118霖案：「俟」，《春秋左翼・序》作「竢」。

119霖案：「予」，《春秋左翼・序》作「余」。

120霖案：「歟」，《春秋左翼・序》作「與」。又「與」字下，當依《春秋左翼・序》補入「萬曆癸卯秋日翰林院修撰儒林郎琊琊焦竑著」等十九字。

【增補】王震〈引〉曰：「先君子以左氏春秋授震，震苦其學之難也。難春秋之辭簡而旨奧也，難左氏之志繁而敘舛也。乃深心探討，凡左氏前後錯見者合之，姓名雜出者一之，又博蒐諸子百家史傳疏義諸書，凡關經義與左氏相闡發者纂附之，靳介左氏以躋先聖堂奧，庶無忘先君子之志云爾。嗚呼！聖人筆削大義，片言而具，善學者即三傳置之高閣，又藉諸子百家云乎哉！然未可為初學道也。神龍一勺，可變化風雲、上下天地，而河伯望洋向若，然後覿萬川之會，收北海之大，觀小大各有藉也。夫孔子至聖，不辭斟酌百王，今人未能窺聖學一斑，而遽置積習之勤弗屑，是嬰兒未步先馳之。說已帙成，以呈仲兄介夫，介夫曰，是可以讀左氏矣！先君子不沒也夫！遂命付剞劂氏。先君子名來聘，字允升，生于烏程之苞陽里。萬曆癸卯秋七月，烏程王震謹識。」（轉錄《國立中央圖書館善本序跋集錄》經部‧頁三七二）

【增補】王豫〈跋〉曰：「先君子以周易授豫，以左氏春秋授弟震，曰盍各言爾志矣。震精研左氏者幾二十年，始成左翼。豫之於易也，俛仰五十年矣，猶未窺其一斑也。夫子曰，加我數年，五十以學易，易信難矣哉！然夫子志在春秋，行在孝經，不及易也，豈所謂不可使知者耶？左翼之刻也，或亦夫子之志也，亦孝經之行之一節與！烏程王豫跋。」（轉錄《國立中央圖書館善本序跋集錄》經部‧頁三七二）

【增補】〔補正〕按：本書卷二百五載王震《左傳參同》四十三卷，而《明史‧藝文志》則作王震《春秋左翼》四十三卷。今震書具存，以震所答沈仲潤及焦竑《春秋左翼‧序》參考之，《左翼》即《參同》無疑；惟因《烏程縣志》云：「震，字子長」，而〈焦序〉云：「王君子省」，故朱氏前後分載而不辨其為一人一書也。（卷八，頁二二）

【增補】〔校記〕《四庫》著錄王震《春秋左翼》四十三卷，前卷二百五卷著錄王氏震《左傳參同》四十三卷，殆名異而實一書耶！。（《春秋》，頁五四）

張氏《春秋說苑》（明）

【書名】【作者】竹垞未考張氏之名，今考《四庫全書存目叢書》，則此書為張庸成夫所撰，且竹垞是書錄有沈演〈序〉文，然考其所錄序文，當是《麟經統一‧序》，而非《春秋說苑‧序》，竹垞未能明白標示全稱，且沈演之〈序〉，置於張氏《春秋說苑》條下，將使讀者誤認沈演之序為《春秋說苑‧序》，實則有誤。

未見。

【存佚】本書有《四庫全書存目叢書》錄有此書，題作張庸所撰，則是書仍存於世間，故此書當改作「存」。

沈演〈序〉121曰：「張子吾因122也，少受《經》吾家，晚多自得。會諸家言胡氏《春

121霖案：沈演〈序〉文，係為明‧張杞：《新刻麟經統編‧麟經統一序》，而非《春秋說苑‧序》。（《四庫全書存目叢書》經部冊一二一-187B），案：此書，非《春秋說苑‧序》。

122霖案：「因」，當作「姻」字。點校本誤將「吾因」視為字號，而加上私名號，實因「姻」字誤作

秋》者，著精汰秕，編曰《說苑》123，蓋舉業定本也。」

湯氏《春秋翼傳》

未見。

【霖案】本書未見其他傳本，當已久佚。

沈演曰：「博士家言《春秋》率本安福鄒氏，今覩湯令君所著《翼傳》，大旨不殊鄒氏而說加詳，學者於是復知有湯氏學矣。」

楊氏名未詳《春秋質疑》（明）

【作者】查本書作者，當為「楊于庭」，竹垞引及李光縉之文，實為「邱應和《春秋質疑·序》」，由於竹垞未見此書，因而誤襲前人之說。

佚。

【存佚】本書實為楊于庭《春秋質疑》，今存於世間，讀者可參看本文有關楊氏于庭《春秋質疑》條下的考訂。

李光縉曰124：「胡康侯當宋南渡時，折衷《春秋傳》以進，其意主於納牖，不無附會，先生讀《春秋》，不滿胡氏說，輒致疑焉，彙而成書。」

「因」字，因而有誤。

123霖案：原〈序〉題作《統一》，案：沈演〈序〉文，係《麟經統一·序》，而非《春秋說苑·序》。

124霖案：案：「李光縉曰」之文，實為邱應和〈序〉文，當據以改正。此外，竹垞所錄「李光縉曰」之文，持與邱〈序〉相較，刪截頗甚，讀者可參看楊氏于庭《春秋質疑》條下的說明。

卷二百九　春秋四十二經義考卷二百九春秋四十二

左邱子明《春秋外傳國語》

　　【書名】本書異名如下：

　　一、《國語》：葉程義《禮記正義引書考》頁八三五、程金造《史記索隱引書考實》頁一一四著錄

《漢志》1：「二十一篇。」

　　【卷數】本書卷數分合如下：

　　一、二十一卷本：《直齋書錄解題》卷三，頁四五六。《文獻通考・經籍考》卷十，頁二七一。

存。

　　【霖案】程金造編著《史記索隱引書考實》頁一一四曾輯錄其文。

　　【存佚】本書已未見傳本，當已久佚，今據以改作「佚」籍。

司馬遷曰2：「左邱3失明，厥有《國語》。」

王充曰4：「《國語》，左氏之《外傳》也。《左氏》傳《經》，辭語尚略，故復選錄《國語》之辭以實之5。」

傅玄曰6：「《國語》非邱明7所作，故8有共說9一事而二文不同10。」

孔晁曰11：「左邱明12集其典雅令辭，與《經》相發明者為13《春秋傳》；其高論善言，

1霖案：《漢書》卷三〇，頁1714。

2霖案：《史記》卷一三〇，〈太史公自序〉第七十，頁3300。

3霖案：「邱」字，《史記》引作「丘」字。

4霖案：《論衡》卷二九，「案書篇」，頁568。

5霖案：「之」字，《論衡》無此字，當刪。

6霖案：《左傳》卷五九，「哀公十三年」，於「乃先晉人」條下〈疏文〉引錄此文，頁469；又大化書局版，頁2171下。又《翁注困學紀聞》卷六「左氏」原注傳引錄此文，今審竹垞解題所引之文，大抵同於王應麟《困學紀聞》之文。

7霖案：「邱明」二字，《左傳・疏》引作「丘明」。

8霖案：「故」字，應依《左傳・疏》改作「凡」字。又《翁注困學紀聞》無此字。

9霖案：「共說」二字，《翁注困學紀聞》無此二字。

10霖案：「同」字下，應依《左傳・疏》補入「必《國語》虛，而《左傳》實。」等八字。

別為《國語》。」

劉熙曰14：「《國語》記諸國君臣相與言語謀議15之得失也。」又曰：「《外傳》，《春秋》以魯為內，以諸國為外，外國所傳之事也。」

劉炫曰16：「《國語》非邱明作。」

劉知幾曰17：「左邱明18既為《春秋》內傳，又稽其19逸文，纂其20別說，分周、魯、齊、晉、鄭、楚、吳、越八國事，起自周穆王，終於魯悼公，列21為《春秋外傳國語》22，合23二十一篇。其文以方《內傳》，或重出而小異24；然自古名儒賈逵、王肅、虞翻、韋曜之徒，竝申以注釋，治其章句，此亦《六經》之流，《三傳》之亞也。25」

陸淳曰26：「《國語》27與《左傳》28文體不倫29，定非一人所為30。」

11霖案：《左傳》卷十三，「僖公十一年」「何以長世」條下〈疏文〉，頁222(大化版頁1802中】；又《玉海》卷四○，頁793亦錄此文，而竹垞引文，或據於此。

12霖案：「左邱明」三字，《左秋左傳正義》、《玉海》均作「左丘明」。

13霖案：「為」字之前，應依《春秋左傳正義》卷十三〈疏文〉補入「以」字。

14霖案：劉熙《釋名》卷3，〈釋典藝〉第二十，頁49。

15霖案：《經義考新校》頁3800新增校文如下：「『議』，文津閣《四庫》本作『事』。」

16霖案：《春秋左傳正義》卷三七「襄公二十六年」，「欒范易行以誘之」條下〈疏〉文，頁290。(大化版頁1992上)。又《翁注困學紀聞》卷六「左氏」條下引錄之文，頁409。

17霖案：四庫本《史通》卷一，頁5下~6上〈六家第一〉；又《姚際恆著作集.古今偽書考》冊五，頁325-326引《史通.六家篇》】；又《玉海》卷四○，頁793亦錄及此文。

18霖案：「左邱明」三字，《玉海》引作「左丘明」。

19霖案：《玉海》引文，未有「其」字。

20霖案：《玉海》引文，未有「其」字。

21霖案：《玉海》引文無「列」字。

22霖案：「《春秋外傳國語》」，《玉海》引文無「春秋」二字。

23霖案：《玉海》無「合」字。

24霖案：「其文以方《內傳》，或重出而小異」諸句，《玉海》列入注文，而非正文。

25霖案：「然自古名儒賈逵、王肅、虞翻、韋曜之徒，竝申以注釋，治其章句，此亦《六經》之流，《三傳》之亞也。」諸句，《玉海》無上述諸句。

26霖案：陸淳撰，《春秋集傳纂例》卷一，頁15上；又《郡齋讀書志》卷第三，頁105著錄。又《姚際恆著作集.古今偽書考》冊五，頁３２５錄之。從文句內容來看，顯然竹垞所錄之文，較為接近《郡齋讀書志》之文，是以本文採《郡齋讀書志》之文入校。然而，陸氏原文，當是出自陸淳撰，《春秋集傳纂例》卷一，(台北：臺灣商務印書館，「景印文淵閣四庫全書」冊一四六，民國七

《崇文總目》[31]：「左邱明撰，吳侍中領左國史亭陵侯[32]韋昭解。昭參引鄭眾、賈逵、虞翻、唐固，合凡五[33]家為注，自所發正者三百十[34]事。」

【增補】〔補正〕《崇文總目》條內「領左國史亭陵侯韋昭解」，「亭陵侯」當作「高陵亭侯」；「合凡五家」當作「四家」；「三百十事」當作「七事」。（卷八，頁二二）

司馬光曰[35]：「先儒多怪左邱明[36]既[37]傳《春秋》，又作《國語》，為之說者多矣，皆未甚通[38]也。先君以為：邱明[39]將傳《春秋》乃先采集列國之史，因[40]別分之，取其精英[41]者

十五年三月，初版），頁386。

27 霖案：「《國語》」二字，當是竹垞據前文錄之，而原書相關文句，並無此二字。

28 霖案：「《國語》與《左傳》」，《春秋集傳纂例》卷一錄作「《左傳》、《國語》」四字，是以竹垞所錄之文，有前後互倒之失。

29 霖案：「倫」字下，應依《春秋集傳纂例》卷一補入「序事又多乖刺」等六字。

30 霖案：「為」字下，應依《春秋集傳纂例》卷一補入「也」字。

31 霖案：《文獻通考‧經籍考》卷十，頁271。

32 「亭陵侯」，應依《補正》作「高陵亭侯」。　霖案：《經義考新校》頁3800校文，「應依」改作「依」字；「《補正》」二字下，另有「《四庫薈要》本、文淵閣《四庫》本應」等字。今考《文獻通考》適作「亭陵侯」，則竹垞引文當據《文獻通考》一書。

33 「五」，應依《補正》作「四」。　霖案：《經義考新校》頁3800校文，位於「五家」二字下，其校文如下：「『五家』，依《補正》、《四庫薈要》本應作『四家』。」今考《文獻通考》正作「五」字，蓋翁方綱據「昭參引鄭眾、賈逵、虞翻、唐固，」諸句，而改作「四家」，然若合韋昭之解，正為「五家」，是則計數方式不同所致，然《通考》既作「五家」，則引文之時，亦當存其舊也，而竹垞正據《文獻通考》之文錄之，並無改動也。

34 「十」，應依《補正》作「七」。　霖案：《經義考新校》頁3800校文如下：「『三百十』，依《補正》、《四庫薈要》本、文淵閣《四庫》本應作『三百七』。」今考《文獻通考》適作「十」字，竹垞引文當據《文獻通考》一書。

35 霖案：司馬光《傳家集》卷六七錄有此文（〈述國語〉）。又《溫國文正司馬公集》卷六十八，〈述國語〉，頁503。

36 霖案：「邱明」，《溫國文正司馬公集》作「丘明」。

37 霖案：「既」，《溫國文正司馬公集》作「旣」字。

38 霖案：「甚通」，《溫國文正司馬公集》作「通」，蓋「甚通」與「通」字語氣有別也。

39 霖案：「邱明」，《溫國文正司馬公集》作「丘明」。

40 霖案：「因」字，《溫國文正司馬公集》作「國」字，「因」、「國」二字，字形相近而誤入。

41 霖案：「精英」，《溫國文正司馬公集》作「菁英」。

為《春秋傳》，而先所采集之稿，因為時人所傳，命曰《國語》，非邱明之本志也。故其辭語繁重，[42]序事過詳，不若《春秋傳》之簡直精明、渾厚遒峻也；又多駁[43]雜不粹之文，誠由列國之史學有厚薄[44]、才有淺深，不能醇一故也；不然邱明[45]作此重複之書何為邪[46]？」

晁公武曰[47]：「班固《藝文志》有《國語》二十一篇，《隋志》云：「二十二卷。」《唐志》云：「二十一卷。」今書篇次與《漢志》同，蓋歷代儒者析簡併篇，互有損益，不足疑也。要之，《藝文志》審矣。陸淳謂與《左傳》文體不倫，定非一人所為，蓋未必然。范甯曰：「《左氏》[48]富而豔。」韓愈云[49]：「《左氏》浮夸。」今觀此書，信乎其富豔且浮夸矣，非左氏而誰？柳宗元稱《越語》尤奇峻，豈特越哉？自楚以下類如此。」

朱子《語錄》曰[50]：「《國語》委靡繁絮，真衰世之文耳。是時語言議論如此，宜乎周之不能振起也。[51]」

李燾曰[52]：「昔左邱明將傳《春秋》，乃先采集列國之史，國別為語，旋獵其英華作《春秋傳》，而先所采集之語，草稿具存，時人共傳習之，號曰《國語》，殆非邱明本志也。故其辭多枝葉，不若內傳之簡直峻健，甚者駁雜不類，如出他手，蓋由當時列國之史，材有厚薄，學有淺深，故不能醇一耳。不然邱明特為此重複之書，何邪？先儒或謂《春秋傳》先成，《國語》繼作，誤矣，惟本朝司馬溫公父子能識之。」

陳振孫曰[53]：「自班固〈志〉言左邱明所著，至今與《春秋傳》並行，號為《外傳》。今考二書雖相出入，而事辭或多異同，文體亦不類，意必非出一人之手也。司馬子長云：『左

---

[42]霖案：「之稿，因為時人所傳，命曰《國語》，非邱明之本志也。故其辭語繁重，」諸句，《溫國文正司馬公集》作「列國，因」三字。

[43]霖案：「駁」字，《溫國文正司馬公集》作「駮」字。

[44]霖案：「厚薄」二字，《溫國文正司馬公集》作「薄厚」，二字有互乙的情事。

[45]霖案：「邱明」，《溫國文正司馬公集》作「丘明」。

[46]霖案：「邪」字下，應依《溫國文正司馬公集》補入「然所載皆國家大節興亡之本。柳宗元邪佞之人，智識淺短，豈足以窺望古君子藩籬，而妄著一書以非之，竊懼後之學者，惑於宗元之言，而簡棄此書，故述其所益以張之。」等六十六字，事涉司馬光的主張，不當任意刪除，且〈述國語〉一篇，補入如上文句，始為完整通篇。

[47]霖案：《郡齋讀書志》卷第三，頁105、《文獻通考．經籍考》卷十，頁271。

[48]霖案：《經義考新校》頁3801新增校文如下：「『《左氏》』，文津閣《四庫》本誤作『《左傳》』。」

[49]霖案：《經義考新校》頁3801新增校文如下：「『韓愈云』，文津閣《四庫》本作『韓子曰』。」

[50]霖案：《文獻通考．經籍考》卷十，頁272。又《語類》139卷錄之。

[51]霖案：「也」字下，應依《文獻通考》補入「《國語》文字極困苶振作不起。」等十一字。

[52]霖案：本文出自《文獻通考．經籍考》卷十，頁272。

[53]霖案：《直齋書錄解題》卷三，頁456。又出自《文獻通考．經籍考》卷十，頁272。

邱失明，厥有《國語》。』又似不知所謂，唐啖助亦嘗辨之。」

【增補】何廣棪：《陳振孫之經學及其《直齋書錄解題》經錄考證》曰：「廣棪案：班固撰《漢書·藝文志》，明以《國語》二十一篇歸丘明，後世聚訟紛紜，莫衷一是。晁公武《讀書志》卷第三《春秋類》著錄：『《春秋外傳國語》二十一卷。右魯左丘明撰，吳韋昭弘嗣集鄭眾、賈逵、虞翻、唐固四家說成此解，皇朝宋庠為《補音》三卷。班固《藝文志》有《國語》二十一篇，《隋志》云二十二卷，《唐志》云二十一卷。今書篇次與《漢志》同，蓋歷代儒者析簡併篇，互有損益，不足疑也，要之《藝文志》審矣。陸淳謂『與《左傳》文體不倫，定非一人所為』，蓋未必然。范甯云『《左氏》豔而富』，韓愈云『《左氏》浮夸』，今觀此書，信乎其富豔且浮夸也，非左氏而誰？柳宗元稱《越語》尤奇駿，豈特《越》哉！自《楚》以下類如此。』所見與直齋大異其趣。今人亦多有是非相反之論，而難以為定。張舜徽《漢書藝文志通釋》曰：『按：《漢書·司馬遷傳·贊》云：『孔子因魯史而作《春秋》，而左丘明論輯其本事以為之《傳》。又纂異同為《國語》。』此與本《志》自注之辭，皆指實《國語》為左丘明作，實本《史記·自序》『左丘失明，厥有《國語》』而申言之也。以今考之，《左傳》、《國語》，絕非一家之書。兩書斷限不齊，詳略又異；所載史實，多有不合；甚至同記一事，而互有牴牾。從文體看，復不相類。其非出自一手，昭然易辨。蓋此書乃戰國初年人所纂輯者，但不能詳其果出誰手。古書此類甚多，不足怪也。』舜徽以此書實非丘明撰。而倉修良主編《中國史學名著評介》第一卷中，則引有陳仰光評介《國語》一篇，中曰：『清初學者顧炎武論及《左傳》成書曾云：『左氏之書，成之者非一人，錄之者非一世。』（《日知錄》卷四《春秋闕疑之書》。）這個論斷頗為有理。《國語》的情況和《左傳》非常相似，如果我們認為《左傳》的成書是由左丘明開始，歷經數代人之手，最終由戰國時期的學者完成，那麼《國語》的成書可能也是先由左丘明編著本書中的某些篇章，在輾轉流行中又經人們匯集同類材料補充，最後由戰國時期的學者最終成書。因為左丘明是受到孔子尊重的『君子』故後人就把著作權全歸之於他，這也是順理成章的。這裡值得指出的是：左丘明著《左傳》與《國語》處境是不一樣的，他在撰作《左傳》時很可能還未失明，而著《國語》時則已失明，故只能口誦，而由他人記述。這從司馬遷的敘述裏可以得到對照。太史公講到其撰《左傳》是說：『魯君子左丘明……成《左氏春秋》。』（《史記·十二諸侯年表》）而《國語》則稱：『左丘失明，厥有《國語》。』引人注意的是：一、這裏講的是『失明』，說明左丘明原來不是個盲人；二、這裏用的是『厥有』，這是強調語氣，厥，乃、才之意，也是有排他意味的，即是說左丘明在失明以後的困難處境下還著成《國語》，而不是其他什麼著作。《左傳》和《國語》兩書除了編著目的不同以外，一個是由左丘明親手撰作，再經流傳補充，最終由後人完成；一個是由左丘明口誦某些篇章，由別人記述整理，再經流傳補充，最終由後人成篇，這可能也是造成兩書大相迥異的重要原因之一吧。』是則仰光乃肯定左氏與《國語》成書之密切關係。讀仰光所論，則深覺『左丘失明，厥有《國語》』二語，亦殊非如直齋所斥『又似不知所謂』者矣。」（頁五二六至頁五二八）

　　陳造曰[54]：「左邱明[55]傳記[56]諸國事既備矣，復為《國語》，二書之事，大同小異者，多或疑之。蓋傳在先秦古書《六經》之亞也，紀史以釋《經》，文婉而麗；《國語》要是傳體，而其文壯，其辭奇[57]。」

　　真德秀曰[58]：「征犬戎、監謗、專利、不藉千畝、立戲五事，皆周宣王以前文章，不見於書，而幸見於《國語》。」

　　王應麟曰[59]：「劉炫謂《國語》非邱明作。葉少蘊云：古有左氏、左邱氏，太史公稱『左邱失明，厥有《國語》』。今《春秋傳》作左氏，而《國語》為左邱氏，則不得為一家，文體亦自不同，其非一家書明甚。左氏蓋左史之後，以官氏者，朱文公謂左氏乃左史倚相之後，故其書說楚事為詳；司馬氏謂左氏欲傳《春秋》，先作《國語》，《國語》之文，不及《傳》之精也。」

　　黃震曰[60]：「《國語》事必稽典型，言必主恭敬，衰周之邪說[61]，一語無之，是足詔萬世也。」

　　戴表元曰[62]：「此書不專載事，遂稱《國語》。先儒奇太史公變編年為雜體，有作古之材，以余[63]觀之，殆倣[64]《國語》而為之也。」

　　黃省曾曰：「昔左氏羅集國史實書以傳《春秋》，其釋麗之餘，溢為《外傳》，實多先王之明訓。自張蒼、賈生、馬遷以來千數百年，播誦於藝林不衰，世儒雖以浮夸闊誕者為病，然而文辭高妙精理，非後之操觚者可及。」

54霖案：《江湖長翁集》卷三二，〈題國語〉，（台北：商務印書館，《文淵閣四庫全書本》冊一一六六），頁398-399。

55霖案：「左邱明」三字，《江湖長翁集》題作「左丘明」三字。

56霖案：「記」字，《江湖長翁集》題作「紀」字。

57霖案：「奇」字下，應依《江湖長翁集》補入「畢萃于此學者，表表讀之，乃可。吾家藏是書，乃監本也，句而音之，是書字尤大，紙不惡，尤可寶惜，而制置袁公自成都致房州見贈焉，驀山絕壑，凡四千里。噫！公之意厚，所遺物在此不在彼，吾敢忘諸？」等句。

58霖案：出自四庫本：《文章正宗》卷四，頁1上。

59霖案：王應麟撰，《翁注困學紀聞》，冊中，卷六「左氏」，頁409；又四庫本，冊六七五，頁36錄之。

60霖案：黃震，《黃氏日抄》卷五二，「雜史」，頁620上。

61霖案：「衰周之邪說」五字，《黃氏日抄》作「周衰之崇虛邪說」七字，其中「衰周」當為「周衰」之互乙，且竹垞所錄之文，缺錄「崇虛」二字，僅以「邪說」代之，未足以反映實情。

62霖案：四部叢刊本《剡源戴先生文集》卷二三，「雜著」〈讀國語〉，頁184。

63霖案：《經義考新校》頁3802新增校文如下：「『余』，文津閣《四庫》本作『予』。」

64霖案：「倣」字，《剡源戴先生文集》作「放〔倣〕於」二字。

王維楨曰：「《左傳》，尊聖人之經者，而《國語》羽翼之，《春秋》素王、邱明素臣，千古不易之論也。范武子謂：『《左氏》豔而富，其失也誣65。』夫古之聞人，恥巧言、令色者而肯誣66邪？柳子厚文章簡古有法，深得《左氏》之遺，至為論六十七篇，而命曰《非國語》，病其文勝而不醇乎道，斯持論之過也。」

【增補】〔補正〕王維楨條內「其失也誣」，「誣」當作「巫」。（卷八，頁二二）

王世貞曰67：「昔孔子因魯史以作《經》，而左氏翼《經》以立《傳》，復作《外傳》以補所未備，68其所著69記，蓋列國辭命載書、訓誡70諫說之辭也。商略帝王，包括宇宙，該治亂，蹟善敗，按籍而索之，班班詳覈，奚翅二百四十二年之行事，其論古今天道人事備矣。即寥寥數語，靡不悉張弛之義，暢彼我之懷，極組織之工，鼓陶鑄之巧，學者稍稍掇拾其芬豔，猶足以文藻群流，黼黻當代，信文章之巨麗也。」

陶望齡曰：「《國語》一書，深厚渾樸，周、魯尚矣。《周語》辭勝事，《晉語》事勝辭，《齊語》單記桓公霸業，大略與《管子》同，如其妙理瑋辭，驟讀之而心驚，潛翫之而味永，還須以《越語》壓卷。」

劉氏眾《國語章句》

【作者】《新唐書》卷五七，頁一四三七錄有「鄭眾《牒例章句》九卷」，而據下文宋庠之語，則此作者應為鄭仲師，而「仲師」為「鄭眾」之字，則此處所謂「劉氏眾」，當為「鄭氏眾」之誤，此或為「鄭」、「劉」二字形近而誤入也。

【書名】據竹垞所引「宋庠」之文所錄，則此書為鄭眾的撰著，惟據《新唐書》所錄之文，則此書或為「《牒例章句》」也。

【卷數】竹垞所引宋庠之文，則此書「亡其篇數」，惟若是此書為鄭眾《牒例章句》，則其確切卷數，應為「九卷」。

佚。

宋庠曰71：「鄭72仲師作《國語章句》，亡其篇數。」

65「誣」，應依《補正》作「巫」。　　霖案：《經義考新校》頁3803校文，「應依」改作「依」字；「《補正》」二字下，另有「《四庫薈要》本」；「作」改作「應作」二字。

66霖案：《經義考新校》頁3803新出校文如下：「『誣』，依《補正》、《四庫薈要》本應作『巫』。」

67霖案：《三傳折諸》左傳折諸卷首上，（「四庫全書本」，臺灣商務印書館），冊一七七，頁12；《弇州集》有之。又《左傳折諸》作「王鳳洲曰」，而竹垞改作「王世貞曰」，蓋王世貞，號鳳洲。

68霖案：「復作《外傳》以補所未備，」等九字，《左傳折諸》無此九字，或為注文所出，待查。

69霖案：「著」字，《左傳折諸》作「注」字。

70霖案：「誡」字，《左傳折諸》作「戒」字。

71霖案：叢書集成續編本《國語補音·敘錄》一，頁503。

賈氏逵《國語解詁》（漢）

　　【書名】本書異名如下：

　　一、《國語注》：葉程義《禮記正義引書考》頁八四五、程金造編著《史記索隱引書考實》頁一二二著錄。。

《隋志》：「二十卷。」

佚。

　　【霖案】程金造編著《史記索隱引書考實》頁九七曾輯錄其文。

宋庠曰[73]：「賈景伯[74]《國語解詁》[75]二十一篇[76]，唐已亡。」

　　按：《太平御覽》[77]引賈氏〈解平公射鷃篇〉云：「徒林，園中池[78]也。」[79]言唐叔有才藝，封於晉，餘見韋《注》者不少。」[80]

王氏肅《春秋外傳章句》（魏）

　　《隋志》：「一[81]卷。」

佚。

---

[72]霖案：「鄭」字之下，應依《國語補音敍錄》補入「眾，字」二字，蓋「眾」字為鄭氏之名，「仲師」為鄭氏之字也。

[73]霖案：叢書集成續編《國語補音·敍錄》一，頁503。

[74]霖案：「賈景伯」三字，《國語補音》作「漢侍中賈逵，字景伯」等字，又「伯」字下，應依《國語補音》補人「作《左氏春秋》及」等六字。

[75]霖案：「《國語解詁》」四字下，應依《國語補音》補入「五十一篇，《左傳》三十篇，《國語》」等十一字，此一部分省去《左傳》相關部分，故只留下《國語解詁》二十一篇，然原書文句並非如此，今校之如上。

[76]霖案：「二十一篇」下，應依《國語補音》補入「《隋志》云：『二十卷。』」，蓋此一內容，已收於著錄之中，故而略去，今據原書補入。

[77]霖案：《太平御覽》卷九二一，「羽族部八」，頁4089。

[78]霖案：「池」字，應依《太平御覽》改作「地」也，「池」、「地」字形相近而誤入。

[79]霖案：「太平御覽」的引文，係自「徒林」，迄於「封於晉」止，而《點校補正經義考》將引號斷在「園中池[地]也」，直似「言唐叔有才藝，封於晉」二句為竹垞案語，今還原《御覽》之文，則其標點有誤也。

[80]霖案：此一引號當刪。

[81]「一」，「四庫本」作「闕」。　　霖案：《經義考新校》頁3803校文，位於「一卷」二字下，其文如下：「『一卷』，文淵閣《四庫》本作『闕卷』。」

宋庠曰[82]：「王肅[83]《國語章句》[84]，梁[85]有二十二卷，《唐志》亦云[86]。」

虞氏翻《春秋外傳國語注》

《隋志》：「二十一卷。」

佚。

唐氏固《春秋外傳國語注》

【書名】本書異名如下：

一、《國語注》：程金造編著《史記索隱引書考實》頁一二四著錄。

《隋志》：「二十一卷。」

佚。

【霖案】程金造編著《史記索隱引書考實》頁一二四曾輯錄其文。

按：固注《國語》「農祥晨正」，云：「農祥，房星也；晨正，晨[87]見南方，謂立春之日。」《初學記》引之[88]，餘見韋《注》者多。

韋氏昭《春秋外傳國語注》

【書名】本書書名異同如下：

一、《國語注》：《直齋書錄解題》卷三，頁四五六。葉程義《禮記正義引書考》頁八四六同之。

《隋志》：「二十二卷。」《唐志》：「二十[89]卷。」

82霖案：叢書集成續編《國語補音·敘錄》一，頁503；又《新唐書·藝文志》一，卷五七，頁1437亦錄及相關內容。

83霖案：「王肅」二字，應依《國語補音》改作「魏中領軍王肅，字子雍，作」等十字。竹垞略去官銜、字號也。

84霖案：「《國語章句》」四字，應依《國語補音》改作「《春秋外傳國語章句》」，此則書名或有省略。又書名之下，應依《國語補音》補入「一卷」，此則省略卷數也。

85霖案：「梁」字之下，應依《國語補音》補入「《隋志》云：『」等三字。

86霖案：「云」字之下，應依《國語補音》補入「二十二卷」等四字，此則省略卷數也。又《唐書·藝文志》卷四七，頁1437錄及此書，亦作「二十二卷」。

87霖案：「晨」字之前，應依《初學記》補入「謂」字。

88霖案：見於徐堅《初學記》卷第三，「春第一」，「祥正」條下注語，頁44。

89「二十」，應依《補正》作「二十一」。　　霖案：《經義考新校》頁3805校文，位於「二十卷」三字下，其校文如下：「『三十卷』，依《補正》、《四庫薈要》本、文淵閣《四庫》本應作『二十一

【卷數】本書卷數異同如下：

一、二十一卷：藤原佐世《日本國見在書目錄》頁十三、《郡齋讀書志》卷第三，頁一〇五、《直齋書錄解題》卷三，頁四五七。。

【增補】〔補正〕按：《唐志》二十一卷。（卷八，頁二三）

【增補】【卷數】何廣棪：《陳振孫之經學及其《直齋書錄解題》經錄考證》曰：「廣棪案：《經義考》卷二百九《春秋》四十二著錄：『韋氏昭《春秋外傳國語注》，《隋志》二十二卷，（《唐志》二十卷。）存。』所著錄書名與卷數，皆與《題解》不同。《總目》卷五十一《史部》七《雜史類》辨之，曰：『《國語》二十一卷，（戶部員外郎章銓家藏本。）吳韋昭注。……惟昭所注本，《隋志》做二十二卷，《唐志》作二十卷，而此本首尾完具，實二十一卷。諸家所傳南北宋版，無不相同。知《隋志》誤一字，《唐志》脫一字也。』《總目》所辨可據。」（頁五二九至頁五三〇）

存。

【霖案】程金造編著《史記索隱引書考實》頁一二五曾輯錄其文。

《吳志》90：「韋曜，字弘嗣91，吳郡雲陽人92。為中書郎博士祭酒93，封高陵亭侯94，遷中書僕射。」

裴松之曰95：「曜，本名昭，史為晉諱改之。」

昭〈自序〉曰96：「昔孔子發憤於舊史，垂法於素王，左邱明97因聖言以擴意，託王義以流藻，其淵源98深大，沈懿雅麗，可謂命世之才，博物善作者也。其明識高遠，雅思未盡，故復采錄前世穆王以來，下迄魯悼、智伯之誅，邦國成敗、嘉言善語、陰陽律呂、天時人事、逆順之數，以為《國語》，其文不主於《經》，故號曰《外傳》；所以包羅天地，探測禍福，

卷』。」。

90霖案：《三國志‧吳書》卷六五，頁1460；又頁1462。

91霖案：「弘嗣」，《直齋書錄解題》卷三作「子正」（頁453）

92霖案：「人」字下，竹垞刪去眾多文句，難於逐一校補，讀者可自行參看原書。

93霖案：「中書郎博士祭酒」為二官名，應標點作「中書郎、博士祭酒」，《點校補正經義考》的標點未盡合意。又「酒」字下，竹垞亦刪去眾多文句。

94霖案：「封高陵亭侯」時在孫皓即位之時，而「為中書郎、博士祭酒」，時在孫休踐阼之後，二者為不同君王時期的官職，而竹垞中略去眾多內容，致使相關差異，未能詳細辨明，今補敘如上。

95霖案：《三國志‧吳書》卷六五，頁1460。

96霖案：「《國語‧解敘》（世界書局，史學叢書本），頁5至頁7。

97霖案：「左邱明」三字，《國語‧解敘》作「左丘明」。

98霖案：「源」字，《國語‧解敘》作「原」字。

發起幽微，章表善惡者，昭然甚明，實為99經藝並陳，非特諸子之倫也。遭秦之亂，幽而復光，賈生、史遷頗綜述焉；及劉光祿於漢成世始更考校是正疑謬，至於章帝鄭大司農為之訓註、解疑、釋滯，昭晰可觀，至於細碎有所闕略，侍中賈君敷而衍之，其所發明大義，略舉為已憭100矣。然於101文閒時有遺忘，建安、黃武之閒，故侍御史會稽虞君尚書僕射、丹陽唐君皆英才碩儒、洽聞之士也，采摭所見，因賈為主而損益之，觀其辭義，信多善者，然所理102釋，猶有異同。昭以末學淺闇寡聞，階數君之成，訓思事義之是非，愚心頗有所覺。今諸家並行，是非相貿，雖聰明疏達識機之士知所去就，然淺聞初學猶或未能祛過。竊不自料，復為之解，因103賈君104之精實，採唐、虞105之信善，亦所以106覺107增潤補綴，參之以《五經》，檢之以《內傳》，以《世本》考其流，以《爾雅》齊其訓，去非要，存事實，凡所發正三百七事；又諸家紛錯，載述為煩，是以時有所見，庶幾頗近事情108，裁有補益，

---

99 「為」，應依《補正》作「與」。　霖案：《經義考新校》頁3806校文，「應依」改作「依」字；「《補正》」二字下，另有「《四庫薈要》本、文淵閣《四庫》本」；「作」改作「應作」二字。今考此文出自《國語·解敘》，原文亦作「與」字。

100 「憭」，「四庫本」作「瞭」。　霖案：《經義考新校》頁3806校文，「四庫本」三字之前，另有「文淵閣」三字；「作」改作「誤作」二字。今考此文出自《國語·解敘》，原文亦作「憭」字。

101 「於」，「四庫本」作「其」。　霖案：《經義考新校》頁3806校文，「四庫本」三字之前，另有「文淵閣」三字。今考此文出自《國語·解敘》，原文亦作「於」字。

102 「理」，「四庫本」作「解」。　霖案：《經義考新校》頁3806校文，「四庫本」三字之前，另有「文淵閣」三字。今考此文出自《國語·解敘》，原文亦作「理」字。

103 「因」下，應依《補正》補「鄭」字。　霖案：今考此文出自《國語·解敘》，原文亦作「因」字，無「鄭」字。又《經義考新校》頁3806校文，係併合「因賈君」三字，同出一校文，相關校文內容，詳見下註。

104 「君」，據《補正》當刪。　霖案：《經義考新校》頁3806校文，位於「因賈君」三字下，其校文如下：「『因賈君』，依《補正》、《四庫薈要》本、文淵閣《四庫》本應作『鄭賈君』。」

105 「唐、虞」，應依《補正》作「虞、唐」。　霖案：《經義考新校》頁3806校文，「應依」改作「依」字；「《補正》」二字下，另有「《四庫薈要》本」；「作」改作「應作」二字。如據翁方綱《經義考補正》之語，則二字互倒，惟《國語·解敘》亦作「虞、唐」字。

106 「所以」，應依《補正》作「以所」。　霖案：《經義考新校》頁3806校文，「應依」改作「依」字；「《補正》」二字下，另有「《四庫薈要》本」；「作」改作「應作」二字。今考此文出自《國語·解敘》，原文亦作「以所」二字，是為二字互倒之例。

107 「覺」字，「四庫本」無。　霖案：《經義考新校》頁3807校文，「四庫本」三字之前，另有「文淵閣」三字；「無」改作「脫漏」。

108 「事情」，「四庫本」作「情事」。　霖案：《經義考新校》頁3807校文，「四庫本」三字之前，另有「文淵閣」三字。今考此文出自《國語·解敘》，原文亦作「事情」二字，則四庫本《經義考》將二字互倒也。

猶恐人之多言，未詳其故，欲世覽者察之109。」

【增補】〔補正〕〈自序〉內「實為經藝竝陳」，「為」當作「與」；「因賈君之精實，採唐、虞之信善，亦所以覺增潤補綴」，「因」下脫「鄭」字，「君」字當刪；「唐、虞」當作「虞、唐」；「所以」當作「以所」；「覽者察之」，「者」下脫「必」字，「之」下脫「也」字。（卷八，頁二三）

【增補】何廣棪：《陳振孫之經學及其《直齋書錄解題》經錄考證》曰：「案：昭此書有《自序》曰：『至於章帝』鄭大司農為之訓註，解疑釋滯，昭晰可觀；至於細碎，有所闕略。侍中賈君敷而衍之，其所發明大義，略舉為已憭矣；然於文間，時有遺忘。建安、黃武之間，故侍御史會稽虞君、尚書僕射丹陽唐君，皆英才碩儒，洽聞之士也。采擿所見，因賈為主而損益之。觀其辭義，信多善者；然所理釋，猶有異同。昭以末學，淺闇寡聞，階數君之成訓，思事義之是非，愚之頗有所覺。今諸家並行，是非相貿。雖聰明疏達識機之士知所去就，然淺聞初學猶或未能袪過。竊不自料，復為之解。因賈君之精實，採唐、虞之信善，亦所以覺。增潤補綴，參之以《五經》，檢之以《內傳》；以《世本》考其流，以《爾雅》齊其訓；去非要，存事實，凡所發正三百七事。又諸家紛錯，載述為煩，是以時有所見。庶幾頗近事情，裁有補益。猶恐人之多言，未詳其故，欲世覽者察之。」《解題》乃據此而言『合五家為之《注》』者也。」（頁五三○）

【增補】何廣棪：《陳振孫之經學及其《直齋書錄解題》經錄考證》曰：「案：《三國志》卷六十五《吳書》二十《王樓賀韋華傳》第二十載：『韋曜，字弘嗣，吳郡雲陽人也。』所記之字，與《解題》不同，未知直齋何所據，恐有誤。裴松之注曰：『曜本名昭，史為晉諱，改之。』是《解題》所述避諱事據裴注。惟盧弼《三國志集解》引錢大昕曰：『《三國志》於晉諸帝諱多不回避，如《后妃傳》『不本淑懿』，《高堂隆傳》『留其淑懿』，《吳主王大夫傳》『追尊大懿』，《皇后步夫人傳》『有淑懿之德』；以至太師、軍師、昭烈、昭獻、昭文、昭德、昭告之類，不勝枚舉。《蜀後主傳》『景耀六年，改元炎興』，亦未回避。而《諸臣傳》但稱『景耀六年』，不書『炎興』之號，最為得體。此韋曜之名，注家以為避晉諱。然考書中，段昭、董昭、胡昭、公孫昭、張昭、周昭輩，皆未追改，何獨於曜避之。疑弘嗣本有二名也。』大昕所考甚允當，恐《解題》所據之裴注亦出自臆度。至昭事孫皓，每忤旨，《三國志》昭傳記之甚詳，後昭因獄吏上辭，華覈亦連上疏救之，『皓不許，遂誅曜』。《解題》所述據《三國志》。」（頁五三一）

黃震曰110：「《國語》111文宏衍精潔，韋昭注文亦簡切稱之。」

109「欲世覽者察之」，應依《補正》作「欲世覽者必察之也」。　霖案：《經義考新校》頁3807校文，「應依」改作「依」字；《補正》二字下，另有「《四庫薈要》本」等字；「作」改作「應作」二字。今考此文出自《國語‧解敘》，原文亦作「欲世覽者必察之也」，當為翁方綱所據之由。

110霖案：黃震：《黃氏日抄》卷五二，「雜史」，頁620上。

孔氏晁《春秋外傳國語注》

《隋志》：「二十卷。」《唐志》：「二十一卷。」

佚。

《隋書》112：「晉《五經》博士。」

柳氏宗元《非國語》

《唐志》：「二卷。」

【著錄】《文獻通考·經籍考》卷十，頁二七三著錄。

存。

【存佚】柳氏之書，乃見於《柳河東集》卷四四至卷四五，合計二卷。

宗元〈自序〉曰113：「《左氏》、《國語》，其文深閎傑異，固世之所耽嗜而不已也114；而其說多誣淫，不概於聖。予115懼世之116學者溺其文采，而淪於是非，是不得由中庸以入堯舜之道，117本諸理作《非國語》。」

劉恕曰118：「《國語》119，左邱明所著，載《內傳》遺事，或言理120差殊，而文詞富美，為書別行。自周穆王盡晉智121伯、趙襄子當貞定王時，凡五百餘年，雖事不連屬，於史官蓋有補焉122。唐柳宗元采摭片言之失，以為誣淫不概123於聖，作《非國語》六十七篇，

111霖案：「《國語》」二字，係竹垞根據文意所加，原書於「文宏衍精潔」之前，僅有「其」字。

112霖案：《隋書》卷三二，頁932。

113霖案：原文見於《柳河東集》卷四四，頁498。又《郡齋讀書志》卷第三，頁106、《文獻通考·經籍考》卷十，頁273「晁氏曰」引錄之。

114霖案：《文獻通考》引文，蓋為約略之文，其中無「，固世之所耽嗜而不已也；」一句。

115霖案：「予」字，應依《柳河東集》改作「余」字。又《文獻通考》引文，並無「不概於聖。予」諸文，則竹垞此處引文，當據《柳河東集》而來。

116霖案：「世之」二字，《文獻通考》引文未有此二字。

117霖案：「是不得由中庸以入堯舜之道，」一句，《文獻通考》引文無之。

118霖案：《資治通鑑外紀·引》頁3。

119霖案：「《國語》」二字下，應依《資治通鑑外紀》補入「之」字。

120霖案：「理」字，應依《資治通鑑外紀》改作「論」字。

121霖案：「智」字，《資治通鑑外紀》作「知」字。

122霖案：「焉」字下，應依《資治通鑑外紀》補入「七國有《戰國策》；晉孔衍作《春秋後語》，並時分國，其後絕不錄焉，」等二十四字。

123霖案：「概」字，《資治通鑑外紀》作「槩」字。

其說雖存，然不能為《國語》輕重也。」

　　蘇軾曰124：「《非國語》125，鄙意126不然之127，但未暇著論耳128。」

　　晁公武曰129：「上卷三十一篇，下卷三十六篇。」

　　黃震曰130：「柳子厚131作《非國語》，匪132獨駁難，多造理文，亦奇峭。」

　　王繼祀曰：「柳氏之文，大抵得之《國語》者多，而子厚反非之，蓋欲掩古以自彰也。」

　　戴仔曰133：「觀134《非國語》之書，而見宗元之寡識也。夫孔子不語怪、力、亂、神，不語之則是矣，謂其盡無，固135不可也。上古之世136，風氣初開，天地尚闇，民神之道，雜糅弗章。自顓帝分命重黎秩敘天地，然後幽明不相侵黷，書所謂絕地天通，岡有降格者也。不但137古為然也，今深山大藪之中，人跡138鮮至之地，往往139產異見怪，民人益繁而後聽

124霖案：《柳河東全集·非國語下》卷四五，頁526錄之，注文云「出自〈報江季恭書〉」；又《蘇軾文集》卷五六，頁1703〈與江惇禮五首〉之二。二書題稱或有小異，今視竹垞所錄之文，非據《蘇軾文集》，而係根據《柳河東集》之文。

125霖案：「《非國語》」三字，應依《蘇軾文集》作「向示《非國語》之論」等七字。又《柳河東集》注文正作「《非國語》」三字。

126霖案：「意」字下，應依《蘇軾文集》補入「素」字。又《柳河東集》注文未有「素」字。

127霖案：《經義考新校》頁3808新出校文如下：「『之』字，文津閣《四庫》本脫漏。」。

128霖案：「著論耳」三字，應依《蘇軾文集》改作「為書爾」。又《柳河東集》注文正作「著論耳」三字。

129霖案：《文獻通考·經籍考》卷十，頁273。

130霖案：黃震，《黃氏日抄》卷六十，頁686。

131霖案：「柳子厚」三字，《黃氏日抄》原作「子厚」，又「厚」字下，應依《黃氏日抄》補入「以《國語》文深閎傑異，而說多誣淫。」等十四字。

132霖案：「匪」字，應依《黃氏日抄》改作「愚觀所作，非」等五字，竹垞刪去「愚觀所作」四字，且「非」字改作「匪」字。

133霖案：《溫州府志》卷十七，「藝文四」，〈非國語辨〉，（《四庫全書存目叢書》史部冊二一一），頁217-218。

134霖案：「觀」字之前，應依《溫州府志》補入「尚」字。

135霖案：「固」字之前，應依《溫州府志》補入「則」字。

136霖案：「世」字，應依《溫州府志》改作「初」字。

137霖案：「但」字，應依《溫州府志》改作「值」字。

138霖案：「跡」字，《溫州府志》作「迹」字。

139霖案：「往往」二字，《溫州府志》作「徃徃」，書寫習慣不同之故。

聞邈焉，故近古之書多言怪神不足異也。不特《國語》言之也，《書》六十篇往往[140]有是焉：盤庚告其群[141]臣，諄諄乎乃祖、乃父，告我高后之說，周公說於[142]三王，〈金縢〉之冊至今存焉，故記曰：夏道尊命，殷人尊神，率民以祀[143]神，先鬼而後禮，彼誠去之未遠也。《周官．宗伯》有巫祝禬祠之人，掌詛盟[144]禬禜之事，攻說及乎毒蠱[145]，厭禳施於夭鳥，牡橭以殺淵神，枉矢以射怪[146]物，世之讀者往往[147]懷子厚之見，遂以為非周公之書。夫《國語》之書皆先王之遺訓，《周官》之書乃先聖之典禮，其大經大法，章明較著者，與日月俱懸，其小未能明者，存之以俟其通耳[148]。故孔子曰：『多聞闕疑，慎言其餘，則寡尤；多見闕殆，慎行其餘，則寡悔。』觀子厚[149]與吳武陵、呂溫[150]書，知不免乎後來之悔尤矣。夫古之為享祀朝聘，以觀威儀、省禍福也。故古之觀人也，受玉而惰，受脤而不敬，或視遠而步高，或視下而言徐，與夫言之偷惰，手之高下，容之俯仰，皆有以見其禍福，何者？其民氣素治，故其亂者可得而察也。子厚見夫今人之巫有是而未嘗[151]死亡也，則以訾古，此朝菌蟪蛄之智[152]也。夫知人而後可以知天，子厚不知民，則焉知天道？伯陽父、仲山甫[153]、王子晉[154]、單穆公、單襄公、伶州鳩、史伯、衛彪傒、觀射父九人，語言皆不可訾，訾之，其為不知大矣；公孫僑[155]如之貪邪、郤[156]至之汰侈矜伐不可獎，獎之，其為同

140霖案：「往往」二字，《溫州府志》作「徃徃」，書寫習慣不同之故。

141霖案：「群」字，《溫州府志》作「羣」字，書寫習慣不同之故。

142霖案：「於」字，《溫州府志》作「于」字，書寫習慣不同之故。

143霖案：「祀」字，應依《溫州府志》改作「事」字。

144霖案：「詛盟」二字，應依《溫州府志》改作「盟詛」，二字互倒也。

145霖案：《經義考新校》頁3807新出校文如下：「『蠱』，文淵閣《四庫》本誤作『蟲』。」。

146霖案：「怪」字，《溫州府志》作「恠」字，古今字體不同所致。

147霖案：「往往」二字，《溫州府志》作「徃徃」，書寫習慣不同之故。

148霖案：「耳」字，《溫州府志》作「爾」字，書寫習慣不同之故。

149霖案：「子厚」二字，應依《溫州府志》作「子由」，二者雖僅一字之別，所涉人名不同。今考吳武陵(?－835)，初名侃。貴溪人。唐元和二年(807年)進士，且吳氏與柳宗元相互酬唱，彼此往返，則《溫州府志》作「子由」者，實誤其人名也，今審其實情，當為「子厚」之誤植，而竹垞引錄解題之時，往往逕自改正，雖合於實情，但往往與原文互有出入。

150霖案：「呂溫」二字，應依《溫州府志》改作「以化」二字，此則誤作人名也。

151霖案：「未嘗」二字，《溫州府志》作「未尚」也。

152霖案：「智」字，《溫州府志》作「知」字，二字往往通用。

153霖案：「仲山甫」，《溫州府志》作「仲山父」也。

154霖案：「王子晉」，《溫州府志》作「夫子晉」也。

155霖案：「公孫僑」，《溫州府志》作「叔孫僑」。

156霖案：「郤」字，《溫州府志》作「却」字。

德明矣。子貢曰：『文、武之道未墜於地，在人，賢者識其大者，不賢者識其小者。』吾讀《國語》之書，蓋[157]知此編之中，一話一言，皆文、武之道也；而其辭閎深雅奧，讀之，味尤雋永，然則不獨其書不可訾，其文辭亦未易貶也。故予為之說曰：嗜古者，好古書；便今者，喜俗論。嗜古者，多迂談[158]；便俗者，多疏快。予迂誕之徒也，亦因以自道云。」

蔣之翹曰[159]：「元和三、四年閒[160]，子厚在永州時作[161]。」

宋氏庠《國語補音》

《宋志》：「三卷。」《聚樂堂目》：「九卷。」

【卷數】本書卷數異同如下：

一、三卷：《直齋書錄解題》卷三，頁四五七。《文獻通考·經籍考》卷十，頁二七二著錄，卷數題作「三卷」。

存。

【存佚】此書未見諸家傳本，當已久佚，故改注曰：「佚」。

庠〈自序〉曰[162]：「班固〈藝文志〉種別《六經》，其《春秋》家有《國語》二十一篇注，左邱明[163]著。至漢司馬子長撰《史記》，遂據《國語》、《世本》、《戰國策》以成其書。當漢出[164]《左傳》，祕而未行，又不立於學官，故此書亦勿[165]顯，惟上賢達識之士好而尊之，俗儒勿[166]識也。逮東漢，《左傳》漸布，名儒始悟向來《公》、《穀》膚近

157霖案：「蓋」字，應依《溫州府志》改作「益」字。

158霖案：「談」字，應依《溫州府志》改作「誕」字。

159霖案：明樵永蔣之翹輯注《唐柳河東集》卷四四，〈非國語上〉條下注文（中華書局聚珍倣宋版印本），頁1。

160霖案：「閒」字，《唐柳河東集》注文引作「間」字。

161霖案：「子厚在永州時作」七字，《唐柳河東集》注文引作「子厚時在永州作」等七字，其中「時」字稍有變動。

162霖案：叢書集成續編《國語補音·敘錄》一，頁503-504。又竹垞題此篇為「庠〈自序〉」，然則視其內容，實當為〈敘錄〉，且係綜合二處按語為之，故當改作「庠〈敘錄〉」為佳。

163霖案：「左邱明」三字《國語補音·敘錄》作「左丘明」。，

164霖案：「出」字，應依《國語補音·敘錄》改作「世」字，「出」、「世」字形相近而誤入，今據原書改正。

165霖案：「勿」字，應依《國語補音·敘錄》改作「弗」字，「勿」、「弗」字義相近而誤入，今據原書改正。

166霖案：「勿」字，應依《國語補音·敘錄》改作「弗」字，「勿」、「弗」字義相近而誤入，今據原書改正。

之說，而多歸《左氏》。及杜元凱研精訓詁，木鐸天下，古今真謬之學一旦冰釋，雖《國語》亦從而大行。蓋其書並出邱明167，自魏、晉以後，書錄所題，皆云168《春秋外傳國語》，是則《左傳》為內，《國語》為外，二書相副以成大業，凡事詳於內者略於外，備於外者簡於內，先儒孔晁亦以為然。自鄭眾、賈逵、王肅、虞翻、唐固、韋昭之徒，竝169治其章句，申之注釋，為《六經》流亞，非復諸子之倫自餘，名儒碩士170好是學者不可勝記171。歷世離亂，《經》籍亡逸，今此書惟韋氏所解傳於世，諸家章句遂無存者。然觀韋氏所敘，以鄭眾、賈逵、虞翻、唐固為主而增損之，故其注備而有體，可謂一家之名學。惟172唐文人柳子厚作《非國語》二篇173，捃174摭《左氏》意外微細以為詆訾，然未足掩其鴻175美，左篇今完然與經籍並行無損也，庸何傷於道176？若夫177古今卷第，亦178多不同，或云二十一篇，或二十二卷179，或二十卷，然據班〈志〉最先出，賈逵次之，皆云二十一篇，此實舊書之定數也180，其後或互有損益，蓋諸儒章句煩簡不同，析簡併篇，自名其學，蓋不足疑也，要之〈藝文志〉為審矣。又按：先儒未有為《國語》音者，蓋外、內傳文多相涉，字音亦通故邪？然近世傳《舊音》一篇，不著撰人名氏，尋其說乃唐人也，何以證之？據解犬戎樹惇，引鄯州羌為說。夫改鄯善國181為州，自唐182始耳。然其音簡陋，不足名書，但其閒183時出

167霖案：「邱明」二字《國語補音·敘錄》作「丘明」。

168霖案：「云」二字《國語補音·敘錄》作「曰」，二字字義相近而互代，今據原書改正。

169霖案：「竝」字《國語補音·敘錄》作「並」，書寫習慣不同而改，實則二字相通也。

170霖案：「碩士」二字，應據《國語補音·敘錄》改作「碩生」，「士」、「生」二字形近而誤入也。

171霖案：「記」字，《國語補音·敘錄》作「紀」字。

172霖案：「惟」字，《國語補音·敘錄》作「唯」字。

173「篇」，應依《補正》作「卷」。　霖案：《經義考新校》頁3811校文，「應依」改作「依」字；「《補正》」二字下，另有「《四庫薈要》本」；「作」改作「應作」二字。今考《國語補音·敘錄》正作「篇」字，顯見竹垞所錄解題，未必全無根源。又「篇」、「卷」等計數單位，經常有混用情事。

174霖案：「捃」字，《國語補音·敘錄》作「攄」字。

175霖案：「鴻」字，《國語補音·敘錄》作「洪」字。

176霖案：「道」字下，應依《國語補音·敘錄》補入「因略記前世名儒傳學姓氏列之後。」等十四字。

177霖案：「若夫」二字，《國語補音·敘錄》無此二字，僅有「右按」二字，下接「古今卷第一……」諸句。

178霖案：「亦」字，《國語補音·敘錄》無字，當刪正。

179霖案：「卷」字，《國語補音·敘錄》無字，當刪正。

180霖案：「也」字，《國語補音·敘錄》無字，當刪正。

181霖案：「鄯善國」，《國語補音·敘錄》作「善鄯國」，其中「鄯善」二字互倒。

182霖案：翁方綱《經義考補正》云：「《魏書·地形志》有鄯州列於涼州、瓜州之間。是始於元魏也，此語失考」，是則為宋庠誤考也，而以為唐代始耳。

異聞，義均鷄肋，庠因暇輒記其所闕，不覺盈篇，今因舊本而廣之，凡成三卷，其字音反切除存本說外，悉以陸德明《經傳》釋文[184]為主，亦將稽舊學、除臆說也。惟[185]陸音不載者，則以《說文》、《字書》、《集韻》等附益之，號曰《國語補音》。其閒[186]闕疑，請俟鴻博，非敢傳之達識，姑以示兒曹云。」

【增補】〔補正〕〈自序〉內「《非國語》二篇」，「篇」當作「卷」。「夫改鄯善國為州，自唐始耳。」按：《魏書·地形志》有鄯州列於涼州、瓜州之閒。是始於元魏也，此語失考。（卷八，頁二三）

陳振孫曰[187]：「丞相安陸宋庠公序撰。以先儒未有為《國語》音者，近世傳《舊音》一卷，不著撰人名氏，蓋唐人也，簡陋不足名書，因而廣之。悉以陸德明《釋文》為主，陸所不載，則附益之。」

【增補】何廣棪：《陳振孫之經學及其《直齋書錄解題》經錄考證》曰：「廣棪案：庠，《宋史》卷二百八十四《列傳》第四十三有《傳》。略謂：『宋庠，字公序，安州安陸人，徙雍邱。天聖初舉進士。皇祐中拜兵部侍郎、同中書門下平章事、集賢殿大學士，遷工部尚書，再遷兵部尚書，以檢校太尉、同平章事充樞密使。封莒國公，改封鄭國公。讀書至老不倦，善正謬，嘗校《國語》，選《補音》三卷。卒諡元獻。』庠既拜同中書門下平章事，故《解題》稱之為丞相。此書《聚樂堂書目》作九卷，考之庠《自序》不合，恐為後人隨意分之耳。」（頁五三二）

【增補】何廣棪：《陳振孫之經學及其《直齋書錄解題》經錄考證》曰：「案：庠此書有《自序》，中云：『又按先儒未有為《國語》音者，蓋《外》、《內傳》文多相涉，字音亦違故邪！然近世傳《舊音》一篇，不著撰人名氏，尋其說，乃唐人也。何以證之？據解『犬戎樹惇』，引『鄯州羌』為說。夫改鄯善國為州，自唐始耳。然其音簡陋不足名書，但其間時出異聞，義均難肋。庠因暇輒記其所闕，不覺盈篇。今因舊本而廣之，凡成三卷。其字音反切，除存本說外，悉以陸德明《經典釋文》為主，亦將稽舊學，除臆說也。惟陸音不載者，則以《說文》、《字書》、《集韻》等附益之，號曰《國語補音》。其間闕疑，請俟鴻博。非敢傳之達識，姑以示兒曹云。』《解題》所述，據此隱括。」（頁五三二至頁五三三）

王應麟曰[188]：「治平元年上之，二月[189]，令國子監鏤板。」

183霖案：「閒」字，《國語補音·敘錄》作「間」字。

184霖案：《經義考新校》頁3811新增校文如下：「『經傳釋文』應作『經典釋文』。」

185霖案：「惟」字，《國語補音·敘錄》作「唯」字。

186霖案：「閒」字，《國語補音·敘錄》作「間」字。

187霖案：《直齋書錄解題》卷三，頁457、《文獻通考．經籍考》卷十，頁272-273。

188霖案：《玉海》冊二，卷四○，頁793c「宋庠廉《補音》三卷」條下注文。

189霖案：「二月」二字下，應依《玉海》補入「二十五日」，此是涉及確切月日，不當任意刪除，今

《宋史》190:「宋庠,字公序,安州安陸人,徙雍邱191。天聖初,舉進士192;皇祐中,拜兵部侍郎同中書門下平章事193,集賢殿大學士,遷194工部尚書195,再遷兵部尚書196,以檢校太尉同平章事充樞密使197,封莒國公198,改封鄭國公199,讀書至老不倦,善正譌謬,

---

據以補入。

190霖案:《宋史》〈宋庠傳〉卷二八四,頁9590。

191霖案:「徙雍邱」三字,應依《宋史》改作「後徙開封之雍丘」,其中「丘」、「邱」之異,乃是避孔子名諱而改,二字於古書之中,常有互換情事。又「雍丘」二字之下,應依《宋史》補入「父玘,嘗為九江掾,與其妻鍾禱于廬阜。鍾夢道士授以書曰:『以遺爾子。』視之,《小戴禮》也。已而庠生。他日見許真君像,卽夢中見者。庠,」五十字。

192霖案:「士」字下,竹垞刪去眾多文句,由於文句多達數百字,難於逐一校補,讀者可參看原書。

193霖案:「拜兵部侍郎同中書門下平章事」,其中「拜兵部侍郎」之下,應有頓號(、)區隔,蓋兵部侍郎與中書門下平章事為二個不同官銜。

194霖案:「遷」字之前,應依《宋史》補入「享明堂」三字。

195霖案:「工部尚書」四字之下,應依《宋史》補入「嘗請復羣臣家廟,曰:『慶曆元年赦書,許文武官立家廟,而有司終不能推述先典,因循顧望,使王公薦享,下同委巷,衣冠昭穆,雜用家人,緣偷襲弊,甚可嗟也。請下有司論定施行。』而議者不一,卒不果復。三年,祁子與越國夫人曹氏客張彥方遊。而彥方偽造敕牒,為人補官,論死。諫官包拯奏庠不戢子弟,又言庠在政府無所建明,庠亦請去。乃以刑部尚書、觀文殿大學士知河南府,後徙許州,又徙河陽,」等五十四字。

196霖案:「兵部尚書」四字下,應依《宋史》補入「入覲,詔綴中書門下班,出入視其儀物,」等十五字。

197霖案:「以檢校太尉同平章事充樞密使」,應於「尉」字下,加一頓號,蓋二者為不同官銜。

198霖案:「公」字下,應依《宋史》補入「數言:『國家當慎固根本,畿輔宿兵常盈四十萬,羨則出補更戍,祖宗初謀也,不苟輕改。』既而與副使程戡不協,戡罷,而御史言庠昏惰,乃以河陽三城節度、同平章事、判鄭州,徙相州。以疾召還。英宗卽位,移鎮武寧軍,」等八十二字。

199霖案:「公」字下,應依《宋史》補入「庠在相州,卽上章請老,至是請猶未已。帝以大臣故,未忍遽從,乃出判亳州。庠前後所至,以慎靜為治,及再登用,遂沈浮自安。晚愛信幼子,多與小人遊,不謹。御史呂晦請敕庠不得以二子隨,帝曰:『庠老矣,奈何不使其子從之。』至亳,請老益堅,以司空致仕。」等九十七字。又其下接「卒,贈太尉兼侍中,諡元獻。」等十字,惟竹垞引錄此文之時,改作「卒諡[諡]元獻」,且變動其位置於「三卷」兩字之下,是則不僅文字頗有剪裁,且有錯簡情事。又「元獻」之下,原書另有「帝為篆其墓碑曰『忠規德範之碑』。庠自應舉時,與祁俱以文學名擅天下,儉約不好聲色,」等三十四字,再接「讀書至老不倦……」諸語,而竹垞刪除上述三十四字,逕接「讀書至老不倦……」諸語,使得全文與原文出入頗大,今校錄如上。

嘗校200《國語》，撰《補音》三卷，卒諡元獻201。」

魯氏有開《國語音義》

　　一卷。

　　佚。

林氏概《辨國語》

　　二202卷。

　　　　【增補】〔補正〕「二」當作「三」。（卷八，頁二三）

　　佚。

　　《閩書》203：「概，字端甫204，福清人205。景祐元年試禮部第一206，以大理丞出知連州207，遷太常博士集賢校理208，著209《辨國語》四十篇，曾鞏志其墓210。」

200霖案：「校」字下，應依《宋史》補入「定」字。

201霖案：「卒諡元獻」四字，《宋史》原文作「卒，贈太尉兼侍中，諡元獻。」，且位置有所變動，說法詳見註199。

202「二」，應依《補正》作「三」。　　　霖案：《經義考新校》頁3812校文，位於「二卷」二字下，其校文如下：「『二卷』，依《補正》、《四庫薈要》本應作『三卷』。」。

203霖案：《閩書》卷七九，〈英舊〉，（《四庫全書存目叢書》史部冊二○六），頁116-117。

204霖案：「字端甫」三字之下，竹垞刪略「年二十四，舉甲科，為秘書郎，當代父之蜀，而改知劍縣，縣多宿猾，捕逐殆盡，邑廬相戒令，雖年少不可犯也，改知長興縣，縣大饑，富人蘊米邀價，槩出俸粟庭下，召諭富人、長老日：『人飢甚，我不忍食，爾不宜飽，有能振者燭而役振不能至者，勅吏廩其家。』，開學校，置生員，躬飾之日，入而夜歸。漕帥上治行第一，康定元年。」等一百二十一字，當據以補入。

205霖案：「福清人」三字，原書非列於「字端甫」三字之下，且有關林概傳記內容之中，未有此三字，乃是竹垞根據《閩書》卷七九，「林高」傳文所加，蓋「林高」者，為林概之父也。

206霖案：「景祐元年試禮部第一」等九字，原書無之，或是竹垞據他書增補相關文句；或係根據「年二十四，舉甲科」等資料，再考其確切中舉之年所加，今既原書無此九字，當據刪正。

207霖案：「以大理丞知連州」，乃是「康定元年」之事，蓋此年為西元一○四○年，而竹垞由於省略若干文句，反置此文於「景祐元年試禮部第一」之下，直讓讀者誤認其出知連州之年，為景祐元年（1034年），二者實差七年的時間。又「連州」二字之下，竹垞刪去眾多解題，由於文句頗眾，難於逐一校補，讀者可自行參看原文。

208霖案：「遷太常博士集賢校理」諸字，據《閩書》之文，乃是「慶曆七年（1047）」之事。又「校」字，《閩書》作「較」字。又「理」字下，應依《閩書》補入「以歸省親，卒于途，所」等八字。

江氏端禮《非非國語》

　　佚。

　　王應麟曰[211]：「江端禮嘗病柳子厚作《非國語》，乃作《非非國語》，東坡見之，曰：『久有意為此書，不謂君先之也。』」

沈氏虛中《左氏國語要略》

　　【作者】沈虛中，字太虛，廣德人。宣和進士，歷官吏部尚書。撰有《資治通鑑事類》、《左傳國語要略》、《桐川集》等書。

　　【增補】又根據《姓譜》卷八九之文，沈氏另撰有「《左傳國語考異》」三卷，竹垞未錄此書，今據以補入。

　　十卷。

　　佚。

　　《姓譜》[212]：「虛中，廣德人，舉進士，歷官吏部尚書。[213]」

張氏九成《標注國語類編》

　　佚。

呂氏祖謙《左氏國語類編》（宋）

　　【作者】《宋史·藝文志》僅作「祖謙門人所編」，而此處題作呂祖謙撰，乃坐實作者之名。

　　《宋志》：「二卷。」

　　【著錄】《直齋書錄解題》卷三，頁四六三著錄。

209霖案：「著」字下，應依《閩書》補入「《史論》百篇」等四字。

210霖案：「其墓」二字，《閩書》作「槩母墓」三字，按《閩書》原文，曾鞏應是志其母墓，非志其墓也！查《元豐類稿》有〈天長縣君黃氏墓誌銘〉即是也。此外，林概之名，在《類稿》及《閩書》皆作「槩」，不作「概」！二者只是書寫習慣差異所致。

211霖案：王應麟《翁注困學紀聞》冊中，卷六，頁412。

212霖案：《萬姓統譜》（《四庫》本，冊九五七）卷八九，頁307。

213霖案：「廣德人，舉進士，歷官吏部尚書。」諸句，實列於注文之中，而「虛中」二字，實作「沈虛中」三字，原列入正文，是則竹垞引錄此文，亦正文、注文夾雜。又「尚書」二字之下，應依原注文補入「所著有《資治通鑑事類》十卷、《左傳國語要畧》十卷、《考異》三卷、《國史要綱》二十卷、《桐川集》十卷。」等三十五字。又《考異》列入《左傳國語要畧》之下，顯見此書應為「《左傳國語考異》」，竹垞未錄此書，今據以補入。

未見。

　　【存佚】本書未見其他傳本，當已久佚，故改注曰「佚」。

《宋史》214：「祖謙門人所編。」

陳振孫曰215：「與216《左傳類編》略同，但不識217綱領，止有十六門，又分《傳》與《國語》為二。」

　　【增補】〔補正〕陳振孫條內「但不識綱領」，「識」當作「載」。（卷八，頁二三）

　　【增補】何廣棪：《陳振孫之經學及其《直齋書錄解題》經錄考證》曰：「廣棪案：《宋史・藝文志》卷一《經部・春秋類》著錄：『《左傳國語類編》二卷，祖謙門人所編。』此說未知何據。《經義考》卷二百九《春秋》四十二亦著錄此書，注曰：『未見。』未悉此書尚存此霄壤否？」（頁五九七）

戴氏仔《非國語辨》

　　一篇。

　　存。

　　【存佚】此書未見諸家傳本，當已久佚，故改注曰：「佚」。

劉氏章《非非國語》

　　佚。

黃瑜曰218：「劉章219有文名，病王充作《刺孟》、柳子厚作《非國語》，乃作《刺刺孟》、《非非國語》。江端禮、虞槃亦作《非非國語》220，是《非非國語》有三書也。」

214霖案：《宋史》卷二百二，〈藝文志一〉志第一百五十五，頁5064。

215霖案：《直齋書錄解題》卷三，頁463。又《通考》（冊二）卷183-1576下~1577上；又《文獻通考・經籍考）卷十，頁273。

216霖案：「與」字之前，應依《文獻通考・經籍考》補入「呂祖謙撰」四字。

217「識」，應依《補正》作「載」。　霖案：《經義考新校》頁3814校文，「應依」改作「依」字；「《補正》」二字下，另有「文淵閣《四庫》本」等字；「作」改作「應作」二字。今考《文獻通考・經籍考》題作「載」字，此或為翁方綱《經義考補正》所據之由也。

218霖案：黃瑜：《雙槐歲抄》卷六，〈非非國語〉，（《四庫全書存目叢書》子部冊二三九），頁499九a。

219霖案：「劉章」二字之前，應依《雙槐歲抄》補入「宋」字。又「章」字下，應依《雙槐歲抄》補入「嘗魁天下」四字，據此可知劉章曾中狀元。

220霖案：「江端禮、虞槃亦作《非非國語》」十一字，原書作「江端禮亦作《非非國語》，東坡見之，

亡名氏《國語音略》

　　《通志》：「一卷。」

　　佚。

虞氏槃《非非國語》

　　【著錄】黃虞稷《千頃堂書目》卷二，頁四八、《元史藝文志輯本》卷三，頁五一著錄。

　　佚。

　　何孟春曰[221]：「元虞槃讀柳子厚《非國語》，曰：『《國語》誠可非，而柳說亦非也。』於是作[222]《非非國語》[223]。槃[224]具見[225]正史。」

　　《姓譜》[226]：「槃[227]，集之弟[228]，同遊吳澄之門[229]，《詩》、《書》、《春秋》皆有論著，官[230]湘鄉州判官。」

葉氏真《是國語》

　　七卷。

　　佚。

張氏邦奇《釋國語》

　　曰：『久有意為此書，不謂君先之也。』」，虞槃亦有《非非國語》」等三十四字，竹垞併合二處內容，並省去東坡之語，惟與原文差距頗大，今據原書校錄如上。

221霖案：虞槃之說，見於虞槃《道園學古錄》卷四三，有叢刊初編集76本。又何氏之文，見於明橋永蔣之翹輯注《唐柳河東集》卷四四，〈非國語上〉的注文，頁1。

222霖案：「作」字，《唐柳河東集》注文引錄作「著」字。

223霖案：《非非國語》」下，應依《唐柳河東集》補入「為槃作，而端禮先之弗知也。」等十一字。

224霖案：「槃」字下，應依《唐柳河東集》補入「事」字。

225霖案：「見」字下，應依《唐柳河東集》補入「元」字。

226霖案：《萬姓統譜》卷九，（《四庫》本，冊九五六），頁202B。

227霖案：「槃」字，《萬姓統譜》作「虞槃」，為標目。「槃」下諸文，原書皆列入注文，而竹垞則與正文相同，乃產生正文、注文互用的情事。

228霖案：「集之弟」三字，《萬姓統譜》作「集弟」，又「弟」字下，應依《萬姓統譜》補入「性方正」等三字。

229霖案：「同遊吳澄之門」六字，原書作「少與集從吳澄游」，竹垞根據前後文意改，今依原書改正。又「游」字下，應依《萬姓統譜》補入「嘗著《非非國語》，時稱其有才識。」等十二字。

230霖案：「官」字，應依《萬姓統譜》作「累官」，顯示其仕宦不僅「湘鄉州判官」而已。

一卷。

存。

【存佚】本書已未見傳本，當已久佚，今據以改作「佚」籍。

曾氏于乾《非非國語》

一卷。

佚。

穆氏文熙《國概》（明）

【卷數】黃虞稷《千頃堂書目》卷二，頁四三著錄，題作「六卷」。

存。

【存佚】本書已未見傳本，當已久佚，今據以改作「佚」籍。

劉氏城《春秋外傳國語地名錄》（明）

一卷。

存。

【版本及藏地】本書版本及藏地如下：

一、明崇禎刻本：明劉城撰《春秋左傳地名錄》二卷，附《春秋外傳國語地名錄》一卷，泰州市圖書館有藏本，今已有影印本行世。

二、四庫全書存目叢書本：臺南縣柳營鄉:莊嚴文化出版事業有限股份公司，1997[民86]初版(據泰州市圖書館藏明崇禎刻本影印本)

城〈自序〉曰231：「予既詮次《內傳》地名，置之篋中，蓋數歲矣。後此讀《春秋》輒觀大義，不復比類求之，近偶一巡攬焉，亦自謂麤232有考索也。旋以《國語》參定其閒233，同者什之七，異者什之三，又周、晉采地多散見卿士姓號中，如召、樊、范、單、趙、欒、羊舌之類。234予鈔《內傳》時，皆棄而勿235取，今併哀采236，補其闕遺，試以合諸前錄，

231霖案：劉城《春秋外傳國語地名錄‧序》,(《四庫全書存目叢書》經部冊一二八)，頁581a。

232霖案：「麤」字，劉城《春秋外傳國語地名錄‧序》作「粗」字。

233霖案：「閒」字，劉城《春秋外傳國語地名錄‧序》作「間」字。

234霖案：「如召、樊、范、單、趙、欒、羊舌之類。」諸字，原書為注文之字，竹垞正文、注文混而為一，今出校文，以明此段文字實為注文也。

235霖案：「勿」字，劉城《春秋外傳國語地名錄‧序》作「弗」字，二字字義相同，但用字不同，應據原書改作「弗」字。

236霖案：「哀采」二字，劉城《春秋外傳國語地名錄‧序》作「褒採」。

庶幾備《春秋》之版籍云爾。雖甚寥寥，為猶賢乎鷄肋也。崇禎丁丑夏五月237。」

《春秋外傳國語人名錄》（明）

一卷。

存。

【存佚】本書已未見傳本，當已久佚，今據以改作「佚」籍。

城〈自序〉238曰：「予錄地名《外傳》別出，故人名亦如之239。世稱《國語》亦左氏手，以采摭博富、繹經不盡，乃別用義類，成書而外之，以別乎《內傳》云爾。按：《春秋》之義，內中國禮義之人，外亂賊之人，斷斷然也。我觀後世，有一系之人而祖父內、子孫外者矣；有一姓之人，而伯叔內、仲季外者矣；有一人之身，而少壯內、末路外者矣；有不得已之人，而魂魄內，衣冠外者矣。之數人者，律以《春秋》之法，當何等乎？嗟乎!在三代之世，其《傳》外也，《外傳》之人，則皆內逮乎？今日其氏族內也，而人則皆外吾，烏乎!《傳》之悲哉!」

《竹書師春》

【書名】本書異名如下：

一、《汲冢師春》：《直齋書錄解題》卷三，頁四五七、《文獻通考·經籍考》卷十，頁二七三著錄。

一卷。

【著錄】《直齋書錄解題》卷三，頁四五七。《文獻通考·經籍考》卷十，頁二七三著錄。

【卷數】《東觀餘論》〈校定師春書序〉有「承議郎行祕書省校書郎臣黃某所校讐中《師春》五篇，以相校除複重，定著三篇，篇中或誤以『夢』為『薔』、以『放』為『依』，如此類者眾，頗剪皆已定，可繕寫案。」等五十七字，是則此書於宋代曾定著為三篇，與原作「五篇」者，已有不同矣。

佚。

黃伯思曰240：「晉太康二年241，汲郡民不準盜發魏襄王冢，得古竹書凡七十五篇，晉

237霖案：「五月」二字下，應依劉城《春秋外傳國語地名錄·序》補入「戊辰貴城劉城識」等七字。

238霖案：《經義考新校》頁3817新增校文如下：「『〈自序〉』，《四庫薈要》本脫漏作『〈序〉』。」

239霖案：《經義考新校》頁3817新增校文如下：「『故人名亦如之』以下，《四庫薈要》本脫漏『世稱《國語》亦左氏手』至『《傳》之悲哉』計一百六十九字。」

240霖案：本文出自黃伯思《東觀餘論》卷下〈校定師春書序〉，頁284；又張心澂《偽書通考》頁473-474曾轉錄其文。又四庫本《東觀餘論》下-81下，2002/5/7，百部初編46輯學津討原18函68等有之。

征南將軍杜預云：別有一卷，純集《左傳》[242]卜筮事，上下次第及其文義皆與《左傳》同，名曰《師春》，《師春》似是鈔集人名也。今觀中祕所藏，師春乃與預說全異，預云純集卜筮事，而此乃記諸國世次及十二公歲星所在，併[243]律呂、謚法等，末乃書《易象》變卦，又非專載《左氏傳》卜筮事，由[244]是知此非預所見《師春》之全也。然預記汲冢他書中有《易》陰陽說而無〈象〉、〈繫〉，又有《紀年》三代并晉、魏事，疑今《師春》蓋後人雜鈔《紀年》篇耳。然預云《紀年》起自夏、商、周，而此自唐、虞以降皆錄之；預云《紀年》皆三代王事，無諸國別，而此皆有諸國；預云《紀年》特記晉國，起殤叔，次文侯、昭侯，而此記晉國世次自唐叔始，是三者又與《紀年》異矣。及觀其紀歲星事，有杜征南洞曉陰陽之語，由[245]是知此書亦西晉人集錄，而未必盡出汲冢也。然臣近考辨祕閣古寶器，有宋公緣餗鼎，稽之此書，緣乃宋景公名，與鼎名[246]合，而太史公《記》及他書皆弗同。由[247]是知此書尚多古事，可備考證，固不可廢云[248]。」

【增補】〔補正〕黃伯思條內「杜預云《紀年》起自夏、商、周，而此自唐、虞以降皆錄之」。按：《史記‧魏世家集解》引和嶠語云：「《紀年》起自黃帝。」今明刻沈約《紀年附注》亦起黃帝，與此說不同。（卷八，頁二三—二四）

陳振孫曰[249]：「晉汲郡魏安釐王冢所得古簡，杜預得其《紀年》，知其[250]魏國史記，以考證《春秋》；別有一卷，純集疏《左氏傳》卜筮事，上下次第及其文義皆與《左傳》同，名曰《師春》，似是鈔集者人名也。今此書首敘周及諸國世系，又論分野、律呂為圖，又雜錄謚法、卦變，與杜預所言純集卜筮者不同，似非當時本書也。」

【增補】〔補正〕陳振孫條內「知其魏國史記」，其當作「為」。（卷八，頁二四）

241霖案：「晉太康二年」之前，應依《東觀餘論》補入「承議郎行祕書省校書郎臣黃某所校讐中《師春》五篇，以相校除複重，定著三篇，篇中或誤以『夢』為『蕾』、以『放』為『依』，如此類者眾，頗剪皆已定，可繕寫案。」等五十七字。

242霖案：「《左傳》」二字，應依《東觀餘論》作「《左氏傳》」三字。

243霖案：「併」字，《東觀餘論》作「并」字。

244霖案：「由」字，《東觀餘論》作「繇」字，古今字之異也。

245霖案：「由」字，《東觀餘論》作「繇」字，古今字之異也。

246霖案：「名」字，《東觀餘論》作「銘」字。

247霖案：「由」字，《東觀餘論》作「繇」字，古今字之異也。

248霖案：「云」字下，應依《東觀餘論》補入「謹弟錄上」四字。

249霖案：《直齋書錄解題》卷三，頁457-458、《文獻通考‧經籍考》卷十，頁273-274；又張心澂《偽書通考》頁474曾轉錄其文。

250「其」，應依《補正》作「為」。　霖案：《經義考新校》頁3818校文，「應依」改作「依」字；「《補正》」二字下，另有「《四庫薈要》本、文淵閣《四庫》本」；「作」改作「應作」二字。今考本文出自《文獻通考》，原文亦作「其」字，可見竹垞引文來自《通考》也。

【增補】何廣棪：《陳振孫之經學及其《直齋書錄解題》經錄考證》曰：「廣棪案：
黃伯思《東觀餘論》卷下《跋師春書後》曰：『案晉太康二年，汲郡民不準盜發魏襄
王冢，得古竹書凡七十五篇。禁征南將軍杜預云：『別有一卷，純集《左氏傳》卜筮
事，上下次第及其文義皆與《左傳》同，名曰《師春》。師春，似是鈔集人名也。』
今觀中秘所藏《師春》，乃與預說全異；預云：『純集卜筮事。』而此乃記諸國世次
及十二公、歲星所在，並律呂、諡法等，末乃書《易象》變卦，又非專載《左傳》卜
筮事；繇是知此非預所見《師春》之全也。然預記汲冢他書中有《易陰陽說》，而
無《象》、《繫》；又有《紀年》三代並晉、魏事，疑今《師春》蓋後人雜鈔《紀
年》篇耳。然預云：『《紀年》起自夏、商、周。』而此自唐、虞以降皆錄之。預云：
『《紀年》皆三代王事，無諸國別。』而此皆有諸國。預云：『《紀年》特記晉國，
起殤叔，次文侯、昭侯。』而此記晉國世次自唐叔始。是三者又與《紀年》異矣。及
觀其紀歲星事，有『杜征南洞曉陰陽』之語，繇是知此書亦西晉人集錄，而未必晉出
汲冢也。』《解題》所述，殆據《東觀餘論》隱括。是則伯思、直齋所見之《師春》
，乃西晉人所集錄者，殆非杜預所見之汲冢原本矣。」（頁五三八至頁五三九）

方以智曰[251]：「黃長睿校讎《師春》五篇，乃汲冢古文，杜預言別有一卷集《左氏》[252]
卜筮事，而長睿[253]所見全異，紀諸國世次及十二公歲星所在，併[254]律呂、諡法等，末乃書
《易象》變卦，則預所見非全書也。《師春》乃鈔集人名也，其書繇乃宋景公名，與宋公繇
鍊鼎合，當是西晉人集錄。」

【增補】張心澂《偽書通考》曰：「心澂按：據姚際恆《古今偽書考》謂：『《師春
》之書，宋世有之，今則未見。』則宋之所謂《師春》者，清初已不存。考《晉書‧
束皙傳》敘汲冢所得《竹書》有『《名》三篇，似《禮記》，又似《爾雅》。《論語
師春》一篇，書《左傳》諸卜筮；師春似是造書者姓名也。《瑣語》十一篇，諸國卜
夢妖怪相書也。』《大戴禮》有〈小辨篇〉，《禮記》亦間辨名物，故謂『《名》三
篇有似《禮記》』。《爾雅》即名學之書，故又似《爾雅》。而名學之書與《論語》
決無相似之處，不得以『又似《爾雅》、《論語》』斷句，則《論語》二字當屬之下
文，謂『《論語師春》一篇』也。既名《論語》，而又有師春二字，故謂『似是造書
者姓名』，蓋與孔門之《論語》不同也。論語二字，凡記錄論與語者皆可名之，非孔
門所得專有。後人震於孔門《論語》之名，以〈束皙傳〉中《論語》必指孔門之《論
語》，故以《論語》二字屬上文。不知汲冢所得論卜筮之書亦名《論語》，而師春所

251霖案：方以智《通雅》卷三（四庫全書本），冊八五七，頁121。又另有叢書集成續編本(132冊)，
　　臺灣師範大學有上海古籍出版。

252霖案：「《左氏》」二字，《通雅》誤作「《老氏》」，蓋「《老氏》」，當指「《老子》」，而《老子》之中
　　未見卜筮之事，故而竹垞改作「《左氏》」，此書名有異也。

253霖案：「長睿」二字，應依《通雅》作「伯思」，蓋「長睿」為「伯思」之字，此為名、字互換之
　　例，雖所云為同人，但題稱不同，應依原書改正。

254霖案：「併」字，《通雅》作「并」字。

造也。師者，卜師；春其名也。杜預以《論語》之名與孔門二書相混，故亦但稱為《師春》。且傳中上文之《論語》與下文之《瑣語》十一篇相對而相類，一論卜筮，一論卜夢妖怪相法諸瑣事，益足證《論語》之為其書名也。至書之本名既已失之，相沿以造書之人名為書名，而宋世所見之《師春》，又非卜筮事，顯與〈束晳傳〉所言之《論語師春》不符。乃後人見汲冢有所謂『〈易繇〉〈陰陽卦〉二篇』及『〈梁丘藏〉一篇，先敘魏之世數，次言丘藏金函事。』又『大歷二篇，鄒子談天類。』故集錄彷彿依稀類此之說，而名之《師春》，託之汲冢。」（頁四七四）

卷二百十　春秋四十三經義考卷二百十春秋四十三

洪氏名未詳《春秋始隱公說》

一篇。

存。載《山堂考索》。

【版本及藏地】本書版本及藏地如下：

一、《羣書考索》卷六：章如愚《羣書考索》卷六，（台北：臺灣商務印書館，「景印文淵閣四庫全書」冊九三六，民國七十五年三月，初版），台北：國家圖書館藏本。

【增補】《羣書考索》卷六曰：「《春秋始隱公》　杜氏謂：『平王東周之始王，隱公遜國之賢君。』」（冊九三六，頁九六）

蘇氏軾《隱公是攝論》（宋）

【書名】《蘇東坡全集》卷三錄及此書，題作「〈論魯隱公〉」，而非如竹垞所作「《隱公是攝論》」，書名題稱不同。

【增補】嚴寶善編錄《販書經眼錄》卷一，頁九錄有蘇軾《列國東坡圖說》，竹垞未錄此書，當據以補入。又杜信孚等編纂《同名異書匯錄》頁一四二錄有蘇軾《春秋集解》十二卷，亦應一併補入。

一篇。

存。載《志林》。

【存佚】《經義考》小注曰：「載《志林》。」，而《蘇東坡全集》(上)11-589(第十一首)載之，《春秋總義論著目錄》頁五四曰：「考證：按凡二則。」，且云：「傳本：《唐宋八大家文鈔》、《東坡志林》」，可見此書實有存本在世。

【版本及藏地】本書版本及藏地如下：

一、《蘇東坡全集》卷三：蘇軾撰，鄧立勛編校《蘇東坡全集》卷三，第十一首，合肥：黃山書社，台北：國家圖書館漢學研究中心有藏本。

二、四庫全書《唐宋八大家文鈔》本：《春秋總義論著目錄》頁五四著錄。

三、四庫全書《東坡志林》本：《春秋總義論著目錄》頁五四著錄。

【增補】《蘇東坡全集》卷三，〈論魯隱公〉曰：「魯隱公元年：『不書即位，攝也。』公子翬請殺桓公，公曰：『為其少故也，吾將授之矣。使營菟裘。吾將老焉。翬懼。反譖公于桓。而使賊殺公。』歐陽子曰：『隱公非攝也，使隱而果攝也，則《春秋》不書為公。《春秋》書為公，則隱非攝無疑也。』

　蘇子曰：『非也，《春秋》約之信史。隱攝而桓弒，著於史也詳矣。周公攝而克復

子者也。以周公薨，故不稱王。隱公攝而不克復子者也。以魯公薨，故不稱王。隱公攝而不克復子者也。以魯公薨，故稱公。史有諡，國有廟，《春秋》獨得不稱公乎？

　　然則隱公之攝也，禮歟？曰：禮也。何自聞之？曰：聞之孔子。曾子問曰：『君薨而世子生，始之何？』孔子曰：『卿、大夫、士從攝主，北面於西階南。』何謂攝主？曰：古者天子、諸侯、卿、大夫、士一無士字之世子未生，而死，則其弟若兄弟之子次當主者為攝主。子生而女也，則攝主立；男也，則攝立退。此之謂攝主。古之人有為之者，季康子是也。季桓子且死，命其臣正常曰：『南孺子之子男也，則以告而立之。女也，則肥也可。』桓子卒，康子即位。既葬，康子在朝，南氏生男。正常載以如朝，告曰：『夫子有遺言。命其圉臣曰：『南氏生男，則以告於君與大夫而立之。』今生矣，男也，敢告。』康子請退。康子之謂攝主，古之道也。孔子行之。

　　自秦、漢以來，不修是禮也，而以母后攝。孔子曰：『惟女子與小人為難養也。』使與聞外事且不可，曰：『牝雞之晨，惟家之索，而況可使攝位而臨天下乎？女子為政而國安，惟齊之君王后，吾宋之曹、高、向也。蓋亦千一矣。自東漢馬、鄭，不能無譏。而漢呂后、魏胡武靈、唐武氏之流，蓋不勝其亂。王莽、楊堅遂因以易姓。由是觀之，豈若攝主之庶幾乎！則母后而可信也，則攝主何為而不可信。若均之不可信，則攝主取之，猶吾先君之子孫，不猶愈於異姓之取哉！

　　或曰：君薨，百官總己以聽冢宰三年，何用攝主？曰：非此之謂也，嗣天子長矣，宅憂而未出令，則以禮從（一作設冢宰。）若太子未生，生而弱未能君也。則三代之禮，孔子之學，決不以天下付異姓，其付之攝主也，夫豈非禮，而周公行之歟？故隱公亦攝主也。

　　鄭玄，儒之陋者也。其傳攝主也，曰：『上卿代君聽政者也。』使子生而女，則上卿豈繼世者乎？蘇子曰：『攝主，先王之令典，孔子之法言也，而世不知；習見母后之攝也，而以為當然。故吾不可不論，以待後世之君子。』」（頁四五至頁四六）

周氏孚《春王正月說》

　　【書名】《蠹齋鉛刀編》卷二十一錄之，篇名題作「〈春王正月〉」，而竹垞據文意酌加「說」字，實與原書未合。

一篇。

存。載《螙[1]齋鉛刀編》。

　　【考證】《經義考》小注曰：「載《　齋鉛刀編》。」，今考四庫本，冊１１５４，頁 648A(《蠹齋鉛刀編》卷 21)有之。

　　【版本及藏地】本書版本及藏地如下：

---

1 「螙」，「四庫本」作「蠹」。　霖案：《經義考新校》頁3821校文，位於「《螙齋鉛刀編》」五字之下，其校文如下：「『《螙齋鉛刀編》』，文淵閣《四庫》本作『《蠹齋鉛刀編》』。」

一、清四庫本《蠹齋鉛刀編》卷二十一：(宋)周孚撰《春秋講義》一卷，臺灣商務印書館影印四庫本《蠹齋鉛刀編》卷二十一，冊一一五四，頁六四七至頁六五一，《國立故宮博物院善本舊籍總目》，上冊，頁九十九、《春秋總義論著目錄》頁九〇著錄，台北：故宮博物院有藏本。

【增補】《蠹齋鉛刀編》卷二十一，〈春王正月〉曰：「正月，周之正月也。周以建子為正，而《春秋》從之，何也？曰：《春秋》，魯史也。魯史以周正紀月，理也。何以知其用周正也。曰：《春秋》嘗書『十月隕霜殺菽矣。』又嘗書『三月無冰矣。』，十月而霜，三月而無冰，以今之曆推之，非異也。以是知其用周正也。然則夫子之語顏子，則曰：『行夏之時而作《春秋》，為一王法。』，則用周正而不改，何也？曰：『非天子不議禮、不制度，夫子因魯史作《春秋》，而輒易正朔是僭也。』《春秋》嘗疾吳、楚之僭而夷之，其肯自蹈之乎？曰：孟子以為：『《春秋》，天子之事。』，而今之說者則曰：『夏時之正，夫子語顏子矣。』，而《春秋》之所書，蓋見諸行事者也。又何也？嘗曰：『以賞善罰惡，以示勸懲』，此天子之所當為，而《春秋》所由作也。亦豈必改周之法，而自為法哉？夫執聖人之言，不求其意之所在，輒附會以施於《經》，其說雖美，而於義未必安，此近世學者之蔽也。吾之言，質諸聖人而已，今說則吾不知也。」（四庫本，冊一一五四，頁六四八）

羅氏泌《春秋周正論》

【書名】羅泌《路史》卷四十二，〈春秋用周正〉，冊三八三，頁六〇五至頁六〇六。竹垞所錄《春秋周正論》，當係將此文裁篇而出，惟原書篇名作「〈春秋用周正〉」，則此書或當題作「《春秋用周正論》」為宜。

一篇。

存。載《路史發揮》。

【版本及藏地】本書版本及藏地如下：

一、四庫全書本：羅泌《路史》卷四十二，〈春秋用周正〉，冊三八三，頁六〇五至頁六〇六。《春秋總義論著目錄》頁九一著錄。

【存佚】《經義考》小注曰：「載《路史發揮》」，考四庫本《路史》卷四二〈餘論〉，頁二〇上即為「〈春秋用周正〉」。

楊氏簡《春王正月說》（宋）

一篇。

存。載《慈湖遺書》2。

【版本及藏地】本書版本及藏地如下：

2霖案：《經義考新校》頁3821新出校文如下：「『《慈湖遺書》』，文津閣《四庫》本誤作『《西湖遺書》』。」

一、明嘉靖間刊本慈湖先生遺書卷九：(宋)楊簡撰《慈湖先生論春秋》一卷，《國立故宮博物院善本舊籍總目》，上冊，頁一〇〇著錄，台北：故宮博物院有藏本。又台北：臺灣商務印書館，「景印文淵閣四庫全書」冊一一五六，民國七十五年三月，初版，頁七三六至頁七三七錄有此文。

章氏如愚《春秋用周正辨》3

【書名】章如愚《群書考索續集》卷十二引錄此文，並未明列篇名，而竹垞著錄之時，不僅別裁而出，且標示篇名，顯與原書內容未合。

一篇。

存。

【版本及藏地】本書版本及藏地如下：

一、《群書考索續集》卷十二：章如愚撰《群書考索續集》卷十二，台北：商務印書館影印文淵閣四庫全書本，《春秋總義論著目錄》頁九一著錄，台北：國家圖書館藏本。

【增補】《群書考索續集》卷十二曰：「《春秋》用周正，以建子為歲首，書正月蒸則夏閏蜡，而蒸得其時矣。既得其時，則是國之常禮，則何以書之，書之者，為五月復蒸也。五月復蒸，一則失其時，二失其禮，正月蒸，正也。五月蒸，不正也。書其正以譏其不正，《左氏》謂非過時，而書得其旨，《公羊》謂譏亟近之，《穀梁》謂冬事春興遠矣。」（冊九三八，頁一七五）

陽氏恪《春秋夏時考正》

【作者】陽恪，號以齋，銅梁人，陽岊之子。理宗末為蜀舉首，有《春秋夏時考正》一編，以堯典定時成歲之後，四時十二月之序，一定不移，虞夏商周皆因之，謂夏時冠周月之說非是。

佚。

程端學曰4：「巴川人，號以齋5。」

張以寧曰6：「以齋陽氏恪有《春秋夏時考正》一編，凡三十四條7。其說謂是8《堯典》

3霖案：《經義考新校》頁3821新出校文如下：「『《春秋用周正辨》』，文津閣《四庫》本誤作『《春秋用周正解》』。」

4霖案：程端學：《春秋本義》〈春秋傳名氏〉（《通志堂經解》（冊25）），頁13863。

5霖案：此處所錄《春秋本義》之文，與其他諸處引文方式不同，也較不合於著錄體例，詳見李棠《春秋時論》條。今引《春秋本義》之文如下：「巴川陽氏恪以齋。」，竹垞引文實係改寫，雖內容合乎實情，但引用方式不同，其既云「程端學曰」，則必須合乎《春秋本義》所錄之文，今校錄如上，以供讀者參考。

定時成歲之後，四時十二月之序一定不移，虞、夏、商、周皆因之，《春秋》時皆夏正之時，月皆夏正之月，謂夏時冠周月之說非是。陽氏，蜀人，理宗三十九年為蜀舉首9，其父存齋之學得之朱子高弟涪陵𡋯氏淵10。」

牟氏楷《春秋建正辨》

一卷。

存。

【存佚】《元史藝文志輯本》卷三，頁六〇著錄，注曰「佚」。

商氏季文《春秋正朔辨》

一卷。

佚。

家鉉翁曰11：「天台12商季文《正朔辨》13謂：夫子作《春秋》，特出新意，以子丑寅為春，以建子月為正月。諸儒有取其說為之序其首，愚竊惑焉。夫變易四時以從二代之正朔，此孔、鄭釋經既往之誤，前輩辨之審矣，季文果何所見，更謂夫子作《春秋》特出新意而為此？然則顏淵為邦之問、夫子夏時之訓，皆虛語乎？14季文謂夫子將作編年史，以一歲不可為兩冬，故特出聖意，以子丑寅為春，以建子月為正月，吁！有是哉？古之史，虞、夏、商、

---

6 霖案：張以寧撰，《春王正月考·辨疑》(台北：臺灣商務印書館，「景印文淵閣四庫全書」冊一六五，民國七十五年三月，初版)，頁802錄之。又竹垞此段文句，原書實分三段，分屬不同位置，故有錯簡之失，說法詳見下文註語。

7 霖案：「條」字下，應依《春王正月考．辨疑》補入「亟取觀之」四字。

8 霖案：「是」字，應依《春王正月考．辨疑》作「自」字。

9 霖案：「陽氏，蜀人，理宗三十九年為蜀舉首」諸句，有錯簡之失。又「人」字下，應依《春王正月考．辨疑》補入「也」字。又「首」字下，有諸多文句，由於文句頗多，難於逐一校補，讀者可參看原書文句。

10 霖案：「其父存齋之學得之朱子高弟涪陵𡋯氏淵」之句，有錯簡之失。又「學」字，《春王正月考．辨疑》作「說」字。

11 霖案：四庫本《春秋集傳談說·綱領》(台北：臺灣商務印書館，「景印文淵閣四庫全書」冊一五八，民國七十五年三月，初版)，頁16-18。

12 霖案：「天台」二字之前，《春秋詳說》另有「頃年里居客有持」等七字，今據以補入。

13 霖案：「《正朔辨》」三字之下，《春秋詳說》另有「來示者，乃」等四字，今據以補入。

14 霖案：「乎」字下，應依《春秋詳說》補入「在南方嘗為之辨，前二篇所言是也，今復疏為下篇，以盡前義。」等二十四字。

周是也。紀年、紀月、紀日者有之，而年之下不皆紀時也，或有書時者概[15]一時而言，如秋大熟、未穫之類，未詳其月，故止書時；惟《春秋》以行夏之時，故特於年之下紀春而後紀月，以見正必在寅而後為正，夫豈為兩冬之避乎？季文又謂：魯舊史以元年十一月書公即位，孔子作《春秋》，以公即位之書不可繫之前公之末，兼一歲不可兩冬，故不得不改正朔。是又不然。《春秋》書元年者，國君即位之次年，因魯史之舊文也；書公即位者，《春秋》，所以垂王法也。禮，國君始立，稱子不稱君，必先君既葬，請命於王，王命之為君，然後始君其國。周之既東，此義頓廢，父死子立，即以國君自居，甚者以篡弑得國，天子不能討，方伯不敢問，而人倫幾於掃地，故聖人明王法以正之，於『元年春王正月』之下，而特書即位或不書即位，以見其得國之正否。故有上不稟命於天王，內不承國於先君，則不書即位以正之；亦有弑君賊自立與為弑賊所立，則書即位以絕之。《春秋》十二公書[16]即位而無貶者，五公耳，春之與正固皆夏時，斯乃《春秋》垂世之法，夫豈為即位之書不可繫之前公，而革冬為春以循之乎？季文又指《左傳》書事在冬而《春秋》書於正月者，以證其革冬為春之說。不思《經傳》之相符者千百，其不同者二三，豈得以二三之不同而致疑於千百之同乎？今以《經》後於《傳》者為聖人革冬為春之證，其有《經》先於《傳》者，又將何說以處之乎？此乃傳疑傳信之有異，或諸國來告之遲速，故書有先後，豈得據此小疑遂謂聖人革冬為春？冬之不可為春，猶寒之不可為暑，《傳注》[17]考之未精，先儒辨者已眾，而季文更謂夫子特出新意，以冬為春，其誣《經》也，豈不甚哉？其說本無深解，專取杜歷以為據依，謂其閒[18]有與《春秋命歷序》相符者。歷之為藝解者絕少，然亦未有久而不差之歷，《命歷序》者，術家以為孔子修[19]《春秋》用殷歷，使其數可傳於後，明歷者考其蝕朔，不與殷歷合，以為漢哀、平閒[20]治甲寅元歷者託之，非古也。季文亦未嘗精通曆[21]術，學僻而論怪，初不必為之辨，以一二老學為之序引，若有取焉，恐其浸傳易以惑人，故復著之。」

陳氏普《春王正月說》

一篇。

存。載《石堂集》

【版本及藏地】本書版本及藏地如下：

一、《石堂集》本：《春秋總義論著目錄》頁九一著錄。

---

15 霖案：「概」字，《春秋詳說》作「槩」字。

16「書」，「四庫本」作「事」。　　霖案：《經義考新校》頁3823校文，「四庫本」三字之前，另有「文淵閣」三字；「作」改作「誤作」二字。今考《春秋詳說》所錄之文，適作「書」字。

17 霖案：「傳注」，《春秋詳說》作「傳註」。

18 霖案：「閒」字，《春秋詳說》作「間」字。

19霖案：「修」字，《春秋詳說》作「脩」字。

20霖案：「閒」字，《春秋詳說》作「間」字。

21霖案：「曆」字，《春秋詳說》作「歷」字。

黃氏景昌《周正如傳考》

【作者】《元藝文志》頁二二三、《元史藝文志輯本》卷三，頁五四均錄有周正如《傳考》二卷，疑誤。蓋錢大昕於周正如《傳考》下題作「字明遠，浦江人」，然據《經義考》卷一九四，頁十錄及「吳萊」敘錄云：「黃隱君，諱景昌，字明遠，世為婺之浦江人。」，則「字明遠，浦江人」者，應為「黃景昌」，而非「周正如」者，則錢氏誤題者也。此外，《元史藝文志輯本》卷三，頁六〇錄有黃景昌《周正如傳考》，顯見雒竹筠氏亦有重複著錄的情況。又黃虞稷《千頃堂書目》卷二，頁五〇著錄，明白標示黃景昌撰有《周正如傳考》，可見其書實為黃景昌所作。

二卷。

【著錄】黃虞稷《千頃堂書目》卷二，頁五〇著錄。

【卷數】黃虞稷《千頃堂書目》卷二，頁五〇著錄，無卷數名。

佚。

吳萊〈序〉曰[22]：「予每觀《左氏春秋》王周正月，釋者曰言周以別夏、殷也，及尋《公羊》、《穀梁》二《傳》，又雜引諸《經》讖緯。孔子初無明說，後之儒者頗用黃帝以來七歷[23]求春秋時歷[24]，卒不盡合。杜征南《長歷》[25]反謂《經》必有誤，經未嘗有誤也，是豈夏正、周正之果異哉？蓋曰王者受命，受之於天，不受之於人，故徙居處，易服色，殊徽號，變犧牲，異器械，而改正朔，其一也，此固然也。董仲舒曰：道之大原出於天，天不變，道亦不變。堯、舜、禹本一揆也，何獨至於湯、武而遽革之哉？世之說者嘗謂：當周之世，《春秋》必用周正。《春秋》，尊王之書也。隱公元年之正月，是即平王四十九年之正月也。然而前徵乎商，則〈元祀〉為十二月而月不改；後據乎秦，則元年為冬十月而時不易，『春王正月』，似乎冬十有一月也，而聖人易之以證其行夏之言，程子所謂正月非春，假天時以立義也。自程子之意，則曰夏正寅春也，周正子非春也，是改正者必改月也，故曰假天時而已。自今說者之說，則改正者又不改月，不獨假天時也，雖王月亦假矣，當又自異於程子也。至其所自為說，且謂夏數得天，百王所同，商、周革命，特示不相沿襲，巡守、承[26]享、兵農、田獵，猶自夏焉。果是，則聖人又何必以是為顏淵告哉？或者又謂：古之改正者必改月，商、周之正月非春也。〈伊訓〉、〈元祀〉、〈太甲〉三祀下不紀時，〈泰誓〉一月、〈召誥〉二月上亦不係時，將以時自天時，月自王月故也。然而秦、漢之際，每年之首必以冬書十月

22霖案：《淵穎吳先生文集》卷七，〈周正如傳考序〉（四庫叢刊本），頁73-74。

23霖案：「歷」，《淵穎吳先生文集》題作「曆」。

24霖案：「歷」，《淵穎吳先生文集》題作「曆」。

25霖案：「《長歷》」，《淵穎吳先生文集》題作「《長曆》」。

26「承」，應依《補正》作「祭」。　　霖案：霖案：《經義考新校》頁3825校文，位於「承享」二字之下，其校文如下：「『承享』，依《補正》、《四庫薈要》本、文淵閣《四庫》本應作『祭享』。」。今考本文出自《淵穎吳先生文集》，原文適作「承享」字，蓋竹垞有所承也。

之上，顏師古《漢書．注》且以為：孝武時改太初歷[27]後，乃追正前代正月為冬十月者，抑難信矣。至若孔安國之於《書》，鄭康成之於《詩》、《禮》，且言古之改正改月者，年首必係之以正，正月必係之於春，天開於子，地闢於丑，人生於寅，三代蓋迭建之，皆可以為正，則皆可以為春矣。豈不以子丑二月陽氣萌動，雖謂之為春也，亦可矣？魏景初時，楊偉造新歷[28]，請復用商正，且以是年十二月為孟春，次年三月為孟夏，本鄭說也，然則奉若天道，敬授民時，又不常有一月二月之參差哉？今之[29]說《書》者，蔡氏父子亦謂：如孔、鄭之說，則四時改易尤為無藝，三代之改正者，必不改月；商、周之革命者，特不過用其子丑之月以為歲首耳。《周官》正歲，周正建子歲首也；正月，夏正建寅月數也；《春秋》之正雖用周正，而月數不改，每年之首，截前兩月以屬之上年之尾。誠若是，則隱公之元年，魯史必書之曰冬十有一月，而聖人自削之也。蔡氏父子以之言《書》，則或可從，以之言《春秋》，則猶未可從也。或者又謂：三代[30]之世，三正之通於[31]民俗尚矣。魯用周正，吾於《春秋》魯史見之；曲沃用夏正，吾於汲冢竹書見之，是故《左氏》雜采諸國之史以為《傳》，或用夏正，或用周正，互有不同。昭公之三十三年十月[32]，晉人會諸侯之大夫于狄泉；定公之元年正月又會于狄泉，是重出也。魯太史辨火出之候，亦曰于[33]夏為三月，于[34]商為四月，于[35]周為五月，又一證也。雖然，王者之大政必叶時月而正日，是豈容以一代之閒[36]而三正之並用者哉？世之說者或曰：《易》有之帝出乎震。自伏羲、神農之世，蓋異建矣。次而數之，堯建子，舜建丑，夏建寅，而〈甘誓〉且載其怠棄三正之文者，本此也。然自顓頊以來，始以民事命官，而歲月自當以人為紀，先王為是推筴迎日，治歷[37]明時，民之析因，夷隩鳥獸之孳革毛先毛毨，無一不得其居之宜與其氣之順者，堯、舜、禹三聖輒因之而不敢變也。意者秦、漢之際，鄒衍、張蒼五德相生相勝之緒論歟？或又曰：天地人三統，子丑寅三正，古無有，聖人所不道，三代之改正，特改人君即位之初年為元而已。雖然，此謂改元，非改正也；

27霖案：「歷」，《淵穎吳先生文集》題作「曆」。

28霖案：「歷」，《淵穎吳先生文集》題作「曆」。

29霖案：《經義考新校》頁3826新出校文如下：「『今之』，文津閣《四庫》本作『又以』。」

30霖案：《經義考新校》頁3826新出校文如下：「『三代』，《四庫薈要》本、文津閣《四庫》本俱誤作『二代』。」

31霖案：「於」，《淵穎吳先生文集》題作「于」。

32「三十三年十月」，據《補正》當作「三十二年十一月」。　霖案：《經義考新校》頁3826校文，「據」改作「依」字；《補正》二字下，另有「《四庫薈要》本」；「當作」改作「應作」。蓋此處解題所引年代有誤也。

33霖案：「于」，《淵穎吳先生文集》題作「於」。

34霖案：「于」，《淵穎吳先生文集》題作「於」。

35霖案：「于」，《淵穎吳先生文集》題作「於」。

36霖案：「閒」，《淵穎吳先生文集》題作「間」。

37霖案：「歷」，《淵穎吳先生文集》題作「曆」。

而改元者，又非《春秋》之重事也。將是數說[38]，吾亦孰信而孰從之哉？番陽董生始出《夏時考正》二卷，云：此巴川陽恪先生作也。恪之先君從涪陵憂淵，而淵又受業於朱子，蓋嘗舉朱子之言曰：三王之正不同，周用天正。〈豳風〉之詩又皆以人為紀[39]，是則改正者改歲首也，未嘗改月數也。上卷專論《春秋》，下卷雜論他《經》及《傳》，一切附著己說，最為明了。考正之作，實[40]朱子意也；然而朱子《四書集注》[41]、《詩集傳》自用周正、周月，臨江張洽朱門高弟，《春秋集注》且謂：周正建子即以為春，聖人雖欲行夏之時，而《春秋》因史作《經》，方尊周而一天下，不可遽改之也。朱子之意，豈果考正之意哉？子[42]蓋歸而質之黃君景昌，君則曰：左氏，魯人也，使其不與孔子同時，亦當近在孔子後，《左氏》信矣。若夫〈豳風〉之詩，周公所作，是固追述公劉居豳之事，當夏正者也，未可以說《春秋》，乃作《周正如傳考》二卷，以辨考正之不然。今兩書具在，予故併識異說者，以復於董生為何如？」

【增補】〔補正〕吳萊〈序〉內「巡守、承享」，「承」當作「祭」；「昭公之三十三年十月」當作「昭公三十二年十一月」。（卷八，頁二四）

劉氏淵《周正釋經》

【霖案】本條著錄，係出自歐陽玄〈元故承務郎建德路淳安縣尹眉陽劉公墓誌銘〉一文，頁一〇一。

佚。

黃氏澤《春王正月辨》[43]

【書名】《元史藝文志輯本》卷三，頁五一，書名題作《元年春正月辨》。

【增補】〔補正〕當作「《元年春王正月辨》」。（卷八，頁二四）

一卷。

存。

【存佚】本書已未見傳本，當已久佚，今據以改作「佚」籍。

38霖案：《經義考新校》頁3827新出校文如下：「『說』，文淵閣《四庫》本誤作『語』。」

39霖案：《經義考新校》頁3827新出校文如下：「『紀』，文津閣《四庫》本作『正』。」

40霖案：「實」，《淵穎吳先生文集》題作「寔」。

41霖案：「《四書集注》」，《淵穎吳先生文集》題作「《四書集註》」。

42霖案：《經義考新校》頁3827新出校文如下：「『子』，依《四庫薈要》本、文淵閣《四庫》本、文津閣《四庫》本應作『予』。」今考此文出自《淵穎吳先生文集》，其原文適作「予」字。

43「《春王正月辨》」，應依《補正》作「《元年春王正月辨》」。　霖案：《經義考新校》頁3828校文，「應依」改作「依」字；「《補正》」二字下，另有「《四庫薈要》本、文淵閣《四庫》本應作『《元年春王正月辨》』。」。

張氏以寧《春王正月考》（明）

【書名】《馬來西亞大學中文圖書目錄》六九三著錄，書名題作《春秋春王正月考》。

二卷[44]。

【著錄】從黃虞稷《千頃堂書目》卷二，頁三十六、張壽平《公藏先秦經子注疏書目》頁一五〇著錄。

【卷數】黃虞稷《千頃堂書目》卷二，頁三十六的著錄，卷數題作「一卷」。本書理應題作一卷，竹垞著錄曰「二卷」，乃是併合《辨疑》一卷言之，翁方綱明知其故，卻仍主張作「二卷」者，誤也。

又台北：故宮博物院藏有「鈔本」二卷，當係後出之本。

【增補】〔補正〕或作一卷。案：作二卷是也。蓋合其《辨疑》一卷通為二卷耳。（卷八，頁二四）

存。

【版本及藏地】本書版本及藏地如下：

一、通志堂經解本：明張以寧撰《春秋春王正月考》一卷，《辨疑》一卷，張之洞《書目答問補正》卷一，頁四六著錄，馬來西亞大學圖書館有藏本（二部）。

二、日本元祿十年（１６９７）翻刻康熙年間通志堂經解本：《中國館藏和刻本漢籍書目》頁四七著錄，人大圖書館有藏本。

三、指海本：張之洞《書目答問補正》卷一，頁四六著錄。

四、文淵閣四庫全書本：(明)張以寧撰《春王正月考》一卷、《辨疑》一卷，二冊，《國立故宮博物院善本舊籍總目》，上冊，頁一〇三著錄，台北：故宮博物院有藏本。

【增補】永瑢等撰《欽定四庫全書總目》曰：「春王正月考二卷[45]　兩江總督採進本

明張以寧撰。以寧字志道，古田人，元泰定丁卯進士，官至翰林侍講學士。入明仍故官，洪武二年奉使冊封安南王，還，卒於道。事迹具《明史·文苑傳》。史稱以寧以《春秋》致高第，故所學尤專《春秋》，多所自得，撰《胡傳辨疑》最辨博，惟《春王正月考》未就，寓安南逾半歲，始卒業。今《胡傳辨疑》已佚，惟此書存。考三正疊更，時月并改。經書正月繫之於王，則為周正不待辨。正月、正歲二名載於《周禮》，兩正并用，皆王制也。左氏發傳，特曰『王周正月』，則正月建子，亦無疑。自漢以來，亦無異議。至唐劉知幾《史通》始以《春秋》為夏正，世無信其說者。自程子泥於『行夏之時』一言，盛名之下，羽翼者眾。

44霖案：《經義考新校》頁3828新出校文如下：「『二卷』，《四庫薈要》本作『一卷』。

45霖案：原注云：按：文淵閣庫書作《春秋春王正月考》一卷、《辨疑》一卷。

胡安國遂實以夏時冠周月之說，程端學作《春秋或問》更[46]堅持門戶，以梅賾偽書為據，而支離蔓引以證之，愈辨而愈滋顛倒。夫左氏失之誣，其間偶爾失真，或亦間有，至於本朝正朔，則婦人孺子皆知之，不應左氏誤記。即如程子之說以左氏為秦人，亦不應距周末僅數十年即不知前代正朔也。異說紛紛，殆不可解。以寧獨徵引五經，參以《史》、《漢》，著為一書，決數百載之疑案，可謂卓識。至於當時帝王之後，許用先代正朔，故宋用商正，見於長葛之傳。諸侯之國亦或用夏正，故傳載晉事，與經皆有兩月之差。古書所記，時有參互，後儒執為論端者，蓋由於此，以寧尚未及抉其本原。又《伊訓》、《泰誓》諸篇，皆出古文，本不足據，以寧尚未及明其偽托。而《周禮》正歲、正月之兼用，僅載鄭《注》數語，亦未分析暢言之以祛疑。似於辨證尚為未密。然大綱既得，則細目之少疏，亦不足以病矣。」（卷二十八，頁三六○至頁三六一）

【增補】邵懿辰撰、邵章續錄：《增訂四庫簡明目錄標注》卷三曰：「《春王正月考》二卷，明張以寧撰。

通志堂本，宣德元年刊本。」（頁一一六）

五、摛藻堂薈要本：(明)張以寧撰《春王正月考》一卷、《辨疑》一卷，二冊，《國立故宮博物院善本舊籍總目》，上冊，頁一○三著錄，台北：故宮博物院有藏本。

六、清同治十二年(1873)粵東書局重刊本：(明)張以寧撰《春秋春王正月考》一卷，《辨疑》一卷，台北：國家圖書館有藏本。

七、叢書集成本：明張以寧撰《春秋春王正月考》一卷，馬來西亞大學圖書館有藏本（二部）。

又馬來西亞大學圖書館另有一本（二部），亦題作「叢書集成」本，惟多出《辨疑》一卷，著錄稍有不同，但皆為叢書集成本，故附於此。

八、清芬堂叢書本：明張以寧撰《春秋春王正月考》一卷，《辨疑》一卷，馬來西亞大學圖書館有藏本。

九、藝海珠塵本：明張以寧撰《春秋春王正月考》一卷，《辨疑》一卷，馬來西亞大學圖書館有藏本。

十、民國五十七年(1968)藝文印書館百部叢書集成初編影印本：(明)張以寧撰《春秋春王正月考》一卷，《辨疑》一卷，台北：國家圖書館有藏本。

十一、清乾隆五十年(1785)內府刊本：(明)張以寧撰《春秋春王正月考》一卷，《辨疑》一卷，鈐有「味經窩藏書印」朱文長方印，「味經曾觀」朱文方印等印，台北：國家圖書館有藏本。

又《國立故宮博物院善本舊籍總目》，上冊，頁一○三錄有一本，題作「清康熙十九年通志堂刊乾隆五十年修補本」，當即此本。

46霖案：原注云：「更」，浙本作「遂」。

十二、鈔本：(明)張以寧撰《春王正月考》二卷，《國立故宮博物院善本舊籍總目》，上冊，頁一〇三著錄，台北：故宮博物院有藏本。

十三、宣德元年刊本：邵懿辰撰、邵章續錄：《增訂四庫簡明目錄標注》卷三，頁一一六著錄。

十四、清康熙十九年通志堂刊乾隆五十年修補本：(明)張以寧撰《春王正月考》一卷，《辨疑》一卷，一冊，《國立故宮博物院善本舊籍總目》，上冊，頁一〇三著錄，台北：故宮博物院圖書館有藏本。

以寧〈自序〉曰[47]：「道學至宋氏而上接孔、孟之傳，何傳爾？其世異，其理同也。儒先依《經》而言理，有功於《經》甚大也；而獨於《春秋》之書春王正月，未能無疑之也。何疑爾？曰：夏正得天，百王所同也，是以有冬不可為春之疑也。曰：夫子嘗以行夏之時告顏子也，是以有夏時冠周月之疑也。曰：自漢武帝之用夏時首寅月，逮於[48]今，莫之能改也；是以傳書者有改正朔不改月數之疑，而又有《春秋》用夏之時、夏之月之疑。疑愈甚則說俞多，而莫之能一也。以寧[49]蚤學是《經》，以叨一第亦嘗有疑於此，而未能決也。間讀《魯論》夫子之言行夏之時，若恍然而有省也。因之歷稽《經》史傳記及古注[50]疏之說同也，乃知春王正月之春為周之時，由漢逮唐諸儒舉無異說也；而劉向周春、夏冬之說，陳寵天以為正、周以為春之說，最其明著[51]者也，而猶未敢自信也。比觀子朱子《語錄》晚年之三說，亦同也；其門人張氏《集傳》之說又同也，於是渙然冰釋而無疑也。竊嘗欲筆於書而奪於世，故未遑也；茲因忝使安南，假館俟命之暇，始克會萃[52]而成編也。本之於孔、孟、朱子，徵之於《經》史而下，而漢儒之說為多，以其去古未遠，有據[53]而足徵。朱子之著書，多因其說也，若《易》、《詩》、《書》之用夏建寅之月以為說，則朱子於孟子之《集註》既主改月之說，而於此未及更定之也。今亦竊取朱子之義求朱子未盡之意，以成朱子未竟之說，次於[54]《春秋經傳》之後，以尊《經》也。仍辨群[55]疑，悉具於右，非以寧[56]之敢為私言也；尚其與我同志之君子，恕其狂僭之罪而是正之也[57]。」

47霖案：張以寧：《春秋春王正月考.序》(《通志堂經解》本冊二十七)，頁15477。

48霖案：「於」，《春秋春王正月考.序》題作「于」字。

49霖案：「以寧」，《春秋春王正月考.序》題作「臣寧」。

50霖案：「注」，《春秋春王正月考.序》題作「註」字。

51霖案：「明著」，《春秋春王正月考.序》題作「著明」，竹垞引文，二字互為乙倒。

52霖案：「萃」，《春秋春王正月考.序》題作「稡」字。

53霖案：「據」，《春秋春王正月考.序》題作「据」字。

54霖案：「於」，《春秋春王正月考.序》題作「于」字。

55霖案：「群」，《春秋春王正月考.序》題作「羣」字。

56霖案：「以寧」，《春秋春王正月考.序》題作「臣寧」。

57「也」字下，據《補正》當補入「洪武三年三月三日」。　　霖案：《經義考新校》頁3829校文，「

【增補】〔補正〕〈自序〉末應補云「洪武三年三月三日」。（卷八，頁二四）

張隆〈跋〉曰58：「先祖諱以寧59，字志道，居於60閩古田翠屏山之下，因以翠屏為號焉。自少力學不倦，往寧德受學於61韓古遺先生之門，年二十七以《春秋經》登泰定。丁卯，李黼榜62進士第，復往淮南讀書十餘年，後歷官太學及翰苑數十年間63，所作詩文，號《翠屏集》。洪武二年己酉夏，使安南，著述是書。明年庚戌春，書成，踰月，疾革，作自輓64詩65而逝，時年七十矣66。噫！先祖晚年勞心積慮而成此書，采67摭群68《經》，搜羅眾說，欲以明聖《經》而定周之正朔也。隆愚昧不知，痛念手澤尚存，深恐泯而無《傳》，一依舊本謄寫，刊而藏之家塾，以俟諸君子講究焉。69宣德元年70。」

周氏原誠《春王正月辨》

一卷。

未見。

據」字改作「依」字；「當補入」改作「應補」二字。今考之《春秋春王正月考．序》，其原文實於「也」字下，題作「洪武三年春三月三日晉安後學張㠯寧序」，今當校改於上。

58霖案：張以寧：《春秋春王正月考》〈張隆跋〉（《通志堂經解》本冊二十七），頁15516。

59霖案：「以寧」，《春秋春王正月考》題作「㠯寧」。

60霖案：「於」，《春秋春王正月考》題作「于」字。

61霖案：「於」，《春秋春王正月考》題作「于」字。

62霖案：「榜」，《春秋春王正月考》題作「牓」字。又「泰定。丁卯，李黼榜」當連讀，《點校補正經義考》誤其斷句。

63霖案：「後歷官太學及翰苑數十年間」，當斷為「後歷官太學及翰苑，數十年間，」，《點校補正經義考》誤其斷句。

64霖案：「輓」，《春秋春王正月考．序》題作「挽」字。

65霖案：「詩」字下，應依《春秋春王正月考．序》補入「一首云：『一世窮愁老翰林，南歸旅櫬越山岑。覆身粗有黔婁被，垂橐都無陸賈金。稚子啼飢憂未艾，慈親囊葬痛尤深。經過相識如相問，莫忘徐君掛劍心。』，詩成是日」等字，此為刪略整首詩文，當據以補入。又是篇詩文，實見於張以寧《翠屏集》〈翠屏詩集卷之二〉，作於「洪武三年五月四日」，當日作詩之後，隨即逝世。

66霖案：「矣」字下，應依《春秋春王正月考》補入「是書并詩，皆先祖之絕筆也。」等十一字，由於竹垞已刪去前詩，故亦刪去上述文句，使其文筆一致，蓋此處已有改寫，已不合乎原文內容，今據原書改正。

67霖案：「采」，《春秋春王正月考》題作「採」字。

68霖案：「群」，《春秋春王正月考》題作「羣」字。

69霖案：「焉」字下，應依《春秋春王正月考》補入「所以承先志也」等六字。

70霖案：「年」字下，應依《春秋春王正月考》補入「歲在丙午中秋，嗣孫隆涕泣謹誌」等十三字。

【霖案】本書未見其他傳本,當已久佚。

周氏洪謨《周正辨》

一篇。

存。

【存佚】本書已未見傳本,當已久佚,今據以改作「佚」籍。

王氏鏊《春王正月辨》

【書名】《震澤集》卷三四題作〈春王正月辯〉,竹垞將其裁而出之,別為著錄錄之。又「辨」、「辯」二字,古書常通用之。

一篇。

存。

【版本及藏地】本書版本及藏地如下:

一、《震澤集》卷三四:王鏊《震澤集》卷三四,〈春王正月辨〉,《春秋總義論著目錄》頁九一錄之,四庫全書本,台北:國家圖書館有藏本。

二、《定山集》本:《春秋總義論著目錄》頁九一錄之。

【增補】《震澤集》卷三四,〈春王正月辯〉曰:「《春秋》書王正月,《左氏》曰:『周正月也,建子。』,非春而以為春,為胡安國之學者曰:『以夏時冠周正,書王正者,存周之正冠,以春示行夏之時之義也。』是為改月不改時。夫改月不改時,時則夏也,月則周也,上下不相值,寒暑不相蒙,下之所系,將安從?從夏乎?從周乎?聖人書法,不當如是之悖戾也,為蔡九峯之學者曰:『商周所謂正朔者,以是月為歲首,朝會、聘問、頒歷、授時,於是始焉耳。』,時不改,月亦無改也。《詩》言『七月流火,六月徂暑。』,《周禮》:『正月始和』,《呂覽·月令中》:『星皆與夏正合。』,前乎,商之建丑也,其書即位曰:『元祀,十月二月。』後乎,秦之建亥也,其書始建國曰『元年冬十月』,曷嘗改乎是說也?於經史合矣!其如《春秋》之所書:何桓八年冬十月雨雪?僖十年冬大雨雪,桓十四年春正月無冰,成元年二月無冰,莊七年秋無麥苗,定元年冬十月隕霜殺菽,則何以為異而書之。《左傳》僖五年正月日南,至《禮記》:孟獻子曰:『正月日至,可以有事,於上帝七月日至,可以有事。』,於祖又將何以通之,且時月既不改矣,孔子告顏淵,何必曰:『行夏之時』。賈誼於文帝時,何必請改正朔乎?為孔安國、鄭康成之學者曰:『商周之正朔,非獨改月,時亦改也。後漢〈陳寵傳〉:『冬至,陽氣始萌,天以為正,周以為春,十二月,陽氣上通,地以為正,殷以為春,十三月,陽氣已至,人以為正,夏以為春,三微成著,以成三統。』,是說也,於《春秋》所書合矣,其如諸經有不合,且天時、人事,有不便乎,曰:惟其不便,故孔子不取,不然,何獨取於夏時哉?是其說之不一,儒者苦之,以為千古不決之論,愚嘗反覆求之,而得其說。夫商、周有天下,改正朔、易服色,殊徽號,以新天下之耳目也。安有不改月,可改時,時獨不可改乎?夫春、夏、秋、冬之名安始哉?亦聖人始名之。建子之月,一陽所始,獨

不可為春秋？午未之月，陰氣所始，獨不可為秋乎？冬、夏亦然，商、周既以是新天下之耳目，而天下習於夏正已久，且天時、人事為順，故行之官府，則從時，王之制民間，所行猶多從夏，《春秋》所書，朝廷之正也，諸經所載，或因民間之舊乎？《汲冢周書》云：『亦越我周王，致伐于商，改械以垂三統。』，至於敬授民時，巡狩烝享，猶自夏焉，且《周禮》有正月，又有正歲，周時二正，實兼行之矣，何獨民間哉！曰：是義也，曷從受之？曰：受之孔子，春王正月，孔子之所書，行夏之時，孔子所以告顏子也。」（冊一二五六，頁四九六至頁四九七）

冷氏逢震《周正考》

一卷。

【著錄】黃虞稷《千頃堂書目》卷二，頁四四著錄。

未見。

【霖案】本書未見其他傳本，當已久佚。

張萱曰[71]：「冷氏[72]《周正考》[73]雜引古今《經》史子傳，以證胡文定《春秋》春王正月[74]以夏時冠周月之誤[75]，謂[76]時與月皆未改為是，其說頗精。」

黃虞稷曰[77]：「逢震，四川資縣人。」

【霖案】黃虞稷《千頃堂書目》於「逢震」之前，有「雜引古今經史子傳，以正胡傳夏時冠周月之誤，萬曆中」等二十二字，當據以補入。又無「逢震」二字。

王氏守仁《春王正月論》

一篇。

存。

【版本及藏地】本書版本及藏地如下：

一、《王文成公全書》本：《春秋總義論著目錄》頁九一錄之。

二、《文章辨體彙選》本：《春秋總義論著目錄》頁九一錄之。

---

[71]霖案：孫能傳等撰《內閣藏書目錄》卷二，頁479。

[72]霖案：「冷氏」，應依《內閣藏書目錄》作「國朝冷逢震」，此為省略之語，應依原書文句補入完整內容。

[73]霖案：「《周正考》」，《內閣藏書目錄》題為標目之名，非內文也。竹垞根據文意，改錄於此。

[74]霖案：「月」字下，應依《內閣藏書目錄》補入「謂」。

[75]霖案：「誤」字，應依《內閣藏書目錄》作「語」。

[76]霖案：「謂」，當依《內閣藏書目錄》作「而」。

[77]霖案：黃虞稷《千頃堂書目》卷二，頁44。

霍氏韜《春王正月辨》

　　一篇。

　　存。

　　　　【存佚】本書已未見傳本，當已久佚，今據以改作「佚」籍。

董氏穀《夏時周月論》

　　一篇。

　　存。

　　　　【存佚】本書已未見傳本，當已久佚，今據以改作「佚」籍。

　　俞汝言曰：「其文亦駁胡氏《傳》之非。」

汪氏衢《春秋周正考》

　　一卷。

　　未見。

　　　　【霖案】本書未見其他傳本，當已久佚。

　　《徽州府志》：「衢，字世亨，祁門人。」

李氏濂《夏周正辨疑會通》（明）

　　四卷。

　　　　【著錄】黃虞稷《千頃堂書目》卷二，頁四〇著錄。

　　未見。

　　　　【存佚】本書有「藍格鈔本」，當改注曰「存」

　　　　【版本及藏地】本書版本及藏地如下：

　　一、藍格鈔本：(明)李濂輯訂《夏周正辨疑會通》四卷，二冊，《國立故宮博物院善本舊籍總目》，上冊，頁一〇四著錄，台北：故宮博物院有藏本。

　　　　【增補】《新校本明史》卷二百八十六〈文苑二〉曰：「李濂，字川父，祥符人。舉正德八年鄉試第一，明年成進士。授沔陽知州，稍遷寧波同知，擢山西僉事。嘉靖五年以大計免歸，年纔三十有八。濂少負俊才，時從俠少年聯騎出城，搏獸射雉，酒酣悲歌，慨然慕信陵君、侯生之為人。一日作理情賦，友人左國璣持以示李夢陽，夢陽大嗟賞，訪之吹臺，濂自此聲馳河、雒間。既罷歸，益肆力於學，遂以古文名於時。初受知夢陽，後不屑附和。里居四十餘年，著述甚富。（頁七三六〇）

翁氏金堂《春王正月辨》

　　一篇。

存。

【存佚】本書已未見傳本，當已久佚，今據以改作「佚」籍。

俞汝言曰：「錢塘人，隆慶戊辰進士，除知銅陵縣事，遷廉州府同知。」

章氏潢《春秋正月辨》

一篇。

存。

【存佚】本書已未見傳本，當已久佚，今據以改作「佚」籍。

楊氏元祥《春秋正月辨》

一篇。

存。

【存佚】本書已未見傳本，當已久佚，今據以改作「佚」籍。

劉芳喆曰：「元祥，字奎垣，錦衣衛籍襄毅公博之孫也，中萬歷癸未進士，改庶吉士，授簡[78]討。」

徐氏應聘《春王正月辨》

一篇。

存。

【存佚】本書已未見傳本，當已久佚，今據以改作「佚」籍。

顧湄曰：「公字端銘[79]，崑山人。萬歷癸未進士，改庶吉士，授簡[80]討，謫歸安縣丞，遷南京行人司副卒。今刑部尚書乾學、左春坊、左中允、秉義大學士元文，皆其曾孫也。《春

---

78 「簡」，「四庫本」作「檢」。　霖案：《經義考新校》頁3833校文，位於「簡討」二字下，其校文如下：「『簡討』，文淵閣《四庫》本作『檢討』。」

79 霖案：徐應聘，字伯衡，號端銘，此乃字號相混，錯將應聘之「號」，誤認為「字」。《明詩綜》考及徐應聘，字伯衡，今再考張大復《崑山人物傳》卷十、萬斯同《明史》卷三○一、張廷玉《明史》卷二○七、馮桂芬《（同治）蘇州府志》卷九三俱指明應聘之字，實為「伯衡」，是則顧湄條內指稱「公字端銘」，應為誤植所致。今再考「端銘」二字，實為應聘之號，蓋清張鴻、來汝緣、王學浩等人《（道光）崑新二縣志》卷十六、金吳瀾、李福沂、汪堃、朱成熙《（光緒）崑新二縣續修合志》卷十八俱指明此點，顯然顧湄條內所云「公字端銘」，實乃誤應聘之「號」為「字」，因而有誤。

80 「簡」，「四庫本」作「檢」。　霖案：《經義考新校》頁3834校文，位於「簡討」二字下，其校文如下：「『簡討』，文淵閣《四庫》本作『檢討』。」

王正月辨》一篇，載翰林館課。」

【增補】〔補正〕顧湄條內「公字端銘」，案：《明詩綜》云：「字伯衡。」（卷八，頁二四）

史氏孟麟《春王正月辨》

一篇。

存。

【存佚】本書已未見傳本，當已久佚，今據以改作「佚」籍。

劉芳喆曰：「孟麟，字玉池，宜興人。萬曆癸未進士，改庶吉士，授工科給事中，歷戶科都給事中，遷太常少卿。」

亡名氏《春王正月辨》

二篇。

存。載《八科館課》。

【存佚】本書已未見傳本，當已久佚，今據以改作「佚」籍。

俞氏汝言《春王正月辨》（清）

一卷。

存。

【存佚】本書已未見傳本，當已久佚，今據以改作「佚」籍。

湯氏斌《春王正月辨》

一篇。

存。

【存佚】本書已未見傳本，當已久佚，今據以改作「佚」籍。

吳氏任臣《春王正朔辨》

一卷。

存。

【存佚】本書已未見傳本，當已久佚，今據以改作「佚」籍。

徐盛全曰：「任臣，字志伊，仁和人，以薦授翰林檢討。」

羅氏泌《即位書元非春秋始立法論》

【書名】羅泌《路史》卷四十五，〈即位書元非春秋立法〉，冊三八三，頁六二七至頁六六二八。竹垞所錄書名，當係將此文裁篇而出，惟與原書篇名或有小異，當是竹

坨據文意所擅改所致。

一篇。

存。

【版本及藏地】本書版本及藏地如下：

一、四庫全書本：羅泌《路史》卷四十五，〈即位書元非春秋立法〉，冊三八三，頁六二七至頁六六二八，《春秋總義論著目錄》頁五七著錄。

楊氏時《春秋不書即位說》

一篇。

存。

【存佚】《春秋總義論著目錄》頁五六錄作「未見」，今考諸家館藏之籍，未見此書，故改注曰「佚」。

黃氏澤《魯隱公不書即位義》

【書名】《元史藝文志輯本》卷三，頁五一著錄，書名題作《魯隱公不書即位圖》，且曰：「此書《元史・本傳》『圖』作『儀』字」。

一卷。

佚。

張氏方平《君子大居正論》

一篇。

存。載《樂全先生集。》

【版本及藏地】本書版本及藏地如下：

一、四庫全書本：《樂全集》卷十七，〈君子大居正論〉，冊一一〇四，頁一四一至頁一四二。《春秋總義論著目錄》頁五三著錄。

俞氏成《矢魚于棠說》

一篇。

存。

【存佚】《春秋總義論著目錄》頁五八注曰「佚」，今本書可見諸家傳本，是以維持原議，應題作「存」。

【版本及藏地】本書版本及藏地如下：

一、明弘治十四年(1501)無錫華珵刊本《百川學海》：台北國家圖書館有藏本。

二、藍格舊鈔本《說郛》卷六十九：台北國家圖書館有藏本。

三、明刊本《說海彙編》本：台北國家圖書館有藏本。

四、明末刊本《續百川學海》：台北國家圖書館有藏本。

五、明萬曆間會稽商氏刊清康熙間臨川李氏修補本《稗海》：台北國家圖書館有藏本。

六、清順治丁亥(四年,1647)兩浙督學李際期刊本《說郛》卷十五：台北國家圖書館有藏本。

七、清康熙間(1662-1722)振鷺堂重編補刊本《稗海》：台北國家圖書館有藏本。

八、清同治八年(1869)永康胡氏退補齋刊本《金華叢書》：台北國家圖書館有藏本。

八、清同治八年(1869)永康胡氏退補齋刊本《金華叢書》：台北國家圖書館有藏本。

九、民國 10 年(1921)上海博古齋影印本《百川學海》：台北國家圖書館有藏本。

十、民國十六年(1927)上海商務印書館排印本《說郛》：台北國家圖書館有藏本。

十一、民國五十五年台北縣藝文印書館《百部叢書集成》：台北國家圖書館有藏本。

按：俞成，字元德，東陽人，宋慶曆中著《螢雪叢談》。其詮矢字，謂三十六家《春秋》皆以矢為觀，非也，引《周禮》「矢其魚鼈而食之」，直作射解。

【霖案】《螢雪叢談》一書，今本全作「《螢雪叢說》」，則竹垞所錄之書名，或有誤記書名之失。又「《春秋》」二字，俞成〈矢魚于棠〉一文題作「《春秋解》」，衡諸文意，應以「《春秋解》」為宜。據此，竹垞案語所錄書名，蓋有所失也。

【增補】《螢雪叢說》卷之一，〈矢魚于棠〉一文曰：「辛酉秋，因如鄱陽，閱三十六家《春秋解》，若注『矢魚于棠』，雖累數說不透，皆以『矢』為『觀』，非也。使其以『矢』為『觀』，當時何不直書其事，而乃云若是，蓋有深意存焉。余嘗謂『矢者，射也。』，正《周禮》所謂『矢其魚鼈而食之』是也，推而上之，若〈皋陶〉『矢厥謨』，亦射義也，釋《書》者類訓『直』，又非。『周道如砥，其直如矢。』，乃詩人比喻之辭，故可以云『直』，若書之矢謨，《春秋》之矢魚，皆出於任意而為之，故可以云『射』，自〈皋陶〉有『矢謨』之說，而後董仲舒有射策之文，君子於此，可以意推，不可以例觀也。」（「儒學警悟」本卷四〇上，頁九。）

陳氏普《考仲子之宮義》

一篇。

存。

【版本及藏地】本書版本及藏地如下：

一、《石堂集》：《春秋總義論著目錄》頁五八著錄。

蘇氏軾《公子翬弒隱公論》（宋）

【書名】《蘇東坡全集》卷三錄及此文，題作「〈論隱公、里克、李斯、鄭小同、王

允之〉」，書名與竹垞所記不同。

一篇。

存。

【版本及藏地】本書版本及藏地如下：

一、《蘇東坡全集》卷三：蘇軾撰，鄧立勛編校《蘇東坡全集》卷三，合肥：黃山書社，台北：國家圖書館漢學研究中心有藏本。

二、四庫全書《東坡全集》本：《春秋總義論著目錄》頁五四著錄。

【增補】《蘇東坡全集》卷三，〈論隱公、里克、李斯、鄭小同、王允之〉曰：「公子翬請殺桓公以求太宰。隱公曰：『為其少故也。吾將授之矣。使營菟裘，吾將老焉。』翬懼，反譖公於桓公而殺之。

蘇子曰：盜以兵擬人，人必殺之。夫豈獨其所擬，涂之人皆捕擊之矣。涂之人與盜非仇也，以為不擊，則盜且并殺己也。隱公之智，曾不若涂之人，哀哉。隱公，惠公繼室之子也。其為非嫡，與桓均耳，而長於桓。隱公追先君之志，而授國焉，可不謂仁人乎？惜乎其不敏於智也。使隱公誅翬而讓桓，雖夷，齊何以尚滋。

驪姬欲殺申生而難里克，則施優來之。二世欲殺扶蘇而難李斯，則趙高來之。此二人之智，若出一人，而受禍亦不少異。里克不免於惠公之誅，李斯不免於二世之虐，皆無足哀。吾獨表而出之，為萬世戒。君子之為仁義也，非有計於利害。然君子所為，義利常兼，而小人反是。李斯聽趙高之謀，非其本意，獨畏蒙氏之奪其位，故勉而聽高。使斯聞高之言。即召百官、陳六師而斬之，其德於扶蘇，豈有既乎。何蒙氏之足憂。釋此不為，而具五刑於市，非愚而何。

嗚呼，亂臣賊子，猶蝮蛇也。其所螫草木，猶足以殺人，況其所噬嚙者歟。鄭小同為高貴鄉公侍中，常詣司馬師。師有密疏未屏也，如厠還，問小同：『見吾疏乎？』曰：『不見。』師曰：『寧我負卿，無卿負我。』遂酖之。王允之從王敦夜飲，辭醉先寢。敦與錢鳳謀逆，允之已醒，悉聞其言，慮敦疑己，遂大吐，衣面皆污。敦果照視之。見允之臥吐中，乃已。哀哉小同，殆哉岌岌乎允之也。孔子曰：『危邦不入，亂邦不居。』有以也夫。

吾讀史得魯隱公、晉里克、秦李斯、鄭小同、王允之五人，感其所遭禍福如此，故特書其事。後之君子，可以覽觀焉。」（頁四六至頁四七）

《鄭伯以璧假許田論》（宋）

【書名】《蘇東坡全集》卷三錄及此文，題作「〈論鄭伯以璧假許田〉」，題稱與竹垞所記不同。

一篇。

存。

【版本及藏地】本書版本及藏地如下：

一、《蘇東坡全集》卷三：蘇軾撰，鄧立勛編校《蘇東坡全集》卷三，合肥：黃山書社，台北：國家圖書館漢學研究中心有藏本。

二、四庫全書《東坡全集》本：《春秋總義論著目錄》頁五四著錄。

【增補】《蘇東坡全集》卷三，〈論鄭伯以璧假許田〉曰：「鄭伯以璧假許由〔田〕，先儒之論多矣，而未得其正也。先儒皆知夫《春秋》立法之嚴，而不知其甚寬且恕也；皆知其譏不義，而不知其譏不義之所由起也。

鄭伯以璧假許田者，譏隱而不譏桓也。始其謀以周公之許田而易泰山之祊者誰也，受泰山之祊而入之者，誰也？隱既已與人謀而易之，又受泰山之祊而入之。然則為桓公者，不亦難乎！夫子知桓公之無以辭於鄭也，故譏隱而不譏桓。何以言之？《隱公年》書曰：『鄭伯入璧假許田』而已。夫許田之入鄭，猶祊之入魯也。書魯之入祊，而不書鄭之入許田，是不可以不求其說也。鄭伯使宛來歸祊』、『庚寅我入祊』，見鄭之來歸，而魯之入之也。『鄭伯以璧假許田』者，見鄭之來請，不見魯之與之也。見鄭之來請，而不見魯之與之者，見桓公之無以辭於鄭也。嗚呼！作而不義，使後世無以辭焉，則夫子之罪隱深矣。

夫善觀《春秋》者，觀其意之所向而得之，故雖夫子之復生，而無以易以易之也。《公羊》曰：『曷為繫之許？近許也，譏取周田也。』《穀梁》曰：『假不言以，以，非假也。非假而曰『假』，譏易地也。』春秋之所為諱者三，為尊者諱敗，為親者諱敗，為賢者諱過。魯，親者也，非敗之為諱，而取易之為諱，是夫子之私魯也。」（頁六○至頁六一）

亡名氏《魯鄭易田說》

一篇。

存。載《山堂考索》。

【版本及藏地】本書版本及藏地如下：

一、四庫全書本：《羣書考索別集》卷十一，〈魯鄭易田〉，（台北：臺灣商務印書館，「景印文淵閣四庫全書」冊九三八，民國七十五年三月，初版），頁八四三至頁八四五。《春秋總義論著目錄》頁六十著錄。

楊氏簡《公至自唐論》（宋）

【書名】楊簡《慈湖詩傳》卷十一錄之，惟內容作「公至自晉……」，而竹垞擅改作「《公至自唐論》」，顯然與原書文句稍有未合。蓋「晉國」，周代諸侯國名，原名「唐」，是以「公至自晉」與「公至自唐」就文意來看，是有某種程度的相合，而「論」字，係竹垞根據文意所加，符合竹垞著錄的慣例。

一篇。

存。

【版本及藏地】本書版本及藏地如下：

一、四庫全書本：《慈湖詩傳》卷十一，（台北：臺灣商務印書館，「景印文淵閣四庫全書」冊七三，民國七十五年三月，初版），頁一五九。《春秋總義論著目錄》頁五七著錄。

張氏方平《蔡仲行權論》

【書名】《樂全集》題作「〈祭仲行權論〉」，蓋「祭」、「蔡」二字，古書經常互用。

一篇。

存。

【存佚】《春秋公羊傳論著目錄》頁二二題作「未見」，今考此書有四庫全書本《樂全集》，故應維持原議，題作「存」。

【版本及藏地】本書版本及藏地如下：

一、四庫全書本：《樂全集》卷十六，〈祭仲行權論〉，冊一一○四，頁一三二至頁一三三。

司空氏圖《疑經》

【霖案】司空圖《疑經》雖涉及《春秋》內容的考辨，而為竹垞裁篇而出，別立一條目，然審諸竹垞著錄之法，此一內容，實不當別裁而出，且列於「春秋類」內容之下，特此說明。

一篇。

存。

【版本及藏地】本書版本及藏地如下：

一、《司空表聖文集》卷三：司空圖撰《司空表聖文集》，上海：上海古籍出版社，台北：國家圖書館漢學研究中心有藏本。

【增補】《司空表聖文集》卷第三，〈疑經〉曰：「《經》曰：『天王使來，求金。』又曰：『求車。』豈天王之使，有私求於魯耶？不然，傳聞之誤耳。若『諸侯之使，來求金』，則謂之『求』，可矣。若致天子之命，徵於諸侯，其可謂求耶？且率土之人，與其貨殖，皆一人之所有，父之財守，於其子則用否，莫不恭命，其可謂求乎？《春秋》之旨，尊君卑臣，豈聖人為魯不為周耶？《書》云：『天王狩于河陽』，尚為晉侯諱召天子，豈不為周諱其過哉？縱天王制用失節，多取於諸侯，如欲垂誡，即書周史可矣，若書於諸侯之史，是悔恡其貨，而侮王命也。王祭亦不供矣，必非聖人之文也，必曰：『王人覿其稽命』，則曷不書曰：『天王使某責貢金』，儻以取金為文，曷不曰『天王使某來徵貢金』，亦譏在其中矣！以是愚疑仲尼書『天王使來（注文：句絕），求金』，是使乎私自求而懲之也，不然，求與責文，或相近傳寫文誤

焉，不爾，何子夏之徒，不能措一言哉？捨是而譏訶，皆小小者爾。」（頁三九至頁四○）

按：疑《經》者以家父求車、毛伯求金，若諸侯之金，天子不得謂之求，宜於「家父來」、「毛伯來」句絕，其云求者，使乎私自求，故書以懲之。

羅氏泌《恆星不見論》

【書名】羅泌《路史》卷三十四錄及此文，惟篇名作〈論恒星不見〉，而竹垞將「論」字改置於篇名之末，是以題稱稍有不同。

一篇。

存。

【版本及藏地】本書版本及藏地如下：

一、四庫全書本：羅泌《路史》卷三十四，〈論恒星不見〉，冊三八三，頁四九三至頁四九五。《春秋總義論著目錄》頁五七著錄。

張氏方平《季友歸獄論》

【書名】《樂全集》題作「〈歸獄論〉」，竹垞將其裁篇而出，並題作「季友歸獄論」，書名繁簡不同。

一篇。

存。

【版本及藏地】本書版本及藏地如下：

一、四庫全書本：《樂全集》卷十六，〈歸獄論〉，冊一一○四，頁一三○至頁一三一。《春秋總義論著目錄》頁五三著錄。

章氏如愚《季子來歸說》

【書名】章氏《羣書考索續集》卷十二錄及此文，惟未有篇名，竹垞根據上文作「元年，書季子來歸」諸字，而遂題為「《季子來歸說》」，衡諸原書內容，實則並無篇名也。

一篇。

存。

【版本及藏地】本書版本及藏地如下：

一、四庫全書本：《羣書考索續集》卷十二，「閔公」條下，冊九三八，頁一六七至頁一六八。《春秋總義論著目錄》頁五七至頁八著錄。

周氏名未詳《吉禘莊公說》

一篇。

存。載《山堂考索》。

【版本及藏地】本書版本及藏地如下：

一、四庫全書本：《羣書考索續集》卷十二，「閔公」條下，冊九三八，頁一六八。《春秋總義論著目錄》頁六十著錄。

蘇氏軾《管仲相齊論》（宋）

【書名】《蘇東坡全集》題作「〈管仲論〉」，與竹垞題稱不同。

一篇。

【增補】《蘇東坡全集》卷二，〈管仲論〉曰：「嘗讀《周官》、《司馬法》，得軍旅什伍之數。其後讀管夷吾書，又得《管子》所以變周之制。蓋王者之兵，出於不得已，而非以求勝敵也。故其為法，要以不可敗而已矣。於桓文非決勝無以定霸，故其法在必勝。繁而曲者，所以為不可敗也。簡而直者，所以為必勝也。周之制，萬二千五百人而為軍。萬之有二千，二千之有五百，其數奇而不齊，唯其奇而不齊，是以知其所以為繁且曲也。

今夫天度三百六十，均之十二辰，辰得三十者，此其正也。五日四分之一者，此其奇也。使天度而無奇，則千載之日，雖婦人孺子，皆可以坐而計。唯其奇而不齊，是故巧曆有所不能盡也。聖人知其然，故為之章、會、統、元以盡其數，以極其變。《司馬法》曰：『五人為伍，五伍為隊，萬二千五百人而為隊，二百五十，十取三焉而為奇，其餘七以為正，四奇四正，而八陣生焉。』夫以萬二千五百人而均之八陣之中，宜其有奇而不齊者，是以多為之曲折，以盡其數，以極其變。鈎聯蟠踞，各有條理。故三代之興，治其兵農軍賦，皆數十百年而後得志於天下。自周之亡，秦、漢陣法不復三代。其後諸葛孔明，獨識其遺制，以為可用以取天下，然相持數歲，魏人不敢決戰，而孔明亦卒無尺寸之功。豈八陣者，先王所以為不可敗，而非以逐利爭勝者耶！

若夫管仲之制其兵，可謂截然而易曉矣。三分其國，以為三軍。五人為軌，軌有長。十軌為里，里有司。四里為連，連有長。十連為鄉，鄉有鄉長人。五鄉一帥。萬人而為一軍。公將其一，高子、國子將其二。三軍三萬人。如貫繩，如畫棋局，疏暢洞達，雖有智者無所施其巧。故其法令簡一，而民有餘力以致其死。

昔者嘗讀《左氏春秋》，以為丘明最好兵法。蓋三代之制，至於列國猶有存者，以區區之鄭，而魚麗鵝鸛之陣，見於其書。及至管仲相桓公，南伐楚，北伐孤竹，九合諸侯。威震天下，而其軍壘陣法，不少概見者，何哉？蓋管仲欲以歲月服天下，故變古司馬法而為是簡略速勝之兵，是以莫得而見其法也。其後吳、晉爭長於黃池，王孫雒教夫差以三萬人壓晉壘而陣，百人為行，百行為陣，陣皆彻行，無有隱蔽，援桴而鼓之，勇怯盡應，三軍皆嘩，晉師大駭，卒以得志。

由此觀之，不簡而直，不可以決勝。深惟後世不達繁簡之宜，以敗亡。而三代什五之數，與管子所以治齊之兵者，雖不可盡用；而其近於繁而曲者，以其固守近於簡而

直者，以之決戰，則庶乎其不可敗，而有所必勝矣。」（頁十三至頁十四）

存。

【版本及藏地】本書版本及藏地如下：

一、《蘇東坡全集》卷二：蘇軾撰，鄧立勛編校《蘇東坡全集》，合肥市：黃山書社，一九九七年一月一版一刷，台北：國家圖書館漢學研究中心有藏本。

二、四庫全書《東坡全集》本：《春秋總義論著目錄》頁五四著錄。

歐陽氏修《五石六鷁論》

【書名】《宋文選》卷一錄之，題作《石鷁論》。竹垞既云此文出自《皇宋文選》，則原文應作「《石鷁論》」，而非「五石六鷁論」，二者實有不同。

一篇。

存。

【版本及藏地】本書版本及藏地如下：

一、《文忠集》本：《春秋總義論著目錄》頁五三著錄。

二、《歐陽文粹》本：《春秋總義論著目錄》頁五三著錄。

三、《宋文選》本：《春秋總義論著目錄》頁五三著錄。霖案：本篇見載於《宋文選》卷一（文淵閣四庫全書本，冊一三四六），頁十四至頁十五。

按：是篇《六一居士集》不載，見《皇宋文選》。

【增補】《宋文選》卷一，〈石鷁論〉曰：「夫據天道，仍人事，筆則筆，而削則削，此《春秋》之所作也。援他說，攻異端，是所是，而非所非，此三《傳》之所殊也。若乃上揆之天意，下質之人情，推至隱以探萬事之元重，將來以立一王之法者，莫近於春秋矣。故杜預以謂：經者不刊之書。范甯亦云：義以必當為理，然至一經之指，三傳殊說，是彼非此，學者疑焉。魯僖之十六年，隕石于宋，五六鷁退，飛過宋都。《左氏傳》曰：『石隕于宋，星也。六鷁退飛，風也。』《公羊》又曰：『聞其隕，然視之則石，察之則五。故先言石，而後言五，視之則鷁，徐而視之，則退飛，故先言六，而後言鷁。』《穀梁》之意，又謂：『先後數者，聚散之辭也。石鷁，猶盡其辭，而況于人乎。』《左氏》則其辨其物，《公》、《穀》則鑒其意。嘻！豈聖人之旨不一耶？將後之學者偏見耶？何紛紛而若是也，且《春秋》載二百年之行事，陰陽之所變見，災異之所著聞，究其所終，各有條理，且左氏以石為星者，莊公七年，星隕如雨，若所以隕者是星，則當星隕而為石，何得不言星，而直曰隕石乎？夫大水大雪為異必書，若以小風而鷁自退，非由風力也，若夫風而退，則眾鳥皆退，豈獨退鷁乎？成王之風，有拔木之力，亦未聞退飛鳥也。若風能退鷁，則是過成王之風矣，而《經》獨不書曰：『大風退鷁』乎？以《公羊》之意，謂數石視鷁，而次其言，且孔子生定、哀之時，去僖公五世矣！當石隕鷁飛之際，是宋人次于舊史，則又非仲尼之善志也，且仲尼隔數世修《經》，又焉及視數石而視鷁乎？《穀梁》以謂石後言五

鶂，先言六者，石、鶂微物，聖人尚不差先後，以謹記其數，則于人之褒貶可知矣。若乃西狩獲麟，不書幾麟？鸜鵒來巢，不書幾鸜鵒，豈獨謹記于石、鶂，而忽于麟、鸜鵒乎？如此則仲尼之志荒矣！殊不知聖人紀災異，著勸戒而已矣！又何區區于謹數乎？必曰：『謹物察數，人皆能之，非獨仲尼而後可也。』噫！三者之說，一無是矣！而周內史叔興，又以為陰陽之事，非吉凶所生，且天裂陽，地動陰，有陰凌陽，則日蝕，陽勝陰，則歲旱，陰陽之變，出為災祥，國之興亡，由是而作，既曰：『陰陽之事，孰謂非吉凶所生哉，其不亦甚乎！』」（頁十四至頁十五）

陳氏普《重耳天賜論》

一篇。

存。

【版本及藏地】本書版本及藏地如下：

一、《石堂集》：《春秋總義論著目錄》頁五八著錄。

孔氏武仲《介之推不受祿論》

二篇。

存。

【存佚】《春秋總義論著目錄》頁五八錄作「佚」，今考諸家館藏之籍，未見此書，故改注曰「佚」。

許氏衡《子玉請復曹衛論》

【書名】《許衡集》卷八錄作「〈子玉請復曹衛〉」，並無「論」字，而「論」字當為竹垞據文意所加，應刪正。

【霖案】許衡事跡，見於《元朝名臣事略》卷第八，頁一五五至一六四。

一篇。

存。

【版本及藏地】本書版本及藏地如下：

一、《許衡集》卷八：許衡著，王成儒點校《許衡集》，北京：東方出版社，二○○七年五月一版一刷，台北：國家圖書館漢學研究中心有藏本。

【增補】《許衡集》卷八〈子玉請復曹衛〉曰：「論君子者必以德，論小人者必以詐。以德度德，則君子之優劣見焉；以詐較詐，則小人之勝負分焉。德也，詐也，雖有善惡之殊，然各就其中間論之，則未始不以深造者為得也。為君子者而不至於善之長，為小人而不至於姦之雄，則未有以過人者。蓋常於晉楚爭霸之際觀之：楚之得臣，不自料其詐力之所造，與文公君臣孰淺孰深，遽使伯棼請戰與楚子，告於晉師，請復衛侯而封曹，徒欲急間讒慝，勇於立功，而不知區區小數已墮文公之謫矣。以詐力之

淺者,角夫詐力之深者,是猶以瑕而攻堅,以弱而制強,吾未見乎其可也。城濮之師,其所以潰亂而莫能支者,是果誰之咎耶?子玉請復曹衛,愚請數其失而論之。自周襄以來,世以詐力相高,然其詐力之所以高者,亦皆有過人之才焉。識慮淺而不險者,不足以為詐,故伯比之間隨也,遺其禍於數年之後。喜怒輕而不 弘者,不足以為詐,故勾踐之滅吳也。忍其心於屢請時,今得臣既昏且蔽,又躁而急,迺欲擁兩廣東宮與若敖六卒,以挫堂堂之晉,宜乎其敗也。彼文公君臣巧譎萬變,自古為詐之人未有出其右者,且明分曹衛之田以賜宋者,非厚於宋也,激齊秦之怒也。私許曹衛之復使絕於楚者,非愛曹衛也,致楚之戰也。至於退三舍而言愈恭者,用以驕敵,用以報德也,用以感諸侯之心,用以作三軍之分而得臣於此,豈惟不知多言以誤彼,又且甘投陷穽以致欺於人嗚?詐力之淺者,見挫於詐力之深者,雖不足重煩吾儒之議,然於楚子怒得臣之際,愚獨有矜焉。自楚之竊據東南也,憑陵華夏,號召諸侯,其威聲氣焰,譽動當世,亦可謂其強矣。然楚子既命無從晉師,而得臣不忍私忿,固請一戰,楚子雖怒其不可,而竟不能止,孰謂以跋扈之君,反不能不制一臣,吁!可怪也。三綱倒置,人倫不明,國雖強大而君子以為寒心。城濮之戰,萬不可勝,政使偶而或勝,則得臣他日恃功專恣之禍,必有甚於喪師之慘矣。世之詆霸者,猶以尚功利為言,殊不知霸者之所為橫斜曲直,莫非禍端。先儒謂王道之外無坦途,舉皆荊棘;仁義之外無功利,舉皆禍殃。彼詆伯者以功利,何其僭譽之深耶!斯言其至矣。」(頁一八九至頁一九〇)

柳氏宗元《晉文公守原論》[81]

【增補】〔補正〕當作「《晉文公問守原議》」。(卷八,頁二四)

【霖案】《柳宗元全集》卷四錄及此文,原文題作「〈晉文公問守原議〉」,而翁方綱《經義考補正》所論內容,或是據《柳宗元全集》而來,竹垞書名少卻「問」字,且改「議」為「論」字。

一篇。

【增補】《柳宗元全集》卷四,〈晉文公問守原議〉曰:「晉文公既受原于王,難其守。問寺人勃鞮,以畀趙衰。余謂守原,政之大者也,所以承天子,樹霸功,致命諸侯,不宜謀及媟近,以忝王命。而晉君擇大任,不公議于朝,而私議于宮;不博謀于卿相,而獨謀于寺人。雖或衰之賢足以守,國之政不為敗,而賊賢失政之端,由是滋矣。況當其時不乏言議之臣乎?狐偃為謀臣,先軫將中軍,晉君疏而不咨,外而不求,乃卒定于內豎,其可以為法乎?且晉君將襲齊桓之業,以翼天子,乃大志也。然而齊桓任管仲以興,進豎刁以敗。然而能霸諸侯者,以土則大,以力則強,以義則天子之冊也。誠畏之矣,烏能得其心服哉!其後景監得以相衛鞅,弘、石得以殺望之,誤之者晉文公也。

---

81 「《晉文公守原論》」,應依《補正》作「《晉文公問守原議》」。 霖案:《經義考新校》頁2841校文,「應依」改作「依」字;「《補正》」二字下,另有「《四庫薈要》本、文淵閣《四庫》本」等字;「作」改作「應作」二字。

　　嗚呼！得賢臣以守大邑，則問非失舉也，蓋失問也。然猶羞當時。陷後代若此，況于問與舉又兩失者，其何以救之哉？余故著晉君之罪，以附《春秋》許世子止、趙盾之義。」（頁二九）

　　存。

　　【版本及藏地】本書版本及藏地如下：

　　一、《柳宗元全集》本(卷四)：唐柳宗元著，曹明綱標點，上海：上海古籍出版社出版，國家圖書館漢學研究中心藏本。

章氏如愚《春秋卜郊說》

　　一篇。

　　存。

　　【版本及藏地】本書版本及藏地如下：

　　一、四庫全書本：《羣書考索續集》卷十一，（台北：臺灣商務印書館，「景印文淵閣四庫全書」冊九三八，民國七十五年三月，初版），頁一五九。《春秋總義論著目錄》頁五八著錄。

林氏名未詳《不郊猶三望說》

　　一篇。

　　存。

　　【存佚】《春秋總義論著目錄》頁五八注曰「佚」，今日尚能未及四庫全書本《羣書考索續集》卷十二錄及此文，故應維持原議，題作「存」。

　　【版本及藏地】本書版本及藏地如下：

　　一、四庫全書本：《羣書考索續集》卷十二，「宣公」條下，冊九三八，頁一六九。

亡名氏《不郊猶三望說》

　　一篇。

　　存。見《山堂考索》。

　　【版本及藏地】本書版本及藏地如下：

　　一、四庫全書本：《羣書考索續集》卷十二，「閔公」條下，冊九三八，頁一六九。《春秋總義論著目錄》頁六十著錄。

蘇氏軾《閏月不告朔論》[82]

82「《閏月不告朔論》」，應依《補正》作「《閏月不告朔猶朝于廟論》」。　　霖案：《經義考新校》頁

【增補】〔補正〕當作「《閏月不告朔猶朝于廟論》」。（卷八，頁二四）

【霖案】《蘇東坡全集》題作「〈論閏月不告朔猶朝于廟〉」，此或翁方綱所據之本也，惟「論」字，一置篇題之前，一置篇題之末，二者或有不同。

一篇。

存。

【版本及藏地】本書版本及藏地如下：

一、《蘇東坡全集》卷三：蘇軾撰，鄧立勛編校《蘇東坡全集》卷三，合肥：黃山書社，台北：國家圖書館漢學研究中心有藏本。

二、四庫本《蘇東坡全集》：《春秋總義論著目錄》頁五四著錄。

三、四庫全書《御選唐宋文醇》本：《春秋總義論著目錄》頁五四著錄。

【增補】《蘇東坡全集》卷三，〈論閏月不告朔猶朝于廟（文六年）〉曰：《春秋》之文同，其所以為文異者也，君子觀其意之所在而已矣。先儒之『論閏月不告朔』者，牽乎『猶朝于廟』之說而莫能以自解也。《春秋》之所以書『猶』者二：曰如此而猶如此者，甚之之詞也。『辛巳有事于太廟，仲遂卒于垂，千午猶繹』是也。曰不如此而猶如此者，幸之之詞也。『不郊猶三望閏月』『王告朔猶朝于廟』是也。

夫子傷周道之殘缺，而禮樂文章之壞也。故區區焉掇拾其遺亡，以為其全不可得而見矣，得見一二斯可矣。故書曰：『猶朝于廟』者，傷其不告朔而幸其猶朝于廟也。夫子之時，告朔之禮亡矣，而有餼羊者存焉。夫子猶不忍去，以志周公之典，則其朝于廟者，乃不如餼羊之足存歟！《公羊》傳曰：『曷不為言告朔？天無是月也。』《穀梁》傳曰：『閏月者附月之餘日也。天子不以告朔而喪事不數也。』而皆曰：『猶者，可以已也。』是以其幸之之詞而為甚甚之詞，宜其為此異端之說也。且夫天子諸侯之所為告朔聽政者，以為天歟為民歟？天無是月而民無是月歟？彼其孝子之心，不欲因閏月以廢喪紀，而人君乃欲假此以廢政事歟？

夫周禮樂之衰，豈一日之故，有人焉開其端而莫之禁，故其漸遂至於掃地而不可救。《文十六年》：『夏六月，公四不視朔。』《公羊》傳曰：『公有疾也。何言乎公有疾不視朔？自是公無疾不告朔者，常月而不告朔之端也。聖人慢焉，故謹而書之，所以記禮之所由廢也。

《左氏》傳曰：『閏以正時，時以作事，事以厚生，生民之道于是乎在。不告閏朔，棄時政也，何以為民？而杜預以為雖朝于廟，則如勿朝，以釋經之所書『猶』之意，是亦曲而不通矣。」（頁六三至頁六四）

黃氏澤《作邱甲辨》

3842校文，「應依」改作「依」字；「《補正》」二字下，另有「《四庫薈要》本、文淵閣《四庫》本」等字；「作」改作「應作」二字。

一卷。

存。

【存佚】《元史藝文志輯本》卷三，頁五一著錄，注曰「佚」。

劉氏敞《子囊城郢論》

一篇。

存。

【存佚】《春秋總義論著目錄》頁五三錄作「未見」，今考此書未見諸家館藏，當已久佚，今暫題作「佚」，以俟後考。

楊氏簡《季札觀樂說》（宋）

一篇。

存。

【版本及藏地】本書版本及藏地如下：

一、四庫全書《慈湖遺書》本：《春秋總義論著目錄》頁五七著錄。

韓子愈《子產不毀鄉校頌》

一篇。

存。

【版本及藏地】本書版本及藏地如下：

一、《韓愈集》卷十三：韓愈著，嚴昌校點《韓愈集》，長沙：岳麓書社出版，台北：國家圖書館漢學研究中心藏本。

【增補】《韓愈集》卷十三，〈子產不毀鄉校頌〉曰：「我思古人，伊鄭之僑，以禮相國，人未安其教。游于鄉校，眾口囂囂，或謂子產，毀鄉校則止，曰：『何患焉，可以成美。夫豈多言，亦各其志。善也吾行，不善吾避，維善維否，我于此視。川不可防，言不可弭，下塞上聾，邦其傾矣。』既鄉校不毀，而鄭國以理。在周之興，養老乞言。及其已衰，謗者使監，成敗之迹，昭哉可觀。維是子產，執政之式，維其不遇，化止一國。誠率是道，相天下君，交暢旁達，施及無垠。鳴乎！四海所以不理，有君無臣，誰其嗣之？我思古人。」（頁一六七）

劉氏敞《非子產論》

一篇。

存。

【存佚】《春秋總義論著目錄》頁五三錄作「未見」，今考此書有各家傳本，故維持原議，題作「存」。

【版本及藏地】本書版本及藏地如下：

一、四庫全書影本《公是集》卷四十：劉敞《公是集》卷四十，〈叔輒論〉，台北：商務印書館影印文淵閣四庫全書本，冊一〇九五，頁七五一，台北：國家圖書館藏本。

二、四庫全書本《公是集》卷四十：劉敞《公是集》卷四十，〈叔輒論〉，文淵閣四庫全書本，頁七五一，台北：故宮博物院藏本。

【增補】《公是集》卷四十，〈非子產論〉曰：「子產，聽鄭國之政，有事，公孫段賂與之邑，劉子曰：『權而不義，子之事親，性也。臣之事君，義也。以性合者諫，不入不去也，厄窮禍患，不避也，有功不報也，以義合者諫，不入，有以去之，厄窮禍患，有以避之，有功有以報之，有功而報之，義也。未有無功而賜者也。無功而賜，以為說也。父不能以使子則不父，子不可使也則不子，君不能使臣則不君，臣不可使也則不臣，故父有使子而無報君，有報臣而無賂，賂臣而使之不可，謂國三卿、五大夫、二十七士，可勝使乎？使而賂之，可勝賂乎？臣不見利，必莫之勸也，是君臣上下相率而為利也，義不足以動之，仁不足以存之，忠不足以論之，信不足以結之，禮不足以明之，幾何？相率為利，而國不亡乎？君子為國家者，修其義，達其禮，君君、臣臣、父父、子子，而安有不行者哉！或曰：『子產不得已也』，對曰：『然』，然吾固曰：『非治世之法也。』」（冊一〇九五，頁七五〇至頁七五一）

楊氏簡《許世子弒君說》（宋）

一篇。

存。

【版本及藏地】本書版本及藏地如下：

一、四庫全書本：《慈湖遺書》卷九，（台北：臺灣商務印書館，「景印文淵閣四庫全書」冊一一五六，民國七十五年三月，初版），頁七三七。又其下注語云：「見《誨語》」。《春秋總義論著目錄》頁五七著錄。

劉氏敞《叔孫昭子譏叔輒論》

【書名】《公是集》卷四十題作〈叔輒論〉，竹垞根據文意，裁篇而出，另作「《叔孫昭子譏叔輒論》」，實乃繁簡不一也。

一篇。

存。

【存佚】《春秋總義論著目錄》頁五三錄作「未見」，今考此書有各家傳本，故維持原議，題作「存」。

【版本及藏地】本書版本及藏地如下：

一、四庫全書影本《公是集》卷四十：劉敞《公是集》卷四十，〈叔輒論〉，台北：

商務印書館影印文淵閣四庫全書本，冊一○九五，頁七五一，台北：國家圖書館藏本。

二、四庫全書本《公是集》卷四十：劉敞《公是集》卷四十，〈叔輗論〉，文淵閣四庫全書本，頁七五一，台北：故宮博物院藏本。

【增補】《公是集》卷四十，〈叔輗論〉曰：「叔輗哭日食，叔孫昭子譏之曰：『叔輗將死矣！非所哭也。』嗚呼！叔孫昭子不知言者乎？夫昭公弱君也，享國久矣。季氏，強臣也，能專其政，所樹置非親戚，則黨與也。一臣，君不得使焉；一民，君不得有焉，賞罰違于眾，而形勢敦于外，子家駒達于人者也，閉其口，而祿仕矣！梓慎達于天者也，詭亂不敢正言矣，是以叔輗知日食之憂，必將及君，欲陳則不見信，欲嘿則不能已；欲謀則逼于禍；欲隨則失其守，發憤壹鬱，而無與誰語，故慷慨感激，至於號咷也，設使昭公因而感悟，聽用其謀，援忠直，退奸邪，破朋黨之敝，禁強僭之臣，魯可復興，豈獨長守其貴哉！當是之世，仲尼聖人也，而生其國，顏淵之徒，仁人也，四方歸之，舉而用焉，以謀三桓易矣。然而，遂不覺悟，長惡養凶，不及五年，奔走失國，寄于乾候，終身愁孤，從此觀之，豈不可大哀而慟器也乎？此乃叔輗之所以感也，夫忠國之君子，明于禮義而陋於知人心，人固易知也。《易》曰：『書不盡言，言不盡意。』夫言而書之，以為矣，而猶曰：『不盡』，而況乎『未始書之』、『未始言之』者哉！此叔輗所以見譏於當世，狂而不信也。嗟夫！」（冊一○九五，頁七五一）

席氏書《夾谷論》

一篇。

存。

【存佚】本書已未見傳本，當已久佚，今據以改作「佚」籍。

《春秋救日論》

一篇。

存。

【存佚】本書已未見傳本，當已久佚，今據以改作「佚」籍。

林氏名未詳《齊人歸魯侵田說》

【書名】《羣書考索續集》卷十二錄之，未題篇名，惟該段文字之前，有「〈齊人歸魯侵田〉」諸字，無「論」字，竹垞將其裁篇而出，並題作「齊人歸魯侵田說」，是則竹垞著錄此書，乃是根據文意錄之，蓋此一書名，實非原書篇名也。

一篇。

存。

【版本及藏地】本書版本及藏地如下：

一、四庫全書本：《羣書考索續集》卷十二，「定公」條下，冊九三八，卷十二，頁一七一。

亡名氏《齊人歸魯侵田說》

一篇。

存。

以上二篇俱見《群書考索》。

【霖案】《群書考索續集》卷十二錄及相關內容，僅於「齊人歸魯侵田」諸字之下，錄及「林曰」，而未見亡名氏之說，是則此處別錄為一條著錄，顯然有著錄之失。

蘇氏軾《墮三都論》（宋）

一篇。

存。

【存佚】惟今未見此書，暫改作「佚」，以俟後考。

張氏方平《趙鞅入晉陽論》

【書名】《樂全集》卷十六錄及此文，書名題作「趙鞅論」，與竹垞所題書名不同，蓋繁簡不同也。

一篇。

存。

【版本及藏地】本書版本及藏地如下：

一、四庫全書本：《樂全集》卷十六，〈趙鞅論〉，冊一一○四，頁一三一至頁一三二。《春秋總義論著目錄》頁五三著錄。

胡氏銓《獲麟說》

【書名】胡銓《澹菴文集》卷四錄及此篇，篇名題作「〈獲麟記〉」，竹垞將此篇裁篇而出，且題稱誤題作「《獲麟說》」，而致題稱有誤也。

一篇。

存。

【版本及藏地】本書版本及藏地如下：

一、《澹菴文集》卷四：胡銓《澹菴文集》卷四，〈獲麟記〉，四庫全書本，台北：國家圖書館有藏本。《春秋總義論著目錄》頁五六著錄。

【增補】胡銓《澹菴文集》卷四，〈獲麟記〉曰：「說《公羊》者，以為簫韶作而鳳至，《春秋》成而致麟，而王沿亦云：『王道之成，乃致天瑞意，鳳凰來儀，自然而至也。』西狩獲麟，因狩而獲也，麟果為瑞而來，則當如鳳之儀於庭，不應獲而致也

。獲者,得也,不曰:『麟來』,而曰:『麟獲』,以見窮蒐遠討,搜原滌藪,暴殄天物,雖若麟者,且不免焉,則時可知矣。鳳之來儀,亦豈如是而見獲耶?豈春秋之時,亦如舜之時耶?使如舜之時,則簫韶雖不作而鳳自至,如春秋之時,雖日奏韶濩,而鳳亦遠矣,麟自出耶?自鳳儀之後,舜政日隆,自獲麟之後,孔子遂卒,宗周遂亡,然則麟之不為春秋之瑞,應彰彰明矣。」(冊一一三七,頁三八)

羅氏泌《獲麟解》

二篇。

存。

【版本及藏地】本書版本及藏地如下:

一、四庫全書本:羅泌《路史》卷三十五,〈獲麟解〉,冊三八三,頁五一一至頁五一四。《春秋總義論著目錄》頁五七著錄。

金氏寔《泣麟圖說》

一篇。

存。

【存佚】本書已未見傳本,當已久佚,今據以改作「佚」籍。

王氏鏊《獲麟說》

一篇。

存。

【版本及藏地】本書版本及藏地如下:

一、《震澤集》卷三四:王鏊《震澤集》卷三四,〈獲麟說〉,四庫全書本,台北:國家圖書館有藏本。《春秋總義論著目錄》頁六四錄之。

【增補】王鏊《震澤集》卷三四,〈獲麟說〉曰:「《春秋》何以終於獲麟?杜預之言曰:『感麟而作,因以為終也。』,予以為不然。孟子曰:『王者之迹熄,而《詩》亡,《詩》亡,然後《春秋》作。』又曰:『世道衰微,孔子懼,作《春秋》。』,孔子傷當世之亂,為萬世法戒,而作《春秋》也。豈獨為一麟哉?假而麟不至,《春秋》將不作耶?鄭眾、賈逵、服虔謂:『孔子自衛反魯,修《經》已成,麟感而至。』胡安國亦曰:『簫韶作,而鳳凰儀,《春秋》成而麒麟至。』余又以為不然,孔子嘗曰:『鳳鳥不至,河不出圖,吾已矣。』夫傷不得致此瑞也。孔子刪《詩》、定《書》、繫《易》、正《禮》、《樂》,功亦至矣!不聞有所謂『瑞』,獨《春秋》成而麟至乎?假而麟不至,《春秋》將何所終耶!且既為瑞矣,又見獲於鉏商,何哉?然則《春秋》曷為以是終,吾以為紀異也。《春秋》書災,不書瑞麟者,聖王之瑞也,時至春秋,亂臣賊子接跡于天下,日食星殞,地震山崩,水旱霜雹,六鶂退飛,鸜鵒來巢,多麋有彗,史不絕書,斯時也,麟曷為至哉!不當至而至焉,茲瑞也,所

以為異也，有年大，有年祥也，非所有而有焉，則為異麟祥也，非所至而至焉，則為異。楚狂之歌，曰：『鳳兮鳳兮，何德之衰。』茲其麟之衰乎？雖然麟為聖人出也，為已出而傷焉，孔子其有感乎？吾道其終不行乎，所謂『吾已矣矣』，夫者，故以是終焉。」（冊一二五六，頁四九七至頁四九八）

席氏書《獲麟論》

二篇。

存。

【存佚】本書已未見傳本，當已久佚，今據以改作「佚」籍。

唐氏順之《獲麟說》（明）

【霖案】唐順之另有《春秋論》、《春秋本末》二書，已著錄，見於《經義考》卷二○二。

一篇。

存。

【版本及藏地】本書版本及藏地如下：

一、《文章辨體彙選》本：出自《文章辨體彙選》卷四二九。又《春秋總義論著目錄》頁六六錄之。

參考書目

一、書籍部分

二劃

八戶市立圖書　　《八戶市立圖書館漢籍分類目錄》（日本：八戶市立圖書館編印，昭和五十
館編　　　　　　三年三月二十九日）【７９】

三劃

大東急記念文　　《大東急記念文庫書目》（大東急記念文庫印行，昭和三十年八月三十日），
庫編　　　　　　【５６２】

不著撰人　　　　《宋史全文續資治通鑑（三）》（台北縣：文海出版社，「宋史資料萃編第
　　　　　　　　二輯」，民國五十八年五月，初版）

四劃

不著編人　　　　《宋文選》（台北：臺灣商務印書館，「景印文淵閣四庫全書」冊一三四六，
　　　　　　　　民國七十五年三月，初版）

中山大學編輯　　《中山大學圖書館古籍善本書目》（大陸：中山大學出版社，一九八二年）
部　　　　　　　【５０７】

中央研究院歷　　《中央研究院歷史語言研究所善本書目》（台北：中央研究院歷史語言研究
史語言研究所　　所，民國五七年六月），【３２２】
編

中央研究院歷　　《中央研院院歷史語言研究所善本書目》（台北：中央研究院歷史語言研究
史語言研究所　　所，民國五七年六月），【３２２】
編

中國人民大學　　《中國人民大學圖書館古籍善本書目》（北京：中國人民大學出版社，一九
圖書館古籍整　　九一年二月版一刷），【３７１】
理研究所編

中國古籍善本
書目編輯委員　　《中國古籍善本書目》（上海：上海古籍出版社，一九九八年四月）
會編

元貢師泰撰，明　《玩齋集》（台北：臺灣商務印書館，「景印文淵閣四庫全書」，民國七十
沈性編　　　　　五年三月，初版）

天津市立人民　　《天津市人民圖書館藏活字本書目》（天津市人民圖書館　線裝　一九八一

圖書館編	年）【四十五葉】
天理大學附屬 天理圖書館編	《天理大學圖書館稀書目錄》（天理大學圖書館，平成十年十月）【４９４】
孔穎達等撰	《春秋左傳正義》，（台北：藍燈出版事藍燈文化事業有限公司影印嘉慶二十年江西南昌府雕本，年代不詳）
孔鮒 撰宋咸注	《孔叢子》（台北：臺灣商務印書館，「影刻本」民國七十七年五月，臺三版。）
方以智	《通雅》（台北：臺灣商務印書館，「景印文淵閣四庫全書」，民國七十五年三月，初版）
方孝孺撰	《方正學先生遜志齋集》（中華書局聚珍仿宋本，民國２５年）
方鳳	《存雅堂遺稾》（民國六十一年(1972)藝文印書館四部分類叢書集成三編影印永康胡氏夢選樓刊本）
日本．藤原佐世	《日本國見在書目錄》（台北：新文豐出版公司，民國七十三年六月初版），〔九四〕
毛奇齡	《春秋毛氏傳》（台北：復興書局，「皇清經解」，民國五十年五月，初版）
王元杰撰	《春秋讞義》（台北：臺灣商務印書館，「景印文淵閣四庫全書」冊一六二，民國七十五年三月，初版）
王世貞	《弇州續稿》（台北：臺灣商務印書館，「景印文淵閣四庫全書」冊一二八二，民國七十五年三月，初版）。
王充撰，劉盼遂集解	《論衡集解》（台北：世界書局，「標點本」，民國六十五年四月，三版。）
王先謙 撰 沈嘯寰 點校	《莊子集解》（台北：木鐸出版社，「點校本」，民國七十七年六月，初版。）
王守仁	《王文成公全書》（台北：臺灣商務印書館，「四部叢刊正編（大本原式精印）」，民國六十八年十一月，臺一版）
王守仁	《傳習錄》（台北：臺灣商務印書館，「四部叢刊正編（大本原式精印）」，民國六十八年十一月，臺一版）
王重民	《中國善本書提要》（上海：上海古籍出版社，一九八六年四月一版二刷）【７０７】
王重民輯錄、袁同禮重校	《美國國會圖書館藏中國善本書錄》（台北：文海出版社，民國六十一年六月）【１３０６】
王庭珪	《盧溪文集》，（台北：臺灣商務印書館，「景印文淵閣四庫全書」冊一一三四，民國七十五年三月，初版）。

王得臣	《麈史》（台北：新文豐出版股份有限公司，「叢書集成新編」，民國七十四年元月，初版）
王逢	《梧溪集》（北京：書目文獻出版社，「北京圖書館古籍珍本叢刊」，一九八七年）；又（台北：新文豐出版股份有限公司，「叢書集成新編」，民國七十四年元月，初版）；又（台北：臺灣商務印書館，「景印文淵閣四庫全書」，民國七十五年三月，初版）
王禕	《王忠文公集》（台北：新文豐出版股份有限公司，「叢書集成新編」，民國七十四年元月，初版）；又（台北：臺灣商務印書館，「景印文淵閣四庫全書」，民國七十五年三月，初版）
王樵	《春秋輯傳》（台北：臺灣商務印書館，「景印文淵閣四庫全書」冊一六八，民國七十五年三月，初版）【３４０】
王應麟	《小學紺珠》（台北：新文豐出版股份有限公司，「叢書集成新編」，民國七十四年元月，初版）
王應麟	《玉海》（京都：中文出版社，（合璧本）「玉海」，一九七七年十二月，出版）；又（台北：大化書局，「玉海」，民國六十六年十二月，景印初版）
王應麟	《困學紀聞》（台北：臺灣商務印書館，「四部叢刊廣編」，民國七十年二月，初版）
王鏊	《震澤長語》（台北：新文豐出版股份有限公司，「叢書集成新編」，民國七十四年元月，初版）
王鏊撰	《震澤集》（台北：臺灣商務印書館，「景印文淵閣四庫全書」冊一二五六，民國七十五年三月，初版）
王寶平主編	《中國館藏和刻本漢籍書目》（杭州：杭州大學出版社，一九九五年二月一版一刷），【５６７】
王寶平主編.李國慶副主編	《中國館藏日人漢文書目》（杭州：杭州大學出版社，一九九七年二月一版一刷）【５９６】
王繼祥、王綸等人編撰	《東北師範大學圖書館藏古籍善本書目解題》（長春：東北師範大學圖書館，一九八四年三月），〔４９３〕。
王闢之	《澠水燕談錄》（台北：新文豐出版股份有限公司，「叢書集成新編」，民國七十四年元月，初版）
王觀國	《學林》（台北：新文豐出版股份有限公司，「叢書集成新編」，民國七十四年元月，初版）
王晳	《春秋皇綱論》（台北：台灣大通書局，「通志堂經解」第十九冊，民國58年10月。）

五劃

| 北京圖書館善本室編 | 《1911～1984影印善本書目錄》（北京：中華書局，一九九二年六月一版一刷）【426】 |

北京圖書館善本室編　《1911～1984影印善本書目錄》（北京：中華書局，一九九二年六月一版一刷）【426】

北京圖書館善本組編　《一九一一～一九八四影印善本書序跋集錄》（北京：中華書局，一九九五年四月一版一刷）【824】

司空圖　《司空表聖文集》（上海：上海古籍出版社，一九九四年九月一版一刷）

司空圖　《司空表聖文集》（台北：臺灣商務印書館，「四部叢刊正編（大本原式精印）」，民國六十八年十一月，臺一版）

司馬遷　《史記》（台北：鼎文書局，「點校本」，民國81年7月，十二版）

史伯璿　《管窺外篇》（台北：臺灣商務印書館，「景印文淵閣四庫全書」冊七○九，民國七十五年三月，初版）

白居易　《白孔六帖》（台北：新興書局，「」，民國五十八年五月，新一版）；又（台北：臺灣商務印書館，「景印文淵閣四庫全書」，民國七十五年三月，初版）

石光霽　《春秋書法鉤元》（台北：臺灣商務印書館，「景印文淵閣四庫全書」，民國七十五年三月，初版）

六劃

任昉　《述異記》（台北：新文豐出版股份有限公司，「叢書集成新編」，民國七十四年元月，初版）

朱右撰　《白雲稿》（台北：臺灣商務印書館，「景印文淵閣四庫全書」冊一二二八，民國七十五年三月，初版）

朱長文撰，朱思輯　《樂圃餘藁》（台北：臺灣商務印書館，「景印文淵閣四庫全書」冊一一一九，民國七十五年三月，初版）

朱善　《朱一齋先生文集》（台南縣：莊嚴文化事業有限公司，「四庫全書存目叢書」，一九九六年八月，初版一刷）

朱睦㮮　《經序錄》（台南縣：莊嚴文化事業有限公司，「四庫全書存目叢書」，一九九六年八月，初版一刷）

朱熹　《朱子語類》（台北縣：漢京文化事業有限公司，「四部善本新刊」，民國69年7月31日，初版。）

朱熹原著，國立臺灣師範大學國文學系四書教學研討會　校　《孟子集注》（《四書章句集注》本（台北：學海出版社，「點校本」，民國八十年三月，再版。）

理

朱熹編　《河南程氏遺書》（台北：臺灣商務印書館，「人人文庫」，民國六十七年十一月，臺一版。）

朱彝尊　《曝書亭集》（台北：世界書局，民國七十八年四月再版）【1013】；又（台北：臺灣商務印書館，「四部叢刊正編（大本原式精印）」，民國六十八年十一月，臺一版）

朱彝尊原著，林慶彰、蔣秋華、楊晉龍、馮曉庭 主編　《經義考新校》(上海：上海古籍出版社，二○一一年一月一日一版一刷)，全十冊。

朱彝尊撰．林慶彰、蔣秋華、楊晉龍、張廣慶等 點校　《點校補正經義考》（台北：中研院文哲所籌備處，民國八十八年初版）全八冊

朱鶴齡　《愚菴小集》，（台北：臺灣商務印書館，「景印文淵閣四庫全書」冊一三一九，民國七十五年三月，初版）。

西北大學編輯部　《西北大學圖書館善本書目》（大陸：西北大學出版社，線裝，不著出版年月）【51】

七劃

何休注．徐彥疏　《春秋公羊傳注疏》（台北：新文豐出版股份有限公司，「阮刻本《十三經注疏．附校勘記》影印」，民國六十六年元月，初版。）；又台北：大化書局，民國七十一年十月，初版。

何晏等注　邢昺疏　《論語》（台北：新文豐出版股份有限公司，「阮刻本《十三經注疏．附校勘記》影印」，民國六十六年元月，初版。）

何異孫　《十一經問對》（台北：台灣大通書局，「通志堂經解」，民國六十一年九月，再版）

何喬新　《椒丘文集》（台北縣：文海出版社，「明人文集叢刊」，民國五十九年三月，初版）

何喬遠　《閩書》（台南縣：莊嚴文化事業有限公司，「四庫全書存目叢書」史二○七冊據福建省圖書館藏明崇禎刻本影印，一九九六年八月，初版一刷）

何廣棪　《陳振孫之經學及其《直齋書錄解題》經錄考證》（台北：里仁書局，民國八十六年三月十五日初版）【834；23】

何鏜　《括蒼彙紀》（台南縣：莊嚴文化事業有限公司，「四庫全書存目叢書」，一九九六年八月，初版一刷）

余文龍.謝詔等　《贛州府志》，（台南縣：莊嚴文化事業有限公司，《四庫全書存目叢書》
纂修　　　　　史部二○二冊據北京圖書館藏明萬曆刻本影印，一九九六年八月，初版一刷）

余嘉錫　　　　《四庫提要辨證》（北京：中華書局，一九八五年一月一版二刷）【１６０
　　　　　　　６】

余嘉錫　　　　《目錄學發微》，(臺北藝文印書館，民國七十六年十月)

吳政上　　　　《經義考索引》，（台北：漢學研究中心編印，民國八十一年三月）【４５
　　　　　　　４；２５】

吳炳文　　　　《春秋左傳彙輯》（北京：北京出版社，「四庫未收書輯刊」，二○○○年一
　　　　　　　月，第一版第一次印刷）

吳師道　　　　《吳禮部文集》（北京：書目文獻出版社，「北京圖書館古籍珍本叢刊」，
　　　　　　　一九八七年）；又（台北：新文豐出版股份有限公司，「叢書集成續編」，
　　　　　　　民國七十八年七月，台一版）

吳海　　　　　《聞過齋集》（台北：臺灣商務印書館，「景印文淵閣四庫全書」冊一二一
　　　　　　　七，民國七十五年三月，初版）

吳處厚　　撰　《青箱雜記》(北京：中華書局，「歷代史料筆記叢刊　唐宋史料筆記叢刊」，
李裕民　　點校　一九九七年十二月，第一版湖北第二次印刷)

吳曾　　　　　《能改齋漫錄》（台北：木鐸出版社，「　」，民國七十一年五月，初版）；
　　　　　　　又（台北：新文豐出版股份有限公司，「叢書集成新編」，民國七十四年元
　　　　　　　月，初版）

吳綺　　　　　《林蕙堂全集》（台北：臺灣商務印書館，「景印文淵閣四庫全書」冊一三
　　　　　　　一四，民國七十五年三月，初版）。

吳澄　　　　　《吳文正集》（台北：臺灣商務印書館，「景印文淵閣四庫全書」冊一一九
　　　　　　　七，民國七十五年三月，初版）。

吳澄　　　　　《春秋纂言總例》（台北：臺灣商務印書館，「景印文淵閣四庫全書」冊一
　　　　　　　五九，民國七十五年三月，初版）。

呂大圭述　　　《春秋五論》（台北：台灣大通書局，「通志堂經解」，民國 58 年 10 月。）

呂中　　　　　《宋大事記講義》（台北：臺灣商務印書館，「景印文淵閣四庫全書」，民
　　　　　　　國七十五年三月，初版）

呂祖謙　　　　《少儀外傳》（台北：新文豐出版股份有限公司，「叢書集成新編」，民國
　　　　　　　七十四年元月，初版）

呂祖謙　　　　《東萊集》（台北：臺灣商務印書館，「景印文淵閣四庫全書」，民國七十
　　　　　　　五年三月，初版）

呂祖謙　　　　《春秋左氏傳說》（台北：台灣大通書局，「通志堂經解」第二十二冊，民

國 58 年 10 月。）

宋庠　《國語補音》（台北：新文豐出版股份有限公司，「叢書集成續編」，民國七十八年七月，台一版）

宋徵璧撰　《左氏兵法測要》（台南縣：莊嚴文化事業有限公司，「四庫全書存目叢書」，一九九六年八月，初版一刷）

宋濂撰　《宋文憲公全集》（中華書局聚珍倣宋版印本，台北：中華書局，民國五十四年）

李心傳　《建炎以來繫年要錄》（台北縣：文海出版社，「宋史資料萃編第二輯」，民國六十九年六月，初版）；又（台北縣：文海出版社，「宋史資料萃編第二輯」，民國六十九年六月，初版）

李百藥　撰　《北齊書》（台北：鼎文書局，「點校本」，民國七十九年七月，六版。）

李延壽　《北史》（台北：鼎文書局，「點校本」，民國八十年四月，七版。）

李祁　《雲陽集》，（台北：臺灣商務印書館，「景印文淵閣四庫全書」冊一二一九，民國七十五年三月，初版）。

李昉　等撰　《太平御覽》（台北：大化書局，「　」，民國六十六年五月，景印初版）

李清馥　《閩中理學淵源考》（台北：臺灣商務印書館，「景印文淵閣四庫全書」冊四六○，民國七十五年三月，初版）

李盛鐸著．張玉範整理　《木犀軒藏書題記及書錄》（北京：北京大學出版社，一九八五年十二月一版一刷）【４３３】

李琪　《春秋王霸列國世紀編》，（台北：台灣大通書局，「通志堂經解」冊二十二，民國 58 年 10 月。）

李舜臣　《愚谷集》，（台北：臺灣商務印書館，「景印文淵閣四庫全書」冊一二七三，民國七十五年三月，初版）。

李裕民　《四庫提要訂誤》（北京：書目文獻出版社，一九九○年十月，一版一刷）【２９３】

李綱　《梁谿集》（台北：台灣商務印書館影印「文淵閣四庫全書」本，冊一一二六，民國 75 年 3 月，初版）

李燾　《續資治通鑑長編》（台北：世界書局，民國五三年九月版）

杜信孚．趙敏元．毛俊儀等撰　《同名異書匯錄》（南京：江蘇古籍出版社，二○○○年一月一版一刷）【２２１】

沈津　《書城挹翠錄》（上海：上海社會科學院出版社，一九九六年三月一版一刷）【４０３】

沈津	《美國哈佛大學哈佛燕京圖書館中文善本書志》（上海：上海辭書出版社，一九九九年二月一版一刷）【９２７】
沈秋雄	《三國兩晉南北朝春秋左傳學佚書考》（台北：國立編譯館主編印行，民國八十九年初版）
沈堯中輯	《沈氏學弢》（台南縣：莊嚴文化事業有限公司，「四庫全書存目叢書」，一九九六年八月，初版一刷）
汪克寬	《春秋胡傳附錄纂疏》（台北：臺灣商務印書館，「景印文淵閣四庫全書」冊一六五，民國七十五年三月，初版）
汪道昆	《春秋左傳節文註略》（北京：北京出版社，「四庫未收書輯刊」，二〇〇〇年一月，第一版第一次印刷）
阮籍撰，鄞范欽,吉陳德文校勘	《阮嗣宗集》（台北：華正書局，「點校本」，民國六十八年三月，初版。）

八劃

卓爾康	《春秋辯義》（台北：國立中央圖書館，民國八十一年六月，出版）；又（台北：臺灣商務印書館，「景印文淵閣四庫全書」冊一七〇，民國七十五年三月，初版）
周必大	《文忠集》（台北：臺灣商務印書館，「景印文淵閣四庫全書」冊一一四七，民國七十五年三月，初版）
周孚	《蠹齋鉛刀編》（台北：臺灣商務印書館，「景印文淵閣四庫全書」冊一一五四，民國七十五年三月，初版）
周彥文	《日本九州大學文學部書庫漢籍目錄》（台北：文史哲出版社，民國八十四年十月，初版），〔２０８〕
周密	《癸辛雜識前集》（台北：臺灣商務印書館，「景印文淵閣四庫全書」，民國七十五年三月，初版）
周麟之	《海陵集》（台北：臺灣商務印書館，「景印文淵閣四庫全書」，民國七十五年三月，初版）
屈萬里撰	《普林斯敦大學葛思德東方圖書館中文善本書志》（臺北：藝文印書館，民國六四年一月）【５８４】
房玄齡　等撰	《晉書》（台北：鼎文書局，「點校本」，民國76年1月，五版。）
房玄齡等撰	《晉書》（北京：中華書局，一九七四年）
杭州大圖書館編	《杭州大學圖書館善本書目》（杭州：杭州大圖書館編印）【１３６】

東北大學附屬圖書館編	《東北大學所藏和漢書古典分類目錄和書》(昭和五十一年三月)【865】
東京大學東洋文化研究所編	《東京大學東洋文化研究所漢籍分類目錄》(昭和四十八年二月)【1174】
東京大學東洋文化研究院附屬東洋學文獻編	《愛瑗大學附屬圖書館漢籍目錄》(昭和五十九年三月)【376】
東海大學編輯	《私立東海大學圖書館善本書目錄》(台中:東海大學出版社,民國五七年八月),【27】
林希逸	《竹溪鬳齋十一藁續集》(台北:臺灣商務印書館,「景印文淵閣四庫全書」冊一一八五,民國75年3月,初版)
林明波	《唐以前小學書之分類與考證》(台北:中國學術著作獎助委員會出版,民國六十四年十月)
林慶彰	《明代考據學研究》(台北:文津出版社,民國七十五年十月),【620】
邵懿辰撰、邵章續錄	《增訂四庫簡明目錄標注》(台北:世界書局,民國六十八年八月三版)【1033】
金榮奇	《韓國春秋學研究》(台北:政治大學中文研究所博士論文,民國八四年十二月)【534】
長澤規矩也著	《和刻本漢籍分類目錄》(汲古書院,昭和五十一年十月)【221】

九劃

俞成	《螢雪叢說》(台北縣:藝文印書館,「百部叢書集成」本,一九六六年)
姜亮夫纂定,陶秋英校	《歷代人物年里碑傳綜表》(台北:文史哲出版社,民國七十四年二月再版)【753;87】
姚鉉編	《唐文粹》(台北:臺灣商務印書館,「景印文淵閣四庫全書」冊一三四四,民國七十五年三月,初版)
施仁	《左粹類纂》(台南縣:莊嚴文化事業有限公司,「四庫全書存目叢書」子部.冊一七八,一九九六年八月,初版一刷)
昭明太子 撰 李善 注	《文選》(台北:文化圖書公司,「清胡克家本改排(無行格本)影印」,民國78年3月5日,再版)
柳宗元	《柳河東全集》(台北:臺灣中華書局,「四部備要」,民國五十五年三月,臺一版)

柳宗元著,曹明綱標點	《柳完元全集》（上海：上海古籍出版社，一九九七年十月一版一刷）
洪湛侯	《中國文獻學新編》,(杭州杭州大學出版社,一九九五年六月) 又此書在台灣重新發行，書名改作《文獻學》（台北：藝文印書館，民國八十五年三月初版）
胡玉縉撰、王欣夫輯	《四庫全書總目提要補正》(上海：上海書店出版社出版，一九九八年一月一版一刷)【1763】
胡居仁	《居業錄》（台北：臺灣商務印書館，「景印文淵閣四庫全書」冊七一四，民國七十五年三月，初版）
胡銓	《澹菴文集》（台北：商務印書館，冊一一三七，「文淵閣四庫全書本」，民國七十五年三月，初版）
胡廣等奉敕撰	《春秋大全》（台北：臺灣商務印書館，「景印文淵閣四庫全書」冊一六六，民國七十五年三月，初版）
范仲淹撰	《范文正集》（台北：臺灣商務印書館，「景印文淵閣四庫全書」冊一〇八九，民國七十五年三月，初版）
范曄 撰 劉昭注補 李賢注	《後漢書》（台北：鼎文書局，「點校本」，民國80年9月，六版。）
郎曄	《橫浦集》（台北：臺灣商務印書館，「景印文淵閣四庫全書」，民國七十五年三月，初版）

十劃

唐順之	《稗編》,（台北：臺灣商務印書館，「景印文淵閣四庫全書」冊九五三，民國七十五年三月，初版）
孫廷銓撰	《沚亭文集》,（台南縣：莊嚴文化事業有限公司，「四庫全書存目叢書」，一九九六年八月，初版一刷）
孫承澤	《五經翼》（台北：莊嚴文化事業有限公司，「四庫全書存目叢書」，一九九七年二月，初版一刷）
孫能傳等撰	《內閣藏書目錄》(北京：書目文獻出版社，「明代書目題跋叢刊(上冊)」，一九九四年一月一版一刷)，頁四六三至頁六〇四。
孫啟治、陳建華編	《古佚書輯本目錄(附考證)》（北京：中華書局，一九九七年八月，一版一刷）【465】
孫逢吉	《職官分紀》（台北：臺灣商務印書館，「景印文淵閣四庫全書」，民國七十五年三月，初版）
孫殿起撰	《販書偶記》(台北：漢京文化事業有限公司,民國七三年七月一日初版),

〔８６０〕

孫殿起撰	《販書偶記續編》（台北：漢京文化事業有限公司，民國七三年七月一日初版），〔５４１〕
孫覺	《春秋經解》（台北：臺灣商務印書館，「景印文淵閣四庫全書」冊一四七，民國七十五年三月，初版）。
孫瑴	《古微書》（台北：新文豐出版股份有限公司，「叢書集成新編」，民國七十四年元月，初版）
家鉉翁	《春秋詳說》（台北：臺灣商務印書館，「景印文淵閣四庫全書」冊一五八，民國七十五年三月，初版）
徐三重	《信古餘論》（台南縣：莊嚴文化事業有限公司，「影印北京圖書館藏清鈔本」，「四庫全書存目叢書」子一三，一九九五年九月，初版一刷。）
徐堅	《初學記》（台北：鼎文書局，民國六十五年十月，再版）
徐象梅	《兩浙名賢錄》（北京：書目文獻出版社，「北京圖書館古籍珍本叢刊」，一九八七年）
徐夢莘	《三朝北盟會編》（台北：大化書局，民國六十八年一月，初版）
徐積	《節孝集》，（台北：臺灣商務印書館，「景印文淵閣四庫全書」冊一一○一，民國七十五年三月，初版）。
晁公武撰	《昭德先生郡齋讀書志》（民國二十二年(1933)上海商務印書館影印續古逸叢書本）
晁公武撰	《郡齋讀書志》（京都：中文出版社，一九八四年五月再版），〔４１９〕
晁說之　撰 晁子健　編	《景迂生集》（台北：臺灣商務印書館，「景印文淵閣四庫全書」，民國七十五年三月，初版）
班固撰	《漢書》（北京：中華書局，一九七五年）
留正等撰	《增入名儒講義皇宋中興聖政》（台北：臺灣商務印書館，「宛委別藏」，民國七十年十月，初版）
真德秀	《西山文集》（「景印文淵閣四庫全書」冊一一七四，民國七十五年三月，初版，台北：臺灣商務印書館印行）
真德秀	《真文忠公文集》卷四六，〈宋集英殿修撰王公墓誌銘〉，（台北：民國商務印書館四部叢刊本），民國六十八年十一月，臺一版）
翁元圻	《翁注困學紀聞》（台北：世界書局，民國七十三年四月三版）【１０２１】
翁方綱	《復初齋文集》，不著頁數。（台北：國家圖書館藏抄本，微卷一三三三六號）
翁方綱撰	《經義考補正》（台北：廣文書局據廣雅堂刊本影印，民國五十七年）

耿文光	《萬卷精華樓藏書記》（哈爾濱：黑龍江人民出版社，一九九二年十一月一版一刷）【全四冊】
袁桷	《清容居士集》（台北：臺灣商務印書館，「四部叢刊正編（大本原式精印）」，民國六十八年十一月，臺一版）
袁桷	《清容居士集》（台北：臺灣商務印書館，「景印文淵閣四庫全書」冊一二〇三，民國七十五年三月，初版）
郝玉麟監修、謝道承編纂	《福建通志》（台北：臺灣商務印書館，「景印文淵閣四庫全書」冊五二八，民國七十五年三月，初版）
郝敬	《春秋直解》（台南縣：莊嚴文化事業有限公司，「中國科學院圖書館藏明萬曆四十三年至四十七年郝千秋郝千石刻郝氏九經解本影印」「四庫全書存目叢書」經一二一，一九九七年二月，初版一刷。）
郝經	《郝文忠公陵川文集》（北京：書目文獻出版社，「北京圖書館古籍珍本叢刊」，一九八七年）
陝西師範大學圖書館編	《陝西師範大學圖書館善本書目》（大陸：陝西師範大學出版社，一九七九年七月，線裝）【50】
馬來西亞大學編	《馬來西亞大學中文圖書目錄》（馬來西亞大學，一九五六年）
馬祖常	《石田先生文集》（北京：書目文獻出版社，「北京圖書館古籍珍本叢刊」，一九八七年）
馬端臨	《文獻通考．經籍考》（上海：華東師範大學出版社，一九八五年六月）〔一八二八頁〕
馬端臨撰	《文獻通考》（台北：臺灣商務印書館，「景印文淵閣四庫全書」冊六一五，民國七十五年三月，初版）
陝西師範大學編輯部	《陝西師範大學圖書館善本書目》（大陸：陝西師範大學出版社，一九七九年七月，線裝）【50】

十一劃

國立中央圖書館	《現存宋人著述目略》（台北：中華叢書編審委員會，民國六十年十一月印行）〔294〕
國立中央圖書館特藏組編	《國立中央圖館善本書目》（國立中央圖書館，全四冊，增訂三版，民國七五年十二月）【1886】
國立中央圖書館編	《善本序跋集錄（經部）》（台北：國立中央圖書館編印，民國八十一年）〔767〕

國立中央圖書館編印	《中國國際圖書館中文舊籍目錄》（台北：國立中央圖書館印行，民國七十三年六月），【２１７】
國立中央圖書館編印	《標點善本題跋集錄》（台北：國立中央圖書館，民國八十一年）
國立故宮博物院編	《國立故宮博物院善本書目》（台北：國立故宮博物院，民國五七年四月）【５０２】
國立臺灣師範大學編	《國立臺灣師範大學善本書目》（台北：國立臺灣師範大學出版社，民國五十七年八月）【２９】
國防研究院編	《國防研究院圖書館善本書目》（台北：國防研究院，民國五七年八月），【３７】
國家圖書館特藏組	《國家圖書館善本書志初稿》（台北：國家圖書館漢學中心出版，1996-04）。

十一劃

崔富章	《四庫提要補正》（杭州：杭州大學出版社，一九九○年九月一版一刷）【４７５】
崔銑	《元城語錄》（台北：新文豐出版股份有限公司，「叢書集成新編」，民國七十四年元月，初版）
常書智、李龍如主編	《湖南省古籍善本書目》（岳麓書社，一九九八年六月）【９３６】
常璩撰、錢穀鈔校	《華陽國志》，（台北市：世界書局，民國六十八年），
張大亨	《春秋通訓》（台北：臺灣商務印書館，「景印文淵閣四庫全書」，民國七十五年３月，初版）
張之洞撰，范希曾補正	《書目答問補正》（台北：漢京文化事業有限公司，民國七十三年一月三十一日），〔３６６〕
張元濟著	《涉園序跋集錄》（台北：臺灣商務印書館，民國六十八年九月臺初版）【２８０】
張心澂	《偽書通考》（台北：鼎文書局，民國六十二年十月初版）【１３１８】
張方平撰	《樂全集》（台北：臺灣商務印書館，「景印文淵閣四庫全書」冊一一○四，民國七十五年三月，初版）
張以寧	《春秋春王正月考》（台北：臺灣商務印書館，「景印文淵閣四庫全書」冊一六五，民國七十五年三月，初版）

張以寧	《翠屏集》，（台北：臺灣商務印書館，「景印文淵閣四庫全書」冊一二二六，民國七十五年三月，初版）。
張廷玉	《明史》（北京：中華書局，一九七四年）
張廷玉等奉敕修	《明史》（台北：臺灣商務印書館，「景印文淵閣四庫全書」冊三○○，民國七十五年三月，初版）
張宗友	《《經義考》研究》（北京：中華書局；第一版（２００９年４月１日），三五六頁。
張尚瑗撰	《三傳折諸》（台北：臺灣商務印書館，「景印文淵閣四庫全書」冊一七七，民國七十五年三月，初版）
張溥	《春秋列國論》（台南縣：莊嚴文化事業有限公司，「四庫全書存目叢書」，一九九六年八月，初版一刷）
張壽平	《公藏先秦經子注疏書目》（台北：國立編譯館中華叢書編審委員會印行，民國七十一年一月）【５５６；１７５】
梁寅	《新喻梁石門先生集》（北京：書目文獻出版社，「北京圖書館古籍珍本叢刊」，一九八七年）
梁啟超	《中國近三百年學術史》，（台北：里仁書局，民國八四年）
清高宗	《四庫全書總目考證》（台北：藝文印書館，民 58）
清高宗敕撰	《欽定四庫全書考證》（台北：藝文印書館，民 58）
盛如梓	《庶齋老學叢談》（台北：新文豐出版股份有限公司，「叢書集成新編」，民國七十四年元月，初版）；又（台北：新興書局有限公司，「筆記小說大觀二十七編」，民國六十八年六月出版）
脫脫撰	《宋史》（北京：中華書局本，一九七五年）。
莊周列禦寇 郭象 注 成玄英 疏 陸德明 釋文 郭慶藩 集釋	《莊子集釋》（台北：世界書局，「中國思想名著」第五冊排印本，缺出版年、版次。）
許衡著，王成儒 點校	《許衡集》（北京：東方出版社，二○○七年五月一版一刷）
都穆著，吳兔牀 校正	《南濠居士文跋》（北京市：北京圖書館出版社，2002）。
陳禹謨	《左氏兵畧》（台南縣：莊嚴文化事業有限公司，《四庫全書存目叢書》子部冊三二，一九九六年八月，初版一刷）

陳振孫撰　　《直齋書錄解題》（京都：中文出版社，一九八四年五月再版），〔３４０〕

陳造　　　　《江湖長翁集》（台北：商務印書館「景印文淵閣四庫全書」，冊一一六六，民國75年3月，初版）

陳傅良　　　《止齋先生文集》（台北：民國商務印書館四部叢刊），民國六十八年十一月，臺一版）

陳傅良撰，曹叔　《止齋集》（台北：臺灣商務印書館，「景印文淵閣四庫全書」冊一一五○，
遠編　　　民國七十五年三月，初版）

陳櫟撰　　　《定宇集》（台北：臺灣商務印書館，「景印文淵閣四庫全書」冊一二○五，民國七十五年三月，初版）

陸九淵　　　《象山先生全集》（台北：臺灣商務印書館，「四部叢刊正編（大本原式精印）」，民國六十八年十一月，臺一版）

陸淳　　　　《春秋集傳纂例》（台北：鼎文書局，「古經解彙函（附小學彙函續附十種）」第三冊，民國六十三年三月，初版。）

陸淳　　　　《春秋集傳纂例》（台北：臺灣商務印書館，「景印文淵閣四庫全書」冊一四六，民國七十五年三月，初版）

陸粲　　　　《春秋胡氏傳辨疑》（台北：臺灣商務印書館，「景印文淵閣四庫全書」冊一六七，民國七十五年三月，初版）。

陸德明　　　《春秋左氏音義》（台北：鼎文書局，民國六十一年九月，初版。）又（台北：台灣大通書局，「通志堂經解」第四十冊，民國六十一年九月，再版。）

陸德明　　　《經典釋文》（台北：台灣大通書局，「通志堂經解」，民國六十一年九月，再版）

陸樹聲　　　《耄餘雜識》（台南縣：莊嚴文化事業有限公司，「四庫全書存目叢書」，「中央黨校圖書館上海圖書館藏明萬曆刻本影印」，一九九五年九月，初版一刷。）

章如愚　　　《群書考索》（京都：中文出版社，一九八二年六月出版）

章如愚　　　《群書考索續集》（台北：台灣商務印書館影印「文淵閣四庫全書」本，民國75年3月，初版）

章如愚　　　《羣書考索》（台北：台灣商務印書館影印「文淵閣四庫全書」本，冊九三六，民國75年3月，初版）

章沖　　　　《春秋左氏傳事類始末》，（台北：台灣大通書局，「通志堂經解」，冊二二，民國58年10月。）

章潢撰　　　《圖書編》（台北：臺灣商務印書館，「景印文淵閣四庫全書」冊九六九，

民國七十五年三月，初版）

凌迪知撰　《萬姓統譜》（台北：臺灣商務印書館，「景印文淵閣四庫全書」，民國七十五年三月，初版）

十二劃

傅遜　《春秋左傳屬事》（台北：臺灣商務印書館，「景印文淵閣四庫全書」冊一六九，民國七十五年三月，初版）

傅增湘　《藏園群書題記》（上海：上海古籍出版社，「　」，一九八九年六月，第一版第一次印刷）

嵇曾筠等監修，沈翼機等編纂　《浙江通志》（台北：臺灣商務印書館，「景印文淵閣四庫全書」冊五二三至頁五二四，民國七十五年三月，初版）

嵇璜、曹仁虎等奉敕撰　《欽定續文獻通考》（台北：臺灣商務印書館，「景印文淵閣四庫全書」冊六三○，民國七十五年三月，初版）

彭澤，汪舜民纂修　《徽州府志》（台南縣：莊嚴文化事業有限公司，「四庫全書存目叢書」，一九九六年八月，初版一刷）

揚雄原著，汪榮寶　義疏　《法言義疏》（台北：世界書局，「中國思想名著」第三冊，「影印民國癸酉刊本」，缺出版年、版次）

湯日昭，王光蘊纂修　《溫州府志》（《四庫全書存目叢書》．史二一○，台南：莊嚴事業文化出版公司，民國八十五年）

程千帆、徐有富著　《校讎廣義．校勘編》（濟南：齊魯書社出版社，一九九八年四月一版一刷）

程金造編著　《史記索隱引書考實》（北京：中華書局，一九九八年一版一刷），〔７６４〕

程珌　《洺水集》（台北：商務印書館「景印文淵閣四庫全書」，冊一一七一，民國 75 年 3 月，初版）

程敏政　《明文衡》（台北：世界書局，民國五十一年二月初版）

程敏政　《皇明文衡》（台北：臺灣商務印書館，「四部叢刊正編（大本原式精印）」，民國六十八年十一月，臺一版）

程敏政編　《新安文獻．行實》（台北：臺灣商務印書館，「景印文淵閣四庫全書」冊一三七六，民國七十五年三月，初版）

程端學　《春秋本義》（台北：台灣大通書局，「通志堂經解」第二十五冊，民國 58 年 10 月。）

程顥、程頤 撰　《河南程氏外書》（《二程集》）（台北縣：漢京文化事業有限公司，「點

校本」，民國七十二年九月十六日，初版。）

程顥、程頤撰，胡安國原編，元譚善心重編	《二程文集》（台北：臺灣商務印書館，「景印文淵閣四庫全書」冊一三四五，民國七十五年三月，初版）
賀復徵編	《文章辨體彙選》（台北：臺灣商務印書館，「景印文淵閣四庫全書」冊一四○五，民國七十五年三月，初版）
閔遠慶	《左傳集要》（北京：北京出版社，「四庫未收書輯刊」，二○○○年一月，第一版第一次印刷）
黃伯思	《東觀餘論》（台北：新文豐出版股份有限公司，「叢書集成新編」，民國七十四年元月，初版）
黃宗羲　原著全祖望　增補	《宋元學案》（台北：臺灣中華書局，「四部備要」，民國 73 年 10 月，臺三版。）
黃建國、金初昇主編	《中國所藏高麗古籍綜錄》（上海：漢語大詞典出版社，一九九八年二月一版一刷）【２８８】。
黃洪憲	《春秋左傳釋附》（北京：北京出版社，「四庫未收書輯刊」，二○○○年一月，第一版第一次印刷）
黃瑜	《雙槐歲抄》（四庫全書存目叢書「據北京圖書館藏明嘉靖三十八年陸延枝本影印」，子部二三九冊）
黃虞稷	《千頃堂書目》（台北：廣文書局，「書目叢編」「適園叢書影十萬卷樓鈔本」，民國五十六年七月，初版。）
黃虞稷、周在浚等撰	《徵刻唐宋祕本書目》，（台北：廣文書局，《書目五編》《觀古堂書目彙刻（五）》，民國六十一年）
黃虞稷、周在浚等撰	《徵刻唐宋祕本書目》，（台北：廣文書局，《書目五編》《觀古堂書目彙刻（五）》，民國六十一年）
黃虞稷、周在浚撰，葉德輝考證	《徵刻唐宋祕本書目考證》（台北：廣文書局，《書目五編》本，民國六十一年）
黃溍	《金華黃先生文集》（台北：臺灣商務印書館，「四部叢刊初編縮本」，民國六十四年六月，臺三版）
黃溍撰，張儉編	《文獻集》（台北：台灣商務印書館影印「文淵閣四庫全書」本，冊一二○九，民國 75 年 3 月，初版）
黃震	《黃氏日抄》（京都：中文出版社，一九七九年五月，出版）
黃震	《慈溪黃氏日抄分類》（京都：中文出版社，「」，一九七九年五月，出版）

黃澤述, 趙汸輯 　《春秋師說》（台北：台灣大通書局，「通志堂經解」第二十六冊，民國 58 年 10 月。）

十三劃

楊于庭 　《春秋質疑》（台北：臺灣商務印書館，「景印文淵閣四庫全書」，民國 75 年 3 月，初版）

楊士奇 　《文淵閣書目》（北京：書目文獻出版社　一九九四年一月，明代書目題跋叢刊），

楊士奇 　《東里續集》（台北：臺灣商務印書館，「景印文淵閣四庫全書」冊一二三九，民國七十五年三月，初版）

楊士奇 　《東里續集》，（台北：臺灣商務印書館，「景印文淵閣四庫全書」冊一二三八，民國七十五年三月，初版）。

楊武泉 　《四庫全書總目辨誤》（上海：上海古籍出版社，二○○一年七月一版一刷）【２９８】

楊時 　《龜山集》，（台北：臺灣商務印書館，「景印文淵閣四庫全書」冊一一二五，民國七十五年三月，初版）。

楊維楨 　《東維子文集》(台北：臺灣商務印書館，「四部叢刊正編(大本原式精印)」，民國六十八年十一月，臺一版)

楊億 　《冊府元龜》（台北：清華書局，民國五十六年三月，初版）

楊潮觀 　《左鑒》（北京：北京出版社，「四庫未收書輯刊」，二○○○年一月，第一版第一次印刷）

楊簡撰 　《慈湖詩傳》（台北：臺灣商務印書館，「景印文淵閣四庫全書」冊七三，民國七十五年三月，初版）

楊簡撰 　《慈湖遺書》（台北：臺灣商務印書館，「景印文淵閣四庫全書」冊一一五六，民國七十五年三月，初版）

葉時 　《禮經會元》(台北：台灣大通書局，「通志堂經解」，民國六十一年九月，再版)

葉程義著 　《禮記正義引書考》（台北：義聲出版社，民國七十年一月初版）〔１１９３〕

葉夢得 　《巖下放言》（台北：新文豐出版股份有限公司，「叢書集成續編」，民國七十八年七月，台一版）

葉適 　《水心先生文集》，（台北：民國商務印書館四部叢刊影印明黎諒刊黑口本），民國六十八年十一月，臺一版）

葉適	《習學記言》（台北：臺灣商務印書館，「景印文淵閣四庫全書」，民國七十五年三月，初版）
葉適撰	《習學記言》（上海：上海古籍出版社，一九九一年七月），【471】
董仲舒原著、賴炎元 註譯	《春秋繁露今註今譯》（台北：臺灣商務印書館，「古籍今註今譯」，民國七十六年四月，二版。）
董金裕等編輯	《十三經論著目錄》（臺北:洪葉文化出版公司 民國八十九年），【全八冊】

十四劃

虞世南　撰孔廣陶　校註	《北堂書鈔》（「孔廣陶三十三萬卷堂影抄本」）（台北：宏業書局，「」，民國六十三年十月，出版）
鄒浩	《道鄉集》（台北：臺灣商務印書館，「景印文淵閣四庫全書」，民國七十五年三月，初版）
熊禾	《勿軒集》（台北：臺灣商務印書館，「景印文淵閣四庫全書」，民國七十五年三月，初版）
熊禾	《熊勿軒先生文集》（台北：新文豐出版股份有限公司，「叢書集成新編」，民國七十四年元月，初版）
熊朋來	《經說》（台北：台灣大通書局，「通志堂經解」，民國六十一年九月，再版）
管錫華	《校勘學》（合肥：安徽教育出版社，一九九一年七月一版一刷）
臺灣大學編	《國立臺灣大學圖書館善本書目》（台北：台灣大學，民國五七年八月），【249】
臺灣省立臺北圖書館編	《臺灣省立臺北圖書館善本書目》（台北：臺灣省立臺北圖書館，民國五七年八月）
趙岐注,孫奭疏	《孟子注疏》（台北：新文豐出版股份有限公司，「阮刻本《十三經注疏．附校勘記》影印」，民國六十六年元月，初版。）；又台北：大化書局，民國七十一年十月，初版。
趙希弁	《郡齋讀書志附志》（京都：中文出版社，「」，一九七八年七月，出版）
趙汸撰	《春秋集傳》（台北：臺灣商務印書館，「景印文淵閣四庫全書」冊一六四，民國七十五年三月，初版）
雒竹筠遺稿,李新乾編補	《元史藝文志輯本》（北京：燕山出版社，一九九九年十月一版一刷）〔560〕
劉三吾撰	《坦齋劉先生文集》（台南縣：莊嚴文化事業有限公司，「四庫全書存目叢

書」，一九九六年八月，初版一刷）

劉兆祐　　　《中國目錄學》　台北：五南圖書出版公司　民國八十七年初版一刷

劉向　　　　《說苑》（台北：世界書局，「四部刊要」影明程榮校本，民國六十七年三月，三版。）又（台北：臺灣商務印書館，「古籍今註今譯」，民國七十七年九月，修訂一版。）

劉克莊　　　《後村先生大全集（一）》（台北：臺灣商務印書館，「四部叢刊正編（大本原式精印）」，民國六十八年十一月，臺一版）

劉城　　　　《春秋外傳國語地名錄》，（台南縣：莊嚴文化事業有限公司，《四庫全書存目叢書》經一二八冊，一九九六年八月，初版一刷）

劉城　　　　《春秋左傳地名錄》，（台南縣：莊嚴文化事業有限公司，《四庫全書存目叢書》經一二八冊，一九九六年八月，初版一刷）

劉恕　　　　《通鑑外紀》（台北：臺灣商務印書館，「四部叢刊正編（大本原式精印）」，民國六十八年十一月，臺一版）

劉敞　　　　《七經小傳》（台北：台灣大通書局，「通志堂經解」，民國六十一年九月，再版）

劉敞撰　　　《公是集》（台北：臺灣商務印書館，「景印文淵閣四庫全書」冊一〇九五，民國七十五年三月，初版）

劉熙　撰　畢沅　《釋名疏證》（台北：廣文書局，「影刻本」，民國六十八年四月，再版。）
疏證

樓鑰　　　　《攻媿集》，（台北：臺灣商務印書館，「景印文淵閣四庫全書」冊一一五二至冊一一五三，民國七十五年三月，初版）。

歐陽修、宋祁撰　《新唐書》（北京：中華書局，一九七五年）

歐陽詢　　　《藝文類聚（附　索引、類書十種）（三）》（台北：文光出版社，民國六十三年八月，初版）

十五劃

編輯部　　　《內閣文庫漢籍分類目錄》（台北：進學書局，民國五十九年八月）【５９８】

十七劃

蔣悌生　　　《五經蠡測》（台北：台灣大通書局，「通志堂經解」，民國六十一年九月，再版）

蔡有鵾　　　《蔡氏九儒書》（台北：莊嚴文化事業有限公司，「四庫全書存目叢書」，一九九七年六月，初版一刷）

蔡澄撰，李文田 　《雞窗叢話》，（清光緒間新陽趙氏刊峭帆樓叢書本，台北：國家圖書館藏
手批　　　　　　本）

衛湜　　　　　　《禮記集說》（台北：台灣大通書局，「通志堂經解」第卅二冊，民國六十
　　　　　　　　一年九月，再版。）

鄭玄注，唐．孔 　《禮記正義》（台北：藍燈文化事業公司，不著出版年月）
穎達等正義

鄭玉撰　　　　　《師山遺文》（台北：臺灣商務印書館，「景印文淵閣四庫全書」冊一二
　　　　　　　　七，民國七十五年三月，初版）

鄭剛中　撰　　　《北山集》（台北：臺灣商務印書館，「景印文淵閣四庫全書」，民國七十
鄭良嗣　編　　　五年三月，初版）

鄭樵　　　　　　《六經奧論》（台北：台灣大通書局，「通志堂經解」，民國六十一年九月，
　　　　　　　　再版）

鄭樵　　　　　　《通志》（台北：商務印書館，「文淵閣四庫全書本」冊三七四，民國七十
　　　　　　　　五）。

鄭樵　　　　　　《通志》（京都：中文出版社，一九七八年六月，出版）

鄧文原　　　　　《巴西鄧先生文集》（北京：書目文獻出版社，「北京圖書館古籍珍本叢刊」，
　　　　　　　　一九八七年）

墨翟　原著　　　《墨子集解》（台北：文史哲出版社，「影印民國刊本」，民國八十二年元
張純一　注述　　月，初版二刷。）

盧元昌　　　　　《左傳分國纂略》（北京：北京出版社，「四庫未收書輯刊」，二○○○年一
　　　　　　　　月，第一版第一次印刷）

蕭良幹，張元　　《紹興府志》（台南縣：莊嚴文化事業有限公司，「四庫全書存目叢書」，
忭等纂修　　　　一九九六年八月，初版一刷）

錢泰吉　　　　　《曝書雜記》，（台北成文出版社，民國六十七年五月）

錢謙益著，錢曾
箋注，錢仲聯標　《牧齋初學集》（上海：上海古籍出版社，一九九六年）【２２３０】
校

駱兆平　　　　　《新編天一閣書目》(北京：中華書局，一九九六年七月，一版一刷)【３３
　　　　　　　　７】

戴良撰　　　　　《九靈山房集》（台北：臺灣商務印書館，「景印文淵閣四庫全書」冊一二
　　　　　　　　一九，民國七十五年三月，初版）

戴表元　　　　　《剡源戴先生文集》（四部叢刊本（大本原式精印）」，民國六十八年十一

月，臺一版）

繆荃孫、吳昌綏、董康撰；吳格整理點校　《嘉業堂藏書志》（上海：復旦大學出版社，一九九七年十二月一版一刷）【1411；56】

薛季宣撰，薛旦編　《浪語集》（台北：臺灣商務印書館，「景印文淵閣四庫全書」冊一一五九，民國七十五年三月，初版）

謝旻等監修　《江西通志》（台北：臺灣商務印書館，「景印文淵閣四庫全書」冊五一五，民國七十五年三月，初版）

謝鐸等修撰　《赤城新志》（台南縣：莊嚴文化事業有限公司，「四庫全書存目叢書」，一九九六年八月，初版一刷）

十八劃

韓浚，張應武等纂修　《〔萬曆〕嘉定縣志》，（台南縣：莊嚴文化事業有限公司，《四庫全書存目叢書》史部二○九，民國八十五年）

韓國精神文化研究院　《藏書閣圖書目本版總目錄》（韓國精神文化研究院發行，一九九三年）【230】

韓琦　《安陽集》（北京：書目文獻出版社，「北京圖書館古籍珍本叢刊」，一九八七年）

韓愈著．嚴昌校點　《韓愈集》（長沙：岳麓書社，二○○○年九月一版一刷）

韓維　《南陽集》（台北：臺灣商務印書館，「景印文淵閣四庫全書」，民國七十五年三月，初版）

顏師古注，王應麟補注　《急就篇》（台北：新文豐出版股份有限公司「叢書集成新編」35影印天壤閣叢書本，民國七十四年元月，初版。）

魏了翁　《鶴山先生大全文集》（台北：臺灣商務印書館，「四部叢刊初編縮本」，民國六十四年六月，臺三版）

魏收　撰　《魏書》（台北：鼎文書局，「點校本」，民國七十九年七月，六版。）

魏校撰　《春秋經世》（台南縣：莊嚴文化事業有限公司，「四庫全書存目叢書」經部．冊一一七，一九九六年八月，初版一刷）

魏徵　等撰　《隋書》（台北：鼎文書局，「點校本」，民國79年7月，六版。）

魏禧　《左傳經世》，（上海：上海古籍出版社，「續修四庫全書本」，一九九五年）

十九劃

羅仲鼎、陳士彪《朱彝尊詩詞》,(杭州浙江古籍出版社,一九八九年十月)

羅振玉	《經義考目錄.校記》下冊(台北:廣文書局《書目續編》影印石印本,民國五十六年十二月十五日)【884】。
羅從彥撰	《豫章文集》(台北:臺灣商務印書館,「景印文淵閣四庫全書」冊一一三五,民國七十五年三月,初版)
羅欽順	《困知記》(台北:臺灣商務印書館,「景印文淵閣四庫全書」,民國七十五年三月,初版)
羅璧	《羅氏識遺》(台北:藝文印書館,一九六七年)
羅繼祖	《蘇魏公文集(附 魏公譚訓)》(北京:中華書局,一九八八年九月,第一版北京第一次印刷)
嚴寶善編錄	《販書經眼錄》(杭州:浙江古籍出版社,一九九四年十二月一版一刷)【580】
蘇天爵	《滋溪文稿(下)》(台北:國立中央圖書館,「元代珍本文集彙刊」,民國五十九年三月,初版);又(台北:新文豐出版股份有限公司,「叢書集成續編」,民國七十八年七月,台一版)
蘇天爵輯撰;姚景安點校	《元朝名臣事略》(北京:中華書局,一九九六年八月,一版一刷)【306】
蘇軾撰	《蘇軾文集》(北京市:中華書局出版:新華書店北京發行所發行,1986)
蘇軾撰,鄧立勛編校	《蘇東坡全集》(合肥市:黃山書社出版,一九九七年一月一版一刷)
蘇頌 撰 蘇簹 編	《蘇魏公文集》(台北:臺灣商務印書館,「景印文淵閣四庫全書」,民國七十五年三月,初版)
蘇轍	《春秋集解》(台北:臺灣商務印書館,「景印文淵閣四庫全書」冊一四八,民國七十五年三月,初版)。
蘇籀	《欒城遺言》(台北:臺灣商務印書館,「景印文淵閣四庫全書」,民國七十五年三月,初版)

二十劃

饒宗頤編	《香港大學馮平山圖書館善本書錄》(香港:龍門書店,一九七○年十二月),【255】

二十一劃

顧況	《華陽集》(台北:臺灣商務印書館,「景印文淵閣四庫全書」,民國七十五年三月,初版)

顧況　《華陽集》（台北：臺灣商務印書館，「景印文淵閣四庫全書」冊一○七二，民國七十五年三月，初版）

顧炎武著，黃汝成集釋，欒保群．呂宗力校點　《日知錄集釋》（石家莊：花山文藝出版社，一九九○年一版一刷）

顧棟高　《春秋大事表》（台北：臺灣商務印書館，「景印文淵閣四庫全書」冊一七九，民國七十五年三月，初版）

顧璘　《顧華玉集》（台北：新文豐出版股份有限公司，「叢書集成續編」，民國七十八年七月，台一版）

二十二劃

龔明之　《中吳紀聞》（台北：華文書局，「粵雅堂叢書」，民國五十四年五月，出版）；又（台北：新文豐出版股份有限公司，「叢書集成新編」，民國七十四年元月，初版）

二十三劃

欒貴明　《永樂大典索引》（北京：作家出版社，一九九七年）

二、論文部分

五劃

史念海　〈兩《唐書》列傳人物籍貫的地理分布〉，《紀念顧頡剛學術論文集》下冊，（大陸成都：巴蜀書社，1990 年）

七劃

何廣棪　〈讀《直齋書錄解題．春秋類》札記二則（台北：《書目季刊》三十五卷第二期，民國九○年九月十六日），頁二九至頁三○。

李一遂　〈左氏春秋著錄書目研究〉（台北：《書目季刊》第二十五卷，第三期，民國八十年十二月），頁九四至頁一五○。

八劃

林慶彰　〈四庫館臣纂改《經義考》之研究〉，（台北：臺灣學生書局，《兩岸四庫學--第一屆中國文獻學學術研討會論文集》，民國八十七年九月），頁二三九至頁二六二。

九劃

胡楚生　〈漢書藝文志與隋書經籍志比勘舉例〉（《國立中央圖書館館刊》，新二十卷第二期，民國七十六年十二月）

十一劃

張一民　　〈朱彝尊與曝書亭藏書〉，（（湖南）《圖書館》，一九九二年，一九九二年第五期），頁七〇至頁七二。

張宗友　　《經義考》續補諸作考論，（《古典文獻研究》第十一輯，2008 年），頁三一九至頁三三六。

張宗友　　《點校補正經義考》平議（《古典文獻研究》第十三輯，2010 年 6 月，頁 356 至頁 376。

十一劃

陳明恩　　〈魏晉南北朝《春秋》學初探—以史籍所錄《春秋》類著作為例〉（林慶彰主編：《經學研究論叢》第九輯，臺北：臺灣學生書局，西元二〇〇一年一月初版）頁一六三至頁二一一

陳祖武　　〈朱彝尊與《經義考》〉（《文史》第四十輯，一九九四年九月）

陳惠美　　〈《經義考》孟子類金元人著述考辨〉（《東海大學圖書館館訊》60，民 95.09），頁 33-44。

陳鴻森　　〈《經義考》孝經類別錄（上）（下）〉（台北：《書目季刊》第三十四卷第一期；第三十四卷第二期，民國八十九年六月十六日；又民國八十九年九月十六日），頁一至頁三十一；又頁一至頁二十七

陳鴻森　　〈[(清)朱尊撰]《經義考》札迻〉（《經學研究集刊》5，2008.11[民 97.11]，頁 101-124。

十二劃

喬衍琯　　〈《經義考》及《補正》、《校記》綜合引得敘例〉（台北：中央研究院中國文哲研究所籌備處編印，《朱彝尊《經義考》研究論集》，民國八十九年九月初版），又本文原發表於《中國書目季刊》18:4，民 74.03），頁 32-39。

喬衍琯　　〈《經義考》所引《千頃堂書目》彙證〉（台北：中央研究院中國文哲所籌備處，《朱彝尊《經義考》研究論集》頁二六五至頁三六七，民國八十九年），又本文發表於《書目季刊》6:3/4，民 61.06），頁 3-58。

喬衍琯　　〈論千頃堂書目經義考與明志的關係〉（《國立中央圖書館館刊》10:1，民 66.06），頁 1-10

彭林　　〈《點校補正經義考》第六、七冊《孝經》部分標點疑誤〉（台北：《經學研究論叢》第九輯，台北：學生書局出版，民國九十年一月），頁二八七至頁二九四。

| 程志 | 〈現存唐人著述簡目〉（許昌：中州古籍出版社，吳楓《隋唐歷史文獻集釋》附錄，頁２５４至頁３４８，一九八七年九月一版一刷）【３４９】 |

十三劃

楊果霖	〈《經義考》引文方式的分析〉（台北：《中國文化大學中文學報》第五期，民國八十九年三月），頁一八七至二一○。
楊果霖	〈《經義考》徵引《文獻通考．經籍考》考述〉（台北：《孔孟月刊》第三十八卷第十期，民國八十九年六月二十八日），頁二十五至頁三十七。
楊果霖	〈翁方綱《經義攷補正》研究〉（台北：《國立中央圖書館臺灣分館館刊》第七卷第一期，民國九十年三月三十一日出版），頁三四至頁五八。
楊果霖	〈歷來補正《經義考》的成果綜述〉（台北：《中國文化大學中文研究所研究生論文發表會論文集》第九集，民國八十八年十二月），頁一至頁四九
楊晉龍	〈《四庫全書》處理《經義考》引錄錢謙益諸說相關問題考述〉，（國立高雄師範大學國文學系：《第七屆所友學術討論會論文》，民國八十七年五月二十三日），頁三十一至頁四十八。
楊晉龍	〈四庫全書處理經義考引錄錢謙益諸說相關問題考述〉，（高雄：國立師範大學國文學系，《第七屆所友學術討論會論文集》，民國八十七年五月），頁三一至四八。
楊豔燕	〈《經義考．論語》補遺〉（《中國文哲研究通訊》18:3=71，2008.09）頁 111-141。
楊豔燕；許建平	〈《經義考．論語》闕誤補正〉（《書目季刊》40:3，民 95.12），頁 1-8。

十五劃

| 劉明宗 | 〈元代春秋學撰著分類考述〉（台北：《書目季刊》第二十七卷第一期，民國八十二年六月十六日）（頁二八至頁五六） |

十六劃

| 盧仁龍 | 〈《經義考》綜論〉，（台北文史哲出版社，《中國經學史論文論集》下冊，民國八十二年三月），頁四一五至四三一。 |

三、學位論文

十一劃

許鳴嶸　　　「隋書經籍志研究」，(台北：《國立臺灣師範大學國文研究所集刊》二十九號，民國七十四年六月)

十三劃

楊果霖　　　「朱彝尊《經義考》研究」，（台北：中國文化大學中文研究所博士論文，民國八十九年六月），【５１０】

十六劃

陳惠美　　　「朱彝尊經史之學研究」（台中：東海大學中文研究所博士論文，民國九十年），【５２２】。

【附錄】竹垞漏輯典籍簡表

書名	作者	卷一	存佚	書名	作者	卷一	存佚
朝代不明							
春秋左氏傳昭公殘卷		0	存	春秋穀梁傳序	不著撰人	1	存
春秋題旨	不著撰人	0	存	麼題備覽	不著撰人	0	存
春秋經傳	不著撰人	38	存	春秋左氏說	不著撰人	0	闕
左傳類輯	不著撰人	0	存	春秋左氏傳注略記	不著撰人	1	佚
注春秋序	不著撰人	0	佚	左氏傳文句疏	不著撰人	1	佚
春秋刊例	不著撰人	5	佚	春秋榮	不著撰人	3	佚
春秋正名	不著撰人	1	佚	春秋公羊解徹	不著撰人	12	佚
春秋公羊文義集解	不著撰人	1	佚	三體春秋	不著撰人	10	佚
闉外春秋	不著撰人	3	佚	春秋始終	不著撰人	1	存
春秋外傳國語解補正集說	不著撰人	0	存	左氏兵事類抄按語	不著撰人	0	存
春秋公子血脈譜	不著撰人	0	佚	春秋事義考	不著撰人	8	佚
左國文粹	不著撰人	0	佚	左氏摘翠	不著撰人	0	佚
春秋名例	不著撰人	0	佚	春秋氏族	不著撰人	2	存
春秋四譜	不著撰人	0	佚	春秋人物	不著撰人姓氏	0	存
春秋尊義	孔尚豫	0	佚	周秦名字解詁補	王萱齡	1	佚
春秋集註	未著撰人	37	存	春秋世紀編	李淇	0	佚
補春秋長曆	汪楨	0	佚	春秋十二公證議	邢濤	1	佚
春秋集傳	炎氏名未詳	20	佚	春秋經傳朔閏表發覆	施彥士	4	存
汲冢師春	師春	2	佚	春秋二傳	陸善經	30	佚
左粹類選	無名氏	0	佚	讀左貲言	無名氏	0	佚

讀左筆勤	無名氏	0	佚	春秋繁露集注	董金鑑	0	佚
春秋不盡義	蘇德	1	佚	分類左腴	懽園居士	0	存
五代							
左傳杜注駁正	王貞範	0	佚				
元代							
春秋翼義	不著撰人	0	佚	春秋集傳約記	不著撰人	0	佚
春秋紀事類編	不著撰人	1	佚	春秋圖說	不著撰人	0	佚
麟經指南	不著撰人	0	佚	春秋編類綺集	不著撰人	0	佚
春秋魯十二公年譜	不著撰人	0	存	春秋緯	不著撰人	0	存
春秋漢含	不著撰人	0	存	春秋合誠圖	不著撰人	1	存
春秋四傳	不著撰人	38	存	左氏韻語	公孫長卿	0	佚
春秋類義	王嘉	0	佚	春秋管見	王應奎	0	佚
左傳比事	吳化龍	2	存	左傳筆記通纂	吳化龍	0	佚
春秋紀聞	吳迂	0	佚	春秋經說	吳萊	0	佚
胡氏傳正誤	吳萊	0	佚	校定春秋	吳澄	0	佚
春秋旁訓	李恕	4	存	春秋正義	邱葵	0	佚
春秋外傳	苟宗道	50	佚	春秋三傳序論	苟宗道	1	佚
春秋原旨	徐嘉善	0	佚	三傳辨疑	徐嘉善	0	佚
春秋制作本原	郝經	0	佚	春秋三傳折衷	郝經	0	佚
春秋櫽括	張著	3	佚	春秋三傳朱墨本	張樞	0	佚
春秋十三伯論	莊谷（穀）	1	佚	春秋三傳義疏	許謙	0	佚
春秋質疑	陳士貞	0	佚	春秋啟鑰龍虎正印	彭飛	5	佚
春秋纂例辨疑	無名氏	0	佚	春秋綱領	程端學	1	存
春秋經疑問對	黃復祖	2	佚	春秋經解	黃澤	0	佚
續備忘遺說	敬鉉	30	佚	春秋透天關	楊維楨	12	佚
春秋大議	楊維楨	0	佚	春秋合題著說	楊維楨	3	佚
左貫	雷光霆	0	佚	春秋論考	熊禾	0	佚

四傳歸經	趙在	0	佚	春秋集傳	趙惟賢	0	佚
論春秋特筆例	趙汸	0	存	春秋比事	劉希賢	0	佚
新刊類編歷舉三場文選春秋義	劉霖	8	存	春秋纂例	錢仲咸	0	佚
春秋說	戴栩	0	佚	靜庵春秋志疑	不著撰人	0	佚
六朝							
六朝人書左氏傳	不著撰人	0	存	六朝人書左氏傳	不著撰人	0	存
北朝							
春秋義例略	張仲	0	佚				
北魏							
述春秋三傳	李彪	10	佚	左氏公羊釋	高允	0	佚
議何鄭膏肓事	高允	0	佚	春秋左傳義疏	蘇寬	1	存
宋朝							
春秋續辨	丁中	4	佚	春秋加減	亡名氏	4	佚
春秋通義	不著撰人	1	存	左傳金鏡纂要	不著撰人	1	佚
春秋四傳	不著撰人	20	佚	春秋本旨	不著撰人	5	佚
春秋提要	不著撰人	1	存	春秋會義	不著撰人	0	佚
春秋經傳類賦	不著撰人	0	佚	春秋列國諸臣傳	不著撰人	0	佚
春秋世系	不著撰人	1	佚	春秋通論	不著撰人名氏	2	佚
五代春秋	尹洙	0	佚	春科左傳本末	孔充	0	佚
春秋何以見仲尼之志論	文彥博	0	存	春秋集傳	方應發	0	佚
春秋左氏傳正誤	毛居正	0	存	經筵講義春秋	王十朋	0	存
春秋公羊辨失	王日休	1	佚	春秋穀梁辨失	王日休	1	佚
春秋解	王日休	0	佚	春秋折衷會解	王立言	0	佚

春秋發揮	王柏	0	佚	獲麟說	王柏	0	存
春秋闡易	王修通	20	佚	春秋書法直解	王修通	0	佚
春秋通義	王剛中	0	佚	春秋集義	王夢應	50	佚
春秋類書	王誼	0	佚	古文春秋左傳	王應麟	12	存
春秋傳	王巖叟	0	佚	五朝春秋	王軫	0	佚
春秋龜鑑	王叡	1	佚	包氏春秋傳義	包天麟	0	佚
春秋通會	史守道	0	佚	文中子春秋（說）	史浩	0	存
春秋發微	史邈	0	佚	任氏春秋	任續	15	佚
春秋正名頤隱旨要敘論	朱振	1	佚	周禮、春秋問答	朱熹	1	佚
答張元德（書）（辯許悼公之死）	朱熹	0	存	答潘子善（書）（春秋章句等雜說）	朱熹	0	存
答胡平一書（春秋書正疑說）	朱熹	0	存	答林擇之（書）（論春秋書正事釋金聲玉振等）	朱熹	0	存
答吳晦叔（書）（周正考）	朱熹	0	存	答吳晦叔（書）（春秋書正論）	朱熹	0	存
與張敬夫（書）（論春秋正朔事）	朱熹	0	存	春秋外傳	朱臨	10	佚
春秋略例	何良	0	佚	春秋地里增釋	余瀛吉	0	佚
左傳字辨	余仁仲	0	佚	左氏纂類	余復	0	佚
左氏傳續說	呂祖謙	12	存	春秋論	呂陶	0	存
春秋詩	宋真宗皇帝	0	佚	春秋大旨	宋鍛時	0	佚
左氏君子例	李石	1	存	左氏詩如例	李石	1	存
左氏詩補遺	李石	1	存	左氏卦例	李石	0	存
春秋總要	李厚	1	存	春秋辯例	李奕	0	佚
程氏春秋說	李參	0	佚	春秋要義	李塗	10	佚
春秋比事	李塗	3	佚	春秋輯要	李源	0	佚

春秋釋例集說	李綺	0	佚	春指要秋	李燮	0	佚
左傳國語考異	沈虛中	3	佚	春秋大義	汪伯彥	10	佚
集三傳本末	汪伯彥	30	佚	與呂居仁舍人（書）（論春秋制作之意）	汪應辰	0	存
春秋義	周希孟	0	佚	春秋年表	岳珂	0	佚
論通鑑與左氏連接	林之奇	0	存	春秋周禮講義	林之奇	0	佚
春秋三傳正經	林伸	0	佚	正經音訓	林堯叟	1	存
荀息論	姚勉	0	存	春秋經傳紀要	施南一	0	佚
春秋經傳紀要	施郁	0	佚	春秋加減	洪勳	1	佚
左氏通解	洪興祖	10	佚	春秋論	胡旦	1	佚
春秋綱領	胡安國	1	存	答羅仲素書（論春秋大旨）	胡安國	0	存
春秋通旨	胡安國	1	佚	春秋年表	胡安國	0	佚
春秋集註	胡安國傳、林堯叟音註	30	存	春秋類例	胡季懷	15	佚
春秋屬比	胡季懷	5	佚	左氏類編	胡季懷	10	佚
左氏傳故事	胡寅	0	存	春秋解	胡銓	16	存
春秋要義	胡瑗	20	佚	春秋論	范浚	0	存
魯軍制九問	唐仲友	1	存	三傳辨	唐彥通	7	佚
春秋講義	唐彥通	30	佚	左氏解	唐既濟	1	佚
春秋傳	孫升	0	佚	春秋總論	孫復	1	佚
春秋尊王	孫覺	0	佚	春秋綱領	家鉉翁	1	存
代崔刑部與劉先生（書）（論春秋）	徐積	0	存	答趙文學論春秋書	晁公溯	0	存
左傳類編	馬之純	0	佚	春秋桓公不書王（說）	高登	0	存
春秋纂要	康五瑞	0	佚	春秋講義發題	張九成	0	存
夏曹伯來朝	張九成	0	存	齊人歸公孫敖之喪	張九成	0	存

（解）				（解）			
隱公元年春正月（解）	張九成	0	存	六月辛丑朔日有食之鼓用牲于社（解）	張九成	0	存
春秋注	張大任	0	佚	左氏纂類會粹	張泳	0	佚
春秋列國圖	張洽	1	佚	左氏蒙求	張洽	0	佚
答薛秀才論春秋書	許瀚	0	存	答李格朝奉論春秋二書	許瀚	0	存
再答李格書（論春秋）	許瀚	0	存	再答李丞相書（論春秋災異之說）	許瀚	0	存
答丞相李伯紀書（論春秋）	許瀚	0	存	易春秋	郭緒	20	佚
集春秋五傳	郭適	0	佚	兩漢南北史左氏綴節	陳天麟	0	佚
春秋傳義	陳合	0	佚	春秋發題	陳亮	0	存
列國類編	陳思謙	0	佚	春秋列國類編	陳思謙	0	佚
春秋握要	陳素履	17	佚	春秋（論）	陳傅良	0	存
春秋訓義	陳暘	1	存	答崔子才秀才書（論春秋）	陸佃	0	存
春秋講義	陸震發	1	佚	春秋講義	陸鵬升	0	佚
春秋敘注	陰洪道	1	佚	春秋體例	陶讓舟	0	佚
詩易春秋諸經義解	單鍔	0	佚	春秋凡例	曾元圭	0	佚
左氏辨疑	曾噩	0	佚	春秋論	曾豐	0	存
春秋氏族名諡譜	無名氏	0	佚	春秋年表	無名氏	1	存
程氏續演繁露	程大昌	6	存	左氏始終	程公說	30	佚
春秋比事	程公說	10	佚	春秋通例	程公說	20	佚
春秋旁通	程直方	0	佚	諸傳考正	程直方	0	佚
班左誨蒙	程俱	3	佚	春秋外傳	程揆	10	佚
春秋解義	黃艾	10	佚	二傳節摘	黃君俞	0	佚
春秋精義	黃彬	30	佚	春秋大義	黃植	0	佚

春秋擬要	黃嗣節	0	佚	讀左氏傳雜說	黃榦	0	存
左氏始終	黃震	36	佚	春秋左氏事類	黃穎	0	佚
春秋說	黃顏榮	0	佚	春秋要旨	楊汝南	0	佚
春秋正論	楊忱	10	佚	春秋微言	楊忱	10	佚
春秋通例	楊忱	20	佚	答趙傳之論夏時書（言萬事之政取於夏時不必深改也）	楊枋	0	存
經解－－春秋義	楊時	0	存	春秋（論）	楊萬里	0	存
慈湖春秋傳	楊簡	12	存	又答王從一教授（書）（讀春秋三家注不如研覈經文）	葉夢得	0	存
答王從一教授（書）（論春秋桓公無王一事）	葉夢得	0	存	春秋通說	葉適	13	佚
五經論－－春秋	葉適	0	存	經筵春秋講義	虞允文	3	佚
春秋邦典	鄒浩	0	佚	春秋纂例	趙世永	0	佚
春秋輯要	趙世佑	0	佚	泣麟辨	趙湘	0	存
春秋法度編	趙與懽	0	佚	春秋論	劉易	0	佚
救日論	劉啟	0	存	春秋道統	劉絢	2	存
春秋四庫	劉睿	0	佚	左傳節文	歐陽修	15	佚
辨左氏	歐陽修	0	存	魏梁解	歐陽修	0	存
春秋斷義	潘鯁	12	佚	春秋講義	潘鯁	15	佚
左氏韻類	鄭邦哲	0	佚	春秋發論	鄭昇	0	佚
與錢弱翁論春秋書	鄭浩	0	存	春秋圖	鄭樵	5	佚
論左傳	鄭樵	0	存	春秋類纂	鄭績	60	佚
左氏論	鄭獬	0	存	春秋論說	鄧名世	0	佚

春秋類史	鄧名世	0	佚	春秋公子譜	鄧名世	0	佚
春秋列國諸臣篇	鄧名世	0	佚	左氏韻語	鄧名世	0	佚
列國諸臣圖	鄧名世	0	佚	三傳朝宗	諶祐	0	佚
春秋三傳	錢易直	0	佚	春秋三傳評	龍淼	0	佚
續春秋口義	戴岷隱	0	佚	春秋經解	戴厚	30	佚
左傳講義	謝璉	0	佚	春秋豁疑	魏文璉	6	佚
春秋講義	羅點	0	佚	春秋（論）	蘇洵	0	存
春秋集解	蘇軾	12	佚	列國東坡圖說	蘇軾	1	存
春秋列國指掌圖	蘇軾	1	存	南省說左傳問君子能補過	蘇軾	0	存
論春秋變周之文	蘇軾	0	存	南省說公羊問大夫無遂事	蘇軾	0	存
（論）大夫無遂事	蘇軾	0	存	問大夫無遂事	蘇軾	0	存
南省說公羊問定何以無正月	蘇軾	0	存	（論）定何以無正月	蘇軾	0	存
南省說公羊問初稅畝	蘇軾	0	存	王者不治夷狄論	蘇軾	0	存
南省說穀梁問侵伐土地 分民何以明正	蘇軾	0	存	南省說穀梁問魯猶三望	蘇軾	0	存
南省說穀梁問魯作丘甲	蘇軾	0	存	南省說穀梁問零月何以為正	蘇軾	0	存
宋襄公論	蘇軾	0	存	（論）猶三望	蘇軾	0	存
（論）黑肱以濫來奔	蘇軾	0	存	（論）會於澶淵宋災故	蘇軾	0	存
春秋論	蘇軾	0	存	（論）鄭伯克段於鄢	蘇軾	0	存
（論）取郜大鼎於宋	蘇軾	0	存	（論）齊侯衛侯胥命於蒲	蘇軾	0	存

（論）禘於大廟用致夫人	蘇軾	0	存	（論）用郊	蘇軾	0	存
春秋論	蘇轍	0	存	春秋說	蘇轍	0	存
春秋傳	蘇轍	0	佚	抑春秋無賢臣論	釋贊寧	0	佚
春秋解	龔原	10	佚				
周朝							
春秋左氏全傳白文	(周)左丘明撰	12	佚	春秋左氏傳吳氏義	吳起	1	存
明代							
春秋剩義	丁逸	0	佚	春秋年考	不著撰人	1	存
春秋三傳	不著撰人	38	存	春秋三註粹抄	不著撰人	0	存
春秋講章	不著撰人	0	存	春秋衡庫纂	不著撰人	14	存
新刊左氏舊文	不著撰人	16	存	精選東萊先生左氏博議可解	不著撰人	8	存
新刊春秋左氏選粹	不著撰人	4	存	左氏句點	方孝孺	0	佚
麟旨	方若恂	12	佚	春秋補傳	方邁	12	佚
春秋手抄	毛一鷺	0	存	春秋四傳質	王介之	2	存
新刻王鳳洲先生課兒左傳文髓	王世貞	2	存	左逸	王世貞	1	存
春秋定旨	王光啟	0	佚	春秋旁訓	王安舜	4	存
春秋正解	王佐才	0	佚	左氏纂	王良臣	2	存
左選	王荊台	0	佚	醉竹園左傳鈔	王雲孫	4	存
魯鄭易田（論）	王廉	0	存	郫謹龜陰田（論）	王廉	0	存
或庵評春秋三傳	王源	0	闕	三傳義例	王圖鴻	0	佚
春秋四則胡傳鈔	王圖鴻	0	佚	春秋宗旨	王樵	1	存
春秋纂注	王衡	4	佚	鋟王趙二先生校閱音	王衡、趙恒	2	存

				義天梯春秋正文			
春秋說郛	王錫第	1	佚	鐫匯附百名公叢譚春秋講義會編	王錫爵	30	存
春秋釋例	王應鍾	4	佚	春秋說	王濅大	30	佚
春秋事考	史記事	0	佚	麟經三易草	史學遷	0	佚
春秋旨要	左璔	0	佚	春秋蒙引	左璔	0	佚
春秋註疏	甘雨	0	佚	春秋三傳釋疑	成勇	0	佚
左瘤史	朱焯	2	佚	春秋纂	朱之俊	0	存
春秋旁訓	朱升	4	存	春秋旁注	朱升	2	存
公羊穀梁春秋合編附註疏纂	朱泰禎	12	存	春秋旨	朱國楨	0	佚
讀春秋略記	朱朝瑛	12	存	春秋傳	朱睦㮮	0	佚
樂律全書	朱載堉	11	存	春秋箋疏	朱謀瑋	0	佚
春秋隅問	何啟	0	存	左傳擷英	何喬新	0	佚
春秋辨疑	何敬	5	佚	春秋霸主源流	何夢麟	0	佚
春秋主意	何熹	0	佚	春秋解	余光	0	佚
春秋總論	余光、余屬	1	存	麟寶	余敷中	63	存
春秋大旨	余嶸	0	佚	春秋傳註彙約	吳一杕	23	存
春秋取義	吳世忠	10	佚	春秋繁露求雨止雨直解	吳廷舉	0	存
春秋說夢	吳非	0	佚	註釋春秋大全	吳桂森	0	佚
左傳兵法	吳從周	0	佚	春秋心印	吳從周(字文卿)	0	佚
麟旨	吳應辰	12	存	春秋大義	呂恂	1	佚
春秋四家	宋存標	12	存	董劉春秋雜論	宋存標	1	存
春秋諸傳會鈔	宋來復	0	佚	春秋筆記	宋延年	0	佚
春秋繁露直解	宋應昌	1	存	春秋補傳	李弘道	0	佚
左匯	李永年	0	佚	麟經指掌	李伍	0	佚

春秋補傳	李宏道	0	佚	新鍥李閣老評註左胡纂要	李廷機	4	存
春秋日講章	李廷機	6	佚	新鍥翰林李九我先生左傳評林選要	李廷機	3	存
見羅經旨	李材	1	佚	武春秋必讀	李材	0	存
左概	李事道	6	存	春秋彙語	李叔元	0	佚
麟經指要	李峻	0	佚	春秋疏解	李實	0	佚
讀春秋通旨	李確	0	存	春秋管窺	李奈	0	佚
王霸總論	李奈	0	佚	魯史零言	李恒福	30	存
春秋疑義	杜肅	0	佚	春秋解	沈束	0	佚
沈氏左燈	沈長卿	6	佚	麟經考	沈啟原	0	佚
春秋集傳	沈堯中	0	佚	春秋經傳集解	沈越	0	佚
春秋分國便覽	沈越	0	佚	春秋會解	沈雲楫	12	存
春秋左傳	沈經德	30	存	春秋會解	沈震楫	12	存
春秋繹志	沈繼震	0	佚	春秋尊王發微	汪克寬	8	佚
春秋文	汪道昆	12	存	春秋左傳節文註略	汪道昆撰，周光鎬注	15	存
春秋比義集解	汪洼	24	佚	春秋訓詁	汪洙	0	佚
春秋四傳要講	阮嗣	0	佚	春秋經義	卓爾康	2	存
春秋傳義	卓爾康	1	存	春秋書義	卓爾康	4	存
春秋不書義	卓爾康	1	存	春秋時義	卓爾康	1	存
春秋地義	卓爾康	1	存	春秋辨疑	卓爾康	40	存
春秋經傳集解	周光鎬等	30	佚	春秋解	周垣	0	佚
公羊墨史	周拱辰	2	存	春秋三傳通論合纂	周統	12	存
春秋原意	周滿	0	佚	春秋纂要	周鳴	0	佚
春秋宗旨	周震	12	存	春秋正旨	孟化鯉	0	佚
春秋地考	季本	0	存	麟書捷旨	官裳	12	存
春秋平義	岳虞巒	54	佚	春秋易義	林允昌	12	佚

泣麟解	林俊	0	存	春秋單合析義	林挺秀、林挺俊	30	存
春秋節要	林頻	12	佚	春秋林氏傳	林導賓撰	12	存
春秋諸國興廢說	林興	1	存	春秋胡傳考誤	表仁	1	存
讀春秋雜說	邵寶	0	存	春秋名臣傳	邵寶	0	佚
春秋節解客問	邵寶	0	佚	麟經鼓吹	邱應和	0	佚
麟指嚴	金兆清	4	存	春秋或問	金賢	0	存
麟經要旨	俞一經	0	佚	春秋編	俞浙	10	佚
春秋正朔考	俞浙	3	佚	春秋從聖	姜之濤	0	存
春秋三傳衷考	施天遇	12	存	春秋倫訓	洪維幹	0	佚
春秋辯疑	胡居仁	0	存	辯疑論囚──北杏之會	胡居仁	0	存
麟經彙旨	胡思孝	0	佚	春秋錦	胡思藻	0	佚
春秋解	胡舜允	0	佚	春秋解	胡舜胤	0	佚
春秋公羊傳	范氏甯　集解，金氏蟠訂	28	存	春秋公羊傳	(漢)何休註.(明)金蟠訂	28	存
春秋衡	倪立昌	8	佚	春秋講章	倪岳	0	存
左國腴詞	凌迪知	8	存	左傳文編	唐順之	0	佚
讀春秋	唐順之	0	存	論衛州吁弒其君完	唐順之	0	存
春秋辨疑	夏時正	0	佚	春秋漢含孳	孫瑴	0	存
春秋合誠圖	孫瑴	0	存	閔氏分次春秋左傳	孫鑛	15	存
諸大家同訂春秋繁露註釋大全	孫鑛	17	存	合諸名家評注左傳文定	孫鑛	12	存
左傳評苑	孫鑛	8	存	公羊傳	孫鑛、張榜評	12	存
杜林合解春秋左傳	孫鑛.鍾惺評	50	存	麟旨	孫之緒	0	佚

古春秋傳	孫如法	6	佚	春秋約	孫念祖	0	佚
春秋左傳分國紀事本末	孫範	20	存	日講春秋解義	庫勒納等	64	存
春秋說總	庫勒納等	1	存	春秋會編	徐世淳	0	佚
春王正月說	徐師曾	0	存	春秋四傳私考	徐浦	13	存
春秋類集大成	徐晨	0	佚	春秋傳心要訣	徐晨	0	佚
春秋精義	徐韶	0	佚	春秋別解	徐繼恩	0	佚
不我解	徐體乾	2	佚	左選	栗應麟	8	佚
春秋微意	桑春	1	佚	易春秋周禮義釋	桑悅	50	佚
春秋題意	桑溥	0	佚	春秋大旨	殷子義	0	佚
春秋經義	殷奎	0	存	松麟軒新鍥春秋愍渡	耿汝忞	15	存
春秋要旨	荆芸	0	佚	春秋題解	袁奇蘊	0	佚
春秋刪	袁奇蘊	0	佚	補春秋說	袁春	0	佚
麟經匯海	袁聲	80	佚	春秋鼎	袁聲	0	佚
春秋傳	袁顥	30	佚	春秋非左	郝洪範	2	存
左氏新語	郝敬	2	闕	麟經誌	馬權奇	0	佚
春秋合傳	高自卑	12	存	春秋正傳辯疑	高簡	0	存
經施	崔銑	0	存	春秋薨卒解	崔銑	0	存
獲麟解	崔銑	0	存	左傳要語	常在	0	佚
麟經約言	康元積	0	佚	春秋辯義	康去病	30	存
新刻麟經統一編	張杞	12	存	春秋語要	張元禎	0	佚
春秋尊王發微	張以寧	8	佚	麟經正旨	張立中	0	佚
春秋五傳綱領	張岐然	1	存	春秋諸國興廢說	張岐然	1	存
春秋筆削發微圖	張岐然	1	存	春秋名號歸一圖	張岐然	2	存
春秋二十國年表	張岐然	1	存	春秋左傳綱目杜林詳注	張岐然	0	存

春秋圖	張岐然	1	佚	春秋統一	張杞	0	佚
春秋傳義	張宣	0	佚	春秋要旨	張時謹	0	佚
春秋糠粃	張楷	0	佚	春秋列國論	張溥	24	存
春秋四傳斷	張溥	6	存	春秋書法解	張溥	1	存
春秋左傳句解	張溥	0	存	春秋公羊穀梁合纂	張榜	2	存
公穀傳	張獻翼	32	存	公羊傳	張獻翼	20	存
穀梁傳	張獻翼	12	存	春秋經傳彙觀	張巖英	20	佚
鐫侗初張先生評選左傳雋	張鼐　輯	4	存	左傳文苑	張鼐評 陳繼儒注釋	8	存
春秋纂註	曹必選	0	佚	春秋傳刪	曹學佺	10	佚
春秋家學	梁伯溫	0	佚	麟經紺珠經撷腴	畢茂昭	0	佚
春秋胡傳集解	陳喆	30	存	麟旨定	陳于鼎	12	存
春秋管見	陳大濩	0	佚	青田三傳	陳中州	0	佚
白鶴春秋	陳中州	0	佚	陳太史訂閱春秋旁訓	陳仁錫	4	存
春秋序題	陳其猷	0	佚	左傳解詁	陳深	14	存
音點春秋左氏	陳理	16	存	春秋質疑	陳暹	4	佚
春秋解	陳謙	0	佚	春秋左傳	陳繼儒	2	存
陳眉公先生選註左傳龍驤	陳繼儒	4	存	讀左漫筆	陳懿典	1	存
讀春秋正傳雜記	陸深	0	存	左傳後錄	陸粲	1	存
春秋論	章懋	0	存	春秋測義	章潢	12	存
春秋史駁	傅國	20	佚	春秋萃藪錄	彭大翱	20	佚
春秋細講註述	彭汪	0	佚	春秋論	彭輅	0	存
左藻	惺知主人	3	佚	左略	曾益	1	存
春秋正意	曾舜漁	0	佚	春秋修後魯史舊文	湛若水	0	存
答門人高簡春	湛若水	0	存	重鋟增補湯會元遴輯	湯賓尹輯	4	存

秋正傳辯疑				百家評林左傳狐白	林世選增補		
春秋左傳鈔	焦竑	14	佚	春秋旁訓	無名氏	4	存
春秋旁訓	無名氏撰,清丁晏批注	4	存	經筵講章（春秋）	程敏政	0	存
春秋世業	舒邦儒	0	佚	春秋左傳異名考	閔光德	1	存
春秋姓名辨異	閔光德	1	存	左傳集要	閔遠慶	12	存
春秋公羊傳攷	閔齊伋	1	存	春秋公羊傳	閔齊伋	12	存
春秋穀梁傳	閔齊伋	0	存	春秋穀梁傳考	閔齊伋	1	存
春秋三發	馮士驊	4	存	春秋羅纂	馮伯禮	12	存
左氏討	馮時可	2	佚	春秋會異	馮時可	6	存
左氏論	馮時可	2	佚	麟經指月	馮夢龍	12	存
春秋傳意	黃佐	0	佚	春秋輯要	黃克纘	0	佚
麟經解義	黃華	0	佚	春秋析疑	黃雲師	20	佚
春秋揆	黃道周	1	佚	春秋軌	黃道周	0	佚
春秋正意	黃嘉賓	0	佚	春秋編年舉要	楊時偉	0	佚
春秋說	楊慎	1	存	春秋傳衡	楊毓奇	0	佚
麟旨纂要	溫健	0	佚	新刻李太史釋註左傳三註旁訓評林	葉向高評林李廷機注釋	7	存
春秋統略刪	葉煥章	0	存	永懷堂古注春秋左傳	葛鼎	30	存
春秋簡秀集	董守諭	34	存	春秋提要	虞宗瑤	2	存
春秋原經	詹萊	17	佚	春秋登微	鄒映斗	0	佚
新鐫鄒翰林麟經真傳	鄒德溥	12	存	春秋照	熊司平	0	佚
春秋四傳合講	趙士驥	0	佚	左粹類纂	趙琦美	0	佚
讀春秋發微	趙錦	0	佚	春秋傳解	趙繼忠	10	佚
春秋時事	趙鶴	0	佚	春秋錄疑	趙恒	0	佚

春秋同文集	趙恒祚	0	佚	春秋左傳異名考	閏光德	1	存
麟經臆見	劉菬	0	佚	論春秋	劉永之	0	存
春秋左史捷徑	劉守泰	2	闕	麟旨	劉有綸	0	佚
春秋發微	劉辰嶽	0	佚	春秋闡蘊	劉辰嶽	0	佚
論春秋經	劉真	0	存	衛公子壽（解）	劉基	0	存
春秋講章	劉球	0	存	春秋口義	劉翔	0	佚
春秋旨叶	劉嘉禎	0	佚	左氏兵略	劉維城	32	存
地譜世系	劉績	1	存	春秋要旨	劉鍾	0	佚
麟經新旨	劉侗	20	存	左氏春秋內外傳類選	樊王家	8	存
權書止觀	潘曾緝	8	存	春秋確	潘曾紘	0	佚
論周正	蔡清	0	存	春秋通志	蔡毅中	12	存
春秋琴譜	衛朝陽	0	佚	左國類函	鄭元勳 王光魯輯	24	存
春秋指述	鄭時中	0	佚	論春秋	鄭真	0	存
春秋寫意	鄭楷	0	佚	新鍥鄭孩如先生精選左傳旁訓便讀	鄭維岩	4	存
春秋列國記	鄭與曾	0	佚	左傳文選	鄭曉	0	存
春秋心印	鄭錄	14	佚	春秋補注	鄧璠	0	佚
春王正月辨	鄧宗齡	0	存	春秋正辨	鄧鏚	0	佚
左傳鈔評	穆文熙	12	存	左傳國語國策評苑	穆文熙	61	存
麟經題要	蕭桂芳	0	佚	春秋筆庫	蕭桂芳	0	佚
春秋提意	賴梅	0	佚	春秋要旨	賴衚	0	佚
春秋說	錢世揚	10	佚	左紀	錢易奎	11	佚
左求	錢栴	2	佚	春秋本意	嬰諒	0	佚
麟經集解	應霈	0	佚	必有齋左概增刪	戴文光	12	存
春秋左傳	戴文光標釋;張我城參定.	30	存	春秋要義	鍾汝正	0	佚

左傳文苑	鍾惺	8	存	鍾伯敬評公羊穀梁二傳	鍾惺	24	存
春秋左傳杜林合注詳解	鍾惺	0	存	鍾評左傳	鍾惺	30	存
鄭莊公論	鍾惺	0	存	春秋以俟錄	瞿九思	1	佚
春秋捷音	瞿佑	0	佚	春秋正解	顏志道	0	佚
四傳折衷	魏邦泰	0	佚	三傳異同	魏靖國	30	佚
春秋摘要	魏謙吉	2	存	春秋正脈	魏鎮	3	佚
春秋恨事	羅高俶	0	佚	春秋是正	羅喻義	0	佚
左傳節文	羅欽順	0	佚	春秋用	嚴御風	30	佚
春秋箋	嚴通	0	佚	春秋傳語編註	蘇炎	0	佚
麟經聯珠	饒鳳書	0	佚	春秋左傳事類年表	顧宗瑋	1	佚
春秋提要發明	顧宗瑋	1	佚	三傳異同	顧宗瑋	1	佚
春秋通例	顧宗瑋	1	佚	春秋稽疑	顧宗瑋	1	佚
春秋參同	顧宗瑋	1	佚	春秋圖譜	顧宗瑋	1	佚
春秋箋釋	顧宗瑋	1	佚	春秋餘論	顧宗瑋	1	佚
新刻顧會元精選左傳奇珍纂註評苑	顧起元	24	存	春秋異名辨異	龔而安	1	存
左兵	龔爽	2	佚	春秋世系譜	凌稚隆	1	存
春秋名號異稱便覽	凌稚隆	1	存	春秋地名配古籍	凌稚隆	1	存
春秋總評	凌稚隆	1	存	春秋列國東坡圖說	凌稚隆	1	存
金朝							
春秋握奇圖	利變孫	1	佚	屏山杜氏春秋遺說	李純甫	0	佚
左氏賦	楊雲翼	0	佚	注穀梁春秋	孔默之	0	佚
南朝宋							
春秋左氏區分	何賀真	30	佚	注公羊傳	周續之	0	佚
左氏列國篇及	謝莊	0	佚				

木圖							
南朝梁				左氏條例	崔靈恩	10	佚
左氏條義	崔靈恩	10	佚	公羊穀梁文句義	崔靈恩	10	佚
左氏經傳義	崔靈恩	22	佚	春秋答問	梁簡武帝	0	佚
左氏條例	崔靈恩	10	佚	公羊穀梁文句義	崔靈恩	10	佚
申杜難服	虞僧誕	0	佚				
南朝齊							
（春秋）雜義難	李鉉	5	佚	注春秋	沈驎士	0	佚
左氏駁妄	秦道靜	0	佚	左氏杜預評	李鉉	2	佚
後蜀							
石經左氏傳		30	佚				
後魏							
難杜	衛冀隆	1	存				
唐				左傳杜注駁正	倪從進	0	佚
春秋左傳議	陳商	0	佚	春秋左氏音義	陸德明	6	存
春秋公羊疏（殘）	無名氏	7	存	申左	劉知幾	0	存
晉朝							
春秋左氏義外傳	干寶	0	佚	左氏訓注	孔衍	13	佚
春秋後語	孔衍	0	存	春秋土地名	杜預	1	存
春秋古今盟會地圖	杜預	0	佚	春秋謚法	杜預	1	佚
春秋釋例地名譜	杜預	1	佚	春秋公子譜	杜預	6	佚
春秋氏族譜	杜預	1	佚	監本纂圖春秋經傳集本	杜預	4	存
春秋左氏抄	杜預	0	存	左傳文編	杜預	0	佚
春秋長曆	京相璠	1	佚	春秋三傳	范隆	0	佚

答簿氏駁穀梁義	范甯	1	存	春秋穀梁廢疾箋	張靖	3	佚
左氏傳集解	張靖	11	佚	注穀梁春秋	郭琦	0	佚
春秋左傳劉氏注	劉兆	1	存	春秋公羊穀深（梁）傳（傳）解詁	劉兆	1	存
公羊劉氏注	劉兆	1	存	穀梁劉氏義	劉兆	1	存
春秋後傳	樂資	1	佚	春秋穀梁傳說	鄭嗣	1	存
清代							
春秋屬辭比事記補編	況澄	4	存	左傳五十凡例	丁芸	0	佚
左傳杜解集正	丁晏	8	存	春秋胡傳申正	丁晏	0	存
春秋胡傳考正	丁晏	4	存	春秋胡傳考正續錄	丁晏	2	存
左氏兵論	丁善慶	0	佚	春秋解	丁壽昌	0	存
春秋異地同名考	丁壽徵	1	存	左氏通義	丁履恆	0	佚
春秋貫	于大鯤	0	佚	公羊方言箋疏	于鴻恩	1	存
香草校春秋左傳	于鬯	6	存	春秋左傳函義	干寶撰 馬國翰輯	1	存
鄂韡堂春秋讀本	不著撰人	1	存	春秋記日錄	不著撰人	0	存
春秋貫攝	不著撰人	2	存	春秋傳說辨正	不著撰人	12	存
春秋三傳解義	不著撰人	0	闕	左國公穀分國摘錄	不著撰人	0	存
三研齋左傳節鈔	不著撰人	15	存	左傳分國擇要	不著撰人	2	存
春秋三傳注述源流得失	不著撰人	0	存	春秋題解	不著撰人	0	存
春秋傳說薈要	不著撰人	12	存	春秋左傳分國土地名	不著撰人	1	存
補春秋左傳分國土地名	不著撰人	1	存	春秋左傳職官	不著撰人	1	存
春秋左傳器物	不著撰人	1	存	春秋編	不著撰人	0	存

宮室							
春秋彙選前集	不著撰人	1	存	春秋彙選正集	不著撰人	12	存
春秋彙選末集	不著撰人	1	存	穀梁經傳補注	不著撰人	0	佚
春秋左氏傳傳述人考	不著撰人	0	佚	春秋公羊傳傳述人考	不著撰人	0	佚
春秋穀梁傳傳述人考	不著撰人	0	佚	春秋增訂旁訓	不著撰人	4	存
左傳詳節彙編	不著撰人	2	存	左概	不著撰人	0	佚
春秋□編	不著撰人	0	存	春秋左傳讀本	不著撰人	17	存
春秋三傳事實廣證	不著撰人名氏	0	佚	春秋傳說類編	不著撰人名氏	0	存
春秋內事	不著撰人名氏 黃奭輯	4	存	春秋三傳釋疑	不題撰人	10	佚
春秋穀梁傳章句	尹更始撰 馬國翰輯	1	存	春秋公羊通義	孔廣森	11	存
春秋公華經	孔廣森	1	存	公羊釋例	孔廣銘	30	佚
春秋閏月錄	孔廣栻	0	存	春秋土地名考	孔廣栻	1	存
春秋土地名考補遺	孔廣栻	1	存	春秋疏引土地名	孔廣栻	1	存
春秋土地名攷異	孔廣栻	1	存	春秋地名同名錄	孔廣栻	1	存
春秋地名同名錄補遺	孔廣栻	1	存	春秋人名同名錄	孔廣栻	1	存
春秋世族譜	孔廣栻	1	存	春秋世族攷	孔廣栻	1	存
春秋釋例世族譜補缺	孔廣栻	1	存	春秋釋例補遺	孔廣栻	1	存
春秋長曆考	孔廣栻	1	存	補杜氏釋例世族譜（附古人名譜）	孔廣栻	0	存
春秋日食錄	孔廣栻	0	存	春秋閏例日食例	孔繼涵	0	存

春秋地名攷	孔繼涵	1	存	春秋長曆	孔繼涵	1	存
春秋長曆補遺	孔繼涵	1	存	春秋長曆考	孔繼涵	1	存
春秋集義	方宗誠	12	存	春秋傳正誼	方宗誠	4	存
左傳義法舉要	方苞	1	存	春秋通論	方苞	4	存
春秋直解	方苞	12	存	春秋比事目錄	方苞	4	存
春秋發疑	方苞	1	存	方氏左傳評點	方苞	2	存
春秋諸家解	毛士	12	存	春秋三子傳	毛士	6	存
春秋傳前答問	毛士	1	存	春秋三傳駁語	毛士	10	存
春秋簡書刊誤	毛奇齡	2	存	春秋占筮書	毛奇齡	3	存
春秋傳	牛連震	12	存	春秋傳	牛運震	12	存
春秋世族譜補正	王士濂	1	存	左淫類紀	王士濂	1	存
左女彙記	王士濂	1	存	左傳同名彙紀	王士濂	1	存
左女同名附紀	王士濂	1	存	左傳國語是否同出左丘明考	王士駿	0	存
讀左索解	王大經	12	存	嚴氏春秋逸義述	王仁俊	1	存
讀左隨筆	王元樨	0	存	續春秋左氏經傳義略	王元規撰 馬國翰輯	1	存
春秋稗疏	王夫之	2	存	春秋家說	王夫之	3	存
春秋世論	王夫之	5	存	續春秋左氏傳博議	王夫之	2	存
春秋名字解詁	王引之	2	存	春秋原經	王心敬	4	佚
春秋世族輯略	王文源	1	存	春秋列國輯略	王文源	1	存
補春秋長曆	王氏	0	佚	春秋例表	王代豐	1	存
春秋左氏傳古注	王先謙 輯	5	存	讀左瑣錄	王廷鼎	1	存
左傳說	王系	30	存	春秋經文異同略	王言	1	存
春秋貫解	王尚絅	0	存	春秋列女圖考	王延釗	1	存
左傳紺珠	王武沂	2	存	春秋擬言	王者佐	12	存

	蕭士麟						
春秋類義折衷	王芝藻	16	佚	謚法彙解	王炯炎	1	存
春秋王朝世表	王炯炎	1	存	春秋列國世表	王炯炎	8	存
春秋四裔表	王炯炎	1	存	古國表	王炯炎	1	存
春秋卿大夫世系表	王炯炎	2	存	春秋左傳校勘記補正	王振聲	1	存
讀左質疑	王祖畬	4	存	春秋左傳補注	王捷南	0	佚
春秋說	王紹蘭	0	存	春秋左傳王氏注	王肅撰 馬國翰輯	1	存
文章練要左傳評	王源	10	存	公穀讀本	王源	0	存
文章練要公羊評	王源	2	存	文章練要穀梁評	王源	1	存
春秋五行災異卦炁屬比考	王銘西	0	存	春秋屬比考例	王銘西	2	存
春秋考證	王銘西	6	佚	春秋比類觀例	王銘西	2	存
左氏蒙求注	王慶麟	1	存	左氏春秋偽傳辨	王樹枏	8	存
續公羊墨守	王樹榮	3	存	續公羊墨守附篇	王樹榮	3	存
公羊何注攷訂	王樹榮	1	存	箴箴何篇	王樹榮	1	存
續穀梁廢疾	王樹榮	3	存	續左氏膏肓	王樹榮	6	存
讀左持平	王樹榮	1	存	三家經文同異考	王錫聆	2	佚
春秋釋義	王曜南	14	佚	春秋左氏古義輯說長編	王繩生	3	闕
春秋經傳類聯	王繩曾	32	存	春秋朔閏至日考	王韜	3	存
春秋日食辨正	王韜	1	存	春秋朔至表	王韜	1	存
春秋左氏傳集釋	王韜	60	佚	欽定春秋傳說彙纂	王掞　等	38	存
春秋公羊傳箋	王闓運	11	存	穀梁申義	王闓運	1	存
穀梁傳箋	王闓運	10	佚	春秋例表	王闓運	1	存

春秋詳說	冉覲祖	56	佚	與劉孟瞻論左氏舊疏書	包慎言	0	存
公羊曆譜	包慎言（世臣）	1	存	左傳易讀	司徒修	6	存
左傳分國摘要	史宗恒	20	存	讀左評錄	史致準	1	存
春秋說	田嘉谷	12	佚	師伏堂春秋講義	皮錫瑞	2	存
箴膏肓疏證	皮錫瑞	1	存	左傳淺說	皮錫瑞	2	存
起廢疾疏證	皮錫瑞	1	存	發墨守疏證	皮錫瑞	10	存
讀左卮言	石蘊玉	1	存	答陳時夏先生問杜氏長歷帖子	全祖望	0	存
左氏諡說	全祖望	0	存	春秋擬題集傳	吉夢熊	2	存
春秋世族譜拾遺	成蓉鏡	1	存	春秋日南至譜	成蓉鏡	1	存
春秋傳禮徵	朱大韶	10	存	左傳拾遺	朱元英	2	存
春秋左氏傳解誼	朱右曾	30	佚	左傳札記	朱亦棟	2	存
春秋經傳日表	朱兆熊	1	存	左傳測微	朱奇齡	13	佚
評點東萊左氏博議	朱書	0	存	左傳杜注摘謬	朱景昭	1	存
春秋鈔	朱軾	10	存	讀左別解	朱運樞	1	存
世族譜系	朱運樞	1	存	春秋三家異文覈	朱駿聲	1	存
春秋平議	朱駿聲	1	存	春秋亂賊考	朱駿聲	1	存
春秋左傳識小錄	朱駿聲	2	存	春秋名字解詁補義	朱駿聲	0	佚
春秋地理人名考略	朱駿聲	2	佚	春秋列女表	朱駿聲	0	佚
讀左日鈔補	朱鶴齡	2	存	左氏春秋集說	朱鶴齡	10	佚
左氏春秋凡例	朱鶴齡	2	存	與李太史論杜注書	朱鶴齡	0	存
春秋地理考實	江永	4	存	春秋類例	江永	1	存
春秋穀梁條指	江慎中	2	佚	春秋穀梁條例	江慎中	10	佚

書名	作者	卷	存佚	書名	作者	卷	存佚
穀梁箋釋	江慎中	0	佚	春秋左傳辯章題解	牟昌衡	6	存
左傳摘鈔目錄	牟昌衡	1	存	春秋左傳辯章	牟昌衡	30	存
春秋左傳地理徵	米右曾	20	佚	春秋大傳補說	何西夏	4	存
公羊注疏質疑	何若瑤	2	存	春秋公羊注疏質疑	何若瑤	2	佚
春秋求故	余煌	4	存	左傳輯古注	余蕭客	7	存
春秋日食質疑	吳守一	1	存	春秋左傳彙評	吳炳文	40	存
春秋氏族志	吳偉業	0	佚	春秋地理志	吳偉業	16	存
春秋臆說	吳啟昆	4	佚	春秋三傳義求	吳敏樹	26	存
春秋三傳異同考	吳陳琰	1	存	春秋隨筆	吳勤邦	1	存
春秋本義	吳楫	12	存	公羊經傳異文集解	吳壽暘	2	佚
春秋集義	吳鳳來	58	存	春秋綱領	吳鳳來	1	存
春秋圖說便考	吳鳳來	2	存	左國類典詳註	吳模	6	存
春秋集解讀本	吳應申	12	佚	春秋傳註訂譌	吳懋清	2	佚
左傳類典詳注	吳鴻漸	6	存	春秋劉光伯規杜辨	吳傅	0	存
三正考	吳鼐	2	存	左傳微	吳闓生	12	存
春秋本義	呂公滋	12	佚	春秋正宗	呂文櫹	12	存
說左	宋在詩	1	存	春秋朔閏日食攷	宋慶雲	2	存
春秋君國考	李元	5	佚	左氏兵法	李元春	2	存
春秋繁露求雨止雨篇彙考	李友洙	0	佚	春秋集傳	李文炤	10	存
左傳評	李文淵	3	存	春秋劄記	李光地	1	存
春秋燼餘	李光地	4	存	日講春秋講義	李光地等	64	存
春秋大義	李光地等	1	存	春秋總說	李光地等	1	存
春秋衷要	李式穀	6	存	左傳通釋	李惇	12	存
杜氏長曆補	李惇	0	佚	左傳異文釋	李富孫	10	存
公羊異文釋	李富孫	1	存	穀梁異文釋	李富孫	1	存

春秋三傳異文釋	李富孫	13	存	〔春秋〕左傳賈服注輯述	李貽德	20	存
春秋輯傳辯疑	李集鳳	0	存	春秋說集解	李道融	12	佚
春秋書法	李道融	8	佚	春秋左氏傳凡例探源	李審用	0	佚
春秋三傳比	李調元	2	存	春秋左傳會要	李調元	4	存
春秋官名考	李調元	2	存	左傳快讀	李駿喦	0	存
評點東萊博議	李鴻才	4	存	聽園讀左隨筆	李藝元	20	存
春秋傳註	李塨	4	存	春秋左傳意解	杜聯	10	存
春秋左氏經傳義略	沈文阿撰，馬國翰輯	1	存	左傳注疏正字	沈廷芳	10	佚
左傳小疏	沈彤	1	存	公羊穀梁異同合評	沈赤然	4	存
春秋三傳明辨錄	沈青崖	16	存	左傳職官	沈淑	1	存
春秋經玩	沈淑	4	存	左傳器物宮室	沈淑	1	存
春秋左傳分國土地名	沈淑	2	存	陸氏春秋左氏傳異文輯	沈淑	1	存
陸氏春秋公羊傳異文輯	沈淑	0	存	陸氏春秋穀梁傳異文輯	沈淑	0	存
春秋三傳經文考異	沈淑	1	存	左傳補注	沈欽韓	12	存
春秋左氏傳地名補注	沈欽韓	12	存	左傳考異	沈欽韓	10	佚
春秋提要	沈欽韓	0	存	與周保緒書（述撰左傳補注）	沈欽韓	0	存
與黃修存書（述撰左傳補注）	沈欽韓	0	存	春秋氏族圖考	沈澄本	2	存
春秋左傳服注	沈豫	2	存	左官異禮略	沈豫	1	存
尸官異禮略	沈豫	0	存	春秋集說	沈寶錕	4	存
春秋列國官名異同考	汪中	0	存	春秋述義	汪中	1	存

左氏春秋釋疑	汪中	0	存	左丘明作春秋傳論	汪之昌	0	存
左傳服虔注逸文（賈逵附）	汪之昌	0	存	春秋集傳	汪紱	16	存
春秋年譜	汪紱	1	佚	春秋偶記	汪德鉞	2	存
春秋左氏傳校勘記	阮元	42	存	春秋公羊傳注疏校勘記	阮元	11	存
春秋穀梁傳注疏校勘記	阮元	12	存	春秋左氏傳釋文校勘記	阮元	6	存
春秋傳說從長	阮芝生	12	存	左傳杜注拾遺	阮芝生	1	存
京相璠土地名	京相璠撰 馬國翰輯	1	存	春秋志在	來集之	12	佚
左傳翼	周大璋	38	存	左傳何以恤我非逸詩解	周中孚	0	存
春秋君臣世系圖考	周日年 章深同	1	存	增補左繡匯參	周正思	30	存
春秋左傳風俗義例	周受禧	0	存	塔南讀左	周詢	5	存
春秋輯解	周道遵	12	存	春秋胡傳審鵠會要	周夢齡	4	存
春秋補傳	周維栻	2	存	春秋體注大全合參	周熾	4	存
春秋三傳揭要	周蕙田	6	存	春秋世系表	周耀藻	0	存
春秋集傳	孟煜	16	存	春秋義例	孟煜	1	存
春秋列傳節要	孟緝祖	11	存	春秋淺說	宗室壽富	1	存
左國異同考	宗彝	3	存	春秋楚地答問	易本烺	1	存
讀左札記	易本烺	6	存	春秋左氏傳解誼	服虔撰 馬國翰輯	4	存
春秋左氏服氏注	服虔撰 馬國翰輯	12	存	春秋左傳風俗	林伯桐	20	佚
三傳異同考	林昌彝	1	存	春秋經傳比事	林春溥	22	存
滅國五十考	林春溥	1	存	春秋年表	林春溥	0	佚

左傳補注	林茂春	0	佚	全本春秋體註	林雲銘	30	存
春秋題要辯疑	林雲銘	3	存	左傳擷華	林紓	2	存
左傳詁	武億	20	佚	答某書（論左傳杜預注）	武億	0	存
春秋取義測	法坤宏	12	存	左傳童觿	邵月亭	2	存
穀梁古注	邵晉涵	0	佚	劉炫規杜持平	邵瑛	6	存
重刊宋紹熙公羊傳注附音本校記	邵橙、魏彥同	1	存	讀左一得	邱命三	4	存
春秋遵經集說	邱鍾仁	26	佚	唱經堂左傳釋	金人瑞	1	存
春秋氏族彙攷	金奉堯	4	存	春秋正業經傳刪本	金甌	12	佚
左傳補疏	金錫齡	0	佚	穀梁釋義	金錫齡	0	佚
春秋氏族略	侯廷銓	1	佚	列國考略	侯廷銓	1	佚
春秋疑義	侯廷銓	1	佚	穀梁禮證	侯康	2	存
穀梁禮徵	侯康	2	佚	春秋古經說	侯康	2	存
春秋穀梁傳時月日書法釋例	侯康	0	佚	可儀堂左選	俞世	0	佚
左丘明作左傳論	俞正燮	0	存	左傳宋盟先晉晉有信駁義	俞正燮	0	存
左傳執政解	俞正燮	0	存	春秋名字解詁補義	俞樾	1	存
達齋春秋論	俞樾	1	存	春秋歲星考	俞樾	1	存
左傳古本分年考	俞樾	1	存	左傳連珠	俞樾	1	存
春秋人地名對	俞樾	1	存	春秋繁露平議	俞樾	2	存
左氏春秋傳以成敗論人說	俞樾	0	存	春秋公羊穀梁諸傳彙義	姜兆錫	12	存
春秋參義	姜兆錫	12	佚	春秋事義慎考	姜兆錫	12	佚
讀左補義	姜炳璋	50	存	春秋傳義	姜國伊	12	存
春秋經傳朔閏表	姚文田	2	存	春秋日月表	姚文田	0	佚

讀左一隅	姚東升	3	存	春秋世族志略	姚東升	0	存
春秋左傳杜注	姚培謙	30	存	春秋古今地名考	姚培謙	1	存
春秋通論	姚際恆	15	存	春秋論旨	姚際恆	1	存
春秋無例詳考	姚際恆	1	存	左傳補注	姚鼐	1	存
公羊補注	姚鼐	1	存	穀梁補注	姚鼐	1	存
推春秋日食法	施彥士	1	存	春秋左傳注疏四案	施鴻保 （可齋）	4	存
春秋世系攷	柯汝霖	12	佚	春秋穀梁傳	柯劭忞	15	存
穀梁大義述	柳興恩（宗）	0	佚	春秋左氏古經	段玉裁	12	存
春秋左傳五十凡	段玉裁	1	存	與嚴厚氏論左傳一則	段玉裁	0	存
左傳詁	洪亮吉	50	存	公穀古義	洪亮吉	0	佚
春秋十論	洪亮吉	1	佚	春秋名字解詁駁	胡元玉	1	存
春秋夏正	胡天游	2	存	左傳翼服	胡匡衷	1	存
春秋簡融	胡序	4	存	春秋列國年表	胡宗一	0	存
與沈小宛書（校左傳兩條）	胡承珙	0	存	枕葄齋春秋問答	胡嗣運	16	存
春秋傳本	胡璠光	12	存	左傳釋地	范士齡	3	存
春秋上律表	范景福	0	存	春秋左傳釋人	范照藜	12	存
左類初定	范震薇	8	存	欽定春秋左傳讀本	英和　等	30	存
讀左瑣言	倪倬	1	存	學春秋理辯	凌堃	0	存
春秋咫聞鈔	凌揚藻	12	佚	較補春秋集解緒餘	凌嘉印	1	存
春秋繁露注	凌曙	17	存	公羊禮說	凌曙	1	存
公羊禮疏	凌曙	11	存	公羊問答	凌曙	2	存
左氏節萃	凌璿玉	10	存	左傳咀華	唐錫周	22	佚
春秋左傳分類賦	夏大觀	4	存	春秋諸傳參說	夏容	2	佚
春秋左傳異義	孫邦僑	0	存	左傳賦詩義證	孫國仁	1	存

錄聞							
春秋經傳類求	孫從添 過臨汾	12	存	春秋列國世代便覽	孫湘	1	存
春秋左氏傳義注	孫毓撰 馬國翰輯	1	存	三統曆春秋朔閏表	孫義鈞	2	存
春秋義補註	孫嘉淦	12	存	春秋義	孫嘉淦	15	存
山曉閣左選	孫琮	0	佚	重訂東萊博議	孫琮	4	存
左傳齊新舊量義	孫詒讓	0	存	左傳選	徐中舒	0	存
春秋惜陰錄	徐世沐	8	佚	春秋旁訓	徐立綱	4	存
春秋管窺	徐庭垣	12	存	春秋地名考略	徐善	14	存
春秋中國夷狄辨	徐勤	0	存	左氏兵法	徐經	1	存
左傳歌謠	徐經	0	存	春秋禮經	徐經	1	存
讀左存愚	徐經	1	存	左傳兵訣	徐經	0	存
左傳精語	徐經	1	存	春秋釋地韻編	徐壽基	5	存
初學辨體（春秋）	徐與喬輯	1	存	春秋大事記	徐履謙	1	存
穀梁箋記	徐震	2	存	增訂春秋世本圖譜	徐鎮	1	佚
左氏記伍子胥事與公羊同義說	徐鼎	0	存	春秋列國圖表	桂文燦	5	存
發墨守箴膏肓起廢疾論	桂文烜	0	存	春秋左傳類纂	桂含章	6	存
春秋比事參義	桂含章	16	存	補春秋僖公事闕書	桑宣	1	存
左傳鈔	浦起龍	0	存	左述	浦淵撰 浦玉立增訂	239	闕
左氏傳注疏正字	浦鏜	0	佚	春秋左傳	秦璞	17	存

春秋附記	翁方綱	5	存	春秋分年系傳表	翁方綱	1	存
春秋校記	翁方綱	0	存	春秋寶筏	翁長庸	12	存
春秋詳節	翁漢麐	0	佚	春秋備要	翁漢麐	30	佚
讀左傳	袁枚	0	存	讀左傳國策	袁枚	0	存
春秋說略	郝懿行	12	存	古左傳考	郝懿行	0	存
春秋比	郝懿行	2	存	左傳補注	馬宗槤	3	存
公羊補注	馬宗槤	1	佚	穀梁傳疏證	馬宗槤	0	佚
左傳賈服古注輯述	馬宗璉	0	佚	左傳口義	馬貞榆	3	存
玉函山房輯春秋	馬國翰	51	存	春秋元命苞	馬國翰輯	2	存
春秋緯漢含孶	馬國翰輯	1	存	左傳紀事本末	馬教思	0	佚
左傳字釋	馬驌	1	存	春秋列國表	馬驌	0	存
覽左隨筆	馬驌	1	存	春秋名氏譜	馬驌	1	存
左傳姓氏同異考	高士奇	4	存	諸小國君臣見經傳者	高士奇	1	存
春秋地名考略	高士奇	14	存	春秋經傳類對賦注	高士奇	1	存
春秋左氏紀事本末	高士奇	53	存	春秋列國君臣姓氏考	高士奇	1	佚
左穎	高士奇	6	存	左傳事鈔	高山唐	8	存
左傳鈔	高嶋	6	存	公羊傳鈔	高嶋	0	存
穀梁傳鈔	高嶋	0	存	春秋釋經	高澍然	12	佚
春秋三傳會纂旁訓	屠用豐	12	佚	春秋復始	崔適	38	佚
讀左漫筆	常茂徠	16	存	增訂春秋世族源流圖考	常茂徠	6	存
女譜	常茂徠	1	存	春秋世譜	常茂徠	0	存
春秋學	康有為	0	存	穀梁劉氏學	康有為	0	存
春秋古經篆	康有為	3	闕	讀左劄記	康有為	0	存

春秋筆削大義微言考	康有為	11	存	春秋筆削大義發凡	康有為	1	存
春秋董氏學	康有為	8	存	何氏糾謬	康有為	0	佚
孟子為公羊學考	康有為	0	佚	論語為公羊學者	康有為	0	佚
春秋考義	康有為	0	佚	春秋考文	康有為	0	佚
讀左氏春秋傳	張士元	0	存	春秋集傳	張士俊	13	存
春秋三傳異文考	張之萬	1	存	左貫	張文成	0	存
左氏春秋聚	張用星	18	存	左辨隨劄	張用星	1	存
春秋纂要	張兆炎	1	存	春秋宗朱辨義	張自超	12	存
春秋總論	張自超	15	存	春秋周魯纂論	張孝齡	8	存
春秋大義	張希良	0	佚	春秋疏略	張沐	50	佚
穀梁起廢疾補箋	張佩綸	0	存	春秋前漢三統閏朔表	張其翮	0	佚
讀左氏傳校註	張宗泰	0	存	三傳折諸	張尚瑗	44	存
左傳折諸	張尚瑗	28	存	公羊折諸	張尚瑗	6	存
穀梁折諸	張尚瑗	6	存	四傳管窺	張星徽	32	佚
春秋至朔通考	張冕	2	佚	春秋初年歲星行表	張冕	1	佚
春秋日食星度表	張冕	1	佚	春秋日表	張冕	1	佚
左傳分國紀事本末	張問達	16	存	春秋氏族圖	張道緒	1	佚
春秋經異	張漪	12	存	春秋傳議	張爾岐	6	存
春秋傳義	張爾岐	0	佚	春秋三傳定說	張甄陶	12	存
左氏義略	張遠覽	16	佚	穀梁大義述補闕	張慰祖	0	存
春秋繁露注附凌注校正	張駒賢	17	存	公羊臆	張憲和	3	存
讀公羊注記疑	張憲和	3	存	春秋五傳	張璞	17	存

春秋屬辭辨例編	張應昌	60	存	春秋解	張應譽	2	存
左傳杜註辨證	張聰咸	6	存	復段懋堂大令論左氏書	張聰咸	0	存
與千里明經難左氏四事	張聰咸	0	存	春秋圖解	張懷浣	10	存
左氏春秋聚	張蘭坡	18	佚	左辨隨劄	張蘭坡	1	佚
左辨隨劄表	張蘭坡	4	佚	左辨隨劄定稿	張蘭坡	2	佚
春秋測義	強汝詢	35	存	春秋鑽燧	曹金籀	4	存
分國左傳	曹荃	18	存	左氏條貫	曹基	18	存
春秋輯說彙解	曹逢庚	2	存	五硯齋困知經說	梁恩霖	1	存
五硯齋困知左傳說	梁恩霖	0	存	讀春秋界說	梁啟超	1	存
要籍解題及其讀法－－左傳、國語	梁啟超	0	存	左通補釋	梁履繩	32	存
春秋條辨	梁鴻翥	0	存	春秋義類	梁鴻翥	0	存
穀梁注疏	梅植之	1	佚	讓左傳晉楚城濮之戰說	清高宗	0	存
御製讀左傳	清高宗	0	存	讀左傳季文子出莒僕	清高宗	0	存
御製繙譯春秋	清高宗敕譯	64	存	讀左瘖言	清馮李驊 清陸浩撰	1	存
刻左例言	清馮李驊 清陸浩撰	1	存	古文評論－－左傳	清聖祖	0	存
日講春秋解義	清聖祖玄燁	64	存	于埜左氏錄	盛大謨	2	存
春秋正辭	莊存與	11	存	春秋舉例	莊存與	1	存
春秋要指	莊存與	1	存	春秋小學	莊有可	6	存
春秋識小	莊有可	8	佚	春秋慎行義	莊有可	2	存
春秋刑法義	莊有可	1	存	春秋使師義	莊有可	1	存

春秋左傳論	莊有可	0	存	左傳補注	莊述祖	1	佚
左氏蒙求注	許乃濟	1	存	春秋或辯	許之獬	2	存
春秋深	許伯政	19	佚	穀梁釋例	許桂林	4	存
春秋左氏傳注	許淑撰馬國翰輯	1	存	春秋說	許揚祖	16	佚
左傳臆說	郭柏蒼	0	存	春秋說	陳世鎔	4	存
春秋屬辭會義	陳用光	1	闕	春秋公羊義疏	陳立	76	存
春秋諡法表	陳延齡	0	存	春秋長曆	陳厚耀	10	存
春秋世本圖譜	陳厚耀	1	存	春秋世系圖譜	陳厚耀	1	存
左傳分類	陳厚耀	0	佚	春秋世族譜	陳厚燿	1	存
春秋義存錄	陳奎勳	12	存	公羊逸禮考徵	陳奐	1	存
春秋緯史集傳	陳省欽	40	存	左傳嘉集	陳貽谷	4	存
春秋經傳通釋	陳聖清	12	佚	左傳小識	陳榮袞	2	佚
春秋規過考信	陳熙晉	9	闕	春秋述誼拾遺	陳熙晉	8	存
左傳日知錄	陳震	8	存	左傳日知錄	陳震	8	存
陳藝叔先生春秋	陳學文	30	存	春秋經傳集解考正	陳樹華	30	存
春秋外傳考正	陳樹華	21	存	春秋劉光伯規杜辨	陳澧	0	存
春秋國都爵姓考	陳鵬	1	存	春秋辨疑校	陸心源	1	存
春秋讞義補	陸心源	3	存	春秋左傳類聯	陸桂孫	1	存
春秋左傳意解	陸樹芝	10	存	春秋左傳意解圖	陸樹芝	1	佚
春秋精義彙鈔	陸錫璞	40	存	讀東萊博議（論左氏）	陸隴其	0	存
麟經鉤玄	陸漻	0	存	春秋說	陶正靖	1	存
春秋左傳鄭賈服注參考	陶思曾	1	存	讀春秋繁露札記	陶鴻慶	1	存
春秋左氏傳事類始末	章仲	5	存	春秋內外傳筮辭考證	章來	3	佚
春秋左傳讀	章炳麟	9	存	春秋左氏疑義答問	章炳麟	5	存

劉子政左氏說	章炳麟	1	存	春秋左傳讀敘錄	章炳麟	1	存
論左氏傳	章炳麟	0	存	杜預左氏集解	章炳麟	0	存
駁箴膏肓評	章炳麟	1	存	春秋比辨	章謙存	0	存
春秋逸事	傅上瀛	14	佚	左錦	傅山	1	存
御纂春秋直解	傅恆等	12	存	春秋詩話	勞孝輿	5	存
讀春秋三傳劄記	單為鏓	2	存	春秋事義合註	單鐸	12	存
春秋左傳嵇氏音	嵇康撰，馬國翰輯	1	存	春秋左傳杜注綜覽	彭□□雲墟	30	存
三傳異文錄	彭孚甲	1	存	左氏奇說	彭汪撰，馬國翰輯	1	存
讀左氏春秋	彭紹升	0	存	穀梁范注闕地釋	彭夢日	2	存
春秋質疑	彭遷道	2	存	春秋楚地疆域表	彭焯南	1	佚
半農春秋說	惠士奇	15	存	左傳補注	惠棟	6	存
公羊古義	惠棟	1	存	穀梁古義	惠棟	1	存
穀梁傳補義	惠棟	1	存	春秋國都爵姓考補	曾釗	0	存
春秋大義繹	曾學傳	8	存	春秋不傳	湯啟祚	12	佚
春秋訂誤	湯豫誠	15	存	春秋增註	湯斌	8	存
三傳經文辨異	焦廷琥	4	存	春秋闕如編	焦袁熹	7	存
讀春秋	焦袁熹	1	存	小國春秋	焦袁熹	1	存
左傳補疏	焦循	5	存	春秋列國時事圖說	無名氏	0	存
春秋識小錄	程廷祚	9	存	職官考略	程廷祚	3	存
地名辨異	程廷祚	3	存	春秋希通	程庭桂	1	存
春秋左傳翼疏	程晉芳	32	存	春秋詠史樂府	舒位	1	存
春秋類考	華學泉	12	佚	春秋疑義	華學泉	1	佚
春秋左傳列國地名考	費卿庭	24	佚	讀左傳	賀濤	0	存
春秋節傳	鈕沅	12	存	周末列國有今郡縣考	閔麟嗣	1	存

春秋首圖考	馮如京	1	存	春秋公羊傳	馮李驊	12	存
春秋穀梁傳	馮李驊	12	存	讀左約箋	馮李驊	2	存
春秋左繡	馮李驊	30	存	春秋內傳古注補輯	馮明貞	3	佚
註釋東萊博議	馮泰松	4	存	駁胡康侯鄭伯克段于鄢傳	馮景	0	存
春秋大成講意	馮雲驤	31	存	春秋宗族名謚譜	馮繼先	5	佚
春秋日食集證	馮澂	10	存	春秋四傳異同辨	黃永年	1	存
春秋釋	黃式三	4	闕	對左傳死兆問	黃式三	0	存
宋元春秋解提要	黃叔琳	0	佚	春秋正解體要	黃宗傑	21	佚
春秋傳注訂訛纂輯	黃芝	0	佚	麏史稡準	黃炳垕	4	存
春秋精義	黃淦	4	存	廣春秋人地名對	黃朝桂	1	存
春秋緯	黃奭	1	存	春秋潛潭巴	黃奭 輯	0	存
春秋演孔圖	黃奭輯	0	存	春秋合誠圖	黃奭輯	0	存
春秋握誠圖	黃奭輯	0	存	春秋佐助期	黃奭輯	0	存
春秋運斗樞	黃奭輯	0	存	春秋感精符	黃奭輯	0	存
春秋考異郵	黃奭輯	0	存	春秋保乾圖	黃奭輯	0	存
春秋說題辭	黃奭輯	0	存	春秋文耀鉤	黃奭輯	0	存
春秋命歷序	黃奭輯	0	存	春秋左傳讀本	黃鉞	30	存
春秋左傳闡義	慎朝正	55	存	左國悉事	楊一崑	0	存
春秋管見	楊天祿	85	存	左傳同名錄	楊文鼎	1	存
春秋義補注	楊方達	12	佚	春秋宗經錄	楊丕復	14	佚
魯史権	楊兆鋆	2	存	春秋穀梁傳考異	楊守敬	1	存
春秋困學錄	楊宏聲	12	存	春秋左傳音訓	楊國禎	0	存
春秋公羊傳音訓	楊國禎	0	存	春秋穀梁傳音訓	楊國禎	0	存
左傳博引	楊榮緒	0	佚	讀左漫筆	楊榮緒	0	佚

左鑑	楊潮觀	10	存	讀春秋公羊札記	溫仲和	0	佚
春秋四傳詁經	萬斛泉	15	存	學春秋隨筆	萬斯大	10	存
春秋究遺	葉酉	16	存	春秋總說	葉酉	1	存
春秋比例	葉酉	1	存	春秋三傳人名考異	葉德輝	6	存
春秋左傳地名考略	葉德輝	0	存	春秋世族譜	葉蘭	0	存
春秋左傳鍵	葛維鏞	24	存	春秋繁露箋注	董天工	17	存
春秋左氏傳章句	董遇撰 馬國翰輯	1	存	賈逵春秋左氏傳解詁	賈逵撰; 馬國翰輯	2	存
左傳詳解	過埰	0	存	春秋經傳日月考	鄒伯奇	1	存
春秋經傳日月考	鄒伯奇	1	存	左傳約編	鄒美中	21	存
春秋左傳圖旨	鄒聖脈	12	存	書鄧雲渠先生駁呂東萊鄭伯克段于鄢議後	鄒漢勛	0	存
春秋議義衷	團維墉	12	存	左傳杜解辨正	廖平	8	佚
大統春秋公羊補證	廖平	11	存	大統春秋條例表	廖平	1	存
何氏公羊解詁三十論	廖平	1	存	何氏公羊春秋十論	廖平	1	存
續何氏公羊春秋十論	廖平	1	存	再續何氏公羊春秋十論	廖平	1	存
穀梁古義疏	廖平	11	存	釋范	廖平	1	存
起廢疾解	廖平	1	存	起起穀梁廢疾	廖平	1	存
春秋三傳折衷	廖平	0	存	春秋穀梁學外編	廖平	2	佚
穀梁春秋經學外篇敘目	廖平	1	存	春秋圖表	廖平	2	存
左氏春秋古經說義疏	廖平	12	存	春秋左傳古義凡例	廖平	1	存
左傳經例長編	廖平	0	存	再箴左膏肓	廖平	0	存
左氏傳長編目	廖平	0	存	劉申綏左氏考證辨正	廖平	0	存

錄							
穀梁春秋經傳古義疏	廖季平	11	存	春秋通義	廖景曾	0	佚
春秋例表	廖震	0	存	春秋公羊文諡例	漢何休著;清馬國翰輯	1	存
春秋公羊顏氏記	漢顏安樂撰。清馬國翰輯	1	存	公羊嚴氏春秋	漢嚴彭祖撰。清馬國翰輯	1	存
左氏春秋紀事本末	熊為霖	14	存	春秋左氏傳孔子語說	管世銘	0	存
規左一隅	管榦珍	3	存	〔春〕〔左〕秋左氏古義	臧壽恭	6	存
公羊釋例	褚寅亮	30	佚	補正左傳逸文二則說	趙一清	0	存
讀左賸語	趙以琨	1	存	春秋三傳雜案	趙佑	10	存
讀春秋存稿	趙佑	4	存	讀春秋	趙良霨	2	存
春秋三傳異文箋	趙坦	13	存	左傳人名備考	趙宗侃	0	存
春秋大意	趙宗猷	12	存	讀左管窺	趙青藜	2	存
春秋集傳辨異	趙培桂	12	存	左傳服義述	趙聖傳	0	佚
左傳質疑	趙銘	3	存	春秋箋例	趙儀吉	30	存
左傳私解	趙曦明	1	存	春秋左傳注疏考證	齊召南	2	存
春秋公羊傳注疏考證	齊召南	1	存	春秋穀梁傳注疏考證	齊召南	1	存
春秋傳質疑	齊周南	6	存	左傳典則	齊圖南	0	存
春秋公法內傳	劉人熙	12	存	春秋疑義錄	劉士毅	2	存
左傳舊疏考證	劉文淇	8	存	春秋左氏傳舊注疏證稿	劉文淇	0	存
與沈小宛先生書（述注左氏傳）	劉文淇	0	存	與劉楚楨書（答辯所著左傳舊疏考證）	劉文淇	0	存

答黃春谷先生書（校左氏傳數條）	劉文淇	0	存	春秋穀梁傳說	劉向撰；馬國翰輯	1	存
春秋經解	劉沅	8	存	春秋恒解	劉沅	8	存
北宋槧春秋公羊疏殘本校勘記	劉承幹	1	存	春秋規過	劉炫撰，馬國翰輯	2	存
春秋述義	劉炫撰，馬國翰輯	2	存	劉炫春秋攻昧	劉炫撰，馬國翰輯	1	存
春秋左氏傳述義	劉炫撰，黃奭輯	1	存	春秋左氏傳古例微	劉師培	1	存
左氏傳例略	劉師培	1	存	左氏傳答問	劉師培	1	存
左氏傳時月日古例考	劉師培	1	存	春秋古經箋	劉師培	2	存
春秋古經舊注疏證零稿	劉師培	1	存	讀左劄記	劉師培	1	存
春秋繁露校補	劉師培	2	存	繁露〔佚〕（遺）文輯補	劉師培	1	佚
春秋左氏傳時月日左例銓微	劉師培	0	存	春秋左氏傳傳例解略	劉師培	1	存
左氏不傳春秋辨	劉師培	0	存	春秋左氏傳答問	劉師培	0	存
左傳隱公元年百雉說	劉師培	0	存	周季諸子述左傳考	劉師培	0	存
左氏學行於西漢考	劉師培	0	存	春秋通論	劉紹攽	6	存
春秋筆削微旨	劉紹攽	26	存	公羊何氏釋例	劉逢祿	10	存
公羊何氏解詁箋	劉逢祿	1	存	論語述何	劉逢祿	2	存
發墨守評	劉逢祿	1	存	箴膏肓評	劉逢祿	1	存
穀梁廢疾申何	劉逢祿	2	存	左氏春秋考證	劉逢祿	2	存

春秋提綱	劉景伯	0	存	春秋析疑	劉景伯	2	存
左傳約解	劉曾騄	20	佚	春秋左氏傳大義	劉毓崧	0	佚
春秋義解	劉夢鵬	12	佚	春秋書法比義	劉增璇	11	存
春秋蓄疑	劉蔭樞	11	佚	增批輯注東萊博議	劉鍾英	4	存
左傳快評	劉獻廷撰、金成棟輯	8	存	左傳快評	劉繼壯	8	存
春秋解錄	劉鶴鳴	0	存	宇湖軒左緯	劉霽先	3	存
字湖軒讀左比事	劉霽先	0	存	劉歆春秋左氏傳章句	劉歆撰，馬國翰輯	1	存
讀左比事	劉溱	12	存	春秋講義	潘任	1	佚
辯司馬遷未見左氏傳	潘耒	0	存	左腴	潘希淦	3	存
春秋比事參義	潘相	1	存	春秋尊孟	潘相	1	存
春秋應舉輯要	潘相	12	存	春秋義疏	蔣家駒	0	佚
春秋見心	蔣紹宗	0	存	春秋紀事考	蔣湘南	0	存
春秋左傳	蔣衡	0	存	春秋通論	蔡遜元	4	佚
春秋傳駁	衛冀隆撰，馬國翰輯	1	存	春秋傳注約編	鄭士範	50	存
春秋辯義	鄭文蘭	12	存	春秋說	鄭杲	2	存
春秋札記	鄭杲	1	存	春秋三傳表	鄭杲	2	存
春秋左傳旁訓	鄭惟獄	18	存	春秋左傳杜林備旨	鄭梧岡	12	存
鄭眾春秋牒例章句	鄭眾撰，馬國翰輯	1	存	春秋目論	鄧顯鶴	2	佚
春秋左傳杜注校勘記	黎庶昌	1	存	左傳分國纂略	盧元昌	16	存
春秋左傳注疏校正	盧文弨	1	存	春秋左氏音義考証	盧文弨	6	存
春秋三傳纂凡表	盧軒	4	佚	春秋闡微	盧絳	30	存
會心閣春秋左	豫山	12	存	春秋公穀傳	錢良擇	12	存

傳讀本							
春秋疑年錄	錢保塘	1	存	春秋辨名小記	錢保塘	1	存
春秋左傳地名考	錢俊選	12	闕	春秋經傳集解疑參	錢柄	20	存
春秋左氏古義	錢塘（禹美）	6	佚	左傳札記	錢綺	7	存
讀左傳隨筆	錢謙益	0	存	讀左傳劄記	錢謙益	0	存
校顧亭林左傳杜解補正	錢馥	0	存	校姚姬得左傳補注	錢馥	0	存
春秋一得	閻循觀	1	佚	左傳五十凡例	駱成駫	2	存
春秋國名考釋	鮑鼎	3	佚	左傳選	儲欣	14	存
春秋前事	儲欣、蔣景祁	1	佚	春秋後事	儲欣、蔣景祁	1	佚
春秋指掌	儲欣、蔣景祈	30	存	春秋剩義	應麟	2	佚
春秋集解	應撝謙	12	存	校補春秋集解緒餘	應撝謙	1	佚
春秋提要補遺	應撝謙	1	佚	春秋五測	戴祖啟	3	存
春秋三傳釋地	戴清	0	存	春秋穀梁傳糜氏注	糜信撰		
馬國翰輯	1	存					
蜀石經校記（左傳）	繆荃孫	1	存	讀左小記	薛承宣	2	存
春秋經朔表	薛約衍	4	存				

【附錄】重要人名、書名索引

本文所涉人物、書名眾多，為便於讀者使用，特別編列重要人名、書名索引，以利讀者參考之用。

下列相關索引的內容，係運用電腦編輯，其中容有不足之處，僅輔助參考之用，特此申明。

七劃

春科左傳本末1693

春秋1, 5, 6, 10, 12, 13, 14, 15, 17, 22, 23, 24, 25, 27, 28, 29, 30, 31, 33, 34, 35, 36, 37, 38, 41, 42, 44, 45, 46, 48, 49, 50, 52, 57, 58, 59, 60, 61, 62, 63, 64, 65, 66, 67, 69, 70, 71, 72, 73, 74, 75, 76, 77, 78, 79, 80, 81, 83, 84, 85, 86, 87, 88, 89, 90, 91, 92, 93, 94, 95, 96, 98, 99, 100, 101, 102, 103, 104, 105, 106, 107, 108, 109, 110, 111, 112, 113, 114, 115, 116, 117, 118, 119, 120, 121, 123, 124, 126, 127, 129, 130, 131, 132, 133, 134, 135, 136, 137, 138, 139, 141, 142, 143, 144, 145, 146, 147, 148, 149, 150, 151, 152, 153, 154, 155, 156, 157, 158, 159, 160, 161, 162, 163, 164, 165, 166, 167, 168, 169, 170, 171, 172, 173, 174, 175, 176, 177, 178, 179, 180, 181, 182, 183, 184, 185, 186, 187, 188, 189, 191, 192, 193, 194, 195, 196, 198, 199, 200, 201, 202, 204, 205, 206, 207, 208, 209, 210, 211, 212, 213, 214, 215, 216, 217, 219, 220, 221, 222, 223, 224, 226, 227, 228, 229, 230, 232, 233, 234, 235, 236, 237, 238, 239, 240, 241, 242,

243, 244, 247, 248, 249, 250, 251, 252, 253, 254, 255, 256, 257, 258, 259, 260, 261, 262, 263, 264, 265, 266, 267, 268, 269, 270, 271, 272, 273, 274, 275, 276, 277, 278, 279, 280, 281, 282, 283, 284, 285, 286, 287, 288, 289, 290, 291, 292, 293, 294, 295, 296, 297, 298, 299, 300, 301, 302, 303, 304, 306, 307, 308, 310, 311, 312, 314, 315, 316, 317, 318, 319, 320, 321, 322, 323, 324, 325, 326, 327, 328, 329, 330, 331, 332, 333, 334, 337, 338, 340, 341, 342, 343, 344, 345, 346, 347, 348, 349, 350, 351, 352, 353, 354, 356, 357, 358, 359, 361, 362, 363, 364, 365, 366, 367, 368, 369, 370, 371, 372, 373, 374, 375, 376, 377, 378, 379, 380, 381, 382, 383, 384, 385, 386, 387, 388, 390, 391, 392, 393, 394, 395, 396, 397, 398, 399, 401, 402, 403, 404, 405, 406, 407, 408, 411, 412, 413, 414, 415, 416, 417, 418, 419, 420, 421, 422, 423, 424, 425, 426, 427, 429, 430, 433, 435, 436, 437, 438, 439, 440, 441, 442, 443, 444, 445, 446, 447, 448, 449, 450,

451, 452, 453, 454, 455, 456, 457, 458, 459, 460, 461, 462, 463, 464, 465, 466, 469, 470, 471, 472, 473, 474, 475, 477, 479, 480, 481, 483, 484, 486, 487, 488, 489, 490, 491, 492, 493, 494, 495, 496, 497, 498, 499, 500, 502, 503, 504, 505, 506, 507, 508, 509, 510, 511, 514, 515, 516, 517, 518, 520, 521, 524, 525, 526, 527, 528, 529, 530, 531, 532, 533, 537, 538, 539, 541, 542, 543, 544, 545, 546, 547, 550, 551, 553, 554, 556, 558, 559, 560, 562, 563, 564, 565, 566, 567, 568, 569, 570, 571, 572, 573, 574, 575, 576, 577, 579, 580, 581, 582, 583, 584, 585, 586, 587, 588, 589, 590, 591, 592, 593, 594, 595, 596, 597, 598, 599, 600, 601, 602, 603, 604, 605, 606, 607, 608, 609, 610, 611, 612, 613, 614, 615, 616, 619, 620, 621, 622, 623, 624, 625, 626, 628, 629, 630, 631, 632, 633, 634, 636, 637, 638, 639, 642, 643, 644, 645, 646, 647, 648, 649, 650, 651, 652, 653, 654, 655, 656, 657, 658, 659, 660, 661, 662, 663, 664, 665, 666, 667, 668, 669,

670, 671, 672, 673, 674, 675, 677, 678, 679, 680, 681, 682, 683, 684, 685, 686, 687, 688, 689, 690, 691, 692, 693, 694, 695, 696, 697, 698, 699, 700, 701, 702, 703, 704, 706, 707, 717, 718, 719, 721, 722, 723, 724, 725, 726, 727, 728, 729, 730, 731, 732, 733, 734, 735, 736, 737, 739, 740, 741, 742, 743, 744, 745, 746, 747, 748, 749, 750, 751, 752, 753, 754, 755, 756, 757, 758, 759, 760, 763, 764, 765, 766, 767, 768, 769, 770, 771, 772, 773, 774, 775, 776, 777, 778, 779, 780, 781, 782, 783, 784, 785, 786, 787, 788, 789, 790, 792, 795, 798, 799, 800, 801, 802, 803, 804, 805, 806, 807, 808, 809, 810, 811, 812, 813, 814, 815, 816, 817, 819, 820, 821, 822, 823, 824, 825, 826, 827, 828, 829, 830, 832, 833, 835, 836, 837, 838, 839, 840, 841, 842, 843, 844, 845, 846, 847, 848, 849, 850, 851, 852, 853, 854, 855, 856, 857, 858, 859, 860, 861, 862, 863, 864, 865, 866, 867, 868, 869, 870, 871, 873, 874, 875, 876, 877, 879, 880, 881, 882, 884, 885,

383, 385, 386, 387, 389,
391, 392, 396, 398, 428,
429, 437, 443, 444, 446,
447, 523, 524, 525, 529,
530, 554, 563, 597, 602,
635, 636, 637, 641, 643,
644, 654, 656, 657, 658,
660, 668, 681, 682, 683,
686, 688, 692, 693, 696,
697, 698, 699, 701, 706,
707, 718, 721, 725, 726,
727, 728, 729, 730, 735,
740, 741, 742, 743, 745,
747, 748, 749, 751, 755,
757, 758, 763, 765, 768,
769, 770, 781, 782, 783,
786, 787, 789, 790, 791,
792, 793, 801, 802, 804,
809, 810, 811, 817, 819,
820, 822, 823, 825, 826,
827, 828, 829, 830, 831,
832, 835, 837, 841, 843,
847, 849, 850, 851, 856,
858, 859, 860, 862, 865,
866, 869, 873, 874, 879,
884, 885, 889, 893, 896,
899, 917, 919, 920, 930,
931, 933, 934, 936, 938,
947, 948, 949, 950, 951,
952, 955, 961, 964, 965,
970, 974, 975, 977, 982,
987, 988, 989, 991, 992,
993, 994, 995, 1000, 1002,
1003, 1005, 1006, 1009,
1011, 1014, 1019, 1022,
1058, 1060, 1064, 1075,
1077, 1080, 1145, 1146,
1228, 1229, 1279, 1563,

1599, 1601, 1602, 1611,
1612, 1614, 1616, 1620,
1623, 1624, 1625, 1674,
1675, 1683, 1688

通志52, 57, 59, 76, 79, 83,
115, 117, 118, 119, 137,
145, 146, 157, 158, 170,
199, 200, 210, 212, 223,
227, 230, 232, 240, 278,
310, 311, 318, 322, 348,
349, 358, 391, 400, 428,
444, 445, 459, 469, 471,
479, 493, 525, 529, 563,
567, 568, 569, 582, 584,
585, 602, 651, 698, 701,
719, 722, 731, 733, 735,
736, 745, 746, 747, 750,
751, 752, 757, 758, 759,
760, 763, 764, 765, 766,
768, 771, 772, 775, 776,
777, 778, 786, 787, 792,
798, 799, 801, 802, 804,
806, 807, 808, 809, 810,
815, 816, 817, 835, 836,
837, 838, 839, 840, 841,
857, 861, 862, 863, 864,
868, 870, 871, 875, 879,
880, 887, 888, 894, 897,
922, 924, 925, 926, 934,
935, 941, 942, 954, 955,
966, 967, 969, 972, 973,
993, 995, 1006, 1007,
1008, 1010, 1020, 1027,
1029, 1030, 1032, 1033,
1034, 1035, 1036, 1039,
1051, 1059, 1074, 1076,
1077, 1078, 1079, 1080,
1081, 1086, 1087, 1088,

1089, 1090, 1092, 1093,
1113, 1115, 1116, 1120,
1122, 1123, 1124, 1126,
1127, 1128, 1134, 1135,
1140, 1141, 1142, 1145,
1146, 1165, 1167, 1168,
1169, 1176, 1177, 1183,
1184, 1185, 1191, 1195,
1196, 1198, 1200, 1201,
1202, 1203, 1211, 1229,
1239, 1240, 1241, 1249,
1255, 1256, 1257, 1264,
1267, 1268, 1271, 1274,
1275, 1276, 1279, 1280,
1281, 1282, 1291, 1296,
1304, 1307, 1308, 1310,
1335, 1336, 1337, 1346,
1355, 1360, 1364, 1389,
1399, 1404, 1407, 1453,
1456, 1538, 1565, 1621,
1630, 1636, 1637, 1638,
1639, 1665, 1667, 1668,
1669, 1674, 1677, 1678,
1680, 1681, 1682, 1683,
1684

通志．藝文略158, 429

通志堂經解57, 76, 79, 83,
117, 118, 119, 137, 146,
170, 200, 230, 232, 240,
278, 310, 311, 318, 322,
348, 349, 358, 391, 444,
445, 459, 525, 529, 563,
651, 701, 719, 722, 733,
735, 736, 745, 747, 750,
751, 757, 759, 760, 763,
765, 771, 775, 777, 778,
801, 804, 806,￼ 807, 808,
809, 815, 835, 836, 837,

839, 841, 857, 861, 862,
864, 868, 870, 871, 888,
894, 922, 924, 925, 926,
935, 942, 954, 955, 966,
972, 973, 993, 1006, 1007,
1008, 1027, 1029, 1030,
1032, 1034, 1036, 1039,
1051, 1059, 1076, 1077,
1078, 1080, 1086, 1088,
1092, 1093, 1113, 1120,
1123, 1127, 1128, 1134,
1140, 1141, 1142, 1167,
1168, 1169, 1176, 1177,
1183, 1185, 1195, 1198,
1200, 1201, 1202, 1203,
1229, 1240, 1241, 1255,
1257, 1264, 1267, 1271,
1274, 1276, 1279, 1280,
1281, 1282, 1307, 1308,
1630, 1636, 1638, 1639,
1665, 1667, 1668, 1669,
1677, 1678, 1680, 1681,
1682, 1683

通志略．23, 779

通典163, 165, 170, 225,
233, 266, 291, 371, 372,
376, 383, 385, 387, 388,
389, 390, 395, 396, 398,
401, 404, 448, 546, 560,
574, 575, 687, 1058, 1398

通書52, 57, 76, 79, 83,
115, 117, 118, 119, 137,
169, 230, 232, 301, 411,
459, 1229, 1345, 1665,
1667, 1668, 1669, 1677,
1678, 1680, 1681, 1682,
1683

214, 215, 219, 220, 221,
222, 228, 229, 230, 231,
232, 233, 234, 235, 236,
237, 238, 239, 240, 241,
243, 244, 245, 247, 248,
249, 250, 251, 252, 253,
254, 255, 257, 258, 291,
314, 337, 354, 387, 399,
417, 420, 447, 454, 463,
466, 469, 476, 479, 493,
518, 526, 537, 543, 547,
573, 579, 582, 583, 588,
589, 603, 607, 645, 646,
659, 667, 677, 700, 702,
703, 706, 736, 740, 742,
745, 752, 756, 761, 763,
771, 775, 776, 777, 778,
779, 780, 784, 786, 795,
802, 805, 807, 808, 810,
811, 815, 823, 824, 827,
828, 830, 832, 835, 836,
837, 839, 841, 842, 843,
848, 850, 851, 852, 854,
856, 858, 859, 862, 865,
866, 870, 873, 875, 876,
879, 885, 887, 889, 899,
902, 920, 933, 941, 947,
948, 955, 956, 958, 961,
962, 964, 966, 972, 974,
976, 991, 994, 996, 999,
1005, 1008, 1009, 1011,
1012, 1013, 1027, 1028,
1029, 1034, 1043, 1048,
1055, 1056, 1058, 1060,
1064, 1067, 1069, 1073,
1074, 1081, 1082, 1085,
1100, 1104, 1115, 1121,
1130, 1132, 1133, 1134,

1135, 1140, 1145, 1149,
1163, 1176, 1179, 1181,
1183, 1190, 1191, 1195,
1204, 1207, 1217, 1221,
1232, 1235, 1237, 1244,
1247, 1248, 1253, 1255,
1260, 1279, 1289, 1307,
1312, 1313, 1314, 1317,
1322, 1326, 1327, 1328,
1329, 1333, 1334, 1335,
1338, 1340, 1341, 1344,
1345, 1346, 1347, 1354,
1359, 1364, 1369, 1370,
1380, 1390, 1393, 1394,
1399, 1400, 1411, 1412,
1416, 1417, 1420, 1422,
1449, 1450, 1453, 1456,
1464, 1465, 1466, 1467,
1481, 1488, 1494, 1497,
1499, 1523, 1531, 1537,
1552, 1563, 1569, 1572,
1579, 1593, 1594, 1599,
1608, 1609, 1620, 1627,
1628, 1629, 1633, 1668,
1673, 1685, 1686, 1687,
1688, 1689

經義考 . 逸經下 163, 291

經義攷補正 3, 4, 10, 12, 13,
16, 20, 22, 27, 28, 33, 35,
39, 40, 51, 59, 67, 71, 116,
117, 118, 119, 121, 131,
132, 135, 136, 140, 143,
144, 145, 146, 147, 150,
153, 156, 157, 160, 178,
181, 184, 188, 189, 198,
199, 200, 202, 230, 231,
239, 252, 279, 420, 465,
864, 1058, 1074, 1228,

1399, 1411, 1461, 1688

經解 57, 76, 79, 83, 115,
117, 118, 119, 137, 144,
146, 163, 164, 170, 179,
200, 230, 232, 240, 278,
285, 291, 310, 311, 318,
322, 341, 348, 349, 354,
356, 358, 375, 379, 391,
418, 444, 445, 452, 459,
525, 526, 528, 529, 532,
548, 563, 565, 567, 641,
648, 649, 651, 653, 655,
662, 663, 670, 671, 673,
674, 675, 701, 719, 722,
733, 735, 736, 740, 745,
747, 750, 751, 755, 757,
759, 760, 763, 765, 771,
775, 777, 778, 801, 804,
806, 807, 808, 809, 815,
820, 823, 829, 830, 835,
836, 837, 839, 840, 841,
842, 857, 861, 862, 864,
868, 870, 871, 875, 879,
886, 888, 894, 922, 924,
925, 926, 929, 935, 942,
954, 955, 961, 963, 964,
965, 966, 970, 972, 973,
993, 1003, 1006, 1007,
1008, 1019, 1027, 1029,
1030, 1032, 1034, 1036,
1039, 1051, 1052, 1058,
1059, 1070, 1076, 1077,
1078, 1080, 1082, 1086,
1088, 1089, 1092, 1093,
1113, 1120, 1123, 1127,
1128, 1134, 1140, 1141,
1142, 1147, 1167, 1168,
1169, 1176, 1177, 1183,

1185, 1195, 1198, 1200,
1201, 1202, 1203, 1229,
1240, 1241, 1255, 1257,
1264, 1267, 1271, 1274,
1276, 1279, 1280, 1281,
1282, 1307, 1308, 1488,
1566, 1567, 1590, 1591,
1592, 1594, 1630, 1636,
1638, 1639, 1664, 1665,
1667, 1668, 1669, 1677,
1678, 1680, 1681, 1682,
1683, 1697, 1705

經解－－春秋義 1697

經疑 918, 1241, 1285,
1290, 1477, 1577

經筵春秋講義 1697

經筵講章 . 1705

經筵講章（春秋） 1705

經筵講義 1113, 1693

經筵講義春秋 1693

經說 203, 227, 372, 654,
922, 1224, 1250, 1280,
1548, 1593, 1681, 1722,
1726

經翼 395, 418, 446, 451,
460, 474, 565

經籍考 7, 11, 13, 14, 23, 26,
29, 30, 35, 42, 47, 49, 71,
77, 84, 85, 87, 88, 144,
159, 161, 183, 190, 223,
228, 229, 230, 231, 235,
238, 258, 277, 293, 296,
302, 337, 350, 355, 356,
357, 361, 383, 385, 386,

十五劃

國家圖書館出版品預行編目資料

《經義考》著錄「春秋類」典籍校訂與補正

楊果霖著. – 初版. – 臺北市：臺灣學生，2013.1
面；公分

ISBN 978-957-15-1578-6(平裝)

1. 經義考 2. 研究考訂 3. 考據學

090.21   101020228

《經義考》著錄「春秋類」典籍校訂與補正

著　作　者：楊　　　果　　　霖
出　版　者：臺 灣 學 生 書 局 有 限 公 司
發　行　人：楊　　　雲　　　龍
發　行　所：臺 灣 學 生 書 局 有 限 公 司
　　　　　　臺北市和平東路一段七十五巷十一號
　　　　　　郵 政 劃 撥 帳 號：00024668
　　　　　　電　話：(02)23928185
　　　　　　傳　眞：(02)23928105
　　　　　　E-mail：student.book@msa.hinet.net
　　　　　　http://www.studentbook.com.tw
本書局登
記證字號：行政院新聞局局版北市業字第玖捌壹號
印　刷　所：長 欣 印 刷 企 業 社
　　　　　　新北市中和區永和路三六三巷四二號
　　　　　　電　話：(02)22268853

定價：新臺幣三○○○元

西 元 二 ○ 一 三 年 一 月 初 版